Westkunst

Grundriß mit Plan der Ausstellung Seite 330–331
Katalog der ausgestellten Werke ab Seite 336

Westkunst
Eine Veranstaltung der Museen der Stadt Köln
unter der Schirmherrschaft der Deutschen UNESCO-Kommission

Internationaler Beirat: Giulio Carlo Argan, Rom, Alan Bowness, London, Martin Friedman, Minneapolis, Kurt Hackenberg †, Odenthal, K. G. Pontus Hultén, Paris, Peter Ludwig, Aachen, Franz Meyer, Basel, E. L. L. de Wilde, Amsterdam

Generaldirektor der Museen der Stadt Köln: Hugo Borger

Direktor des Museum Ludwig: Karl Ruhrberg

Ausstellungskommissar: Kasper Koenig
assistiert von Margareta Helleberg und Maja Oeri;
Sekretariat: Astrid Höfer
Mitarbeit Anna Astner, New York

Dokumentation: Marcel Baumgartner

Handbuch: Laszlo Glozer

Verwaltung: Reinhard Tränkner
Transport und Versicherung: Maria Garding
Öffentlichkeitsarbeit: Karin Bolenius
Graphische Gestaltung: Hannes Jähn

Ausstellungsarchitektur: Oswald M. Ungers
mit W. R. Becken, B. Meyer und G. Wooding
Durchführungsplanung und Museologie: Architekt Heinz Micheel
mit Thomas Grabski und Michael Graetz
Lichtdesign: Hans T. von Malotki und Heinrich Kramer

Einrichtung der Ausstellung: Wissenschaftliche und technische Mitarbeiter aller Kölner Museen
Museum Ludwig: Evelyn Weiss, Oberkustos. Christoph Brockhaus, Gerhard Kolberg, Reinhold Mißelbeck, Bernd Vogelsang
Albert Schug, Direktor der Kunst- und Museumsbibliothek
Siegfried Gohr, Direktor der Kunsthalle
Konservatorische Betreuung: Wolfgang Hahn, Chefrestaurator des Wallraf-Richartz-Museum/Museum Ludwig
Sicherheitsbeauftragter der Kölner Museen: Wolf Rodewald
Zur Ausstellung erscheint ein Kurzführer von Richard Kreidler, Außenreferat der Kölner Museen
Für den Heute-Teil der Ausstellung erscheint ein eigener Katalog im gleichen Format wie das vorliegende Handbuch

Laszlo Glozer

Westkunst

Zeitgenössische Kunst seit 1939

DuMont Buchverlag Köln

Auswahl und Zusammenstellung der Dokumente:
Marcel Baumgartner, Kasper Koenig, Laszlo Glozer

Zu Fotografien, deren Urheber nicht genannt werden,
gibt der DuMont Buchverlag auf Anfrage den Nachweis.

Westkunst
Glozer, Laszlo
Westkunst : Zeitgenössische Kunst seit 1939 / Laszlo Glozer:
[Ausw. u. Zsstellung D. : Marcel Baumgartner . . .] . – Köln : DuMont,
1981.

Ausstellungskatalog
ISBN 3-7701-1292.X

Gesamtproduktion: DuMont Buchverlag
Peter Dreesen, Heinz Schmitz, Dieter Müller

Reproduktion: Offset-Repro-Zentrum, Düsseldorf und Litho Köcher, Köln
Satz und Druck: Rasch, Bramsche
Buchbinderische Verarbeitung: Kleins-Druck, Lengerich

Zum Geleit

Die Kölner Ausstellung ›Westkunst – Zeitgenössische Kunst seit 1939‹ stellt den Versuch dar, die Kunst der Gegenwart in neuer Bewertung zu sehen. Zu einer Besichtigung der Kunst der eigenen Zeit wird eingeladen und die Möglichkeit eröffnet, nach ihren Ursprüngen, Verwandlungen und Wirkungen zu fragen. Die für die Ausstellung ausgewählten Kunstwerke erlauben es überdies, Kontinuität und Widerspruch am Geist der Kunst zu entdecken. Eine Standortbestimmung für die Kunst zwischen 1939 und 1972 wird auf diese Weise erreicht. Das Panorama endet mit einer Momentaufnahme der ›Kunst heute‹.

Den zündenden Gedanken zu dieser Ausstellung hatte Kurt Hackenberg, der beinahe ein Menschenalter lang die Grundzüge der Kölner Kulturpolitik souverän bestimmte. Ihm gelang es, den Rat der Stadt Köln für das kühne Unternehmen zu gewinnen und dafür auch die Geldmittel zu erlangen. Sein Nachfolger im Amt des Kulturdezernenten, Peter Nestler, hat das Vorhaben zu seiner Sache gemacht.

Die wissenschaftlichen Vorbereitungen zu dieser Ausstellung begannen im Sommer 1978. Die Gesamtleitung lag in den Händen von Karl Ruhrberg, dem Direktor des Museums Ludwig der Stadt Köln. Als Ausstellungskommissar wurde Kasper Koenig gewonnen, dem Marcel Baumgartner, Margareta Helleberg und Maja Oeri zur Seite standen. Laszlo Glozer schrieb das Handbuch, das die einzelnen Kapitel der Ausstellung analysiert und dokumentiert. Die Benutzer von Ausstellung und Handbuch wird der Denkansatz derjenigen, die diese Ausstellung konzipiert und arrangiert haben, anregen, der Kunst der Gegenwart unter neuen Aspekten nahezutreten. Dabei ist es das Ziel der Ausstellung, die Kunstwerke für eine neue sinnliche Erfahrung bereit zu stellen. Zum Gebrauch einer Kunst, die fast schon historisch ist, wird aufgefordert. So erneuern die Kunstwerke, obschon Bestandteile bereits zerronnener Gegenwart, ihre Aktualität, werden sie lebendig. Der Kunst der Gegenwart wird damit die Chance geboten, von neuem entdeckt zu werden. Damit gewinnt die Gegenwart eine tiefere geistige Dimension.

Die Ausstellung findet in den Rheinhallen der Kölner Messe statt. Der Kölner Architekt Oswald M. Ungers hat dafür eine Architektur entworfen, die es erlaubt, von einem ›Museum auf Zeit‹ zu sprechen. Bezeichnenderweise ist nämlich das Museum zum eigentlichen Zentralort für Kunst geworden, nachdem sich die Kunst aus den alten Bindungen gelöst hat. Kunst der Gegenwart ist immer dann, wenn sie die Privatheit überschreitet, Museumskunst. Gerade das Museum ist inzwischen zu dem Ort geworden, der den Kunstwerken eine fortdauernde Gegenwart stiftet. Nirgendwo mehr als im Museum finden auch die Rehabilitationen der Kunstwerke statt. Dies ist oft genug ein sehr leiser, von wissenschaftlicher Forschung begleiteter Prozeß.

Ein wichtiger Teil der Ausstellung gründet in diesem Vorgang. An diesem Punkt ergänzen sich das Konzept der Ausstellung und ihre Architekturmorphologie, die mit Stützensälen arbeitet und auf diese Weise die vorgegebene Hallensituation für die Erzeugung von Atmosphäre ausschöpft. Für den Heute-Teil ist konsequent eine offene Raumform gefunden, die bei aller eingeschriebenen Raumharmonie den Laborcharakter dieser Ausstellungsstation unterstreicht.

Das Konzept für die Ausleuchtung der Räume lieferte Hans T. von Malotki. Die Bauleitung hatte der Kölner Architekt Heinz Micheel, der sich auch der speziellen museologischen Fragen annahm. Das Unternehmen gründet darüber hinaus in der kollegialen Zusammenarbeit vieler städtischer Ämter. Bauverwaltung und Museumsverwaltung spannten ihre Kräfte freundschaftlich zusammen, belebt von dem Gedanken, der Kunst der Gegenwart zu einem großen Auftritt zu verhelfen.

Man liest heute immer wieder, der Ausstellungsbetrieb sei inzwischen zu hektisch. Manches stimmt an dieser Kritik. Sie kann indessen nicht jene Vorhaben meinen, die mit Ernst und Sorgfalt vorbereitet sind und dazu dienen, bestimmte Abschnitte in der Geschichte der Kunst unter neuem Blickwinkel anzugehen. Die Ausstellung ›Westkunst‹ stellt sich diesem Anspruch. Sie steht in der Tradition jener großen Kölner Ausstellungen, die sich die Kunst der Gegenwart zum Thema nahmen, wie die Sonderbund-Ausstellung von 1912 oder die Werkbund-Ausstellung von 1914.

Es wird heute gerne behauptet, der Ansturm auf die Museen sei ein Resultat der sich ausbildenden Freizeitgesellschaft. Sogar von der Pervertierung des Museumsgedankens ist vor diesem allgemeinen Hintergrund die Rede. Wer dies behauptet, übersieht, daß schon die großen Kölner Ausstellungen am Anfang unseres Jahrhunderts Bevölkerungszuströme auslösten. Diese positive Entwicklung ist durch den Ersten Weltkrieg unterbrochen worden. Die später aufbrechende Feindschaft gegen Kunst, die in der Verachtung von Kunst während der Diktatur der Nationalsozialisten gipfelte und geistig die sogenannte Endlösung und den totalen Krieg vorwegnahm, hat schlimme geistige Verheerungen angerichtet. Aus unserer Sicht liegt in der Tatsache, daß die Museen und die von den Museen konzipierten Ausstellungen inzwischen wieder weite Kreise der Bevölkerung zu mobilisieren vermögen, eine der großen Leistungen des jüngeren Museumswesens. Unter diesem Aspekt ist die Ausstellung ›Westkunst‹ vor allem zu sehen. Um neben dem Erlebnis der Gegenwartskunst auch Wissen über die Kunst der Gegenwart zu vermitteln, wurde anstelle des üblichen Ausstellungskatalogs ein Handbuch geschrieben, das das Entstehen, Wachsen, Sich-Verändern, Kontinuität und Widerspruch in der Kunst zwischen 1939 und 1972 beschreibt und somit Kenntnisse der Bedingungen stiftet, unter denen Kunst entstand und entsteht.

Wie alle Bemühungen aller Kölner Museen nach 1945 zielt auch diese darauf, basierend auf wissenschaftlicher Einsicht, Kunst für alle diejenigen, die sich ein Bild machen wollen von dem, was Kunst ist und vermag, darzubieten. Für alle, die an der Vorbereitung dieses Unternehmens beteiligt waren, stand dieser Gesichtspunkt im Vordergrund.
Vielen, die an dieser Ausstellung mitgewirkt haben, ist zu danken. Hervorheben muß ich aber die Herren, die als Mitglieder des Beirates das Ausstellungssekretariat in vielfältiger Weise durch Rat und Tat unterstützten. Ganz besonders herzlich möchte ich Herrn Verleger Ernst Brücher danken, denn allein auf seinem Engagement gründet es, daß den Besuchern der Ausstellung dieses umfangreiche Handbuch an die Hand gegeben werden kann.

Hugo Borger

Zum Thema

Ziel der Ausstellung ›Westkunst‹ ist Information und Schärfung des Urteilsvermögens, ihr Grundgedanke die Zurückführung zeitgenössischer Kunst auf ihre Ursprünge. Gezeigt wird, was in der Zeit der Entstehung »Neue Wirklichkeiten« sichtbar machte und zugleich Wege ebnete, die heute noch nicht zu Ende gegangen sind, d. h. Kunstwerke werden sowohl nach ihrem Stellenwert in der Geschichte befragt als auch nach ihrer Bedeutung für das schöpferische und das rezeptive bildnerische Denken der Gegenwart. Kunstgeschichte und ihre Resultate, ergänzt durch Dokumentation, werden nicht unter nostalgischen, vielmehr unter aufklärerischen Aspekten gesehen und durch kritische Auswahl – auch kritisches Weglassen – neu gewichtet. Das erfordert Mut zur Subjektivität und Bekenntnis zur Qualität, die sich wiederum der kritischen Überprüfung durch die Besucher unterwerfen, ganz im Sinne von Wilhelm Worringers Leitsatz: »Ich frage in Form von Behauptungen.«

Beabsichtigt ist, »Kontinuität und Widerspruch« der künstlerischen Entwürfe offenzulegen, Entwicklungslinien und Zusammenhänge, Spiegelungen und Brechungen aufzuzeigen, die zum tieferen Verständnis der Kunst in der zweiten Jahrhunderthälfte unentbehrlich sind.

Schon für das bereits im Frühjahr 1978 mit Kurt Hackenberg entworfene Rahmen-Konzept war das Jahr 1939 von besonderer Bedeutung. Mit Ausbruch des Zweiten Weltkriegs geht die klassische Epoche der Modernen Kunst zu Ende, die »Zweite Moderne«, die bis in unsere unmittelbare Gegenwart hineinführt, bereitet sich vor. Der Prozeß dauert an, das Ende ist offen.

1937 ›Entartete Kunst‹ in München, 1939 die berühmt-berüchtigte Luzerner Auktion: Beginn der Emigration, erst innerhalb Europas, dann in die USA, schließlich Ablösung von Paris durch New York als Welthauptstadt der Kunst. Die Zeit der Utopien und der geschlossenen Systeme, die trotz aller vehementen Kritik noch immer Idealismus im Sinne des – auch unter den Zeichen des Schreckens bewahrten – Glaubens an Veränderbarkeit, an Verbesserung der Welt voraussetzten, geht unwiderruflich zu Ende.

Kunst ist immer Antwort auf Wirklichkeit. Kein Wunder, daß in einer verworrenen, aufgewühlten, brutalisierten Zeit die Antwort nicht eindeutig ausfällt. Aus dem Chaos der »Inkubationszeit«, wie Laszlo Glozer die Jahre zwischen 1939 und 1945 nennt, entstehen die radikalen Vorschläge einer neuen Kunst nach dem Ende des Zweiten Weltkriegs.

Ein knappes Vierteljahrhundert später signalisiert die Pariser Mai-Revolte von 1968 Veränderungen des politisch-gesellschaftlichen Bewußtseins, deren tatsächliches Ausmaß wir auch dreizehn Jahre danach noch nicht genau ermessen können. Diese Umwälzungen werden in der Kunst teils antizipiert, teils aufgenommen und weitergeführt. Wiederum gibt sie ihre Antwort auf die Realität: Der temporäre Optimismus der Kennedy-Ära geht auf den Schlachtfeldern von Vietnam und schließlich in der Washingtoner Nobelherberge Watergate zugrunde. Er wird abgelöst von tiefer Skepsis, Selbstbefragung und radikaler Infragestellung sozialer und künstlerischer Übereinkünfte: durch Engagement und Protest einerseits, durch die Privatheit neuer Elfenbeintürme und die Suche nach neuen Mythen andererseits. Der innovative Elan dieser Zeit wirkt bis tief in die siebziger Jahre hinein.

Weil die Wurzeln des radikal Neuen in den späten Sechzigern liegen und seine Perspektiven bereits aufs Heute verweisen, haben die für Konzept und Realisierung Verantwortlichen, Laszlo Glozer und Kasper Koenig, nach langen und durchaus kontroversen Diskussionen auf eine breite Darstellung der vierten Dekade verzichtet. Dafür legen sie einen besonderen Akzent auf die junge Szene von 1981: Auch in diesem Ausstellungsteil stellt sich eine prononcierte Meinung der Diskussion.

Bei der Realisierung eines so anspruchsvollen, geschichtsbewußten Konzepts war die Bildauswahl besonders wichtig. Es kam darauf an, nicht nur »Masterpieces« zusammenzutragen, vielmehr solche Werke und Werkgruppen aufzuspüren, denen eine Schlüsselfunktion in doppelter Hinsicht zukommt: im Sinne ihrer Wirkung in der eigenen Zeit und in ihrer weiterführenden Bedeutung unter den Aspekten von 1981. Ungewöhnliches Interesse am ›Westkunst‹-Projekt diesseits und jenseits des Atlantik, vor allem aber die selbstlose Hilfe von Museen, Galerien und Sammlern in vielen Ländern des westlichen Kulturkreises waren Voraussetzung für das Gelingen. Für das Vertrauen gegenüber den Organisatoren, den Kölner Museen insgesamt und dem Museum Ludwig insbesondere, sind wir sehr dankbar.

Zwar konnte die faszinierende Idee, junge Künstler einzuladen, architekturbezogene Projekte vor Ort zu realisieren, aus Finanzgründen nicht im geplanten Umfang verwirklicht werden. Das Konzept indes blieb auch in der knapperen Form erhalten, die Künstlernamen sind dieselben. Für engagierte Hilfe in diesem Bereich sind wir Rudolf Zwirner und den kooperierenden Galerien besonders verpflichtet.

›Westkunst‹ ist keine ›documenta‹. Inhalte und Ziele sind so verschieden, wie es die Ausstellungen in Köln und in Kassel sein werden. Präsenz bei der ›Westkunst‹ bedeutet Bekenntnis zu Künstler und Werk, aber kein »Gütesiegel« zum Anheften ans Revers. Mancher Künstler, manche Künstlerin sind nicht vertreten, weil ihre Arbeit nicht zum Thema gehört. Abschließend sei den Kölner Galerien, die ›Westkunst‹ mit eigenen Ausstellungen begleiten, sowie dem Kölnischen Kunstverein gedankt, der gleichzeitig Arbeiten von zehn Kölner Künstlern zeigt.

Karl Ruhrberg

Zur Ausstellung

Wir widmen diese Ausstellung Kurt Hackenberg, dem kürzlich verstorbenen ehemaligen Kulturdezernenten der Stadt Köln. Es ist seiner Initiative zu verdanken, daß die Stadt Köln für das ehrgeizige Unternehmen gewonnen werden konnte. Sein Plan sah stets eine Ausstellung von Kunst seit der Jahrhundertmitte vor. In den ersten Gesprächen schien es noch, als könne das ehemalige Staatenhaus als geeigneter Standort für unser und weitere von der Stadt Köln für die nächsten Jahre vorgesehene Ausstellungsvorhaben reaktiviert werden. Seit dem Frühjahr 1980 wissen wir, daß diese Hoffnung sich in so kurzer Zeit nicht erfüllen konnte.

Die Gruppe der Mitarbeiter hatte sich bereits konstituiert, mit Marcel Baumgartner aus Bern, Margareta Helleberg aus Stockholm und bald darauf mit Maja Oeri aus Basel. Dieses Team stand somit in der Verantwortung, eine Kunst auszuwählen, die – unter Berücksichtigung der Gesamtkonzeption der Ausstellung – ihre unmittelbare und unverbrauchte Wirkung auf den Besucher entfalten sollte. Das Kriterium war, daß die Werke den auf ein Mittelmaß gedrückten Erwartungen – dem ›guten Geschmack‹, dem ›gesunden Menschenverstand‹ – entschieden entgegentreten sollten. An diesem Anspruch will die Ausstellung gemessen werden.

Unser Leitgedanke war, in sich schlüssige Werkgruppen, die in ihrem zeitgeschichtlichen Zusammenhang und in ihrem wechselseitigen Verhältnis überprüft werden können, in der Ausstellung zu zeigen. Dabei versuchten wir, besonders wichtige Umbruchphasen durch möglichst komplette Rekonstruktionen programmatischer Ausstellungen intensiv zu vergegenwärtigen. Dieses Prinzip stieß auch bei vielen Leihgebern, die hier eine Gelegenheit sahen, ihre vertrauten Schätze wieder neu in ihrem Entstehungszusammenhang zu erleben, auf

Interesse. Die persönliche Freude und Dankbarkeit über entscheidende Leihzusagen, die wir in der Vorbereitungszeit erlebt haben, wird sich, so hoffen wir, auch bei dem einen oder anderen Besucher einstellen, der ›seinem‹ Bild ganz direkt und unerwartet begegnet.

Obwohl aus der Zielsetzung der Ausstellung dem Kunstwerk die Schlüsselstellung zukommt, sind komplexe Zusammenhänge und Querverbindungen herzustellen. So werden einige wesentliche Strömungen nicht direkt, sondern durch Dokumentation in die Ausstellung eingebracht. Hier wird das Dokument zur Primärinformation; dabei ist allerdings darauf zu achten, daß es nicht anstelle des Werkes zum Fetisch wird. Als eine wesentliche Ergänzung erweisen sich auch die in Zusammenarbeit mit dem Westdeutschen Rundfunk unter der Redaktion von Wibke von Bonin entstandenen neun Filme, die an Gelenkstellen der Ausstellung gezeigt werden.

Durch die Zusammenarbeit mit dem Architekten Oswald M. Ungers entstand für die Rheinhallen eine in sich schlüssige und eigenständige Raummorphologie, die unserer Ausstellungskonzeption entspricht. Ungers hatte die komplexe Aufgabe, einerseits einen von der üblichen Messepraxis abgesetzten, autonomen architektonischen Rahmen zu schaffen, und andererseits der Komplexität des Ausstellungsthemas gerecht zu werden. Unsere Überzeugung, daß eine Ausstellung mit der Präsentation der Kunstwerke steht und fällt, war in bestimmten Phasen der Vorbereitungen Anlaß zu letztlich fruchtbaren Diskussionen mit dem Architekten, die wesentlich zu dem jetzigen guten Ergebnis beitrugen.

Ein Hauptanteil am Gelingen dieser Präsentation kommt Heinz Micheel zu, der das Unternehmen seit den ersten Anfängen mit unermüdlichem Engagement begleitete. Daß die Zusammenarbeit mit der Köln-Messe in allen Stadien der Planung und des Aufbaus so erfreulich und gewinnbringend verlief, verdanken wir der überlegenen Umsicht und der großzügigen Gastfreundschaft von Jürgen Bergmann.

Es versteht sich von selbst, daß unser Projekt nicht ohne die aktive Unterstützung der beteiligten Künstler hätte realisiert werden können. Insbesondere ging es dabei um die Rekonstruktion von wichtigen Ausstellungen. Dagegen haben wir auf jene inszenatorischen Mittel bewußt verzichtet, die als autonome Ausdrucksform der Kunst entwickelt wurden.

Durch die extreme Zurückhaltung der inszenatorisch-darstellerischen Mittel sollte die Vermischung der Methoden von Kunst und Rezeption vermieden werden, damit ein möglichst direkter Kontakt zum Werk entstehen kann.

Daß Künstler zusehends selbst zu exemplarischen Betrachtern und kritischen Kommentatoren der Kunst wurden und ihre Rolle in der Öffentlichkeitsarbeit und Diskussionsführung wahrgenommen und professionell ausgebaut haben, ist ein besonderes Phänomen der siebziger Jahre. Unsere Priorität dagegen ist Kunst zu *zeigen,* somit die künstlerische Leistung und nicht eine wie auch immer geartete Vermittlung auszustellen.

Wir alle wissen es zu schätzen, ohne Bevormundung und ohne durch Vermittlungsraster vorprogrammiert eine Ausstellung zu besuchen. Auch die Frage, was Kunst ist, soll nicht gestellt werden. Dies ist die Sache eines jeden einzelnen, dem durch den Ausstellungsbesuch die Möglichkeit geboten wird, Fragen zu stellen.

Kasper Koenig

Dank

Siegfried Adler, Hinterzarten
Thomas Ammann, Zürich
Troels Andersen, Silkeborg
Thomas N. Armstrong, New York
Heiner Bastian, Berlin
Richard Bellamy, New York
Jürgen Bergmann, Köln
Valerie Beston, London
Rainer Budde, Köln
Peter Beye, Stuttgart
Hans Bolliger, Zürich
Wibke von Bonin, Köln
Dominique Bozo, Paris
Ernst Brücher, Köln
Adelin De Buck, Köln
Richard Calvocoressi, London
Leo Castelli, New York
Germano Celant, Genua
Berni Cimera, Köln
Johannes Cladders, Mönchengladbach
Bill Copley, New York
Jean Delpech, Paris
Bernd Diemer, Köln
Peter Dreesen, Köln
Robert Elkon, New York
Jim Elliot, Berkeley
Zdenek Felix, Essen
Konrad Fischer, Düsseldorf
Isi Fiszman, Brüssel
Karl Flinker, Paris
Xavier Fourcade, New York
Andreas Franzke, Karlsruhe
Rudi Fuchs, Eindhoven
Mr. and Mrs. Victor W. Ganz, New York
Eberhard Garnatz, Köln
Henry Geldzahler, New York
Yves Gevaert, Brüssel
Jürgen Glaesemer, Bern
Arnold Glimcher, New York
Ute Glorius, Köln
Barbara Göpel, München
Ernest Goldschmidt, Brüssel
Olle Granath, Stockholm
Paul Gredinger, Düsseldorf
H. R. Greub, Binningen
Wolfgang Hahn, Köln
Daryl Harnisch, New York
Herr Helmut K., Köln
Hilmar Hoffmann, Frankfurt/M.
Gustav Hoffmann, Köln
Marwan Hoss, Paris
Gisela Hossmann, Köln
Peter Iden, Frankfurt/M.
Jürgen Jacob, Köln
Sidney Janis, New York
Pierre Janlet, Brüssel
Benjamin Katz, Köln
On und Hiroko Kawara, New York
Edda Köchl, Köln
Walther König, Köln
Gabriela Kremer, Köln
Hildegard Küpper, Köln
Martin Kunz, Luzern
John Lane, Pittsburgh
Larry Lang, New York
Wolfgang Lassalle, Osnabrück
Margo Leavin, Los Angeles
Irmeline und Paul Lebeer, Brüssel
Baudoin Lebon, Paris
Daniel Lelong, Paris
Abraham Lerner, Washington, D.C.
Gail Levin, New York
Hagen Lieberknecht, Köln
Gilbert Lloyd, London
William Mac Quitty, London
Paul Maenz, Köln
Phil Martens, Brüssel
Pierre Matisse, New York
Paule Mazouet, Paris
Sibylle Mulot-Deri, München
Günter und Sigrid Metken, Paris
Franz Meyer, Basel
Heinz Micheel, Köln
Gertrud Michels, Köln
Marion Moffett, New York
F. A. Morat, Freiburg
Doris und Walter Neuerburg, Köln
Bruna Norton, Turin
Francis O'Connor, New York
Anne Ott, Köln
Alfred Pacquement, Paris
Krisztina Passuth, Paris
Gerhard Pohl, Praroman
Betsy Richebourg, New York
Philippe Roberts-Jones, Brüssel
Anne Rorimer, Chicago
Cora Rosevear, New York
Eve Rothenberg, New York
Willy Rotzler, Zürich
Lawrence Rubin, New York
William S. Rubin, New York
Renate Scharge, Köln
Michael Schirner, Düsseldorf
Erhard Schlieter, Köln
Alfred Schmela, Düsseldorf †
Werner Schmalenbach, Düsseldorf
Marlene Schmitz, Köln
Ewald Schneider, Köln
Schuldt, New York
Friedrich Wilhelm von Sell, Köln
Shozo Shimamoto, Hyogo
Patterson Sims, New York
Hanns Sohm, Markgröningen
Reiner und Gisela Speck, Köln
Jim Speyer, Chicago
Werner Spies, Paris
Björn Springfeldt, Stockholm
Rodolphe Stadler, Paris
Karl Stamm, Köln
Christina Steinbüchel, Köln
Arno Stoll, Köln
Sami Tarica, Paris
Michèle Venard, Paris
Germain Viatte, Paris
Mary Jane Victor, Houston
Elizabeth Volk, Köln
Diane Waldman, New York
Martin Warnke, Hamburg
Jürgen Weihrauch, München
Johannes Winnen, Köln
Michael Winter, Köln
Rudolf Zwirner, Köln

Allen Mitarbeitern des DuMont Buchverlages, die mit ungewöhnlichem Engagement an der Erstellung dieses Buches mitgewirkt haben, sei hier ganz herzlich gedankt.

Ebenso danken wir allen Mitarbeitern der Kölner Museen, der Firma Hasenkamp und der KölnMesse, die uns während der Vorbereitungszeit der Ausstellung geholfen haben.

Inhalt

Zum Handbuch

Dieses Buch versteht sich als Anregung, von der lebendigen Kunst der Moderne produktiv Gebrauch zu machen. Wenn hier darüber hinaus der interpretatorische Vorschlag gemacht wird, die Veränderungen der Avantgarde-Kunst seit dem Ausgang der dreißiger Jahre im *Zusammenhang* zu begreifen, so geschieht dies allerdings mit der Einsicht, daß die Kunst selbst ihrer Vermittlung Grenzen setzt. Kunst ist erlebbar – sie ist keineswegs restlos erklärbar. Und es ist schwierig, etwas zu sagen, was nicht gleichsam schon zuviel ist, das Publikum bevormundet und zugleich an der Kunst vorbeiführt. Was hier versucht wird, ist eine Vermittlung der Nähe. Entstehungs-, Wirkungs- und Lebenszusammenhang, der »Nährboden« der Kunst, wurden ins Auge gefaßt. Text- und Bilddokumentation sollen den »Originalton« des Milieus vergegenwärtigen, in dem die neue, immerzu »andere« Kunst in Spannung zwischen der zeitgenössischen Herausforderung und der Tradition der Avangarde entsteht.

Die Argumentation führt entlang der Kunstwerke: daß jede Exkursion, jeder Gedanke optimal illustriert werden konnte, ist für einen Autor ein seltener Glücksfall: der Dank dafür gilt dem Auftraggeber, der Stadt Köln, und dem DuMont Buchverlag. Das ungewöhnliche Engagement für dieses Projekt im Verlag und Lektorat, der hilfsbereite Einsatz, insbesondere das virtuose Reaktionsvermögen der Produktionsleitung, war ein beeindruckendes Erlebnis. Jedem einzelnen sei hier herzlich gedankt.

Das Handbuch zur Ausstellung ist das Ergebnis einer Zusammenarbeit. Es ist ein Buch von jedem einzelnen des kleinen, in jeder Phase intensiv beteiligten und an der Sache persönlich engagierten Ausstellungsteams – mit Marcel Baumgartners Löwenanteil an dem gesamten gemeinsamen Projekt. Damit ist der Dank nicht zu Ende. Ich hatte Hilfe von Freunden: ohne sie (und natürlich ohne die in kritischen Momenten stets belebende Wirkung durch Widersacher der unangepaßten Kunst) wäre das Buch nicht zustandegekommen.

L. G.

Die unverbrauchte Moderne
Drei Jahrzehnte Gegenwartskunst

Die Ausstellung ›Westkunst‹ ist eine Thesenausstellung. Sie behauptet (und bietet sich zur Überprüfung an), daß die Kunst des 20. Jahrhunderts auf eine besondere Weise lebendig ist: Sie ist in ihrer Gesamtheit für uns Gegenwartskunst. Gegenwartskunst aber nicht im Sinn von historischer Zeitgenossenschaft. Diese zeitgeschichtliche Rolle ist jeweils ausgespielt, wurde zur Chronik oder Legende, blieb auch manchmal verdeckt oder vergessen.

Entscheidend ist für uns etwas anderes: Wie weit können *wir* Gebrauch machen von einer Kunst, die ihrer Entstehungszeit nach schon historisch geworden ist. Ist es angemessen, notwendig oder überhaupt auch nur möglich, zurückzugreifen, und vor allem auf welche Kunst – diese aufgefächerte Frage bleibt zu beantworten, wenn wir mit großer Geste Anspruch auf die Kunst des Jahrhunderts erheben, auf die gesamte Moderne also, damit sie uns auf einmal als Gegenwartskunst diene.

Dieses Ansinnen ist nicht gleichzusetzen mit dem beliebten Griff nach aktuellen Exempeln aus der Vergangenheit. Es geht nicht oder nicht nur um die Entdeckung von Modellfällen und parallelen Situationen, obzwar auch hier beachtlich ist, was uns die Geschichte zu sagen hat. Doch die Kunst selbst vermag noch etwas anderes: Mit ihrer direkten Wirkung durchbricht sie die Distanz bloßer Vergleichskonstruktionen und ist somit nicht die Geisterstimme aus der beschworenen Geschichte, sondern vor dem Vorhang zugleich die sinnliche Erfahrung: das Kunstwerk steht zur Verfügung.

Natürlich steht es uns schon lange zur Verfügung. Nicht nur Abteilungen, ganze Museen sind der Kunst der Moderne gewidmet. Sie ist ausgestellt. Damit ist sie allerdings erfaßt und eingepaßt in ein übergeordnetes System, dessen Bedingungen erneut Distanz schaffen. Denn das einzelne Werk ist in seiner Wirkung und individuellen Entfaltung beeinträchtigt: Es wird zwar gewürdigt und gefeiert, aber damit zugleich heraus- und auf sich gestellt, in einem ihm absolut fremden System.

Daß diese Gedanken an zentralen Gemeinplätzen entlang führen, ist nicht abzustreiten. Doch gerade darauf kommt es an: daß diese Gedankenführung heute Allgemeingut ist, daß jeder Kunstinteressierte mittlerweile gelernt hat, sich über den wohl unlösbaren Konflikt des Kunstmuseums Gedanken zu machen, daß, wenn über Kunst nachgedacht wird, sich gleich auch deren Vermittlungsproblem ins Spiel bringt. Vom Stand einer so veränderten Wahrnehmung können wir ausgehen: Es ist das für unsere Zeit repräsentative Bewußtsein.

Diese Sensibilisierung wurde durch die Kunstdiskussion der sechziger und siebziger Jahre erreicht. Auf Infragestellen und radikale Absage folgten euphorische Reformversuche und Pragmatik. Hatte die Kunst im Museum den ersten verbalen Sturm leicht entstaubt überstanden, so blieb die Zeichensetzung ›Verbrennt alle Opernhäuser‹ doch nicht ohne wichtige Folgen. Die ins Gerede gebrachten Musentempel wurden nicht nur belagert und zum Tummelplatz pädagogischer Experimente gemacht, sondern sie sind zum brisanten Dauerthema geworden. Die Aktualität des Museums, Museum hier im umfassenden Sinn gemeint, geriet zu einem beherrschenden und kontroversen Motiv der Auseinandersetzung. Ausgerechnet zu einem Zeitpunkt, als die Sezession der zeitgenössischen Kunst aus dem Museum praktisch vollzogen war, wurde das Museum erneut, oder überhaupt erstmalig gezielt zum Stützpunkt künstlerischer Aktivität.

Dies ist die Perspektive der siebziger Jahre: Die Absichtserklärung der Sechziger, mit ihrer neuen Kunst *keine* Museumskunst zu liefern, erfährt eine dialektische Abwandlung. Innovation und der Optimismus direkter Wirkung werden als naiv aufgegeben, dafür bleibt als kreativer Aspekt die Wiederbelebung einer Weigerung: Museumskunst – ihre, wie die Infragestellung überhaupt, wird zum Thema, zum Gegenstand der Recherche, der künstlerischen Operation. Die Produktion von Kunst verschiebt sich in Richtung der Rezeption, Strategien lösen Werke ab, die Kunst verwickelt sich in ihre eigene Vermittlung, der Künstler wird aktiver Teil seiner eigenen, im Rollenspiel bewußt eingesetzten Wirkungsgeschichte. Als Austragungsort dieser Kunst-über-Kunst-Reflexion bewährt sich sinnigerweise die klassische Ausstellungsstätte des Kunstmuseums: Hier allein kann für diese Reflexionsübung die notwendige Öffentlichkeit hergestellt werden.

Mit dieser in der Raffung gewiß vereinfachten Perspektive ist die Ausgangssituation auch für die Ausstellung ›Westkunst‹ angedeutet. Die Intensität, die von den zeitgenössischen Künstlern in die Reflexion eingebracht wurde – die Generation der sechziger Jahre hatte damit begonnen – zieht nun Kreise, wirkt sich, könnte man sagen, stilbildend aus. Das so charakteristische Innehalten, das endgültige Aussteigen aus der gradlinigen Fortschrittsmotorik, motiviert auch die engagierte Vermittlung zu ausgreifender Bestandsaufnahme.

Fritz Bley, Moderne Kunst. Studien zur Kunstgeschichte der Gegenwart, Leipzig 1884

Doch das nicht allein. Der gar nicht so plötzliche Impuls zur Besinnung korrespondiert mit der Umorientierung der Künstler, die einen verblüffenden Aufwand an Kreativität nun für eine hauptsächlich durch Reflexion gekennzeichnete Kunst betreiben.

Die Konzentration der Kunst auf Kunst – nicht zu verwechseln mit dem ›l'art pour l'art‹ in der hundert Jahre zurückliegenden Aufbruchszeit der Moderne – läßt sich im Rückblick als Ergebnis eines von allen geteilten Bewußtseinsprozesses erkennen, der, in den sechziger Jahren beschleunigt in Gang gekommen, sein Profil mit entscheidender, wenngleich verzögerter Konsequenz nach 1968 gewann.

Lernprozeß – das Stichwort ist abgegriffen, und es mag sein, daß man bald schon anders auf die siebziger Jahre und deren exkursionsreiche Kunst, auf deren Aufbauarbeit zurückblicken wird. Heute, von eben dieser Zeit noch geprägt, hält man sich an diese Qualität. Nicht das im Augenblick Neue, die Variationen, Auswertungen und Anpassungen vorgefundener Entwürfe lassen eine Identifikation zu, sondern vielmehr die durch den Tempo-

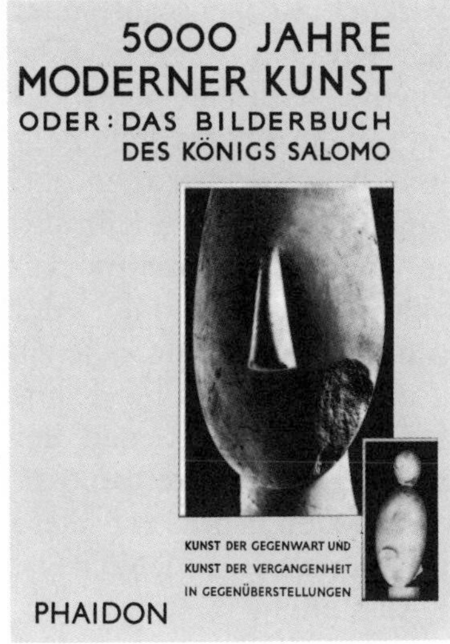

5000 Jahre moderner Kunst. Kunst der Gegenwart und Kunst der Vergangenheit in Gegenüberstellungen

wechsel erreichte Gelassenheit, die erzwungene Ernüchterung und die in der Kunstproduktion mitprotokollierte Verunsicherung des Jahrzehnts; und die dadurch gebotene Chance zur Besinnung.

Zu den Lektionen des Jahrzehnts gehört die Wandlung auf der Außenseite der Kunstszene. Neu und verblüffend: Wie widerspruchslos vom Museum Gebrauch gemacht wird, der phantastische Zulauf vor allem zu den ambulanten Schatzkammern möglichst entlegener Kulturen... Aber jede historische Schau kann mit Publikumsinteresse rechnen: Der Ausstieg aus der Gegenwart wird nämlich immer honoriert.

Ein Ausstellungsprojekt wie die ›Westkunst‹ scheint fraglos in die Kategorie dieser historischen Aufführungen zu gehören. Dafür spricht die Dimension und vor allem die Auswahl eines nicht bis zum heutigen Tag herangeführten Zeitabschnitts, denn die Eigenleistung der siebziger Jahre ist tatsächlich nicht mehr Gegenstand der ausstellerischen Vergegenwärtigung.

Doch die Fragestellung der Ausstellung ist ein Resultat der gegenwärtigen Bewußtseinswandlung. Nach jener großen Bewegung, die eine Grenzaufhebung oder die Vereinigung von Leben und Kunst zum Ziel hatte, stellt sich jetzt in der Phase der Bestandsaufnahme die Aufgabe der Differenzierung. Die Kunstvermittlung hat sich jetzt zu fragen, und zwar mit Blick auf das zur Verfügung stehende Kunstwerk, wieviel Leben unabgerufen darin steckt.

Damit ist nicht etwa eine wörtliche Übertragung des utopischen Kunst-und-Leben-Modells auf die Befragung gemeint, wohl aber der Versuch einer aus jenem Ideenfundus motivierten, notwendigen und intensiven Annäherung an die unverbrauchte Leistung historisch registrierter Kunst. Womit wir bei der Behauptung der Ausstellung ›Westkunst‹ angelangt sind: bei der These von der gegenwärtigen Wirksamkeit, der unverbrauchten Energie der Werke.

Die Ausstellung versucht den Blick darauf zu lenken, indem sie die museale Präsenz der Moderne modifiziert. Nicht ein ausstellerisch-inszenatorisches Gegenmodell zum Kunstmuseum schien angebracht, sondern eher eine Akzentverschiebung: von der im Museum mit Distanz gewürdigten historischen Leistung weg auf eine in jenem Kontext nicht erfaßte, praktisch kaum erfaßbare Leistung hin. Diese »Distanz zur Distanz« soll Nähe herstellen, Nähe zur künstlerischen Arbeit, zum Atelier, zum Entstehungszusammenhang. Sie soll vorübergehend abweichen von der verbindlichen Entwicklungsroute, auf der das Kunstwerk vor allem historischen Stellenwert zu markieren hat, und soll statt dessen Rechenschaft ablegen über das Spannungs- und Wechselverhältnis zum zeitgenössischen Leben, das heißt, über den Zusammenhang, in dem Kunst entsteht und rezipiert wird.

Welche Kunst? Die Ausstellung setzt auf die Wirkung von Kunstwerken unter unseren Augen – von Kunstwerken aus den vierziger, fünfziger, sechziger Jahren. Andererseits aber beruft sie sich auf die Avantgarde-Kunst, die seit Anfang des Jahrhunderts das Kunstgeschehen bestimmt hat. Nicht, weil sie eine Entwicklungsgeschichte im Sinn von linearen Abhängigkeiten aufstellen wollte, sondern weil sich im gesamten Zeitraum sehr komplexe Wirkungszusammenhänge zeigen, Ideen, Impulse, Intentionen eng ineinandergreifen, und so die bis heute noch nicht abgeschlossene Problemgeschichte der Avantgarde-Kunst bilden. In dieser Hinsicht ist die Epoche der Moderne unteilbar.

Der Grundgedanke von der ›Unverbrauchtheit‹ hängt mit diesem ominösen und doch nachprüfbar vitalen, organischen Wirkungsgefüge zusammen, das jenseits der Abfolge von Ismen und jenseits der Realgeschichte der Stile existiert. Gemeint ist aber nicht der gewöhnlich abstrakt gehandelte, in der ideologischen Diskussion umstrittene Autonomieanspruch der Kunst. Der Blick ist niedriger gehalten, auf den Nährboden der tatsächlich entstandenen Kunst, der über die historischen Bedingungen der engeren Entstehungsumstände hinweg Entsprechungen und Ähnlichkeiten gezeitigt hat, die uns heute in Erstaunen setzen. Es ist wohl die radikale, nicht allein von Kandinsky in den ersten beiden Jahrzehnten des Jahrhunderts eröffnete Perspektive des »Geistigen in der Kunst«, die bis heute über die Avantgarde so etwas wie eine Kontrollfunktion ausübt. Sie setzt die Maßstäbe, an ihr wird jeder Neuansatz gemessen, vor ihr muß sich die Souveränität selbst einer »anderen Kunst«, wie es per Manifest im Fall des Tachismus als »un art autre«[1] geschah, bewähren.

Die Gültigkeit dieses Wirkungsgefüges im Sinn von Kontinuität und Widerspruch vertritt unsere Ausstellung. Es hat sich immer wieder gezeigt, daß Bewegungen, wichtige Ereignisse, Spitzenleistungen oder Niederlagen sich zwar zu einer Chronik oder gar Geschichte der modernen Kunst aneinanderreihen lassen, ohne allerdings wirklich Rechenschaft über die Leistung dieser Kunst abzulegen. Eine solche Kunstgeschichte verdrängt meist das virulente, zentrale Problem der aus der gesellschaftlichen Bindung der Auftragsarbeit entlassenen, auf sich und ›freigestellten‹ Künstler der Moderne: die Spannung zwischen Anspruch und Wirklichkeit. Nur unter der Berücksichtigung dieser Spannung, die ja immer wieder auf die Produktion von Kunst unterschiedlich zurückwirkt, wird man der wirklichen Leistung der jeweils zeitgenössischen Kunst gerecht. Den Blick auf diese Spannung und ihre Wandlung zu lenken, ist eine Intention der Ausstellung.

Deshalb bietet sie zu Beginn der Schau absichtlich keinen Einstieg in die Kunstgeschichte, keinen Direktzugang zu Stilen und Schulen. Eine im Avantgarde-Kontext gewöhnlich für unergiebig gehaltene Zäsur, das Jahr 1939, wird zum Auftakt genommen, und die Jahre des Zweiten Weltkrieges werden durch den Blick auf die betroffenen Künstler in den Mittelpunkt der Eröffnung geschoben.

Nichts bleibt so, wie es einmal war: daß dies angesichts der Erschütterung jener Jahre auch für die Kunst gilt, wurde möglicherweise nie angezweifelt, allerdings auch kaum jemals ernsthaft untersucht – wichtig war ja immer der ganz andere Neubeginn. Dabei scheint es lohnend, dem modernen Künstler einmal in jener Wüste zu begegnen, gewissermaßen auf dem Rangierbahnhof des Chaos.

Auch dies eine Bewährungsprobe für die Avantgarde. Künstler, die bereits Kunstgeschichte gemacht haben, geraten in Grenzsituationen. Was geschieht? Die Veränderung im Werk unter äußerem Druck, aber auch durch die herausfordernde Erfahrung – ist sie als Gewinn oder als Deformation oder bloß wertfrei als Wandlung zu sehen? »Schwierig« oder »problematisch« gehandelte Spätwerke wie die von Klee, Kandinsky oder Mondrian unter diesem gemeinsamen Aspekt synchron

Piet Mondrian. New York. 1941/42 (Kat. 200)

zu prüfen, entlastet vielleicht die diachrone Künstlergeschichte und bringt Anregungen für eine lebensnähere Bewertung der ›Klassiker‹: der Künstler, gemessen am menschlicheren Maß der Zeitgenossen, der er ja auch – und vor allem? – ist.

Die Parade der Moderne bei Kriegsverdunkelung ist kein Selbstzweck. Reaktionsvermögen, Leidensfähigkeit, Rückzug, Beharrung, Beeindruckbarkeit – dieses Spektrum der in den einzelnen Œuvres nachweisbaren Verhaltensweisen relativiert nicht nur die Vorstellung von der auf den frühen Entwurf dogmatisch festgelegten Moderne, sondern auch den angenommenen Gegensatz in der künstlerischen Epocheneinteilung, als verträten die Künstler vollkommen verschiedene Welten. Der Zweite Weltkrieg mit den Schatten, die er auf die dreißiger Jahre vorauswarf und seinen Auswirkungen auf die Nachkriegszeit kommt hier nicht als trennender Schnitt, sondern als Scharnierstelle für die Avantgarde-Kunst in Betracht.

Damit wird die Eigenleistung der modernen Kunst nach dem Krieg keineswegs in Frage gestellt, sondern eben auch ihre Inkubationszeit für entscheidend wichtig genommen. Was in jenen Jahren passierte, hat bis heute Folgen.

War der Status der Moderne durch ihren Freiheitsanspruch schon immer quasi politisch, so erfährt jetzt die Kunst oder vielmehr ihre zunehmend bedrängte Lebenssphäre eine totale Politisierung. Nicht erst durch den Krieg.

In der Sowjetunion war die Avantgarde-Kunst bereits in den zwanziger Jahren ausgeschaltet. In Deutschland wurde ebendiese Avantgarde-Kunst nach der nationalsozialistischen Machtergreifung offiziell als »Kunstbolschewismus« bekämpft und ihre gesellschaftliche Isolierung in aller Öffentlichkeit demonstrativ vollzogen. Dabei hat die seit 1937 mit Ausstellungen beschlagnahmter Bilder und mit der Luzerner Auktion im Sommer 1939 ›bekrönte‹ Aktion »Entartete Kunst« das kulturelle Feindbild der faschistischen Diktatur bis ins 19. Jahrhundert ausgeweitet: von Gauguin und van Gogh bis Beckmann, Klee und Picasso.

Jetzt gibt es keine Distanz mehr zwischen Kunst und ihrem zeitgenössischen Hintergrund, der als monströse Gegenwart ins Leben eingreift und Schicksal spielt, für den Einzelnen wie für die Gemeinschaft, und sei diese auch nur fiktiv wie die als ›Verschwörertruppe‹ ausgemachte Avantgarde. Die Bedrohung ist frontal, brutal, existentiell.

Umschlagentwurf für die zweite Nummer der Zeitschrift ›Mauvais Temps‹ (Schlechte Zeiten), hrsg. von der belgischen Gruppe ›Rupture‹, 1939 (Die Nummer wurde nicht realisiert)

Eine Wahl bleibt dem Künstler nicht. Denn der der Kunst immanente Freiheitsanspruch ist angegriffen, damit generell die Substanz der Moderne eben mindestens seit van Gogh. So findet sich der Künstler ungefragt in den Widerstand versetzt, im Lager der verfolgten individuellen Freiheit – gegen die Diktatur. Mit der Inszenierung des Bildersturms, seiner Systematik, seinem Aufwand und Propagandaeinsatz, wird der Kampf gegen die Moderne vom Faschismus vereinnahmt. Daß aber Diktatur und Freiheit auch anderswo und jenseits ideologischer Differenzierungen unvereinbar sind, hat mahnend noch 1939 der Hitler-Stalin-Pakt in Erinnerung gebracht.

Die Kollision der Moderne mit der Zeitgeschichte hat eines sicher bewirkt: das Freiheitsmotiv wurde öffentlich, wurde Leitmotiv der Rezeption. Daß dabei nicht die Kunst selbst mit allen inhaltlichen Konsequenzen in die Auseinandersetzung hineingezogen wurde, sondern lediglich ihr selbstverständlicher Freiheitsanspruch ununterbrochen moralisch gebilligt wurde, ist ein Dilemma der an Verdrängungen ohnehin reichen Nachkriegszeit.

Die Rehabilitierung der verfolgten Moderne – Wiedergutmachung und Kredit, Förderung, Verpflichtung – alle diese Maßnahmen begleiten das nunmehr herauspräparierte Freiheitsmotiv. Am Ende der Einbahnstraße dieser Vereinfachung konnte allein das von konkretem Leistungsnachweis abgelöste Stichwort ›abstrakte Kunst‹ synonym für Freiheit stehen, und die abstrakte Kunst wurde bald als Sprache, gar imperialistisch ausgreifend als Weltsprache, in Betracht gezogen. Wenn der unausbleibliche Zusammenbruch dieser Betrachtungsweise irgendwann zu Anfang der sechziger Jahre als fällige Stilablösung verharmlost wurde, so ist das wohl nicht im engeren Sinn ein Problem der aktuellen Kunstvermittlung. Es ist die Quittung überhaupt für jene Art und Weise, auf Angebot und Botschaft der Kunst einzugehen.

Dieses Mißverständnis der zum Höheren berufenen, in den Stand des Quasi-Offiziellen erhobenen Avantgarde-Kunst war vorprogrammiert und ist zurückzuführen auf die schwierigen Jahre, mit denen die Ausstellung ›Westkunst‹ einsetzt. Eine Folge der politischen Implikation der Avantgarde ist, daß sie fortan öffentlich Geltung hat und daß sie dementsprechend kunstpolitisch beansprucht werden kann. Damit beginnt eine neue Phase der Wirkungsgeschichte: die der erfaßten, der rezipierten Moderne.

Wenn wir vorhin den Kriegsjahren eine Scharnierfunktion für die Geschichte der Avantgarde-Kunst zugesprochen haben, so war damit der in jener Zeit bewirkte Wechsel gemeint: aus der Phase der begrenzten Experimente, aus privaten Kreisen und Initiativen in den exponierten Status öffentlicher Beachtung; aus der Isolierung zwar nicht in eine umfassende Popularität, doch immerhin in eine feierlich bekräftigte Legalität – dies auf der einen, gewissermaßen auf der Außenseite der Geschichte.

Allerdings scheiterten die Utopie, die weltverändernden Entwürfe der Konstruktivisten, der selbstauferlegte Revolutionsdienst der Surrealisten bereits an der Realität der dreißiger Jahre. Daß für den nicht aufgegebenen Anspruch eine bessere, befreite Nachkriegszeit Chancen bieten würde, diese Hoffnung der Künstler hat sich, bedingt, erfüllt. Ausstatterdienste für eine pragmatisch gehandhabte Zukunftsgestaltung wurden bis in die Detailformung des Lebensstils abgerufen. Und auch umgekehrt: Hoffnung und Zuversicht wurden in die wiederentdeckte, rehabilitierte moderne Kunst projiziert, vorab in die neubeschworene Autorität der abstrakt-gegenstandslosen Kunst, deren Werke gleich als Ikonen der eigenen, von Wissenschafts-, Forschungs- und Fortschrittsgläubigkeit durchdrungenen Welt erkannt werden konnten.

Aber im Lauf der Kriegsjahre fand auch eine innere Veränderung im Gefüge der Avantgarde-Kunst statt. Die neue Kunst, die daraus noch in den vierziger Jahren hervorging, wurzelte zwar in der Jahrhundertleistung der Avantgarde, resultierte aber ganz aus der unmittelbaren Betroffenheit, war zugleich die Reflexion der erlebten Erschütterung der Wertsysteme von Zivilisation, Kultur und Kunst.

Diese Wandlung läßt sich nicht in Diagrammen abbilden, sie ist mit Ableitungstabellen nicht zu erfassen. Gewiß haben solche Stamm-

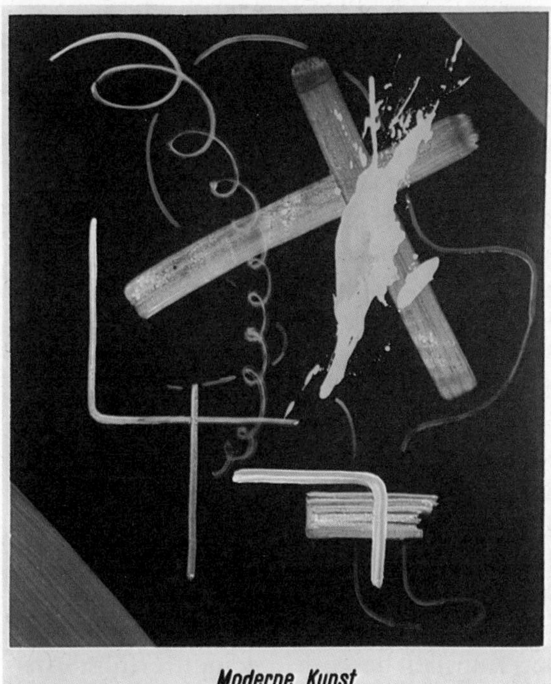

Sigmar Polke. Moderne Kunst. 1968 (Kat. 783)

bäume das Leben der von ihnen erfaßten Kunst schon immer ausgesperrt, haben den Anspruch auf den zeitgenössischen Zusammenhang gar nicht erhoben. Immerhin waren sie sinnvoll, solange die Innovationen sukzessiv aufeinanderfolgten – das heißt, bis zur Stagnation der dreißiger Jahre. Die Wandlung danach führt in eine neue Vielschichtigkeit, in eine aufgebrochene, offene Situation, wo die Zweidimensionalität dieser Ableitungen nicht ausreicht, um das Geschehen im Hinblick auf die neue Kunst begreifbar zu machen. Wir haben gesehen, die Ausstellung zeigt dies, daß die großen Künstler der ersten Avantgarde für sich die Konsequenz eines Ausstiegs aus der schematisierbaren Entwicklung gezogen, gewählt, ja erlitten haben. Aus demselben humanen Impuls heraus kam es in dieser Zeit zu jener extremen Setzung, mit der eine junge Generation den Zusammenhang von Kunst und Leben exemplarisch, mit dem Werk, unter Beweis stellte.

In dieser Kunst wurde manifestiert, daß nichts mehr so bleiben konnte, wie es zuvor war: die Kunst nicht und ihr Verständnis nicht. Von diesem radikalen Dimensionswechsel wüßten wir heute möglicherweise nicht, hätten wir nicht die Bilder von Wols und Pollock in den Museen vor uns: eine reichlich rezipierte und doch unverbrauchte Kunst.

Natürlich setzt die Ausstellung auf diese Werke, die auf entscheidende Weise die Wandlung im Avantgarde-Gefüge repräsentieren, aber nicht nur auf sie allein. Es ist aus heutiger Sicht klar, daß die beim Wiederaufbau angewandte, immer noch kühn und enthusiastisch durchgesetzte Abstraktion nur eine stilistisch-fragmentarische Rückbeziehung auf den Konstruktivismusentwurf war und daß sie, soweit sie öffentlich sichtbar wurde, zumeist bloß kosmetische Maßnahmen darstellte, Zeichensetzung mit und an der Fas-

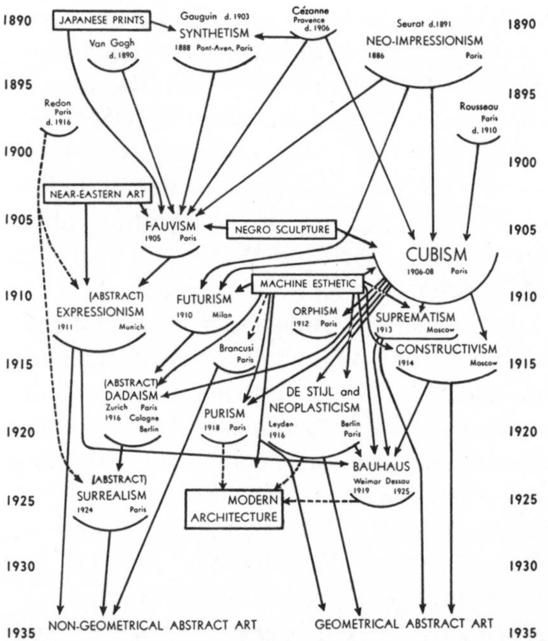

Stilentwicklungen in der bildenden Kunst zwischen 1890 und 1935. Schema aus dem Katalog ›Cubism and Abstract Art‹, Museum of Modern Art, New York 1936

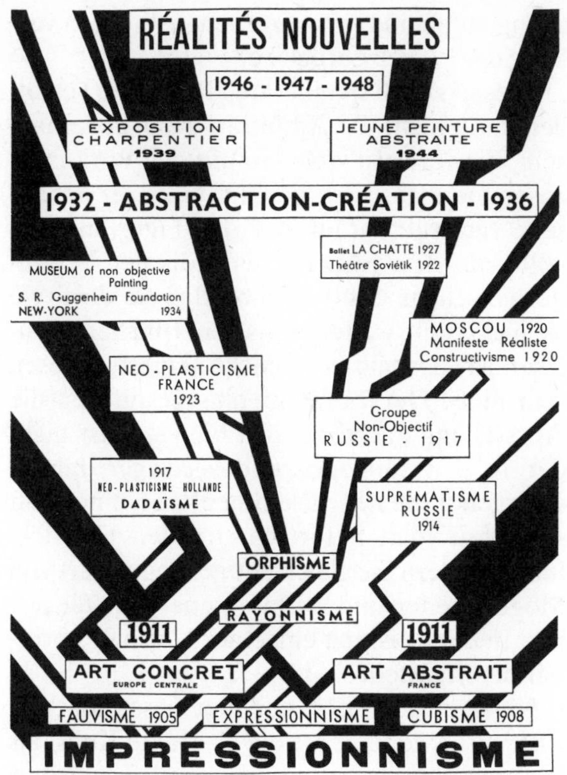

Entwicklung der abstrakten Kunst im 20. Jahrhundert. Aus: ›Réalités Nouvelles‹, Nr. 2, Paris 1948

sade. Mehrere Generationen der nach wie vor umstrittenen Moderne nahmen nun an einer Konjunktur Anteil, die nur indirekt an Kunst interessiert war.

Aus diesem Zusammenwirken lassen sich im Milieu der fünfziger Jahre an den heftigen Kontroversen um die auf einmal öffentlich diskutierte Moderne Begeisterung und Unbehagen gleichermaßen ablesen. In diesem fiebrigen Milieu wird emsig erarbeitet und domestiziert. Das »Unbekannte in der Kunst« wird zur Heimproduktion freigegeben, könnte man verkürzt mit dem Titel jenes Buches behaupten, das gewissermaßen als Testament der Moderne zur Unzeit der Diktatur verfaßt wurde und dann als Pflichtlektüre der Fortgeschrittenen kursierte.[2] Jenes Stichwort vom Nachholbedürfnis, ja von der Notwendigkeit, ist nicht ernst genug zu nehmen, unbeschadet der Tatsache, daß das längst schon in der Vorkriegszeit projektierte, aber erst jetzt zur systematischen Beackerung erschlossene For-

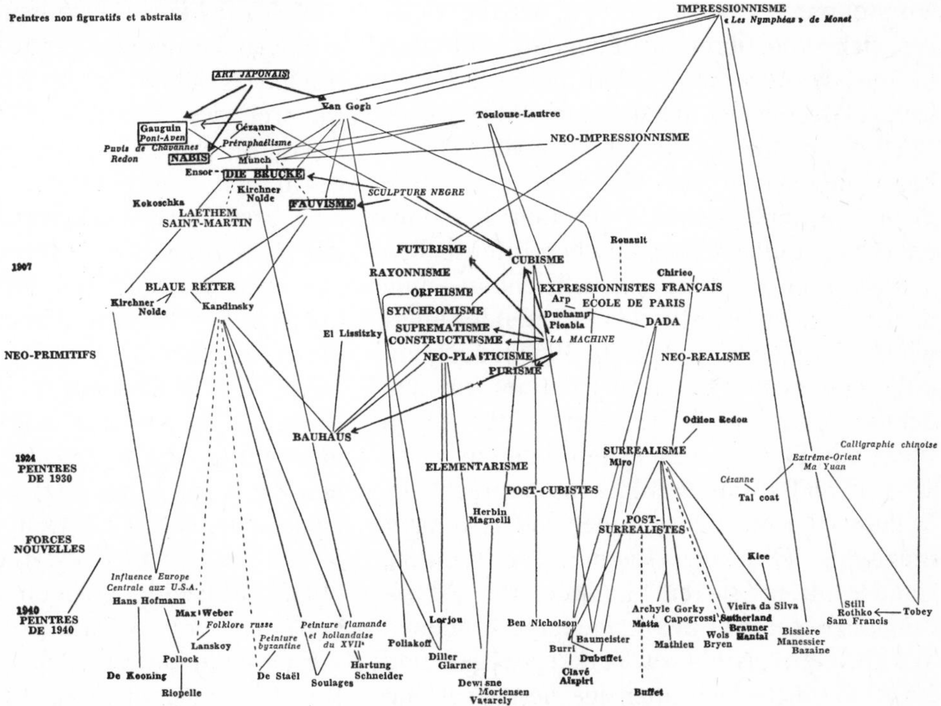

Tableau de la peinture moderne. Aus: ›Les clés de l'art moderne – Peinture, Sculpture, Musique‹, Ed. La Table Ronde, Paris 1955

schungsgebiet der Avantgarde keine Zukunft mehr bieten konnte, denn die war bereits zerstört – durch Kunst.

Daß die Eckwerte schon gegeben waren, wurde später und erst allmählich bewußt. Zuerst, Anfang der fünfziger Jahre, wurde das Schreckgespenst des ›Akademismus‹ für die kühle, geometrische Abstraktion unabweisbar und zugleich rufschädigend heraufbeschworen.[3] Schlimmer noch traf die überfällige Skepsis die Adepten der sich mit mehr Recht revolutionär gerierenden informellen Kunst, die sich ihrerseits am Ende des Jahrzehnts die gar nicht so polemisch gemeinte Frage nach dem ›tachistischen Professor‹ gefallen lassen mußten; da konnte der groteske Widerspruch nur noch platzen, die Krise war ohnehin schon da.[4]

Denn während die informelle Produktion die Gemüter auf der 58er Biennale und danach auf der documenta II noch in überschwappendem Maß bewegt, geht in den Ateliers bereits eine neue Fühlungnahme mit der Außenwelt vor sich. Das Publikum, allmählich mit der Vorstellung vertraut geworden, daß die Malerei sich von ihrer abbildenden Funktion befreit, ja die sichtbare Welt definitiv hinter sich gelassen habe, daß nie mehr ein gemaltes Porträt, geschweige denn ein gemalter Apfelbaum möglich sein werde, wird jetzt durch Zeugnisse einer neuen Figuration überrumpelt, die in einem dramatischen öffentlichen Prozeß – miterlebbar, nachvollziehbar – eine ganze Ära der tachistischen Innenbilder überwindet. Tatsächlich malt um 1960 manch ein aufgeschlossener Eleve aus der informellen Schule sogar die Geburtswehen der neuen Figur mit: Der ›Umbruch‹ liefert den thematischen Anlaß für neue Bilder farbenprächtiger Malgestik. Kunstfiguren, mehr oder weniger magische Objekte, Räume, verfremdete Landschaften, surreal kombinierte Abbildungsstrukturen der wiedergewonnenen Wirklichkeit bis hin zu Verkehrswegen und Verkehrszeichen gerinnen aus diesem seltsam zwingenden und erzwungenen, ästhetisch verbrämten Prozeß zurück zur Figur.

Diesen gewiß spannenden Prozeß zu verfolgen kann nicht die Ambition der Ausstellung sein. Sie verweist vielmehr auf den Wirkungszusammenhang, der sich hinter dieser Schauseite verbirgt: darauf, daß die ›Figur‹ niemals völlig aus dem Entwurf der radikalen Vorbilder verschwunden war, und daß sie dort, wo sie nicht ohne weiteres aus dem Bild herauszulesen ist, deshalb noch nicht negiert gewesen sein muß. Der Zusammenhang, auf den die Ausstellung nachdrücklich hinweist, ist nicht der in den fünfziger und sechziger Jahren wahrgenommene Zusammenhang einer nur scheinbar logisch fortschreitenden Entwicklung, sondern die gleichzeitige Gegenwart von Möglichkeiten und Wirkungsenergien, die primär in der Leistung einzelner Künstler abrufbar bereitgestellt sind.

Konkret: Zur Zeit der hier beschriebenen ›Schicksalswende‹, die die abstrakte Kunst als Weltsprache betraf und vom Tachismus zurück zur Figur führte, wird die noch in den dreißiger Jahren wurzelnde und in den frühen Nachkriegsjahren bereits ausgeprägte figurale Malerei des genialen Eklektikers Francis Bacon für eine ganze Generation der Umsteiger aktuell. Darum zeigt auch die Ausstellung eine bestimmte Werkgruppe des Malers aus den mittleren fünfziger Jahren. Zugleich belegen eben diese ›späten‹ Bilder, Variationen über ein Selbstbildnis-Thema von van Gogh, die geistige Bindung an das existentialistische Ideal des Außenseiters und Einzeltäters. Bacons Kunst – und nicht nur sie allein – interpretiert also das geistige Milieu ihrer eigenen Herkunft: die jetzt zu Ende gehende Epoche der Nachkriegszeit, in der Artaud und Sartre und Camus' ›Mythos von Sisyphos‹ (1942) frühzeitig Denken und Haltung der neuen Generation formulierten.

Es kommt darauf an, die von der damaligen Rezeption verwischten Akzente zentraler

Robert Rauschenberg. Ausradierte de Kooning-Zeichnung. 1953 (Kat. 545)

Auch diese Situationen sind in ihren eigenen Grenzen zu bewerten, was bedeutet, mit schockhaften ›Gesten‹, durchweg in der Tradition der seit Duchamp allgegenwärtigen Skepsis, Fährten zu legen ... Dagegen dann die tatsächliche Beschaffenheit der Arbeit, die Rauschenberg vorlegt: eine Malerei mit anderen Mitteln, die ihre ästhetische Herkunft (weil es sonst an die eigene Substanz ginge) nicht ausradieren kann.

Marcel Duchamp mit Jean Tinguely und Iris Clert anläßlich der Ausstellung Jean Tinguely, Meta-Matics, Galerie Iris Clert, Paris, 1.–31. Juli 1959

Kunstentwürfe wiederzufinden und in exemplarischer Auswahl anzudeuten. So wird mit einer ›Wiederkehr der Außenwelt‹ als Generalthema künstlerischer Aktivitäten seit den späten fünfziger Jahren keineswegs eine außerkraftsetzende Ablösung von Kunst durch Kunst behauptet. Die ›Geste‹, mit der beispielsweise Robert Rauschenberg eine Zeichnung von Willem de Kooning ausradiert, könnte dazu verführen. Denn bedeutet dies nicht, daß nun die Hegemonie des ›Abstrakten Expressionismus‹ gebrochen und der Weg frei wird für die kommende ›Pop Art‹? Und gibt Tinguely mit seiner Malmaschine nicht minder vatermörderisch die abstrakte Malerei dem Hohn des Publikums preis?

Die Auswahl der Exponate, ihre Anordnung und Gewichtung, geschah unter zwei Gesichtspunkten. Den ersten haben wir ausführlich geschildert: Durchbrechen der Klischeevorstellung einer gradlinigen Entwicklung, die sich oft genug als ›historische Realität‹ nur wegen der chronologischen Folge der *Vermittlung* etablierte. Je nach Standort wurde die Kunst im Sinn dieser Fortschrittsschematik bejaht oder verworfen. Der Taumel einander ablösender Ismen ist lediglich eine Wendung aus der sozusagen täglichen Auseinandersetzung mit den Premieren der zeitgenössischen Kunst.

Dem extrem entgegengesetzt ist die neuerdings populär gewordene Auffassung von einem prinzipiellen Pluralismus des Kunstgeschehens, eine Auffassung, die dazu neigt, *alle* konstituierenden Zusammenhänge der neueren Kunst zu leugnen und die wir ebensowenig teilen und vertreten wie andererseits den angeblich zwingenden Fortschrittsrhythmus der Avantgarde. Diese zwei Extremstandpunkte markieren sozusagen Skylla und Charybdis, zwischen denen der sichtende Weg der Ausstellung hindurchführt.

Der fortlaufende Weg hat nicht den Anspruch einer Geschichtskonstruktion, er verläßt sich, in einer vergleichsweise dichten Folge, auf Kunstwerke, die diesmal wegen ihrer (man möchte sagen: zusätzlichen) Qualität der Gegenwärtigkeit subjektiv ausgewählt, dabei allerdings von Fall zu Fall auf die Bedeutung im Kontext ihrer Entstehungszeit hin geprüft wurden.

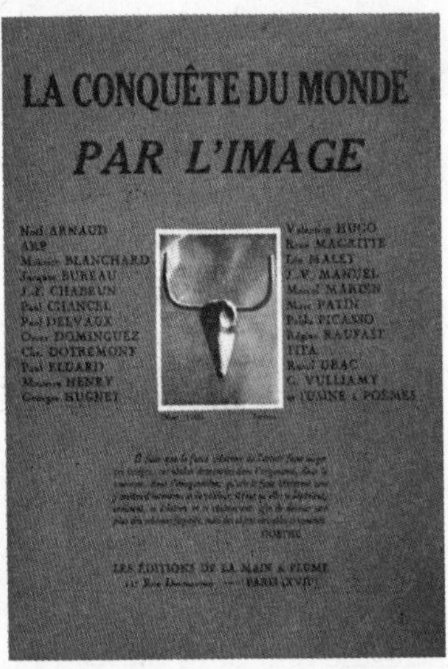

›La Conquête du Monde par l'Image‹ (Die Eroberung der Welt durch das Bild). Sammelband der Editions de la Main à Plume, Paris, April 1942. Die Änderung des Titels erlaubte es, die obligatorische Vorzensur für Zeitschriften zu umgehen. Abb.: Pablo Picasso, Tête de Taureau (Stierschädel), Assemblage aus Fahrradsattel und Lenkstange

Der Weltkrieg und die Moderne – Panorama 1939

Das Raubtier zerfleischt sein Opfer. Krallen, martialische Maske, Blut, Gewalt. Vision von der Gewalt.
Rotes, mit schrumpfenden Zeichenresten bestreutes Feld. Wurmzerhackte Figur, Symbol der Isolierung, Symbol von Schmerz und Zerstörung.
Zwei Bilder von 1939 – für 1939.

Für die Begegnung mit dem Unheil ist die moderne Kunst nicht vorbereitet. Ihre Geschichte entspricht nicht der realen, darf diese aber begleiten. Die Kunst ist frei, – freigestellt seit langem. Sie ist nicht verpflichtet, nicht getragen, nicht von den Institutionen der Gesellschaft, nicht vom Volk. Der moderne Künstler hat mit dem Freiraum seiner Selbstverwirklichung zurechtzukommen. Seine Rolle ist nicht verbindlich definiert, das ist schon Tradition. Initiativen, Engagements sind möglich. An der gesellschaftlichen Mobilisierung und Mobilität, diesem vorherrschenden Trend der dreißiger Jahre, hat die Avantgarde nur geringen, praktisch keinen aktiven Anteil. Ihr kommt die Rolle chancenloser Außenseiter zu. Der Künstler ist Zivilist.

Die beiden Bilder aus dem Jahr 1939 stammen von Malern, die in der Konfrontation mit dem Weltkrieg die Moderne vertreten können: Picasso und Klee. Beide sind auf unterschiedliche Weise das, was man Jahrhundertfiguren nennt. Picasso, dessen Lebenswerk tatsächlich sieben Jahrzehnte besetzt, hatte es auch vor dem breiten Publikum zum modernen Künstler schlechthin gebracht.

Paul Klee hingegen blieb diese öffentliche ›Bewährung‹ erspart. Aus der Anerkennung der Insider wird posthumer Ruhm. Er hatte auch mehr Einfluß auf die Generation nach dem Krieg, auf die Künstler. Daß Reflexion über Kreativität Teil der künstlerischen

Pablo Picasso. Katze und Vogel. April 1939 (Kat. 11)

Arbeit werden kann, hat Klee vorexerziert – das macht ihn noch einmal, für die siebziger Jahre und heute, modern. Beide zusammen, Klee und Picasso, repräsentieren die Moderne – gerade auch in der Spannung der beiden Positionen.

Die Bilder wirken unmittelbar. Picassos Monumentalfigur verkörpert Bedrohung: Da ist bildfüllend die Projektion ins Riesenhafte. Synchron sind die Fähigkeiten des monströsen Getiers gezeigt, die Kraft, sich zum schweren Bogen zu wölben, und die Kraft zum Niederhalten, Ergreifen, Töten. Hügel könnten es sein, die Restansicht einer weiten Landschaft, wo sich das im Schleichen innehaltende Tier auftürmt, beherrschend einkrallt. Drei, vier konzentrische Ringe für die Augen suggerieren einen starr-bannenden Blick: Blitzaufnahme vom Überfall, ganz nah.

Auch bei Klee bietet sich das Bild zum Lesen an. Denn die sämtlich gekrümmten Formen, deren verzogene Enden in mannigfacher Verschiebung zum nächsten Glied weisen, beim Nachbarn nicht ankommen und nicht wirklich vorbeiführen, wirken als frustrierende Dramatisierung eines Zwangssystems. Eingeschrieben in denselben, freilich aufgehellten, austrocknenden, erstickenden Farbgrund, wahren die getrennten Glieder des bewegten Zueinanders den Abstand von fest artikulierfähigen Zeichen. Die Bewegung erscheint im Malfeld verendend, zeitlupenhaft gerafft, nur in der Schwebe gehalten als Erstarrungsprozeß. *Zerstörtes Labyrinth* – die Titel-Pointe wirkt entlastend, fast versöhnend für das nicht literarische Bild.

Sind also diese Bilder der Moderne aus dem Jahr 1939, wie wir sie ausgesucht haben, Antworten auf den zeitgenössischen Schrecken, auf den Weltkrieg?

Sie sind mitnichten unmittelbare Repliken. Picasso hat zunächst nichts anderes als wörtlich *Katze und Vogel* gemalt, und Klee, dessen Bildtitel wie üblich auch hier mehr in sich hat, verließ mit diesem Bild nicht den Schrebergarten des analytischen Formverwandlers.

Beide bleiben ganz im Metier ihrer Kunst. Die Tierdarstellung Picassos, wobei die Gattungsbezeichnung gewiß in Anführungszeichen gehört, sprengt nicht den Rahmen seines früh angelegten Zoos. Seit der Harlekinade der blauen und rosa Periode bleibt Picasso der domestizierten Tierwelt treu. Der Affe aus der Familie des Akrobaten von 1905 wechselt nach vielen Jahrzehnten ins Atelier des Artisten über, hockt auch mal vor der Staffelei. Die Tauben, Krähen, Eulen stammen zwar nicht aus dem Zirkus, aber ihre mögliche, kulturell vermittelte Sinnbild-Dimension wird in Picassos Bildern niemals geleugnet. Sieht man von einem vermutlich vollkommen harmlosen Esel ab, der den erstgeborenen Sohn des Künstlers Anfang der zwanziger Jahre spazierenträgt, fügen sich Picassos Vierbeiner in der Regel in ein mythologieverdächtiges Welttheater ein, in dessen Zentrum der zeusgleiche Künstler als Zeremonienmeister Regie führt.

Der Bruch mit vermittelten Werten, nicht wütend dadaistisch, aber im Ergebnis doch radikal, verschafft Picasso Entscheidungsfreiheit und Spielraum auf einer entrümpelten Bühne. Daß bei dieser Entmuffungsaktion, beim Abstreifen der Konvention Außenseiter wie der Zöllner Rousseau und beizeiten auch Erik Satie entscheidend anregen konnten, ist doppelt bedeutsam. Denn, setzt man Picassos künstlerischen Werdegang mit dem Hauptstrom der Avantgarde gleich, was für jene frühe Phase bis zum Ausgang der zehner Jahre berechtigt sein dürfte, so verweist dieser Außenseitereinfluß auf ein vitales Erneuerungsbedürfnis. Man sollte dabei bedenken, daß die Aufnahme fremder, ›exotischer‹ Kunst sehr wohl bereits zur Tradition gehört, – war etwa Japan seit dem impressionistischen Ansatz in den sechziger Jahren des 19. Jahrhunderts bis zum Jugendstil der Jahrhundertwende ununterbrochen präsent. Gegen diese stilbildende Vereinnahmung und Nutzung von Fremdkultur nimmt sich die von Picasso früh beachtete, subjektiv erfaßte Fremdheit eines Rousseau weit radikaler aus, handelt es sich doch um eine prinzipiell andere, den zeitgenössischen Kulturkontext direkt betreffende Fremdheit: Diese Kunst wirkt, obwohl in Paris produziert, exotisch durch die Abwehr, durch die Abwesenheit historisch vermittelter Kultur. Nicht eine stilistische Bereicherung ist hier zu holen, sondern der Schock gereinigter Kunst, in der Stil und Haltung bis hin zur Moral eins sind und die deshalb unverbildet aussagefähig, aussagefähig im wörtlichen Sinn der gemalten Dinge und Zusammenhänge, erscheint.

Noch in *Katze und Vogel* von 1939 spürt man den Rousseauschen Impuls, einer Figur Naturreinheit zu verleihen, nur wechselt des Zöllners Unschuld in Picassos Virtuosität über und damit in eine erneut selbstverständliche Mehrschichtigkeit. Im Hinblick auf das Vorfeld der Ikonographie dieses Bildes: Als Picasso *Katze und Vogel* malte, war er bestens in das Kräftespiel von Erwartung und dem entsprechenden eigenen Anspruch eingeübt. Er ist nicht nur erfolgreich; die Sonderrolle, die er ja beispielsweise durch die scheinbar souveräne Unbekümmertheit der Stilwechsel spielend behauptet, ist ihm, kann man sagen, verpflichtend bewußt. Die Erwartung an Picasso, hier als Synonym für den modernen Künstler eingesetzt, beantwortet er mit dem erwartungsgemäß virtuosen Synchronapparat malerischer Gestaltung: Antidogmatisch, was der Zugewinn dieser von Anfang an legendär gewordenen Destruktion ist, haben wir im Lauf der Zeit, wenn nicht benennen, so doch sehen gelernt. Der konstruktive Aspekt von Picassos Vorgehen läßt sich vom Ergebnis her fassen. Darin wirkt die oben erwähnte neue Mehrschichtigkeit, resultierend aus der Entscheidung des Künstlers über Stile und ihre Elemente nicht nur frei, sondern in Handlungseinheiten zu verfügen. Im jeweiligen Bildergebnis ist stets das Disparate mitenthalten, ästhetisch dynamisiert freilich als Widerspruch im Gleichgewicht. Mit dieser Spannung, der inneren Spannung des Bildes, arbeitet Picasso. Sie ist das immanente Grundmotiv, sie reguliert den Entstehungsprozeß in jeder Phase, einen Prozeß, der ohnehin nicht auf ein pyramidal-hierarchisch aufzubauendes Endergebnis zielt.

Zieht man Picassos nicht nur verbalen Verzicht auf das finale Werk in Betracht – man denke an die unendlichen Reihen gleichwertiger Variationen, Abwandlungen, Überlagerungen, insbesondere an die Demonstration der fortlaufenden Beschwörung einander ablösender Bilder, die Picasso für Clouzots Film veranstaltet hat –, zieht man also Picassos Kunstverständnis in Betracht, das die Idee einer Vollendung ablehnt, weil sie den Künstler aus dem Werk ausschließt und den Prozeß, das heißt, den jeweiligen Augenblick aus dem fortlaufenden Arbeitsprozeß aufwertet, so wird der Zugewinn aus der Destruktion klar. Auf dem Weg, das Kunstwerk zum Bild der Selbstverwirklichung, zum Bild, das die Person des Künstlers in der Malerei vorhanden sein läßt, zu erweitern, entwickelt Picasso eine revolutionäre und keineswegs nur virtuose Gestaltungsmethode der synchronen Stilverfügbarkeit. Denn dieses Mittel ist nicht nur Realisierungshilfe, sondern auch Manifest einer Haltung. Der Zugewinn ist, kunstgeschichtlich, der enttabuisierte Stil.

Für diesen Weg Picassos wird wohl die früh einsetzende sensationelle eigene Wirkungsgeschichte Anstoß gegeben haben. Auch wenn er nicht nach Rezepten sucht: Picasso weicht nicht aus, er begegnet mit seiner pragmatisch in Ateliernähe gehaltenen, metaphorisch umspielten autobiographischen Kunst, einer an ihn und nur an ihn im Sinn der Stellvertretung gerichteten Erwartung: Er hat die Souveränität des modernen Künstlers öffentlich zu vertreten.

Henri Rousseau. La guerre (Der Krieg). 1894. Öl auf Leinwand, 114 × 195 cm. Paris, Louvre (Jeu de Paume)

Francisco Goya. Der Koloß. Vor 1812. Öl auf Leinwand, 116 × 105 cm. Madrid, Prado

Diese Rolle wird in den dreißiger Jahren brisant. Die veränderte Zeit, die Relativierung der Avantgarden mit ihren utopischen Entwürfen und Strategien angesichts ihrer gesellschaftlichen Wirkungslosigkeit, ruft nach sinngebendem Kommentar, nach Ausdruck, nach dem expressiven Format einer Picasso-Figur. Nichts wäre indes falscher, als wenn man Picassos Bereitschaft und Fähigkeit zu repräsentativen mythisch-allegorisierenden Zeitbildern gegen eine vermeintliche Indifferenz oder Ignoranz im Lager der Konstruktivisten oder Surrealisten auszuspielen versuchte. Ohne die geistige Herausforderung des Surrealismus-Milieus in Paris hätte es für Picasso keine derart intensive Auseinandersetzung mit dem Mythos, keine *Minotauromachie* gegeben. Ohne das dabei erarbeitete Instrumentarium wäre *Guernica* nicht denkbar, auch wenn die Entstehung des Bildes einer ganz anderen, plötzlichen Herausforderung bedurfte, die nicht den Avantgarde-Künstler, sondern den Spanier Picasso, den Patrioten und Republikaner, betraf.

Katze und Vogel sind anderthalb Jahre nach *Guernica* entstanden, das ist sicher entscheidend. Daher die Aufladung dieses Bildes. Erst jetzt ist Picasso bereit und eingeübt, groß zu buchstabieren. 1938 entstehen Varianten eines Stillebens mit Stierkopf, das durch die Hinzufügung von Palette und Kerze zu einem Dreiklang auch der Bedeutung komplettiert wird. Das Licht, das Werkzeug – hinterlegt zusammen mit aufgeschlagenem Skript, wodurch das Werkzeug zum dichterischen Werkpostulat verstärkt erscheint – und dann, es ist nicht anders zu lesen, der Künstler.

Die große Geste lapidarer, drängender Sinnbildlichkeit offenbart sich ohne jeden Umweg intellektueller Verschlüsselung in *Katze und Vogel.* Es ist eine Gratwanderung zwischen der überwältigenden Sinnbild-Relevanz und der Sensation eines zum Denkmal vergrößerten Beobachtungsmoments. Denn auch das ist wahr: Picasso hat die vogeljagende Katze gesehen, er erzählte fasziniert davon. Exakte Beobachtung und deren geraffte, dramatisch synchronisierte Umsetzung bewirken die Stärke des Bildes und auch, daß hier animalische Gewalttätigkeit als Naturereignis beschworen wird. Ein Mord ist beispielsweise zu sehen, aber die simple Lösung des denunzierten Täters bleibt aus.

Geht man von dem virtuosen Bericht des Bildes aus, scheint Picasso aus der Pflicht des Mahners entlassen. Aber der Bericht ist durch ein Übersoll an Dissonanz und Größe manipuliert. Wir zählen die Richtigkeiten der Details zusammen, und beim Addieren stimmt das wertfreie Bild der Natur plötzlich nicht mehr. Sie selbst wird durch generell versetzende Vergrößerung zum Bild einer anderen Gewalt.

Picassos Katze ist kein Ungeheuer. Aber während wir über ihre von Picasso aufreizend dargestellte Natur nachdenken, nachdenken müssen, kommt die Assoziation von anderen, historischen Ungeheuern ins Bild. Der Krieg, in Spanien als Bürgerkrieg fast schon zu Ende, ist im restlichen Europa vor dem Ausbruch drohend gegenwärtig. Hatte Picasso, der Zeitgenosse jener Tage, den Schreckenshorizont mitgemeint, als er, der vom Animalischen stets und nach Laune Faszinierte, das Bild von *Katze und Vogel* malte? Eine Antwort ist unsere Entscheidung, dieses Bild für ein Panorama des Jahres 1939 zu beanspruchen, für eine Ausstellung, die ausdrücklich auf das kunsthistorische Un-Datum des Kriegsbeginns setzt. Und es ist ebenfalls wichtig, daß Picassos Bild – es entstand mehrere Monate vor dem Kriegsausbruch und zwar zusammen mit einem minder martialischen Gegenstück[5] – in diesem Zusammenhang nicht als Beleg einer Reaktion auf das Ereignis, sondern als Vision erwogen und befragt wird.

Hier wird wieder die Erinnerung an Rousseau wach und mehr noch an Goya, wie dieser den Schrecken des über das Land ziehenden Krieges mit einer zusätzlich ins Bild eingeblendeten Riesenfigur, mit der Vision des Kolosses, zu fassen suchte.

Der Schritt von Picasso zu Goya eröffnet eine andere Perspektive: die der expressiven Tradition existentiell engagierter Kunst. Aber wir sind von einem weiteren, weniger spezifischen Zusammenhang ausgegangen, von der Spannweite innerhalb der Moderne: Picasso und Klee.

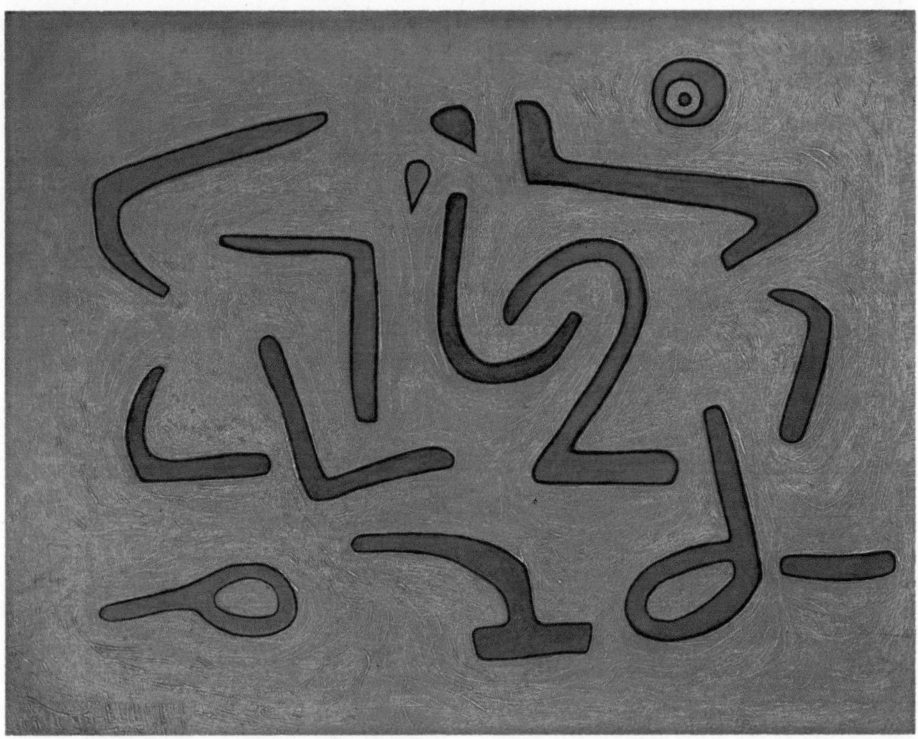

Paul Klee. Zerstörtes Labyrinth. 1939

Klees *Zerstörtes Labyrinth* versagt sich der expressiven Lebensnähe. Die irritierende Faszination Picassos durch das Raubtier Katze, die selbstverständlich ihren sinnlich-malerischen Ausdruck in dem zur höheren Dissonanz des Symbols gebrachten Bild findet, ist Klee gewiß fremd. Niemals würde er, der von Katzen sein Leben lang umgebene, den naturalistischen Einbruch des Alltags so zulassen und zu visionärem Mißbrauch abstrahieren. Die gleichwohl symbolisch ausgeweiteten Bilderdramen Klees haben ihre Intensität gerade daher, daß sie sich trotz des Abstandes ereignen: trotz des vom Betrachter stets gezeigten Abstandes zwischen der Kunst und der Welt. Das Bild von dem *Zerstörten Labyrinth,* das in der eingangs beschriebenen Weise direkt wirkt, verstärkt seine Ausstrahlung noch durch die fast schon penetrant dargelegte Distanz zur Gestalt: Es erscheint wie der Laborbefund unter einer Glasplatte, flach, unverkürzt, von oben, aus dem Abstand, gleichgültig. Überbrückt wird der Abstand mit dem symbolisch aufgeladenen Reizwort vom *Zerstörten Labyrinth.* ›Labyrinth‹ allein ist bereits eine vulgär gebräuchliche, wenngleich an Bildung appellierende Metapher für die schwierig zu lösende Aufgabe des Lebens, für das Lebensabenteuer voller Fallen und Irrungen. Sich zurechtfinden im zeitgenössischen Leben, in der unüberschaubaren modernen Welt – ist das nicht die Bewältigung des Labyrinths? Darauf läßt sich Klee erst gar nicht ein, sein Bild ist nicht moralisierend.

Er kennt zwar das Labyrinth als Kulturgut, als Gleichnis, das das Christentum aus dem antiken Mythos übernommen und umfunktioniert hat; von gotischen Kathedralen und barocken Gärten. Mit letzteren korrespondiert der wirkliche Lebensbezug des Kleeschen Labyrinths dann doch.

Um die Umkehrung des heiter-höfischen Gesellschaftsspiels zum Tod im Irrgarten geht es nicht direkt. Und doch führt der assoziative Weg vom Naturvorbild des Kunstgartens, das heißt, vom nur wenig früher im selben Jahr entstandenen Bild des *Labyrinthischen Parks* mit seinen malerisch kultivierten Grünflächen zu der roten Wüste für die zerstreuten Fragmente des *Zerstörten Labyrinths*.

Daß mit dem Plan des Labyrinths zugleich Kultur zerstört ist, behauptet Klee nicht. Das Gleichnis bleibt ›schlank‹, mit einer beziehungsreichen Titelpointe. Zerstört ist indes, das wird optisch suggeriert, die abbildliche, kunstfertige, kunstgeschaffene Ordnung der Dinge – wofür Idee und Struktur des Labyrinths das perfekte Symbol sind. Nicht nur Zerstückelung, sondern Deformation und Desorientierung werden zum Bild – allesamt meisterlich bezogen auf die künstlerische Arbeit, vor allem kunstbiographisch, auf die eigene. Denn an die Einbeziehung von Zahlen und Buchstaben, auch von musikalischer Notation – beispielsweise an das spitze Jonglieren mit dem Punkt und Bogen der Fermate vor zwanzig Jahren – an die abgewogene Formintegrierung entlehnter, ironisch apostrophierter Zeichen, eben an die Kleesche Praxis moderner Kunst erinnern das Bild und seine nun gedrosselte Dynamik. Als gewinne der Künstler dem anderen Vorzeichen das Thema ab: jetzt ein Negativbild knochenlosen Taumels. Tatsächlich ist nicht der Verzicht, nicht die Aufgabe der Formwerte zu sehen, sondern die souveräne Darstellung dieses Verlustvorgangs. Das macht das *Zerstörte Labyrinth* zum Bild einer tragischen Botschaft. Klee hat nichts Vorhandenes zerstört. Er entwarf den rotierenden Grundriß einer fiktiven Zerstörung, blendete an Stelle des Labyrinth-Diagramms letzte Lebenszeichen ein, malte das Bild, als sei es ein Befund, und das macht betroffen, aus dem Abstand des Diagnostikers.

Die zwei Bilder von Picasso und Klee als Pilot-Bilder eines Panoramas von 1939: Sie sind nicht als Kunst *der* Zeit zitiert, sondern als Kunst, die ihre Kontinuität in die Zeit einbringt und damit haushaltend frei reagiert. Bilder *für* die Zeit, die nur damals entstehen konnten, diesen Anspruch allerdings wollen wir an sie stellen: symbolische Bilder.

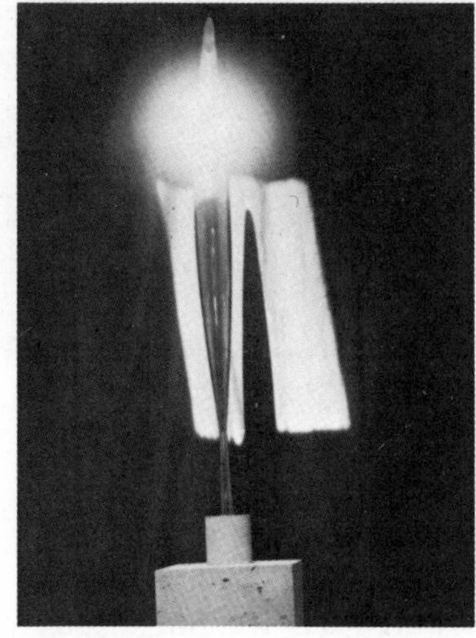

Constantin Brancusi. Vogel. 1940 (Kat. 7)

Die Spannweite der Moderne, vertreten durch die Extrempole Picasso und Klee, ließe sich auffüllen. Die Gegenwart der Utopie: Ihr werkgewordenes Symbol fände sich in Brancusis *Vogel*. Aufblitzende Lichtfigur im Atelier, augenblendend gespiegelt in den Fotografien des Künstlers; monumentales Zeichen der Kontinuität eines Entwurfs, dem die äußere Wandlung nichts anhaben kann. Klassik ist nicht das rechte Wort für diese Konstante, für diese unabgelenkte Orientierung, und doch ist Brancusis Œuvre anders kaum zu charakterisieren: Hier hat die Moderne Bestand und

Constantin Brancusi. Die endlose Säule (letzte Fassung), 1937, Stahl, vergoldet, Höhe 30 m. Turguijd, Karpaten Rumänien

Souveränität über jede Krise und aktuelle Herausforderung hinweg – was freilich gerade durch eine solche Momentaufnahme bewußt werden kann.

Denn in diesem Moment der zeitgenössischen Bestandsaufnahme von 1939 wirkt die in Brancusis Werk verwaltete ›Dauer‹ plötzlich demonstrativ. Als Denkmal zeigt das Werk, daß die Unabhängigkeit vom Vorher und Nachher des Alltags und des Stils, des aktuell beteiligten und aktuell in Kunst ausgedrückten Lebens, nicht zwingend das Abseits bedeutet.

Natürlich gibt es das auch: die kreative Kraft im Abseits, ein von den Zeitläuften unabhängiges Überlebenstraining des Künstlers. Diese Alternative friedfertigen Ausstiegs hat Giorgio Morandi viele Jahrzehnte lang in der selbstgewählten Distanz von der aktuellen Szene vorexerziert: Ein Avantgardist der zweiten Stunde, radikaler und präziser Poet der pittura metafisica, hat sich auf das Ausmalen der Magie der Dinge verlegt – mit extremer Beschränkung des Repertoires. Die Qualität der ›Dauer‹ im Werk Morandis, mit der er das spektakuläre Scheitern des Protagonisten der metaphysischen Malerei gleichsam konterkariert, wird die Ausstellung als Selbstbehauptung würdigen, wie auch die antiavantgardistischen Eskapaden des Genies. Doch weder Morandi noch Giorgio de Chirico gehören in ein Panorama des Jahres 1939. Brancusis Souveränität ist ein anderer Fall.

Dem Wetterleuchten von 1939 begegnet allein Brancusis bildgewordene Vision der *Endlosen Säule.* Daß sie abseits der Stätten und Schauplätze der großen Ereignisse errichtet wurde, gemahnt an die Außenszenen der Kunst in unserer Zeit. Weder Eroberung noch Flucht: Heute begreifen wir die Leistungen von Land Art als symbolische Setzung. Das *Lightning Field* Walter de Marias auf einem Hochplateau New Mexicos betrifft uns wie in historischer Sicht Brancusis Installation in den rumänischen Karpaten. Ein Werk der Kunst

Titelseite des ›Santa Fe Reporter‹ vom 22. 3. 1979 mit Walter de Marias ›Lightning Field‹, 1977

THE SANTA FE
REPORTER

A Weekly Journal

City Edition

Santa Fe's Locally Owned Newspaper | Vol. 5 No. 38 | Thursday, March 22, 1979 | 20 Cents

The Lightning Field

On a barren, isolated plain in a nondescript region of west-central New Mexico, one of the most remarkable artistic creations of all time has quietly taken shape. Called the Lightning Field, it is a precise geometric collection of 400 gleaming metal poles rising from the earth over an area one mile long and one kilometer wide.

Built in secrecy, at a cost of hundreds of thousands of dollars, the Lightning Field has stood in place since late 1977. Until now, it has been its own reason for existence, unneedful of acclaim, approval or even awareness from the general public. But the time has come to tell the story.

The Lightning Field is a mystifying—some would say a pointless—work. It is hidden, and except for a trickle of visitors will remain so. It serves no practical purpose. It cannot be viewed in its entirety from any one point on the ground, and can hardly be spotted from the air.

The Lightning Field is cerebral and cold, or fiery and emotional, or both, or neither, depending on each viewer's perception. It likely will stir major artistic debate throughout the world. But whatever else might be said about the Lightning Field, one thing about it is beyond dispute: There is nothing else like it on earth.

Stories on Page 3

und zugleich Geste, Haltung, Zeichensetzung von Dauer für die Zeit.

Brancusis Relevanz für 1939: Seine Skulpturen sind Monumente, aufragende Symbole. Bei jeder von ihnen, bei dem Vogel und der Säule, scheitert die Frage trennender, verkleinernder Unterscheidung: abstrakt oder gegenständlich? Keine Skepsis gegen die kontroverse Vielfalt ist in seinem Fall möglich. Parteientrennung von Realisten, Surrealisten, Konkreten und sonstigen Abstrakten funktioniert hier im Sinn der zeitgemäßen Intrige keineswegs.

Offenbar gilt die Annahme von den einander ablösenden Ismen, die sich gleichsam außer Kraft setzen, schon für die dreißiger Jahre nicht mehr. Daß diese scheinbar selbstverständliche Annahme ein durch die Kunstrezeption der extrem fortschrittsorientierten späten fünfziger und frühen sechziger Jahre eingebürgertes Vorurteil sein könnte, versuchen wir mit der These der Ausstellung von der unverbrauchten Kunst des 20. Jahrhunderts grundsätzlich zur Debatte zu stellen. Doch die späten dreißiger Jahre sind möglicherweise ein besonderer Fall des retardierenden Moments, einer merkwürdigen Verzögerung und des beunruhigten Innehaltens.

Joan Miró. Frauen am Ufer eines Sees, auf dessen schillernder Oberfläche ein Schwan vorbeizieht. 5. 5. 1941 (Kat. 204)

Yves Tanguy. Vernichtung des Menschengeschlechts. 1938 (Kat. 6)

An Bewegung fehlt es zwar nicht. Nach dem Ausfall der vitalen Berliner Szene wird Paris wieder Zentrum, jetzt auch publizistischer Bezugspunkt für die international verästelte Bewegung konstruktivistischer Abstraktion. Die Internationalität, die internationale Erweiterung wird auch auf seiten der Surrealisten betrieben, gleich, ob es um Ausstellungen, Publikationen oder um Kontakte für eine ideologische Offensive geht. Innerhalb von zwei Jahren finden zwei internationale Ausstellungen des Surrealismus statt, wobei die

Londoner Ausstellung 1936 mit Beteiligung von über einem Dutzend Länder wegen ihrer Wirkung auf Künstler in England folgenreicher gewesen sein dürfte als die unter Duchamps Leitung realisierte ›Exposition Internationale du Surrealisme‹ Anfang 1938 in Paris. Im Anschluß daran war Breton in Mexiko Trotzki begegnet, mit dem Resultat eines gemeinsam verfaßten Manifestes ›Für eine unabhängige revolutionäre Kunst‹.[6]

Die surrealistischen Provokationen sind zwar als Showeffekt immer noch wirksam, ja die Eroberung Amerikas durch Dali fällt erst in diese Jahre, doch die Realität hat die Kunst soweit eingeholt, daß sie in einem ›Panorama 1939‹ keineswegs mehr Avantgarde ist. Die Kunst ist nicht unbeschwert weit voraus, sie ist, auf unterschiedliche Art, im Begriff, sich der Zeit zu stellen.

Durch dieses reflektierende Moment rückt die Kunst enger zusammen. Die Vorstellung von der Avantgarde ›in einem Boot‹ wäre natürlich fahrlässig, auch wenn bald tatsächlich die reale Flucht begann und damit der Andrang zu einem Platz im rettenden Boot, um den Atlantik zu überqueren. Was aber auffällt an der Produktion der späten dreißiger Jahre, ist eine Sensibilisierung der Praxis, eine andere Durchlässigkeit, Stimmungsanfälligkeit der Werke. So sind bei den Konstruktivisten nicht mehr strenge Traktatbilder, sondern eine empfindsame Differenzierung an den auffälligsten Neuzugängen zu beobachten: an Ben Nicholsons *Reliefs* mit den raumhaltigen, tonreich belebten Flächenschnitten, oder mehr noch am Œuvre von Georges Vantongerloo.

Jacques Hérold, Oscar Dominguez und André Breton in Marseille, 1940

Insgesamt mag die Zwischenkriegszeit mit ihren zwei Dezennien als eine Art Probezeit für die Anwendung der frühen radikalen Avantgarde-Konzepte gelten, was sowohl die eingetretene Spezialisierung als auch die Verwischung der Konturen und die Zunahme an Inhalten begründen würde. Themen und Fragestellungen kristallisieren sich heraus, aus denen später auch Interpretationsmuster werden können. So wurde die Epoche bereits mit den Begriffen ›Traum, Zeichen, Raum‹ durch eine Kölner Ausstellung belegt.[7] Es sind kommunizierende Begriffe, herauszulesen aus einem Gemälde Mirós ebenso wie aus einer Skulptur Gonzalez'. Sie sind zu erwägen vor einer Konstruktion Pevsners ebenso wie vor einem Bild Max Ernsts. Die Dimension des Raums ist erweitert in Bildern, die sich auf die Idealität eines Zukunftsentwurfs beziehen. Genauso ist der traditionelle Bildraum überschritten in jenen Bildern, die die Dimension des Unterbewußten malerisch zu erfassen suchen. Diesseits des surrealistischen Interesses an Psychoanalyse und diesseits der konstruktivistischen Zielprojektion warten die Werke beider Richtungen mit einer Raumdefinition auf, deren antirationale Tendenz auf den ›Traum‹ hinweist. Dadurch führt sich auch schon der dritte Begriff ein: Denn indem der Raum im Bild erweitert ist und für etwas anderes steht als für sich selbst, erfüllt er den Anspruch, ›Zeichen‹ zu sein. Die tautologische Begriffsreihe zu verwerfen wäre trotzdem nicht besonders sinnvoll, zeigt sich doch in

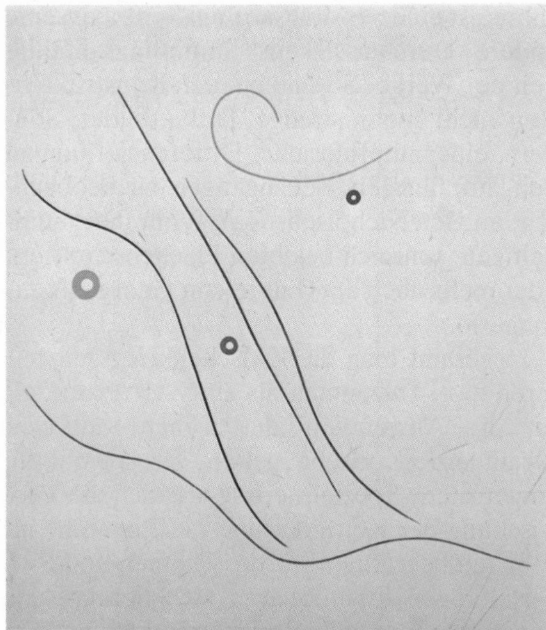

Georges Vantongerloo. Varianten. 1939 (Kat. 13)

diesem Rotieren von Traum, Zeichen, Raum eine charakteristische Fähigkeit der Kunst in den dreißiger Jahren: ihre Aktivierung, zunehmende Aufladung oder auch nur latente Bereitschaft zum Sinnbild, was dann eine insgesamt größere und zeitgenössisch wahrnehmbare Welthaftigkeit im Bild zur Folge hat.

Daß dies unter dem Lebensdruck der zeitgeschichtlichen Wirklichkeit geschieht, steht ebenso außer Frage, wie andererseits die kunstimmanente Voraussetzung dieser Entwicklung. In Erinnerung zu rufen ist, daß die Werke, an denen wir selbstverständlich Anspruch und Leistung der Avantgarde bewundern, messen und trennen, keineswegs das ausschließliche, ja nicht einmal das eigentliche Medium der Ideen sind, die zu verwirklichen die Avantgarde auszog. Vielmehr bleibt auf der breiten Spur der Vorhaben und Aktivitäten das traditionellste, das überlieferte Kunst-Medium übrig, das Bildwerk, in dem schließlich eine zunächst über dessen Grenzen hinaus projektierte Kreativität den Niederschlag im Überlieferten findet. Das so entstehende, ungewollte, künstliche und doch allein funktionierende Kontinuum sorgt für die natürliche Unruhe und Spannung – nicht nur beim stets von neuem schockierten Kunst-Publikum. Es ist die Spannung eines inneren Widerspruchs, eine Binnenspannung zwischen Autor und Medium oder zwischen Autor und Werk. Die Akteure selbst weisen frühzeitig auf diese Spannung hin, wenn etwa Breton auf die vorausgeschickten Manifeste keine repräsentative Übersicht einer Malerei *des* Surrealismus folgen läßt, sondern die entsprechende Anthologie surrealistischer Maler mit ›Der Surrealismus *und* die Malerei‹ betitelt und damit die Spannungspole schon in der Überschrift benennt.[7a]

Ebenso programmatisch reflektiert der Künstler über seine Tätigkeit vor allem ›Jenseits der Malerei‹. Leitmotivisch taucht die Wendung bei Max Ernst auf. ›Au delà de la peinture‹ heißt zunächst der Titel eines 1936 in Paris erschienenen Essays, der dann zur Gesamtüberschrift der zwölf Jahre später in Amerika edierten Schriften von Ernst avanciert: ›Beyond painting‹. Und dies, obgleich das vielfältige Œuvre des Künstlers nun fraglos im gemalten Bild, wieder in Malerei, kulminiert.[7b]

Nicht anders verhält es sich im anderen Lager. Bot zum Beispiel das ›Bauhaus‹ in den zwanziger Jahren noch so etwas wie das schulische Versuchsmodell konstruktivistischer Weltveränderung dar, dessen Struktur auf Lebensgestaltung abzielte und das traditionelle Kunstmedium nicht mehr vorsah, so änderte sich die Situation auch hier, und zwar nicht nur mit dem Abbruch des Experiments durch die gewaltsame Schließung. Die Randexistenz der freien Malerei, prominent vertreten durch die Bauhaus-Meister Klee und Kandinsky, war von Anfang an konfliktträchtig. Auf Dauer brachte die analytische Beschäfti-

Wassily Kandinsky. Das rote Viereck. 1939 (Kat. 12)

gung mit den bildnerischen Mitteln keinen entscheidenden Durchbruch, keine anwendbare Weltformel im gestalterischen Bereich. Die Bildproduktion gewinnt erneut und allenthalben die Oberhand, wird intensiver, und es ist zu fragen, ob und wie sehr die ausbleibende Expansion und die abnehmende Dynamik der Aktion im Verlauf der Zeit auf die Kunst zurückwirken, zurückwirken müssen, und zur inhaltlichen Bestimmung beitragen. Untersuchungsmaterial dafür bietet jene in den dreißiger Jahren überreich variierte ›art non figuratif‹, die in repräsentativer Zusammenfassung durch die jährlichen Bildhefte der Vereinigung ›abstraction-création‹ von Paris aus international kursierte.[8]

Gefragt ist damit nach der sich verschiebenden Funktion des Bildes, das zwar in diesem Avantgarde-Kontext immer schon ein Transportmittel der Utopie gewesen ist, jetzt aber in verstärktem Maß vom Experiment und Modellcharakter abrückt, hin zur erschöpfenden und komplexen Bildmitteilung. Deutlich wird diese Tendenz der Wandlung, sieht man für einen Augenblick von der Konzentration auf die dreißiger Jahre ab, am Lebenswerk des Bauhäuslers Josef Albers, das mit *Hommage to the Square* vom Experiment abhebt und zum langanhaltenden endgültigen malerischen Rezitat des konstruktivistischen Sinnbilds wird.

Die Entfernung vom Aufbruch, der gestutzte Höhenflug der Avantgarden in dem dritten Jahrzehnt sind an der Kunst ablesbar geworden – aber rundum auch die bereits verarbeitete Wirkung der frühen Anknüpfungen und Anstöße. Sie wird im bereicherten Panorama der dreißiger Jahre sichtbar. Auf Umwegen, etwa durch die mexikanische Moderne mit Rivera, Orozco, Siqueiros, wird eine Ausdruckssteigerung vermittelt, jetzt verbunden mit engagierter Botschaft. Der Stil wird verfügbar, hat sich allmählich vom Konzept seiner Entstehung gelöst. Insofern könnte die Losung ›Jenseits der Malerei‹ auch für diese Wandlung gelten, die die Bindung von Erfindung und Ausdruck auflöst. Die Malerei wird aus ihrem engeren Metier und aus ihrem durch den historischen ›l'art pour l'art‹-Vorlauf veredelten Milieu jetzt als ordinäres, wenngleich raffiniert gehandhabtes Instrument der Dramatisierung herausgelöst. Statt der formal-stilistischen Bestimmung hat die inhaltliche Vorrang; der Stil wird, wie Picasso es vorexerziert hat, zur psychologischen Nutzung enttabuisiert.

Hier ist die Gemeinsamkeit zu finden, eine ambivalente Stimmungs- und Ausdrucksaufladung der nicht so sehr neuen wie typischen Kunst der späten dreißiger Jahre. So kann Balthus ohne verfremdende Kombinatorik beunruhigende Surrealität mit erotisch aufgeladenen Interieurs suggerieren, in denen er Voyeurismus zu frontal dargebotenen flachen Bühnenszenen Poussinscher Klassik einkleidet. So vermag der Surrealist Dominguez umgekehrt mit seiner *Nostalgia of Space* das mit aufbrechenden Strudeln durchsetzte hundertschichtige Netzwerk des Raumes als Wildnis zu naturalisieren, natürlich auch auf den Spuren von Rousseau zu kultivieren und eben

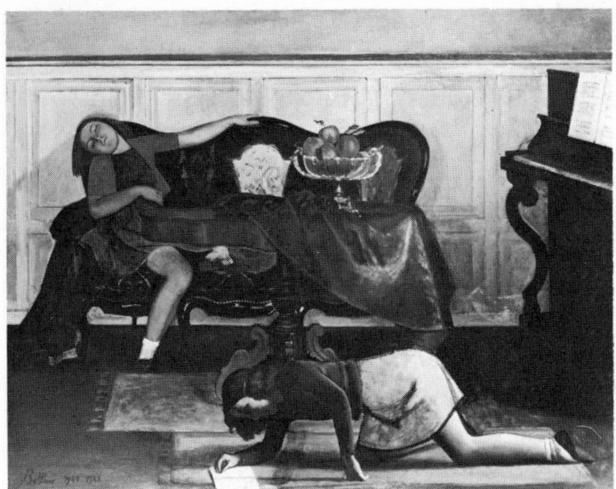

Balthus. Der Salon. 1941–43

durch diese Ambivalenz von Dschungel und Weltall Expressivität und Symbolhaftigkeit zu forcieren.

Die Dramen nehmen zu, die Bildräume weiten sich leicht zur Weltbühne aus, mit gefiltertem, deshalb nicht minder aufdringlichem Pathos. Schock und Geheimnis, oder vielmehr der Schock des Geheimnisses, entstehen nicht angesichts des inspirierten Moments, angesichts des Bildes mit der präzisen Pointe, wie Magritte es gegen Ende der zwanziger Jahre malte. Das war, gewiß, Fantomas-Romantik im Boulevard-Theater. Aber das war auch eine andere Kunst, reiner Sprengsatz für die Phantasie, gefaßt in der unheimlichen Stilleben-Starre der Bildidentität.

Was danach in den dreißiger Jahren folgt, tendiert zur größeren Durchlässigkeit, reagiert, wie oben gesagt, in der Vermischung von Traum, Zeichen, Raum, auf den Alptraum des Draußen. Beunruhigt, verwirrt, hilflos betroffen, mit manipulativem Kalkül oder zornig engagiert – die neuen Bilder dieser Jahre zeigen, daß die Herausforderung auf eine unvorbereitete Kunst traf, daß die Spannung von Zeit- und Kunstgeschichte zum Thema wird, daß sie als Zerreißprobe ins Bild kommt.

Die Wendung vom Psychodrama zur Weltuntergangsvision ist drastisch demonstriert mit dem Schritt von Magritte zu Oelze, der schon 1936 *Die Erwartung* malte. Ein Haufen Menschen, Städter in einer erdrückend totalen Naturkulisse, wenden sich dem aufziehenden Unheil zu. Es ist der Versuch, den Riß im bürgerlichen Interieur zum Blick in den Abgrund zu dehnen.

Was praktisch geschieht, ist die verstärkte Reflexion über eine surrealistische Außenwelt im Bild, mit allen Registern der Ausdruckssteigerung. In diesem Kontext rücken Bilder unterschiedlicher Malstil-Herkunft und Gesinnung näher zusammen; an dieser Epochen-Aktualität haben Maler, die die Vision sachlich verfremdet oder expressiv aufgelöst zu fassen suchen, ebenso Anteil wie die surrealistischen Maler selbst, die ihrerseits jetzt die Bildbühne barockisieren. Um nur eine Auswahl anzudeuten: Soutine und Scipione, Dix und Radziwill, Berman und Tschelitchew würden gleichermaßen als typische Facetten zu einem erweiterten Panorama der Moderne gehören, die aus Bedrängnis nicht mit Innovation, sondern mit Themenverarbeitung und dramatischer Themenerweiterung reagiert.

Auch das Bild des Helden kommt so in Betracht. Man Rays Bildnis de Sades ist ein solches aktuelles Werk der aufgeklärten Heroenverehrung. Was es mit dem Bekenntnis zu ihm auf sich hat, brachte Paul Eluard auf die Formel: Sade habe dem zivilisierten Menschen die Kraft seiner angeborenen Instinkte zurückgegeben. Und Eluard ist es, der sich in diesem Zusammenhang beklagt, daß man kein Porträt des Marquis de Sade besitze: »Es ist bezeichnend, daß man auch von Lautréamont keines hat. Das Gesicht dieser beiden phantastischen und revolutionären Schriftsteller, der in ihrer Verzweiflung kühnsten, die es je gab, taucht unter ins Dunkel der Zeitalter.«[9]

Man Ray liefert das Bildnis nach. Doch bevor wir uns diesem imaginären Porträt zuwenden, bleibt etwas anderes, Zeitgemäßes, zu bedenken. Wollte man das Panorama mit einer Galerie der Köpfe ergänzen, käme man nicht umhin, Man Ray eine Sonderausstellung zu widmen. Er ist der wichtigste Porträtist der Zeitgenossen – und das ist er als Fotograf. Er sammelt sie ein: nicht nur die Künstler und Ideologen aus der engeren Surrealisten-Umgebung, Duchamp, Breton, Tzara, Eluard, Dali, Ernst usw., sondern auch die anderen aus Paris: Derain, Braque, Brancusi, Matisse. Und darüber hinaus: Die Ausdehnung der Man Rayschen Galerie auf Schönberg, Eisenstein und Joyce veranschaulicht gleichsam den Zusammenhang der Avantgarde als einen aktiven, zumindest aber bewußt gelebten Zusammenhang.

Natürlich ist Man Ray nicht der einzige Sammler und Kenner avantgardistischer Prominenz. Auch soll er hier nicht als Interpret von anderen bevorzugt werden, fehlt es doch gerade in jenen Jahren nicht an unübertroffenen Künstlerporträts, die im Milieu der Avantgarde entstehen. Joyce von Gisèle Freund, Picasso von Brassai, die geistreich-einfühlsamen Porträts von André Kertesz, sie alle erreichen eine Nähe und Intensität, mit der zu konkurrieren Man Ray offenbar nicht vorhatte. Seine Sonderstellung resultiert aus der (doppelten) Professionalität des Künstlers und des surrealistischen Strategen. Ihm geht die Verehrung aus der Nähe ebenso ab wie andererseits der Virtuosen-Ehrgeiz eines ganz aus der Sachferne operierenden Meisterfotografen. Man Ray arbeitet stets mit einiger Dramatik die für ihn selbstverständliche Bedeutung des Objekts heraus. Souverän variiert er dabei die Stilmittel, alte und neueste, was insgesamt auf Verfremdung hinausläuft: Verfremdung allerdings zur Repräsentanz. Die Porträts von Man Rays Galerie sind präpariert und patiniert, mitunter entrückt, wie etwa das durch Solarisation reliefierte, wohl ohne Ironie vergeistigte Profil Bretons.

Hier ist die Verknüpfung. Das Bildnis Sades gehört zur Bildnisgalerie der Avantgarde, darin hat es seinen freilich prominenten Platz. Hatte der Fotograf Man Ray die Zeitgenossen aus Milieu und Alltag abgehoben, bringt jetzt der Maler Man Ray auch den Mann aus dem 18. Jahrhundert dorthin: durch ein gemaltes Geisterfoto. Daten dafür liefert die Beschreibung eines Zeitgenossen, der dem damals über sechzigjährigen Sade 1803 im Gefängnis Sainte-Pélagie begegnet war und dessen Bericht den Surrealisten durch die Vermittlung Apollinaires geläufig sein konnte: »Ich bemerkte zunächst an ihm nichts als eine ungeheure Fettleibigkeit, die seine Bewegungen hinderte, so daß er wenig Gelegenheit

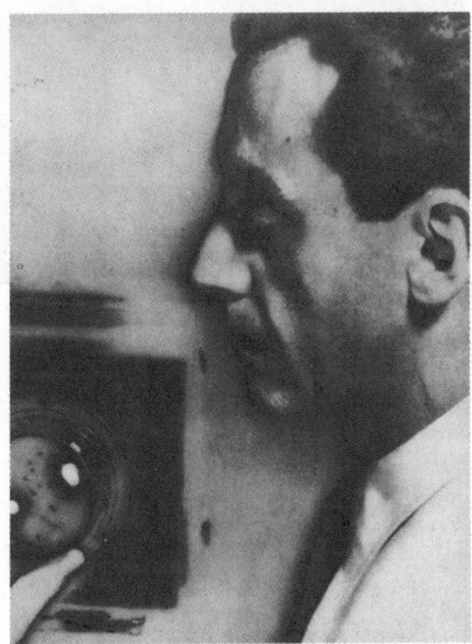

Man Ray.
Selbstporträt. 1930

fand, den Rest von Anmut und Eleganz zu entfalten, wovon man noch Spuren im Auftreten und Sprechen bemerkte. Seine ermüdeten Augen hatten aber noch einen Glanz und eine Feinheit, die von Zeit zu Zeit gleich dem Funken einer verlöschenden Kohle aufblitzten.«[10]

Man Ray versucht gar nicht erst ein Idealporträt nachzuzeichnen. Er erfindet, oder viel wahrscheinlicher, er findet einen wirklichen Kopf für Sade und überblendet dann die

Man Ray. Imaginäres Porträt des D. A. F. de Sade. 1938 (Kat. 38)

mächtige Büste mit einem Netzwerk, solarisiert die Figur mit Malmitteln, begibt sich aber auch in die ehrwürdige Tradition der gemalten Statue, des steinernen Bildnisses, dessen Lebendigkeit der grauen Fassung widerspricht und vital hinüberwirkt in die buntfarben vorgestellte reale Umgebung. Dergleichen findet sich auf den Tafeln des von den Surrealisten bewunderten Isenheimer Altars von Grünewald; ebenso hält die beste abendländische Tradition den symbolischen Ausdruck verwitterten Steines parat, – man denke an van Eyck – bis hin zum Trompe-l'œil-Effekt der brüchigen Stellen der eingemeißelten Schrift.

Das ist erst einmal Man Rays Einstieg, mit dem er für einen Säulenheiligen des Surrealismus den malerischen Denkmalanspruch anmeldet. Dann folgt die Botschaft der im Widerschein der brennenden Bastille aufgetürmten Figur. Sie scheint aus Mauerwerk zu sein, aus demselben Mauerwerk wie das Gefängnis, scheint aber dem Druck, den sie selbst, ihre eigene Fassung überstrahlend, ausübt, nicht gewachsen zu sein und zerbirst. Mitzulesen dazu ist das Zitat aus Sades Testament, das an Stelle des Bildsockels auf einer Art Klebestreifen, Original mit Untertitel, in moderner Schrift mitläuft: »so daß ... die Spuren meines Grabes von der Oberfläche verschwinden – wie ich auch hoffe, daß mein Gedächtnis aus dem Geist der Menschen entschwinden wird ...«, gezeichnet »D.A.F. SADE«.

Die Beschwörung von Sade: Ist das nicht das interne Geschäft der Surrealisten? Für die zeitgenössische Brisanz dieser Identifikationsfigur legt Eluard im Eröffnungsvortrag der ersten internationalen Ausstellung der Surrealisten in London Zeugnis ab: »Dreißig Jahre gefangengehalten, starb er klarsichtiger und reiner als irgendein anderer Mensch seiner Zeit, in einem Irrenhaus. Im Jahre 1789 rief er, der wohl zu Recht, wenn auch höhnisch der Göttliche Marquis genannt wurde, von der Bastille aus das Volk zur Hilfe auf für die Gefangenen: Im Jahre 1793, obwohl mit Leib und Seele der Revolution verschrieben und Mitglied der ›Section des Piques‹, lehnte er sich gegen die Todesstrafe auf, mißbilligte die Verbrechen, die man ohne Leidenschaft ausführt, und bleibt standhafter Atheist auch dem neuen Kult gegenüber, dem Kult des ›Höchsten Wesens‹, den Robespierre zelebrieren läßt; er will seinen Genius dem eines ganzen Volkes, das die Freiheit erlernt, gegenüberstellen. Kaum aus dem Gefängnis, schickt er dem Ersten Konsul das erste Exemplar einer gegen diesen gerichteten Schmähschrift.«[11]

Jetzt hat die beschriebene Haltung eine zwingende Aktualität, denn, um noch einmal Eluards Rede von 1936 zu zitieren, »in der gegenwärtigen Gesellschaft stellt sich uns bei jedem unserer Schritte alles entgegen, um uns zu demütigen, uns zu zwingen und in Ketten zu legen und zur Umkehr zu bewegen«. Poetisch evident war damals der Widerstand gegen jene bürgerliche Moral vom Guten und Schönen, die, »um ihre Ordnung und ihr Prestige aufrechtzuerhalten, nichts anderes bauen kann als Banken, Kasernen, Gefängnisse, Kirchen und Bordelle. Die wahre Poesie ist enthalten in allem, was den Menschen befreit von jenem entsetzlichen Besitz, der das Gesicht des Todes trägt.« Bald aber wurde der Widerstand aus existentieller Not, nicht als bloß ideologische Verteidigung der Freiheit gegen die Diktatur herausgefordert.

Es ist das Milieu der Vorkriegsjahre, mit dem Vorgeschmack der faschistischen Handhabung von Kunst und Kultur, mit der Kunde von der Bücherverbrennung in Deutschland, dem Feuerschein des Spanischen Bürgerkriegs, insgesamt die aufziehende Apokalypse, die eine solche Vergegenwärtigung von Sade wie in Man Rays Gemälde denkbar macht.[12]

Dies, obwohl Sade bereits seit 1909, seit Apollinaire ihn aufgrund einer deutschen Ausgabe um die Jahrhundertwende für Paris erschloß, ein Gefährte der Avantgarde geworden war. Eine still teilhabende Bezugsfigur, noch nicht bühnenreif: auf dem *Rendez-Vous der Freunde,* auf dem ersten repräsentativen Gruppenbildnis des Surrealismus von 1920 kommen neben den zeitgenössischen Protagonisten zwar Raffael und Dostojewski vor, auf dessen Knie der Maler des Bildes, Max Ernst, sitzt, doch die wahren grauen Eminenzen Lautréamont und Sade, die Porträtlosen, kommen hier noch nicht ins Bild. Was Sade betrifft, der dann häufig illustriert oder paraphrasiert wurde, insbesondere durch Masson und Bellmer, sollte Félix Labisse die Gruppenbegegnung mit einer eher peinlichen Geisterbeschwörung von 1944 nachschieben. Seine

Georges Rouault. Das Schweißtuch. 1937 (Kat. 1)

stumme *Matinée poétique* vereinigt Sade mit J. L. Barrault, Jarry, Blake, Apollinaire, Labisse, Picasso, Desnos.

Wenn nun Georges Rouaults Christus-Bild für das Panorama der Zeit auch als Gegenstück zum Sade-Bild von Man Ray in Betracht gezogen wird, so nicht als forcierte Pointe. Beide Bilder, ihr Thema, ihr Vortrag, haben in jenem zeitgenössischen Zusammenhang Brisanz – dort kulminiert ihre Wirkungsgeschichte.

So wie Sade nach dreißigjähriger Avantgarde-Rezeption auf einmal öffentlich dramatisierbar wird, so fängt auch Rouaults stetes Insistieren auf dem Gottesantlitz erst in diesen späten dreißiger Jahren den Blick ein. Bereits 1912 hat er das Motiv mit der überlieferten

Vorstellung vom Schweißtuch der Veronika gemalt, damals schon übrigens mit der sofort wiedererkennbaren, emotional aufgeladenen Expressivität. Er hat dieses Bild immer wieder gemalt – ohne öffentlichen Durchbruch.

Schon durch die beharrliche Repetition der immer gleichen Sinnbilder irdischer Unzulänglichkeit definiert sich Rouault als Außenseiter. Dirnen, Clowns, Akrobaten, Richter, dazu Landschaften, wenn nicht mit biblischem Personal, so doch mit entsprechender Beseelung für den Auftritt des Heilands – das ist Rouaults Repertoire viele Jahrzehnte hindurch. Längst wurde sein Glasfensterstil, in dem er die schwärmerische Fülle spätsymbolischer Bildphantasie für das frühe 20. Jahrhundert einfaßte, als Variante des Expressionismus abgebucht: Entwicklungsgeschichtlich gibt es ihn gar nicht mehr am Ende der dreißiger Jahre.

Wenn er trotzdem gerade in dieser Zeit einen Durchbruch erlebt, so heißt das nicht, daß er, sondern daß die Welt sich geändert hat. Die Empfänglichkeit ist auf einmal da für jene »apokalyptische Welt«, mit der er, so Rouault über Rouault, »umgeht seit seiner Geburt«. Aber auch daran ist zu denken, daß der Maler, dessen nicht zuletzt aus der Begegnung mit Léon Bloy gespeistes reformkatholisches Lebensprogramm die Läuterung von eben dieser apokalyptischen Welt anstrebt, aus persönlicher Betroffenheit den Ausdruck seiner Bilder zu steigern vermag. Auch er ist ein Zeitgenosse, der die aufziehende Düsternis am Horizont bemerkt: »Materielle Begierden werden von heuchlerischen Argumenten durchtriebener Politiker und herzloser Virtuosen entfesselt. Überall geht das Gleichgewicht verloren, werden die geistigen Werte verschleudert«. Sein Widerstand galt der ganzen technisierten Welt, dem »modernen Automaten ohne Herz«, dem Geschwindigkeitswahn und dem Kino, in dem Chaplin, welch ein Sakrileg, Shakespeare ersetzen darf. Die generelle, keiner Differenzierung fähige Absage an die Geschäftigkeit der modernen Zeit hätte keine Relevanz, wenn es anders gekommen wäre – hätte es anders kommen können? Es kam nicht anders, und Rouaults Klage phosphoresziert auf einmal wie die Schrift an der Wand, seine verstockte Zivilisationskritik leuchtet jetzt durch die Leidenschaft der Klage ein: »Homo homini lupus«.[13]

Anlaß der starken Resonanz, die er plötzlich fand, war eine Retrospektive im Petit Palais während der Weltausstellung. Nur ein Saal, immerhin mit über 40 Bildern; – aber was für ein Kontrast zum zwiespältigen Glanz dieser Veranstaltung, die durch die spektakuläre Konfrontation der konkurrierenden Großmächte, Hitler-Deutschland und Sowjetunion, ihre apokalyptische Dimension bekam.

Der Lichtdom des Nürnberger Parteitagsgeländes leuchtet jetzt zitatweise in Paris. Speers neoklassizistische Machtarchitektur überragt alle Bauten der Nachbarschaft, aber gegen sie stürmt auf der anderen Seite mit Hammer und Sichel ein Menschenpaar gigantomanischen Ausmaßes, für das die von einem Schüler Malewitschs entworfene gestaffelte Scheibenarchitektur des sowjetischen Pavillons den Sockel bildet.

Im Kontext dieser Megalomanie (nun reales Panorama der Zeit), ist selbst Picassos *Guernica* im spanischen Pavillon, dessen Hauptattraktion, so versichern Augenzeugen, ohnehin der Quecksilberbrunnen Calders war, ein in der heutigen Rezeption wohl zu Unrecht vergessenes, tückisches, widerspenstiges Projekt. Wie die Absage an das propagandistische Spektakel sich an Ort und Stelle mit entlarvender Kritik verbinden kann, zeigt eine Fotografie von Herbert List vom deutschen Pavillon: Das Fundstück mit den verhüllten Menschen wird zum Symbol der Trauer über Deutschland für das surrealistisch geschulte Auge.

Durch diese Sensibilisierung konnte Rouaults Lebenswerk jetzt Programm wer-

Pariser Weltausstellung 1937, deutscher Pavillon

Herbert List, Paris, 1937. Verhülltes Denkmal vor dem deutschen Pavillon. Pariser Weltausstellung 1937

den. Sein »Mittelalter«, die Abkehr vom modernen Skeptizismus, wird aufgewertet, zugleich ordnet man ihn »mehr Baudelaire und Dante als Racine zu«. Erstaunlich ist, daß die neugewonnene Einsicht über Rouault sich anhört, als wäre sie das Programm des kommenden Existentialismus: »Rouault ist der Maler des menschlichen Seins, eines Gebildes aus Geist und Staub, Herz und Eingeweiden.«[14] Entsprechend fällt das Verdikt aus: »Noch nicht erkalteter Kot, scheußliche Formen, Dreckspritzer«, so die während der Besatzungszeit in Paris veröffentlichte Kritik einer Kollaborationszeitung.[14a]

Der Katakombenmaler – wieder Rouault über Rouault –, dieser ewige Reservist der Avantgarde, tief im 19. Jahrhundert wurzelnd, Lieblingsschüler von Gustave Moreau, dessen unterschwellig stetige Wirkung ebenfalls mitten ins 20. Jahrhundert einbrach, der Katakombenmaler avanciert zur künstlerischen Integrationsfigur am Vorabend des Zweiten Weltkriegs. Bei ihm holt man den reinen Ausdruck von Besinnung, Armut, Mitleid, Mitgefühl; er hält ›Miserere‹ und ›De Profundis‹ für die bedürftige Zeit parat. Von dieser spezifischen Entfaltung her ist kaum mehr vorzustellen, daß er und der Freund Matisse nicht nur die gleiche Schulung hatten, sondern daß sie auch einst gemeinsam an der Gründung des ›Salon d'Automne‹ beteiligt waren. Die Kunst von Matisse ist nicht berührt von zeitgenössischen Miseren; daß sie sich aber spät und nicht ohne Botschaft noch einmal groß entfalten sollte, beruht ebenfalls auf dem integren Konzept des Aufbruchs. Als betroffener Zeitgenosse muß sich Rouault Picasso näher gefühlt haben, der während der schlechten Zeit im Land und demonstrativ in Paris geblieben war. Jedenfalls ist einer der Rouaultschen Clowns, jener aus dem Jahr 1942, *Pablo l'Espagnol* benannt.

Rouaults *Visage du Christ* und Man Rays *De Sade* vertreten konträre Weltanschauungen, hatte doch Eluard in seiner Sade-Apologie hauptsächlich die christliche Moral – »die uns, wie man sich oft verzweifelt und beschämt eingestehen muß, noch lange beschäftigen wird« – im Visier. Gemeinsam indes sind die Qualität der Leidenschaft im Bekenntnis und das inoffizielle, unmittelbare, nicht institutionelle Christusbild Rouaults, die Katakomben-Stufe frühchristlicher Anarchie – eine Perspektive der Hoffnung, jenseits des Konformismus.

Einer, der den Aufstand gegen den Konformismus vor aller Öffentlichkeit betreibt, ja, den Widerspruch für die Öffentlichkeit produziert, ist Salvador Dali. Seine Malerei enthält all die Merkmale, die bisher als Kennzeichen der Wandlung in den dreißiger Jahren genannt wurden; Dali arbeitet an dieser Wandlung: »Bekanntlich zieht der sensationelle, glänzende Fortschritt der Einzelwissenschaften, Ruhm und Ehre des ›Raumes‹ und der Zeit, in der wir leben, einerseits die Krise und den erdrückenden Mißkredit der ›logischen Anschauung‹ nach sich und andererseits die Hochschätzung irrationaler Faktoren und Hierarchien als neuer positiver Werte ... Bei dieser kulturellen Lage unternehmen unsere Zeitgenossen, die durch Technik und Architektur der Selbstbestrafung, bürokratisch-psychologische Glückwünsche, ideologische Verwirrung und imaginatives Fasten, väterlichen und anderen Gefühlshunger systematisch verdummt werden, umsonst den Versuch, in die vertrottelte, triumphale Süße des fleischigen, atavistischen, zärtlichen, militaristisch-territorialen Rückens einer hitlerschen Amme zu beißen, um endlich auf irgendeine Weise mit der geweihten totemistischen Hostie zu kommunizieren, die man ihnen kürzlich vor der Nase weggeschnappt hatte und die bekanntlich gerade jene symbolisch-geistige Nahrung war, die der Katholizismus zur Besänftigung der kannibalischen Raserei moralischen und irrationalen Hungers jahrhundertelang aufgetischt hatte.«[15] Es ist Dalis einziges Thema, Vorhaben, Arbeit: die Eroberung des Irrationalen. Sein »ganzer Ehrgeiz« in der Malerei richtet sich darauf, die »Vorstellungsbilder der konkreten Irrationalität mit der herrschsüchtigen Genauigkeitswut sinnfällig zu machen«. Er geht vom Surrealismus aus, der für ihn nicht nur »Geisteszustand« ist, sondern »das wahre Labor zur systematischen Erforschung von kartographisch noch nicht erfaßten Gegenden des menschlichen Geistes«.[15a]

Ihm leuchtet es ein, daß Freund und Feind und die Öffentlichkeit die Bedeutung der umgesetzten Vorstellungsbilder nicht verstehen, denn auch der Maler kann behaupten, sie nicht zu verstehen. »Die Tatsache, daß ich selbst im Augenblick, wo ich male, die Bedeutung meiner Bilder nicht verstehe, will nicht heißen, daß sie keine Bedeutung hätten: im Gegenteil, ihre Bedeutung ist so unergründlich, komplex, zusammenhängend und unwillkürlich, daß sie der einfachen Analyse der logischen Anschauung entgeht.«[16]

So wie Dali »auf greifbare Weise die Welt des Wahns auf die Ebene der Wirklichkeit schiebt«, provoziert er Feind und Freund. Der Exhibitionismus Dalischer Wahnbilder macht dort nicht halt, wo ihn die surrealistische Gruppendisziplin zur Räson zwingen möchte. Er verweigert den Dienst an der proletarischen Revolution, unterläßt es nicht, die obsessiven Motive einer Faszination zu malen, die er sogar in seinem zentralen Manifest anführt, den weichen Rücken der in Überblendung gemalten Hitler-Amme. Da er seine Träume übertrage, habe er deshalb nicht das geringste Recht, eine bewußte Kontrolle über ihren Inhalt auszuüben, argumentiert er, und dem ihn maßregelnden Breton soll er gleich angedroht haben: »Ich träume jede Nacht, daß ich Sie notzüchtige, folglich habe ich das Recht, meinen Traum zu malen, und ich werde ihn malen.«[17] Als die Durchlässigkeit seiner Bilder für Zeitereignisse seit Mitte der dreißiger Jahre zunimmt, versucht Dali seine Haltung abzusichern, wofür er sich eines Pamphlets gegen Louis Aragon bedient und dessen Absacken »in den allerservilsten Konformismus«, nämlich in die »stalinistische Bürokratie« anprangert. Der »sozialistische Realismus«, der jetzt als Doktrin verfochten wird, wäre für Dali vertauschbar mit einem »nationalsozialistischen Realismus«. Dali lehnt sie beide ab, er besteht auf dem realistischen Malen »gemäß dem irrationalen Denken«. Darin weiß er sich Hüter der surrealistischen Position, da doch der Surrealismus den Vorrang dem »tieferen Inhalt des ästhetischen Phänomens« gibt. Dieser eröffnet sich für Dali mit den wirklichen unbekannten Bildern seiner »konkreten Irrationalität«.[18]

Tatsächlich: Wer von außen kommt und nicht mit einiger Vertrautheit des Systems an die Bilder Dalis herantritt, kann schon spontan beeindruckt sein von jener Konkretion des Irrationalen, von den Wahnbildern nicht etwa eines verrückten Malers, sondern einer unfaßbaren Epoche, deren Medium der Künstler werden konnte. Das mag daran liegen, daß Dali sich zwar einer direkten Parteinahme entzog, sich aber voll für eine Methode engagierte, mit deren Hilfe der Schein einer Einheit von Traumbild und gemalter Vision zu intensiver Wirkung entstehen kann: für die Methode, private Obsession und Halluzination im gemalten Weltbild zu objektivieren. So deutet er selbst, a posteriori, wie es zu seiner paranoisch-kritischen Methode gehört, eines seiner dramatischsten Vorstellungsbilder als Geschichtsbild. *Der Kannibalismus im Herbst,* ein in sich verschlungenes, mit Messer, Gabel und Löffel sich verspeisendes anthropomorphes Gebilde auf einem Landschaftstisch mit ausgezogener Schublade ins Nichts, diese traumatisch durch Selbstentleibung leibgewordene Kunstfigur wird zum Denkmal des Spanischen Bürgerkriegs. »Diese iberischen Wesen, die sich im Herbst gegenseitig verschlingen, drücken das Pathos des Bürgerkriegs aus, aufgefaßt von mir als eine Erscheinung der Naturgeschichte, im Gegensatz zu Picasso, der ihn als politisches Phänomen auffaßte.«[18a]

Dieser Kommentar verrät die operative Bewußtheit Dalis im Bezugssystem der Avantgarde, denn er hält den Anspruch seines Bildes (»konkrete Irrationalität«) in der Funktion nicht für unvergleichbar mit Picassos *Guernica.* Zugleich trifft Dali eine Unterscheidung, die typisch ist für die Gegenwartsbewältigung der Surrealisten: Weltgeschichte wird als eine Sensation der Naturgeschichte vorgestellt.

Auch hier gibt es eine Wandlung. Als Max Ernst seine *Histoire naturelle* in kreativer Fülle fabrizierte, mitten in den zwanziger Jahren, fiel das noch in die unabgelenkte, auf sich selbst gerichtete Entdeckungsphase der neuen Kunst. Die Durchreibetechnik der *Frottage* fügte sich dem lustvollen Spiel der Imagination, dem Max Ernst sehr schnell System abgewann. Mit stilistischer Sanftmut und Hinterlist weitete er seine fiktiven Naturbilder zu monströsen Geheimnisträgern aus – über die bekannte poetisch-unheimliche Naturparaphrase hinaus. Die monumentalisierende Übertragung der Motive in Gemälde brachte auch eine andere Symbol-Repräsentanz mit sich. Mit seinen Wald-, Stadt- und Hordenbildern hat Max Ernst die dämonisierte Natur zum anspruchsvollen Zivilisationsgleichnis gemacht, zum souveränen Mahnmal einer ominösen Bedrohung und Krise.

Das Dilemma setzt ein, wo die Bedrohung konkrete Gestalt annimmt, wenn die Ereignisse die Bilder einholen und der Künstler – auch und gerade als Prophet – in den Zugzwang gerät, auf einer neuen Ebene, angesichts der Wirklichkeit zu handeln. Dali hat für sich beansprucht, noch vor dem *Kannibalismus im Herbst* die Vorahnung des Bürgerkriegs gemalt zu haben. Auf dieses Ereignis bezieht sich auch Max Ernst, der nach der Niederlage der Republikaner in Spanien den monumentalen *Hausengel* malt. »Das ist natürlich ein ironischer Titel für eine Art Trampeltier, das alles, was ihm in den Weg kommt, zerstört und vernichtet. Das war mein damaliger Eindruck von dem, was in der Welt vor sich gehen würde, und ich habe damit recht gehabt.«[19] Aber schon Max Ernsts *Europa nach dem Regen,* die erste Fassung von 1933, wird als »vorausgeahnte Topographie der Katastrophe« rezipiert, eine Annahme, die erhärtet wird durch die Tatsache, daß Max Ernst den Titel noch einmal aufgriff, und zwar nach Kriegsbeginn und nach seiner ersten Internierung in Südfrankreich. Die 1940 begonnene Fassung von *Europa nach*

Max Ernst. L'Europe après la pluie (Europa nach dem Regen). 1940–42. Öl auf Leinwand, 54,4 × 147,5 cm. Hartford, Ct., Wadsworth Atheneum

dem Regen nahm er noch unvollendet in die Emigration mit, er malte das Bild 1942 in New York zu Ende.

Aber all das, der Titel und die Entstehungsumstände sind lediglich Indizien; worauf es ankommt, ist der anschauliche Befund, das gemalte Bild. Erst in dem Bild wird auch die Wandlung deutlich, die Max Ernst in diesen Jahren mitvollzieht – hin zum zeitgeschichtlich sich einfühlenden, festlegbaren, großorchestrierten Panoramabild. Die Steigerung des Ausdrucks gelingt am gewandelten Naturmodell. Es ist jetzt nicht das erfundene, das in den Anspielungen der *Histoire naturelle* zum Wiederentdecken selbstproduzierte Modell, sondern umgekehrt das in den Tropfsteinhöhlen draußen vorgefundene Modell elementarer, versteinerter Naturgeschichte, das zum Projektionsgerüst der Bilder wird. Zur Weltkulisse wird es, wenn der Maler es mit surrealer Schönheit ausstattet: durch die Transparenz organischer und anorganischer Struktur, durch die Extremität der tropisierten Tropfsteine. Die assoziativ überreizte Binnenstruktur und ihre dramatische Silhouettierung verleitet zur Entdeckung einer vitalen Ruinenromantik in diesen Bildern. Mit einem Titelwort wie *Europa nach dem Regen* kommt unabweisbar das Bild von Kriegsverwüstungen in den Sinn. Nur: Selbst die äußerste Steigerung bleibt innerhalb des hermetischen Systems, das auf Ambivalenz und auf Alltagsentzug, auf Indirektheit, auf den surrealistisch verstandenen, hier hochästhetisierten ›tieferen Inhalt‹ baut. Der Zweifel an jeder Eindeutigkeit ist den Bildern immanent. Die Vision hat jedenfalls bei Max Ernst nicht jenen verbindlichen Wortsinn wie etwa bei Otto Dix, auf dessen 1939 gemaltem Bild von *Loth und seinen Töchtern* die brennende Stadt Dresden erscheint.

Auf der anderen Seite vollzieht Dali die Übertragung der Weltgeschichte in Naturgeschichte nicht mit der formalistischen Strenge von Max Ernst. Nicht Dschungel und Vorzeit sind seine Resonanzmittel, sondern die metaphorische Belebung einer Bildwüste, an deren Rand die Welt immer noch heil, als vertraute Heimatlandschaft erscheint. Mit diesem dramatisierbaren Kontrast arbeitet Dali stets: Auf dem vorne, dem Betrachter entgegengeschobenen Grund bereitet er weiche Phantasmagorien aus, Produkte seiner mitreflektierten Zwangsvorstellung. »Selbst Uhren hatten weich zu sein oder nicht zu existieren«, damit überwand er seine aus Lebensangst stammende Feindschaft zum mechanischen Objekt, dessen Bemächtigung, Einverleibung, *Aufweichung* zum großen Ordnungssy-

Otto Dix. Loth und seine Töchter. 1939. Öl auf Holz, 195 × 130 cm. Aachen, Suermondt-Ludwig Museum stem wird, denn »die berühmten weichen Uhren sind nichts anderes, als der weiche, tolle, einsame paranoid-kritische Camembert der Zeit und des Raumes«.[20]

Die Bindung zur zeitgenössischen Gegenwart in Dalis Traum-Zeichen-Raum-Kontext: die weichen Telephone, ein auf Baumkrücken hängender Hörer, tröpfelnd über einem Teller mit einigen Bohnen und einem winzigen Hitler-Bild von 1937. Andere, die berühmteren Fassungen mit dem schwarzen Telephonhörer aus dem nächsten Jahr hat Dali mit dem Ereignis des Münchner Abkommens in Beziehung gebracht. Was bewirkt nach Dali diese paranoisch-kritische Malerei? Sie verschiebt auf greifbare Weise *die Welt des Wahns* selbst auf die Ebene der Wirklichkeit. Auf der Ebene der hergestellten Bildwirklichkeit läßt Dali indes auch die Umkehrung, *den Wahn der Welt* sichtbar werden.

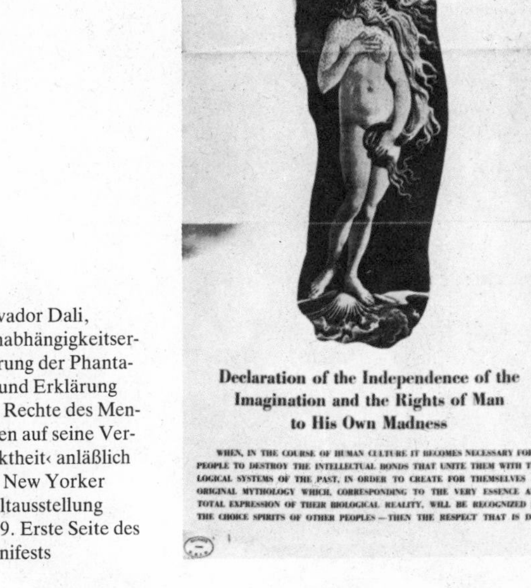

Declaration of the Independence of the Imagination and the Rights of Man to His Own Madness

WHEN, IN THE COURSE OF HUMAN CULTURE IT BECOMES NECESSARY FOR A PEOPLE TO DESTROY THE INTELLECTUAL BONDS THAT UNITE THEM WITH THE LOGICAL SYSTEMS OF THE PAST, IN ORDER TO CREATE FOR THEMSELVES AN ORIGINAL MYTHOLOGY WHICH, CORRESPONDING TO THE VERY ESSENCE AND TOTAL EXPRESSION OF THEIR BIOLOGICAL REALITY, WILL BE RECOGNIZED BY THE CHOICE SPIRITS OF OTHER PEOPLES — THEN THE RESPECT THAT IS DUE

1

Salvador Dali, ›Unabhängigkeitserklärung der Phantasie und Erklärung der Rechte des Menschen auf seine Verrücktheit‹ anläßlich der New Yorker Weltausstellung 1939. Erste Seite des Manifests

Die Frage, ob diese beiden deckungsgleich sind, steht nicht zur Debatte, sie ist im Bild gelöst, mit dessen virtuos vorgespielter, dennoch dissonanter Identität. Dalis Beitrag ist es – und damit ist er wohl der Künstler der Epoche –, das Phänomen der Irrationalität nicht aus dem Lebenskontext ausgeklammert, es vielmehr ohne Geschmacksskrupel untersucht und als narzißtisches Selbstexperiment objektiviert zu haben.

Das Bild erschöpft sich nicht in der Addition der hineingesehenen Vexier-Einheiten, es ist nicht nur Illustration des banalen Tricks der Doppelgestaltigkeit. Worauf Dali ungemein stolz ist: gleichzeitig sechs Vorstellungen wiedergeben zu können, ohne daß eine von ihnen figürlich entstellt wäre – was er auch mit Diagrammen und Transparentzeichnungen anläßlich seiner Ausstellung 1936 in New York demonstrierte – ist seine paranoische Fähigkeit, ist die beherrschte Technik zum Abrufen assoziativer Mechanismen; aber darauf allein kommt es nicht an. So vermag gerade das Gemälde mit der sechsfachen Schichtung nur als Bravourstück, nicht aber seinem Titel gemäß als *Endloses Geheimnis* zu überzeugen. Denn hier kann die auf Altmeisterlichkeit beharrende Präzisionsmalerei Dalis von sich aus der Vorstellungstransparenz nicht mehr folgen – die Malerei wird mit tödlichen Folgen für das Bild dünn und substanzlos. Das ändert sich, wenn Dali das Vexierspiel total begrenzt oder aber eine Figur herauslöst, wie aus dem *Endlosen Geheimnis* den ›Philosophen‹ und diese Figur als *Philosophie éclairée par la lumière de la lune et du soleil couchant* (Philosophie, vom Licht des Mondes und der untergehenden Sonne erhellt) zum paradoxen Tagtraumdenkmal in einer Weltuntergangslandschaft macht. Hier ist Dali der große Eklektiker, der den schockhaften Realitätswechsel von Magritte ausleiht, um in den lichtgefaserten Bretterboden des Dämmerungshimmels ein riesiges Loch ins Dunkle zu schlagen; hier malt er den Wechsel der Lichter und wechselt die Handschrift, ordnet Stilbrüche zu einer stickigen Assoziationsfülle der Hiobsbotschaft: Panorama 1939.

Salvador Dali. Philosophie, vom Licht des Mondes und der untergehenden Sonne erhellt. 1939 (Kat. 5)

Gäbe es einen Rest von Zweifel, daß in dieser wohl in Erinnerung an Altdorfers *Alexanderschlacht* theatralisierten Weltenlandschaft ein aktuell drohendes Katastrophenpanorama bengalisch ausgeleuchtet wurde, so zeigt ein entscheidender Bildhinweis Dalis, was es mit dem von innen ausgebrochenen Himmel auf sich hat. Eine zerborstene Weltkugel gibt die Antwort: Sie gibt sozusagen die Außenansicht der aufgebrochenen Landschaftsvision wieder. Und diese Weltkugel ist aktuelles Zitat; kein Fundstück-Globus, auf den Dali zurückgreift, kein Symbol aus der Bildungsreserve. Die Kugel, zusammen mit einem zum spitzen Dreieck modernisierten Obelisk, ist das offizielle Signet der New Yorker Weltausstellung von 1939, ›Trylon and Perisphere‹, ein Formdestillat zum zeitgenössischen Fortschrittssymbol. Dali vergeht sich an diesem Zeichen auf seine übliche Art, durchstößt und verschlingt die Motive, versieht sie mit dem Beiwerk seiner eigenen surrealistischen Ikonographie der Schlüssel, Ameisen, Krücken, weichen Enden. Aber darüber hinaus, das ist für unseren Zusammenhang wichtig, setzt er sich mit der Wirklichkeit dieses auf dem Gelände der Weltausstellung tatsächlich aufgebauten Symbols auseinander, zeigt er es zersetzt als Ruine. Erst dadurch wird die Kugel, wird aus der Idealform der Vollendung nur noch Erdball, den Dali sprengt.

Wenn dies alles auch nicht mehr ist als die triviale surrealistische Bildfindung durch eine sensationsheischende Blitzlichtaufnahme des irrationalen Geschichtsmoments, so ist es immer noch sehr viel. Dali ist mit seiner das Zukunftssignet in Welterosion aufbrechenden Metamorphose hellsichtig auf der Höhe der

Zeit. Als im Sommer 1939 die Weltausstellung schließlich eröffnet wurde, teilten sich die Schlagzeilen von dieser der »Welt von Morgen« gewidmeten Schau den Platz in den Zeitungen mit jenen von Hitlers Ultimatum an Polen.[21] Man könnte meinen, Dalis Katalogumschlag nimmt als vorweggenommenes Vexierbild den Widerspruch in sich auf. Inzwischen war Dali, dieses umtriebige avantgardistische Medium der Zeit, der ein Jahr zuvor noch Sigmund Freud in London die Reverenz erwies, nach New York übergesiedelt, hier hat er, nachdem sein für den Vergnügungspark der Weltausstellung vorgesehener Multimedia-Pavillon ›Traum der Venus‹ nicht unzensiert über die Bühne gehen sollte, das Manifest von der »Unabhängigkeitserklärung der Phantasie und Erklärung der Rechte des Menschen auf seine Verrücktheit« veröffentlicht.

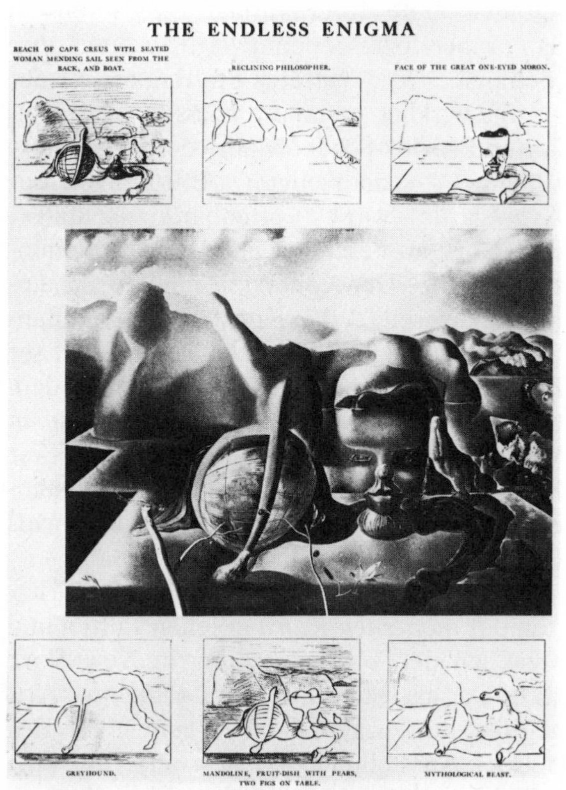

Salvador Dali. The endless Enigma (Das endlose Rätsel). Aus: Kat. ›Salvador Dali‹. Julien Levy Gallery, New York 1939

Alexander Calder. Modell für das Projekt zur Weltausstellung in New York 1939. 1938 (Kat. 14)

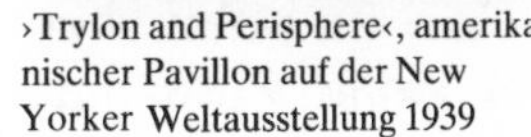

›Trylon and Perisphere‹, amerikanischer Pavillon auf der New Yorker Weltausstellung 1939

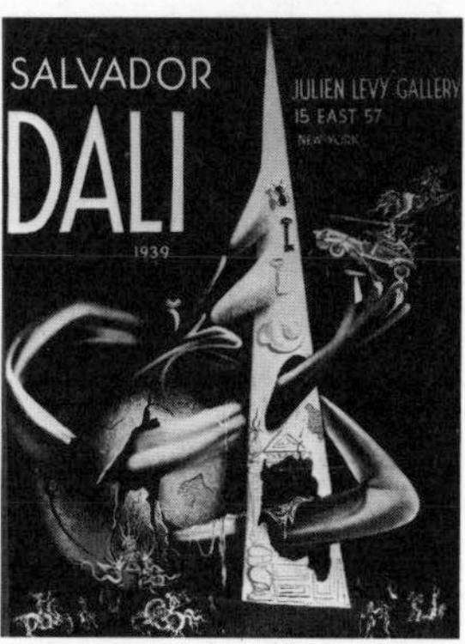

Ausstellung Salvador Dali, Julien Levy Gallery, New York, 1939. Umschlag des Katalogs

Die Symbole der Weltausstellung zerlegt auch Calder in einem konstruktiven Spiel. Aus dem spitzen ›Trylon‹ wird eine bewegliche Himmelsschraube. Farbige Halbkreis-Flächen lassen sich, um Vertikalachsen gedreht, zur wiederholten Gestalt der ›Perisphere‹ mobil ergänzen. Leichtigkeit der Formen und zugleich eine altertümliche Schwerfälligkeit des alles bewegenden Drehscheibenmechanismus kontrollieren sich mit Witz, als würde Calder seinen Reim machen auf die Poesie der Werbung für diese Weltausstellung: »Sie werden erstaunt sein, amüsiert, bereichert –/ in der

Fremde zuhaus –/ *auf* der Bühne, hinter den Kulissen und im Zuschauerraum zugleich, /in der Welt von Morgen am Rand des Heute.«[22] Die Transparenz des die Schau bewegenden Mechanismus, des zentralisierten Räderwerks, ist ein souveräner, verspielt-konstruktiver Kommentar von außen – aber keine Kunst aus dem Geist der Schau.

Die Weltausstellung von 1939 in New York ist im Grunde ein so wenig entscheidendes Datum für die Geschichte der zeitgenössischen Kunst wie die meisten anderen zuvor und danach. An diesen sehr wohl kunstgeschmückten und überdekorierten Veranstaltungen kann man immerfort die Außenrolle des modernen Künstlers ablesen, wie er eine (mitunter äußerste) Randfigur markiert in dem Goldmedaillen-Wettbewerb der Industrie und der Nationen. Auch das ist Tradition: Die Kunst, von deren Werken wir ausgehen, bleibt seit Courbets Zeiten in der Regel Zaungast der offiziellen Veranstaltung. Hier wird klar, was wörtlich ›zeitgenössische Kunst‹ heißt: Sie kann alles in unlimitierter Vielfalt sein.

Immerhin überrascht es im Rückblick, daß die ›New York World's Fair‹ im politischen Krisenjahr 1939 nicht nur keine Ausnahme macht, sondern daß im Rahmen dieser Veranstaltung die problemlos heile Welt der Kunst fröhlich Urständ feiert – und dies quasi offiziell. Wie es um den Stand der Avantgarde-Kunst des 20. Jahrhunderts zu diesem Zeitpunkt und auf dieser westlichen Bühne tatsächlich bestellt war, dafür mag ein Blick in den Katalog der heute freilich vergessenen Ausstellung ›Contemporary Art of 79 Countries‹ Aufschluß geben, die auf der Weltausstellung als eine für diesen Anlaß seit 1937 vorbereitete mäzenatische Tat der ›International Business Machines Corporation‹ realisiert wurde unter Mitwirkung nationaler Jurys, aber auch amerikanischer Berater bis hin zum Präsidenten des Metropolitan Museum of Art. Malerei wird hier als »eine der getreuesten Wiedergaben des Volkes« verstanden und damit als hoffnungsträchtiges Mittel zur besseren Völkerverständigung beschworen, im Zeichen der alle Menschen zur universalen Gemeinschaft verbindenden ›Humanität‹.[23]

Für diese von keinerlei Zweifeln angenagte völkerfreundliche Kulturideologie steht weltumspannend eine ausschließlich traditionalistische Malerei ein, insgesamt ein mild variierter Querschnitt von Blut-und-Boden-Kunst, dessen durchgehend profillose Anonymität bei der heutigen Durchsicht fast schon sensationell zu nennen ist. Aus der Liste von 79 Malern aus 79 Ländern fällt eigentlich nur ein Name mit einiger kunstgeschichtlicher Relevanz ins Gewicht. Und gerade mit diesem Namen verrät das New Yorker Unternehmen, das übrigens auch noch auf die gleichzeitige ›Golden Gate International Exposition‹ in San Francisco ausgedehnt wurde, seine wahre Ideologie. Der Vertreter Frankreichs ist der einzige wirklich namhafte Künstler der nivellierten Provinz-Schau: Maurice de Vlaminck. Vlaminck – überzeugter Abtrünniger der Avantgarde – war es – offenbar kein Zufall –, der später im besetzten Paris Picasso denunzieren sollte. Der Kontext der heilen, scheinbar volksverbundenen Kunst ist voller Fußangeln. Deutschlands Vertreter ist ein gewisser Professor Ernst F. W. Roegge (mit dem Gemälde eines ›Schwäbischen Bauern‹ in Volkstracht), dessen Meriten der New Yorker Katalog von 1939 darin sieht, daß die Münchner Städtische Galerie und Herr Goebbels Bilder von ihm erwarben.[24]

Gleichwohl fand auch die große Manifestation der *modernen Kunst* in jenen Jahren und anläßlich der Weltausstellung in New York statt. Das als ›Museum of Non Objective Art‹ gegründete Guggenheim Museum stellte sich mit der Ausstellung ›Art of Tomorrow‹ vor. Das Museum of Modern Art eröffnete zum Jubiläum seines zehnjährigen Bestehens das neue Gebäude an der 53. Straße mit einer programmatischen Bestandsaufnahme, mit der, könnte man im heutigen Sprachgebrauch sagen, ersten großen ›documenta‹ des 20. Jahrhunderts. ›Art in our Time‹ umfaßte nicht nur die Leistung, sondern auch die Voraussetzungen der neuen Kunst: Volkskunst, spätes 19. Jahrhundert in Europa und Amerika, das Umfeld der Moderne: Fotografie, Design und Architektur, Film. Zum ersten Mal wurde das gesamte Bezugsfeld der Moderne vorgestellt; ein Modell, das bis heute durch die museale Praxis kaum eingeholt worden ist. Heute mutet diese frühzeitige Rahmensetzung gewiß wie ein Denkmal an – zumal dieses frühzeitig ausgefeilte Modell die von den neuen Generationen ausgehenden Impulse nicht aufnimmt, der Kunsterweiterung nicht ohne weiteres gerecht werden kann. Aber 1939 war das Haus auf der Höhe der Zeit, war es *die* Bastion im Kampf um die Moderne, der jetzt politisch kulminierte.

Im bereits zitierten Katalog ›Art in our Time‹ wurde Lehmbrucks *Kniende* als eines der Meisterwerke der modernen Plastik überhaupt vorgestellt. Tatsächlich entstand die Skulptur bereits 1911. Die aktuelle Heraushebung ist zugleich kulturpolitische Demonstration, denn das Werk kam frisch aus Europa – ins Exil. Im Bulletin des Museums wird die *Kniende* stellvertretend für die freie Kunst Europas zitiert, verbunden mit einem kämpferischen Bekenntnis, das die Sammlung des Museums als »ein Symbol für eine der vier Freiheiten, für die wir kämpfen – die Freiheit des Ausdrucks« beansprucht. Es ist die Kunst, gesammelt aus 25 Ländern, die Hitler haßt:

»weil sie *modern* ist, progressiv, herausfordernd
> (Hitler besteht auf einem Illustrierten-Titelblatt-Realismus oder auf ›Schönheit‹)

weil sie *international* ist und zu Verständnis und Toleranz unter den Völkern führt

Though it does not so obviously bear upon the War

THE MUSEUM COLLECTION

is a **symbol** of one of the four freedoms for which we are fighting — **the freedom of expression.**

Composed of
- painting
- sculpture
- architecture
- photography
- films
- industrial design

from 25 countries it is

art that Hitler hates

because it is **modern,** progressive, challenging
> (Hitler insists upon magazine cover realism or prettiness)

because it is **international,** leading to understanding and tolerance among nations
> (Hitler despises the culture of all countries but his own)

because it is **free,** the free expression of free men (Hitler insists upon the subjugation of art).

Lehmbruck's *Kneeling Woman*, the masterpiece of the greatest modern German sculptor, was *thrown out* of the Berlin National Gallery on Hitler's order. With many other pieces now in the Museum Collection, it stands for the *free art of Europe* much of it now in hiding or in exile.

Seite 19 aus: ›The Bulletin of the Museum of Modern Art‹, New York, Okt./Nov. 1942 (Nummer zum Thema ›Das Museum und der Krieg‹)

Und wenn sie auch nicht so offensichtlich mit dem Krieg zu tun hat, ist auch

DIE SAMMLUNG DES MUSEUMS

ein **Symbol** für eine der vier Freiheiten, für die wir kämpfen – **die Freiheit des Ausdrucks.**

Mit ihren Werken von
- Malerei
- Skulptur
- Architektur
- Fotografie
- Film
- Design

aus 25 Ländern ist es die

Kunst, die Hitler haßt

weil sie **modern,** progressiv, herausfordernd ist
> (Hitler besteht auf dem Realismus von Illustrierten-Umschlägen oder auf idealisierter Schönheit)

weil sie **international** ist und dadurch beiträgt zur Verständigung und zur Toleranz unter den Nationen
> (Hitler verachtet die Kulturen aller Länder außer seines eigenen)

weil sie **frei** ist, der freie Ausdruck freier Menschen
> (Hitler besteht auf der Unterjochung der Kunst).

Lehmbrucks **Kniende,** das Meisterwerk des größten deutschen Bildhauers der Moderne, wurde auf Hitlers Befehl aus der Berliner Nationalgalerie **hinausgeworfen.** Zusammen mit vielen anderen Werken, die sich jetzt in der Museumssammlung befinden, steht sie stellvertretend für **die freie Kunst Europas,** die heute zum großen Teil im Versteck oder im Exil lebt.

(Hitler verachtet die Kultur aller Länder außer seines eigenen)
weil sie *frei* ist, der freie Ausdruck freier Menschen
(Hitler besteht auf einer unterwürfigen Kunst)«

Die Wahl von Lehmbrucks Skulptur zur symbolischen Leitfigur ist klar begründet in der frühen Ruhmesgeschichte des Werkes. Denn es war im Jahr nach seiner Entstehung im Pariser Grand Palais ausgestellt, danach 1912 auf der Kölner Sonderbund-Ausstellung, dort bereits als »Sinnbild des Expressionismus« gewürdigt,[25] und es war ebenso ein zentrales Werk auf der legendären, für die Begegnung Amerikas mit der modernen Kunst entscheidenden ›Armory Show‹ in New York 1913. Man sieht auf der historischen Aufnahme Lehmbrucks Skulptur im New Yorker Ausstellungssaal in der Nachbarschaft von Brancusi. Auf der nächsten Ausstellung von geschichtlicher Bedeutung ist die *Kniende* zum Spott freigegeben. »Sie hatten vier Jahre Zeit«, heißt die Inschrift an der Wand, bezogen auf die Mahnung Hitlers. Vier Jahre nach der nationalsozialistischen Machtergreifung wurden Werke der modernen Kunst bis hin zu jenen des bereits 1919 verstorbenen Lehmbruck aus den deutschen Museen aussortiert, beschlagnahmt und als »entartete Kunst« zu Propaganda-Ausstellungen in verunglimpfendem Zusammenhang aufbereitet. Auf dem Foto von der ersten, anläßlich der Einweihung des ›Hauses der Deutschen Kunst‹ im Sommer 1937 in München veranstalteten ›Schandausstellung‹ ist jenes aus der Münchner Staatsgalerie ausgehobene Exemplar der *Knienden* zu sehen, das im Auftrag des Propagandaministeriums anschließend im Hof einer Speditionsfirma zerstört werden sollte.[26] Nach New York gelangte indes das aus der Mannheimer Kunsthalle entfernte Steinguß-Exemplar.

Abteilung Europäische Skulptur in der International Exhibition of Modern Art (›Armory Show‹), New York 1913. Im Mittelgrund: Lehmbrucks ›Kniende‹

Die »Säuberung des Kunsttempels«, deren Höhepunkt für die internationale Öffentlichkeit zweifellos die Luzerner Auktion, die Veräußerung der Moderne aus deutschem Museumsbesitz im Sommer 1939 war, sollte man nicht als Willkürtat des Hitler-Regimes allein verbuchen. Gerade die Rezeptionsgeschichte von Lehmbrucks *Kniender* in Deutschland ist typisch. Denn dieses Werk, wie wenige nur aus dem Bereich der modernen Kunst, bekam die Chance öffentlicher Wirkung. Es wurde im urbanen Rahmen, in einer städtischen Parkanlage noch in den zwanziger Jahren zugänglich gemacht, als die Stadtverwaltung von Duisburg 1927 beschloß, in der neuangelegten Grünanlage des Tonhallengartens das berühmte, bereits durch museale Präsenz – auch die Berliner Nationalgalerie besaß eine *Kniende* – nobilitierte Werk des gebürtigen Duisburger Lehmbruck aufzustellen.

Daß die tonangebende Reaktion auf das Unvertraute negativ ausfallen würde, mag nicht verwundern; symptomatisch war aber ein sofortiger, nicht nur auf die örtliche Presse beschränkter Kulturkampf-Einsatz, der befand, daß hier »der Bevölkerung eine Kunstrichtung aufgezwungen werden [soll], die dem gesunden Volksempfinden fern-

Ausstellung ›Entartete Kunst‹, Galeriegebäude in den Hofgartenarkaden, München 1937. Im Vordergrund: Lehmbrucks ›Kniende‹

liegt«.[27] Wer »menschliche Zerrbilder«, »Abnormitäten« unter dem Deckmantel der Kunst auf das »Piedestal der Öffentlichkeit« erhebe, müsse sich »alle Kritik« gefallen lassen. »Im Namen der Sittlichkeit, der Kunst und des Taktes«, wie ein Leitartikel in Sachen Lehmbruck überschrieben war, wird Pogrom-Stimmung angeheizt und die tätliche »Machtprobe« in Aussicht gestellt, als die »einfachste und radikalste Erledigung dieses Kunstrummels«, wie es lapidar heißt: »Die Bevölkerung will einfach von solcher Kunst nichts wissen«. Tatsächlich wurde die Skulptur noch im Sommer des Jahres 1927 umgestürzt und schwer beschädigt.

Hier sei »Gesinnung« am Werk, kommentierte damals der Bildhauer Georg Kolbe den Duisburger Kunstskandal, und Erich Kästner stellte den Zusammenhang her: »Wir meinen jene Parteien, welche die Kunst in die giftigen Niederungen der Politik zerrten. Wir meinen jene Anwälte gestriger Autorität, die alles Neue infamieren und verleumden. Wir meinen jene Regierungen, die der Ansicht sind, Kunst ließe sich verbieten und verordnen.«[28]

Dieses perfekte Modell des zehn Jahre später staatlich verordneten Bildersturmes zeigt den Nährboden des Mißbrauchs und den historischen Konflikt von (moderner) Kunst und Publikum – was die Kriegserklärung Hitlers an die Moderne so sehr erleichterte. Perfekt ist das Duisburger Modell auch insofern, als Lehmbrucks *Kniende* im Dritten Reich nicht etwa durch eine heroische Skulptur im Geist des nationalsozialistischen Auftrags von »Kunst ist eine erhabene und zum Fanatismus verpflichtete Mission« ersetzt wurde, sondern durch eine Brunnenplastik mit *Wasserspendendem Knaben.* Eine solche akademische Harmlosigkeit mit dem neckischen Motiv des ›Männeken Pis‹ vertritt die volkstümliche Mehrheit der in der ›Großen Deutschen Kunstausstellung‹ Jahr für Jahr gezeigten Produktion ebenso wie jene reaktionär gesicherte Kunst aus 79 Ländern, die 1939 auf der New Yorker Weltausstellung als ›Contemporary Art‹ vorgestellt wurde.

Der Fall Lehmbruck deutet das komplexe Phänomen an, das in der Aktion ›Entartete Kunst‹ kulminieren sollte. Die ideologische Vorarbeit war auf dem Weg vom Nationalsozialismus zu einer pervertierten Rassenlehre längst schon geleistet. ›Rembrandt als Erzieher‹, verfaßt ›Von einem Deutschen‹, datiert noch aus dem 19. Jahrhundert. Polemische Traktate in der Art von ›Die Herabwertung der deutschen Kunst durch die Parteigänger des Impressionismus‹ erscheinen noch vor dem Ersten Weltkrieg; ebenso fand damals schon eine erste überregionale Solidaritätsaktion der Avantgarde statt, organisiert von Franz Marc in München als »Antwort auf den Protest deutscher Künstler«.[28a]

Noch in dieser Auseinandersetzung der zwanziger Jahre, deren herausfordernde Avantgarde ohnehin nicht mehr der Expressionismus war, wäre es denkbar gewesen, daß das Deutsche am deutschen Expressionismus erkannt oder gar im Sinn des ›Völkischen‹ in den Dienst des Nationalsozialismus genommen worden wäre. Tatsächlich gab es noch nach der Machtergreifung Versuche der Vermittlung. Eine Ausstellung von 30 deutschen Künstlern, an der Barlach und Nolde, Schmidt-Rottluff und Lehmbruck unter anderen vertreten waren, »eingeladen von den nationalsozialistischen Studenten«, die sich auf Goebbels berufen konnten, fand noch im Sommer 1933 in Berlin statt.[29] Auch die mit Bedacht umgehängte Sammlung der Nationalgalerie blieb vorerst geöffnet.

Aber Hitlers Verdikt war total und eigensinnig. Er brauchte jene radikalen Vorkämpfer der Entartungsideologie, die mit ihren illustrierten, Werke der Moderne mit Fotos von körperlichen Mißbildungen vergleichenden Schriften seit Mitte der zwanziger Jahre hervortraten, erst gar nicht zu bemühen.[30] In ›Mein Kampf‹ schon sieht er eine Aufgabe der Staatsleitung darin, zu verhindern, daß »ein Volk dem geistigen Wahnsinn in die Arme getrieben wird«, sieht er die Veranstalter von futuristischen, kubistischen, dadaistischen Ausstellungen vor sich, die früher ins Narrenhaus gekommen wären, heute aber Kunstverbände präsidieren können.[31]

Als die ›Entartete Kunst‹-Aktion begann, waren die Kunstverbände längst gleichgeschaltet, Kunstschulen und Akademien gesäubert, viele der betroffenen Künstler emigriert. Der Ablauf gleicht einer Blitzaktion. Am 30. Juni 1937 gibt der Reichsminister für Volksaufklärung und Propaganda folgenden Erlaß heraus: »Auf Grund einer ausdrücklichen Vollmacht des Führers ermächtige ich hiermit den Präsidenten der Reichskammer der bildenden Künste, Herrn Professor Ziegler, München, die im deutschen Reichs-, Länder- und Kommunalbesitz befindlichen Werke deutscher Verfallskunst seit 1910 auf dem Gebiet der Malerei und Bildhauerei zum Zwecke einer Ausstellung auszuwählen und sicherzustellen. Ich bitte, Herrn Professor Ziegler bei der Besichtigung und Auswahl der Werke weitestgehende Unterstützung zuteil werden zu lassen.«[31a]

Und die aus 25 deutschen Museen bestückte Ausstellung steht keine drei Wochen später. Sie ist der zweite Teil der großen Schau, deren erster Akt die Rede Hitlers zur Eröffnung des ›Hauses der Deutschen Kunst‹ im Jahr 1937 war, dem ersten repräsentativen Bau des Dritten Reiches, entworfen von dem von Hitler so sehr bewunderten Architekten Ludwig Troost. Das Entstehen dieses stilistisch maßgebenden, für Speer die neoklassizistische Perspektive festlegenden Baues hat Hitler als »Architekt des Reiches« mit größter und innigster Anteilnahme verfolgt. Phantastisch aber, daß er die Gelegenheit der Eröffnung zugleich zur theatralischen, freilich blutig ernsten Abrechnung benutzt: »Ich will in dieser Stunde bekennen, daß es mein unabänderlicher Entschluß ist, genauso wie auf dem Gebiet der politischen Verwirrung nunmehr auch hier mit den Phrasen im deutschen Kunstleben aufzuräumen. ›Kunstwerke‹, die an sich nicht verstanden werden können, sondern als Daseinsberechtigung erst eine schwülstige Gebrauchsanweisung benötigen, um endlich jenen Verschüchterten zu finden, der einen so dummen oder frechen Unsinn geduldig aufnimmt, werden von jetzt ab den Weg zum deutschen Volke nicht mehr finden! ... Wir werden von jetzt ab einen unerbittlichen Säuberungskrieg führen gegen die letzten Elemente unserer Kulturzersetzung ... Nun aber werden – das will ich Ihnen hier versichern – alle die sich gegenseitig unterstützenden und damit haltenden Cliquen von Schwätzern, Dilettanten und Kunstbetrügern ausgehoben und beseitigt. Diese vorgeschichtlichen prähistorischen Kultursteinzeitler und Kunststotterer mögen unsertwegen in die Höhlen ihrer Ahnen zurückkehren, um dort ihre primitiven internationalen Kritzeleien anzubringen.«[31b]

Adolf Hitler und Joseph Goebbels in der Ausstellung ›Entartete Kunst‹, Galeriegebäude in den Hofgartenarkaden. München 1937

Am darauffolgenden Tag durfte Ziegler unter den Münchner Hofgartenarkaden die ›Entartete Kunst‹-Ausstellung bei freiem Eintritt eröffnen: »Sie sehen um uns herum diese Ausgeburten des Wahnsinns, der Frechheit, des Nichtskönnertums und der Entartung«. Er führte Hitler und Goebbels durch die Schau, in der Beckmann, Kandinsky, Klee, Schwitters, Chagall, Kirchner, Nolde, Max Ernst, Mondrian und eben auch Lehmbruck prominent vertreten waren. Die zwölfteilige Absichtserklärung der Ausstellung begann mit dem Satz: »Sie will am Beginn eines neuen Zeitalters für das deutsche Volk anhand von Originaldokumenten allgemeinen Einblick geben in das grauenhafte Schlußkapitel des Kulturzerfalls der letzten Jahrzehnte vor der großen Wende.«[32]

Wenn wir hier derart ausführlich auf die destruktiven Ereignisse der Vorkriegszeit in Deutschland eingehen, so aus der Überzeugung, daß diese extreme Reaktion auf die moderne Kunst nicht ohne Spuren blieb für die weiteren, auch inneren Geschicke der Avantgarde-Kunst. Hier ging tatsächlich eine Epoche zu Ende. Man kann diese Phase, die abgebrochen wurde, eine Phase der Unschuld und des Experiments nennen. In der Ausstellung hing auch ein Bild von Mondrian, versehen, wie die meisten Exponate, mit dem Ausrufezeichen: »Vom Steuergroschen des deutschen Volkes« gekauft für fünfzehnhundert Reichsmark; es war das erste und bis dahin einzige Bild, das in ein Museum kam, und verweist auf die fast schon laboratoriumsmäßige Konzentration der abstrakten Kunst im Hannover der zwanziger Jahre, wo nicht nur Schwitters, sondern auch El Lissitzky ›zu Hause‹ waren, und eine »Überwindung der Kunst«, wie Alexander Dorner in seinen Memoiren apostrophieren konnte, in kreativer Arbeit unspektakulär erprobt werden konnte. In der Ausstellung hing die *Zwitschermaschine* von Klee, beschlagnahmt aus der Berliner Nationalgalerie, die eine bis dahin ungeahnte bildnerische Freiheit der symbolistischen Imagination zumal zum Nutzen der Pariser Surrealisten frühzeitig eröffnete.

Der gewalttätige Haß auf diese Kunst ist ein besonderes Phänomen. Angesichts dieses Hasses wurde später immer wieder der Verdacht geäußert, die Geschichte der öffentlichen Gunst für diese Moderne könnte längst zu Ende sein, hätte es nicht die Verfolgung im Hitler-Deutschland gegeben und die daraus resultierende spätere Aufwertung.

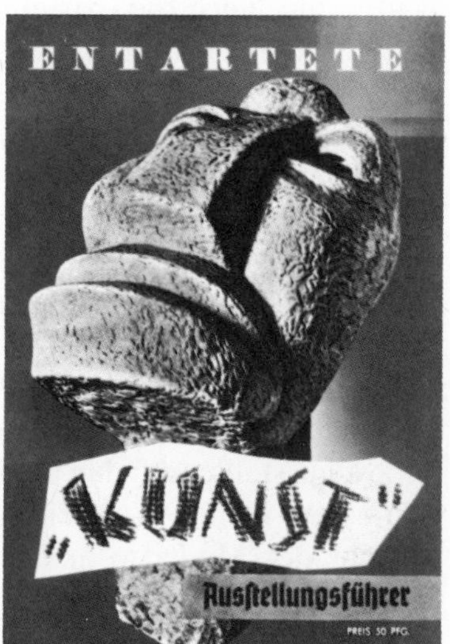

Ausstellung ›Entartete Kunst‹, 1937. Umschlag des Ausstellungsführers, mit einer Plastik von Otto Freundlich

Otto Freundlich. Komposition. 1939 (Kat. 8)

Entscheidend ist aber nicht der Vollzug der unmenschlichen, entmenschten ›Straf‹-maßnahme, sondern die Gewißheit, daß sie überhaupt möglich sei.

Die Auktion in Luzern liegt noch davor. Im letzten Sommer vor der Kriegserklärung sammelt sich dort im Grand Hotel Bellevue zur Auktion eine illustre Gesellschaft, um die Konkursmasse der abgestoßenen Moderne

Salon des Réalités Nouvelles, Galerie Charpentier, Paris 1939. Mit Otto Freundlichs ›Composition‹ 1939 (Kat. 8)

Die Moderne mit der Märtyrer-Krone: Dies ist ein wahres und ein schiefes Bild. Betroffen waren alle, auch die existentielle Bedrohung galt für die meisten. Jener in seiner Kunst äußerst konsequente, aber nicht mit Parolen politisch engagierte Künstler, dessen Skulptur zum Titelblatt des ›Entartete Kunst‹-Katalogs verwendet wurde, Otto Freundlich, wurde ein Opfer der Menschenverfolgung. Er wurde in Frankreich aufgespürt, interniert, nach Osten transportiert und in das Vernichtungslager Maidanek gebracht. Kandinsky, mit dem er noch zuletzt 1939 im ›Salon des Réalités Nouvelles‹ ausstellte und den die Inszenierung der ›Entartete-Kunst‹-Ausstellung zum Hauptbösewicht der Moderne macht, verbleibt während der deutschen Besatzung unbescholten im Pariser Exil.

aus dem Dritten Reich in Empfang zu nehmen. Van Gogh, Picasso, Gauguin sind die Renner; mit einem kurzfristig bewilligten Kredit kauft der gerade bestallte Direktor des Basler Kunstmuseums billigst andere Meisterwerke ein: Chagall, Dix... und Klee. Und der engagierte Mann aus Basel, Georg Schmidt, holt noch anderes aus der Berliner Sammelstelle der Entarteten, so auch das *Ecce Homo* des seit seinem zweiten Schlaganfall zum Abschuß freigegebenen Lovis Corinth.

Der makabre Ausverkauf der Moderne ist eine vorweggenommene Episode der totalen Kriegserklärung. Zur Eröffnung der 1939er Kunstausstellung verkündet Hitler: »...entscheidend war, daß der neue Staat nicht nur die Bedeutung seiner volks- und machtpolitischen, sondern auch kulturellen Aufgaben

Auktion von Werken aus dem Besitz deutscher Museen, Galerie Fischer, Luzern 1939. Versteigerung von Marc Chagalls ›Rabbiner‹, 1923–26, heute Kunstmuseum Basel, früher Städtische Kunsthalle Mannheim. In der Münchner Illustrierten Presse vom 27. Juli 1937 wird die Aufnahme kommentiert: »Der Rabbiner von Marc Chagall aus der Städtischen Kunsthalle in Mannheim. Der schwarze Rabbi mit dem grünen Bart ist typisch für jene Bilder, die dem gesunden deutschen Kunstempfinden widersprechen. Das Ausland hatte dafür 1600 Franken übrig.«

erkannte (...). Damit aber hörte die Kunst auf, das mehr oder weniger interne Gesprächsthema schwindsüchtiger Ästheten zu sein, sondern sie begann ein kraftvolles Element unseres kulturellen Lebens zu werden. Ganz gleich, was nun der eine oder andere Verrückte darüber vielleicht auch noch heute zu denken beliebt, auf den neu entstandenen Plätzen entscheidet nunmehr aber schon längst das Volk. Das Gewicht von Millionen läßt jetzt die Meinung einzelner völlig belanglos sein. Ihre Auffassung ist kulturell ebenso unwichtig, wie es die Auffassung von politischen Eigenbrödlern ist. Die politische und kulturelle Emigration hatte für das Volk in dem Augenblick jede Bedeutung verloren, in dem die Taten als solche dem Volk sichtbar wurden und damit das Interesse an den rein theoretischen Abhandlungen dieser Leute einmal für immer verschwand.«[33]

Die Abrechnung mit den Emigranten erfolgt nicht ganz im Triumphton von 1937. Auch die offensichtliche Anspielung auf die ›Entartete Kunst‹-Ausstellung, die bis zum Sommer 1939 in mehreren Städten, so in Berlin, Düsseldorf, Frankfurt gezeigt wurde, fällt bemerkenswert schlicht aus. Haben aber die »Taten, die dem Volk sichtbar wurden«, tatsächlich bewirkt, daß »das Interesse an den rein theoretischen Abhandlungen dieser Leute für immer verschwand«? Die Besucherstatistik dieser Wanderausstellung weist Rekorde auf. Am 19. Juli 1939 meldet ›Der Mittag‹: »Die mit so großem Erfolg in den Ausstellungshallen am Düsseldorfer Ehrenhof gestartete Wanderausstellung ›Entartete Kunst‹, die einen einprägsamen Überblick über die politisch verseuchte Verfallskunst einer überwundenen Zeit gibt, weist von Tag zu Tag steigenden Besuch auf. Nachdem das vergangene Wochenende wieder einen Rekordandrang brachte, so daß wiederholt die Ausstellung zeitweise geschlossen werden mußte, haben nunmehr über 100000 Volksgenossen unseres Gaugebietes diese einzigartige Schau gesehen.« Man muß bedenken: Dies war auch tatsächlich eine einzigartige Gelegenheit nach Jahren der Gleichschaltung im Dritten Reich, »moderne Kunst«, freilich im verunglimpfenden Kontext, zu sehen.

Beschlagnahmt, verhöhnend zur Schau gestellt, gegen Devisen abgeschoben: Dieser »entarteten Kunst« wurde eine andere entgegengestellt, in bewußter Polarisierung. Nachdem der ganze Schwindelbetrieb einer deka-

Handzettel zur Ausstellung ›Deutsche Kunst 1939‹, Haus der Deutschen Kunst, München 1939

denten oder krankhaften, verlogenen Modekunst hinweggefegt sei, sei nun ein »anständiges allgemeines Niveau« erreicht, was sehr viel sei, denn »aus ihm erst können sich die wahrhaft schöpferischen Genies erheben«, ja, »wir glauben nicht nur, sondern wir wissen es, daß sich heute bereits solche Sterne am Himmel unseres deutschen Kulturschaffens zeigen«, heißt es beschwörend in der oben zitierten Eröffnungsrede von 1939. Aber es bleibt ausdrücklich beim Glauben: »Die dritte Ausstellung im neuen Haus der Deutschen Kunst bestärkt uns in diesem Glauben. Wir wollen aber erst recht hoffen und es erwarten, daß die zur Kunst Berufenen mit einem wahrhaft heiligen Eifer zu ihrer Aufgabe stehen.« Es scheint so, liest man die Rede zweimal, daß selbst Hitler die Bankrotterklärung der in das ›Haus der Deutschen Kunst‹ hineinjurierten Kunst nicht entging. Auf dem Prospekt zu dieser Ausstellung, den wir hier abbilden, spiegelt sich der neue Zusammenhang: Landleben im Kostüm der Idylle, Nackedeis im Verklärungsalibi der ›Bäuerlichen Venus‹ oder mythologisch im *Urteil des Paris*, von jenem Adolf Ziegler, der als Organisator der ›Entarteten Kunst‹-Ausstellung und als Reichskunstkammerpräsident Mal- und Ausstellungsverbot den verfemten Kollegen erteilen sollte. Getreu spiegelt das Faltblatt der ›Großen Deutschen Kunstausstellung‹ von 1939 den Vorrang der Skulptur, die in Verbindung mit der architektonischen Neugestaltung des Reiches ihrer monumentalen Aufgabe harrte. Hier stand auch eine traditionell konservative Talentreserve zur Verfügung. Aus der älteren Generation brachten die Münchner Lokalgröße Josef Wackerle und noch in einem sehr viel ausgeprägteren Sinn Georg Kolbe ihre künstlerische Seriosität für die neue Aufgabe ein; schließlich mit dem jüngsten unter ihnen hatte das Dritte Reich Hitlers wirklich den Stern am Himmel des deutschen Kunstschaffens gefunden: Arno Breker.

Monographie des französischen Bildhauers Charles Despiau über Arno Breker, Paris 1942

Es wäre eine Studie wert, das Menschenbild, das in Kolbes ungleich substantielleren Skulpturen in diesen Jahren aufs unangenehmste zum überlegenen Rassenbewußtsein erwacht, von Brekers Idealbild des Übermenschen abzusetzen, dessen glatte Finesse zum Faszinosum aller, insbesondere der heimlichen Bewunderer des Dritten Reiches werden konnte. Man könnte verkürzt sagen, Kolbe ist deutsch, Breker hingegen das reine Medium faschistischer Ästhetik. Das späte Bündnis Breker, Dali, Fuchs erklärt im nachhinein einiges von Brekers im kollaborierenden Frankreich erworbenem Ansehen: Seine von Minister Abel Bonnard eröffnete Pariser Ausstellung im Mai 1942 in der Orangerie wurde zum Staatsakt der Vichy-Regierung, aber auch einer kulturellen Prominenz. Auf dem anschließenden Diner prostete der alte Maillol dem »deutschen Michelangelo« zu, und die für diese Gelegenheit von Flammarion edierte Breker-Monographie hat kein geringerer als der Bildhauer Charles Despiau verfaßt. Auch das ist ein Kontext der Zeit: als Krönung der flink durcheilten Tradition, denn Breker setzt erst in den zwanziger Jahren beim Oberflächenreiz der Rodinschen Figur an, stand das neoklassizistische Heroenbild gegen Ende der dreißiger Jahre schon fest; verfügbar und nach Bedarf abrufbar für höhere Aufgaben, austauschbar als makellose Hülle des Pathos, eine perfekte Leerformel für die olympische Verheißung, für eine Wiederankunft der Götter, für deren bei Breker stets pseudo-apollinische Schönheit zu schwärmen Leute wie Cocteau prädestiniert waren.

Besuch französischer Künstler in Arno Brekers Atelier in Jöckelsbruch

John Heartfield:

Entfesselter Kitsch, gefesselte Kunst.
›Geartete Kunst‹ in der Ausstellung im ›Haus der Deutschen Kunst‹

In Spanien: Die Heinkel-Bomber des Dritten Reiches machen erbarmungslos Jagd auf Frauen und Kinder, Krupps Granaten verwandeln die Dörfer und Städte des demokratischen Spanien in Schutt und Asche. Eine erschreckende, grauenvolle Probe für den offenen Krieg, den der Faschismus rastlos gegen die gesamte Welt vorbereitet.

Älteste Kulturstätten, bedeutendste Kunstwerke fallen dem Raubzug um Erz zum Opfer. Denn das Dritte Reich braucht Erz, wie wir aus Hitlers Mund selbst hörten. Die Volksfrontmilizen, Verteidiger ihrer spanischen Heimat, retteten, soweit es in ihren Kräften stand, unter großen Opfern Kulturwerke vor dem »nationalsozialistischen Kulturschaffen« in Spanien.

Zur gleichen Zeit geschieht im Dritten Reich folgendes: Nahe der Hölle Dachau, wo so viele Kämpfer für die deutsche Kultur und Kunst zu Tode gemartert und geprügelt werden, wo so mancher Wissenschaftler seine Lehre mit dem Leben bezahlen muß, eröffnete Hitler mit großem Lärm, mit einem »Festzug der Deutschen Kunst« am »Tag der Deutschen Kunst« die »Große Deutsche Kunst-Ausstellung 1937« in einem kalten, zuchthausähnlichen Beton-Steinbaukasten, amtlich genannt »Haus der Deutschen Kunst«.

Ganz München wurde in diesen Tagen auf den Kopf gestellt und nicht nur München. Es gelang den Nazis, Meistern in der Verdrehung und Verfälschung aller Werte, an Unfähigkeit zusammenzukratzen, was ihre Anhänger produziert hatten, und als »nationalsozialistische Kunst«, »richtunggebend für das nationalsozialistische Kunstschaffen«, dem deutschen Volke und der verwunderten Welt zu präsentieren. Hitler hielt eine »Kunstrede«, die von den braunen Blättern des Reiches »grundlegend« genannt wurde. Die zweiundzwanzig vor dem »Tempel der Deutschen Kunst« aufgereihten Steinsäulen hätten sich biegen können, so tobte und wetterte Hitler gegen den »Kulturbolschewismus«, gegen die »Kunstvernarrung«. Er drohte den Malern, die es weiterhin »wagen« sollten, den Himmel statt blau etwa grün, oder Wiesen gar blau zu malen, den Transport ins Irrenhaus oder Entmannung an. Die Nazis, geübte Künstler im Kastrieren, haben die Wahrheit, das freie Denken, die Entwicklung und das Leben vieler Deutschen kastriert, und nun sind als nächste Opfer die Maler und Bildhauer dazu ausersehen.

Hitler gab bekannt, daß er auch in Kunstdingen mit niemandem diskutieren werde. Wie Goebbels sagte, irrt Hitler nie, und »das Schwarze Korps vom 29. Juli 1937« schreibt in einem Artikel »Warum gleich ›Kapitalist‹?«: »Es gibt nur einen wirklichen Nationalsozialisten, das ist der Führer: wir anderen können nur bemüht sein, uns nach ihm, seinem großen Vorbild auszurichten und ihm nachzuleben.« Und so müssen sich denn die noch im Dritten Reich verbliebenen Künstler nach dem »Führer ausrichten«! Wessen Leistungen können schon bestehen bleiben vor den kunstgeübten, wachsamen Augen des »nie schlafenden« Führers!

Die Zensoren der Ausstellung der »gearteten Kunst« hatten eine unmenschliche Arbeitsleistung bei der Auswahl der Bilder für die Leichenkunstkammer zu vollbringen, im Bemühen, dem Geschmack Hitlers gerecht zu werden. Eine Zensorin fiel beim »Ausrichten« sogar in Ohnmacht. Hitler selbst übte letzte Zensur am bereits Zensierten, und mancher Zensor mußte erfahren, daß er selbst »kulturbolschewistisch verseucht« sei. Über zehntausend Gemälde wurden unter die Nazilupe genommen und auf ihre Ungefährlichkeit hin untersucht. Was noch

Eigenwilligkeit und gar selbständiges Denken verriet (das Volk darf auch durch Kunst nicht eigenes Denken demonstriert bekommen, jeder eigenmächtige Gestaltungswille muß daher ausgetreten werden), wurde schonungslos ausgemerzt. So fand denn auch der größte Kitsch, der im Dritten Reich fabriziert wird, Einlaß in den Münchner Siegesallee-Kunsttempel. Jegliche Darstellung der Wirklichkeit, des wirklichen Lebens des deutschen Volkes, seiner sozialen Nöte und seiner Leiden, blieb fern. Nur echt nationalsozialistisch gereinigte Pinselei, vielfach geeicht und geprüft, fand Gnade. Viele sudeten-deutsche Maler, die der Henlein-Propaganda Glauben schenkten und ihre eingesandten Arbeiten als nicht genügend »artgemäß« befunden, zurückerhielten, waren über die Ablehnung sehr betroffen. Hoffentlich beginnen sie nun zu begreifen, wohin der Weg eines ehrlichen Kunstschaffens führt. Nicht ins »Haus der Deutschen Kunst« nach München. Dies steht fest. Und es wurde nachdrücklich unterstrichen durch eine von den Nazis gleichzeitig in den Arkaden des Münchener Hofgartens veranstaltete Ausstellung »Entartete Kunst«. Ein gewisser Prof. Ziegler, Maler süßlichster Frauenakte, wurde von Hitler zum Unterdiktator der deutschen Kunst und zum Organisator dieser Ausstellung ernannt. Er schleppte aus den Galerien zusammen, was er nicht verstand und warf alles in einen Topf: Expressionismus, Futurismus und Dadaismus, pinselte »Kultur-Bolschewismus« darauf und bildete sich ein, derart die moderne Kunst an den Pranger zu stellen. Von diesem Wirken wurden Werke weltbekannter deutscher Maler betroffen, wie von Emil Nolde, Karl Schmidt-Rottluff, Max Beckmann, Oskar Kokoschka, Käthe Kollwitz, Paula Modersohn-Becker, Carl Hofer, Lyonel Feininger, Marc Chagall, Max Pechstein, Klee, Kandinsky, Otto Dix, George Grosz, H. Davringhausen, Oskar Moll, Erich Heckel, Werner Scholz. Im letzten, dem allgemeinen Besucherkreis zugänglichen Ausstellungsraum, ist eine Hälfte fast nur den Arbeiten Lovis Corinths gewidmet. Hier befindet sich auch Franz Marcs berühmtes Gemälde »Der Turm der blauen Pferde«.

Der anschließende Saal der Ausstellung ist dem Publikum nicht zugänglich. Er zeigt Werke von Künstlern, die zur Zeit noch ein Lehramt ausüben, oder bis vor kurzer Zeit ein Lehramt noch ausgeübt haben. »Sie hatten vier Jahre Zeit«, steht über der Tür geschrieben. Eine unmißverständliche Drohung.

Die Bücher der fortschrittlichen und antifaschistischen Schriftsteller wurden bald nach dem Reichstagsbrand dem Scheiterhaufen überliefert. Der Bücherverbrennung folgte jetzt der Bildersturm.

Ähnlich, nur viel ungehemmter und gefährlicher als Wilhelm II., der seinerzeit in Deutschland die Eröffnung seiner Siegesallee zum Anlaß nahm, gegen die »Rinnstein-Kunst« zu wettern, um die aufstrebende deutsche sozialdemokratische Arbeiterschaft damit zu treffen, versucht heute Hitler, die letzten noch möglichen Regungen eines freiheitswilligen Kulturschaffens zu ersticken. Wie die Arbeiten von George Grosz, der der herrschenden Klasse, ihren faschistischen Bütteln und Henkern einen bleibenden Spiegel vorhielt, vernichtet werden, so werden auch die Werke der großen Darstellerin proletarischen Daseins und der Not des Volkes, Käthe Kollwitz, in Bann getan. Ebenso müssen die Arbeiten von Otto Dix, der den Krieg in seiner ganzen Grausamkeit, alle seine Schrecken wahrheitsgemäß zeigt, den faschistischen Kriegstreibern verhaßt sein. Das wahre Gesicht des Krieges und seiner Wegbereiter darf im Dritten Reich nirgends enthüllt werden. Die Kunst, die für den Frieden eintritt, wird von den Nazis gewaltsam unterdrückt. Das deutsche Volk hat aber bereits zu erkennen gegeben, daß es sich die Wahrheit nicht verhüllen läßt, und das »Schwarze Korps« mußte sogar ein Ventil öffnen, um der Mißstimmung Ausdruck zu verleihen, aber diese Beschwichtigungsversuche des ängstlich gewordenen »Schwarzen Korps« schaffen die Tatsache nicht aus der Welt, daß die Hallen der Kunstleichenkammer leer bleiben, während die Ausstellung »Entartete Kunst« demonstrativ bereits von 400000 Menschen besucht wurde. Auch das ist eine Antwort auf Hitlers Kunstächtungsrede. Es wird nicht die letzte Antwort sein.

Aus: Volks-Illustrierte (VI), 1937, Nr. 33, o. S. (S. 8–9)

Ausstellung ›Entartete Kunst‹. Galeriegebäude in den Hofgartenarkaden. München 1937

»Entfesselter Kitsch, gefesselte Kunst« heißt die Formel John Heartfields für die Doppelveranstaltung in München, deren Rezension er im Exil zum Anlaß nahm, den historischen Zusammenhang dieser Polarität herzustellen.[34] »Geartete Kunst« gegen die »Entartete Kunst«: Wendet man diese Dialektik auf Breker an, so findet man ihn als Verbindungsglied und Vermittlungsfigur zwischen der Provinzialität der gleichgeschalteten deutschen Kunst mit ihrer ehrgeizigen Aufgabenzuteilung und jener traditionalistischen Moderne in Frankreich, deren Arrangement mit den deutschen Besatzern auch ein kunstideologisches war. In der Delegation französischer Künstler, die im Jahr der Breker-Ausstellung in Paris Deutschland bereiste, waren nicht nur akademische Bildhauer wie der greise Henri Bouchard, sondern auch Derain und Vlaminck. Letzterer hat sich »an die jungen Leute, die im Jahr 1940 noch nicht zwanzig Jahre alt waren«, gewandt, anklagend: »Wie viele Leute haben in der schwindelhaften Freiheit der Inflationsjahre unbewußt Verrat am Geschmack geübt, wie viele banale Bilder hat man als ›Malerei‹ gepriesen!... Das Tempo und die Tricks haben uns so sehr getäuscht, unsere Sensibilität, unsere Vernunft und unsere Intelligenz so geschwächt...« Und: »Ist nun die Periode des verwilderten Intellektualismus, seelischer Abirrungen und krankhafter Spekulationen abgelaufen?«, fragt Vlaminck in seinem 1943 in Paris erschienenen Erinnerungsbuch, dem er vorausschickt, daß er diese Blätter in voller Unabhängigkeit und Freiheit geschrieben habe.[35]

Dieses aktive Bündnis zwischen der nationalsozialistischen Propaganda und der freien, ja man sollte hinzufügen, endlich zur öffentlichen Wirkung befreiten Stimme eines französischen Malers von frühem Renommée, der betont, daß er für seine Absichten die heutigen Ereignisse nicht erst abzuwarten brauchte, bestätigt auf einer neuen Ebene den am Fall Lehmbruck geschilderten Ressentiment-Stau. Dort reichte die Toleranz nur, solange man das »Zerrbild der menschlichen Gestalt« in »irgendein Museum« abstellte und damit fernhielt von der Öffentlichkeit. Der Maler in Paris erlebte die aufwühlende Spannung der Jahre von 1920 bis 1939 als »Delirium«, in dem »intellektuelle Onanie und Päderastie jene Ungeheuer zeugten, die (nur) Spezialisten für Geisteskrankheiten und perverse Liebhaber sammelten«; er mußte diese »Entartung« vor der eigenen Haustür erleben: »War er ein Maler, wußte er nichts von echtem Klassizismus, der die Fortdauer der Rasse gewährleistet und der keine Gehirnakrobatik braucht.«[36] Erlösung auch für ihn wie überhaupt weltweit für das sich mit geistiger Auseinandersetzung nicht belastende Metier mußte Hitlers Antrittsversprechen von 1933 bringen: »Wir werden Sorge tragen, daß gerade das Volk von jetzt ab wieder zum Richter über seine Kunst aufgerufen wird«, eine Rückversicherung auf des Volkes »natürlichste Weltanschauung in seinem Instinkte«.[37]

Daß andererseits dem modernen Künstler, demjenigen, der auf kreative Verbindung von Kopf und Instinkt nicht verzichten mochte, der Konflikt mit dem Publikum längst klar geworden ist, hat in diesem Zusammenhang immerhin Anmerkungswert. Aus den zwanziger Jahren noch stammt die Wendung von Klee, »uns trägt kein Volk«, eine lapidare Feststellung, herausanalysiert aus der Geschichte der Moderne. Mit dieser Erkenntnis lebten und arbeiteten die Künstler, mehr oder weniger belastet, resigniert oder zusätzlich motiviert. Daß ihre Arbeit eine konsequente Auseinandersetzung mit der Gegenwart miteinschloß, ist im Rückblick um so deutlicher zu erkennen, als die Gegenprobe jene andere, gesellschaftlich und staatlich geförderte Kunst der Zeit als eine aus der

Vergangenheit ausgeliehene Kunst überführt. Das Phänomen der als Problemstoff verdrängten, ausgesperrten Gegenwart ist nicht auf Deutschland zu begrenzen, (wenn man einmal von den Sonderkonditionen der Diktatur absieht): Es ist eine Perspektive der die Massen mobilisierenden dreißiger Jahre – weltweit.

Zur gleichen Zeit, als auf der einer ›Welt von Morgen‹ gewidmeten New Yorker Weltausstellung ›Futurama‹ das verkehrstechnische Wunderwerk einer funktionalen Zukunftsstadt präsentiert wurde, hatte John D. Rockefeller eine ganze Stadt aus der Kolonialzeit in Virginia, gewissermaßen als ästhetisches Pendant, mit vollem mäzenatischem Einsatz zum begehbaren Museum wiederentstehen lassen – »auf daß die Zukunft von der Vergangenheit lerne«. Im Vakuum der ausgesparten Gegenwart hauste die moderne Kunst. »Vergangenheit und Zukunft, aber ja keine Gegenwart«, kommentiert der Kulturkritiker Malcolm Cowley jene Jahre: »Futurama, das war die Stadt der Zukunft, Williamsburg, das war die amerikanische Vergangenheit. Von der amerikanischen Gegenwart war nicht die Rede.«[37a]

Die diktatorische Gewalt, mit der man in Deutschland Kulturpolitik machte, hatte den latenten Konflikt der Moderne nicht nur aufgerissen, sondern im gleichen Zug als Konflikt außer Kraft gesetzt. Die Aktion ›Entartete Kunst‹ hatte mit den ›Schandausstellungen‹, dem Luzerner Ausverkauf und der Verbrennung von Tausenden beschlagnahmter Werke im Hof der Hauptfeuerwache in Berlin 1939 die Perspektive der Endlösung vor Augen geführt. Die vom öffentlichen Wirken bereits ausgeschaltete Moderne wurde mit dem propagandistischen Rassenfeindbild der zersetzenden jüdisch-bolschewistischen Verschwörung überzogen, politisiert und kriminalisiert.

Daß die Kunst fortan an dieser Herausforderung zu messen sei, wäre freilich eine einseitige Schlußfolgerung, die die Substanz der künstlerischen Leistung auf bloße Reaktionsfähigkeit reduzierte. Nicht mit einer wesentlich veränderten Kunst, sondern mit dem betroffenen Künstler ist fortan zu rechnen, mit dem Künstler, der seine Haltung überprüft.

Die Bereitschaft zum Widerstand, zu Abwehr und Gegenpropaganda gehört auch zu dieser betroffenen Haltung. Zu den Künstlern, die im Exil den politischen Kampf fortsetzen und dort der Solidarität engagierter Künstler begegnen, wie Heartfield in England oder Grosz in Amerika, kommen parteipolitisch ungebundene. Oskar Kokoschka spielt in diesem Zusammenhang eine besondere Rolle.

Das Engagement Kokoschkas, der 1943 in London die Präsidentschaft der Free German League of Culture übernahm, äußert sich in den gelegentlichen Pamphleten vor allem mit der Demonstration humanistischen Kulturbewußtseins – darin klar unterschieden vom direkten Kampfstil der Anti-Nazi-Kampagne in den Kriegsjahren. Dafür bilden wir hier die in England publizierten Arbeiten von Heartfield ab, ein Plakat des Amerikaners Ben Shahn und das Foto einer monumentalen Hitler-Karikatur, an der George Grosz zusammen mit Yasuo Kuniyoshi 1940 in New York malte.

Noch weniger freilich hat Kokoschka mit der Aktivität der englischen Kriegsmaler zu tun, deren überreiche Produktion aus jenen Jahren heute Galerien und Depots des Londoner ›War Museums‹ füllt und die in der Summe als mäßig dramatisierte Kriegsberichterstattung abzubuchen ist. Unschwer könnte man aus diesem riesigen ruhenden Fundus eine hochfrisierte Auswahl treffen, die dann quasi austauschbar den heroischen Kriegsbildern aus dem ›Haus der Deutschen Kunst‹ zur Seite zu stellen wäre, auch wenn die sportlich-professionelle Auffassung vom Kriegsgeschäft selbst in den pathetischsten Beispielen der englischen Maler noch auffällig von dem

Ben Shahn, »This is Nazi Brutality«, 1942 Plakat (Lithografie) 102 × 72 cm

George Grosz (r.) und Yasuo Kuniyoshi (M.), Hitler-Karikatur, 1940. Gemalt für eine Anti-Nazi-Veranstaltung

gemalten Durchhalteidealismus der reichsdeutschen Kollegen abweicht.

Daß sich die Kriegsbilder dieses Durchschnitts gegenseitig neutralisieren, ist keine zynische Behauptung: Bruchlos fügt sich in das Ensemble selbst ein Hitler-Porträt in Feldherrenuniform ein, das natürlich als Kriegsbeute am Ende der Schlacht ins Museum kam, jetzt aber ohne besonderes Aufheben in den Hängeregalen ruht, in Reih und Glied mit der restlichen Soldatenkunst. Auf dieser Spur führt der Exkurs über die ›Official War Artists‹ weg aus dem zeitgenössischen Kontext. Nicht nur, daß hier gewissermaßen zeitlos der auftragsbedingten Gattung des Kriegsbildes, und zwar stilistisch wie ikonographisch zeitlos, fleißigst gehuldigt wird. Selbst die Organisation des offiziellen Unternehmens ist traditionell, so daß eine ganze Generation der älteren Spezialisten die am Ende des Ersten Weltkrieges weggelegte Palette bei der neuerlichen Einberufung nur aufzufrischen brauchte.

Eine winzige Gruppe in dieser Phalanx der speziell verpflichteten ›War Artists‹ bilden jene modernen Maler, die dem Bild des Krieges eine Vision ihrer eigenen Kunst abgewinnen. Solche Ausnahmefälle sind gewiß der mit seinem düsteren Spätwerk noch zu entdekkende David Bromberg oder auch der mit seiner experimentell angewandten Modernität gerade in diesen Jahren des Übergangs interessante John Piper. Am bekanntesten ist als Kriegskünstler der Maler-Fotograf Paul Nash, dessen aus abgeschossenen Stukas gebildetes *Totes Meer* seinen Platz in der Tate Gallery bis heute behauptet. Daß dieses Bild eine triviale Variante von Caspar David Friedrichs *Gestrandeter Hoffnung* sein könnte, ist dann kein abwegiger Einfall, wenn man die immerhin wirksame Spannung dieses Bildes aus der zeitgenössischen Einflußsphäre heraus begreift. Denn die weiträumigen Landschaften dieses späten englischen Romantikers waren in den dreißiger Jahren durch die Fühlungnahme mit dem Surrealismus, insbesondere unter dem Einfluß Magrittes, mit verfremdeten, undefinierbaren plastischen Körpern durchsetzt. Mit dem Blick auf Max Ernsts ironische Flugzeug-Fallen wird hier der Schrottplatz feindlicher Flieger (die Nash ja fotografierte) zur poetischen Unheimlichkeit, zum *Toten Meer* verfremdet. Die gar nicht so einfach zu ziehende Grenze zwischen diesem und einem zweiten Bild Nashs, einem Großpanorama, dessen vielschichtig kurvige Him-

»Und sie bewegt sich doch!« Freie deutsche Dichtung, Hrsg. Free German Youth, London 1943. Umschlag: Fotomontage von John Heartfield. Vorwort von Oskar Kokoschka melsornamentik mit dem Weiß von Kondensstreifen gezogen ist, der als Naturphänomen ausgebreiteten *Battle of Britain,* wird in London pragmatisch festgelegt: Das Bild von der Schlacht verbleibt im Kriegsmuseum.

Der Surrealismus spielt für die englische Moderne der dreißiger Jahre überhaupt eine wichtige Katalysator-Rolle. Nash, dessen Stärke der surrealistisch infizierte Foto-Blick auf die stille Natur, auf Strand, Sand und Wurzel ist, steht da neben Moore und Sutherland. Beide leisten als Kriegskünstler einen außerordentlichen Beitrag, der Berichterstattung nicht akzeptiert. Bei Sutherland verselbständigt sich das Detail, wird zum Eigenleben vitalisiert: Vegetabilisch wuchernd erscheinen aus seinen dunkel getuschten Blättern Gebilde, die nicht sofort beispielsweise als der beschädigte Mechanismus eines Ventilators, herabhängend in einem bombenzerstörten Lüftungsschacht, zu erkennen sind. Das Pittoreske solcher Gebilde ist mit widerspenstiger, funkelnder Phantastik hier schon so besetzt, wie es der Spezialist für den ›bösen Blick‹ der Natur später in seinem repräsentativen malerischen Œuvre kaum hat übertreffen können.

Die Veränderung der Kunst, die Erweiterung der modernen Kunst in den späten dreißiger Jahren, ihre weltzugewandte Aufnahmefähigkeit, von der einleitend ausführlich die Rede war, wird hier faßbar. Mit der Rückkoppelung avantgardistischer Kunst-Mittel wird die sich aufdrängende, unausweichliche Auseinandersetzung mit der zeitgenössischen Wirklichkeit möglich. Dafür wäre die Formel von einem ›angewandten Surrealismus‹ vielleicht zu schwach im Hinblick auf die Leistung, aber tendentiell richtig. Nicht ein System wird weitertransportiert, sondern seine Erkenntnisse werden methodisch genutzt und als Ausdruck – oder interpretierende Sprachmittel – angewandt. Für einen Künstler wie Henry Moore, der als Bildhauer der zweiten Generation der Moderne die außereuropäische und die primitive Kunst nicht mehr zu entdecken brauchte, sondern aus ihrer bereits um- und aufgewerteten ›Archaik‹ nunmehr eine ›universelle Sprache‹ für das eigene Werk herausdestillieren konnte, war die Begegnung mit dem Surrealis-

Paul Nash vor Trümmern abgeschossener Flugzeuge 1943. Szene aus dem Film ›Out of Chaos‹

Motto zum Katalog War Pictures by British Artists, No. 4: Army. With an Introduction by Colin Coote. Oxford University Press, London, New York, Toronto 1942

Wie hat es ausgesehen? So werden sie im Jahr 1981 fragen, und keine noch so große Anzahl von Beschreibungen, keine Dokumentation wird ihnen eine Antwort geben können. Es wird auch keine großen, feierlichen Gemälde geben wie die alten Schlachtenbilder, die in den Palästen hängen, ja selbst die Fotografien, die uns so viel erzählen, werden verblassen, und mit ihnen die Erinnerungen an diese außergewöhnlichen Jahre und die damit verbundenen Gefühle. Nur der Künstler mit seinen gesteigerten Wahrnehmungskräften vermag zu erkennen, welche Elemente eines Schauplatzes für die Nachwelt in der magischen Essenz des Stils aufbewahrt werden können. Und wenn neue Themen beginnen, seine Imagination zu durchtränken, erschaffen sie einen neuen Stil, so daß aus den Zerstörungen des Kriegs Dinge von bleibendem Wert aufsteigen.

mus wohl ein gegen Ende der dreißiger Jahre befreiender Anstoß. Die Kontinuität einer formal monumentalisierenden, eklektischen Kunstentfaltung von der altmexikanischen *Chac-Mool*-Figur im Britischen Museum bis zu seiner *Liegenden* wurde produktiv gestört

Graham Sutherland. Devastation: City, twisted ventilator shaft (Verwüstung: Stadt, verbogener Lüftungsschacht). 1941. Tinte, Pastell und Gouache, 25 × 19 cm. Coll. Kathleen Sutherland

und vorübergehend auch zu einer ›Vision‹ mit zeitgenössischen Inhalten befreit.

In diesen Zusammenhang gehören die Zeichnungen von Moore – Hunderte von Zeichnungen – die er als ›Official War Artist‹ von 1940 an in den zu Luftschutzbunkern umfunktionierten Schächten der Londoner Untergrundbahn, aber auch im Kohlebergwerk in Skizzenbüchern und in einzelnen bildhaften Großformaten einsammelte zu einer mehr apokalyptischen denn heroischen Bestandsaufnahme des modernen Höhlenlebens.

Eine künstliche, an historischer visionärer Kunst geprüfte Erhöhung scheint zwar durch: die Turnerschen Raumstrudel, in deren dunklem Sog weiß skelettierte Figurenreihen, als wären sie von Tintoretto, in perspektivischer Flucht ins Grundlose verschwinden. Derart geweitet, holt Moore diese Räume immer wieder zurück, bringt sie in Verknüpfung mit der Menschenfigur nah, zeigt er in Nahsicht die Schutzräume als bergende Höhle, läßt er die Assoziation von Mutterleib zu. Die archaische Dimension des akuten, aktuellen Notzustandes stellt sich durch die überindividuelle Charakterisierung der Schutzsuchenden ein. Das Leben in den Schächten erscheint als elementarer Nachtzustand des Ausharrens, der Erschöpfung und des von der Angst befreienden Schlafs. Mag sein, daß dies die Vision vom unterkellerten ›Stonehenge‹ ist. Aber diese nach der Wirklichkeit modellierten *Liegenden* – worunter sich mühelos Vorformen späterer Skulpturen finden lassen – sind nicht bloß Belege einer notbedingten Einlassung auf Tagesereignisse, sondern zugleich ein Höhepunkt des gesamten Œuvres von Moore: vor allem aus der Sicht, die die Intensität künstlerischer Auseinandersetzung in einer Grenzsituation der reifen und repetierend ausgeübten Meisterschaft in traditionellem Kontext vorzieht. Aber auch die radikale Konzeption von Henry Moores Programm sollte nicht übersehen werden. Denn er hat ja das Bild des Krieges auf einen kritischen Punkt gebracht. Alle seine Zeichnungen kreisen um diesen Punkt, haben nur das eine, unablässig als Sinnbild variierte Thema, das er dem Erlebnis der physischen und psychischen Betroffenheit der Bevölkerung abgewann, den passiven Teilnehmern des Krieges.

›Der Krieg, wie die Kinder ihn sehen‹: Das gänzlich inoffizielle Bild des Krieges kam in dieser von Kokoschka in seinem Londoner Exil nach Kräften geförderten internationalen Ausstellung zutage: Es ist der Widerstand des aktualisierten Humanismus, den Kokoschka mit der Lehre des Jan Amos Comenius aktiv werden ließ: von den Kindern lernen. »Was ist der Sinn lebender Kultur, wenn nicht der, den Menschen möglich zu machen, sich selbst zu verstehen und den Gehalt der Freiheit zu erkennen, und all dies von der Kloake von Worten zu trennen«, zitiert Kokoschka den tschechischen Humanisten für seine eigene Kulturarbeit im Exil, und bei der Eröffnung der Ausstellung ›The War as Seen by Children‹ sah er, »wie der Geist der wahren Demokratie Kinder verschiedener Nationen vereinigt und sie nicht nur dazu erzieht, einander zu verstehen, sondern auch einander zu respektieren«.[38] Auch dieser dezidiert humanistische Widerstand war herausgefordert durch die Ereignisse in Hitler-Deutschland, dafür ist ein Selbstbildnis Kokoschkas aus jenen Jahren Indiz.

Daß der Künstler in den Spiegel schaut und jetzt das Bildnis des *Entarteten Künstlers* malt, ist eine (phantastische) Geste, gewiß auch ein Programm der plötzlich intensivierten Selbsterforschung. Daß Kokoschka kein anderer geworden ist in jenem Selbstbildnis, das er im Klima dieser unausweichlichen Bewußtseinserweiterung malte, daß der Spiegel kein neues Gesicht zeigen kann, nur weil der Maler die Nachricht von der Aktion ›Entartete Kunst‹ vernahm, könnte man entgegenhalten. Richtig ist aber, daß persönliche Erschütterungen noch hinzukamen, der Tod der Mutter, eine krankheitsbedingte äußerst dramatische Krise, Todesangst. Daß der Maler ›am Ende‹ war, wird gleichsam zur Kehre. Er nimmt ein abgebrochenes Bild, eine ›verdorbene‹ Leinwand vor für das neue Selbstbildnis und will damit nun seine »eigene Geschichte erzählen«, will zudem erfahren, was er »der ganzen Veränderung und Herausforderung entgegenstellen« kann.[39] Gleichwohl hat auch das auslösende Stichwort ›Entartung‹ für dieses gesammelt innehaltende, vielschichtige, fast schon synthetische Selbstbildnis eine eigene Kokoschka-Geschichte, war doch der in Deutschland wirkende und schon berühmte Maler als einer der Hauptexponenten der expressionistischen Moderne Zielscheibe der frühen Hetze und im ›Fahndungsbuch‹ von Schultze-Naumburg, in ›Kunst und Rasse‹, durch Gegenüberstellungen mit Geisteskranken-Kunst präsent. Man kann hier den Ausgangspunkt, den Keim für das künftige Erzählprogramm Kokoschkas sehen, der darin Politisches allerdings zu Allegorien verarbeitet und in barock ausgreifenden Thea-

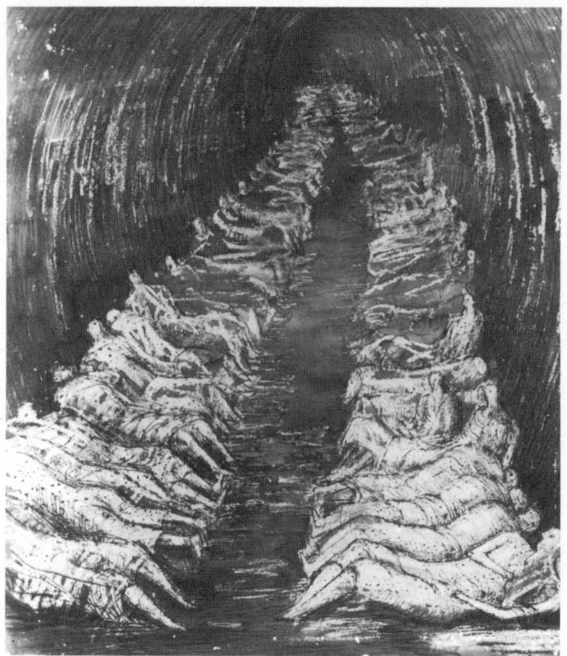

Henry Moore. Ansicht aus dem U-Bahn-Schacht. 1941 (Kat. 19)

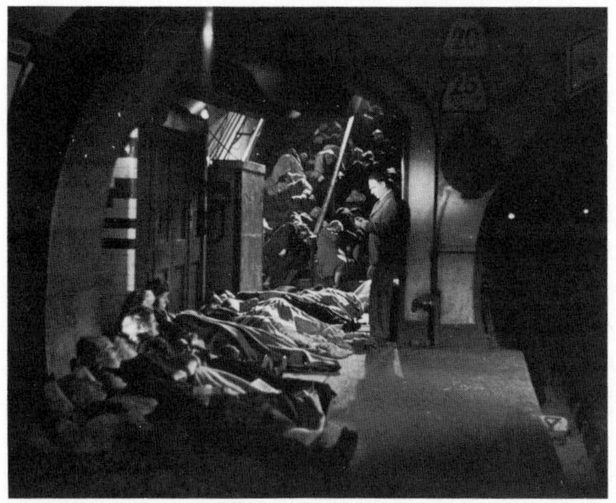

Henry Moore in einer Londoner U-Bahn-Station 1943. Szene aus dem Film ›Out of Chaos‹

14 ILLUSTRATED—February 10, 1945 February 10, 1945—ILLUSTRATED 15

UNCONSCIOUS MODELS ASLEEP IN UNDERGROUND SHELTERS INSPIRE PAINTING ON RIGHT

"OUT OF CHAOS" FILMS WORK OF WAR ARTISTS

More space has been given in the Press to the urgent problem of post-war rehousing than to other vital questions. Permanent houses versus temporary houses, prefabrication versus bricks-and-mortar, flats versus bungalows and back gardens. Homes of steel, timber, asbestos, aluminium, concrete, paper. Refrigerators, central heating, cupboard space, a spare room for mothers-in-law, and where will father clean his boots?

But nowhere have I spied an article, a paragraph or even a sentence discussing ideas for the wall decoration of our new homes.

Whether we are to live in ideal homes or Nissen huts, the rooms will be hung with pictures. Some of them may be photographs, pictorial heirlooms and water-colours by Aunt Nellie; others, prints and original paintings, we shall doubtless select ourselves.

Is our lack of interest in art so marked that the selection will be a lucky dip into the nearest picture shop? Perhaps the newspapers, silent on the subject, truly reflect a public apathy. Perhaps the fact that, as I write, no release date has yet been set for *Out of Chaos* indicates we would rather see a short "quickie" on an American jazz band than an intelligent British documentary film on art.

Out of Chaos is not a flawless film, but it is an honest attempt to stimulate public interest in painting by showing Britain's war artists at work—not only in their studios, but on location in different parts of the country. Thus Henry Moore, the sculptor, appears in the Holborn tube, unobtrusively observing the sleeping shelterers who will later be documented in his original underground paintings. Captain Anthony Gross, who once crawled with his notebook to within twenty-two yards of the Japanese lines in Burma, is shown drawing on a gun-site. Bespectacled Stanley Spencer, an untidy little man with a fringe, explores the steel canyons of the Clydeside, shows a long strip of his sketches, gummed together with stamp-paper, to intrigued dockyard workers.

Paul Nash studies the grotesque shapes in a vast field of wrecked enemy planes and records the dump-heap as an ocean of metal. Graham Sutherland, wearing a safety helmet, makes rough notes of a limestone quarry in his sketch book. The completed quarry painting is viewed at the National Gallery by a critical group of visitors; Eric Newton, art critic, strolls into the argument to arbitrate, and explains why this and other controversial pictures give him pleasure. "The really original artist," he concludes, "is about a generation ahead of the public."

Because she felt the public was paying for war paintings it didn't understand, Jill Craigie wrote the script and directed *Out of Chaos*. A sincere and independent girl, who prefers to remain a free-lance rather than compromise her opinions, she first submitted the idea, unsuccessfully, to the British Council. Next she tried Del Guidice, managing director of Two Cities, and found him an interested and helpful sponsor. Using the production resources of Verity Films, an independent documentary unit, she made the film for Two Cities. It cost under £8,000 and runs for thirty minutes.

I first noticed Jill Craigie and her team in action about a year ago at the crowded opening of a Civil Defence Art exhibition. Several large arc lights suspended from the walls brilliantly illuminated the gallery, and a camera was trained on the Home Secretary as he opened the exhibition. A technical problem appeared to be a shiny bald head in the middle distance, which reflected the glare like a polished mirror. Jill Craigie tactfully moved the head out of camera range, and Herbert Morrison re-read his speech.

One of her early production difficulties was overcoming the nervousness and suspicion of the artists, none of whom were anxious to star in the movies. But once having gained faith in her as a sympathetic director, they responded intelligently. The best actor, perhaps, is Henry Moore, who changes facial expressions easily and whose clear Yorkshire voice registers pleasantly. The most fascinating sequence in the film, I think, is a close-up of Moore painting. He first draws "invisibly" on paper with a white, wax crayon, then brushes grey water-colour over the sheet until the swirling lines of the drawing emerge dramatically to form a picture of two sleeping women.

The electricians and technicians, at first inclined to be amused by the production, were so impressed by Moore's straightforward answers to their questions that, Jill Craigie tells me, they are now energetic supporters of the film; while William MacQuitty, the associate producer, has become an assiduous and discerning art collector!

Moore's studio, being a sculptor's, is largest; Stanley Spencer's, the tiniest. If Spencer chose to paint commercial landscapes, his reputation is such that he should be able to afford a more adequate studio than the little bedroom at Cookham in which somehow he contrives to produce the colossal, detailed murals which, ends rolled up, are pinned round the walls and detour the washstand. But Spencer prefers to give his time to the War Artists' Committee: the nation, alas, is no Mæcenas.

"*Out of Chaos* is paving the ground for other people," says Jill Craigie, pretty, brown-eyed, intense. "It's certainly not the last word, and I would like to see the British Council, E.N.S.A. and A.B.C.A. making films on art.

"With mass production, industrial design and town planning, the artist is becoming increasingly important and useful to society. He has been neglected too long, and we can't live full lives if we continue to ignore him. If we question the look of a painting, we will also question the look of other things, our houses and our towns."

She is already writing another documentary, in which she hopes to tell the story of town planning in Britain, and expose obstacles in the way of its enlightened achievement. After that may come a feature film on the suffragette movement.

Half-Scottish, half-Russian, born in London thirty years ago, Jill Craigie was educated at a dozen different schools in England and the Continent. She is not proud of her assorted schooling, but doubtless childhood visits to European picture galleries developed her love of art.

Her first directorial effort, *Out of Chaos*, was a tricky film to produce. She had to avoid "talking down" on a theme which has its æsthetic jargon, its own esoteric language. She had to promote interest in the paintings of unacademic artists, some of whom were unsympathetic at the start and suspected a publicity stunt. As most of the film was made on location, the weather played its usual saboteur rôle. But Jill Craigie brought to her difficult subject sufficient energy, tact and ability to make—in my opinion—an informative, entertaining film.

ALAN REEVE.

"PINK AND GREEN SLEEPERS," HENRY MOORE'S RHYTHMIC INTERPRETATION OF RECUMBENT FIGURES IS ON VIEW AT NATIONAL GALLERY. FILM, "OUT OF CHAOS," SHOWS WAR ARTIST MOORE AT WORK

MOORE QUIETLY OBSERVES AND MEMORIZES SLEEPERS IN HOLBORN TUBE, DOESN'T DISTURB SHELTERERS BY MAKING SKETCHES

IN HIS COUNTRY STUDIO MOORE APPLIES WATER-COLOUR WASH TO A SHELTER DRAWING

Script Writer Jill Craigie directed *Out of Chaos*, felt the need for a film interpreting modern art to a public often bewildered. Oil painting behind her is by fireman artist Leonard Rosoman, who like art critic Eric Newton (below) appears in the film. "A good picture," Newton comments, "needs reading—in just the way a book does."

Bericht über die Dreharbeiten zum Film ›Out of Chaos‹, in: ›Illustrated‹, 10. Februar 1945 (vgl. Kat. 25)

tertableaus ausmalt. Er malt den ›Anschluß‹ Österreichs in der Personifizierung mit *Alice im Wunderland;* gedenkt Frankreichs und der ›Zweiten Front‹ mit dem Bild *Marianne – Marquis* in einer faustischen Wirtshaus-Soldatenkantine; malt das Bekenntnisbild *Wofür wir kämpfen* zu einer vielfigurigen Arena und bringt darin Voltaires ›Candide‹ als Gleichnis ins Spiel.

Für das Panorama am Ende der dreißiger Jahre ist *Das rote Ei,* diese nach der Flucht aus Prag in London 1939 gemalte frühe Allegorie, ein Schlüsselbild. Im Hintergrund die brennende Stadt: Kokoschka hat diese ›Warnung‹ schon vorher einmal provozierend verbreiten lassen, anläßlich einer Solidaritätsaktion mit dem republikanischen Spanien: »Ich antwortete mit einem Plakat in den Straßen Prags, auf welchem ich für die Aufnahme baskischer Kinder, der Opfer des faschistischen Überfalls auf Guernica, in Böhmen plädierte und zugleich vor einem zu erwartenden Überfall auf Prag warnte, indem ich im Hintergrund meines Bildes den von Bomben in Brand geschossenen Hradschin zeigte.«[39a] Die warnende Vision ist jetzt drohend nah, vor dem

Oskar Kokoschka. Das rote Ei. 1939 (Kat. 3)

Ausbruch des Weltkriegs, nach der Besetzung Prags: Das Bild allegorisiert das Münchner Abkommen von 1938 und somit die neue Lage in Europa. ›In Pace/Munich‹ heißt die bitter ironisierende Inschrift im Bild. Sie ist dem britischen Löwen zugeordnet (der auf den so bezeichneten Schriften wohl des Abkommens ruht), und spielt unverhohlen auf die unrühmliche Rolle Englands an, auf Chamberlains Friedenszuversicht nach dem Münchner Desaster, wo die Tschechoslowakei Hitler geopfert wurde. Jetzt sind auf dem Bild die Mächtigen, für die vier Gabeln bereitliegen, die Fratzenköpfe von Hitler und Mussolini, der Löwe zurückgezogen im Hintergrund und die noch muntere Katze Frankreichs unter dem Tisch, beim verwunschenen, durch das *rote Ei* sichtlich verdorbenen Gastmahl. Mäuse an Tisch- und Tellerrand, in der Luft das entflohene Brathendl: Kokoschka inszeniert die gewiß genau kalkulierten Beziehungen zum absurden Reigen um das Ei.

Erstaunlich ist nicht nur die neu erwachte Ambition des Malers für die allegorische Darstellung, zu der er allerdings immer schon Affinität besaß (man rufe sich das frühe, ebenfalls als ›entartet‹ aus Deutschland in die Schweiz abgeschobene Hauptwerk, die *Windsbraut* von 1914 als Lieblingsallegorie in Erinnerung). Aber die Komplexität dieser geschichtsverarbeitende Gegenwartsanalyse mit poetischer Figuration mischenden politischen Allegorien ist doch eine andere, neue bei Kokoschka. Für sein neues Engagement bedient er sich – weit in die europäische Tradition zurückgreifend – einer verschlüsselnden Bildsprache, mit deren System er das Chaos der Zeit zu ordnen versucht. Erstaunlich ist das Gelingen dieses im Zeichen des Humanismus aktivierten anachronistischen Unterfangens zumal im suggestiv dichten Bildgefüge von *Das rote Ei*.

Oskar Kokoschka, Bildnis eines entarteten Künstlers. 1937. Öl/Lwd 110 × 85 cm. Privatbesitz

Diesen Aspekt der Moderne, den man mit entwicklungsgeschichtlicher Gesetzmäßigkeit inzwischen als ›Klassik‹ abgelegt und den zurückliegenden Phasen der Kunstgeschichte zugeordnet hat, müssen wir heute neu bedenken. Mit dem Eröffnungspanorama dieser Ausstellung soll nicht etwa ein ›Stil 1939‹ etabliert werden. Aber es steht auch nicht lediglich die literarisch-thematische Fülle des herausgeforderten Engagements zur Debatte. Die gezielte Forschungsarbeit und neuerdings wichtige Ausstellungen haben sich des Themas in voller Breite angenommen, ob es nun um die Kunst ›Zwischen Widerstand und Anpassung‹ oder aber eindeutig um künstlerisches Engagement als ›Widerstand statt Anpassung‹ ging.[40]

Der Zusammenhang, auf den wir hinweisen, ist der einer ›Geistesgegenwart‹ der modernen Kunst des 20. Jahrhunderts. Die Präsenz dieses freien, das heißt im weitesten Sinn von Auftrag und Bevormundung unabhängigen und diese Unabhängigkeit akzeptierenden Künstlers soll bedacht werden, einmal auch jenseits des avantgardistischen Selbstverständnisses: Jenseits der Systeme und angestrebten Zielvorstellungen, nur am Werk selbst und damit jeweils gewiß im Spannungsverhältnis mit den ›ursprünglichen‹ Vorhaben: Mit den erledigten Programmen genauso wie mit den erst projektierten, unvollendeten, abgebrochenen, vorübergehend oder ganz außer Kraft gesetzten Programm-Perspektiven und Utopien. Neu zu bedenken ist die lebendige und lebensnotwendige Veränderung als Kriterium der Kreativität. Die Arbeit, die wir meinen, ist notwendig eine Kritik der Rezeption, und sie sollte daraus bestehen, Materialien zur umfassenden Kenntnis der Werke und ihrer Entstehung bereitzustellen, freizulegen, nicht unbedingt für eine neue Bewertung, sondern für eine möglichst unabgelenkte Besichtigung. Ebenso notwendig ist es auch, die historischen Weichenstellungen für die Aufnahme oder Ablehnung der Kunst, die nur indirekt mit der Leistung des Werkes zu tun haben, in ihrem eigenen Kontext zu vergegenwärtigen: Von alledem ist unser aller Vorteil abhängig.

Die ›Präsenz‹ der Moderne, die wir im ›Panorama‹ eines weltgeschichtlichen Moments mit einem gewagten Kunstgriff vorstellen, ist natürlich eine widersprüchliche Behauptung. Kokoschka zum Beispiel spielt in einer fortgeschriebenen Geschichte der Avantgarde damals keine Rolle mehr. Sein Wirken nach dem Krieg in repräsentativen Aufbau- und Wiedergutmachungsaufträgen, in den Städtebildern, Prominentenporträts und weiteren beredten Allegorien hebt ihn ohnehin ab vom aktuellen Geschehen. Dennoch wird er durch seine engagierten Interpreten, die keineswegs erklärte Feinde der restlichen Moderne sind, auf Kosten der anderen in den Expressionisten-Himmel der Humanität gehoben. Die »Entmenschlichung der Kunst«, nicht geradezu die ›Entartung‹, aber immerhin das »Versiegen der Quellen der bildformenden Fähigkeit des Menschen« wird aus dieser Sicht der nichtfigural-abstrakten Kunst den Zeitgenossen vorgehalten und ein Maler wie Klee als »mystisch-naiver, konstruktivistischer Manierist, der sich von der Spannung seines Nervensystems durch immerwährendes ›Kritzeln‹ befreit hat«, (ab)qualifiziert.[41]

Max Beckmann. Es wird keine Zeit mehr sein. 1941. Lithografie. Blatt aus der ›Apokalypse‹ (Geheime Offenbarung 10,6)

Andererseits – wir sind mit diesem Exkurs schon in der Bewertung der Nachkriegszeit – stellen progressive Zeitgenossen staunend fest, daß nicht etwa der allgegenwärtige Picasso die Generation der Dreißigjährigen um 1950 am stärksten beeindruckt, sondern, gemäß einer Umfrage der Zeitschrift ›Art d'aujourd'hui‹ unter jungen Malern, Kandinsky und Klee, »wobei Klee überwog«.[42]

Das Geflecht der Wirkungen ist das besondere Phänomen, das mit dem ›Panorama‹ der Ausstellung aktualisiert werden soll, und nicht allein die zur nächsten Generation führende Perspektive. Man kann sagen: Trotz des Fehlens im unmittelbaren oder auch ›orthodoxen‹ Avantgarde-Kontext können wir heute Kokoschka für 1939 entdecken und so einen erweiterten Zusammenhang der radikalen Leistung in der Zeit herstellen.

Das Werk von Max Beckmann, der für die folgende Generation ebenfalls keine Rolle spielt, gehört genauso in diesen, geht man nun von der zeitgenössischen Präsenz der Werke aus, neu zu konstituierenden Zusammenhang.

Auch Beckmann ist im Rezeptionskontext der Moderne anders festgeschrieben, man sehe in den Museen nach, er hat Früheres, den Expressionismus, zu vertreten. Und wenig nützt es, wenn er immer schon auch anders gewürdigt war, und, von den Spezialisten und im Kreis der Getreuen, jenseits des Expressionismus als universaler Künstler erkannt wurde. Denn aus diesem – öffentlich nicht durchgesetzten – ›besseren Wissen‹ resultiert auch der Ausschließlichkeitsanspruch, der Kult und im Endeffekt die Herausisolierung der Künstlerfigur aus dem rezipierten Kunstgeschehen: Posthum verkam Beckmann gar zur prominenten Wappenfigur der Ablehnung der anderen, neuen, ›informellen‹ Moderne in den fünfziger Jahren.

Nimmt man Expressionismus wörtlich als Ausdruckskunst, wird der gewissermaßen natürliche Vorsprung von Künstlern wie Kokoschka oder Beckmann klar, wenn es um die ›apokalyptische‹ Herausforderung dieser Zeitwende geht. Anlage und Instrumentarium für die Illustration der ›Apokalypse‹ hatte die Ausdruckskunst vorrätig. Jetzt ist der Anlaß für eine existentielle Auseinandersetzung da.

Diese Veränderung und Erweiterung ist am Werk von Chagall abzulesen: als Steigerung. Seine von Anfang an autobiographische, aber die persönliche Geschichte immer auch mythisch zum jüdischen Schicksalsbild ausweitende Kunst des Erinnerns, Traum und Trauma Chagalls wurden eingeholt von den Ereignissen in Deutschland. Chagalls *Weiße Kreuzigung* ist die Antwort darauf, ein ebenso leicht lesbares wie schwer deutbares Werk.

Denn obwohl Kreuz und Gekreuzigter die Mitte der großen Tafel einnehmen, ist es nur ein Bild des Grauens und Leidens in der Welt, gespiegelt zwar in der Kreuzigung, aber nicht aufgehoben durch den Kreuzestod. Damit »fehlt der Christusgestalt Chagalls jeder christliche Heilssinn«.[43] Die zentrale Vision des Kreuzes koordiniert Geschichtsszenen des jüdischen Martyriums: Links ein zerstörtes Dorf; Exodus; über den Hügeln taucht eine Truppe mit roten Fahnen auf. Rechts, auf der anderen Seite des Kreuzes, das nah gebrachte, aktuelle Bild der brennenden, ausgeplünderten Synagoge mit einem heranstürmenden SA-Mann, den Chagall mit Uniform, braunem Hemd und Armbinde zur Kenntlichkeit ausmalte. Ebenso trug ursprünglich eine der drei großen, blau, violett und grün gekleideten flüchtenden Figuren auf einem Brusttuch die Inschrift: »Ich bin Jude«. Diese emblematischen Nebenszenen sind die farbigen Zentren, und sie geraten so zur dramatischen Hauptsache des Bildes, während andererseits das weiße Feld der Kreuzigung sich bruchlos zur großen Landschaft dehnt und sich noch in das Schwarzgrau des Himmels mischt und so alles zusammenhält. Weiß ist das breite, vom Himmel fallende Band, das das Kreuz hinterfängt, und mit weißen, bis zum Kreuz hinauf lodernden Flammen brennt die Schriftrolle der Bibel. In diesem strömend bewegten weißen Feld erscheint blaß isoliert der Gekreuzigte passiv, nurmehr als Symbol der Verfolgung und des Leidens.

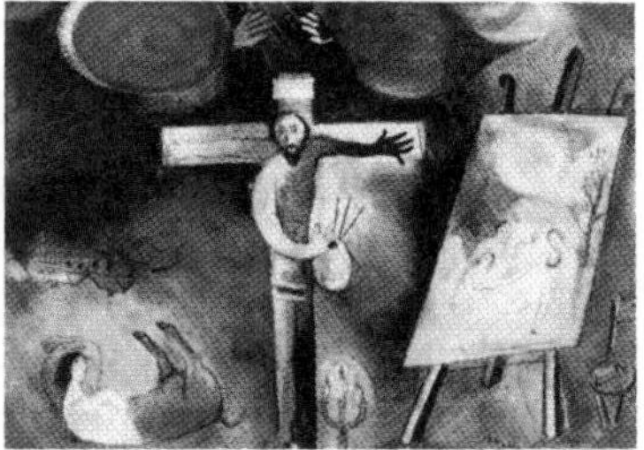

Marc Chagall. Der Maler als Gekreuzigter. 1940–43. Gouache auf Papier. Privatbesitz

Von dieser Bildfindung her wird jene Identifikation verständlich, die fortan in Chagalls Werk wiederholt und abgewandelt auftaucht: Der Maler als Gekreuzigter; doppelt motiviert als verfolgter Jude und als verfemter Künstler.

Ein neues Pathos kehrt in die Kunst ein gegen Ende der dreißiger Jahre, das Pathos der Betroffenheit. Wir können jetzt zusam-

Marc Chagall. Weiße Kreuzigung. 1938 (Kat. 2)

Pablo Picasso. Sueño y mentira de Franco (Traum und Lüge Francos). 1937. Radierung und Aquatinta, 31 × 42 cm

menfassen. Der Künstler wird aktiviert, wird zur Aktion herausgefordert, wird auf unterschiedliche Art Bekenner, und das Bekenntnis verändert die Kunst, zunächst individuell das einzelne Werk, aber dann auch insgesamt die Möglichkeiten der Moderne, und dauerhaft.

Picasso wurde durch das Vorspiel des Zweiten Weltkriegs, durch den Spanischen Bürgerkrieg, persönlich getroffen und herausgefordert. Seine erste Antwort ist ein Pamphlet gegen Franco, eine Schimpftirade ohne Punkt und Komma, eine surreale Bilderfolge in agitierenden Worten, *Traum und Lüge Francos.* Da sprudeln die Wendungen von: »... Raub der Meniñas unter Tränen und dicken Zähren – auf den Schultern den Sarg angefüllt mit Würsten und Lippen – Wut krümmt das Schattenbild das seine Zähne peitscht die im Sand stecken und das leiboffene Pferd in der Sonne die es den Fliegen vorliest die an Knoten des Netzes voll Sardellen die Rakete aus weißen Lilien heften – Läuselaterne und in ihr der verdammte Ratten-Knäuel und Versteck des Palastes aus alten Lumpen – Flaggen die in der Pfanne braten winden sich im Schwarz der Tintensoße vermischt mit Blutstropfen die es füsilieren – die Straße steigt zu den Wolken auf festgehalten von den Füßen auf dem Wachsmeer das seine Eingeweide verfaulen läßt...«[44] Die Bilder zu diesen Bildern sollten Flugblätter werden; sie sind immerhin mit ihrem engagiert angewandten Surrealismus Vorbilder geworden für die Arbeit nicht nur an *Guer-*

Pablo Picasso. Frauenkopf.
11. 6. 1940 (Kat. 170)

Pablo Picasso. Frau im Sessel sitzend.
4. 10. 1941 (Kat. 171)

Pablo Picasso. Frauenkopf.
10. 6. 1940 (Kat. 169)

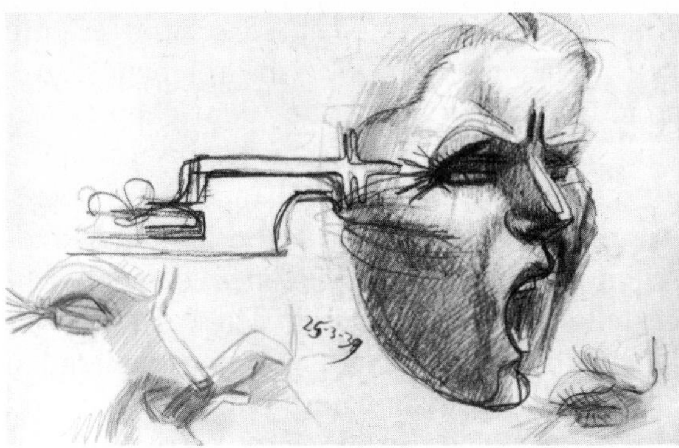

Julio Gonzalez. Der Schrei. 25. 3. 1939 (Kat. 146)

nica, sondern an den Fratzengesichtern, die Picasso fortan malen sollte, und nicht allein als Psychogramme seines damaligen Modells.

Wenn wir Porträts aus dieser Dora-Maar-Phase für die Ausstellung beanspruchen, so wegen des im zeitgenössischen Kontext gesteigerten Ausdrucks der Erschütterung, wegen der Einfühlung dieser Werke in die selbst machtlos miterlebte Katastrophe.

Die expressive Steigerung angesichts der Ereignisse läßt sich ebenso bei Gonzalez, dem geheiligten Vorbild der abstrakten Eisenskulptur bis tief hinein in die fünfziger Jahre, ablesen, und zwar bis hin zur ›unerhörten‹ Alternative des plötzlichen Stilwechsels. Aus der Konstruktion wird Figur, aus der strukturalen Kombination wird Volumen mit Oberfläche des Abbilds. Was gleich bleibt, ist allein das Thema, der *Schrei.*

Es ist die Frage, ob man diese Figur der *Montserrat* heute noch in Gonzalez' Werk als Ausnahmefall isolieren soll. Einmalig war diese Figur zwar, und als Mahnmal hatte die Eisenblechskulptur ihre Funktion zusammen mit Picassos *Guernica* im spanischen Pavillon der Pariser Weltausstellung. Aber Gonzalez hat das Motiv nicht nur vorbereitet, sondern weiter verfolgt. So mag aus der Symbolfigur der Bäuerin, Symbol für den Widerstand des katalanischen Volkes im Bürgerkrieg, eine allgemeinere Form des Symbols gewonnen worden sein. Es ist gewiß nicht der Munchsche *Schrei* in der Natur. Aber wenn man an den Schrei des Kindermädchens in Eisensteins ›Panzerkreuzer Potemkin‹ denkt und gleich weiter an die spätere Verwendung dieses Motivs durch Francis Bacon – und sei es das Horrorbild des schreienden Papstes – so ist Gonzalez' Motiv des extremen Protestes wohl sinnfällig eingekreist. Der Ausdruck wird gesucht, seine Intensität ist entscheidend, nicht die Frage nach der stilistischen Formulierung. So kann die Figur der *Montserrat* ein Pendant zum *Homme cactus* werden, das ist

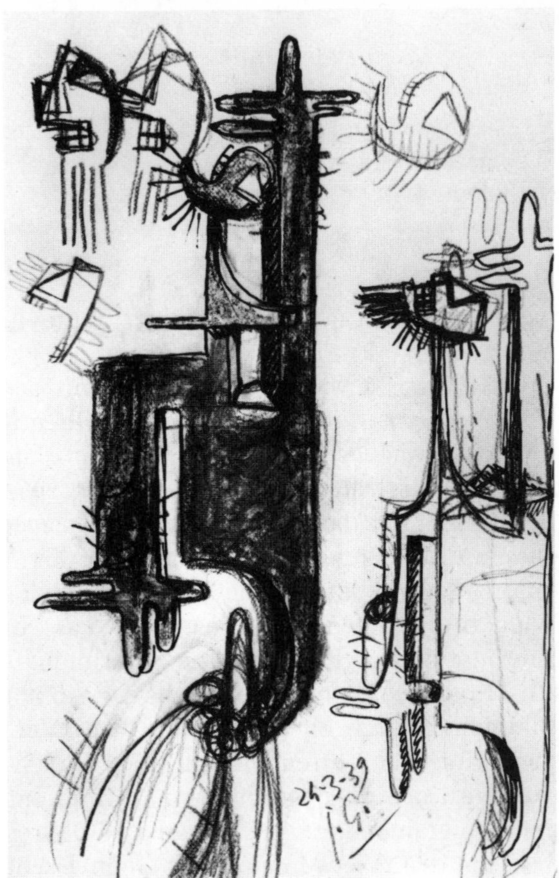

Julio Gonzalez. Studie zum Kaktusmann. 24. 3. 1939 (Kat. 144)

Max Beckmann. Les artistes mit Gemüse. 1943 (Kat. 37)

die Lehre am Ende der dreißiger Jahre in Gonzalez' Werk.

Das Pathos gewinnt Figur: im Bildnis des Malers als ›entarteter Künstler‹, in der Identifikationserwägung des Künstlers, sich jetzt als ›Gekreuzigter‹ zu sehen. Ein Künstler wie Beckmann, der die Selbstprüfung im Spiegel ohnehin fortlaufend in Rembrandtscher Tradition pflegt, dehnt jetzt die Bedrohung in der Welt zu gemalten Lebensparabeln aus, in einer unerhörten Entfaltung der altarbildhaften Triptychen, bringt aber abseits der großen Bildbühnen auch eine Stimmung von ›Verschwörung der Verfemten‹ ins Bild. Gleichwohl wird auch das enge Untergrund-Interieur der Emigranten im Amsterdam des Jahres 1943 mit den ›Vier Männern um einen Tisch‹ vom Pathos der dunklen Tage getragen, von einem Grundgefühl, das, so scheint es, mit dem jener kargen Picasso-Stilleben korrespondiert, die im Paris der deutschen Besatzungszeit entstehen. Wir denken insbesondere an die am 10. Mai 1941 entstandene außergewöhnliche Grisaille, an das in fahlem Mondscheinlicht modellierte *Stilleben*, dessen hochgestelltes Rechteck durch den vorn aus der Küchentisch-Schublade herausquellenden Strauß von Messer- und Gabelspitzen und durch das flache große Brotmesser auf der Platte zur Gespensterszene wird. Enger Raum, eine auf das Private reduzierte Welt, Rückzug, Innenwelt: Wir sind bei der Kunst der Emigration angelangt. Picasso in Paris, Beckmann in Amsterdam, das sind die Fälle der im Schatten einer (gewiß unterschiedlichen) Bedrohung intensivierten Arbeit. Picasso hatte ›nur‹ Ausstellungsverbot, Beckmann malte heimlich.

Für die in Deutschland verbliebenen ›entarteten Künstler‹ hatte sich nach Abschluß der Ausstellungsaktion die Situation extrem verschlechtert: Sie wurden generell mit Malverbot belegt. Mit einem Erlaß drohte die Reichskunstkammer »unerbittlich gegen jeden vor(zu)gehen, der Werke der Verfallskunst erzeugt oder solche als Künstler oder als Händler verbreitet«; im gleichen Erlaß wurden die Mitglieder, das heißt die gesamte organisierte Künstlerschaft, in Anzeigepflicht genommen.[45] Dies führte zwar offensichtlich meist nicht zur Aufgabe der künstlerischen Arbeit, aber doch zu deren Reduktion und Deformation. Noldes Miniaturen, die *Ungemalten Bilder,* sind die handgreifliche Folge des Malverbots. Mannigfache Umorientierung, Verinnerlichung waren die tiefgreifenden Folgen des Drucks auf die ›innere Emigration‹.

Schlemmer, dessen Fensterbilder wir in der Ausstellung stellvertretend zeigen, ging diesen Weg der inneren Wandlung: »Heute, wo ich nicht mehr an das alleinseligmachende

Pablo
Picasso.
Stilleben.
10. 5. 1941
(Kat. 173)

picassible Abstrakte glauben kann und auch nicht mehr den Mut finde zu ehejenigen Modernen, geht mir in einer eigentümlichen Weise die Welt des Sichtbaren auf, in ihrer ganzen Dichte und surrealen Mystik«, schrieb Schlemmer in einem Brief an Julius Bissier, der ausgerechnet in der ›schlechten‹ Zeit der Avantgarde sich am weitesten mit seinen schwarzen Tuschzeichenbildern vorwagte.

Seltsam berührt es einen, wenn Schlemmer sich vom »picassiblen Abstrakten« lossagt, ohne zu ahnen, daß Picassos immerwährende Auseinandersetzung mit dem Sichtbaren gerade jetzt von einem offenbar verwandten Modell des Sichtbaren, »kurz vor dem Verdunkeln«, getragen ist. Das wird, so schwärmt Schlemmer, »Kraftquell zur freien Komposition«, und er entdeckt plötzlich, was seit jeher das Programm des Genies war, daß er nun »wahr« in jenem eigentümlichen Sinne wurde, »daß ich nur male, was ich sehe, aber wie ich es sehe, und vor allem wie ich es male, darauf kommt's an, und dabei auf die alte Frage, ›was ist Wahrheit?‹ Kunstwahrheit – Naturwahrheit«. Die schlechteste Zeit erteilt, so scheint es, Lektionen für die gewagten Stilentwürfe und läßt sie, soweit sie überzogen waren, auf das menschliche Maß vom empfindsamen Künstler bringen, bei dem aus doppelter Not – der eigenen Kunst und der äußeren Lebenskrise – jetzt Werke entstehen für die Zeit. Denn auch ikonographisch, wenn wir die Position hinüber zur Kunstgeschichte wechseln, ist dieser diskrete Voyeurismus eine sensationelle Tat; oder, wie Schlemmer selbst formuliert, »Blicke aus dem Fenster in ein Nachbarfenster«, unter Aussparung der Straße und der restlichen Welt ein inniges Einfühlen in die geschäftige Einsamkeit des nah-fremden Gegenübers – kurz vor dem Verdunkeln.[46]

Trotzdem sind diese notgereiften Bilder Marginalien der Avantgarde-Geschichte. Die Veränderung, Wandlung, gefühlige Intensivierung der Arbeit bestätigt und erfüllt sich gewissermaßen in-sich-kreisend und ohne hinausweisende Perspektive. Vergleichbar ist auf dieser Ebene die der abstrakten Formensprache konsequent anvertraute spirituelle Welt einiger anderer Maler in der inneren Emigration, ob man an Theodor Werner oder bei-

Oskar Schlemmer. Abendessen im Nachbarhaus. Fensterbild I. 1942 (Kat. 41)

Oskar Schlemmer. Am Fenster aufgehängte Wäsche. Fensterbild V. 1942 (Kat. 45)

Oskar Schlemmer, Raum mit sitzender Frau in rosa Gewand. Fensterbild VII. 1942 (Kat. 47)

Oskar Schlemmer. Beleuchtete Küche mit Frau. Fensterbild X. 1942 (Kat. 49)

spielhaft an Otto Ritschl denkt. Der kritische Punkt ist nicht, daß Kunst nun mit mehr Leben ›belastet‹ wird, das ist gerade der große Gewinn dieser Zeit, auch als Öffnung der Kunst für eine kommende, die Gestaltung kaum mehr selbstzweckhaft betreibende Generation. Aber bei der Projektion des Seelenlebens ins abstrakte Bild entscheidet letztlich nicht der Impuls, sondern dessen Auffangapparat, die der intensivierten Lebensbotschaft entsprechend geweitete Form, eine kreative Umsetzung jenseits der nur privaten Verbindlichkeit.

Oskar Schlemmer

Brief an Julius Bissier

Wuppertal, 11. Mai 1942

Ich glaube, meine Tiefstände einigermaßen überwunden zu haben. Ich merke jetzt erst, wie sehr sie es waren und daß es wirklich aus einer Drangsal des Herzens heraus geschah, sich an den Freund zu wenden um Rat. Ein (unerbetener, unbekannter) Horoskopist sagt mir zwar, daß ich bis September 1942 in diesem Zustand verharre und vorher nicht zu sprechen sei und erst 1943 bringe neuen Aufschwung (ich sage sogar 1944, wegen des Sieben-Jahr-Rhythmus!). Nun, trotzdem gebe ich mich neuen Regungen freudig hin. Auch ich bin ein Maler und habe eine Serie Bilder hinter mir, die sich aus dem Nächstliegenden ergaben: Blicke aus dem Fenster in Nachbarfenster, abends gegen neun bis halb zehn Uhr. Kurz vor dem Verdunkeln. Wenn dann die beginnende Nacht mit dem beige-orange-braun-weiß-schwarzen Interieurfetzen kämpft, so ist das schon eine ganz erstaunliche Optik.

Ich erlebe da, wie selten so stark, die Mystik, die im Natur-Optischen liegt, und stelle fest, daß wir mit den Jahren ja immer anders und neuer sehen lernen. Im Stil etwa Meyer-Amdens, der mir ja immer mehr als ein Phänomen erscheint. Ich muß oft daran denken, wie ich um 1910, in der Landenberger-Malklasse, einen kleinen Mädchenakt auf ungeleimte Pappe malte, mir ganz unbewußt, für Meyer-Amden aber eine Offenbarung. Er bat sich die Skizze aus, und sie hing lange in seiner Dachkammer. Er meinte damals, daß dies (für ihn) mehr moderne Elemente enthielte als das sogenannte, damals hochkommende, etwas aufgeblasene Moderne, und

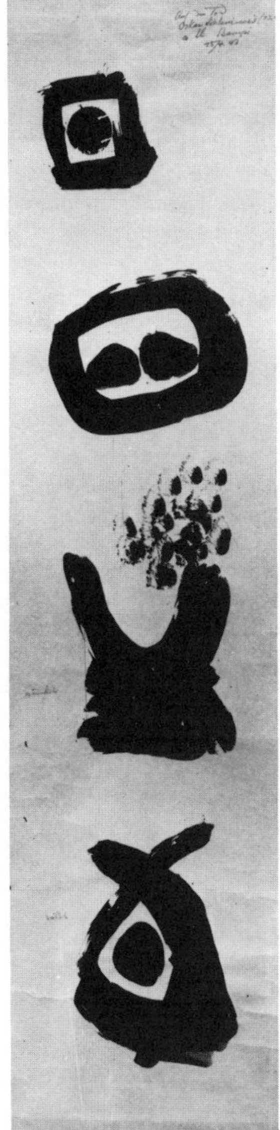

Julius Bissier. Auf den Tod Oskar Schlemmers 15.4.43. 1943 (Kat. 88)

heute meine ich glauben zu dürfen, daß Meyer-Amden aus der kleinen Skizze die Kraft und Erkenntnis sog, die ihn zu einem gut Teil seiner wesentlichen späteren Arbeiten befähigte. Heute, wo ich nicht mehr an das alleinseligmachende picassible Abstrakte glauben kann und auch nicht mehr den Mut finde zu ehejenigen Modernen, geht mir in einer eigentümlichen Weise die Welt des Sichtbaren auf, in ihrer ganzen Dichte und surrealen Mystik. Einsicht weiterhin, daß, was die Natur immer und immer wieder von neuem beut (ja, beut), wir in dieser Intensität nicht erfinden können.

Tagebuch, 12. Mai 1942

Zu den Fensterbildern: Ich komme mir wie ein Jäger vor, der allabendlich, zwischen neun und zehn Uhr, auf die Pirsch geht. Sodann: Hier bin ich wahr, in diesem eigentümlichen Sinn, daß ich nur male, was ich sehe, aber wie ich es sehe, und vor allem, wie ich es male, darauf kommt's an und dabei auch auf die alte Frage: »Was ist Wahrheit?« Kunstwahrheit – Naturwahrheit ...

Willi Baumeister. Graues Reliefbild. 1942 (Kat. 376)

Brief an Julius Bissier

Sehringen, 13. Nov. 1942

Ich habe, in Wuppertal, ein kleines Ding gemalt, nicht größer als eine Kinderhand, ein paar Flecke, Erinnerung an ein Fensterinterieur – jeder ist gepackt davon, und ich mußte mir selbst sagen: hier auf diesem kleinsten Raum habe ich alles gegeben, was ich geben kann. Ist es so, daß unsere Altersweisheit dahin kommt, sich grundsätzlich derart zu bescheiden? Dabei ist es fast so, als ob sich der Ring schließe: dergleichen ist dann ganz ähnlich frühen Jugendsachen, die eben auch schon alles enthielten, was dann einzig und eigentümlich war und blieb. Dazwischen ein großes Flügelschlagen, Sternegreifen, Wagemut und Kühnheit, das aber alles im Grunde trotz Pauken und Trompeten dem einfachen Lied nicht gleichkam. Dieses will mir noch immer als eine Verkümmerung erscheinen, noch kann ich mich nicht an den Gedanken der stillen Einkehr gewöhnen – ich will noch nicht resignieren! Das ist's! Wahrscheinlich ist aber der künftig wünschenswerte Zustand eben ein solcher in Freiheit und ohne Resignation.

»Sind die Gründe klar, warum diese furchtbare Zeit sich so günstig auf meine private Malerei bis jetzt auswirkt?«, fragt Willi Baumeister in jenem Jahr, als Schlemmer seine Fensterbilder malt. Er schildert plastisch, wie der äußere Druck inneren Widerstand erzeugt und motiviert. Allerdings kommt es auf die »Motoren des Künstlers« an. Für Baumeister sind es der »Freiheitsbegriff« und das »Unbekannte« – es sind Perspektiven aus der Kontinuität der gesamten Moderne, die der ›privaten Malerei‹ als einer intensivierten Forschungsarbeit überindividuelle Verbindlichkeit in Aussicht stellen.[46a]

Auch das Werk Baumeisters belegt diese Kontinuität schon seit den frühen zwanziger Jahren und führt mit einer auf einmal farbenprächtigen Entfaltung in die Nachkriegszeit hinein, wo der Maler nicht zufällig der anspruchsvollste Repräsentant der Avantgarde und die streitbare Zentralfigur der für Deutschland nachgeholten Auseinandersetzung um die moderne Kunst werden sollte. Er ist Lehrer und optimistischer Ideologe einer im Grunde anarchischen Kreativität, er setzt auf die Kunst als Vermittler der Freiheit. »Grenzen werden aufgebrochen, und der Strom des Lebens quillt hervor in neu eröffneten Zonen«, wobei der Empfänger »zu einem Aktivismus geführt (wird), zu eigenen Empfindungsschritten, zum eigenen Denken«; und weil die Kunst die Freiheit repräsentiert und sie immer wieder nachweist, wird sie immer wieder durch die »Gegenkräfte des Konservieren-Wollens« angefeindet. Auch geht Baumeister in dieser Tagebucheintragung von 1944 soweit, daß er das utopische Programm der Generation der sechziger Jahre paraphrasierend vorwegnimmt: »Das künstlerische Leben soll das menschliche Leben sein.« Die Grenzaufhebung von Kunst und Leben, Leben und Kunst, die lapidare Formel von Beuys, jeder Mensch ein Künstler, taucht hier am Horizont der Kriegsjahre sogar als soziale Forderung auf: »Der Zustand muß erreicht werden, der das Künstlerische zuläßt«.[47]

Diesem Pathos der Botschaft kommt das Werk mit einer von konstruktiver Bindung freigesetzten, archaisch und ethnologisch orientierten, erweiterten Zeichensprache nach. Mit grau gefaßtem Pathos und gebremst skandierender Dynamik ordnet Baumeister Strich und Volumen zu einer plastischen Formschrift in der reliefierten Bildfläche: So geht er jetzt daran, nach und neben größeren Themenkreisen wie der ›Eidos‹-Serie und den ›Afrika‹-Bildern, konkret Mythisches durch das neu aufgegriffene Thema des ›Gilgamesch‹-Mythos einzubeziehen und die mit diesem Fernblick herausgefilterte Ahnung vom Unbekannten quasi archäologisch mit suggestiven Hieroglyphen auf fundstückhaften Bildtafeln zu sichern. Der Wunsch nach Ausweitung und zugleich recht demonstrativ der Glaube an die ›Präexistenz‹ des eigenen originalen Werkes werden zum Bild. Am Werk ist hier das Kunstwollen jener »tiefen Atmung«, die, wie Baumeister die Anteilnahme der neuen Kunst an »allem« begreift und beansprucht, »die Verbindung zum Körper und zum Kosmos« herstellt. Das ist wohl die Größe und die Grenze dieser Kunst, deren Ergebnisse das Grundprogramm mit einer gewissen Hermetik stets mitmanifestieren. Auch der Bekenntnis-Charakter dieser Kunst ist einmal im zeitgenössischen Zusammenhang zu bedenken. »Es ist merkwürdig, in welch kausaler Fährte sich eine Tätigkeit wandelt, fortsetzt. Vom Malen größerer Bilder zum kleinformatigen Zeichnen und Illustrieren bis zuletzt in aufgezwungener, äußerster Einschränkung: zum Schreiben«, heißt es in der an der Jahreswende 1943/44 datierten Einführung zu ›Das Unbekannte in der Kunst‹.[48] Die Einschätzung des Kunstwerks in dieser Sphäre, daß mit ihm dem Betrachter »ein vordem unbekannter Wert geschenkt wird«, korrespondiert mit dem Pathos der zuvor in der Isolation entstandenen Bilder, zu deren einprägsamsten das *Graue Reliefbild* von 1942 gehört. Mit einiger Feierlichkeit wird hier durch eine noch nie gesehene, in sich monumentale Figuration von Zeichen das Unbekannte beschworen: mit einer prozessualen Vergegenwärtigung aus Malmaterial und der topographischen Anordnung geronnener Formklumpen im schlammigen Farbgrund, die zur assoziationsträchtigen Beinahe-Figurenkonstellation werden, mit Anrufung urbildlicher Kraft, so könnte eine Lesart dieses mit formaler Könnerschaft gewichteten Ausgleichs von Grund und Figur, Hell und Dunkel, Positiv- und Negativform im gemalten Bildrelief lauten.

Das heißt: Hier trifft sich im Zeichen des ›Unbekannten‹ gestalterisches Harmoniebedürfnis, eine Art Bauhaus-Akademismus, mit der auf andere Art vorausweisenden, freigesetzten Suche im Formlosen nach dem poeti-

Willi Baumeister in seiner Wohnung, 1947

schen Gehalt. Der Rückgriff auf den Mythos ist ganz unliterarisch, demonstriert vielmehr die versuchte Sinngebung für die als bedroht erlebte Gegenwart der frühen vierziger Jahre. Man sollte sich unkonventionell über die unsichtbaren Verbotsschilder hinwegsetzen und die Kunst dieses *Grauen Reliefbildes* mit der Kunst von Fautriers Bildern aus diesen Jahren vergleichen – wegen der Verständigung über die Möglichkeiten der Kunst, auch und gerade in dieser Zeit.

Natürlich bleibt Baumeister mit seinem Streben genuin in dem anderen, im Avantgarde-Zusammenhang; die Bezugsfiguren seiner Ortung heißen Klee und Miró, auch Kandinsky, der in seinem seltsam veränderten, reduzierten und zugleich molekular angereicherten Spätwerk erneut zum Zeitgenossen wird.

Blickt man jetzt in diesem Panorama der isolierten Moderne, der betroffenen Künstler, der Emigration und des Zweiten Weltkriegs auf die großen, jahrhundertumspannenden Künstler, deren Werk hier endet, so ist man versucht den überanstrengten Begriff des ›Unbekannten‹ einmal ganz pragmatisch und nicht für das ominöse Kunstziel anzuwenden. Denn die Spätwerke dieser durch die Nachkriegsrezeption zu Klassikern erhobenen Künstler konfrontieren uns mit einem unbekannten Klee, mit einem unbekannten Kandinsky, mit einem unbekannten Mondrian. Deutlich wäre dies durch die Gegenprobe, die man mit einiger Phantasieanstrengung in der Ausstellung machen kann: Wenn nur das Spätwerk existierte als einzige Handhabe der Urteilsbildung, was wäre dann die Lehre dieser Kunst von Klee, Kandinsky und Mondrian?

Es sind drei unterschiedliche Fälle, gewiß; nicht zuletzt wegen der Lebensumstände, die die erneuerte Vitalität im zerstörten Labyrinth prägen. Klee kehrt als entlassener Professor der Düsseldorfer Akademie im Jahre 1933 aus Deutschland in die Schweiz, in die Heimatstadt Bern zurück, lebt dort zurückgezogen, bald erkrankt, vollbringt dann in den letzten Jahren vor seinem Tod (er stirbt 1940) eine eruptive Produktion.

Kandinsky übersiedelt gleich nach der Schließung des Berliner Bauhauses nach Paris. Allein daß ihn bei der Wohnungssuche Marcel Duchamp beraten hat, soll hier Indiz genug sein für die auch weiterhin weitgeflochtenen Kontakte, Korrespondenzen, Wirkungen; für die Sammlung der ›abstrakt-konkreten‹ bleibt er die wichtige Bezugsfigur, mit Pevsner, Arp und Magnelli ist er ohnehin freundschaftlich verbunden. Dennoch zeigt sich in den Bildern seit Ende der dreißiger Jahre – Kandinsky stirbt am 13. Dezember 1944 – eine modellhaft verkapselte und verschachtelte Welt-inWelt-Sinnbildlichkeit, die man im zeitgenössischen Kontext als spezifische Ideenhäufung auf Schautafeln der Isolation begreifen lernt.

Mondrian hat in diesen Jahren den weitesten Weg – dies auch und vor allem im übertragenen Sinn zurückgelegt. Mit unvollendeten Bildern zog er aus Paris 1938 zunächst nach London, dann im Herbst 1940 weiter nach New York. Er ist, mehr noch als Kandinsky, als Vertreter der Avantgarde-Bewegung und des Kollektivs beansprucht; der Einfluß seiner Ideenwelt auf die ›Neue Gestaltung‹, und nicht zuletzt erst seit seinem 1925 veröffentlichten Bauhaus-Buch, erstreckt sich bis in die Architektur hinein auf alle von der Moderne beanspruchten Gebiete. Was ›De Stijl‹ bewirkte, was die Vereinigung ›cercle et carré‹ war, ist mit Mondrians Namen verknüpft. Welche Spannung zwischen dieser – auch mit dem ›puristischen‹ Werk belegten – Repräsentanz und dem Einzelgänger-Wesen des Künstlers bestand, wird in der späten Wandlung des Werkes deutlich, die sich keineswegs in einer isolierten Abgeschiedenheit vollzog. Denn Mondrian war stets im Kreis der Künstler, in

London hatten in seiner Nachbarschaft Gabo und Nicholson ihre Ateliers, nach New York wurde er von einem ihn verehrenden Künstler, Harry Holtzman geholt; und neben dem weiteren Kreis der Emigranten bildete sich bald um ihn ein engerer, nicht nur auf Emigranten begrenzter Kreis der von ihm beeinflußten Künstler, den man heute als den ›Neo-Plastizismus in Amerika‹ würdigt, mit Künstlern wie Burgoyne Diller oder Fritz Glarner.

Worauf es uns ankommt, ist die erstaunliche Botschaft der Spätwerke von Klee, Kandinsky und Mondrian: die auf unterschiedliche Weise wahrgenommene Freiheit dieser Künstler, sich zu ändern, aus Systemen auszusteigen, die sie selbst geschaffen und soweit praktiziert hatten, daß man glaubte, sie darauf festlegen zu können, wie man es auch tatsächlich, wenn auch im Rückblick und zumeist zur Begradigung der Kontinuität in der Avantgarde-Geschichte, getan hat. Michel Seuphor, selbst Künstler, Fürsprecher und Historiker berichtet in seiner Mondrian-Monographie von einer öffentlichen Diskussion in Paris im Jahr 1950, wo Mondrians den eigenen Purismus desavouierendes Spätwerk von den Jüngern seiner Pariser Periode abgelehnt und abgewertet, abgewehrt wurde – als Altersschwäche: »Nur der Tod habe ihn glücklicherweise rechtzeitig verhindert, neue Fehler zu begehen.«[49]

Das ist unser Kontext: Wenn es schnell zu einem neuen Akademismus der sich nach dem Krieg progressiv verstehenden Kunst beispielsweise im Bereich der geometrischen Abstraktion kommen konnte, so basiert dieser natürlich bald seinerseits kritisch beklagte ›Akademismus der Avantgarde‹ auf der mißverstandenen und mißbrauchten Vorleistung aus der lebendigen Tradition.

Wenn auch hinzuzufügen ist, daß Mondrian zwar erst in den New Yorker Bildern, die sogar per Titel der Stadt und dem Rhythmus dieser neuen Umgebung gewidmet sind, zur radikalen Ablösung seines ›klassischen‹ Kompositionsmusters der mit schwarzen Balken regulierten Flächenordnung kommt, so bereitet sich das New York-Abenteuer der Parallel-Bänder und der dichten Farbstrukturierung gleichwohl in der zweiten Hälfte der dreißiger Jahre im Werk organisch für diesen ›Durchbruch‹ vor. Macht man sich diese Dynamik anhand von Mondrians Bildern aus den letzten acht, neun Jahren klar, kommt zugleich eine andere, größere, organische Einheit ins Blickfeld, nämlich die des Gesamtwerkes – vom symbolischen Beginn der Blumen- und Leuchtturm-Serien an der Jahrhundertwende bis zum unvollendeten *Victory-Boogie-Woogie* von 1943/1944. Auch wird durch diese ›plötzliche‹ Erwägung klar, daß noch heute unsere Vorstellung von Mondrian klischeehaft geprägt ist und abhängt von einer mit seinem Namen verbundenen Formel der puristischen Klassizität der Komposition, und daß diese Formel tatsächlich nur aus einer Periode gewonnen wurde. Diese wirkte eben modellhaft in die Nachkriegszeit hinein auf die Künstler, die sich idealistisch für die neue Gestaltung dienstverpflichteten, und, zur höheren Ehre der ›klassischen Moderne‹, auch auf das Publikum. Erst diese Deformation der künstlerischen Lebensleistung, die in der Folge praktisch als ausschließlich wertsetzende Information das Publikum erreichte und es auf Dauer ›erzog‹, erlaubt uns heute, ohne Furcht vor Widerspruch von der ›Sensation‹ des Spätwerks von Mondrian zu reden.

Es ist nicht zufällig, daß die aufgeschlossene Kunstliteratur und die ausstellerische Praxis der letzten Jahre – wir können hier mit Herauskehrung der Symptomatik ruhig das Stichwort ›siebziger Jahre‹ einsetzen – so mit der entdeckenden Wiederaufbereitung der Früh- und Spätwerke sogenannter Klassiker beschäftigt ist, daß nun die Begegnung mit der problematisierten Lebensleistung Vorrang hat vor dem auf einmal fragwürdigen Triumph der ›Ikone‹ im Museum oder auf dem Kalenderblatt. Es scheint, daß wir stärker auf Kunst angewiesen sind als zuvor, als man sich weithin mit der Bestätigung durch Signets zufriedengab.

Alle diese Künstler, die wir in der Ausstellung mit ihrem Spätwerk zitieren, bringen den Nachweis eines als Gesamtprogramm wirksamen Lebenswerks und entlarven dadurch die deformierende Rezeption. Wenn in Kandinskys späten Pariser Bildern ein privater Rückzug, eine Abwendung von der herrschenden Realität registriert werden kann, kaum anders als bei den Deutschen der ›inneren Emigration‹, so wird der Tonfall und die Färbung dieses offenbar fälligen Rückzugs interessant. Die russischen Anklänge und die asiatische Ornamentik, die jetzt mitunter in grotesken Formpartikeln ›Stimmung‹ machen für ratlose Konkretion, heben die von Kandinsky schon früh geprüfte Folklore in das bis zum Schluß ambitionierte Werk. Im Gegensatz zu Mondrian, der in New York befreit und beschleunigt einer neuen Erfüllung seiner Kunst entgegenarbeitet, scheint Kandinskys vielgestaltige Artikulation in diesen letzten Jahren um Souveränität ringend verkrampft. Aber genau dies, diese Anstrengung der vielfach um ›Aufstieg‹ oder ›Heiterkeit‹ bemühten Werke müssen wir erst einmal ›verkraften‹ – bevor wir über Kandinsky als Klassiker der Moderne weiter verfügen.

Eine späte Zeichnung von Klee, die, wie nur gelegentlich der Fall, die politische Außenwelt ins Bild bringt (wie der *Stammtischler,* der auf Hitler anspielt, wie *Von der Liste gestrichen,* das an seine Entlassung als Lehrer erinnert), heißt: *Der Oberkriecher.* Eine Zeichnung der reifen Meisterschaft aus dem Jahr 1940, als die vom Schicksal getroffene Figur (*Dieser Stern lehrt beugen*) der eigenen Lage Klees entspricht. Aber *Der Oberkriecher* läßt sich tatsächlich mit der frühen Satire *Zwei Männer, einander in höherer Stellung vermutend, begegnen sich* vergleichen.[49a] Das nicht nur mit

Paul Klee. Ein Oberkriecher. 1939, CD1. Farbige Kreide auf Papier, 21 × 35 cm

zynischen Sturm-und-Drang-Satiren ausgestattete Frühwerk und das in assoziativen Blitzbildern fortlaufend gesprächige Spätwerk begegnen sich bei Klee.

Beide ›Drittel‹ des Gesamtwerkes sind irrelevant für die landläufige Vorstellung von Paul Klee, und diese Vorstellung bestimmte auch die Wirkung innerhalb des Metiers. Wir meinen jetzt nicht die erste Aufnahme in Paris, die Grußadressen der Surrealisten und die Spuren bei Miró, sondern den bereits erwähnten Einfluß nach dem Krieg, mit dem sich ein Naturlyrismus zwischen Cézanne und dem Informel unter Berufung auf Klee stabilisierte, seine

Paul Klee. Zwei Männer, einander in höherer Stellung vermutend, begegnen sich. 1903. Zinkradierung, 11,8 × 22,6 cm

Wichtigkeit für die ›Schule‹ um Roger Bissière, für eine Generation der Bazaine, Manessier, Singier und überhaupt für die milderen Varianten der lyrischen Abstraktion; ein merkwürdiges Phänomen, vergleichbar mit der Rezeption des Piet Mondrian. Nicht die in manchen Grundsätzen kaum überholbar radikale Theorie von Klee und schon gar nicht die extremen Werte seines Werkes wurden als Vorbild gesucht; er bot vielmehr die Orientierung für die empfängliche, bewegte und irritierte Generation der Nachkriegszeit und der frühen fünfziger Jahre, bot ein tröstliches Modell zur Einkehr in ein zwar phantastisches, aber bewohnbar kultiviertes ›Zwischenreich‹ lyrisch-romantischer Traumauflösung. Dieses Klee-Surrogat ist wie ein Gegenbild aufgebaut, ist zugleich Zuflucht vor der aufstörend radikalen Kunst, die in den Jahren gegen 1950 bereits zum unübersehbaren Schrecken herangewachsen war und sich entweder provozierend antikulturell gab oder allein durch die wortlose Gewalt der Erscheinungsform mit den überlieferten ästhetischen Werten abzurechnen schien. Daß die hier beispielhaft angesprochene neue Kunst von Dubuffet und Wols in Entstehung und Wirklichkeit Klee eng verpflichtet war, indem sie aus dessen Gesamtleistung kreative Konsequenzen für sich zog, anstatt sich mit der Berufung auf Klee bloß zu legitimieren, ist eine besondere Pointe des Avantgarde-Zusammenhangs. Da wird die natürliche Kluft innerhalb der zeitgenössischen Moderne deutlich – zwischen der Leistung der neuen Kunst und der Eklektik der einfühlsam aufgeschlossenen, ambitionierten Zeitkunst.

In solchen Kontrasten und Spannungen, mit einer Fülle von Mutationen hebt nun die von außen begünstigte aktuelle Geschichte der Moderne nach dem Zweiten Weltkrieg an: keine Stunde Null für die Kunst.

Daraus erklärt sich schon, daß die neue Eklektik fall- und wahlweise Klassiker als stilistische Leitbilder brauchte: den puristischen Mondrian, den romantischen Klee und, geradezu ein kunsthistorischer Fund der Zeit, das aus den zehner Jahren herausgeholte lyrisch-improvisierende Segment Kandinskyscher Abstraktion.

Wenn wir auf dem Spätwerk dieser Jahrhundertkünstler beharren, so auch wegen der fälligen Revision dieser ersten, folgenreichen Rezeption nach der Kunstverfolgung und nach dem Krieg. Denn hier wurden Zäsuren gesetzt, Klassiker und Geschichte innerhalb der Moderne etabliert. Die Trennung in Vorher und Nachher wirkt seither wie eine magische Grenze und blendet Offenheit, Kontinuität und Zusammenhang aus.

Noch Sartre hatte Mühe und kam nicht ohne die Kontrast-Formel aus, als er die Verbindung von Klee und Wols zu rekonstruieren suchte: Der eine ist ein Engel, der andere, freilich gleichsam in der Negativrolle heroisiert, ein armer Teufel.[50] Aber jenseits des Kontrasts: Klee ist ein anderer. Die in der Ausstellung zitierte Folge von späten Zeichnungen gewährt zwar nur einen Blick auf die unverbrauchte Vielfalt des Werkes, das mit dem Image des Künstlers schwerlich zu vereinbaren ist. Aber schon diese eine fortlaufend geschriebene Serie läßt die produktive Veränderung ahnen – eine aus unserer Sicht weiterführende, öffnende Veränderung. Man wird gewahr, daß es nun nicht auf die Abgrenzung des Kunstwerks ankommt, nicht einmal mehr auf die kunstvoll ausgespielte, scheinbar offengehaltene Balance zwischen *Hauptweg und Nebenwegen*; nicht die Pädagogik des bildnerischen Denkens führt hier Feder. Vielmehr, als wäre die kunstlose Routine eines Schnellzeichners rastlos am Werk, hebt die Dynamik des Diktats auf einmal die Lebensintensität des Arbeitsprozesses fortlaufend ins Bild. Daß diese vitale Spur der Arbeit in sich brüchig ist und dazu dient, Schemen aufs Papier zu bannen, gibt diesen im Titel jeweils mit ›Weiland-‹

eingeführten Figuren (aus Klees von Anfang an gleichnishaft ironisierter, Weltpuppenbühnenheldengalerie) eine zwiespältig tragische Note. Autobiographisch-zeitgeschichtlich-enzyklopädisch assoziiert Klee, der nun todkranke Künstler, ›Idole‹ von früher und läßt sie zur (Selbst-)Erinnerung bildhaft auftauchen mit dem Schlüsselwort ›nur noch Schemen‹. Das geschieht mit einer kunstreich automatisierten und halluzinierten Scheinerinnerung in der schemen-auswerfenden Bildschrift, die so Welt, Werk und Künstler zur deckungsgleichen Einheit projiziert – zum totalen Lebensgleichnis.

Nicht die einzigartige Lösung und deren neue spezifische Werkqualität, sondern die in diesem Spätwerk manifest gewordene Haltung, zu der Klee zuletzt noch fand, gilt es zu beachten: die ausgedehnte Aufnahmefähigkeit des an sich ›Bildnerischen‹ für eine andere Komplexität, für die, grob gesagt, im gegenwärtigen Augenblick konzentrierte ganze Künstlerbiographie. Eröffnet ist jetzt nicht nur die Perspektive für jedwelche Lebensregung als integrierbare Spur mit Bestand im Werk – die Perspektive für die existentialistische Kunst der folgenden und der fünfziger Jahre – sondern wesentlich darüber hinaus öffnen sich Perspektiven auch für die Reflexionsübungen einer der reinen Kunstleistung gegenüber skeptisch gewordenen Sensibilität seit den mittleren sechziger Jahren. Aber damit schließt sich fast schon der Kreis: Unsere Aufmerksamkeit galt den Reservoirs unverbrauchter Kunstkreativität und endet bei dieser neueren Zeitgenossenschaft.

Veränderung und doch zugleich Kontinuität, Offenheit und Zusammenhang – das ist das scheinbar widersprüchliche Ergebnis unserer Bemühung um das Stichjahr 1939 und sein ›Panorama‹. Es ging dabei um eine ›Phase‹ im zeitgeschichtlichen Zusammenhang, die in der Geschichte der Avantgarde-Bewegungen und der Ismen bisher ausgespart blieb und allenfalls in den einzelnen Künstlermonographien von Fall zu Fall unkoordinierte Würdigung fand.

Es wäre ein relativer Gewinn, wenn sich diese Wegstrecke der Moderne als ›Übergangsphase‹ einprägen würde, denn damit wäre schon der unsichtbar trennende Schnitt, das virulente Mißverständnis von einem radikal unterschiedenen ›Vorher‹ und ›Nachher‹ aufgehoben. Damit entfiele der latente Anachronismus-Vorwurf gegen weitergeführte, aber in den neuen Kontext der progressiven Zeitsicht nicht mehr passende Œuvres, entfiele zugleich freilich auch die Grundlage für gegensteuernde, dramatische Revisionen. Aber, um es an dieser Stelle noch einmal zu sagen: Nicht zu verwechseln ist dieser in der Ausstellung vertretene Aspekt – mit Rouault zum Beispiel, mit Laurens, Morandi, Hopper oder insbesondere dem aus seinem Avantgarde-Klischee auf einmal ausbrechenden Magritte – mit der Gegenkonzeption eines den Zusammenhang der Avantgarde negierenden Allerweltspluralismus.

Die Vielschichtigkeit der Außenseiterpositionen ist bei aller Spannung im System der Moderne integriert, und gerade zur Vertiefung dieser Einsicht bieten sich die Wandlungen und Veränderungen in dieser Übergangs- oder vielleicht richtiger: Lebensphase der modernen Kunst an. Denn die damals unabweisbar und kollektiv bewußt gewordene Isolierung, der Schock der Verfolgung, das herausgeforderte Pathos und immer wieder der zum künstlerischen Leit- und Lebensmotiv beschworene Freiheitsbegriff, dies alles zusammen objektivierte die bis dahin einzeln oder in der Gruppe gespielte Rolle des Außenseiters zum angenommenen Standesmerkmal der Moderne und ließ jede künftige Auseinandersetzung um Kunst auf dieser neuen Ebene stattfinden.

Kontinuität und Offenheit sind unterhalb dieser damals angehobenen öffentlichen

Ebene zu erfahren, in den Werken und in ihrer unbegrenzten Ausstrahlung. Für eine Bestandsaufnahme unserer eigenen Situation scheint die Intensität und die breite Anlage der unerschöpften Anregungen auf diesem großen weißen Fleck der kunstgeschichtlichen Landkarte gut geeignet. Die folgende Anthologie aus Werken und Dokumenten zeigt einerseits, wie die neue Kunst *auch* mit den Vorgaben der großen Generation der ›Öffnung‹ – Mondrian, Kandinsky, Duchamp, Klee, Schwitters, Picabia – korrespondiert, verweist andererseits in thematischer Bindung auf die Kontraste der jeweils in die zeitgenössische Problematik verwickelten Moderne, deren Wirkungsgeschichte dadurch zusätzlich an Interesse gewinnt, daß sie seit den siebziger Jahren auch und vor allem die Künstler beschäftigt.

Max Beckmann

Tagebücher

Samstag, 4. Mai 1940. Dieses neue Heft beginne ich im Stadium der vollkommensten Unsicherheit über meine Existenz und den Zustand unseres Planeten. Chaos und Unordnung wohin man blickt. – Völlige Undurchsichtigkeit der politischen, kriegerischen Angelegenheiten – (gestern und heute verließ England wieder Norwegen, worin es mit unsäglicher Mühe gelandet war gegen die Deutschen). Amerika wartet auf mich mit einem Job in Chikago und das hiesige amerikanische Consulat gibt mir kein Visum. Zudem sind sieben Bilder zur Ansicht im Stedelijk Museum, das sich seit drei Jahren nicht um mich gekümmert hat, und außerdem habe ich meine erste große Radtour mit Quappi bei Hilversum gemacht, die sehr schön war in vollem glänzenden Frühling. Bei alledem den Kopf hoch zu halten ist nicht einfach und es ist eigentlich ein Wunder, daß ich überhaupt noch existiere.

Zu welcher Plage und Entsetzen, oder zu welcher Freude und Verdienst, hat mich mein eigenes Karma noch aufgespart!?

Das Eine ist sicher, Stolz und Trotz den unsichtbaren Gewalten gegenüber soll nicht aufhören, möge das Allerschlimmste kommen. – Ich habe mich mein ganzes Leben bemüht, eine Art »Selbst« zu werden. Und davon werde ich nicht abgehen, und es soll kein Winseln um Gnade und Erbarmen geben und sollte ich in aller Ewigkeit in Flammen braten. Auch ich habe ein Recht.

Montag, 6. Mai 1940. Schließlich und endlich wird mir alles gleichgültig – habe zu viel und zu lange in Unglück und Verschollenheit gelebt. Sah die alten Welten langsam zerbrechen und in die neue Kasernenwelt, die sich entwickelt, passe ich nun einmal nicht mehr hinein. Das Schwierigste ist nur, wie kommt man von Bord. – Es ist traurig, so langsam vom Schicksal zertreten zu werden, aber enfin, habe ich nicht seit Jahren mich um die Sichtbarmachung des Scheins und der Unwirklichkeit bemüht, als daß ich Angst vor dem Erwachen haben sollte?

Dienstag, 7. Mai 1940. Es sieht so aus, als ob sich die Schlinge meines Schicksals langsam anzöge, noch mit einer hämischen Ironie dazu: »Die Verhinderung wegen Paß-Visa nach Amerika zu gehen, trotz Berufung.«

Hier in Holland kommt dann der Krieg auch her – (wieder alle Reservisten einberufen) – und ich werde dann eingesperrt und komme dort um, oder werde von der berühmten und oft erwähnten Bombe getroffen. – Nun, es ist mir auch recht. – Wenn's nur schnell geht – und allein –

Max Beckmann. Schauspieler-Triptychon. 1941/42 (Kat. 36)

Schade nur, ich kann wirklich ganz gut malen. – Aber vielleicht habe ich auch darin genug geleistet –

Donnerstag, 12. September 1940. Wenn man dies alles – den ganzen Krieg, oder auch das ganze Leben nur als eine Szene im Theater der Unendlichkeit auffaßt, ist vieles leichter zu ertragen.

Samstag, 14. September 1940. (Mitternacht.) Eben wieder viele Flieger gehört, – mon Dieu – wie soll das enden –?

Donnerstag, 15. Mai 1941. In starkem Schwung »Schauspieler« entworfen. Kalt –

Dienstag, 30. September 1941. Habe soeben beschlossen, da jeder miese Kerl »kranksinnig« oder verrückt werden kann, mein Leben mit aller Energie zu Ende zu leben.

Freitag, 7. November 1941. Komisch – Wieder angehender Tag. Stark an »Schauspieler« –

Montag, 10. November 1941. Den Engel gemacht zu Apo[kalypse].

Dienstag, 11. November 1941. Wieder Apo. – Später herumgelaufen – schlechtes Wetter.

Donnerstag, 13. November 1941. Apo – müde – déprimé – kalt.

Sonntag, 15. Februar 1942. Peter wieder abgefahren. – Viel am Mittelbild von den »Schauspielern«.

Oben fliegen wieder die Engländer.

Samstag, 28. Februar 1942. Etwas wärmer.

»Oben« wird allerlei geflogen und überall rast die Kauflust. Ein komisches Leben. – Na – ja – Jedenfalls, wenn's einem schlecht geht, ist der Mensch am besten. – Die Kunst berührt ein für uns Menschen unerreichbares Gesetz der Harmonie der Ewigkeit in uns und außerhalb uns.

Donnerstag, 2. April 1942. Sehr intensiv am rechten Flügel von den »Schauspielern« gearbeitet, glaube fertig.

Abends G. Keller Roman gelesen, ha ha ha – alte Träume.

Montag, 6. April 1942. Viel gearbeitet. 4 Männer um den Tisch entworfen.

Dienstag, 21. April 1942. Endlich gut am Mittelbild von den »Schauspielern« gearbeitet, hoffe jetzt daß die Sache zu Stande kommt. – Im übrigen – worauf wartet man –?

Mit rasender Spannung nur wartet man auf Aufklärung des Geheimnisses. I c h g l a u b e an das Unbekannte.

Max Beckmann. Luftballon mit Windmühle. 1947 (Kat. 40)

Donnerstag, 18. Juni 1942. Es scheint langsam besser zu werden mit meiner Existenz. – Aber? Was wird aus Deutschland? – Dunkel ist Alles, aber nach dem, was mit mir in den letzten Tagen vorgefallen ist, sollte man wirklich fatalistisch werden. Nun ja, es war eine Krise – eine sehr ernste. – 4 Bilder entworfen.

Grauer dunkler Tag, kalt – Ende Juni.

Freitag, 19. Juni 1942. Sehr fest am linken Flügel von den »Schauspielern« gearbeitet. – Immer noch nicht ganz auf Touren, die Tage laufen – wohin?

Donnerstag, 25. Juni 1942. Sehr lange und ziemlich endgültig an dem Schauspielertryptic. So eine Art Generalprobe. – Überhaupt noch viel gemurkst und ziemlich frisch.

Mittwoch, 8. Juli 1942. Tryptic: 2 Bilder, das große Mittelbild und der rechte Flügel ganz fertig – todmüde.

Sonntag, 12. Juli 1942. Heute »die Schauspieler« fertig! – Nachmittags zu Fuß hin und zurück zur Amstel, fern und kalt und gleichgültig. – Dachte an Großmann's Tod.

Mittwoch, 30. Dezember 1942. Jeder Mensch bemüht sich mehr oder weniger sich ein Mäntelchen umzuhängen, indem er vor Allem vor Anderen und dann auch vor sich selbst, sich wichtig und erstrebenswert vorkommt. – Die eigentliche Tatsache des bewußten Nichtwissens als Grundlage eines Glaubens an unbekannte Dinge, ist weniger bewußt.

Donnerstag, 31. Dezember 1942. Letzter Tag 42. – Hm – passé, und ich lebe noch.

Sonntag, 14. Februar 1943. Die Fackel, die ich selbst entzündet, sie gleitet hin und schwindet mir im schwarzen Strom der bösen Zeit. Noch an vielen Bildern gefeilt.

Samstag, 6. März 1943. Den festen Entschluß – trotz gehen oder nicht gehen – dieses Leben zu Ende zu leben. – Ich wollte ja nur Zuschauer sein in diesem Traum ...

Montag, 15. März 1943. Zustand der größten Hoffnungslosigkeit – und die Beziehung zum Ur-Alten ist schleierhafter denn je.

Sonntag, 10. Oktober 1943. Na ja, warten wir ab, was das Leben uns noch bringt. Vorläufig sieht es dunkel genug aus – und leider hab' ich oft recht. Trotzdem wir haben gekratzt und gekratzt aus lauter Genauigkeit, bis fast nichts mehr übrig blieb.

Selbst eigene Cadaver-Knochen sollen uns nicht hindern, bis zum letzten Moment unseren Mann zu stehen, stolz und müde gegenüber der schwarzen Wand, die um uns gezogen.

Dienstag, 19. Oktober 1943. Besuch von G. und Fr. – Trotzdem neuerliches Geld – nun ja, auch das brauche ich – aber wesentlicher ist die Stimme der Überzeugung. Leider machte dieselbe sich nicht absolut bemerkbar. – Sah meine Bilder in ferne Götter aufstrahlen in dunkler Nacht – aber – war ich das noch? – nein –, fern von mir, meines armen Ich's, kreisten sie als selbständige Wesen die höhnisch auf mich herabsahen, »das sind wir« und »Tu n'éxiste plus« – o ho – Kampf der selbstgeborenen Götter gegen ihren Erfinder? – Nun auch das muß ich tragen – ob Ihr wollt oder nicht – bis jenseits der großen Wand – dann werde ich vielleicht ich selber sein und »tanzen den Tanz« der Götter – außerhalb meines Willens und außerhalb meiner Vorstellung – und doch ich selber. Denn klar sollte Euch nur sein, daß ich aus Eurem zügellosen Mysterium solchen Glanz fabriziere. (»O – sind wir es nicht?!«)

Freitag, 2. Juni 1944. Merwürdige Windstille ... Sah wie die Morgenröte kalt und schön lächelnd über den Düften der Verwesung aufging. – Nein – seelenlos bin ich nicht. – Aber ich kenne und muß meine Grenzen halten – denn ich bin trotz allem Zuschauer. – Diese Sorgen sind heute gestorben, der Krieg herrscht noch gewohnheitsmäßig. – Die Toten schweigen. –

Sonntag, 4. Juni 1944. Welch klägliches Gewimmer ist ach in meiner Brust. – Ich war schon einmal weiter – was Optimismus und Pessimismus anbelangt. Beides geht nicht. – Bleibt nur ruhig weiter abwarten – eine schlappe Parteilosigkeit dem großen Unbekannten gegenüber. – »Herr, ich verstehe nicht Deine Wege«, sagte das Kaninchen mit den ausgerissenen Augen ... Sonst Sonntag und viel Bilder. –

Dienstag, 6. Juni 1944. ... Die Invasion kam nach Calais ... Nachdem wir in der Zeitung und die Anschläge gelesen, zum Bahnhof, um plötzlich nach Overveen im Krantje-Leckt Pfannkuchen zu essen. – Schöner, kühler, grauer Sommertag mit etwas Regen und mehr oder weniger großer Sorge um Existenz.

Max Beckmann in Amsterdam, 1938

Max Beckmann. Begin the Beguine. 1946 (Kat. 39)

Dienstag, 27. Juni 1944. Von gelindem Wahnsinn leicht getrieben tänzelt die Menschheit von Blume zu Blume. Andere retten sich durch Zaubersprünge vor dem Entsetzen des Nichts.

Ende Juli. Ad infinitum zu segeln ohne Fuß – ohne Ziel – welch merkwürdiger Einfall! Welch grausame Fantasie – immer warten, ob sich nun das Geheimnis entschleiern wird und immer mit dummem Gesicht vor dem grauen Vorhang zu sitzen, hinter dem die Geister rumoren oder auch das Nichts. – Welch grausamer Einfall, welch drolliger Witz, sich dieses alles auszudenken, und dann dem Probeexemplar die Kritik zu überlassen zu seinem eigenen Wohl und Wehe. – Glaubst Du an einen Sinn des Rummels, wirst Du selig werden – oh so weit weg – glaubst Du dem Zufall, so ist es Dein Pech. – Du mußt mir aber immerhin zugeben, daß es doch eine Leistung ist, aus dem Nichts ein Vorstellungsgeflecht zu schaffen, was immerhin alles in einer stetig gesteigerten Spannung erhält?

»Geht aber nur durch ein Versteckspiel Deines Selbst.«

– Alles um Euch zu unterhalten.

*

Samstag, 20. April 1946. Recht gute Post heute ... Na ja, ich bin wohl so ziemlich aus dem Schlamassel, wenn's auch noch lange dauern wird, bis alles ganz normal ist. – Entwurf »Begin the Beguin«. – Wieder liegt (bis auf die angekränkelte Gesundheit) neues Land und Leben vor mir. Na, es muß abgelebt werden. (Dienstag ist Eröffnung in New York.)

Mittwoch, 19. Juni 1946. 450 Gulden kamen aus San Francisco als verspätete Zahlung für 1. Preis (1000 Dollar) – in der Golden Gate Ausstellung in 1939. Auch ging's mir gesundheitlich recht gut den ganzen Tag ...

Donnerstag, 27. Juni 1946. Des Morgens 5 Stunden »Begin the Beguin« – schon untermalt und wird glaube ich recht gut ... – Außerdem verstarb Herr Nachbar Heldenrijk vor ein paar Tagen (erfuhr es von v.d.B.) an Angina Pektoris, hat niemals geraucht – und ich lebe noch – ging mir gut heute.

Freitag, 19. Juli 1946. 4–5 Stunden am »Begin the Beguin« – noch nicht sehr zufrieden und heftig ermüdet.

Samstag, 20. Juli 1946. 5 Stunden nochmal am »Begin the Beguin« ...

Samstag, 3. August 1946. 8 Stunden an »Begin the Beguin«, na ja ziemlich müde, nur 10 Minuten op Straat.

Mittwoch, 7. August 1946. Viel zu viel an »Begin the Beguin« tief ermüdet zugebracht, wurde durch optimistische Telephonanrufe von Peters (gnädige 250 Gulden vom Beheer gestattet) und ähnliche Dinge – künstlich erheitert.

Sonntag, 11. August 1946. T'ja – »Begin the Beguin« ist wohl fertig – heute nochmals 4 Stunden. – Ich auch glaube ich.

Montag, 12. August 1946. ... – werde immer mein »Begin the Beguin« noch nicht los.

Dienstag, 13. August 1946. »Begin the Beguin« fertig. Puh – Sauarbeit. – War mit Quappi beim Zahnarzt im Auto, sonst nichts weiter als »Begin the Beguin«.

Donnerstag, 22. August 1946. Valentin erscheint, ankommt hier um ½6 Uhr. Sehr bald Bilderbeschauung. »Mutter und Tochter« und »Begin the Beguin«, auch »Afternoon« große Begeisterung –

Mittwoch, 11. September 1946. »Begin the Beguin« endgültig gefeilt. Ebenso »Mutter und Tochter«. Letztere weiß ich noch nicht genau. – Aber »Begin« ist – großartig – geworden. –

Kurt Schwitters

Europäische Kunst des 20. Jahrhunderts

Die Gestalt der europäischen Kunst des 20. Jahrhunderts ist sehr mannigfaltig; sie ist der Ausdruck der letzten Entwicklung des Stammbaums der Kunst. Ich verwende ausdrücklich das Wort ›Stammbaum‹. (...) Die europäische Kunst ist ein Ast nur an dem Stammbaum der Kunst, der aber zum Beispiel deutlich verschieden ist etwa von dem japanischen oder etwa dem ägyptischen Ast. Die Entwicklung geht schnell, und oft vollzieht sie sich in einem Jahr schneller als früher in einem Jahrhundert. Was wundert Sie das, wenn die Entwicklung auf allen Gebieten sich schneller vollzieht.

Nun ist in zwei Ländern, Deutschland und Rußland, die Entwicklung durch äußere Eingriffe von seiten des Staates, der ja an sich nichts mit der Kunst zu tun haben sollte, stark beeinflußt. Aber auch das ist nichts Neues, denn früher war sie durch die Kaufkraft des Kapitals oder durch die Kirche ebenfalls beeinflußt, nur daß man anstatt die letzten Triebe der Entwicklung herauszuschneiden, sie von der Wasserzufuhr abtrennte und dadurch langsam vertrocknen ließ.

Wie ist nun die Situation in den totalitären Staaten? In Deutschland wie in Rußland sagt man: »Vor einigen Jahrzehnten war der Baum der Kunst vor unserem Fenster kleiner. Wir hatten eine schönere Aussicht und liebten diesen Baum mehr, weil uns die letzten Triebe schöner vorkamen. Also schneiden wir einfach die letzten Triebe, die nachher gewachsen sind, ab, dann wird der Stammbaum der Kunst wieder schön werden.« Aber wie erstaunt sind sie und die ganze Welt, daß, nachdem die letzten Triebe mit ihrem frischen Laub und ihren Knospen abgeschnitten sind, da kahle Zweige ohne Knospen, Blüten oder Blätter in die Luft stehen. Aber einstweilen freuen sie sich an der schönen Aussicht, und außerdem gefällt ihnen die ganze Form des Baumes entschieden besser so.

Ich habe gesehen, wie man Bäume in der Natur auf ein Zehntel ihrer ursprünglichen Größe reduziert hat, und sie haben im nächsten Frühling schöne, starke neue Zweige bekommen. Allerdings ist dann zum Beispiel aus einer großen, frei gewachsenen Weide eine sogenannte Kopfweide geworden. Wie sieht das nun beim Stammbaum der Kunst in Deutschland und Rußland aus. Sie wünschen, daß ich frei und offen sage, wie ich denke, ich sehe dort im Prinzip eine Ähnlichkeit, vielleicht sogar eine Gleichheit.

Die neuen Individuen im Stammbaum der Kunst entstehen durch Vermählung zweier Prinzipien miteinander. Der Vater ist in beiden Fällen die akademische, naturalistische Kunst, die Mutter ist die Propaganda.

Kurt Schwitters. Glasblume. 1940 (Kat. 97)

Sie sehen also, daß es nicht hundertprozentige Kunst sein kann. Auf dem Stammbaum der Kunst sind natürlich neben herrlichen Blüten und Früchten auch einige Quadderbälge. Ich weiß nicht, ob Ihnen dieses Wort aus meiner Heimat in Hannover bekannt ist, es ist eben nicht hundertprozentig, es ist Propagandakunst, nicht reine Kunst.

Die reine Kunst, ich nenne Namen wie Rembrandt, Frans Hals, Leibl, Hans Arp usw. usw., ist hundertpro-

Kurt Schwitters. Draht-Skulptur. 1943 (Kat. 102)

Kurt Schwitters. Fant. 1944 (Kat. 110)

Kurt Schwitters. Das Korbbild. 1940 (Kat. 96)

zentig zur reinen, unbändigen Freude der Menschen geschaffen, ohne jede Absicht, die Menschen zu verändern, sie wendet sich besonders an die Sinne der Menschen, denen sie einen unbeschreiblichen Genuß bereiten kann, wenn ... Menschen aufnahmefähig dafür sind.

Die Propagandakunst wendet sich über die Sinne der Menschen an den Verstand. Der Verstand kann nicht fühlen, er kann nur denken, und das ist der Zweck der Propagandakunst. Es kommt also gar nicht so sehr darauf an, daß das Gefühl befriedigt wird, als darauf, daß der Mensch, der das Propagandakunstwerk betrachtet, in der Weise beeinflußt wird, wie die Propaganda dieses Landes ihn sowieso schon beeinflußt, in Deutschland stark völkisch, in Rußland kommunistisch. Die Malweise der beiden Länder ist ähnlich, wenn nicht gleich. Trotzdem würde ein russischer Arbeiter ein nationalsozialistisches Bild ebensowenig verstehen wie ein durch den Nationalsozialismus beeinflußter Arbeiter ein russisches, weil die übrige Beeinflussung durch die gleichgerichtete Propaganda fehlt. Die Propagandakunst ist nichts weiter als ein Glied in der besagten Propaganda, und es ist anzunehmen, daß sie als Kunstäußerung bedeutungslos wird und verschwindet, sobald sie ihren Zweck dieser Beeinflussung erreicht hat. Die reine Kunst ist hier nichts weiter als Dienerin zum Nutzen der Propaganda, zu ihrem eigenen Schaden. Das bedeutet nun aber, daß nicht etwa trotzdem später, wenn einmal aus irgendeinem Grunde die Propaganda nicht mehr nötig ist in diesen Ländern, wieder reine Kunst dort entstehen kann.

Ich möchte nun betrachten, was geschehen ist. Die Kunst ist nivelliert. Man hat rücksichtslos die letzten Entwicklungsstadien abgeschnitten und läßt auf den Stümpfen neue Zweige einheitlich wachsen, die den ehemaligen Zweigen, die dort vorhanden waren, nur wenig ähnlich sehen. Die neuen Triebe sind nicht reine Kunst, sondern vielleicht zur Hälfte Propaganda. Von der gleichen Propaganda sind die voraussichtlichen Betrachter sowieso bearbeitet, und sie finden sich daher leicht zurecht und üben nur selten an der Form, die sowieso für sie nicht schwer verständlich ist, Kritik. Es ist also alles in Butter, nur ist das keine Kunst und kein Beweis dafür, daß das Volk etwa die nivellierte Kunst leichter verstehen könnte als die sich frei entwickelnde. Denn das Publikum ist in den autoritativen Ländern ebenfalls nivelliert, und die Komponente der reinen Kunst in den Arbeiten der Propagandakunst ist nicht ausschlaggebend.

Wie aber in England. Dort würden die gleichen Methoden zu einem vollkommen verschiedenen Resultat führen. In England ist das Publikum nicht nivelliert, und eine Propaganda in der Kunst würde nur immer auf einige Gruppen wirken. Das Publikum würde weit mehr auf die Form als den Inhalt der Kunst achten, und da würde es voraussichtlich den englischen Traditionen folgen in dem, was es für schön hält, besonders Water colours.

Ich habe jetzt zu untersuchen, was das Publikum an Kunstwerken erkennt und schön findet. Das ist eine rein menschliche Angelegenheit, nicht eine Gemeinschaftssache. Das Publikum pflegt nicht einheitlich zu reagie-

Kurt Schwitters. Merzbau (Merz Barn). Little Langdale (England). 1945–47 (heute New Castle University) Foto: vor dem Abbau von Richard Hamilton ren, man kann nur einen Weg aufzeichnen, wie voraussichtlich ähnliche Individuen reagieren. Es ist zu berücksichtigen, daß die Individuen einer Zeit und einer Kulturgruppe trotz aller gesellschaftlichen Verschiedenheiten menschlich gar nicht sehr verschieden sind.

Man läßt aber die Spitzenentwicklung den weiter Vorgebildeten, damit auch sie einen Genuß haben können, und man vergißt nicht, einen wie großen Einfluß die Avantgarde-Bilder auf die Menschen indirekt haben, die sie nicht verstehen. Geben wir ihnen eine Bezeichnung als experimentelle Arbeiten, es kommt ja nicht auf die Bezeichnung an. Wie die Bilder, die Hitler als entartet bezeichnet hat, nicht dadurch weniger gut geworden sind, so würde hier diese Bezeichnung nur gut sein, weil sie dem Betrachter das Gefühl der Selbstsicherheit wiedergibt, er weiß, daß er diese Bilder nicht unbedingt zu verstehen braucht, und ist doch ein gebildeter Mensch. Verweisen wir sie in kleine Ausstellungen, geben wir ihnen in kleinem Kreise Laboratoriumswert. Nun wäre nur noch zum Schluß von den letzten Trieben der Entwicklung der Dadaismus und der Surrealismus zu betrachten. Sollte man diese Zweige vielleicht doch trotzdem abschneiden? Ich sage: »Nein.«

Denn sie haben in ihrem Wirkungskreise ihre Bedeutung, vielleicht noch, vielleicht gehabt. Der Dadaismus war eine revolutionäre Kunst. Das Revolutionäre war das épanté le bourgeois. Aber er war zugleich Mittler der reinen Kunst. Der Grund war teilweise politisch, besonders aber kunstpolitisch. Der werte Bürger wurde absichtlich in seinen heiligsten Gefühlen gekränkt, weil diese heiligsten Gefühle ein Schmarren waren. Man wollte ihn dadurch, daß man seine Gefühle lächerlich machte, veranlassen, sie aufzugeben, und ich bin überzeugt, der Dadaismus hat viel Gutes erwirkt, in der Epoche nach dem letzten Kriege, sowohl politisch wie kunstpolitisch, indem er den Weg für das gute Neue öffnete. Nun ist ein Tohuwabohu entstanden. Da sich der Dadaismus besonders gegen Hohlheiten in der Kunst wandte, mußte er, um von dem richtigen Publikum richtig verstanden zu werden, auf richtiger Ebene arbeiten, d. h., er verwandte oft die Mittel der reinen Kunst: Komposition in Farbe, Form, Linie, hell und dunkel. Und da entstand das Sonderbare, daß das Mittel, welches die Hohlheiten der Kunst seinerzeit benutzten, selbst zum direkten künstlerischen Ausdruck seinerzeit wurde.

Nun der Surrealismus. Man kann ihn nicht in Bausch und Bogen abtun. Er hat sich bekanntlich aus dem Dadaismus entwickelt, aber ohne dessen kämpferisches Ziel zu haben. Daher fehlte ihm die dem Dadaismus anhaftende Verantwortlichkeit. Die Wahl seiner künstlerischen Mittel war nicht konsequent, und da ihm das Ziel des Angriffs fehlte, so wurde er zum Nonsens an sich. Der reine Surrealismus ist ungestalteter Unsinn. Gott sei Dank ist er nicht überall rein.

Als mich mit Beginn des Surrealismus Hans Arp, mein guter Dadafreund, bat, mit ihm zu einer Surrealistenversammlung in Paris zu kommen, um mich Breton und den Surrealisten anzuschließen, kam ich zwar mit, schloß mich aber nicht an. Ich sagte, ich wollte zunächst erklären, wie ich den Surrealismus auffasse. Ich sagte, in Paris gebe es einen Drahtkorb zum Gemüsewaschen, der äußerlich einem Goldfischglas ähnlich sehe, aber er wäre weder aus Glas noch wasserdicht. Ein richtiger Goldfisch könne nicht darin leben. Es gebe auch Zelluloid-Goldfische, die auch ohne Luft leben könnten, weil sie überhaupt nicht lebten. Ich erklärte nun, um ein sogenanntes Objekt wahrzumachen, würde ich einen solchen Zelluloid-Goldfisch in einem solchen Gemüsekorb waagerecht anbinden und das Ganze ›Vögel unter sich‹ nennen. Ich erregte brausenden Beifall, trat aber doch nicht den Surrealisten bei. Und die Entwicklung hat mir recht gegeben. Der Surrealismus ist ungestalteter Unsinn, vollendet aus Extravaganzfarben, wie man sie in der Harmonielehre der Kunst unnatürlich nennen müßte.

Dieser Zweig der Entwicklung muß eigentlich abgeschnitten werden, besonders weil man nach ihm etwa die Abstraktion, den Konstruktivismus und andere neue Entwicklungszweige verkennen könnte. Für den Europäer sind die meisten Japaner gleich, aber der an sich arbeitende Kunstbetrachter kann doch unterscheiden. Darum lassen wir den Surrealismus ruhig leben, denn auch er hat schöne Blüten, und wer weiß, ob er nicht dereinst einmal der Vater einer schöneren Blüte werden wird. Schon die Phantasie, mit der er Dinge zusammenbringt, die eigentlich nicht zusammengehören, ist ein Kunstfaktor und ein unvergeßliches Bild, eines der schönsten der Kunstgeschichte überhaupt, stammt vom vielgeschmähten Dali. Das Bild zeigt Uhren, die vielleicht infolge einer Hitzewelle oder weil man sie in warmem Wasser gewaschen hat, weich geworden sind. Die Uhren werden nun getrocknet und hängen schlapp auf Gegenständen, indem sie wie ein Tuch über eine Kante hinaushängen. Das ist ein göttlicher und unübertrefflicher Humor. Man kann dieses Bild dem Zerbrochenen Krug von Kleist oder den Lustspielen Molières gleichstellen, und sehen Sie, kommt doch nicht wieder Kunst von anderer Seite hinein in den Surrealismus, dessen Moral ich Ihnen soeben erklärt habe. Man muß nur Sinn für Humor haben. Und denken Sie an einen Surrealisten wie Tanguy, der die schönsten und angenehmsten Farben auf seinen phantastischen Kompositionen erreicht hat. Schneiden Sie nicht am Baum der Kunst, lassen Sie die Dinge sich entwickeln und versuchen Sie, durch strenges Studium das zu begreifen, was Sie noch nicht begreifen können.

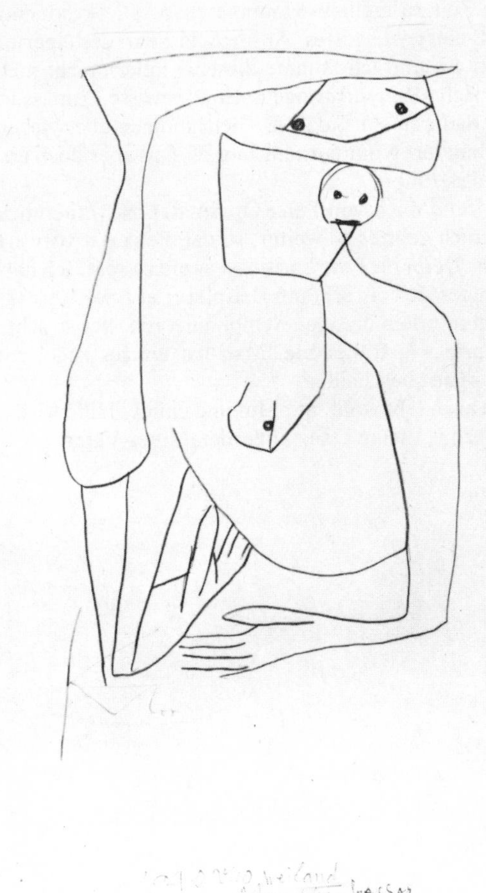

Paul Klee. Eidola: weiland Menschenfresser. 1940, 90 (Kat. 68)

Paul Klee

Saudummer Lebenslauf. Entwurf

22. 4. 1939

(...)
Das Jahr 1920 brachte mir die Berufung an das Staatliche Bauhaus zu Weimar. Hier lehrte und schaffte ich bis zur Übersiedlung dieser Kunsthochschule nach Dessau im Jahre 1926. Endlich kam ein Ruf zum Leiter einer Malklasse an die Kunstakademie zu Düsseldorf meinem Wunsch entgegen, die Lehrtätigkeit ganz auf das mir eigentümliche Gebiet zu beschränken, und ich lehrte denn an dieser Kunsthochschule in den Jahren 1931 bis 1933.

Die neuen politischen Verhältnisse in Deutschland erstreckten ihre Wirkung auch auf das Gebiet der bildenden Kunst und behinderten nicht nur die Lehrfreiheit, sondern auch die Auswirkung des privaten künstlerischen Schaffens. Mein künstlerischer Ruf als Maler hatte im Lauf der Zeit sich über die staatlichen, ja auch über die continentalen Grenzen hinaus ausgebreitet, so daß ich mich stark genug fühlte, ohne Amt im freien Beruf zu existieren. Die Frage, von welchem Orte aus das geschehen würde, beantwortete sich eigentlich von selber. Dadurch, daß die guten Beziehungen zu Bern nie abgebrochen waren, spürte ich stark die Anziehung dieses eigentlichen Heimatortes.

Seitdem lebe ich wieder gerne in Bern, und es bleibt nur ein Wunsch noch offen, Bürger dieser Stadt zu sein.

Paul Klee. Ohne Titel (Komposition mit Früchten). 1940 (unvollendet) (Kat. 58)

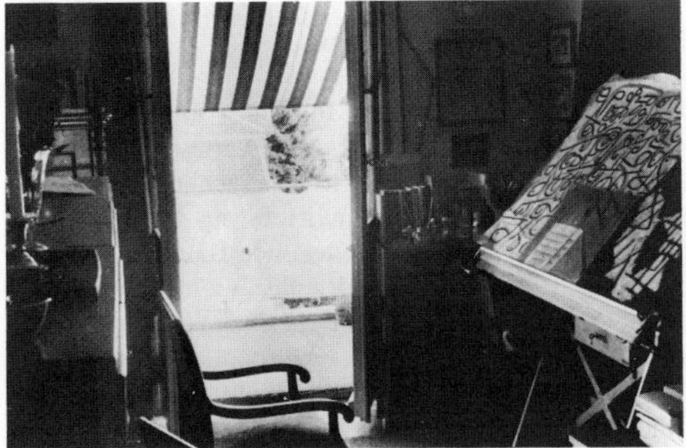

Das Atelier von Paul Klee in Bern, nach seinem Tod aufgenommen (vgl. Kat. 58)

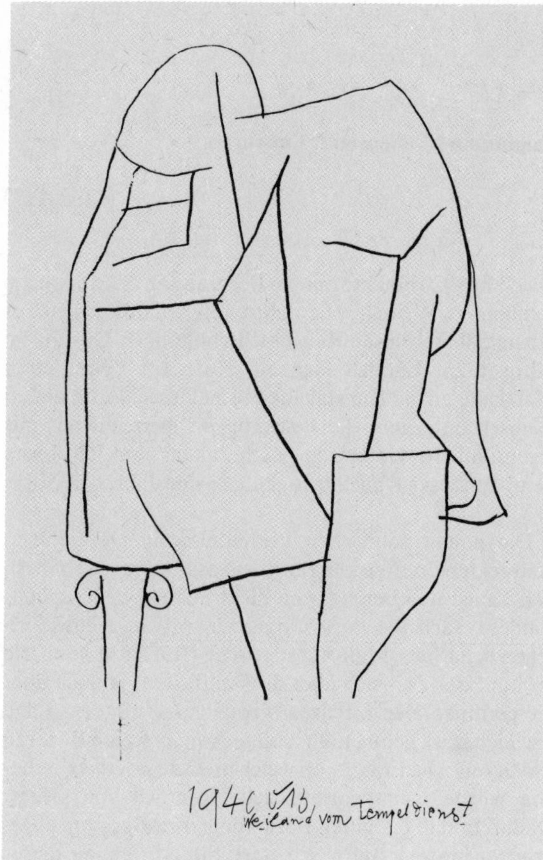

Paul Klee: Eidola: weiland vom Tempeldienst. 1940, 93 (Kat. 70)

Brief an Felix Klee, Berlin

Bern, 29. Dezember 1939.

Lieber Felix und liebe Phroska,

zum bewußten Feste wart Ihr quasi anwesend, eine größere Materialisierung dieses Begriffes ist heute, wo Grenzen erhöhte Bedeutung haben, nicht möglich. Aber es war ganz ›als ob‹, die lieben Briefe, aus denen ich Eure Stimmen hörte und das entzückende Bändchen in griechisch-deutschem Paralleldruck. Vielen herzlichen Dank für alles! Die Hetärenbriefe sind in einem späteren und nichttragischen Stil geschrieben, daß man Lust hätte, wieder etwas Altphilologie zu treiben und bei ihnen den Anfang zu machen. Aber der Lust steht keine Zeit zur Verfügung, und man läßt es bei gelegentlichen Stichproben bewenden. Denn mir bleibt nicht einmal genug Zeit zu meinem Hauptgeschäft. Die Production nimmt ein gesteigertes Ausmaß in sehr gesteigertem Tempo an, und ich komme diesen Kindern nicht mehr ganz nach. Sie entspringen. Eine gewisse Anpassung findet dadurch statt, daß die Zeichnungen überwiegen. Zwölfhundert Nummern im Jahr 39 sind aber doch eine Recordleistung.

Ich freue mich von Felix Operntaten zu vernehmen, hoffentlich geht es so weiter, so daß Felix gut vorwärts kommt. Denn für Fortschritte ist es nie zu spät. Ich habe vor einiger Zeit ein schönes Beispiel erlebt, wo Herr von Hösslin mit dem hiesigen Symphonieorchester so schön musicierte wie früher nie. Man hat einiges zugelernt, sagte er ganz bescheiden.

Nun also, lebt wohl, mit Mut und einiger Hilfe wird es schon gehn. Vielen Dank außerdem! Euer Vater.

Paul Klee. Eidola: weiland Iphigenie II. 1940. 98 (Kat. 75)

Wassily Kandinsky. Bunte Aktionen. 1941 (Kat. 115)

Wassily Kandinsky

Immer Zusammen

Steigemann und Sinkemann sagten zu einander:
»Ich komme bald zu Dir, Jawohl!«
Und Steigemann: »Du zu mir?«
Und Sinkemann: »Du zu mir?«
Wer zu wem?
Wann?

Wassily Kandinsky. Balance. 1942 (Kat. 116)

Wassily Kandinsky

Die farbigen Reliefs von Sophie Tæuber-Arp

Sophie Tæuber-Arp wählte das »farbige Relief« als Ausdrucksmittel vor allem in den letzten Jahren ihres Lebens. Sie bediente sich dabei fast ausschließlich der einfachsten Formen, geometrischer Formen. Durch ihre Zurückhaltung, ihre Stille, durch ihre Eigenschaft, selbständiger Ausdruck zu sein, laden die Formen die geschickte Hand ein, sich der Sprache zu bedienen, die ihr eigen und die oft nur ein Flüstern ist. Aber manchmal ist das Geflüster ausdrucksvoller, überzeugender, eindringlicher als das Laute, das sich dann und wann zu Ausbrüchen hinreißen läßt.

Um sich Meisterschaft über die »stummen« Formen aneignen zu können, ist Begabung mit einem feinen Sinn für Maß nötig, muß man die Formen an und für sich zu wählen wissen: je nach der Beziehung, die zwischen ihren drei Dimensionen besteht, nach ihren Proportionen, ihrer Höhe, ihrer Tiefe, ihrer Fähigkeit, sich kombinieren zu lassen, ihrer Art, zu einem Ganzen beizutragen – in einem Wort: man muß den Sinn für Kombination haben.

Alle diese Anforderungen komplizieren die Aufgabe, selbst wenn es sich nur um monochrome Plastik (Plastik aus Stein) handelt. Zur Schönheit der Volumen fügt sich bei den ›kolorierten Reliefs‹ von Sophie Tæuber-Arp das Geheimnisvolle, die erregende Macht der Farbe, die bald die Stimme der einfachen Form belebt, bald einen Akzent mäßigt; die das Strenge der einen Form betont, während sie einer andern Milde mitteilt; die dieses Hervorspringen unterstreicht und jenes unaussprechlich verringert. Und so bis ins Unendliche. Ein Widerhall von Stimmen, eine Fuge.

Das Arsenal der Ausdrucksmittel ist von einem unerschöpflichen Reichtum. Die größten Gegensätze sind: »laut« und »leise«. Dem Donner der Pauken und Trompeten einer Ouvertüre von Wagner steht die leise, die »monotone« Fuge von Bach gegenüber.

Hier: der Donner und die Blitze, die den Himmel zerfetzen, die Erde erschüttern. Dort: ein Himmel glatt und grau, in seiner ganzen Weite, und der Wind hat sich zurückgezogen in ferne Gegenden. Das kleinste, nackte Reis bleibt unbeweglich, das Wetter ist weder warm noch kalt.

Sprache der Ruhe.

Sophie Tæuber-Arp hat sich unfehlbar, ohne »Furcht und Tadel«, ihrem Ziel genähert.

Jean Arp

Zu verschiedenen Zeiten unseres Lebens haben Sophie Tæuber und ich gemeinsam Arbeiten geschaffen. Zuerst in Zürich in den Jahren 1917 bis 1919, in Straßburg 1926 bis 1928, mit Theo van Doesburg gelegentlich des Umbaues der Aubette, ferner im ersten Kriegsjahr in Meudon, 1939, von welchen ich mehrere in meinem Gedichtband ›le siège de l'air‹, 1946, abgebildet habe, und schließlich, 1941, in Grasse gemeinsam mit Sonja Delaunay und Alberto Magnelli. Ich glaube heute, daß eine Zusammenarbeit die Lösung ist und uns die Harmonie bringen kann, welche imstande ist, die Kunst aus der grenzenlosen Verwirrung zu retten.

›konkrete kunst‹. Ausstellung in der Kunsthalle Basel, 18. März–16. April 1944. Saal mit Werken von Jean Arp, Piet Mondrian und Sophie Taeuber-Arp

Jean Arp. Nach dem Gesetz des Zufalls geordnet, auch Punkte und Kommas genannt. 1944 (Kat. 130)

Jean Arp

Mit gesenkten Lidern

Ich lasse mich von der Arbeit führen und vertraue ihr. Ich überlege nicht. Während ich arbeite, entstehen freundliche, seltsame, böse, unerklärliche, stumme, schlafende Formen. Sie bilden sich wie ohne mein Zutun. Ich glaube nur die Hände zu bewegen. Dem Hellen und dem Dunkeln, welches der ›Zufall‹ uns schickt, sollten wir mit ergriffener Verwunderung und Dankbarkeit begegnen. Der ›Zufall‹, der zum Beispiel unsere Hände beim Zerreißen eines Papiers leitet, die Figuren, die dabei entstehen, erschließen uns Geheimnisse, tiefere Vorgänge des Lebens. Das zufällige Abbrechen und Beiseitestellen einer Arbeit zeigt sich später als zur rechten Zeit erfolgt. Es ist eine wesentliche Handlung während der Entstehung eines Werkes. ›Die blinde Wahl‹ einer Farbe schenkte oft dem Bilde ein lebendes Herz.

Der Inhalt einer Plastik muß auf Zehenspitzen, ohne Anmaßung auftreten, leicht wie die Spur eines Tieres im Schnee. Die Kunst soll sich in der Natur verlieren. Sie soll sogar mit Natur verwechselt werden. Nur darf dies nicht durch Nachahmung erreicht werden wollen, sondern durch das Gegenteil des naturalistischen Abmalens, Abbildens. Die Kunst entkleidet sich dabei immer mehr des Eigensüchtigen, des Virtuosen, des Lächerlichen.

Schon mit gesenkten Lidern fließt die innere Bewegung reiner in die Hand. In einem dunkeln Raum ist der Fluß der inneren Bewegung noch leichter zu leiten. Der Dirigent einer inneren Musik, der große Bildner der Steinzeit, zeichnete mit nach innen gerichteten Augen. Die Zeichnung wird dadurch transparent und läßt die Überlagerung, die Erregung, die Wiederholung des inneren Gesanges, die Umschreibung zu einem tiefen Atmen werden.

Über Alberto Magnelli

Die Konstruktionen Magnellis verleugnen die Erde nicht. Sie wenden sich nicht von der buntscheckigen Vielfalt der Erde ab. Sie haben ein für allemal der Seufzerbrücke, den Gondeln und den himmelwogenden Kirchendecken adieu gesagt und den Rücken gekehrt.

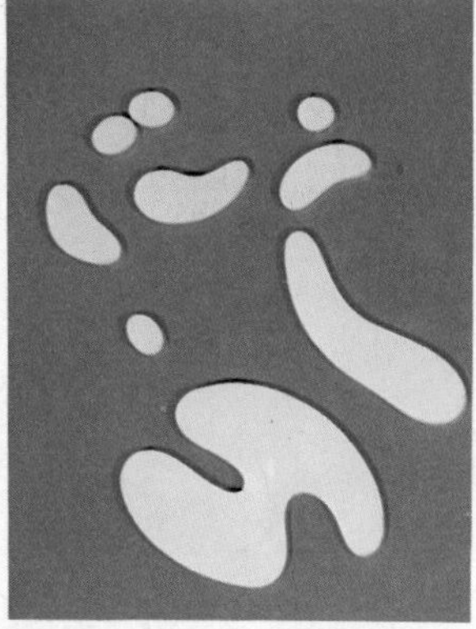
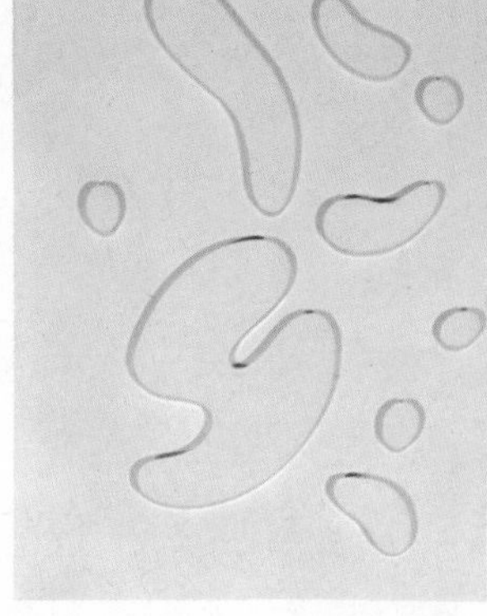
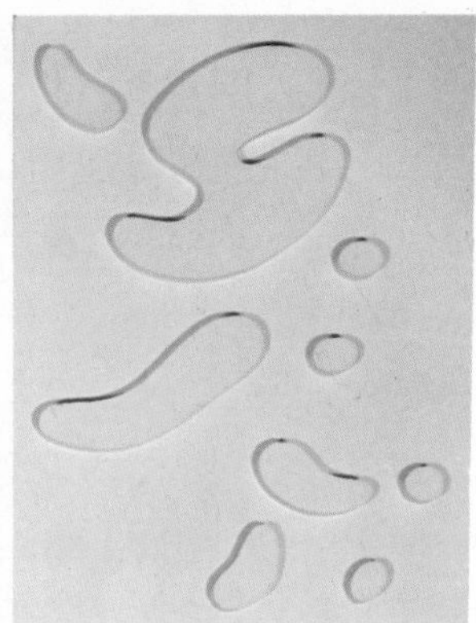

Jean Arp. Triptychon. 1942 (Kat. 129)

Die Bilder Magnellis sind keine Täuschungen, keine Nachahmung der Welt. Sie sind rein und voller Wirklichkeit. 1941 und 1942, in den Jahren unwirklicher Finsternis, war die Realität der Schönheit der einzige Trost für unseren kleinen Kreis in Grasse. Sonia Delaunay, Susi Magnelli, Alberto Magnelli und ich gehörten zu diesem Kreis. Während dieser Jahre erwuchsen Magnelli eine Fülle von Vorhaben, die er jetzt mit größter Meisterschaft ausführt. Diese unbekümmerte Arbeit verbindet ihn mit der Volkskunst großer Epochen. Das Schwarz, Braun, und Blau der Bilder Magnellis lassen an die Farben auf den Fresken der frühen kretischen Epochen denken. Seine Arbeiten könnten einen gleichwertigen Ersatz für diese erhabenen und heiteren Ausschmückungen bilden. Sie sind natürliches Geschmeide ohne Anmaßung und ohne Kunststück zu sein. (. . .)

Alberto Magnelli. Ohne Furcht. 1945 (Kat. 430)

Alberto Magnelli, Nelly van Doesburg und Jean Arp in Château Follie bei Grasse, 1941/42

Brief Mondrians an James J. Sweeney ▷

353 East 56 St.

may 24

I think the destruc-tive element is too much neglected in art.

Dear Mr. Sweeney,

To complete our conversation the folling could be usefull to you work.

You know that the intention of Cubism – in any case in the beginning – was to express volume. The three-dimensial space (natural) remained thus established.+ This was opposed to my conception of abstraction which is that this space <u>just has to be destroyed</u>. In consequence I came to destroy volume using the plane. Then the problemn was to destroy the plane also. This I did by means of lines cutting the planes. But still the plane remained too much in tact. So I came to make only lines and brought the color <u>in</u> these. Now the only problemn is to destroy these lines also through mutual opposition.
Perhaps I express my self not clear in this but it can ~~[illegible]~~ explain you why I left the cubist influence. Best wishes from Mondrian.

+ It shows again that Cubism "au fond" remained natural and was only <u>an abstraction</u> but not <u>abstract</u>.

353 East 56 St.
24. Mai

Lieber Herr Sweeney,
Um unsere Unterhaltung zu vervollständigen, könnte das Folgende für ihre Arbeit nützlich sein.

Sie wissen, daß es die Absicht des Kubismus war – auf jeden Fall im Anfang –, Volumen auszudrücken. Der dreidimensionale Raum (der natürliche) blieb also erhalten. Das zeigt wieder, daß der Kubismus »au fond« naturalistisch blieb und nur eine Abstraktion war, aber nicht abstrakt. Dies stand im Gegensatz zu meiner Auffassung von Abstraktion, wonach dieser Raum gerade zerstört werden muß. Folglich kam ich dahin, das Volumen zu zerstören, indem ich mich der Fläche bediente – dann war das Problem, auch die Fläche zu zerstören. Dies tat sich mittels Linien, die die Fläche zerschneiden. Aber noch blieb die Fläche zu sehr intakt.

So kam ich dazu, nur Linien zu bilden und brachte in diese die Farbe. Nun ist das einzige Problem, ebenso diese Linien zu zerstören, durch gegenseitigen Kontrast.

Vielleicht drücke ich mich hier nicht klar aus, aber es kann Ihnen erklären, warum ich den kubistischen Einfluß aufgab.
Beste Wünsche von
Mondrian
Ich glaube, das destruktive Element wird in der Kunst zu sehr vernachlässigt.

Piet Mondrian. New York City III (unvollendet). 1942–44 (Kat. 203)

Sidney Janis

Die ›Ecole de Paris‹ kommt nach Amerika

Nov.–Dez. 1941

Picasso sagte mir schon 1930, er werde nie nach Amerika kommen. Er hatte zwar große Lust dazu, meinte jedoch, seine Abneigung gegen die Überquerung des Atlantiks niemals überwinden zu können. Es ist allerdings offensichtlich, daß dies wenig mit Angst um sein Wohlergehen zu tun hatte, denn dieser Erzfeind Francos und erste unter den entarteten Malern der Nazis zögerte 1940 keinen Augenblick, ins besetzte Paris zurückzukehren. Er hatte in Biarritz Urlaub gemacht und hätte im freien Frankreich bleiben oder in ein neutrales Land gehen können, doch es scheint, daß das Risiko, selbst Schaden zu nehmen, dem Wunsch, seine Gemälde und Skulpturen vor der Plünderung zu bewahren, untergeordnet war.

Die Tatsache, daß er in Paris bleibt, hat dem offenkundig falschen Gerücht Auftrieb gegeben, daß er *für* die Nazis malt. Es ist allgemein bekannt, daß die deutschen Offiziere in Paris die Nazi-Theorie der ›Entarteten Kunst‹ nicht vertreten und völlig offen alle Bilder dieser Art, die nur zu haben sind, kaufen. André Breton erzählt in diesem Zusammenhang eine für Picasso charakteristische Geschichte von einem deutschen Offizier, der seine Bilder sehen wollte. Picasso gab ihm eine Fotografie des berühmten ›Guernica‹-Gemäldes (das sich heute in Amerika befindet), und der Nazi-Offizier fragte ziemlich überrascht: »Haben *Sie* das gemacht?« Picasso antwortete: »Nein, *Sie*«.

Wenn man über die jetzt in Amerika lebenden Maler der ›Ecole de Paris‹ spricht, und über die Impulse, die sie von ihrer neuen Umgebung erhalten haben, so wünscht man sich, daß der Künstler, der sich seine Schaffenskraft in der unruhigen Zwischenkriegszeit besser als jeder andere erhalten hat, ebenfalls kommen möge. Denn die Künstler der ›Ecole de Paris‹ malen jetzt – angeregt durch ihre neuen Erfahrungen – Bilder, in denen ihr ästhetischer Standpunkt wieder vorrangig ist.

Piet Mondrian in seinem New Yorker Atelier, 1941. Unten links: Composition with blue square II, 1936–42; links auf der Staffelei: New York, 1941/42 (Kat. 200), in unvollendetem Zustand; rechts auf der Staffelei: New York City I, 1942 (Kat. 202)

Piet Mondrian. New York City I. 1942 (Kat. 202)

Léger

Léger sagt, dies Land bringe ihn dazu, schneller zu arbeiten. Dies umfaßt, auf einen Nenner gebracht, mehr als nur die Frage der zeitlichen Schnelligkeit, denn auch der ganze Charakter und Inhalt seiner Werke ist beflügelt worden, und man spürt, daß er seine Bilder mit mehr Kraft und Elan als seit Jahren malt.

Schon von seinen früheren Amerika-Aufenthalten war Léger begeistert, und seine Briefe an ›Cahiers d'Art‹ über New York und Chicago lassen erkennen, wie sehr diese Städte ihn beeindruckten. Seine Werke jener Zeit spiegeln jedoch diese Reaktion nicht wider, und auch nach der Rückkehr nach Europa arbeitete Léger fast gleich weiter wie zuvor. Léger hat immer betont, daß er sich von seiner jeweiligen Umgebung nicht beeinflussen läßt, und daß er in Tokyo genau so malen würde wie in Paris.

Dies mag insofern in gewissem Maße auf ihn zutreffen, als er als Künstler eher den Geist einer Epoche als den genauen physischen Aspekt eines vorgegebenen Ortes visualisiert, aber dennoch würde man annehmen, daß ihn seine Affinität für die Ästhetik des Maschinen-Amerika bei früheren Besuchen beeinflußt hat. Die Erklärung dafür liegt vielleicht in der Tatsache begründet, daß er nicht mehr nur ein Besucher ist, und deshalb jetzt eine notwendige Übergangsphase durchmacht. Er lernt sogar die Sprache, und für alle, die Léger kennen, ist dies seine endgültige Kapitulation.

Piet Mondrian

Mondrian gehört nicht zu den Malern, deren Schaffen unter dem Ersten Weltkrieg litt. In der Tat verlief seine künstlerische Entwicklung im Laufe der Jahre ziemlich gleichmäßig. Seit er nach Amerika gekommen ist, hat Mondrian sein Ziel stets weiter verfolgt und seine Arbeiten durch eine frische Farbgebung und außergewöhnliche Dichte bereichert; dies gibt seinem Werk eine ganz neue Lebendigkeit.

Interessanterweise hat Mondrian unabhängig von Léger ebenfalls gesagt, er arbeite hier viel schneller als in Europa. Er wendet eine in diesem Land kennengelernte

Peggy Guggenheims Galerie ›Art of this Century‹, 1942. Installation: F. Kiesler (im Vordergrund links sitzend)

zeitsparende Technik an, nach der er seine Kompositionen mit Klebeband fixiert. Dennoch braucht er immer noch Monate für ein Bild. Obwohl seine Augen es ihm wie ein Präzisionsinstrument ermöglichen, auch nur die geringste Veränderung des Gleichgewichts zu entdekken, wendet er ein ›trial und error‹-Verfahren an, und experimentiert und probiert, um schließlich größtmögliche Genauigkeit zu erreichen.

Sein Atelier spiegelt – wie auch seine Bilder – seine persönliche Disziplin wider. Es hat sehr gutes Licht, ist sorgfältig durchgeplant, einfach aber raffiniert eingerichtet, und klinisch sauber. Die weißen Wandflächen werden von rechteckigen roten, blauen und gelben Kartontafeln unterschiedlicher Größe durchbrochen, die so angeordnet sind, daß sie ein typisches Mondrian-Arrangement bilden. Für ihn bedeutet eine schiefe Ebene Schwäche, und eine Krümmung ist noch schwächer. Deshalb hat er die Rundungen seines Ateliereingangs mit rechteckigen Formen abgedeckt, um so diesen Mißton zu eliminieren. Seine Bilder, die auf dem Fußboden der Wand entlang angeordnet sind, sind ein Teil der Komposition des ganzen Raumes, und dies alles zusammen hat auf den Besucher einen aufregenden Effekt.

Man könnte meinen, die Bilder hätten sich in ihrer Wirkung gegenseitig aufheben oder zum mindesten optisch stören müssen. Doch auch nach stundenlanger Betrachtung geschah weder das eine noch das andere. Ganz im Gegenteil: sie verstärken sich gegenseitig so sehr, daß sich das ästhetische Erlebnis dadurch noch erhöht.

Es ist Mondrians Wunsch, seine Ideen für die gesamte Inneneinrichtung des amerikanischen Heims einzusetzen.

Als er im Oktober 1940 in New York ankam, war Mondrians erster Eindruck dieser Stadt Anlaß für das erste in der neuen Welt entstandene Bild. Dieses Bild ist hier auf der Abbildung seines Ateliers oben links zu sehen. Sein Titel ist ›New York City‹. Das große Bild auf der Staffelei heißt ›New York‹ und Mondrian sagt über diese beiden Bilder: »Dies eine hier drückt die Bedeutung aus, die New York für mich hatte, als ich die Stadt zum ersten Mal vom Schiff aus sah, und jenes andere auf der Staffelei zeigt, wie ich die Stadt empfand, als ich schon einige Zeit in ihr gelebt hatte«. Zugegeben, es gibt darauf keine Wolkenkratzer zu sehen. Mondrian sagt auch, daß die Realität, die er vorfand, nicht in wirklichkeitsgetreuer Abbildung ausgedrückt werden konnte.

Auf seinen neuesten Leinwänden, auf denen farbige Linien die bisher üblichen schwarzen ersetzen, ist ein komplexes Gegenspiel von Licht und Farbe spürbar, und Mondrian, schon seit langer Zeit Jazz-Liebhaber und seit seiner Ankunft in Amerika dem Boogie-Woogie regelrecht verfallen, hat den Eindruck, daß es ihm gelungen ist, in den neuen Arbeiten eine dieser Musik entsprechende Stimmung und den dazugehörigen Rhythmus getroffen zu haben. Als ich eine Bemerkung darüber machte, daß er sein erstes New York-Bild verändert hatte, seit ich es das letzte Mal sah, sagte Mondrian: »Ja, jetzt hat es mehr Boogie-Woogie.«

Art of this Century – Schauplatz New York

Für eine Geschichte der Moderne im 20. Jahrhundert, die auf den Zusammenhang der Avantgarde-Kunst mit der Zeitgeschichte Wert legt, wird der Schauplatz New York in den vierziger Jahren gewiß ein faszinierend zentrales Thema bleiben. Hier laufen die Stränge der europäischen Kunstbewegungen zusammen mit den noch dünnen Fäden einer im Entstehen begriffenen Kunst, die später als Triumph der neuen amerikanischen Malerei auf europäischen Tourneen Bestätigung finden wird. Die Ablösung der Kunstzentren und der Hegemonie bereitet sich vor, New York wird die Rolle von Paris übernehmen. Wäre das alles gekommen auch ohne den Weltkrieg und die dadurch bedingte Emigration, die in imponierender Fülle Kunst und Künstler nach Amerika brachte?

Die Frage scheint müßig, hat aber ihren Grund in der im Rückblick nunmehr überprüfbaren Erfahrung mit der neuen amerikanischen Kunst. Was Pollock und Newman, um zwei große Entwürfe herauszugreifen, in ihrer Malerei geleistet haben, ist unbedingt, unabgeleitet und nicht nur amerikanisch-neu. Die Namen von Pollock, Still, de Kooning, Kline, Newman und Rothko stehen universal für eine Erweiterung der Kunst ein, sie definieren mit ihrer Kunst eine andere, jüngere Epoche.

Als man Pollock nach der New Yorker Szene der Emigranten fragte, konnte er darauf ausweichen, daß die beiden für ihn wichtigsten Europäer ja nicht im Lande seien: Miro und Picasso.[51] Und Barnett Newman wurde nicht müde, schon im Vorfeld der künstlerischen Arbeit einen theoretischen Wall zwischen der europäischen Leistung beispielsweise eines Mondrian und der künftigen amerikanischen Kunst aufzurichten.[52]

Das sind Indizien für ein selbstbewußt um Selbstverständnis und um die Abwehr von jeglicher Abhängigkeit bemühtes Verhältnis. Demgegenüber steht auf der anderen Seite gerade die Mythenbildung der Abhängigkeit, die von den betroffenen Vorbildern nach Kräften gefördert wurde. So geht Max Ernst in seinen ›Autobiographischen Notizen‹, untertitelt mit ›Wahrheitsgewebe – Lügengewebe‹, ausführlich auf sein Rezept des mechanisierten Farbtröpfelns ein, das er in einem 1942 in New York ausgestellten Bild anwandte und das die Neugier einiger junger Maler erregt habe: »Es stimmt, manche New Yorker Maler haben diese Technik, die sie ›dripping‹ tauften, übernommen und von ihr reichlich Gebrauch gemacht. Vor allem Jackson Pollock, dem seine Freunde den Spitznamen ›Jack the Dripper‹ gaben. Die begeistertsten unter ihnen haben sich nicht mit den nur optischen Resultaten dieses Abenteuers begnügt. Sie sollten die Meister des New Yorker Abstrakten Expressionismus werden.«[53]

Schon der Titel dieses Bildes, der die Technik als Beförderungsmittel für den Bildwitz ausweist, stellt den grundsätzlichen Abstand zu Pollocks totaler Bildschrift her: »Junger Mann, neugierig den Flug einer nicht-euklidischen Fliege betrachtend.« Interessant indes, daß der erste, noch nicht auf die anekdotische Pointe gebrachte Titel eben dieses ironischen Bildes *Abstrakte Kunst, konkrete Kunst* geheißen hat und ebenso wie ein im selben Jahr entstandenes und in unsere Ausstellung einbezogenes Hauptwerk Ernsts *Der Surrealismus und die Malerei* mit Manifest-Charakter auftritt.

Auf dem Schauplatz New York geht es zunächst um die große Manifestation des erreichten Standes, der Zusammenfassung der europäischen Moderne, um einen freilich dominierenden surrealistischen Kern herum. Das Stichjahr dafür ist 1942. Die Ankunft Marcel Duchamps in diesem Jahr in New York, der in *La Boîte-en-Valise* sein Lebenswerk mitführt, ist auch als symbolischer

Fernand Léger. Der Wald. 1942 (Kat. 210)

Moment nicht zu unterschätzen. Mit Duchamp komplettiert sich die nach New York verlegte Versammlung der Avantgarde. Bereits 1939 kamen Matta, Salvador Dali, Yves Tanguy und Kurt Seligman nach Amerika; 1940 waren es Fernand Léger, Man Ray und Piet Mondrian; im nächsten Jahr André Breton, Marc Chagall, Max Ernst, Wifredo Lam, Jacques Lipchitz, André Masson und Ossip Zadkine. Auf dem berühmten Gruppenporträt europäischer Künstler, das anläßlich der Ausstellung ›Artists in Exile‹ bei Pierre Matisse im Frühjahr 1942 aufgenommen wurde, gesellen sich noch weitere Auswanderer dazu: Eugene Berman, Pavel Tschelitchew und Amédée Ozenfant, der seine umfassende pädagogische Wirkung in einer eigenen Kunstschule in New York fortsetzen sollte.

Es gibt zwar weitere Gruppenaufnahmen der Exilkünstler, mehr oder weniger zufällige oder pointierte Arrangements, aber im Gegensatz zu jenen Souvenirs für das Familienalbum der Surrealisten bleibt diese Aufnahme das offizielle Tableau. Es ging hier um ein Status-Porträt, um die olympische Mannschaft, um das ambitionierte Pendant, das zum Verwechseln ähnlich aufgebaut wurde. Neun Jahre später, 1951, brachte das ›Life Magazine‹ das Gruppenporträt der *amerikanischen* Maler-Avantgarde. Vereint waren auf diesem feierlichen Matura-Bild Willem de Kooning, Adolph Gottlieb, Ad Reinhardt, Hedda Sterne, Richard Pousette-Dart, William Baziotes, Jackson Pollock, Clyfford Still, Robert Motherwell, Bradley Walker Tomlin, Theodor Stamos, Jimmy Ernst, Barnett Newman, James Brooks und Mark Rothko.[54]

Gruppenfoto zur Ausstellung ›Artists in Exile‹, New York, Pierre Matisse Gallery, 3.–28. März 1942; von links nach rechts, erste Reihe: Matta, Ossip Zadkine, Yves Tanguy, Max Ernst, Marc Chagall, Fernand Léger; zweite Reihe: André Breton, Piet Mondrian, André Masson, Amédée Ozenfant, Jacques Lipchitz, Pavel Tschelitchew, Kurt Seligman, Eugene Berman

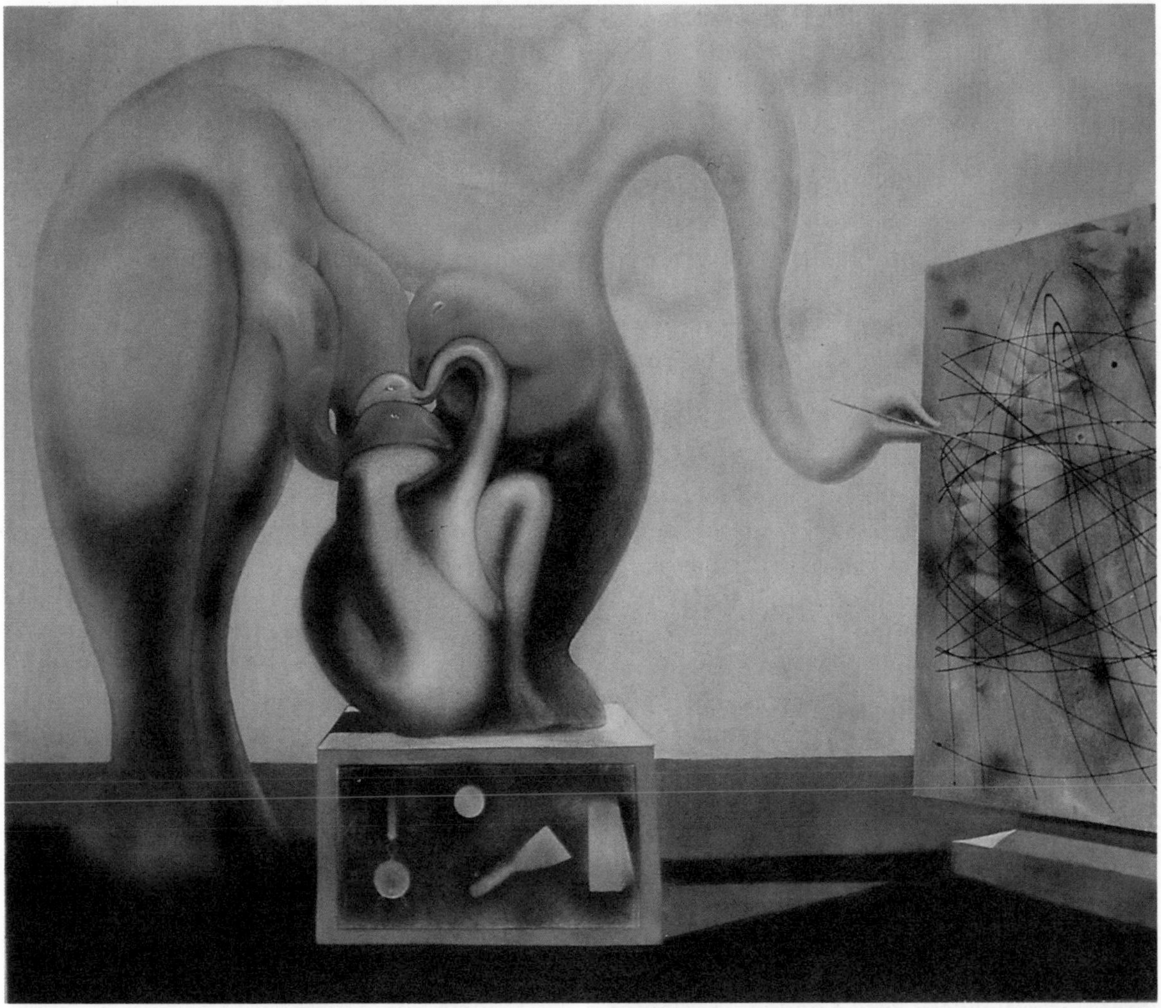

Max Ernst. Der Surrealismus und die Malerei. 1942 (Kat. 218)

›First Papers of Surrealism‹, 14. Okt.–7. Nov. 1942. Aussstellung in der Whitelaw Reid Mansion, 451 Madison Avenue, New York. Inszenierung: A. Breton und M. Duchamp (16 miles of string)

Diese symbolische Unabhängigkeitserklärung der neuen Kunst in Amerika steht am Ende der formativen Jahre, die für die meisten Künstler eine synthetische Auseinandersetzung mit der modernen Tradition brachten. Gewiß bleibt die surrealistische Anregung des ›psychischen Automatismus‹ ein Hauptmotiv und entscheidender methodischer Anstoß für den ›Abstrakten Expressionismus‹. Doch diese Anregung ist nur als methodische und, wie auch schon im Surrealismus, allenfalls als eine kunstideologische zu nehmen, für die andere Sache im eigenständig realisierten Werk. Umgekehrt zeigt sich eine seltsame Unsicherheit in den Frühwerken nicht nur von Rothko und Barnett Newman, als diese sich noch gewissermaßen im formalen Clinch mit den europäischen Vorgaben in den mittleren vierziger Jahren befanden. Zuletzt noch verwies in repräsentativer Zusammenfassung eine New Yorker Ausstellung auf diese Problematik der ›Formative Years‹ der Vierziger, in denen freilich Gorky und Pollock eine Sonderrolle zukommt.[55]

Auch von den Folgen her wird man also gemahnt, die Manifestation der Moderne auf dem Schauplatz New York in der gegebenen Breite zu sehen, durch die vermittelnde Aktivität des Museum of Modern Art, das 1939 bereits das zehnjährige Jubiläum feiern konnte, durch die um das Werk von Kandinsky seit 1936 von Hilla von Rebay angelegte und 1939 zunächst als ›Museum of Non-Objective Painting‹ eröffnete Sammlung Solomon Guggenheims, in der auch Klee, Léger und Moholy-Nagy vertreten waren. War die Aktivität von Peggy Guggenheim erst dadurch herausgefordert, so gewann sie ihren ›Vorsprung‹ mit den noch in Europa gefundenen Beratern, Herbert Read, der der Direktor ihres ursprünglich für London geplanten Museums werden sollte, und vor allem mit Marcel Duchamp.

Duchamp und Breton werden jetzt in New York in voller Medienbreite mit Ausstellungen, Vorträgen und Publikationen aktiv – bis hin zum Film. Unter der Mitwirkung von Duchamp, Ernst, Calder, Léger und Man Ray dreht 1943 Hans Richter ›Dreams That Money Can Buy‹. Noch im Oktober 1942 kommt es zu zwei großen Manifestationen: Duchamp präsentiert einen verschnürten Ausstellungsraum, in dem neue Arbeiten der Emigranten die Akzente setzen, so neben dem erwähnten Surrealismus-Bild Max Ernsts ein programmatisches Hauptwerk Mattas, das ebenfalls in der Kölner Ausstellung gezeigt wird: *Die Erde ist ein Mensch.* In diese repräsentativ besetzte Ausstellung, die zwar von dem ›Coordinating Council of French Relief Societies‹ patroniert ist, werden nun junge Amerikaner wie Motherwell, Baziotes und David Hare miteinbezogen: Der fruchtbare Kontakt wird manifest.

Landnahme symbolisiert in ironischer Anspielung auch der Titel dieser Schau, um so mehr, als die Künstler im Katalog mit falschen Paßfotos, mit irreführend-grotesken Fahndungsbildern, aufgeführt werden. Der Titel von Ausstellung und Publikation heißt ›First Papers of Surrealism‹ und spielt auf die ersten provisorischen Papiere der Immigranten an.[56]

Auch die Eröffnung von Peggy Guggenheims ›Art of This Century‹ und die damit verbundene Publikation ihrer Sammlung hatte, und zwar in einem erhöhten Maß, den Charakter der im Titel behaupteten Manifestation. Mit der Ausstattung und Möblierung des Wiener Architekten Frederick Kiesler wurde die Schau zur dreidimensional modernistischen Sensation. Im Buch wird dann in

André Breton, ›Young Cherry Trees secured against Hares‹, New York 1946. Umschlag von Marcel Duchamp

drei Einführungen von Breton, Arp und Mondrian die Ausweitung des Blickwinkels tatsächlich auf die ganze Moderne des Jahrhunderts betont, und dieser Anspruch wird noch bekräftigt durch die erste Abbildung, die die *Maiastra*-Skulptur von Brancusi aus dem Jahr 1912 zeigt, durch den Anhang, der das Manifest der futuristischen Maler Boccioni, Severini, Carrà, Russolo und Balla von 1910 ebenso enthält wie das ›Realistische Manifest‹ von Gabo und Pevsner von 1920 und, neben einem Text von Max Ernst, die neuesten Notizen über abstrakte Kunst von Ben Nicholson. Zitiert ist weiterhin, als Motto, aus Hitlers Rede zur Eröffnung des ›Hauses der Deutschen Kunst‹ 1937 in München – womit der zeitgeschichtliche Zusammenhang hergestellt ist.

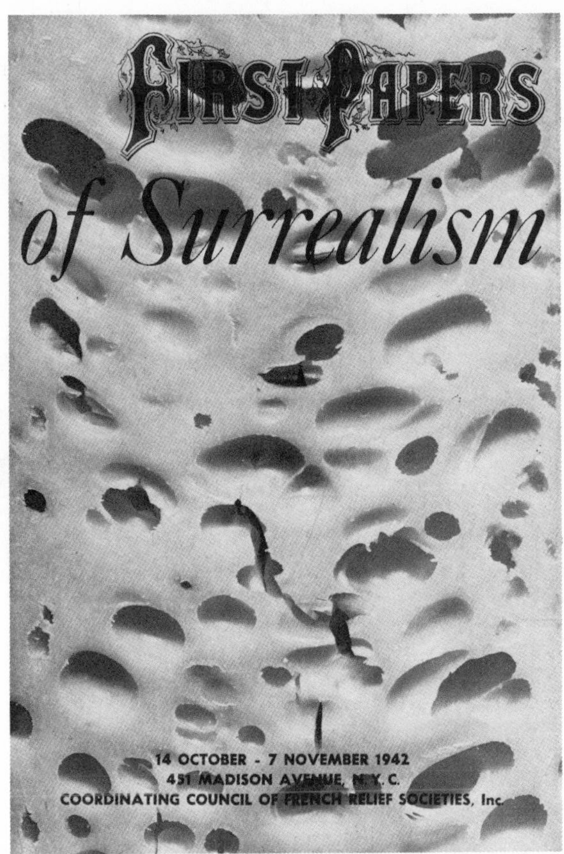

›First Papers of Surrealism‹, 14. Okt.–7. Nov. 1942. Katalogrückseite

Der Schauplatz New York in den vierziger Jahren läßt sich in positiver Formulierung als Ort der Begegnung, als transitorischer Moment in der Geschichte der neueren Moderne begreifen und begrenzen. Die Manifestation ist stärker als der Austausch. Dort, wo der akute Kontakt stark und bindend ist und unmittelbar zur eigenen Entfaltung führt wie im Falle Gorkys, gibt es kein Nachher mehr. Vergleichbare Höhepunkte erreichen hier in dieser bewegten Übergangsphase die Werke einiger Anreger: Masson und insbesondere Matta. Sie bringen die surrealistisch konzipierte Kunst an eine neue Grenze der im Bildgeviert unbegrenzten Raumvorstellung. Jenseits dieser Grenze mag man dem Selbstverständnis der amerikanischen Malerei in den fünfziger Jahren begegnen, deren erste wichtige Resultate in die Zeit nach dem Kriegsende fallen, als die meisten europäischen Künstler schon wieder auf dem Heimweg waren.

Einen merkwürdigen öffentlichen Moment der Bestandsaufnahme am Ende des Krieges hält der Hollywood-Wettbewerb mit dem Thema der ›Versuchung des Heiligen Antonius‹ fest: den Stand der surrealistisch kontrollierten Moderne mit den einbezogenen Sonderlingen, Naiven, ambitionierten Modernisten. Stagnation, Perfektionierung und Pervertierung charakterisieren das Ensemble eines hier im Ganzen manifesten und auf die Untaten künftiger Epigonen vorausweisenden ›Phantastischen Realismus‹. Aber nicht nur der Vergleich mit den späten Kunstmarkt-Blüten macht die Antonius-Bilder zu Inkunabeln der Gattung. Die individuellen Lösungen des zeitnah gewählten apokalyptischen Themas führen im Querschnitt die Widerspenstigkeit der Kunst vor Augen, die brauchbar zu integrieren in diesem Fall dem Film mißlang.

Frederick J. Kiesler, Poème Espace dédié à H(ieronymus) Duchamp. Aus: ›View‹, Series V, No. 1, März 1945. Mit Aufnahmen aus Duchamps New Yorker Atelier

Marcel Duchamp im Gespräch mit Pierre Cabanne

P. C.: Wovon lebten Sie damals?
M. D.: Ich weiß nicht. Ich weiß wirklich nicht.
P. C.: Sie geben mir immer wieder dieselbe Antwort!
M. D.: Aber ich weiß es wirklich nicht. Und Sie wissen es doch auch nicht!
P. C.: Natürlich nicht!
M. D.: Eigentlich weiß niemand, wie ich lebte. Und das ist auch eine Frage, auf die man gar nicht exakt antworten kann. Ich könnte z. B. sagen, ich hätte Brancusis verkauft, und das mag sogar zutreffen. Denn 1939 hatte ich noch eine ganze Reihe Sachen von ihm auf meinem Speicher. Ich suchte dann meinen Roché auf, bot ihm ein Stück an, und er gab mir dafür eine ziemlich hohe Summe. Und das Leben war auch nicht sehr teuer. Ich hatte ja kein eigenes Haus. In Paris wohnte ich in der rue Larrey, und in New York bezahlte ich vierzig Dollar im Monat. Das war wirklich nicht viel. Der Lebensunterhalt ist viel eher eine Frage der Ausgaben als der Einnahmen. Man muß nur wissen, mit wieviel Geld man leben will.
P. C.: Eine Frage der Organisation also?
M. D.: Ja. Ich lebte sehr billig. Das war überhaupt kein Problem für mich. Natürlich gab es auch in meinem Leben schwierige Momente.
P. C.: 1942 kehrten Sie nach New York zurück und blieben dort vier Jahre. Wie sah Ihr Leben in New York während des Krieges aus?

Marcel Duchamp, Umschlag für ›View‹, Series V, No. 1, März 1945 (Sondernummer Marcel Duchamp)

M. D.: Es war sehr amüsant, weil auch Peggy Guggenheim zurückgekommen war und allmählich alle Surrealisten in Amerika eintrafen, Breton, Masson usw. Alle waren sehr aktiv. Breton veranstaltete Versammlungen. Da ging ich auch hin, unterzeichnete aber nie Petitionen und ähnliches Zeug. Breton selbst mußte arbeiten, und er war während des ganzen Krieges Sprecher in der ›Stimme Amerikas‹ zusammen mit Duthuit und all den anderen Freunden. Es herrschte wirklich eine sehr angenehme, aktive Atmosphäre.

P. C.: Nahmen Sie auch an den verschiedenen Manifestationen teil?

M. D.: Es gab ja keine Manifestationen. Man traf sich bei Breton und veranstaltete kleine surrealistische Spielchen. Er selbst war sehr aktiv, aber wir hatten alle große Sprachschwierigkeiten. Viel konnten wir nicht tun, und was wir in Französisch machen konnten, war im Grunde zu nichts nutze.

P. C.: Sie haben während beider Weltkriege in New York gelebt. Welche Unterschiede bestanden zwischen dem New York von 1943 und dem von 1915?

M. D.: Sehr große. Hinsichtlich der sozialen Strukturen hatte sich viel geändert. 1915 gab es noch keine richtige Einkommenssteuer. Aber nach der Krise von 1929 entstanden Gesetze, die das Leben von Grund auf veränderten. Der Kapitalismus trat nach dem Krach in viel krasserer Form auf. Das leichte Leben war nach 1929/30 vorbei.

P. C.: Arbeiteten die europäischen Künstler in New York viel?

M. D.: Ja.

P. C.: Sie selbst aber machten ja nichts Besonderes. Zwei oder drei Umschläge für Bretons Zeitschriften und zwei oder drei Schaufensterdekorationen. Wenn man aber die anderen Künstler hört, die damals drüben waren, wie z. B. Masson, dann waren Sie die weitaus bekannteste Figur und hatten eine ganz außergewöhnliche moralische Position inne.

M. D.: Vielleicht. Das kam ja vor allem daher, daß ich schon so lange in New York lebte und deshalb viele Leute dort kannte. Aber mein Ruhm war im Grunde auf ein ganz enges Milieu, einen minimalen Bevölkerungsteil, beschränkt.

P. C.: Das glaube ich nicht.

M. D.: Doch. Ich hatte ja keine Ausstellungen, und deswegen war das allgemeine Interesse an mir auch nicht sehr groß. Höchstens bei den Amerikanern, die Breton kennenlernen wollten; sein Einfluß war damals sehr stark. Vor dem Krieg war eine offizielle Organisation entstanden, die sich WPA – oder so ähnlich – nannte und monatlich jedem Künstler 30 oder 40 Dollar für seinen Lebensunterhalt zahlte, unter der Bedingung allerdings, daß er seine Werke dem Staat überließ. Aber das war ein richtiges Fiasko, denn die staatlichen Lagerräume füllten sich mit den Schmierereien von Künstlern. Als dann der Krieg begann, änderte sich dank der emigrierten europäischen Künster diese Situation, und es entstand eine Malereibewegung, die den Namen expressionistische Abstraktion trug und zwanzig Jahre andauerte. Auch heute noch lebt sie weiter, und ihre Vertreter sind Maler-Stars von nicht geringer Bedeutung, wie Motherwell oder de Kooning.

P. C.: Die amerikanische Avantgarde wurde also während des Zweiten Weltkrieges geboren.

M. D.: Ja, und das wird im allgemeinen auch nicht geleugnet. Bretons Einfluß ist unbestritten. Natürlich weisen die amerikanischen Künstler immer wieder daraufhin, daß sie selbst gute Sachen gemacht haben, vergessen aber nicht ihre Inspirationsquellen in Gestalt von Breton, Masson, Max Ernst und Dali, oder auch Matta.

P. C.: 1945 widmete die Zeitschrift ›View‹ Ihnen eine Sondernummer.

M. D.: Ja, das war sehr nett. Aber sie machten Sondernummern für jedermann. Die Zeitschrift erschien monatlich und brachte eine Nummer über Max Ernst

Joseph Cornell,
Links: Ohne Titel (Taglioni, Andenken-Schachtel). Um 1940
Mitte: Ohne Titel (Andenken-Schachtel). Um 1940
Rechts: Ohne Titel (Blauer Schwan). Um 1940 (Kat. 253)

und eine über Masson, und weil sie gerade noch Geld hatten – diese Veröffentlichungen waren sehr teuer und brachten nichts ein –, machten sie auch eine Nummer über mich. Ich entwarf den Umschlag, eine rauchende Flasche, die als Etikett ein Blatt aus meinem Soldbuch trägt.

Joseph Cornell. Ohne Titel (Hotel-Nachthimmel). Um 1950 (Kat. 265)

Robert Motherwell

Joseph Cornell

Was ist das für ein Mensch, der aus alten braunen Fotos, bei Buchtrödlern aufgestöbert, sich die ›grand tour‹ des Europas des 19. Jahrhunderts für sein geistiges Auge mit größerer Lebendigkeit rekonstruiert hat, als diese sie für ihre Absolventen besessen haben mag; der nicht dort geboren wurde, nie ins Ausland gereist ist, aber den Anblick des Vesuvs an einem bestimmten Morgen im Jahre 1879 ebenso wie die gußeisernen Balkons jenes Hotels in Luzern kennt? Der in der Fourth Avenue den einzigen erhaltenen Film mit Loie Fullers Schlangentanz fand, welcher die Pariser Intellektuellen lange vor Isidora Duncan in Verzückung versetzt hatte, der diesen Tanz wieder für sich lebendig machte, als uns nur noch die Schilderungen Mallarmés, Apollinaires und der anderen geblieben waren? Der aus voller Kenntnis der bildnerischen Entdeckungen des 20. Jahrhunderts, aus voller Kenntnis eines Arp, eines Giacometti, eines André Breton, der kubistischen Collage, des Surrealismus (und mit der Präzision eines Instrumentenmachers aus Neuengland – nämlich der Gefühlspräzision) diesen Sinn für die Vergangenheit in ein Werk einzubringen versteht, das nur aus der Gegenwart heraus gedacht werden kann, das eines der Geschenke der Gegenwart an die Zukunft bleiben wird – ja, was für ein Mensch? Ästhetisch irrt er seltener als irgendeiner von uns; und wenn er es tut, fühlt man einen Schauer, wie wenn man ein altes viktorianisches Spielzeug auf dem Dachboden findet, etwas, das eigentlich mit seinem Eigentümer längst hätte verschwinden sollen.

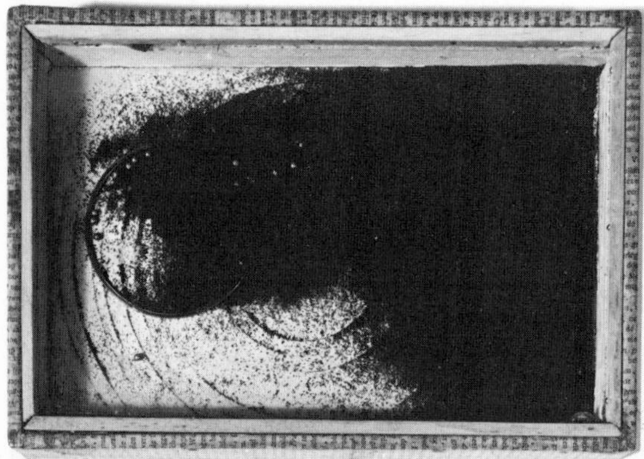

Joseph Cornell. Ohne Titel (Sandkasten). Um 1948–50 (Kat. 264)

›Die Versuchung des heiligen Antonius‹

Bosley Crowther

»The Private Affairs of Bel Ami«

Vielleicht tut man gut daran, darauf hinzuweisen, daß der Film ›The Private Affairs of Bel Ami‹ seinen Höhepunkt bereits im Vorspann erreicht, in dem es heißt: »Dies ist die Geschichte eines Schurken – sie spielt um 1880 in Paris.« Sollte Sie diese Eröffnung nicht vom Sitz reißen, so können Sie ziemlich sicher sein, daß nichts, was in diesem Film geschieht, dazu im Stande ist. Denn in der Tat enthalten diese einleitenden Worte mehr Spannung als alles, was sich im folgenden auf der übervollen Leinwand des Globe-Theaters zuträgt.

Es ist wahrlich unglaublich, daß ein nach einem Roman von Guy de Maupassant gedrehter Film so ermüdend sein kann. Doch hier haben wir den nicht zu verleugnenden Beweis. Unbestreitbar gehört doch wohl mehr dazu, einen Mann zum Liebhaber zu machen, als beharrlich zu beteuern, er sei einer. Dies ist die Geschichte eines Schurken – doch welch pedantischen Langweiler erleben wir! Welch fade Geschichte zeigt dieser Film.

Von Mr. Sanders angefangen bis zu den schmachtenden Damen und den phantasievoll kostümierten Herren wirken alle so blumig und schwülstig, wie sie zu sprechen gezwungen sind. Ann Dvorak, Angela Lansbury und Katherine Emery – allesamt sind derart gekünstelt und künstlich wie die farbige Pappkulisse dieses Films.

Verantwortlich für dieses Machwerk zeichnet Albert Lewin, der nicht nur Regie führte, sondern auch das Drehbuch schrieb und vermutlich auch die Verantwortung dafür trägt, daß in dem Film eine farbige Großaufnahme eines Gemäldes erscheint, das geradezu widerlich ist. Es trägt den Titel: ›Die Versuchung des Heiligen Antonius‹, sieht aber aus wie ein halb gargekochter Hummer. Sollte das etwa symbolisch für ›The Private Affairs of Bel Ami‹ gemeint sein?

Die Juroren des Wettbewerbs

Marcel Duchamp: »Juroren laufen immer die Gefahr, sich zu irren. Das einzige Argument, das für diese Jury spricht, ist die Tatsache, daß die Wahl des ersten, zweiten und dritten Preisträgers bei jedem der drei Juroren anders ausfiel. Dies zeigt, wie knapp der endgültige Entscheid war. Doch selbst die feste Überzeugung, gerecht gewesen zu sein, ändert nichts an meinen Zweifeln daran, ob ich überhaupt das Recht hatte, zu urteilen.«

Alfred H. Barr, Jr.: »In einer Zeit, in der traditionelle Legenden und Symbole fast gänzlich aus der Kunst verschwunden sind, scheint mir der Wettbewerb des

Jury des Wettbewerbs ›The Temptation of St. Anthony‹ (Bel ami International Competition), 1946–47. V.l.n.r.: Marcel Duchamp, Alfred H. Barr, Jr., Sidney Janis

Dorothea Tanning. The temptation of St. Anthony. 1945/46 (Kat. 289)

Stanley Spencer. The temptation of St. Anthony. 1945 (Kat. 288)

Eugene Berman. The temptation of St. Anthony. 1946 (Kat. 282)

Louis Guglielmi. The temptation of St. Anthony

Leonora Carrington. The temptation of St. Anthony

Abraham Rattner. The temptation of St. Anthony. 1945 (Kat. 287)

Heiligen Antonius eine ganz besondere Bedeutung zu haben. Sein Jahrhunderte altes Thema ließ heute lebende Künstler untereinander – und in gewissem Sinne auch mit einigen großen Künstlern der Vergangenheit – rivalisieren. Die ständige Erinnerung an Gemälde von Bosch und Ensor, Teniers und Callot, und vor allem an diejenigen von Schongauer und Grünewald, hat die Preisvergabe sehr erschwert. Ich hatte nämlich den Eindruck, als Jury-Mitglied nicht nur nach ästhetischen Qualitäten im engsten Sinne und psychologischen Sachbezügen urteilen zu müssen, sondern auch nach dem Faktor der Originalität. Deshalb fand ich es sehr schwer, aus den drei oder vier besten Teilnehmern einen einzelnen auszuwählen.«

Sidney Janis: »Wenn dieser Wettbewerb auf irgendeine Art sichtbar machen kann, wozu Künstler fähig sind, wenn sie von einem gut gewählten Thema inspiriert werden, gebe ich gerne meinen bisherigen Widerstand gegen Kunst-Wettbewerbe auf. Das Thema hat die Phantasie der Maler ganz offensichtlich beflügelt, denn das Niveau der eingereichten Arbeiten war beachtlich hoch. Da bei einigen Bildern jedes einzelne den ersten Preis verdient hätte, war es eine zusätzliche Verantwortung für die Jury, den endgültigen Sieger zu ermitteln. Es war eine dankbare Aufgabe, dieses Richteramts zusammen mit Alfred H. Barr Jr. und Marcel Duchamp zu walten, deren vorurteilslose Ansichten und deren Aufgeschlossenheit es ermöglichten, daß eine Entscheidung getroffen wurde, die – war sie auch knapp ausgefallen – für alle Juroren zu vertreten war.

Horace Pippin. The greatest temptation of St. Anthony. 1946 (Kat. 286)

Ivan Le Lorraine Albright. The temptation of St. Antony. 1944/45 (Kat. 281)

Max Ernst. Die Versuchung des hl. Antonius. 1945 (Kat. 285)

Salvador Dali. La tentation de St. Antoine. 1946 (Kat. 283)

Paul Delvaux. La tentation de St. Antoine. 1945 (Kat. 284)

Wifredo Lam vor The Jungle. 1943. Gouache auf Papier, auf Leinwand aufgezogen 240 × 230 cm. Museum of Modern Art, New York

André Breton

Matta (aus: Der Surrealismus und die Malerei)

Matta ist derjenige, der sich dem Achat verschrieben hat. Ich meine damit jetzt nicht mehr diese eine bestimmte Gesteinsart, sondern ich möchte vielmehr alle Steine verschmelzen, die das durch Feuer »gereinigte Wasser«, die »Seele des Wassers« in sich bergen; es löst die Elemente auf und »setzt den wahren Schwefel und das wahre Feuer frei«, wie die Okkultisten richtig sagen. Es ist klar, daß die Gewinnung dieses Wassers, insofern es als oberstes Lösungsmittel wirkt, nichts mehr von den altgewohnten Erscheinungen für das Auge bestehen läßt.[1] Ebenso wie auf Matta ließe sich diese Bemerkung auf Arshile Gorky anwenden, der in seinen neuen bewundernswerten Zeichnungen anscheinend darauf ausging, das »gereinigte Wasser« im Herzen der Blumen und besonders des Denkens zu schöpfen, und zwar durch die Anmut einer einzigartigen und absolut sicheren Linienführung, von der man meinen könnte, in ihr verschwistere sich die Sehnsucht des Schmetterlings mit der einer Biene. Das malerische Werk Gorkys gehört, obwohl es sich in einem ganz anderen Rhythmus als das von Matta entwickelt, zu jenen, die schon sehr bald lebhafteste Aufmerksamkeit erwecken werden. Aber da in der Persönlichkeit von Matta das Mediale und zugleich ein hellwaches Bewußtsein vorhanden sind, übrigens das jugendlichste und lebendigste, das ich kenne, strebt bei ihm alles, was Anschauung aus erster und nicht erst aus zweiter Hand ist, danach, auf dem Grunde einer umfassenden Beseeltheit begriffen zu werden. Diese Beseeltheit hat sich seit Lautréamont und

André Masson. Irokesische Landschaft. 1942 (Kat. 224)

André Masson. Notzucht. 1941 (Kat. 223)

Rimbaud ständig weiter ausgedehnt und ist seit der Romantik immer feiner und verzweigter geworden, in der man sie noch in ihrem kindlichen Stadium ablesen kann. Gewiß ist es heute keine Frage mehr, ob der Felsen denkt, ob die Blume leidet. Noch weniger angebracht ist es, die materiale Welt als einen Treffpunkt gefangener Seelen zu betrachten, von denen die einen einem Prozeß des Sturzes, die anderen einem Prozeß des Aufstiegs angehören. Deshalb hat sich die heutige Beseeltheit aus der Erstarrung gelöst, aus dem eisigen Schlamm der Sünde. Was bleibt und was den Höhepunkt erreicht ist die Gewißheit, daß nichts umsonst ist, daß jede Sache, die man ins Auge faßt, eine entzifferbare Sprache spricht, die beim Gleichklang bestimmter emotionaler Regungen des Menschen verstanden werden kann. (...)

Der Reichtum Mattas beruht in seiner, ihm schon seit seinen frühesten Arbeiten verfügbaren, völlig neuartigen Farbenskala; vielleicht ist sie die einzige, jedenfalls die faszinierendste, die uns seit Matisse begegnet ist. Diese Skala, deren Abstufung mit einem bestimmten sich verwandelnden Purpurrosa beginnt, einer Farbe, die inzwischen berühmt geworden ist und die von Matta offenbar entdeckt wurde – »die Überraschung«, habe ich ihm einmal sagen hören, »wird aufblitzen wie ein fluorhaltiger Rubin bei ultraviolettem Licht« –, fächert sich in allen Farben des Prismas auf. Das Prisma von Matta, das tatsächlich die Zerlegung des Sonnenlichts in freier Luft wie auch die Zerlegung in den Salzkristallen einschließt, reicht soweit, daß es mittels der Variationsmöglichkeiten, die durch die Einführung des schwarzen Lichtes gegeben sind, noch bereichert werden kann. (...)

Beim augenblicklichen Stand seiner Entwicklung konnten wir manchmal einen Matta erleben, der das äußerst Mögliche von sich forderte und nicht mit den ungewöhnlichen Gaben zufrieden war, die ihm die Natur doch in so reichem Maße zugeteilt hat. Keiner blieb immer fragend wie er, keiner war so erpicht, der lebendigen Substanz solcher Werke wie von Alfred Jarry oder Marcel Duchamp habhaft zu werden – voller Fremdheiten zwar, doch von einer Ausstrahlung, die weiter geht als die anderer –, keiner hat mit derart durchdringendem Blick den Keim einer neuen Schönheit, Wahrheit und Freiheit erspäht. »Das geizige Meer, Sie haben recht«, so schrieb er mir. »Auch der Wald ist arm. Nur der heulende Wind ist der Dinge voll.« Man erinnere sich an die Genesis, die man dem »Astrallicht«, jener schöpferischen Kraft, zuschreibt: »Die Sonne ist sein Vater, der Mond seine Mutter, und der Wind hat es in seinem Bauch getragen. Die Erde war nur seine Amme.«

Über den heutigen Abgrund der Überlegungen, die den Sinn des Lebens ausmachen könnten, einem Abgrund, der nur noch die menschliche Liebe verschont, ist Matta derjenige, der den Stern sicher und schön bewahrt, der ohne Zweifel auf dem besten Wege ist, das oberste Geheimnis zu erfahren: die Herrschaft über das Feuer.

Matta, 1941

[1] Ebenso wie auf Matta ließe sich diese Bemerkung auf Arshile Gorky anwenden, der in seinen neuen bewundernswerten Zeichnungen anscheinend darauf ausging, das »gereinigte Wasser« im Herzen der Blumen und besonders des Denkens zu schöpfen, und zwar durch die Anmut einer einzigartigen und absolut sicheren Linienführung,von der man meinen könnte, in ihr verschwistere sich die Sehnsucht des Schmetterlings mit der einer Biene. Das malerische Werk Gorkys gehört, obwohl es sich in einem ganz anderen Rhythmus als das von Matta entwickelt, zu jenen, die schon sehr bald lebhafteste Aufmerksamkeit erwecken werden.

Matta. Die Erde ist ein Mensch. Um 1942 (Kat. 228)

Arshile Gorky

Bemerkungen zu seinen Gemäldeserien, Garten in Sochi, 1942

Ich mag die Hitze, die Zärtlichkeit, die Nahrung, den Wohlgeschmack, das Lied einer einzelnen Person, die Badewanne voll mit Wasser, um mich am Wasser zu baden.
Ich mag Uccello, Grünewald, Ingres, die Zeichnungen und Gemäldeskizzen von Seurat und diesen Pablo Picasso.

Ich beurteile alle Dinge nach Gewicht.

Ich liebe mein Mougouch. Was ist mit Papa Cézanne!

Ich hasse Dinge, die nicht so wie ich sind, und alle Dinge, die ich nicht habe, erscheinen mir göttlich.

Erlauben Sie –

Ich mag die Weizenfelder, den Pflug, die Aprikosen, die Gestalt von Aprikosen, diese Spielereien der Sonne. Und vor allem Brot . . .
Etwa 194 Fuß von unserem Haus entfernt, an der Straße zu der Quelle, besaß mein Vater einen kleinen Garten mit einigen Apfelbäumen, die längst keine Früchte mehr trugen.

In einer Ecke, die ständig im Schatten lag, wuchsen gewaltige Mengen wilder Karotten, und Stachelschweine hatten sich dort ihre Höhlen gegraben. Hier stand ein blauer Felsen, halb begraben in der Erde, mit einigen Flecken von Moos, hier und da verstreut wie niedergefallene Wolken. Aber woher kamen alle diese Schatten, die miteinander in ständigem Kampf lagen wie die Soldaten auf Paolo Uccellos Gemälde? Dieser Garten galt als Garten der Wunscherfüllung, und ich hatte oft gesehen, wie meine Mutter oder eine andere Frau aus

Arshile Gorky. Agonie der Flügel. 1945 (Kat. 243)

Arshile Gorky. Ästhetik. 1946 (Kat. 244)

dem Dorf ihre Bluse öffnete und ihre weiche, herabhängende Brust in ihre Hand nahm, um sie an dem Felsen zu reiben. Über allem erhob sich ein mächtiger Baum, von Sonne, Regen und Kälte gebleicht und aller Blätter beraubt. Dies war der Heilige Baum. Ich selbst weiß nicht, warum dieser Baum heilig war, aber ich hatte viele Leute beobachtet, wer auch immer vorbeikam, die spontan einen Fetzen ihrer Kleidung abrissen und diesen an dem Baum befestigten. So kam es, daß nach vielen Jahren dieses Brauches all die persönlichen Inschriften oder Kennzeichen, wie eine wahrhaftige Parade von Fahnen unter der Gewalt des Windes, sehr sanft für mein unschuldiges Ohr, dem Rascheln der silbernen Blätter der Pappeln antworteten.

Arshile Gorky.
Kalender. 1946 (Kat. 245)

Jackson Pollock. Es waren sieben in acht. 1944/45 (Kat. 402)

Jackson Pollock

Statements

Es ist eine Tatsache, daß die bedeutende Malerei der letzten hundert Jahre aus Frankreich kommt. Die amerikanischen Maler haben im allgemeinen den Sinn der modernen Malerei völlig verfehlt. (Ryder ist der einzige amerikanische Maler, der mich interessiert.) Besonders wichtig ist es daher, daß großartige Maler aus Europa jetzt bei uns sind, denn sie bringen das Verständnis für die Probleme der modernen Malerei mit herüber. Sehr beeindruckt hat mich ihre Auffassung, daß der Ursprung der Kunst im Unbewußten liege. Diese Vorstellung interessiert mich mehr als die einzelnen Maler, zumal Picasso und Miró, die beiden Künstler, die ich am meisten bewundere, noch in Europa sind.

Die Vorstellung von einer selbständigen amerikanischen Malerei, die in den dreißiger Jahren hierzulande so beliebt war, erscheint mir absurd, genauso wie die Vorstellung von einer rein amerikanischen Mathematik oder Physik für mich undenkbar wäre. (...) Andererseits stellt sich diese Frage erst gar nicht, sollte sie sich doch stellen, so löst sie sich von selbst: ein amerikanischer Künstler ist nun einmal Amerikaner, und seine Arbeit wird von dieser Tatsache bestimmt, ob er will oder nicht. Die grundsätzlichen Probleme der modernen Malerei haben allerdings mit der Nationalität eines Künstlers nichts zu tun.

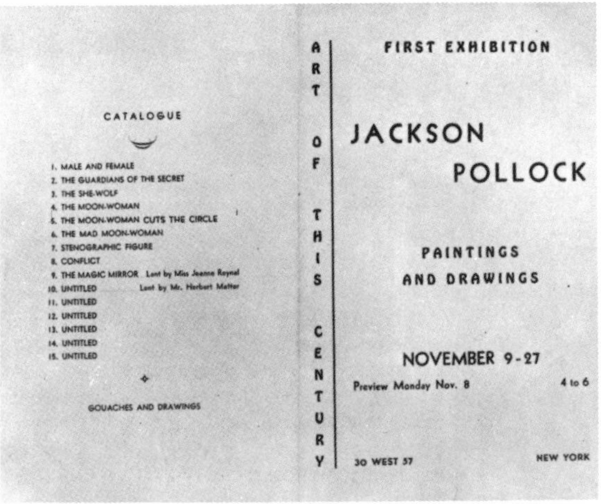

CATALOGUE

1. MALE AND FEMALE
2. THE GUARDIANS OF THE SECRET
3. THE SHE-WOLF
4. THE MOON-WOMAN
5. THE MOON-WOMAN CUTS THE CIRCLE
6. THE MAD MOON-WOMAN
7. STENOGRAPHIC FIGURE
8. CONFLICT
9. THE MAGIC MIRROR Lent by Miss Jeanne Reynal
10. UNTITLED Lent by Mr. Herbert Matter
11. UNTITLED
12. UNTITLED
13. UNTITLED
14. UNTITLED
15. UNTITLED

GOUACHES AND DRAWINGS

ART OF THIS CENTURY

FIRST EXHIBITION

JACKSON POLLOCK

PAINTINGS AND DRAWINGS

NOVEMBER 9-27

Preview Monday Nov. 8 4 to 6

30 WEST 57 NEW YORK

First Exhibition Jackson Pollock. Paintings and Drawings, Galerie ›Art of this Century‹, New York, 9.–27. November 1943 (Faltblatt)

Jackson Pollock. Zeichnung aus der Zeit seiner psychoanalytischen Behandlung bei Dr. Violet Staub de Laszlo. 1939/42. Tusche auf Papier, 45,7 × 35,5 cm

Jackson Pollock, Betty Parsons Gallery, New York, 28. Nov.–16. Dez. 1950

Meine Arbeit kommt nicht von der Staffelei. Ich arbeite selten mit gespannter Leinwand. Lieber hefte ich sie an eine harte Wand oder breite sie auf dem Boden aus. Ich brauche den Widerstand einer harten Oberfläche. Auf dem Boden fühle ich mich wohler. Dort bin ich dem Bild näher und so eher ein Teil von ihm. Ich kann um das Bild herumgehen, von allen vier Seiten an ihm arbeiten und buchstäblich in dem Bild sein. Ähnlich arbeiten auch die Indianer im Westen bei ihrer Sandmalerei.

Im übrigen habe ich mich noch weiter von den konventionellen Arbeitsmitteln wie Staffelei, Palette, Pinsel usw. entfernt. Ich bevorzuge Holzstücke, Maurerkellen, Messer, tropfende, dünnflüssige Farbe oder ein dickes Gemisch aus Farbe, Sand und Glasscherben oder anderen Zusätzen. Ich habe auch keinerlei Bedenken, Bilder zu verändern, Vorstellungen zu zerstören usw. Denn ein Bild hat ein Eigenleben. Ich versuche, es sich entwickeln zu lassen. Nur wenn ich den Kontakt zum Bild verliere, gerät alles durcheinander. Ansonsten aber verläuft alles harmonisch, geht leicht vonstatten, und das Bild wird gut.

Ich arbeite nicht nach Zeichnungen oder Farbskizzen. Meine Malerei ist direkt. (...) Die Methode der Malerei entspricht dem natürlichen Wachstum aus einer Notwendigkeit heraus. Ich möchte meine Gefühle eher ausdrükken als sie illustrieren. Die Technik ist nur das Hilfsmittel, eine Darstellung zu erreichen. Wenn ich male, habe ich einen allgemeinen Begriff dessen. So kann ich den Malfluß kontrollieren: Es gibt hier keinen Zufall.

Jackson Pollock. Number 20. 1950 (Kat. 409)

Jackson Pollock. Number 15. 1950 (Kat. 407)

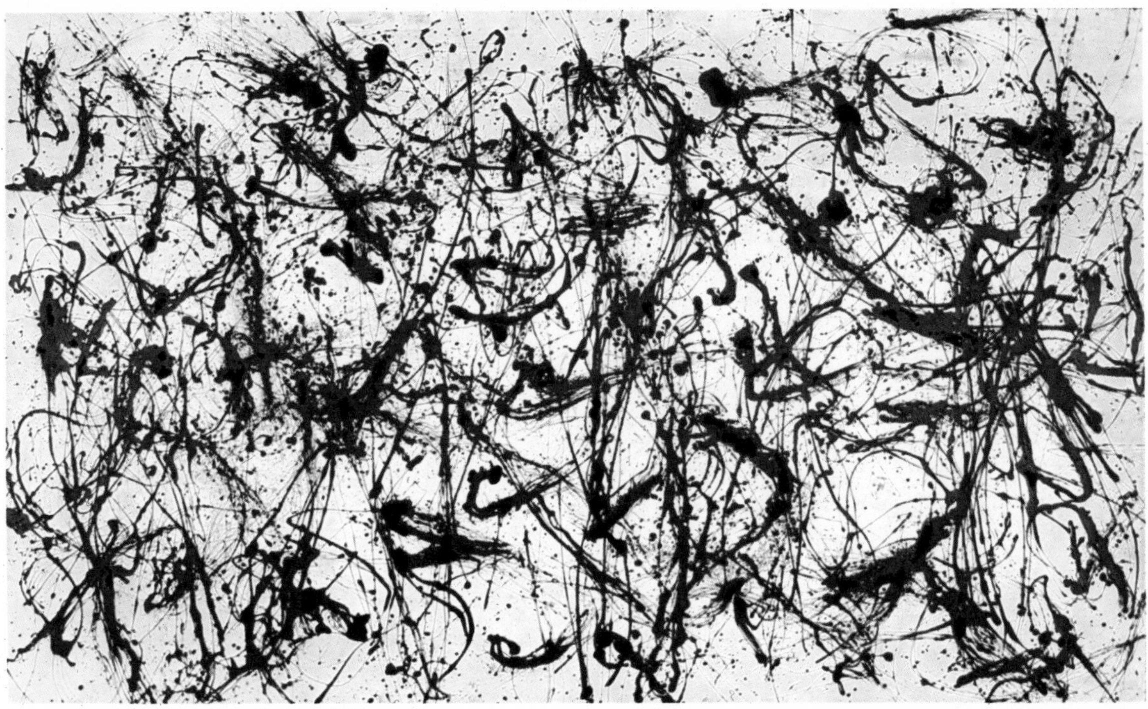

Jackson Pollock. Number 32. 1950 (Kat. 411)

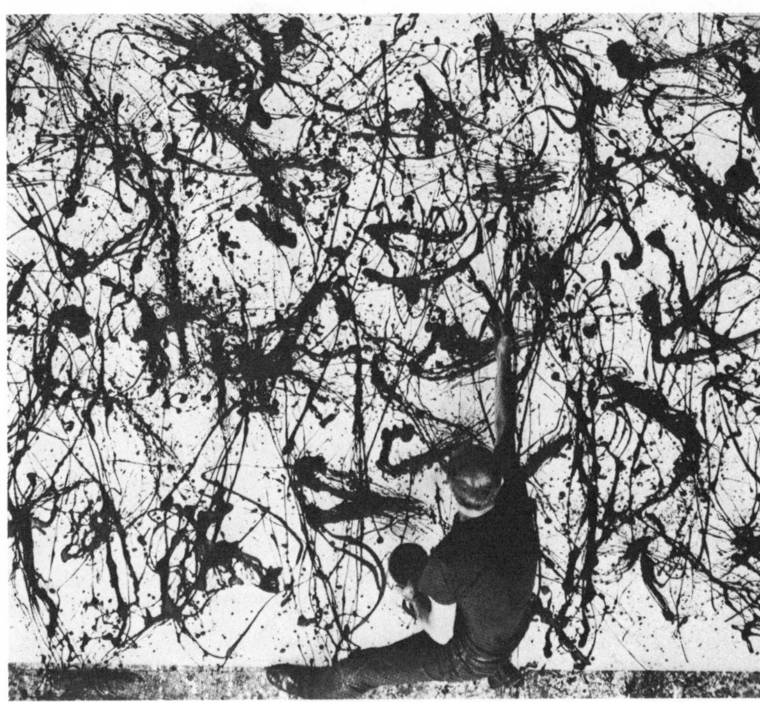

Jackson Pollock malt ›Number 32‹,
Sommer 1950

Jackson Pollock. Porträt und ein Traum. 1953 (Kat. 414)

Gruppenfoto amerikanischer Künstler, 1951. Sitzend v.l.n.r.: Theodoros Stamos, Jimmy Ernst, Barnett Newman, James Brooks, Mark Rothko. 1. Reihe stehend v.l.n.r.: Richard Pousette-Dart, William Baziotes, Jackson Pollock, Clyfford Still, Robert Motherwell, Bradley Walker Tomlin. 2. Reihe stehend v.l.n.r.: Willem de Kooning, Adolph Gottlieb, Ad Reinhardt, Hedda Sterne

Harold Rosenberg

Die amerikanischen action painters

Diese neue (amerikanische) Malerei bildet keine Schule. Zur Bildung einer Schule gehört heutzutage nicht nur ein Bewußtsein über das Malen, sondern auch ein Bewußtsein über dieses Bewußtsein – und sogar ein Beharren auf gewissen Formeln. Eine Schule ist das Ergebnis der Verknüpfung von Praxis mit einer Terminologie – unterschiedliche Bilder werden mit gleichen Begriffen bezeichnet. Bei der amerikanischen Avantgarde gehören die Worte nicht zur Kunst, sondern zum einzelnen Künstler. Was sie gemeinsam denken, dokumentiert sich allein in dem, was sie unabhängig voneinander tun.

Georges Mathieu

Erklärung an die amerikanischen Avantgarde-Künstler

Forderungen nach Vermittlung sind
sowohl anmaßend als auch gegenstandslos

Clyfford Still

Als erstes muß ich Sie davon in Kenntnis setzen, daß es mir schwerlich gelingen wird, nicht nationalistisch und anmaßend zu wirken. Ich werde beides auf einmal sein, weil Sie einen Künstler nicht achten würden, wenn er behauptete, weder das eine noch das andere zu sein. So ginge es mir jedenfalls. Außerdem bin ich unter den Franzosen zufällig einer der nationalistischsten, was gleichbedeutend ist mit einem der am wenigsten demokratischen. Die Hochschätzung, die ich für Sie, die amerikanischen Maler, empfinde, rührt daher, daß Sie auch sehr nationalistisch sind, und daß Ihre Haltung zwangsläufig weniger demokratisch ist als die der meisten Amerikaner. Vielleicht haben Sie eine Vorstellung davon, was typisch demokratische Kunst ist. Aber vielleicht auch nicht.

Ich drücke mich selten in Worten aus, und wenn ich es tue, dann nur für einen kleinen Kreis von Menschen, und auch nur dann, wenn ich den Eindruck habe, daß das, was ich zu sagen habe, kein anderer außer mir sich zu sagen traut oder sagen kann. Ich spreche zu Ihnen, den Fünfundzwanzig, weil das vor mir noch kein Franzose getan hat, und auch darum, weil ich es tun muß, bevor es zu spät ist. Die Tragik der Kunstkritiker liegt darin, daß sie erst dann etwas begreifen, wenn alle Welt es schon längst begriffen hat. Wenn die Kritiker versagen, müssen die Maler selber sprechen. Und das werde ich jetzt tun.

Als erste in der Geschichte der amerikanischen Malerei können Sie, die Fünfundzwanzig, für sich in Anspruch nehmen, beim Aufbau einer Tradition beteiligt gewesen zu sein. Die amerikanische Malerei beginnt mit Ihnen. Sie gehören zu denen, die das Abenteuer der heutigen Malerei in der Welt bekannt machen. Und trotzdem schrieb Alfred Barr Jr. selbst im März 1949 noch: »Ich glaube nicht, daß es in der amerikanischen Kunst von heute irgendeine klare Tendenz oder Richtung gibt. Und Daniel Catton Rich sagte seinerseits: »Ich glaube immer noch, daß die Wegbereiter der modernen Malerei und Plastik auch weiterhin eher in Europa oder Mexiko als in den Vereinigten Staaten zu finden sein werden.«[1]

Dagegen erklärte Clement Greenberg mit großem Scharfblick zur gleichen Zeit: »Meiner Ansicht nach gibt

Willem de Kooning. Frau (oben: recto), Ohne Titel (unten: verso). 1948

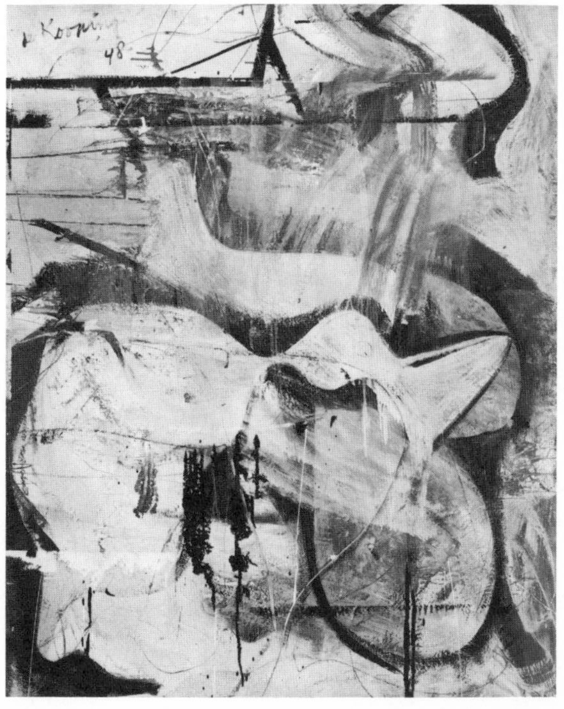

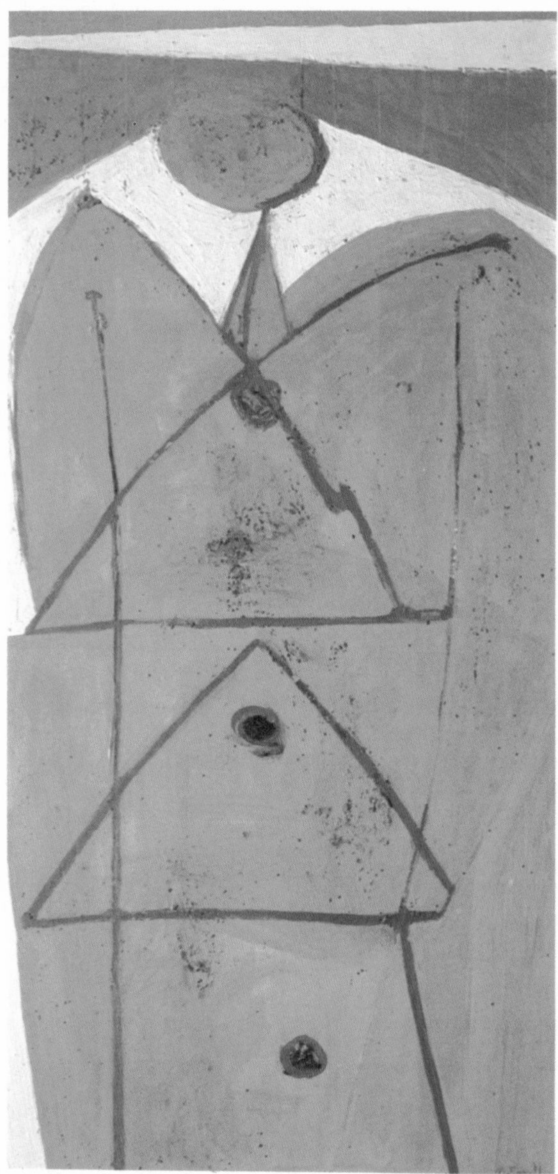
Robert Motherwell. Der hausbackene Protestant. 1948 (Kat. 237)

David Smith mit seiner Skulptur Australia. 1951 (Vgl. Kat. 416)

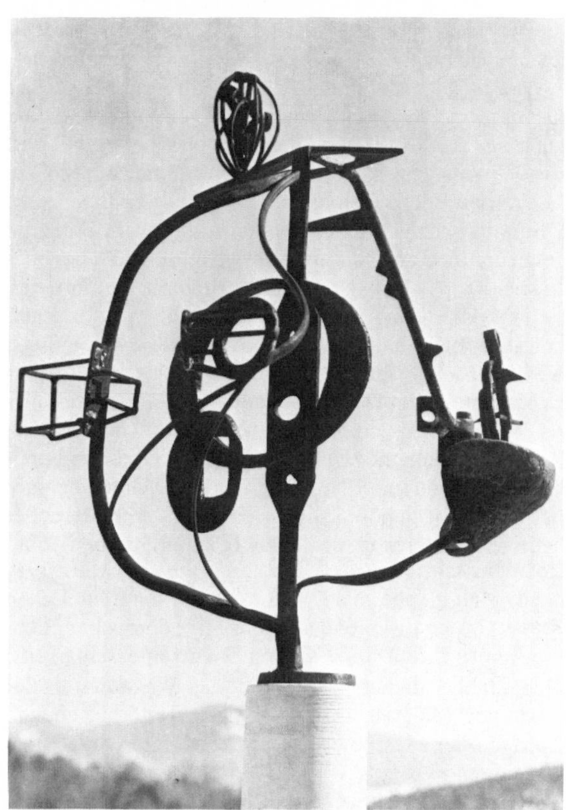
David Smith. Blackburn. Lied eines irischen Schmieds. 1949/50 (Kat. 415)

es in der zeitgenössischen Kunst eine typisch amerikanische Richtung, und die verspricht ein eigenständiger Beitrag zur Gesamtheit der zeitgenössischen Strömungen zu werden, und nicht nur eine lokale Variante von etwas, das im Ausland geschaffen wurde ...« Mir war es vergönnt, schon 1946 von der Existenz dieser amerikanischen Richtung zu erfahren.[2] Damals wurde nicht nur die neue amerikanische Malerei von den Kritikern nicht zur Kenntnis genommen, sondern ebensowenig die entsprechende französische Malerei. Damals wie heute verwechselten sie Hartung mit den Anhängern des Neoplastizismus und nannten die Werke von Wols surrealistisch! Um dieser Situation abzuhelfen, haben Camille Bryen und ich die ›Psychische Nonfiguration‹ gegründet und haben 1947 angefangen, Gruppenausstellungen zu organisieren als Versuch, die Kritiker zu informieren, und ihnen klar zu machen, daß sie es mit etwas völlig Neuem zu tun hatten. Aller Wahrscheinlichkeit nach wird Jean-José Marchands Vorwort das erste und bedeutendste Dokument bleiben, das diese neue Richtung, die »Lyrische Abstraktion«[3] benannt wurde, definiert und klar erkennt. 1948 bat ich E. Jaguer und M. Tapié, die Fürsprecher der geometrischen Abstraktion zu widerlegen, was sie dann auch in mehreren Texten, die anläßlich zweier weiterer Ausstellungen veröffentlicht wurden, taten.[4]

Clyfford Still. Ohne Titel. 1948/49 (Kat. 420)

Clyfford Still. 1948–D. 1948 (Kat. 419)

1948, zu einer Zeit also, wo niemand an eine solche Gegenüberstellung dachte, plante ich eine Ausstellung, die französische und amerikanische Künstler derselben Richtung miteinander vereinigte. Sie sollte Bryen, de Kooning, Hartung, Gorky, Mathieu, Picabia, Pollock, Reinhardt, Rothko, Russell, Sauer und Wols umfassen und in der Galerie du Montparnasse stattfinden. Leider wurde diese Ausstellung nicht als Ganzes verwirklicht, denn es traten Schwierigkeiten bei der Beschaffung der Werke aus den amerikanischen Galerien auf. Dank der Liebenswürdigkeit von Herrn Ossorio konnte sie drei Jahre später wenigstens teilweise realisiert werden, und zwar unter dem Titel ›Véhémences confrontées‹ (Konfrontation der Kräfte) in der Galerie du Dragon. (Die erst kürzlich von Janis durchgeführte Ausstellung in der Galerie de France ist in diesem Zusammenhang absolut unbedeutend. Sie war für alle, die Sie kennen, eine große Enttäuschung.)

Einer der Gründe für meine Unbefangenheit gegenüber den ersten nonfigurativen Werken und ihrem Geist – Werke, die ihre Daseinsberechtigung nur daraus ableiteten, daß sie beabsichtigten, eine Schönheitsgleichung aufzustellen (heutzutage das veraltetste Bestreben, das man sich denken kann) – lag darin, daß ich zur Nonfiguration nicht auf dem Weg über die Form, sondern auf einem geistigen Weg gekommen bin. Als ich meine ersten nonfigurativen Bilder malte, hatte ich weder von Kandinsky noch von Mondrian je gehört. Ich hatte das Glück, die Bedeutung der Kunst 1945 auf Anhieb zu verstehen, und zwar sofort und total, und ich freue mich, daß ich hier Gelegenheit habe, einmal auszusprechen, daß ich dies einzig und allein Edward Crankshaw verdanke.

Vielleicht liegt darin auch der Grund für den lyrischen Aspekt Ihrer Malerei: Sie in Amerika sind weniger vorbelastet durch die Tradition, und die Tatsache, daß die geometrische Abstraktion bei Ihnen sehr wohl bekannt gewesen ist (man könnte sagen, daß ein gewisser Teil des amerikanischen Publikums in dieser Hinsicht einen Vorsprung von fünfzehn bis zwanzig Jahren gegenüber dem entsprechenden französischen Publikum hat), hat Sie nicht blind gemacht gegenüber der Tatsache, daß Kandinsky nur ein viertklassiger Künstler war.

In Frankreich, wo sogenannte fortschrittliche Kritiker wie Estienne Kandinsky gerade erst entdeckt haben, wird es noch mindestens fünfzehn Jahre dauern, bevor er auf den ihm gebührenden Platz verwiesen wird; wohingegen die Stellung von Wols, die von größter Bedeutung in der Kunstgeschichte ist, in Paris heute noch absolut verkannt wird. Vor einigen Monaten habe ich geschrieben: »Mit dem Tod von Wols ist die letzte Phase der formalen Entwicklung der abendländischen Malerei, so wie wir sie seit einem Jahrtausend kennen, zu Ende gegangen. Seine Bedeutung durchdringt die gesamte Kunstgeschichte... weil er mehr ist als nur ein Wegbereiter. Sein Werk ist der klarste, einleuchtendste und ergreifendste Aufschrei jenes entscheidenden Augenblicks der Menschheit, der der unsere ist... Nach Wols müssen alle Zeichen neu geschaffen werden.«

Ich war sehr erstaunt, als ich erfuhr, daß Sie in New York Wols nicht sofort als einen Ihrer würdigsten Brüder, als den Rimbaud der Malerei, erkannt haben. Ich weigere mich, zu glauben, daß ein engstirniger Chauvinismus der Grund für die Zurückhaltung war, mit der seine Ausstellung aufgenommen wurde. Ich bin darüber um so mehr erstaunt, als es auf der ganzen Welt keinen besseren Ort gibt, und keinen, der besser vorbereitet gewesen wäre, um sein Werk zu schätzen, als New York, wo Pollock, Tobey, Tomlin, Still, Rothko, Congdon, Tworkov, Kline, Gottlieb, Motherwell, de Kooning, Stamos, Reinhardt, Wolf, Baziotes, Russell, Stephan, Vincente, Brooks, Pousette-Dart, McIver, Ossorio, Lassaw und Calder arbeiten und ausstellen. Ich muß jedoch einräumen, daß Jackson Pollock, den ich hier in Paris seit sechs Jahren so sehr gelobt und verteidigt habe (ich hielt ihn für das Pendant zu Wols in Amerika), mich außerordentlich enttäuscht hat. Allein, die Gründe dafür, oder genauer, einige der Gründe sind in diesem Fall ganz unzweifelhaft. Da ich in dieser Erklärung keinerlei Qualitätsurteile über unsere jeweiligen Werke abgeben will[5] – obwohl wir als Maler geeigneter als irgendwer sonst sind, über Bilder zu urteilen, es aber aus dem gleichen Grund unhöflich wäre, wenn ich meinerseits einen Maler öffentlich kritisieren würde – und da mein einziges Bestreben hier mehr das eines Historikers ist als das eines Kunstkritikers, möchte ich mich hier ausschließlich der Bedeutung der Mittel widmen. Wie Sie wissen, wird Entwicklung in der Kunst eingeleitet durch einen Überdruß an Ausdrucksmitteln, die dann durch neue ersetzt werden, deren Kraft zum Zeitpunkt ihres Einsetzens unbekannt ist. Um akzeptiert zu werden, müssen diese Mittel effizient sein, das heißt, sie müssen fähig sein, ein Maximum an Inhalt auszudrükken. Die Kunst ist eine Art Verhältnis der Effizienz zu ihren Mitteln. Aber, wie ich schon sagte, ich will hier nicht die Effizienz erörtern.

Mehr als tausend Jahre lang existierte die Kunst nur über die Figuration (Abbildung). Vor mehr als vierzig Jahren hat man erkannt, daß die Kunst auch ohne Figuration existieren kann: nämlich durch ihre eigenen Mittel. Der Konstruktivismus, der Neoplastizismus, der Suprematismus etc., sie alle lebten von der Vermittlung eines Schönheitsbegriffs. Vor zehn Jahren hat eine Strömung, zu der wir – Sie und ich – gehören, sich von jeglichem Schönheitskanon (geläufig unter dem Namen Harmonie, Komposition etc.) abgewandt, und hat versucht, allein durch die Vermittlung des Ausdrucks an sich zu existieren. Die Nonfiguration hat die Figuration abgelöst, nun löst die Ausdruckskraft die Schönheit ab.

Von den Pionieren dieses herrlichen Abenteuers schienen Jackson Pollock in New York und Wols in Paris die wagemutigsten zu sein. Die kürzliche Ausstellung von Pollock in Paris zeigt, daß er sich vom Abenteuer abgewandt hat: Er ist zur Figuration zurückgekehrt.

Er bekam Sehnsucht nach den Zeichen, und aus Bequemlichkeit wählte er die »figurativen« Zeichen, während wir doch vor unseren Augen jenen grenzenlosen Raum, jene grenzenlose Mission sehen: NEUE ZEICHEN MIT BEDEUTUNG FÜLLEN, die Zeichen aufs Neue erfinden.[6] (April 1952)

[1] Magazine of art, März 1949

[2] Mir waren damals schon die Namen von Jackson Pollock, de Kooning, Reinhardt, Rothko, Still, etc. vertraut.

[3] Ihre erste historische Ausstellung fand am 16. 12. 1947 in der Galerie du Luxembourg statt und vereinigte vierzehn Künstler, unter anderem: Hartung, Bryen, Atlan, Riopelle, Mathieu und Ubac...

[4] Die zweite fand in der Galerie Allendy statt und hieß ›H W P S M T B‹ nach den Anfangsbuchstaben der ausstellenden Künstler: Hartung, Wols, Picabia, Stahly, Mathieu, Tapié und Bryen (Mai 1948). Die dritte hieß ›White and Black‹ und fand statt in der Galerie des Deux Iles. Es nahmen teil, Arp, Bryen, Germain, Hartung, Mathieu, Picabia, Tapié, Ubac und Wols (Juli 1948).

[5] Es dürfte kaum nötig sein anzumerken, daß es, damit lyrisch-nonfigurative Werke entstehen, noch anderer Qualitäten bedarf als allein lyrischer.

[6] Bis auf den heutigen Tag bestand das Phänomen der Bedeutung in folgendem: Es war eine Sache gegeben und für sie wurde ein Zeichen erfunden. Von nun an wird ein Zeichen gegeben werden, und es wird dann lebensfähig sein, wenn es seine Verkörperung findet.

Anschauungsunterricht über moderne Kunst in Amerika

von Ad Reinhardt

Ad Reinhardt, How to look at modern Art in America. in: P.M. 7, 2. Juni 1946

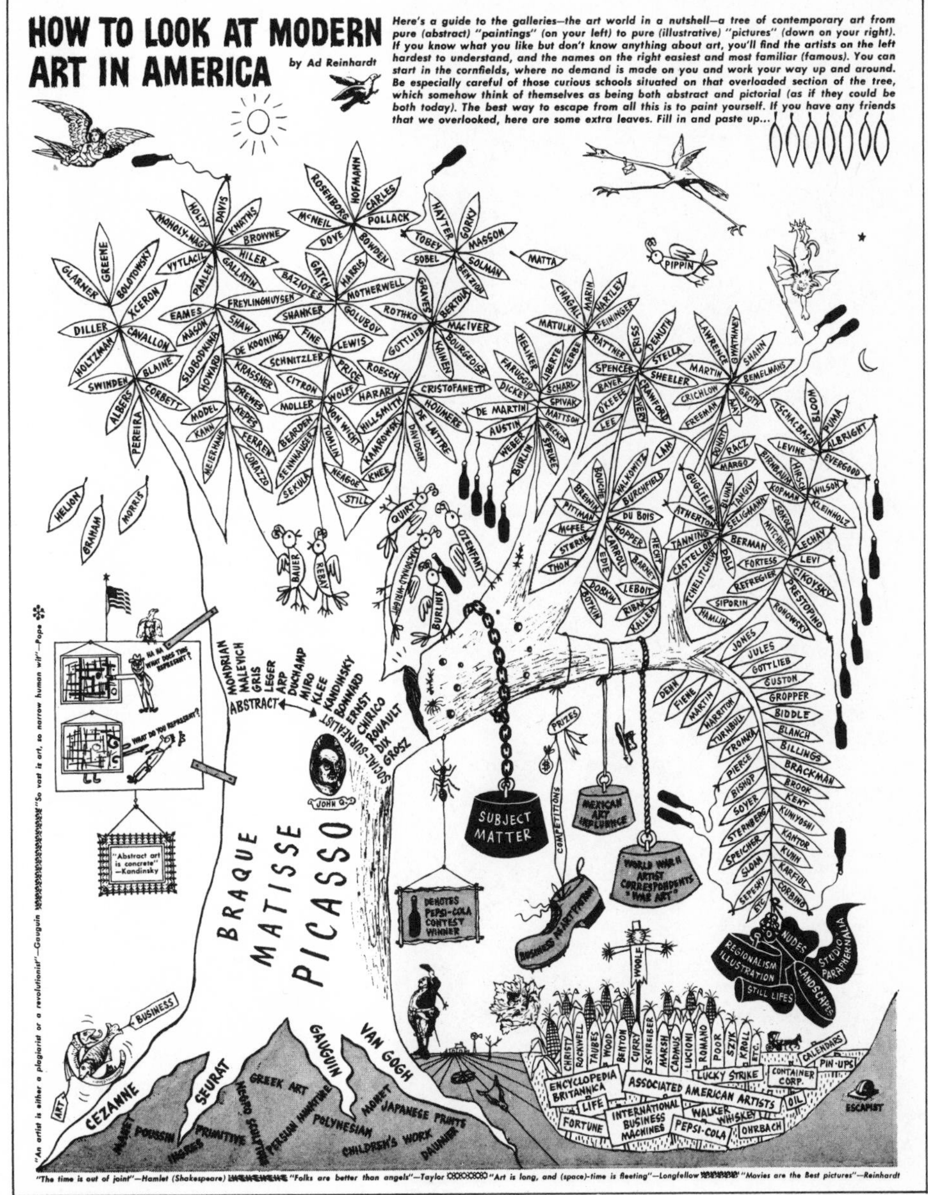

Hier haben Sie einen Galerieführer – die Kunstwelt in einer Nußschale – in Form eines Stammbaumes der zeitgenössischen Kunst mit reiner (abstrakter) »Malerei« (links) und reinen (illustrativen) »Bildern« (rechts). Wenn Sie wissen, was Ihnen gefällt, aber nichts über Kunst wissen, werden Sie die Künstler auf der linken Seite sehr schwer begreifen können, diejenigen auf der rechten Seite jedoch ganz leicht und sehr vertraut (berühmt) finden. Sie können in den Kornfeldern beginnen, wo Ihnen nichts abverlangt wird, können Ihren Weg dann nach oben fortsetzen und weiter herumwandern.

Hüten Sie sich besonders vor den seltsamen Schulen, die auf dem überladenen Ast des Baumes sitzen, und die sich selber für abstrakt und gegenständlich halten (als ob man heutzutage beides gleichzeitig sein könnte). Der beste Weg, all diesem zu entgehen, ist, selber ans Werk zu gehen und zu malen. Für Freunde, die wir vergessen haben, finden Sie ein paar Extra-Blätter aufgemalt. Bitte ausfüllen und aufhängen...

◁ Barnett Newman. Tag vor Eins. 1951 (Kat. 421)

Barnett Newman

Das Vorbild und das Bild

Griechenland kannte Form und Inhalt; die ideale Form – Schönheit, den idealen Inhalt – Tragödie.

Interessant: wenn heute der Griechentraum geträumt wird, sehnt sich der europäische Künstler nach den alten Formen, in der Hoffnung, die Tragödie vollenden zu können, wenn er nur seinen Kummer und sein Selbstmitleid über den Verlust der wohlproportionierten Säulen und klassischen Profile genau beschreibt. Aber diese Wehmut, dieses In-Schönheit-Sterben über den griechischen Vorbildern ist immer überzüchtet. Alles ist ja so hochkultiviert.

Der Künstler in Amerika wirkt im Vergleich dazu wie ein Barbar. Er hat nicht diese überentwickelte Empfänglichkeit für das Vorbild, die das europäische Empfinden beherrscht. Er hat ja nicht einmal die Vorbilder.

Und das genau ist unsere Chance: unbelastet von dem ganzen antiken Kram näher an den Ursprung des tragischen Gefühls heranzukommen. Sollen wir als Künstler nicht neue Vorbilder ausfindig machen – für dessen Bild?

Aus einem Leserbrief an ›The Nation‹, 1948

... kann jemand irgendeinen europäischen Maler nennen, der fähig ist, sich vollkommen von der Natur zu befreien. Bei den Kubisten, den Fauvisten und den Surrealisten ist die Verbindung mit der Natur ganz offensichtlich. Die Puristen versuchten, die Natur zu verneinen, jedoch gelangten sie nur zu diagrammartigen Äquivalenten – zum Realismus geometrischer Formen. Ein rechter Winkel, ein Dreieck und ein Kreis sind ebenso Teil der Natur wie ein Baum, und sie haben mit diesem gemeinsam alle Eigenschaften ihrer unmittelbaren Erkennbarkeit. (...)

Die zur Rede stehenden amerikanischen Maler [Adolph Gottlieb, Mark Rothko, Clyfford Still und Barnett Newman selbst] erschaffen eine wahrhaft abstrakte Welt, die nur in metaphysischen Begriffen diskutiert werden kann. Diese Maler sind zu Hause in der Welt der reinen Idee ..., wie umgekehrt der europäische Maler zu Hause ist in der Welt der vertrauten Objekte und Stoffe. Und ebenso wie der europäische Maler seine Objekte transzendieren kann, um eine spirituelle Welt zu errichten, ebenso transzendiert der amerikanische Maler seine abstrakte Welt, um diese Welt real zu machen. (...)

Eine andere Kunst – Paris nach der Befreiung

An dieser Stelle ist die These unserer Ausstellung wieder einmal in Erinnerung zu rufen: von der unverbrauchten Kunst des Jahrhunderts und ihrem Wirkungszusammenhang. Der Einstieg bei einer ›Unzeit‹ der Kunst, beim politischen Datum des Kriegsbeginns, schien geboten, damit diesmal der Lebenszusammenhang der Kunst geprüft werden kann. Tatsächlich kann man so die unterschiedlichen Voraussetzungen für die neue Kunst in Amerika und in Europa erkennen. Wir sahen auf der amerikanischen Seite eine Gärungszeit in Berührung mit der provozierenden großen Generation der europäischen Moderne, eine direkte Herausforderung zur Befreiung durch die eigene Kunst. Es ist vielleicht nicht einmal hochgegriffen, wenn man diese Chance des druckvoll animierten Aufbruchs mit dem vergleicht, was in Europa ganz unabgelenkt vor dem Ersten Weltkrieg geschah.

Diesen Charakter der mehrfach begünstigten Bewegung hat die in ihren Resultaten radikal neue Kunst in Europa nicht. Die Künstler, die diese Kunst an der neuen Zeitwende exemplarisch leisten, sind auch untereinander differierende Fälle des Außenseitertums. Unterschiedlich ist auch ihre mehr oder minder kontroverse Zugehörigkeit zur Tradition der Avantgarde. Sie sind auf der Höhe der Zeit, aber ohne die echte Perspektive einer Eröffnung und ohne, wenn man den Maßstab streng anlegt, produktive Nachfolge. Verlaß ist allein auf die Werke, sie stellen den Zusammenhang her: die Werke von Wols, Giacometti, Fautrier, Hartung, Dubuffet.

Doch diesen herauspräparierten Leistungszusammenhang gilt es erst einmal zu kommentieren. Denn die für uns heute selbstverständliche Wertung entspricht keineswegs der unmittelbaren zeitgenössischen Rezeption. Im Unterschied zum ›Schauplatz‹ New York, auf dem der imaginäre Staffettenlauf der Avantgarden unbehelligt vom verqueren Andrang der ambitionierten Mitläufer stattfinden konnte, bot Paris, die befreite Hauptstadt der Kunst, seit dem Herbst 1944 ein anderes Bild.

Alliierte Soldaten in Picassos Pariser Atelier, 1944

Erster Zeitungsbericht über Picasso in einer amerikanischen Zeitung nach der Befreiung von Paris.

Picasso in Sicherheit

Der Künstler verriet weder seine Malerei noch sein Vaterland

Von Peter D. Whitney,
Kriegsberichterstatter des ›Chronicle‹

Paris, 1. September (1944)

Pablo Picasso, der Mann, den man zurecht, doch vielleicht nicht ganz unumstritten, den größten Maler unserer Zeit nennt, ist in Sicherheit und bei bester Gesundheit.

Ich besuchte ihn heute morgen in seinem vier dunkle und schmale Treppen hoch gelegenen Atelier in der Rue des Grands Augustins, einen halben Block vom linken Seine-Ufer mit seinen berühmten Bouquinisten entfernt. Er ist ein braungebrannter energischer Mann von kleiner Statur mit ausdrucksvollem, lebhaftem Gesicht, scharfblickenden braunen Augen und grauen Haaren. Er ist 63 Jahre alt. In verwaschenen blauen Baumwollshorts, einem kurzärmeligen Hemd und ausgetretenen weißen Sandalen begleitete er uns mit freudiger Gastfreundlichkeit in sein Atelier, in dem er seit vier Jahren arbeitet. In diesen vier Jahren blieb es weitestgehend unbehelligt, hatte jedoch unter Hunger und Kälte zu leiden. Der farblose alte Raum mit Balkendecke war voll mit Bildern, deren Verkauf er verboten hatte.

Die Kunst und Hitler

Lächelnd zeigte er uns ein Buch von einem ausgebürgerten englischen Faschisten mit dem Titel ›Entartete Kunst‹. Dessen Mittelpunkt und vernichtendstes Beweisstück bildete eine Reproduktion von Picassos berühmtem antifaschistischen Wandgemälde ›Guernica‹, dessen Original sich jetzt im New Yorker Museum of Modern Art befindet.

Guernica war eine kleine Stadt im nordspanischen Baskenland, die im Jahre 1937 an einem geschäftigen Markttag von der deutschen Luftwaffe dem Erdboden gleichgemacht wurde. Tausende von Menschen wurden einem militärischen Experiment geopfert, das als Vorbereitung für die Angriffe auf Warschau, Rotterdam, Belgrad und London diente.

»Entartet, ja?«, meinte Picasso leise. »Wissen Sie, daß mir Hitler persönlich die Ehre erwies, mich in einer seiner Reden als einen gemeinen Verführer der Jugend zu bezeichnen? Seit vier Jahren darf ich nun meine Werke nicht mehr ausstellen oder verkaufen.«

»Im allgemeinen läßt man mich in Frieden, und natürlich habe ich weiter gearbeitet, wie Sie sehen können,« sagte er. »Drei oder viermal hat die Gestapo hier herumgeschnüffelt, aber sie haben nichts gefunden, obwohl die meisten meiner Freunde in der Resistance sind. Erst vor einem Monat waren sie das letzte Mal hier.«

Ich habe mich in dem Raum umgesehen und schwelgte in dem Glück, Dutzende echter, der Außenwelt noch unbekannter Picasso sehen zu dürfen. Sein Stil, so fiel mir auf, hat sich nicht sehr geändert: da waren noch immer die kubistischen Winkel, die scheinbar primitive Gestaltung, die hellen, aber kräftigen Farben.

Ein Frauenporträt schien zwei Gesichter zu haben, eins im Profil, das andere in voller Frontalansicht: in einer Ecke befanden sich zehn kleine Gemälde, die Variationen zum Thema ›Krug und Glas mit Zitrone‹ darstellten, alle in verschiedenen Abstraktionsstufen. In einer anderen Ecke überragte eine riesige Frau ein kleines Mädchen, dem sie offenbar das Laufen lehrte. Doch die Figuren bestanden aus einem eigenartigen, verschwommenen Stückwerk von Flächen. Unter viel Verwirrendem war auch viel Großartiges.

»Den Krieg habe ich nicht gemalt,« sagte Picasso mit ruhiger Stimme, »denn ich gehöre nicht zu den Malern, die wie Fotografen zum Malen hinausgehen. Aber ich habe keinen Zweifel daran, daß sich der Krieg in meinen Bildern niederschlägt. Vielleicht finden die Historiker eines Tages die Bilder und beweisen, daß sich mein Stil unter dem Einfluß des Krieges geändert hat. Mir ist es jedenfall nicht bewußt.«

Nach vier Jahren

Den letzten Freitag, als die Allierten in Paris einmarschierten, verbrachte er in aller Ruhe in seinem Atelier und malte. Erst am Montag ging er wieder in die Straßen hinunter. Das mutet wie eine Art Rückzug in den Elfenbeinturm an. Doch meine ich, daß Picasso, der gegen den Faschismus intensiver und ausdauernder gekämpft hat als die meisten von uns, mit Waffen, die keiner von uns beherrscht, ganz einfach zu sehr mit dem Malen beschäftigt war.

Die gesamte Pariser Künstlerwelt ist auf die eine oder andere Art tief in die Vergeltungsaktionen gegen die Kollaborateure verwickelt. Picasso bemerkte mit Vergnügen, daß die Académie française gestern die Schriftsteller Abel Bonnard und Abel Hermant einstweilen ausschloß. »Was aber«, so fragte er, »geschieht mit den anderen Kollaborateuren?«

Verbittert war er über Albert Vlaminck, ebenfalls ein berühmter Maler und einst ein Freund von ihm, der nach der deutschen Besetzung von Paris plötzlich mit einem Artikel auftrat, in welchem er Picasso als entarteten Juden beschimpfte. Überschattet ist auch der Ruf von Georges Braque, einem Weggefährten im Reich des Abstrakten, dessen Arbeiten Picasso bewundert, der sich aber mit einer Ausstellung in München kurz nach dem Debakel für die Nazi-Propaganda hergab. Über Derain, einem eher konventionellen und »weniger begabten« Maler, gibt es ähnliche Zweifel.

Matisse, Picassos Freund, von dessen zarten, wunderschönen Bildern er in seinem Atelier zwei der besten Exemplare aufbewahrt, führt ein ruhiges Leben in Südfrankreich. Es heißt, er sei in Sicherheit.

Picasso war noch nie in Amerika

»Meine Arbeit war immer hier, und wenn ich es mir leisten konnte, war ich immer zu beschäftigt«, sagte er, »doch ich glaube, jetzt würde ich gerne einmal hinfahren. Wissen Sie, viele von uns, die mit ihrem Leben hier in Paris zufrieden waren, wollen auf ihre alten Tage plötzlich anfangen zu reisen. Das ist die natürliche Reaktion auf die vier Jahre der Unterdrückung.«

Pablo Picasso.
Stilleben mit Kasserolle.
16. 2. 1945 (Kat. 177)

Wir haben unseren Einstieg in eine kritische Zeit verlegt: keine Verbindlichkeit der großen Entwürfe mehr; Surrealismus, Konstruktivismus in der Krise. Ein Panorama der zeitgenössischen Besinnung konnten wir aber stellvertretend mit Kunstwerken erster Ordnung programmatisch zusammenstellen. Für den anzunehmenden ›Aufbruch‹ nach dem Krieg wäre das kaum möglich.

Die Probe aufs Exempel: den Ausblick auf das Jahr 1945, der die aktuellen Tendenzen der jungen französischen Malerei betraf, hat in unpolemischer Neugier die Juli-Nummer der von Albert Skira in der Nachfolge von ›Minotaure‹ herausgegebenen Zeitschrift ›Labyrinthe‹ zu einem Tableau vereint. Es ist ein verheerender Anblick. Nicht so sehr die Namen sorgen für ein Programm – abgebildet sind Gemälde von Gischia, Le Moal, Fougeron, Robin, Manessier, Pignon, André Marchand, Labisse und Francis Gruber –, sondern der Mittelwert dieser zwischen den Stühlen der Avantgarde auf dem festen Boden der Mittelmäßigkeit eingerichteten Kunst, und dies ohne Ausnahme.

Zugleich aber vertritt diese Auswahl jene unterschiedlichen Positionen, die die Diskussion in den ersten Nachkriegsjahren mitbestimmt haben, und tatsächlich trägt dieser Querschnitt, aus dem die geometrische

Bernard Buffet. Nature morte à la chaise (Stilleben mit Stuhl). 1950. Öl auf Leinwand, 97 × 145 cm

labyrinthe

Quelques-unes
des tendances actuelles de la jeune
peinture française

Quelques-unes des tendances actuelles de la jeune peinture française (Einige aktuelle Tendenzen in der jungen französischen Malerei). In: ›Labyrinthe‹, No. 10, Genf, 15. Juli 1945

Abstraktion noch ausgespart blieb, insgesamt die Stilzüge der neuen ›Ecole de Paris‹.

Wenn sich diese Bilder ungeachtet ihrer konträren Absichten in der Retrospektive so sehr gleichen, dann liegt das an der durchgehenden Unentschiedenheit des formalisierten Ausdrucks und an der verbindlichen Tünche der ›Peinture‹. Aus diesem Grund zum Beispiel übersieht man den ›Surrealismus‹ von Labisse, der mit dem verhüllten Haupt der Frauenbüste in seinen *Les Malheurs* ohnehin Magritte plagiiert. Deshalb fällt es schwer, die fortan schulbildende malerische Ausdruckslyrik der jetzt angestrengt zur Abstraktion tendierenden Le Moal und Manessier abzusetzen von den mit abstrahierenden Formkürzeln arbeitenden Picasso- und Matisse-Epigonen. Und es bedarf noch einiger Modernitätsarchäologie in der damaligen Pariser Szene, bis zufriedenstellend ergründet wird, warum etwa André Marchand berühmt war und Francis Gruber lange Zeit eine größere Resonanz hatte als etwa Alberto Giacometti.

Fougeron schließlich ist ein spezieller Fall: Er sollte vorübergehend im Zeichen des für Frankreich abgewandelten ›Sozialistischen Realismus‹ Karriere machen, als ihn die französische Kommunistische Partei in einem Atemzug mit der Verdammung der abstrakten Kunst quasi als offiziellen Maler eines ›neuen Realismus‹ präsentierte.

Auch dies ist eine Perspektive des die moderne Kunst begleitenden Kulturkampfes. In der kommunistischen ›Art de France‹ griff René Maublanc die abstrakten Künstler an, da diese sich den Amerikanern verkauft hätten, und Jean Marcenac definiert: »Die abstrakte Kunst ist die Kunst der Reaktion, sie stützt sich nicht auf die Kräfte des Volkes. Sie dient in keiner Weise dem sozialen Fortschritt.«[57] Mit einem entsprechend pathetischen Manifest reagierte das Komitee des ›Salon des Réalités Nouvelles‹, in dem es unter anderem heißt, »daß jede Demagogie in der Kunst unweigerlich zu einem Götzenkult werden muß, der zur Sklaverei führt. Wir fordern mehr denn je die Freiheit der Meinung und die Verwirklichung jener Kunst, die wir für die humanste halten, die am besten das menschliche Bewußtsein zu erweitern und zu vertiefen vermag, die sowohl zu seiner materiellen wie zu seiner geistigen Befreiung beiträgt«.[58]

Noch nicht auf dem Gruppenbild der neuen Tendenzen der jungen französischen Kunst erscheint der Gegenspieler von Fougeron: Er ist der Kandidat der Konservativen, deren Stimme damals im ›Figaro Littéraire‹ der Kunsthistoriker Claude Roger-Marx vertrat, und ihm wird nun im selben Jahr 1948 der ›Prix de la Critique‹ verliehen: Bernard Buffet.

Diese zeitgenössische Szene ist nun nicht ein Panorama im Schatten des Krieges, sondern ein Panorama angepaßter Orientierungen im Schatten der großen Kunstvorbilder. Das zu hoch gehängte Maß für die lyrisch ambitionierte Malergeneration malt Braque in seinen transparenten Interieurs: Aus dem ›Atelier‹ des ehemaligen Kubisten wird eine filigrane Mal-Landschaft verfeinerter Töne, deren sonore Kultiviertheit noch die tapetenhafte Ausweitung verträgt und die zeitlose Intimität des Milieus wahrt. Daß Braques stets sicherer Geschmack auch schon etwas von der in den fünfziger Jahren trivialisierten Form- und Wohnkultur hier vorwegnimmt, sei nur am Rande bemerkt.

Pablo Picasso. Studie zum ›Homme au mouton‹ (Mann mit Schaf), Paris 16. 10. 1942 (Kat. 195)

Picasso in seinem Pariser Atelier, 1944

Die Schlüsselfigur in dieser Szene aber, vor allem für die erwähnte politische Implikation der Stil-Diskussion in Paris, bleibt Picasso. Daß er während des Krieges in Paris geblieben war, hat man ihm hoch angerechnet. Er hatte Ausstellungsverbot und Publikationsverbot, konnte aber unbehelligt arbeiten. Daß er in seinem Atelier deutsche Offiziere empfing, wird neuerdings im Zusammenhang mit der Revision der Besatzungszeit und der Kollaboration hochgespielt. Dabei hat von diesen Besuchen Picassos damaliger Sekretär, der Jugendfreund Jaime Sabartés, längst ausführlich berichtet: von der Zeremonie der zahlreichen Visiten, die regelmäßig damit endeten, daß der Maler dem Besucher eine Postkarte

Georges Braque.
Atelier V (Atelier III?).
1949 (Kat. 298)

mit der Reproduktion von *Guernica* als Souvenir auf den Weg gab. Bis eines Tages dann Picasso, mit dem Blick auf den Stapel Guernica-Karten sich an Sabartés wandte: »Findest du nicht, daß wir jetzt eine genügende Anzahl empfangen haben?«[59] Jedenfalls zählte zu den deutschen Offizieren, die sich diese kulturtouristische Attraktion in Paris nicht nehmen ließen, auch Ernst Jünger, der in Picassos Atelier »Experimente von alchimistischer Natur« entdeckte, und dem nie zuvor so stark und beklemmend deutlich war, »daß der Homunculus mehr als eine müßige Erfindung ist«.[60]

Die zerrissenen, monströsen Frauengesichter von 1939/40 mögen diesen Eindruck bestätigen, doch just in jenen Jahren des Sommers 1942 hat Picasso mit einer Serie von Zeichnungen begonnen, die die Skulptur *Mann mit Schaf* vorbereiten und die wir in einer größeren Auswahl in der Ausstellung nicht zuletzt deshalb zeigen, weil sie vorausweisen auf Picassos Engagement nach Ende des Krieges. Es ist der Aspekt der ›Friedenstaube‹, der Solidaritätsaktionen auf den Friedenskongressen, an denen Picasso, nunmehr als Mitglied der Kommunistischen Partei, teilnahm. Dort bediente man sich seines Ruhms, vergrößerte ihn wohl auch, lehnte seine Kunst aber nach wie vor als dekadent ab, was Picasso offenbar gelassen hinnahm. Wichtig scheint, daß die Formulierung der Hoffnung in dieser Skulptur und in den damit verbundenen Dutzenden von Zeichnungen mitten in der Kriegszeit und der Isolation geschah. Ohne Formzertrümmerung, ohne den Gegenstand zu deformieren,

›projiziert‹ Picasso diese Figur, hinter der die ikonographische Tradition des ›guten Hirten‹ unschwer zu erkennen ist. Die bei Picasso unausbleibliche Metamorphose bezieht sich auf den Hirten, und hier kommt der Künstler wohl selbst ins Bild: die Figur durchläuft verschiedene Lebensalter, vom Knaben über den bärtigen jungen Mann bis zum älteren Schafträger der Skulptur. Als einer der Bronzegüsse vom *Mann mit Schaf* 1950 auf dem Marktplatz von Vallauris gegenüber dem alten Kriegerdenkmal aufgestellt wurde, sprach bei der Einweihung jener Laurent Casanova, der sich während der Besatzungszeit als verfolgter Kommunist und führendes Résistance-Mitglied eine Weile bei Picassos Freunden versteckt hielt und den der Maler damals kennenlernte – in diesem persönlichen Kontext ist wohl auch Picassos Eintritt in die Partei zu begreifen.[61] Wie er aber diese öffentliche Geste als Zeichen des allgemeinen humanen Engagements für die Verbesserung der Welt und die Haltung in Sachen Kunst andererseits strikt unterschied, zeigt der Fall seiner Weigerung, sich mit der Protestaktion amerikanischer Künstler gegen die »starke Welle der Feindschaft gegen den freien Ausdruck« der Kunst zu solidarisieren. Die Aufforderung »zur Bekräftigung der Rechte der Künstler«, die an ihn von Stuart Davis, Jacques Lipchitz und James Johnson Sweeney vom Museum of Modern Art erging, ließ er unbeantwortet, doch Picassos Argumente sind überliefert: Kunst und Freiheit müsse man wie das Feuer des Prometheus rauben, um sie gegen die bestehende Ordnung anzuwenden; wenn das Recht auf freien Ausdruck existiere, ein Recht, das man sich nimmt, so existiere es prinzipiell durch den Gebrauch gegen die etablierte Ordnung, denn der Gegensatz zwischen dem kreativen Künstler und dem Staat sei ›absolut‹.[62]

Mit diesen Hinweisen geht es uns nicht um die Aufdeckung von Picassos Konflikt zwischen dem idealistischen Dienst und der ungebrochen anarchistischen Haltung; auch die Weltfremdheit der unabgeschickten Botschaft aus dem südfranzösischen Reservat für die modernen Künstler in New York, in dem vom Kalten Krieg heimgesuchten Amerika steht hier nicht zu Debatte. Wir sind von der Schlüsselrolle Picassos für Paris ausgegangen. Der Beginn nach dem Krieg war ganz in seinem Zeichen. Der erste freie Herbstsalon wurde demonstrativ mit einer Picasso-Retrospektive ergänzt, mit all den Werken, die er während des Krieges malte. Der Skandal, die Störaktionen gegen diese Ausstellung, teils politisch, teils nur einfach kunstreaktionär, steigerten nur noch die Aufmerksamkeit.

Besucher im Salon d'Automne von 1944

Maurice de Vlaminck über Picasso

Picasso ist verantwortlich, daß die französische Malerei in die gefährlichste Sackgasse geriet, daß eine unbeschreibliche Verwirrung entstand. Von 1900 bis 1930 hat er sie zur Verneinung, zur Erschlaffung und zum Tode geführt.

Denn allein mit sich selbst, ist Picasso die Mensch gewordene Impotenz. Da die Natur ihm jedes Eigenleben verweigert hat, verwendet er seine ganze Intelligenz, seine ganze List, um eine Persönlichkeit vorzutäuschen.

Er borgt sich die schöpferischen Fähigkeiten, die ihm nicht verliehen wurden, von den Meistern der Vergangenheit, aber auch von den Zeitgenossen.

Salon d'Automne, Palais des Beaux-Arts, Paris, 6. Okt. bis 5. Nov. 1944. Saal mit Werken von Pablo Picasso. Erste große Picasso-Ausstellung nach der Befreiung von Paris

Alles ist ihm recht! Dilettant, der er ist, macht er Musik; aber was er spielt, ist ein Potpourri aus bekannten Melodien (...)

Die Spezialisten der Kunstkritik haben für Picasso eine unendliche Milde, und diese Nachsicht gegenüber jenen »Blutentnahmen«, die er zynisch, ohne Gewissensbisse und mit einer in der Kunstgeschichte beispiellosen Offenherzigkeit vornimmt, kommt der Mitschuld nahe (...)

Die Fälle von Meistern wie Cézanne und van Gogh, die das Publikum in den Himmel erhob, nachdem sie verhöhnt worden waren, sind wie geschaffen, um die Fabel glaubhaft zu machen, daß jede – für die einen unverständliche, für andere mißglückte – Malerei eines Tages hohe Preise erzielen könne. Mit diesen Trümpfen im Spiel war jede Fopperei möglich. Von solchen Mißverständnissen gedeckt, machte Picasso eine neue Kehrtwendung, indem er als Ausflucht lineare Gebilde von unkontrollierbarer Bedeutung verwendete.

Eine kollektive, von den Kritikern ermutigte Verirrung hatte die Künstler aller Einsicht, allen echten Gefühls entfremdet. Man schwamm im Absurden, und dieses Absurde wurde von den Zeitungsschreibern ausgenutzt, die sich keine Gelegenheit entgehen lassen, erklären zu wollen, was sie nicht verstehen. Auf diese Weise reizten sie ein Publikum von Leichtgläubigen, von Snobs, von Geschäftemachern oder von Schlauköpfen durch ihr unsinniges Gerede, das vielleicht eines Rükkenmarkskranken würdig gewesen wäre oder eines ›Wissenschaftlers‹, dem die vierte Dimension den Verstand getrübt hat, so daß er nicht einmal mehr einer einfachen Addition fähig ist.

Als Perversität des Geistes, als Impotenz, als etwas Amoralisches ist der Kubismus ebensoweit von der Malerei entfernt wie die Päderastie von der Liebe. Wer kann wissen, ob in zehn oder zwanzig Jahren, wenn man unbefangen auf die Geschichte dieser Zeit zurückblickt, die Epoche Pablo Picassos auf dem Gebiete der künstlerischen Schöpfung nicht ebenso taschenspielerisch wirken wird wie in der Sittengeschichte von Börse und Finanz die »Transaktionen« von Marthe Hanau und Ivar Kreuger?

In der Nummer der *Beaux-Arts* vom 17. Juni 1938 hat ein bedeutender Kritiker Picasso gerühmt:

»Picasso aber wird der erfinderische Ergründer aller Stile gewesen sein, der erwünschte Deuter, ein Schauspieler, der, mit der gleichen Sentimentalität und nur durch einen Kostümwechsel, mit bezaubernder Virtuosität den banalen Menschen, den Weisen und den Narren, zu spielen imstande ist ... «

Welche Verdammung könnte stärker sein als dieses Lob! Man könnte es nicht besser sagen.

Picasso hat für mehrere Generationen von Künstlern den schöpferischen Geist, die Hingabe und den Glauben an die Arbeit und das Leben erstickt. Denn wenn es wahr ist, daß ein Kunstwerk nichts mit dem Sozialen zu tun hat, so ist nicht weniger gewiß, daß es menschlich sein muß: eine Belehrung.

Der Schatten, den Picasso nach vorne warf, kam freilich von einer radikal-realistischen Tendenz in seiner Produktion. Die eingangs erwähnte Stildiskussion hätte keine tragfähige Kunstgrundlage gehabt ohne die gefaßte Expressivität seiner grauen und kargen Pariser Stilleben und Interieurs. Das Staunen der Aufgeschlossenen nahm Jacques Prévert vorweg, der im Herbst 1943 den Fotografen Brassai in Picassos Atelier begleitete: »Sieh mal, jeder andere Maler hätte den Heizkörper unterschlagen, ihn häßlich, ordinär und ›unästhetisch‹ gefunden. Er hätte das ›Pittoreske‹, das ›Malerische‹ der alten Mauern und Dächer betont. Auf diesem Bild aber dominiert gerade der Heizkörper . . .«[63] Ohne diese in dem entscheidenden Moment des Auftakts vorgestellte, geschmacksprägende Produktion wäre beispielsweise der ganze ›Miserabilismus‹ Bernard Buffets, das heißt sein Erfolg und sein freilich gleich mit billigsten Manierismen versetztes Erfolgsrezept, nicht denkbar gewesen. Die Ableitungen aus dieser von Picasso getroffenen Zeitstimmung sind mannigfach: bis in den Tonfall und die Gestik der neuen gegenstandslosen Kunst, und nicht nur in Frankreich. Aber in dem Moment, da man Picasso, den damals immerhin fünfundsechzigjährigen, endgültig von der jungen Generation abheben will, wird die vitale Verklammerung klar. Es ist nicht nur der verbale, sondern der im erneuerungsfähigen Werk wirksame *Anarchismus,* der ihm den Sonderstatus sichert und ihn durch diese Haltung zum Verbündeten der neuen Avantgarde macht. Von den Künstlern, die für uns im Rückblick diese Avantgarde der späten vierziger Jahre in Paris bilden, war allein Giacometti Gesprächspartner Picassos, bezeichnenderweise ein von Picasso gesuchter Partner, bei dem er die professionelle Kontrolle des Bildhauers erhoffen konnte. Aber sein Respekt für Giacometti trifft schon die Veränderungen an der Schwelle zu einer neuen Kunstepoche: Während die meisten Bildhauer sich mit Stilfragen befassen würden und nicht auf den Grund der Dinge blickten, gelänge es Giacometti oft, »ins Herz der Dinge« vorzudringen. »Skulptur ist für Giacometti das, was bleibt, wenn der Geist alle Dinge vergessen hat. Er schafft eine bestimmte Raumvorstellung, die zwar weit von meiner eigenen Auffassung entfernt ist, aber etwas ist, auf das – in dieser Weise – vor ihm niemand kam.«[64] Die Figuren Giacomettis, »ein Stück Wirklichkeit aus der Entfernung«, enthüllen einen neuen Geist in der Bildhauerei, gestand Picasso und gab den Blick auf die neue Kunst frei.

Dieser Blick ist professionell, ist der Blick kreativen Kontakts in der Tradition der Avantgarde und führt vorbei nicht nur an der

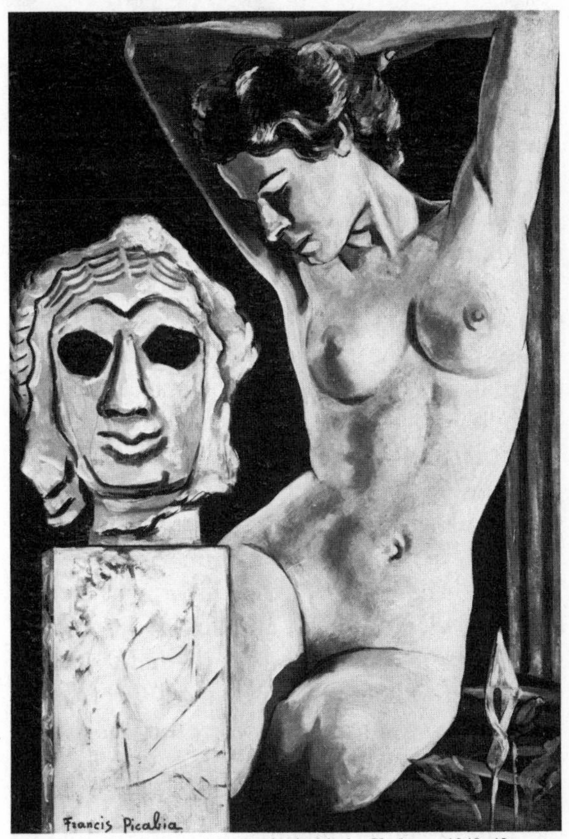

Francis Picabia. Kokette Frau und griechische Skulptur. 1940–42 (Kat. 275)

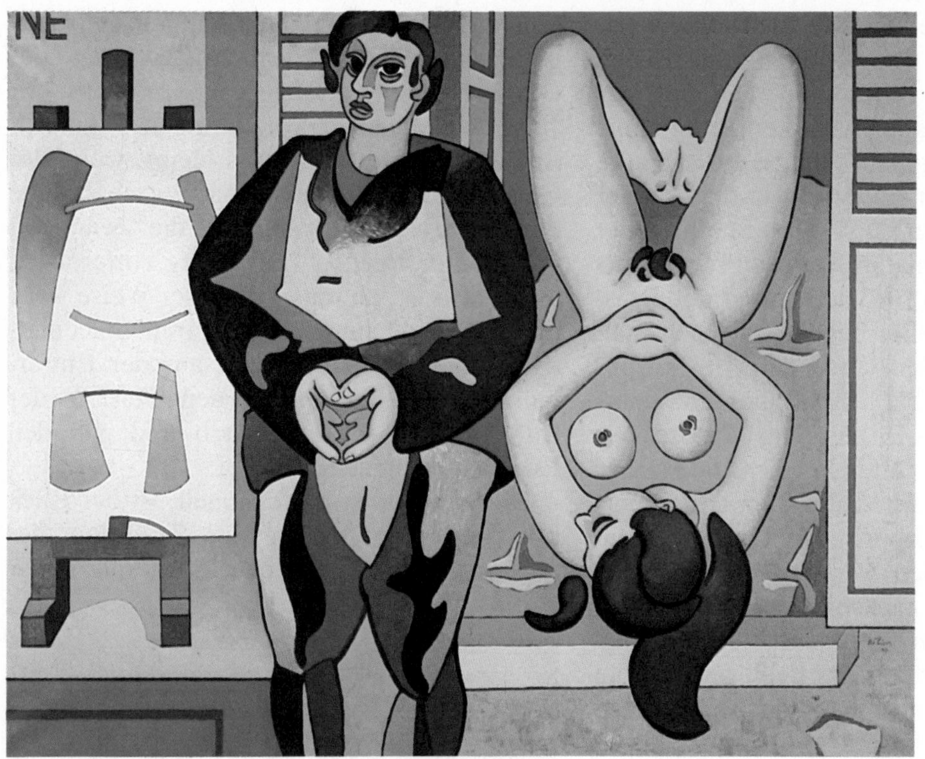

Jean Hélion. Wider den Strich. 1947 (Kat. 297)

Kleinkariertheit eines an Stilfragen haftenden Kunstkontinuums, sondern vorbei auch an der Kontinuität: Daß ein Maler wie Magritte aus seinem avantgardistisch längst bestätigten melplatz der neuen Tendenzen beiseite lassen, bleiben noch interessante Symptome für diese Umbruchszeit zu registrieren. Bilder eines gegenläufigen Umstiegs vom Abstrakt-Konkreten in eine klischeehafte Gegenständlichkeit malt der aus Amerika heimgekehrte Jean Hélion. Auf seine Bilder wurde man neuerdings wieder aufmerksam durch die in den siebziger Jahren typisch gewordene ›Kunst-über-Kunst‹-Thematik. Bis an die Grenze der Anekdote kommt Hélions reflexionsdurchsetzte Bildproduktion, in der Motive der Umkehr ungegenständlich-neufigural kombiniert und so programmatisch zum eigentlichen Thema werden.

Die Unruhe dieser Jahre ist abzulesen an ›irregulären‹ Erscheinungen und Brüchen in der Kontinuität: Daß ein Maler wie Magritte aus seinem avantgardistisch längst bestätigten System ›ausschert‹, können wir schon deshalb als symptomatisch nehmen, da die formale Konsequenz dieses freilich nur vorübergehenden ›Ausstiegs‹ übereinstimmt mit der Tendenz in der Kunst einer revoltierenden jungen Generation. Mit seiner expressiv enthemmten Direkt-Malerei begegnet er der neu motivierten, antikulturellen Gestik des COBRA-Expressionismus. Auch eine anthologische Zusammenfassung der protesthaltigen Gegenkonzepte, die wir in der Ausstellung mit einigen Bildern von Giorgio de Chirico und Francis Picabia aus den frühen vierziger Jahren andeuten , wäre interessant: sie müßte dann u. a. mit Magrittes Renoir-Phase ergänzt werden.

Giorgio de Chirico

Morgengebet eines echten Malers

Herr mein Gott, mache, daß mein Handwerk als Maler
Sich immer mehr vollende.
Bewirke, Herr mein Gott, daß ich mit Hilfe des Materials
Bis zum letzten Tag meines Lebens
Große Fortschritte erziele.
Gib, mir, mein Gott, auch Intelligenz,
Auch mehr Kraft, Gesundheit und Willenskraft,
Damit ich stets meine Emulsionen und mein künstliches Öl
Verbessern kann.
Damit sie mir immer mehr Hilfe seien,
Daß sie beitragen zur Materie meiner Malerei,
Zur größeren Transparenz und Dichte,
Zum steigenden Glanz und Fluidum.
Herr mein Gott, stehe mir bei,
Vor allem anderen inspiriere mich,
Daß ich die Probleme des Materials
Bei meiner Arbeit als Maler löse.
Damit ich der Malerei den Glanz wiedergeben kann.
Den Glanz, den sie seit fast einem Jahrhundert verloren hat.
Hilf mir, mein Gott, die Ehre der Malerei wiederherzustellen.
Indem ich die Probleme der Materialien löse.
Denn die metaphysischen und spirituellen Probleme,
Die lösen inzwischen die Kritiker
Und die Intellektuellen.
Amen. (1945)

Giorgio de Chirico. Minervabüste. 1947 (Kat. 274)

Giorgio de Chirico

Ein Porträt von Tintoretto

Seit einigen Monaten halte ich mich in Florenz auf. Ich weile bei einem Freunde zu Gast, der Kunsthändler ist. Er besitzt ein Bild von Tintoretto, das einen jungen Admiral darstellt. Er steht in der Nähe eines Fensters; er trägt Rüstung; die linke Hand ruht auf dem Korb des Degens. Der Helm liegt neben ihm auf dem Fußboden. Im Fensterrahmen sieht man in der Ferne eine Seeschlacht; Galeeren rammen einander in den stürmischen Fluten; im Mündungsfeuer und im Pulverqualm der Schiffsartillerie brechen Segelstangen und Masten. Kurzum: ein Weltuntergang. Das Bild steht im Arbeitszimmer des Kunsthändlers. Ich bin oft dort, um eine der vielen gehaltvollen Monographien durchzusehen oder eines der Kunstbücher zu Rate zu ziehen, an denen die Bibliothek meines Freundes reich ist. Es ist mir unterhaltsam, dabei zu beobachten, wie die Leute, die in das Arbeitszimmer kommen, auf das Bild reagieren. In der Art der Reaktion zeigt sich, ob sie zu den Intellektuellen oder zu den anderen gehören.

Intellektuelle, also Kritiker, Ästheten, Schriftsteller, Kunsthistoriker und Männer, die keinen Beruf haben, nichtsdestoweniger aber zu den Intellektuellen zählen, betrachten das Bild, als ob es unter ihnen ein Losungswort gäbe, das immer gleich bleibt, das nie geändert wird. Sie richten ihre Augen sofort auf das Schlachtenbild; sie tun, als ob die Porträtfigur, die den größten Teil des Bildraumes einnimmt, nicht existiere. Betrachter, die nicht Intellektuelle, sondern einfache Leute ohne Zwangsvorstellungen sind und deren Gehirn normal arbeitet, sehen sich erst einmal das Bildnis, die dargestellte Person, an. Man hört sie sagen: »Welch ein Ausdruck! Er sieht aus, als ob er lebend dastände.« Oder: »Sieh Dir diesen Brustpanzer an. Man spürt geradezu, daß er aus Metall ist.« So und ähnlich äußern sie sich – im Grunde zutreffend und redlich. Jeder Mann mit Verstand, der normal ist und etwas von Malerei versteht, reagiert wie diese Nichtintellektuellen: Er betrachtet erst einmal die Figur, den Hauptteil des Bildes und dann erst die Schlacht, die sekundären Bildwert hat. Warum reagieren die Intellektuellen anders? Warum stellen sie sich an, als ob der alte venezianische Meister das Bild nicht geschaffen hätte, um mit den Mitteln seiner großartigen Kunst einen Menschen darzustellen und ihm auf der Leinwand Leben zu geben, sondern als ob er nur darauf aus gewesen sei, die Intellektuellen unseres Jahrhunderts mit einem Zusammenprall von Galeeren zu amüsieren, der mit dem schnellen Pinsel gemacht ist? Diese Frage möchte ich klären.

Die Meister hochentwickelter Epochen pflegten den Vordergrund des Bildes sorgfältig darzustellen und auszuführen; im Mittelgrund verfuhren sie summarischer; was aber im Hintergrund stand, wurde ganz allgemein gehalten.

In unserem Bildnis von Tintoretto ist die Schlacht, die man durch das Fenster in der Ferne sieht, viel flüchtiger gemalt als die Figur, die im Vordergrund steht. Aber eben dieser flüchtigen Malerei wegen findet sie das Interesse der Intellektuellen und lenkt sie von der porträtierten Person ab. Die Intellektuellen ziehen keineswegs das Schlachtenbild dem Porträt vor. Sie verbeißen sich nur in die Schlacht, weil dieser Bildteil schnell hingemalt und gleichsam eine Studie ist. Sie sehen Verwandtschaft mit der liederlichen sogenannten modernen Malerei; sie glauben, dieses Detail sei interessanter, sei gekonnter und »mehr Malerei« als der Rest des Bildes. Eine der Dummheiten, die heute den Kopf der Leute ausfüllen, die sich mit Kunst befassen, ist die vorfabrizierte Idee, daß die Malerei nicht zu Ende geführt sein darf, wenn sie gut sein soll.

Es gibt einen zweiten Grund für den Wahn der Intellektuellen, in diesem Bild von Tintoretto sofort die Schlacht ins Auge zu fassen. Blöd wie ihr Hirn im Hinblick auf die Malerei nun einmal arbeitet, wähnen sie, daß ein übliches Porträt, das gut gezeichnet und gemalt ist, das der Realität von Gesicht und Körper entspricht, ein Schmarren sei. Sie meinen, ein Porträt verdiene nur Beachtung, wenn alles verkehrt ist, wenn es keine Umrisse und keine Form hat, wenn es einem Haufen Lumpen ähnlicher zu sein scheint als dem Gesicht und dem Körper des Menschen: Köpfe und Figuren, wie Matisse, Modigliani und andere »Moderne« sie gemacht haben. Wenn die Intellektuellen etwas Denkvermögen besäßen, würde ihnen aufgehen, daß die Systeme der Matisse und Modigliani zu Zeiten Tintorettos noch nicht existierten. Selbst wenn sie wunderbarerweise schon damals aufgetaucht wären, hätten sie wenig Aussicht auf Erfolg gehabt. Die unglückseligen Intellektuellen aber haben diese Kraft des Denkens und der Vorstellung nicht. Kein Wunder, daß sie Tintorettos Porträtfigur beiseite lassen und sich begeistert in die Schlacht stürzen.

Es gibt einen dritten Grund für das Verhalten der Intellektuellen. In dem Schlachtenbild wittern sie vom Stoff her ein Abenteuer, ein Drama, etwas, das ihnen bei Gelegenheit den Vorwand bieten könnte, den klugen Mann und den Erzähler zu spielen, kurzum in Literatur zu machen. Mit dem Porträt läßt sich nichts dergleichen anfangen. In ihm sehen sie daher auch nichts. Das andere Abenteuer und das andere Drama nehmen sie nicht wahr – obgleich beide unendlich geheimnisvoller und hintergründiger sind als jene, die der Bildstoff einer Seeschlacht oder ein anderes Sujet anbieten. Sie verkennen das Abenteuer und das Drama der großen und schönen Malerei. Die Intellektuellen verstehen nur das Bildthema. Was Malerei ist, begreifen sie nicht. Das Drama und das Abenteuer, die in der künstlerischen Qualität des Porträts gründen, zählen für sie nicht. Sie wissen nicht, was im Lebenswerk eines Malers gilt und es durch die Jahrhunderte rettet; es sind dies allein das Abenteuer und das Drama der hohen künstlerischen Qualität.

Übrigens habe ich noch etwas in Sachen der Intellektuellen zu bemerken.

Der Intellektuelle kultiviert heute die Brutalität, den Unsinn und die Scharlatanerie der modernen Malerei mit jener Liebe, mit der ein passionierter Gärtner eine empfindliche Pflanze pflegt, die zu verlieren er fürchtet; er gießt sie, er düngt ihr Erdreich. Die Intellektuellen lieben den Blödsinn der modernen Malerei nicht selbstlos; sie werden nicht von idealen Ursachen dazu bewogen. Ihre hartnäckige Apologie hat Zweck und Ziel. Sie verteidigen persönliche Interessen und die eigene Bequemlichkeit. Da sie nichts von Malerei verstehen, bedürfen sie dieser Malerei, um über Malerei sprechen zu können. Die sogenannten modernen Bilder sind ihnen bitter Not, um den Geist der Mitmenschen zu verwirren und den Boden für das zu bereiten, was sie sagen und schreiben. Sie beobachten mit Schrecken, daß eine Malerei heraufkommt, die schön, gediegen, klar, männlich und kräftig ist. Sie kann sich selbst durchsetzen. Um beachtet, bewundert, geschätzt und gekauft zu werden, bedarf sie nicht der dunklen Reden, des aberwitzigen Geschwätzes, der ganzen leeren, gezierten und hysterischen Rhetorik, die sich in manchen Fällen auch noch orakelhaft, lyrisch, leidenschaftlich und empfindsam gibt. Die neue Malerei kann auf alle diese Gebräuche der Intellektuellen verzichten, die den traurigen und lächerlichen Auftrag wahrnehmen, als Geburtshelfer, Tempelwächter und Exegeten der sogenannten modernen Malerei zu amten.

Die Intellektuellen wissen, daß eine fortschreitende Regeneration der Malerei viele ihrer Theorien in Frage stellen würde. Eine Malerei von hoher Qualität überfordert ihr Begriffsvermögen. Vor ihr versagen sie. Wie der Esel das aufkommende Gewitter spürt, so ahnen sie dunkel, daß Qualität und Kraft auf dem anderen Ufer wachsen, daß dort die Welt offen ist und die Zukunft winkt. Das regt sie auf; gleich gewissen Frauen und Kindern werden sie bösartig. Sie sinnen auf Blutrache. Also werfen sie sich für die »moderne Malerei« in die Schanze, hoffend, die Malerei der Gegenseite zurückzudrängen. Indem sie der brutalen Malerei zu Hilfe eilen, wähnen sie, der schönen Malerei den vom Schicksal bestimmten Weg verlegen zu können.

(um 1943)

Jean Arp

Über Francis Picabia

Francis Picabia ist der Christoph Kolumbus der Kunst. Sein philosophischer Gleichmut, sein schöpferisches Spiel und seine handwerkliche Kaltblütigkeit sind von keinem anderen erreicht worden. Er steuert sein Schiff ohne Kompaß. Er hat die »konkreten Inseln« entdeckt, auf denen die »abstrakten Herren« einander fressen. Am Ende der Welt, am vorgerücktesten Punkt unserer zügellosen lächerlichen Zivilisation, am Rande der großen Wüste der Leere, wo selbst die herausfordernde Windfahne der Eitelkeit in Ohnmacht fällt, hat er die erzene Kunkel, welche mit wachsender Wut den flammenden Faden des schwarzen unwirklichen Feuers, den Faden der menschlichen Existenz spinnt, surren gehört. In jenem Lande der modernen Melancholie schließt er Bekanntschaft mit einem Nackten, welcher entsetzt vor seinem Spiegelbild zurückweicht. Dieser Nackte zieht sich, von Ekel geschüttelt ob der menschlichen Gestalt, welche ihn an eine Qualle erinnert, stolpernd in einen Lehnstuhl zurück und bewegt seine Arme und Beine tentakelgleich. Eigensinnig verharrt er in dieser Bewegung. Die Sinnlosigkeit der Existenz würgt ihn. Konvulsivisch bewegt er seine Tentakel. Will er sich an die Leere klammern, oder will er ein Bild malen? Der Nackte entscheidet sich für den Ekel und die Malerei, und Picabia freut sich darüber, weil er das Tragische verachtet.

Ich lernte Francis Picabia 1917 anläßlich seines Besuches in Zürich kennen. Er kam als Abgesandter der amerikanischen Dadaisten, um seine Kollegen in Zürich zu begrüßen. Tristan Tzara und ich begaben uns, neugierig und bewegt, in sein Hotel. Wir fanden ihn geschäftig beim Sezieren eines Weckers. Ich mußte unwillkürlich an die ›Anatomie‹ Rembrandts im Kunstmuseum von Amsterdam denken. Wahrlich, wir hatten einen großen Schritt vorwärts in das Reich der Abstraktion getan. Erbarmungslos zerlegte er seinen Wecker bis auf die Uhrfeder, die er triumphierend extrahierte. Für einen kurzen Augenblick unterbrach er seine Arbeit, um uns zu begrüßen. Doch ohne viel Zeit zu verlieren, versah er ein weißes Papier mit den Abdrucken der Rädchen, Federn, Zeiger und anderen geheimen Teilchen der Uhr. Eifrig schlug er diese Dinge vom Stempelkissen auf das Papier wie ein pflichteifriger Postbeamter, verband diese Stempel miteinander durch Linien und schrieb dazu an verschiedenen Stellen der Zeichnung Worte, Sätze, deren Inhalt seltsam entfernt von unserer mechanisierten dummen Welt ist. Er schuf antimechanische Maschinen. Er hatte damals eine grenzenlose Vorliebe für Räder, Schrauben, Motoren, Zylinder, elektrische Leitungen. Er zeichnete und malte mit diesen Dingen zwecklose Maschinen des Unbewußten. Eine ganze Flora solcher Maschinen ließ er aufwuchern. Er schrieb in jener Zeit auch Gedichte, »la fille née sans mère«, welche uns zwangen, feierlich auf dem Kopf zu stehen. In diesen Gedichten gibt es keinen vertrockneten theoretischen Schwamm mehr, keine schillernde schillersche Phrase, keine Fata-Morganata in einem Büstenhalter.

Aber Picabia spielte mehrere Geigen zugleich. Er sang vom empfindsamen Weiß und von den Bewegungen des Schwanes, von Schwänen gezeichneten Zeichen. Die Wolken mythischer Stimmen formen sich, weiten sich und ziehen vorbei. Manchmal wird der Schirokko zum Schirokoko, und Picabia pflichtet ihm bei. Es ist unmöglich, seine vielen Einfälle und Entdeckungen aufzuzählen. Ich kenne von ihm Leinwände, die mit Strohhalmen, die mit Konfettis bedeckt waren. Ich kenne von ihm Bilder für Harems, Bilder für Zwerge. Er hat Sträuße von verwelkten Flügeln, Sträuße von leeren Augen,

Francis Picabia. Sechs Punkte. 1949 (Kat. 343)

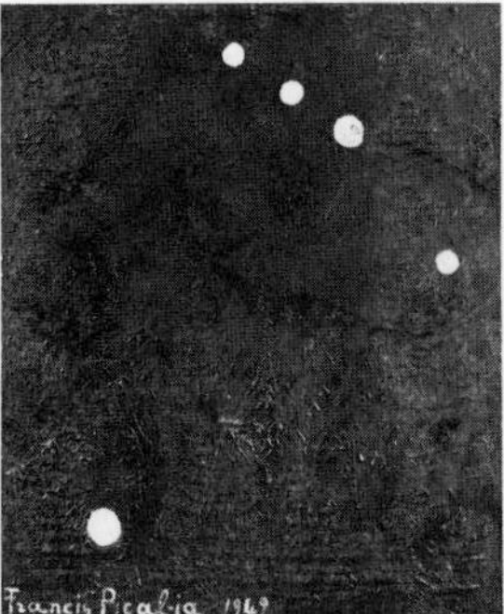

Francis Picabia. Der Himmel. 1949 (Kat. 344)

Sträuße von leerlaufenden Herzen, mit Vergißmeinnicht bedeckte Liebespaare, Rinden aus Küssen gemalt. Seine Herausforderungen und guten Einfälle waren ohne Zahl.

Ob Picabia Metamorphosen beobachtet oder mit einer bemalten Leinwand einen Brief beantwortet, immer sind seine Dokumente hundertfache Palimpseste. Picabia ist ein verzweifelter Fall. Seit seiner frühesten Jugend ist er von der Mal-Tobsucht befallen. Er malt Tag und Nacht mit Armen und Beinen. Er übermalt die in der Nacht entstandene Leinwand am nächsten Tag und die am nächsten Tag gemalte Leinwand in der nächsten Nacht. Seine Leinwände werden dabei dicker und dicker. Das Bedürfnis, unaufhörlich zu malen, erklärt sich durch ein fanatisches Interesse, durch eine Besessenheit, die das Gegengewicht zu seiner dadaistischen Ironie bildet. Diese Malsucht kennt keinen Spaß mehr, keinen Fin-de-siècle-Witz, in welchem die Blasphemie Regel ist. Er ist mit Leib und Seele dem Schöpfungsakt verfallen. Er sucht nicht das schön vollendete und schön gerahmte Bild. Aller Wahrscheinlichkeit zum Trotz naht er sich der Urhandlung, dem Absoluten, und alle von ihm zynisch beschworenen »Jésus Rastaquouère« retten ihn nicht davor.

(1949)

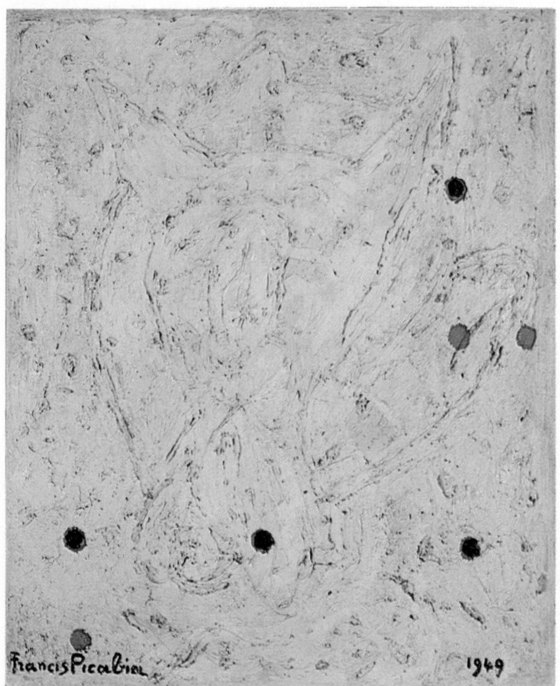

Francis Picabia. Schweigen. 1949 (Kat. 347)

Wichtig ist indes, daß nach dem Krieg und gerade im entscheidenden Moment der Entstehung einer neuen Kunst sich ein Künstler wie Picabia »gegen die Halbgötter auf die Seite der Jungen schlägt«.[65] Gemeint ist mit dem Hinweis die Gruppenausstellung ›H.W.P.S.M.T.B.‹ 1948 bei Colette Allendy, an der neben Picabia Hartung, Wols, Stahly, Mathieu, Tapié und Bryen beteiligt waren. Gewiß, es ist bereits die Zeit nach den ›Premieren‹; jetzt wird schon der Zusammenhang in internationaler Ausweitung gesucht; vor allem, durch die Betriebsamkeit Mathieus, nun auch unter Einbeziehung amerikanischer Künstler. Mit Pollock, Rothko, de Kooning, Gorky und Tobey ist in diesem Jahr eine Ausstellung für die Galerie Montparnasse vorgesehen, Baziotes und Motherwell wurden schon im Vorjahr in Paris gezeigt. Doch Picabias werkhafte Annäherung an die Prototypen der informellen Kunst kann heute als kreativer Kommentar neu gewürdigt werden. Denn Picabia gehört zu den wenigen kritischen Geistern, die die Avantgarde, ihre Haltung und ihre Produktion von der *inneren Geschichte* her als Teilhaber, und zwar seit der Armory Show 1913, seit der frühen Zusammenarbeit mit Duchamp und seit Dada in bester Manier des Unabhängigkeit demonstrierenden Künstlers mitvollziehen. Ein Indiz für den Wandel der Zeiten ist allemal die Art, wie sich Picabia mit seinen ›Punkt-Bildern‹, die wir in einer reichlichen Auswahl in der Ausstellung zeigen, auf Malerei wieder einläßt: auf eine Malerei, die plötzlich ausdrucksstark geworden ist und Mitarbeit herausfordert.

Diese Malerei ist die ›andere Kunst‹ der Nachkriegsjahre. Wir greifen diesen Terminus von Michel Tapié auf, weil er auf Haltung zielt und nicht auf Stil, wie die gebräuchlicheren und teils früheren Etikette für die neue Kunst. Was der Pariser Kritiker in seiner bereits zitierten Schrift meint, ist die Ausarbeitung neuer Kriterien und Werte, anstatt einer Verbesserung

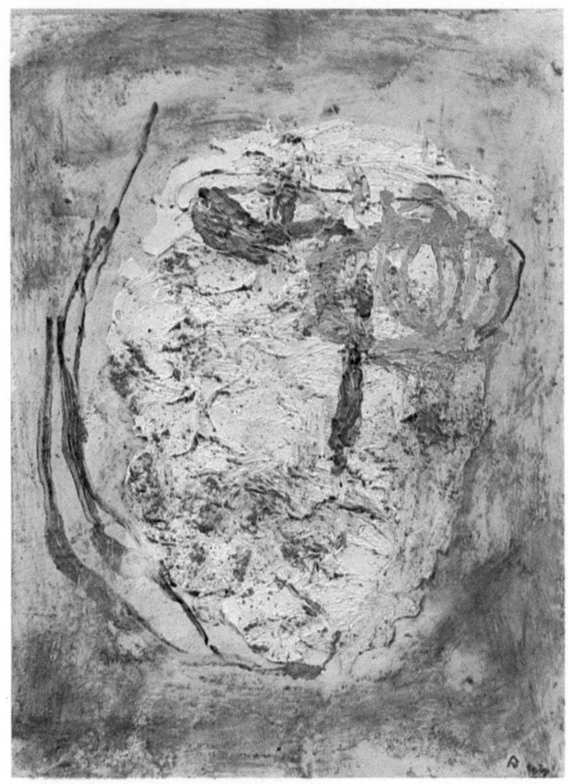

Jean Fautrier. Geisel. 1944/45 (Kat. 304)

des überkommenen Systems. Das ›völlig Andere‹ zeigt sich in den Forderungen ebenso wie in den einzelnen Schritten, im Gesamtprotokoll dieser Kunst genauso wie in den Gesten der Arbeit. Damit ist erst einmal ein offener Vorstellungsraum geschaffen für die unabgelenkte Wahrnehmung der Werke; dies ist der entscheidende Vorzug dieser freilich nicht unpathetischen Tendenz-Erschließung. Lyrische Abstraktion, Tachismus, Informel sind die weiteren Schilder. Auf ›Abstraction Lyrique‹ hat Mathieu gesetzt. Damit wird das Kontrastprogramm zu der ›Geometrischen Abstraktion‹, die als konstruktivistische Tradition in Paris seit Ende der vierziger Jahre eine starke Wiederbelebung erfuhr, deutlich formuliert. Auch bewährt sich diese Bezeichnung in der Abgrenzung gegen den amerikanischen ›Abstrakten Expressionismus‹ und das ›Action Painting‹. Tachismus kam erst als Schimpfwort richtig in Umlauf, aus dem Lager der Geometrischen Abstraktion, und dennoch entbrannte auch gleich der Streit, wer der erste ›Tachist‹ seit Leonardo gewesen sei.

Diese ›andere Kunst‹ wurde seltsamerweise noch schneller als die vorangegangenen miteinbezogen in den Legitimationszirkel der Kunstgeschichte. Man erinnerte sich plötzlich, daß es oft der Feind ist, der tauft. Im ›Combat‹ machte sich Charles Estienne, der zwei Jahre zuvor schon nach dem »neuen Akademismus« der offiziösen Abstrakten auf der Gegenseite gefragt hatte, für den ›Tachismus‹ stark. Der angegriffene ›Pate‹ Pierre Guéguen konterte sogleich: »Vom Fleck zum Geschmiere,

Jean Fautrier. Nackter Torso einer Geisel. 1943 (Kat. 300)

Jean Fautrier. Kopf einer Geisel Nr. 5. 1943 (Kat. 301)

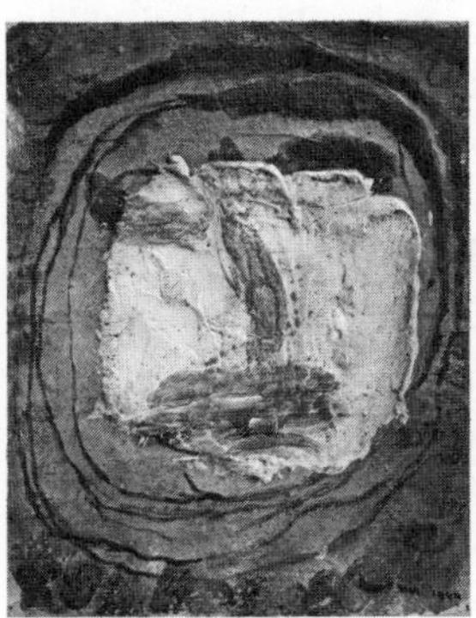

Jean Fautrier. Kopf einer Geisel Nr. 6. 1943/44 (Kat. 302)

Jean Fautrier. Geisel. 1944/45 (Kat. 305)

Jean Fautrier, Les Otages (Die Geiseln). Galerie René Drouin, Paris, 26. Okt.–17. Nov. 1945

zum Gesudel ist lediglich ein Schritt« und daß der schlechte Tachismus, wie freilich auch der schlechte Geometrismus, nichts anderes sei, als eine »zerstörerische Spaltung der Formen«.[66] Daß eine »zerstörerische Spaltung der Formen« gerade die historische Leistung des Tachismus war, bleibt ungesagt.

Es ist bereits die Diskussion der Jahre um und nach 1950. Es geht um Etiketten, Prioritäten, Nachfolge und um die Ausbreitung. Der Tachismus, alternierend auch Informel genannt – ein Name, der seriöser klang und als Sammelbegriff besser geeignet war, die spontane gestische Malerei international zusammenzufassen –, war auf dem Weg zum Epochenstil und damit seinerseits auf dem Weg zum Akademismus. Denn die Produktion der Gesten war längst von der Haltung, die ursprünglich die Geste hervorbrachte, losgelöst.

Wir sind von der ›Haltung‹ der anderen Kunst ausgegangen. Diese ist in die Jahre um Kriegsende zu datieren und, was den relevanten Ausdruck betrifft, an wenigen, einzelnen, individuellen Fällen zu verifizieren. Die Haltung ist zweifellos anarchisch, und es gilt für die Künstler, was Picasso Giacometti zugestand, nämlich ein jenseits der Stilfragen ansetzender Wirklichkeitsbezug ihrer Kunst.

Dieser Bezug ist nicht optimistisch und nicht von Aufbruchstimmung geprägt – nicht bei Giacometti, schon gar nicht bei Wols. Aber auch Fautriers Malerei verhält sich abseits und abgetrennt, auch sie ist keine Station einer Durchfahrt auf der Kunststrecke, sondern vielmehr ein changierend lyrischer Zustand unfroher Schönheit, geeignet für die dutzendhaft repetierte Abwandlung der zerdrückten und zum zentralen Relief gespachtelten Malmasse, die dann mit flüchtiger Pinselschrift noch überarbeitet und andeutungsweise zum Kopf präpariert wird. Jedes Bild aus zuletzt bepulverter, bestrichener dicker Farbpaste soll so die helle Erinnerung an tote Gesichter wahren: Es sind die in den letzten beiden Jahren der deutschen Besatzung entstandenen ›Otagen‹-Bilder, Hommage für die an Pariser Mauern erschossenen Geiseln. Die sinnfällig kontrollierte Formlosigkeit einer erstarrenden Farbablagerung transportiert Thema *und* Kommentar untrennbar; den Kommentar verkörpern mit verhaltenem Pathos die erregte Schriftspur und die Farbschraffur.

Giacomettis Suche nach dem ›Absoluten‹, das Innewerden einer absurden Isolierung angesichts der Menschenfigur im eigenen Werk; die wunde Malerei von Wols, diese extreme, zuvor unvorstellbare Setzung – wir sind in einem anderen zeitgenössischen Kontext. Man kann dieses Œuvre als Kunst des Existentialismus interpretieren. Es sollte hier der Hinweis auf den Hintergrund genügen, auf die *Haltung,* die nun möglich, für die betroffene Generation unausweichlich geworden ist. Die von Sartre formulierte Perspektive am Ende des Krieges: eine Absage an den Frieden, dem der Einsatz der Atombombe vorausging. Statt eines Anfangs durchlebe man eine Agonie: »Doch mußte die Menschheit schon eines Tages in den Besitz ihres Todes gebracht werden. Bisher ging sie einem Leben nach, das ihr wer weiß woher zufiel, und hatte nicht einmal die Kraft, ihren eigenen Selbstmord abzulehnen, weil sie nicht über die Mittel verfügte, die ihr ermöglicht hätten, ihn zu begehen ... So ist in dem Augenblick, wo dieser Krieg zu Ende geht, der Kreis geschlossen; in jedem von uns entdeckt die Menschheit ihren möglichen Tod, nimmt sie ihr Leben und ihren Tod an ... Wenn der Krieg stirbt, läßt er den Menschen nackt, ohne Illusion, seinen eigenen Kräften ausgeliefert, weil er endlich begriffen hat, daß er nur noch auf sich selbst zählen kann.«[67]

Mais voulant faire de mémoire ce que j'avais vu, à ma terreur, les sculptures devenaient de plus en plus petites, elles n'étaient ressemblantes que petites, et pourtant ces dimensions me révoltaient et, inlassablement, je recommençais pour aboutir, après quelques mois, au même point.

Une grande figure était pour moi fausse et une petite tout de même intolérable Têtes et figures ~~n'étaient~~ un peu vraies que minuscules.

Tout ceci changea un peu en 1945 par le dessin.

~~Je voulus à tout prix~~ faire des figures grandes, ~~ou au moins pas absolument minuscules,~~ mais alors, à ma surprise, elles n'étaient ressemblantes que longues et minces.

~~Mais aujourd'hui, je ne peux plus les dessiner.~~

Et ~~puis~~ c'est à peu près où j'en suis aujourd'hui, ~~ou plutôt où~~ j'en étais hier encore, et je m'aperçois à l'instant que si je peux facilement dessiner les sculptures anciennes, je ne ~~peux pas~~ dessiner celles que j'ai faites les dernières années. ~~Si je~~ pouvais les dessiner, il ne serait plus nécessaire de les faire dans l'espace.

je m'arrête, d'ailleurs on ferme, il faut régler.

Alberto Giacometti, Brief an Pierre Matisse, 1947. Aus dem Katalog zur Giacometti-Ausstellung in der Pierre Matisse Gallery, New York, 19. Jan.–14. Febr. 1948

Alberto Giacometti

Brief an Pierre Matisse

(...) Nichts war so, wie ich es mir vorgestellt hatte. Ein Kopf wurde für mich (die Figuren ließ ich bald beiseite, das war zuviel) etwas vollständig Unbekanntes, etwas ohne Dimensionen. Zweimal im Jahr fing ich zwei Köpfe an, immer die gleichen, ohne jemals zum Ende zu gelangen, und ich stellte meine Entwürfe weg (die Gußformen besitze ich noch).

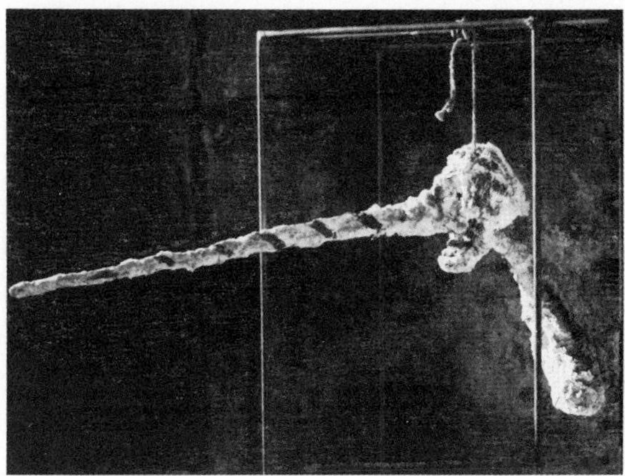

Alberto Giacometti. Die Nase. 1947 (Kat. 323)

Schließlich begann ich, um sie wenigstens ein bißchen zu verwirklichen, aus dem Gedächtnis zu arbeiten, und zwar hauptsächlich, um festzustellen, was mir von all dieser Arbeit geblieben war. (Während all dieser Jahre zeichnete und malte ich, meistens nach der Natur.)

Doch als ich das Geschaute aus dem Gedächtnis schaffen wollte, wurden die Plastiken zu meinem Schrekken immer kleiner und kleiner; Ähnlichkeit war nur noch da, wenn sie sehr klein waren; dennoch empörten mich ihre Dimensionen, und unermüdlich begann ich wieder und wieder, um einige Monate später am gleichen Punkt zu enden.

Eine große Figur war für mich unwahr und eine kleine trotzdem unerträglich; außerdem wurden sie oft so klein, daß sie oft unter einer einzigen Berührung meines Messers im Staub verschwanden.

Köpfe und Figuren schienen mir nur wahr zu sein, wenn sie winzig waren, aber all dies änderte sich 1945 ein wenig durchs Zeichnen.

Das Zeichnen führte mich dazu, größere Figuren schaffen zu wollen, und dabei ergab sich zu meiner Überraschung, daß sie nur ähnlich wurden, wenn sie lang und dünn waren.

Und das ist ungefähr der Punkt, an dem ich heute stehe, nein, wo ich gestern noch gestanden habe, und soeben wird mir klar, daß ich zwar mit Leichtigkeit die alten Skulpturen zeichnen kann, hingegen Mühe hätte, diejenigen zu zeichnen, welche ich in den letzten Jahren geschaffen habe. Vielleicht wäre es gar nicht mehr nötig, sie im Raum zu schaffen, wenn ich sie zeichnen könnte; aber in dieser Beziehung bin ich nicht sicher.

Jean-Paul Sartre

Über Giacometti

Man braucht nicht lange Giacomettis antediluvianische Züge zu betrachten, um zu erraten, mit welchem Stolz und mit welcher Entschlossenheit er sich an den Beginn der Welt zurückversetzt. Er spottet der Kultur und glaubt nicht an den Fortschritt, wenigstens nicht an einen Fortschritt in den schönen Künsten; er hält sich nicht für *fortgeschrittener* als die Zeitgenossen seiner Wahl, als der Mensch von Eyzies und von Altamira. Diese Frühzeit der Natur und der Menschheit kennt noch nicht die Begriffe Schön und Häßlich, kennt weder Geschmack noch ein Publikum, das Geschmack besitzt, oder eine Kritik: Alles ist noch zu tun, zum erstenmal kommt ein Mensch auf den Gedanken, aus einem Steinblock einen Menschen zu formen. Das also ist das Modell: der Mensch. Er ist weder Diktator noch General, noch Athlet; er besitzt noch nicht die Würden und den äußeren Prunk, die den Bildhauer der Zukunft reizen werden. Er ist lediglich eine lange undeutliche Silhouette, die sich am Horizont bewegt. Doch läßt sich bereits erkennen, daß seine Bewegungen nicht den Bewegungen der Dinge gleichen; sie gehen von ihm aus wie erste Anfänge, sie projizieren eine bewegliche Zukunft in die Luft: Man muß sie von ihren Zwecken her verstehen – von der Beere, die gepflückt werden soll, vom Gestrüpp, das es zu beseitigen gilt –, nicht von ihren Ursachen her. Sie lassen sich niemals loslösen oder begrenzen; bei einem Baum kann ich einen Ast, der sich wiegt, getrennt betrachten, nie aber beim Menschen *einen* Arm, der sich hebt, *eine* Faust, die sich ballt. Denn der *Mensch* hebt den Arm, der *Mensch* ballt die Faust; der *Mensch* ist die unlösliche Einheit und die absolute Quelle seiner Bewegungen. (...) Das leidenschaftliche Verlangen des Bildhauers ist es, ganz und gar Ausdehnung zu werden, damit aus der Tiefe der Ausdehnung eine menschliche Statue hervorgehen kann. Steinerne Gedanken verfolgen ihn. Einmal quälte ihn die Angst vor der Leere; monatelang sah er überall einen Abgrund neben sich; es war der Raum, der sich in ihm seiner trostlosen Sterilität bewußt wurde. Ein andermal war ihm, als hätten die Dinge, matt und tot, wie sie waren, die Berührung mit der Erde verloren; er lebte in einer schwankenden Welt, er machte an sich selbst die qualvolle Erfahrung, daß es im Raum weder Oben noch Unten, noch eine wirkliche Berührung zwischen den Dingen gibt; gleichzeitig aber war ihm bewußt, daß ein Bildhauer die Aufgabe hat, in dieses unendliche Inselmeer die Gestalt des einzigen Wesens einzumeißeln, das die anderen Lebewesen zu *berühren* vermag. Ich kenne niemanden, der für den magischen Reiz eines Gesichts oder einer Bewegung so empfänglich wäre wie er; er betrachtet sie mit so leidenschaftlichem Interesse, als gehöre er einem anderen Naturbereich an. Manchmal aber, des Haderns müde, versuchte er auch, seinesgleichen zu Stein werden zu lassen: er sah die Menschenmassen auf den Boulevards blindlings gleich einer Steinlawine auf ihn zuschieben. So

Alberto Giacometti in seinem Atelier, um 1950

bedeutete für ihn jeder der Gedanken, die ihn umtrieben, eine Arbeit, eine Erfahrung, eine Art, den Raum zu erleben. »Er ist reichlich verrückt«, wird man sagen. »Seit dreitausend Jahren gibt es Bildhauer, und zwar sehr gute, ohne daß sie solche Geschichten machen. Warum versucht er nicht, nach bewährter Technik fehlerlose Werke zu schaffen, statt so zu tun, als kenne er keine Vorgänger?« Das liegt daran, daß seit dreitausend Jahren der Bildhauer nichts anderes darstellt als Leichname. Manchmal nennt man sie Grabfiguren und legt sie auf irgendein Grab; ein andermal wieder setzt man sie auf einen kurulischen Stuhl oder auf ein Pferd. Aber ein Toter auf einem toten Pferd ergibt noch nicht einmal die Hälfte eines Lebendigen. Dieses Volk in unseren Museen, dieses starre Volk mit seinen leeren Augen, lügt. Ihre Arme tun, als bewegten sie sich: in Wirklichkeit aber hängen sie nur zwischen Oben und Unten, gehalten von eisernen Stangen; diese erstarrten Formen haben Mühe, ihre unendliche Uneinheitlichkeit zusammenzuhalten; erst die Phantasie des Betrachters, der sich durch eine grobe Ähnlichkeit täuschen läßt, verleiht der ewigen Kraftlosigkeit der Materie Bewegung, Wärme und Leben. Man muß also wieder ganz von vorne anfangen. Jetzt, nach dreitausend Jahren, besteht die Aufgabe Giacomettis und der zeitgenössischen Bildhauer nicht darin, die Galerien durch neue Werke zu bereichern, sondern zu beweisen, daß Bildhauerkunst überhaupt möglich ist. Es zu beweisen, indem sie selbst bildhauerisch tätig sind, so wie Diogenes durch Gehen die Bewegung bewies. Es zu beweisen wie Diogenes, gegen Parmenides und Zenon. Man muß bis zu den Grenzen gehen und sehen, was man tun kann. Sollte das Unternehmen mißlingen, so wäre es günstigstenfalls immer noch unmöglich zu entscheiden, ob dies nun einen Mißerfolg des Bildhauers oder aber der Bildhauerkunst als solcher bedeutet: es würden wieder andere kommen und von vorne beginnen müssen. Auch Giacometti fängt immer wieder von vorne an. Dabei handelt es sich aber nicht um ein endloses Fortschreiten: es gibt ein festes Endziel, das es zu erreichen gilt, ein einziges Problem, das gelöst werden muß: wie kann man aus Stein einen Menschen machen, ohne ihn zu versteinern? Es geht also um alles oder nichts: ist das Problem gelöst, dann ist die Zahl der Statuen ohne Bedeutung. »Wenn ich nur eine zu schaffen verstünde«, sagte Giacometti, »dann könnte ich tausend schaffen ...« Solange es nicht gelöst ist, gibt es gar keine Statuen, sondern lediglich Entwürfe, die Giacometti nur insofern interessieren, als sie ihn seinem Ziel näherbringen. Er zerstört sie alle wieder und fängt noch einmal von vorne an. Manchmal gelingt es allerdings seinen Freunden, eine Büste oder die Plastik einer jungen Frau oder eines Jünglings vor dem Untergang zu bewahren. Er läßt es geschehen und macht sich aufs neue an die Arbeit. Innerhalb von fünfzehn Jahren hat er nur eine einzige Ausstellung veranstaltet. Und zu ihr ließ er sich nur verleiten, weil man eben leben muß; aber es ist ihm nicht wohl dabei; er schreibt zu seiner Entschuldigung: »Diese Plastiken existieren bis heute (und wurden gegossen und fotografiert) vor allem deshalb, weil ich von der Furcht vor der Not getrieben wurde; doch ganz sicher bin ich dessen nicht; immerhin waren sie ein wenig das, was ich wollte. Aber nur sehr wenig.« Unangenehm ist ihm nur, daß diese sich wandelnden Entwürfe – immer auf halbem Wege zwischen dem Nichts und dem Sein, stets wieder abgeändert, verbessert, zerstört und begonnen – angefangen haben, für sich allein wirklich zu existieren und unabhängig von ihm ihren Weg in der Öffentlichkeit zu machen. Aber er wird sie rasch vergessen. Die wunderbare Einheit dieses Lebens liegt in der Unbeirrbarkeit bei der Suche nach dem Absoluten.

Dieser eifrige, beharrliche Arbeiter liebt den Widerstand des Steins nicht, der seine Bewegungen nur hemmen würde. Er hat sich ein gewichtloses Material ausgesucht, das gefügigste, vergänglichste und geistigste, das es gibt: den Gips. Er fühlt ihn kaum an den Fingerspitzen, er ist das ungreifbare Gegenstück zu seinen Bewegungen. In seinem Atelier fallen dem Besucher zuerst die seltsamen Vogelscheuchen auf, Gipskrusten, die um lange rote Fäden herum langsam erstarren. Giacomettis Erlebnisse, seine Gedanken, Wünsche und Träume übertragen sich für einen Augenblick auf diese Gipsfiguren, geben ihnen Form und vergehen wieder, und die Form vergeht mit ihnen. Jeder dieser in ständiger Verwandlung begriffenen Sternennebel scheint das Leben Giacomettis selbst zu sein, übertragen in eine andere Sprache. Die Statuen Maillols schleudern einem frech ihre schwerfällige Ewigkeit in die Augen. Doch die Ewigkeit des Steins ist soviel wie Trägheit, ist eine für immer erstarrte Gegenwart. Giacometti spricht nie von Ewigkeit, er denkt auch nie daran. Er äußerte einmal zu mir, als er gerade wieder einige Plastiken zerstört hatte: »Ich war mit ihnen zufrieden, aber sie waren nur für ein paar Stunden geschaffen.« Das fand ich schön gesagt. Für ein paar Stunden: wie eine Morgendämmerung, wie eine Traurigkeit, wie eine Eintagsfliege. Und gerade dadurch, daß seine Gestalten dazu bestimmt sind, in derselben Nacht, da sie entstehen, wieder zu vergehen, bewahren sie als einzige unter allen mir bekannten Skulpturen die unaussprechliche Anmut des Vergänglich-Scheinens. Nie war die Materie weniger ewig, zerbrechlicher, menschenähnlicher. Das Material Giacomettis, das selsame verstäubende Mehl, das allmählich sein ganzes Atelier überzieht, ist Staub des Raums.

Die Begegnung mit der in diesem Haltungszusammenhang *anderen Kunst* von Wols und Giacometti möchte die Ausstellung in extremer Konfrontation vermitteln: Deshalb präsentieren wir diese Werkgruppen in einem Raum, der den Weg nicht weiterleitet. Natürlich kann man nur für einen Moment diese Kunst aus dem Ablauf von Vorher und Nachher herausheben, denn diese Kunst ist weder isoliert entstanden, noch läßt sie sich als abseitiger Sonderfall relativieren. Auf unterschiedliche Weise zwar, doch sowohl bei Giacometti wie auch bei dem jüngeren Wols wäre die gefundene Lösung ohne den Nährboden des Surrealismus nicht möglich – wiewohl aber umgekehrt die Konsequenz von Wols nicht im Surrealismus vorgesehen war. Es sind Werke jenseits der erschöpfenden intellektuellen Rezipierbarkeit, Lösungen, die tatsächlich durch Zerstörung, oder richtiger, durch Aussetzen der bisher verbindlichen Formensprache erreicht wurden. Die automatische Schrift der ›psychischen Improvisation‹, die wesentliche, bis in das Informel hinein wirksame Lehre surrealistischer Ästhetik, erscheint hier irrelevant, sie ist ihrer Modell- und Lehrfunktion beraubt, sie ist als Kommunikationshilfe ausgeschaltet. Wols benutzt sie und verwirft sie in einem Zug, da er sich nicht auf die Schrift verläßt, sondern sogleich widersprüchlich mit dem psychischen Automatismus eine Identität zu gestalten unternimmt, eine Lebensidentität von handelndem Künstler und Malzustand im Bild. Insofern ist das Wort von der ›Zerstörung‹ mißverständlich und letztlich falsch. Was man als Formzerstörung meint ablesen zu können, ist im Bild ein nachprüfbarer Gestaltungsvorgang, eine neugewonnene Form. Daß sie den handelnden Maler ganz und mit dem Horizont der Selbstzerstörung ins Bild bringt, ist die andere, Leben und Kunst in dieser unerwarteten Bildeinheit begreifende Hauptsache.

Der »Maler im Bild«, diese programmatische Wendung von Pollock gilt für Wols'

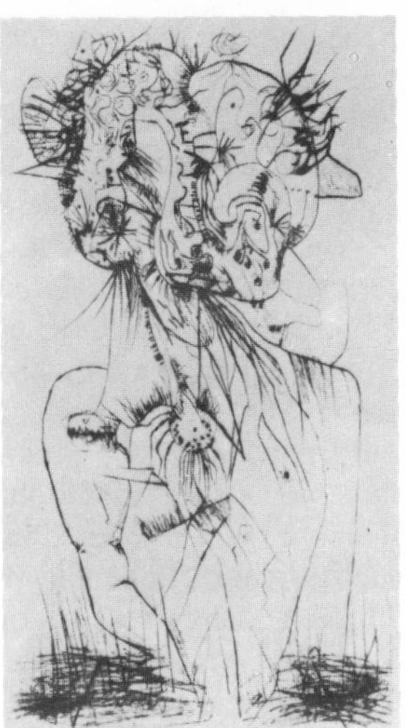

Wols. Porträt. 1947. Kaltnadel, 13,5 × 7,7 cm. Titelbild zu Jean-Paul Sartre, ›Visages‹, Paris 1948 (Ed. Pierre Seghers)

Wols. Ja, ja, ja. 1946/47 (Kat. 333)

Wols. Ohne Titel. 1946/47 (Kat. 335) ▷

Malerei in einem eindringlichen, exklusiven, anderen Sinn. Im Bild zu sein, das ist für Pollock eine konkrete Übung, eine körperliche Verbindung mit dem großen, man möchte sagen, ›begehbaren‹ Format, demgegenüber der Maler sich handelnd öffnet und dem er seinen (Lebens) Rhythmus malend überträgt. Pollocks Perspektive vom »Maler im Bild« ist die einer repräsentativen Selbstentfaltung, die erstaunliche und wunderbar überlegene Manifestation einer entdeckten Freiheit, die im Bild, das sich seinerseits freilich vom Bild der Wirklichkeit in der Welt radikal absetzt und dieser Wirklichkeit deutlich Widerstand leistet, triumphieren kann. Wols dagegen nimmt seine Freiheit im Bild mit unübersehbarer Verzweiflung wahr, und die Identität von Maler und Malerei im Bild schließt eine geschichtsbedingte, erlittene Weltbefindlichkeit mit ein. Pollock, der eine mythische Vorstellung von der Kunst gehabt hat, konnte für eine Weile in eine restlos gereinigte Handlungseinheit mit der Malerei eintreten, konnte zum Medium einer Leistung werden. Wols ist der europäische Fall, dem das Bild zum Existenzgleichnis gerät. Wie wäre es sonst denkbar, daß er die Signatur mit seinem Geburtsdatum ergänzt, und seinen Namen, nicht das Pseudonym Wols, in ein Bild untrennbar von den gestalteten Formen der Bildzerstörung einschreibt?

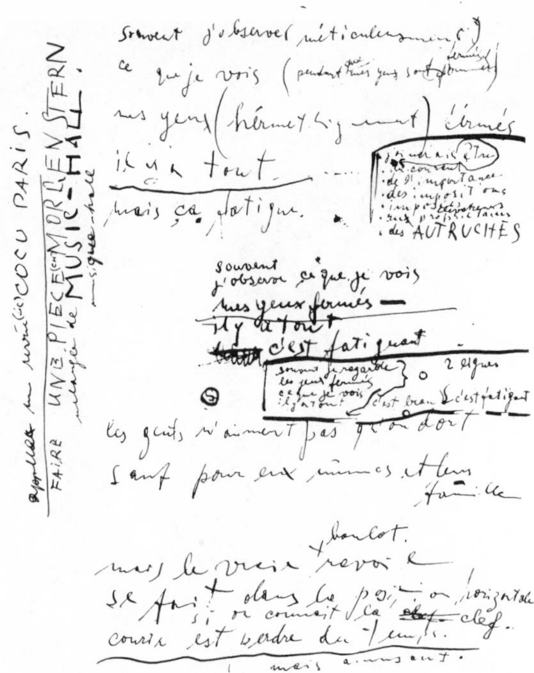

Wols, Seite aus einem Notizheft

Wols. Ohne Titel. 1947 (Kat. 336)

Der Kronzeuge für Wols ist Antonin Artaud, er stellt den Zusammenhang her mit der Gemeinschaft der Verlorenen und Verratenen: »Der Beste wird getötet, und sinnlos, wie der Augenschein lehrt. Die Beteiligten haben die Ehre, durch die Gesellschaft, und schneller als das Schlachtvieh, getötet zu werden«, notiert sich Wols ein Zitat des Dichters und fügt die Unterschriftenreihe an: Baudelaire, Poe, Rimbaud. Lautréamont, Lecomte,

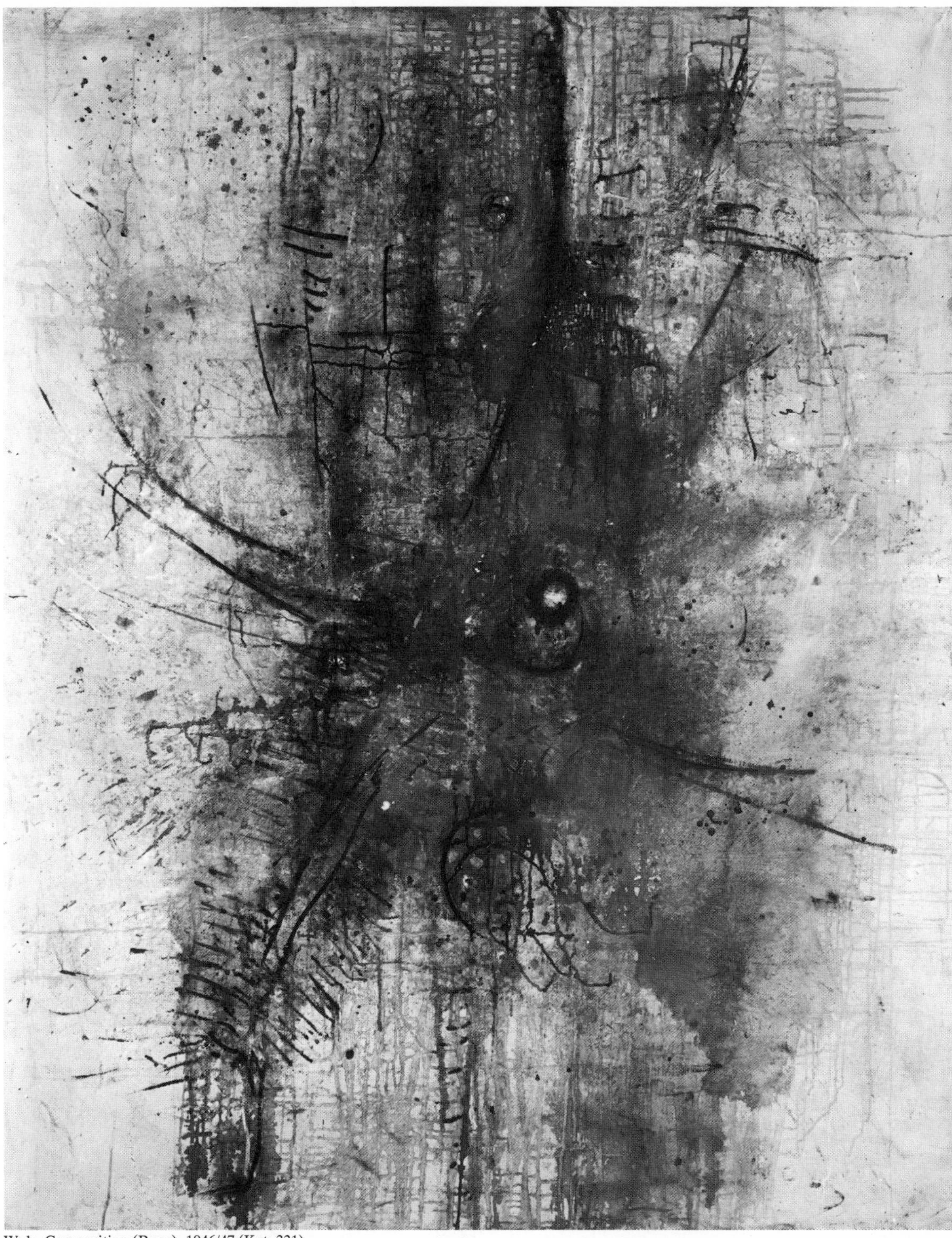

Wols. Composition (Rose). 1946/47 (Kat. 331)

van Gogh, Modigliani, Wols, Artaud, Novalis, Mozart, Shelley.

Es wird nützlich sein, Wols einmal ohne die Nachfolge für sich zu sehen. Die Überlagerungen der Rezeptionsgeschichte lassen vergessen, daß Wols bereits tot war, als die Entfaltung des Informel begann. Er ist 1951 gestorben. Die Diskussionen um die neue Kunst, das erbitterte Gefecht zwischen der geometrischen und der lyrischen Abstraktion, das wir bereits zitiert haben, begann erst danach. Mathieu, der als erster von Wols' Ölbildern, die 1947 bei René Drouin ausgestellt waren, stärkstens beeindruckt war und die Ausstellung für *das* Ereignis seit van Goghs Auftreten hielt, empfand zwar, daß jetzt alles neu zu machen sei. Aber gerade mit ihm begann schon die Inflation dieser *anderen Kunst.* Die Attitüden der öffentlichen Malaktionen und der Eintausch der hermetischen Bildschrift gegen Kalligraphie weisen den Weg in die fünfziger Jahre, als nunmehr um die öffentliche Geltung auch dieser Kunst gestritten wird, um die abstrakte Kunst als ›Weltsprache‹.

Dieser Gefahr der Veräußerung entgeht zunächst die ebenfalls in den Nachkriegsjahren sich profilierende Kunst Jean Dubuffets. Im Unterschied zu Wols, aber auch zu Fautrier, verfügt Dubuffet über eine *Strategie.* Er zieht einerseits die Konsequenz aus der erweiterten Basis der Moderne, indem er systematisch Quellenkunde der Kreativität anhand der ›art brut‹ betreibt. Zugleich aber demonstriert er die Anwendbarkeit dieser Quellen als ästhetische Konsequenz, als Reaktion durchaus im Rahmen des zeitgenössischen Umwertungsprozesses und des Überdrusses an der abendländischen Kultur. Diese wird zur Zielscheibe von Dubuffets antiautoritärer Provokation, seiner verbalen Attacken, während seine Malerei einen neuen, erst in den fünfziger Jahren tragfähig gewordenen Geschmack mit der Ästhetisierung des Häßlichen mitbegründet.

Diese *Strategie* verbindet Dubuffet mit der schon früh beginnenden Aktivität der COBRA Gruppe, deren mit nordischen Mythen und Folklore versetzter Expressionismus keinen Rückgriff meint, sondern Erneuerung und von Anfang an eine Alternative zur ›Ecole de Paris‹. Erstaunlich sind aus den frühen Jahren die Bilder von Constant. Jorns Souveränität zeigt sich erst später: Überhaupt ist man gewohnt, den malerischen Beitrag von COBRA im Zusammenhang der fünfziger Jahre zu sehen. Worauf es uns in der Ausstellung ankommt, ist der deutliche Hinweis auf diesen kruden Auftakt und auf den Kontext der nicht domestizierten Kunst in Europa am Ende, noch im Schatten des Krieges.

Antonin Artaud

Van Gogh, der Selbstmörder durch die Gesellschaft

Die reine lineare Malerei machte mich seit langem schon verrückt, bis ich auf van Gogh stieß, der weder Striche noch Formen malte, sondern Gegenstände der leblosen Natur wie in reinen Konvulsionen.
Und leblos.

Wie unter der furchtbaren Beleidigung dieser Kraft der Leblosigkeit, auf die jedermann versteckt anspielt, und die niemals so obskur geworden ist wie seit dem Zeitpunkt, als die ganze Erde und das gegenwärtige Leben sich darum kümmerten, sie aufzuklären.

Nun, es ist sein Keulenschlag, wirklich sein Keulenschlag, mit dem van Gogh unablässig alle Formen der Natur und die Gegenstände attackiert.
Von van Goghs Nagel aufgekratzt,
zeigen die Landschaften ihr feindseliges Fleisch,
die Bissigkeit der aufgeschlitzten geheimsten Winkel,
daß man andererseits nicht weiß, welch seltsame Kraft gerade dabei ist, sich zu verwandeln.

Eine Ausstellung der Bilder van Goghs ist immer ein Ereignis in der Geschichte,
nicht in der Geschichte der gemalten Gegenstände,
sondern in der geschichtlichen Geschichte schlechthin.

Wols. Das rosa Schiff. 1949 (Kat. 339)

Denn es gibt keine Hungersnot, keine Epidemie, keinen Vulkanausbruch, kein Erdbeben, keinen Krieg, der die Monaden der Luft derartig umkehrte, der finsteren Gestalt der Fama fatum, dem neurotischen Schicksal der Dinge derartig den Hals umdrehte,
wie ein Gemälde van Goghs – ans Tageslicht gebracht, dem Blick,
Gehör, Tastgefühl,
Geruch direkt wieder ausgesetzt,
auf den Wänden einer Ausstellung –
schließlich neu in die geläufige Gegenwart geschleudert, in den Kreislauf wiedereingeführt.

All die bedeutenden Leinwände des unglücklichen Malers werden in der letzten van-Gogh-Ausstellung im Palais de l'Orangerie nicht gezeigt. Aber unter denen, die da sind, gibt es genug rotierende Schluchten, übersät mit karminroten Pflanzenbüscheln, von einer Eibe überragte Hohlwege, violette Sonnen, die über Korngarben aus purem Gold wirbeln, Père Tranquille und van-Gogh-Porträts von van Gogh,
um daran zu erinnern, aus welch schäbiger Einfachheit der Gegenstände, der Personen, der Materialien, der Elemente, van Gogh diese Art Orgelgesänge, diese Feuerwerke, diese atmosphärischen Epiphanien, kurz: diesen ›Stein der Weisen‹ einer ewigen und überstürzten Transmutation extrahiert hat. (...)
Und ich weiß von keiner apokalyptischen, hieroglyphischen, gespensterhaften oder pathetischen Malerei, die mir, mir solch ein Gefühl okkulter Erdrosseltheit vermittelt, eines Kadavers von unnützem Hermetismus, dessen Kopf geöffnet ist und der auf dem Richtblock sein Geheimnis von sich gibt.

Ich denke dabei nicht an den Père Tranquille oder an diese sonderbare Herbstallee, wo, als letzter, ein krummer alter Mann entlanggeht, der einen Regenschirm am Ärmel aufgehängt hat gleich dem Haken eines Lumpensammlers.

Ich denke an seine Krähen, deren Flügel so schwarz sind wie glänzende Trüffel.

Ich denke an sein Kornfeld: Ähre an Ähre, und alles ist gesagt,
und davor ein paar kleine Klatschmohnköpfe, so leidlich ausgesät, herb und nervös dort aufgetragen, dünngesät, absichtlich und wütend hingetüpfelt und zerfetzt.

Nur das Leben kann solche epidermischen Entblößungen bieten, die unter einem aufgeknöpften Hemd sprechen, und man weiß nicht, warum der Blick eher nach links als nach rechts, zum Hügel gekräuselten Fleisches neigt.

Aber so ist es und das ist eine Tatsache.

Aber so ist es und damit basta.

Postskriptum

Was van Gogh betrifft, Magie und Zauberei, all die Menschen, die seit zwei Monaten durch die Ausstellung seiner Werke im Orangerie-Museum defilieren – erinnern sie sich wirklich an alles, was sie getan haben und was ihnen jede Nacht der Monate Februar, März, April und Mai 1946 zugestoßen ist? Könnte da nicht ein gewisser Abend gewesen sein, an dem die Atmosphäre der Luft und der Straßen wie flüssig, gelatinös, unbeständig wurde und an dem das Licht der Sterne und des Himmelsgewölbes verschwand?

Und van Gogh war nicht dort, er, der das Arles-Café gemalt hat. Aber ich war in Rodez, das heißt, immer noch auf der Erde, wogegen alle Bewohner von Paris während einer Nacht das Gefühl gehabt haben müssen, sie stünden kurz davor, sie zu verlassen.

Und geschah dies nicht deshalb, weil sie einstimmig an gewissen allgemeinen Sauereien beteiligt waren, wo das Bewußtsein der Pariser die normale Ebene für ein oder zwei Stunden verließ und zu einer anderen überging, zu einer jener massiven Entfesselungen des Hasses, deren Zeuge – und mehr als das – ich so viele Male während meiner neun Jahre der Internierung gewesen bin. Nun ist der Haß vergessen, ganz wie die nächtlichen Säuberungen, die folgten, und dieselben, die so viele Male der ganzen Welt ihre gemeinen schweinischen Seelen enthüllt haben, defilieren heute vor van Gogh, dem sie oder ihre Väter und Mütter zu seinen Lebzeiten den Hals so gründlich umgedreht haben.

Aber ist nicht an einem jener Abende, von denen ich rede, am Boulevard de la Madeleine, an der Ecke der Rue des Mathurins, ein gewaltiger weißer Stein herabgefallen, als entstammte er einer gerade abgeklungenen vulkanischen Eruption des Vulkans Popocatepetl?

Georges Limbour zur Ausstellung Wols, Galerie René Drouin, Mai–Juni 1947 in: Action, 13. Juni 1947

Teufel und Engelchen

Man erzählt, daß Luther, um den Teufel zu bezwingen, der gekommen war ihn zu ärgern, ihm eines Tages sein Tintenfaß an den Kopf warf. Das Fläschchen zersprang an der Wand, der Inhalt spritzte nach allen Seiten und die düsteren, dämonischen Flecken verteilten sich und tropften schließlich, besänftigt, langsam zu Boden.

Man zeigt – so heißt es – dem Besucher in Augsburg noch immer diesen Klecks des Jähzorns, der seit dem dramatischen Wurf schon einige Male erneuert wurde. Stelle Dir – lieber Leser – wer Du auch immer sein magst, der Du an den Teufel glaubst oder auch nicht, vor, daß wir dem stürmischen Entstehen dieses Kleckses beiwohnen. Wir beobachten zuerst, daß das bespritzte Feld, die Vervielfältigung und Feinheit der Faserung der Kraft des Wurfes entsprechen und deutlich Tat und Gefühl ausdrücken. Wir stellen weiter fest, so glauben wir, die Abwesenheit des Teufels.

Aber es dauert nicht lange, und wir hören ihn hinter der Mauer höhnisch kichern. Diese Art ihn zu vertreiben hat also nur dazu gedient, ihn sich für immer dort einnisten zu lassen. Wir erkennen schließlich, daß man den Klecks zu sorgfältig erneuert hat und daß diese peinlich und ängstlich genaue Arbeit – da doch der Wurf prompt und kühn war – ihm seinen spontanen, instinktiven und stürmischen Charakter genommen hat: Es wäre besser gewesen, die Mauer abzuwaschen, abzukratzen, sie neu zu streichen und dann vom anderen Ende des Zimmers ein Fläschchen Watermann-Tinte zu werfen, dieses Mal nicht mehr an den Kopf des Teufels, sondern auf die schwachsinnigen Besucher.

Es gibt einen Maler, der seine Dämone auf Luthersche Art und Weise verjagt, indem er ihnen seine Malerei an den Kopf wirft. Nur: er sieht den Augenblick, in dem ihn die Wut überkommen wird, voraus und stellt an der Stelle, an der sich die Erscheinung zeigen wird, sorgfältig eine Leinwand auf, die den exorzistischen Wurf auffangen soll. Dieser Maler heißt Wols. Ich habe letztes Jahr von seinen winzigen Aquarellen gesprochen; dieses Jahr ist er zur Ölmalerei im Großformat übergegangen. Es scheint, als ob einige der Leinwände nicht direkt mit dem Pinsel in Berührung gekommen wären (der »Pinselstrich« des Malers), sondern daß sie aus der Entfernung entstanden sind, durch einen mit mehr oder weniger Elan und mehr oder weniger Glück geworfenen Farbstoff. Man sieht, daß der Zufall hier zur Teilnahme eingeladen ist. Diese Art der Projektion ist eine Herausforderung, aber an wen ist sie gerichtet? Ich habe von Dämonen gesprochen. Bleiben wir bei dieser ungenauen Bezeichnung. Wir haben gesehen, daß Luthers Tintenfaß den Teufel auffordert, für immer dazubleiben, anstatt ihn zu verjagen. Die Bilder von Wols beschwören so, durch die Beleidigung, die Dämonen, und sind sogar in gewisser Weise Fallen für Dämonen.

Schade, daß wir nicht genau wissen, um welche Dämonen es sich handelt, das ist das Störende dabei. Um die Dämonen des Unbewußten? . . . Manchmal übrigens ist es genau umgekehrt: man könnte glauben, daß es der Dämon selbst ist, der seine Absonderungen auf die Leinwand projiziert; er räuspert seinen Feuerhals, wirft seine mächtige Spucke aus und seinen purpurnen Schleim, die sich wütend an die Leinwand kleben. Sogleich macht sich nun der Künstler selbst über die frischen Spritzer her und kratzt, z. B. mit Hilfe einer Nadel und zerreibt die Kleckse.

Er macht noch allerhand Dinge, dieser Wols, aber begnügen wir uns damit, diese Merkmale aufzuzeigen. Man sagt, er malt nicht abstrakt. Nun gut! und tatsächlich, es gibt Dämonen, selbst wenn sie nicht direkt zu sehen sind. Sagen wir also, es handelt sich um abstrakte Teufelei.

Jean-Paul Sartre

Über Wols

Mehr als jeder andere sich selber treu, hat er mir doch deutlicher als sonst jemand die Wahrheit jenes »Ich, das ist ein anderer« zum Bewußtsein gebracht. (. . .)

Klee ist ein Engel, Wols ein armer Teufel. Der eine erschafft die Wunder dieser Welt oder vollzieht sie nach, der andere erfährt ihren wunderbaren Schrecken. Das einzige Unglück des ersteren entspringt seiner glücklichen Natur: das Glück bildet seine Grenze; das einzige Glück des letzteren wird ihm aus der Fülle seines Mißgeschicks zuteil: das Unglück ist grenzenlos. (. . .)

Als Mensch und Marsbewohner zugleich bemüht sich Wols, die Erde mit außermenschlichen Augen zu sehen:

das ist seiner Meinung nach das einzige Mittel, unsere Erfahrung universell gültig zu machen. Die unbekannten, allzu bekannten Dinge, die jetzt in seinen Bildern auftauchen, würde er bestimmt nicht ›abstrakte Gebilde‹ nennen, denn für ihn sind sie ebenso konkret wie die seiner ersten Darstellungsweise, und das ist nicht verwunderlich: es sind dieselben, nur umgekehrt. Zum Beispiel hat er das Sich-Emporrecken seiner einsamen Menschenmassen beibehalten; nur recken sich jetzt keine Menschen mehr empor, sondern unnennbare, streng individuierte Substanzen, die nichts und niemanden symbolisieren und allen drei Reichen der Natur zugleich oder vielleicht sogar einem vierten, bisher unbekannten, anzugehören scheinen. Dennoch gehen sie uns an: als grundsätzlich *andere* enthüllen sie uns – nicht unser Leben, nicht einmal unsere Materialität, sondern – unser nacktes Sein, das von außen (von wo nur?) rücksichtslos, wie etwas Fremdes, Abstoßendes, aber dennoch als das unsere gesehen wird; unmöglich, es anzuschauen, ohne Schwindel zu empfinden, dieses Sein, das wir sind, und das in ihnen eingefangen ist wie ihr eigenes Sein.

Wols mit seinem Hund, Champigny-sur-Marne, Aug. 1951

Jean Dubuffet

Plauderei
(geschrieben für den Katalog ›Portraits‹, Galerie René Drouin 1947)

Ich habe kein Interesse an Kuchen, ich habe Interesse an Brot. Hin und wieder mal ein Kuchen – da sage ich nicht nein. Aber nur einen kleinen, maßvollen Kuchen, höchstens ein Brioche, das sich noch seines Mehls und seines Backtrogs erinnert. In Paris läßt man nur schwer gelten, daß ein Herr so exzentrisch sein kann, lieber Brot als Kuchen zu mögen. Man glaubt, er tue das vielleicht, um sich wichtig zu machen, um auf sich aufmerksam zu machen. Oder eher noch, um sich einen Scherz zu erlauben. Man hat in Paris sehr große Angst vor dem Scherz. Man ist ständig damit beschäftigt, aufzupassen, daß man nicht verulkt wird.

Wenn man anfinge, lieber Brot als Kuchen zu mögen, schadete man den Konditoren, aber ich würde sagen nicht nur den Konditoren, sondern auch Einrichtungen wie zum Beispiel den Museen, den Kunsthändlern, den Kunstkritikern und anderen, die geradezu eine pariserische Spezialität sind, von der viele Leute leben. Man kann nämlich Kuchenmuseen machen, aber keine Brotmuseen, denn Brot ist etwas ganz gewöhnliches und alles in allem fast immer gleich, und von wenig unterschiedlichem Aussehen. Über das Galagebäck und die schönen, für das Hochzeitsessen aufgebauten Torten kann man endlos reden und streiten. Man kann Konferenzen einberufen, Klüngel bilden, sogar Dienstreisen finanzieren. Aber von dem Moment an, wo die Menschen anfingen, diese Idee zu übernehmen – ich meine, meine lächerliche kleine Scherzidee, daß ein beliebiger Bäcker vom Lande mehr von all dem versteht, als all diese Kenner mit den hohen Bäckermützen – würde das ihrem Beruf Arbeitslosigkeit bescheren.

Denken wir auch an alle jene, die zum Stückpreis von einer Million Mokkatorten und Rumkuchen mit Mandeln gekauft haben, die diese hohen Würdenträger des Grand Collège eigenhändig hergestellt und mit ihrem Siegel und Namenszug versehen haben. Es ist nur natürlich, daß eine solche Mode, ich meine eine Brotmode, ihnen nicht gefallen würde. Vergessen wir nie den peinlichen Zusammenbruch der Zylinder, als man begann, die Baskenmütze aufzusetzen!

Ich möchte diese Ausstellung von bedeutungslosen Bildern auch eher verheimlichen. Wie Sand im Wind sei dieses kleine Vorwort, und nicht im mindesten beharrlich. Wind, mein Freund, alles für dich!

Man legt auf alles sehr viel Gewicht heutzutage. Man sagt meist alles, hat immer Angst, nicht genug zu sagen.

Jean Dubuffet.
Der zottige Dhotel
mit gelben Zähnen.
1947 (Kat. 312)

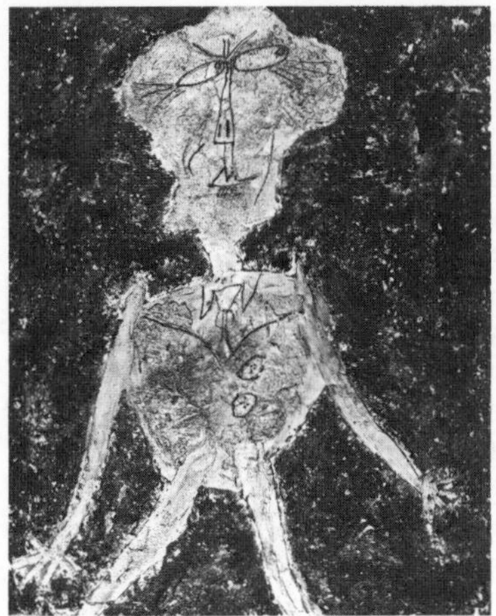

Jean Dubuffet.
Herr Plume, botanisches Stück. Porträt Henri Michaux.
1946 (Kat. 309)

Jean Dubuffet.
Michel Tapié als
Sonne. 1946
(Kat. 307)

Man beachtet nicht, daß, wenn man eine Sache benennt, sie dadurch wie von einem Sonnenbrand versengt wird. Es gibt Menschen, die nicht genügend Sinn für dieses Phänomen haben. Also gehen sie ohne Umschweife darauf los und sind sehr zufrieden, daß sie die Sache erkennen. Sie sagen, sehen Sie, diese Blume da, das ist eine Dahlie. Daraufhin errötet die Dahlie, verbrennt, und futsch ist die Dahlie. Sehen Sie schnell, so rufen sie, eine Schnecke! Und sofort ist die Schnecke weg. Auf der Stelle versengt! Verbrannt! Wenn sie ein bißchen herumgekommen sind, hinterlassen sie eine wahre Wüste.

Ich muß trotzdem einfach ein kurzes Wort zu meiner verblichenen Jacke, die mir Chaissac gegeben hat, sagen. Was wollen Sie auch sonst in einem Vorwort sagen, außer Sie schütten darin ein bißchen ihr Herz aus? Ich interessiere mich für schöne Kleider, ich bin gerne gut angezogen. Wenn ich ein schönes Kleidungsstück sehe, ein wirklich schönes, wirklich interessantes Stück, das würde ich zu jedem Preis kaufen. (Ich bin sehr reich). Häufig streife ich so durch Billancourt und durch Aubervilliers, auf der Suche nach schönen Stücken. Aber meistens lehnt man es ab, sie mir zu verkaufen. Da kann ich einen noch so hohen Preis bieten, die Leute halten es für einen Scherz, für einen Ulk. Sie halten es für unmöglich, daß man soviel Geld für gewöhnliche Arbeitskleidung aus gewöhnlichem Stoff, die auch noch sehr abgetragen ist, bezahlt. Sie glauben, nur Jacketts aus Shetlandwolle mit Halbgürtel hätten einen Wert, und die anderen nicht, oder nur im Scherz. Es ist Chaissac, der mir beigebracht hat, wie man sich gut anzieht.

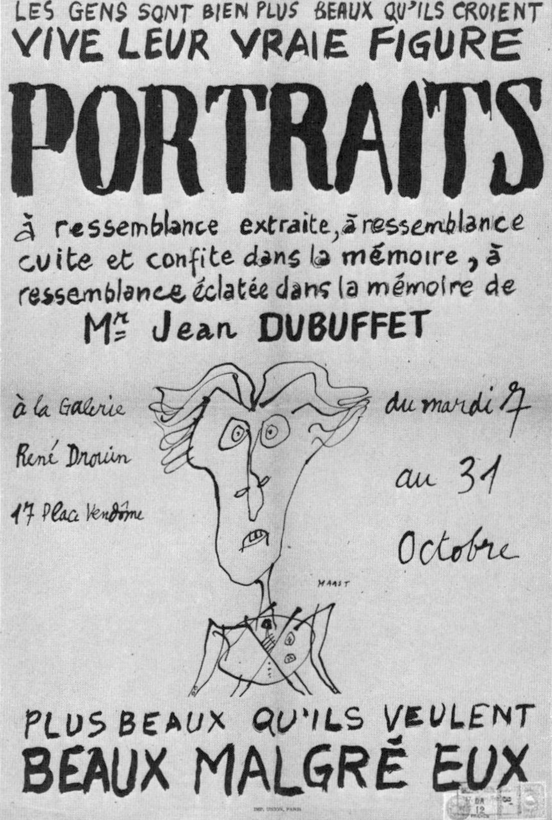

Jean Dubuffet, Plakat zur Ausstellung ›Portraits‹ in der Galerie René Drouin, Paris, 7.–31. Okt. 1947

Die Menschen haben über alles Mögliche solche festen Meinungen, und man bringt sie zum Lachen, wenn man andere Ansichten auch nur als möglich hinstellt. Ich finde zum Beispiel Menschen schön, die gewöhnlich nicht schön gefunden werden. Gewöhnlich wird man zum Beispiel ein Mädchen schön finden, wenn es lockige Haare, kleine, schön regelmäßige Zähne, keine Pickel im Gesicht, saubere Fingernägel, kein Ungeziefer und anderes mehr hat. Nun, all das interessiert mich nicht besonders. Es stört mich nicht, wenn sie Pickel hat. Ich bin nicht mehr gegen Pickel als für Pickel. Es kommt darauf an. Komische Nasen, große Münder, kreuz und quer gewachsene Zähne, Haare in den Ohren, gegen all das habe ich nichts. Ältere Menschen erscheinen mir auch nicht unbedingt schlechter als jüngere. Übertriebene Fettleibigkeit (vor allem die übertriebene), Verzerrungen, Grimassen, Falten und die tolldreisten kleinen Faltentänze, das kleine Theater der Grimassen und Verzerrungen, all das liebe ich sehr. Und die Menschen, die einen Stern oder einen Strauch oder auch die Karte eines Flußbetts quer über dem Gesicht haben, interessieren mich mehr als aller Griechenkram, und ich finde nicht, daß eine Baby-Eiche unbedingt hübscher sein muß als eine alte Eiche, und eine doofe kleine Regatta-Yacht interessiert mich nicht so sehr wie ein dreckiger alter Fischkutter voller Kabeljau. Genau diese Ideen können jedoch Leute wie Herr René Huyghe nicht verdauen. Herr René Huyghe ist ein Vortragsredner, der auch gleich noch Museumswärter ist (eines Museums eben für Griechenkram, Post-Griechenkram und Neo-Griechenkram). Er kann nicht ruhig in seinem Kämmerchen bleiben, wenn er von solchen Ansichten reden hört, das ist, als wäre ihm eine Feder seines Sessels in den Hintern gesprungen. Er muß sich dann unbedingt sofort auf den Balkon stürzen und eine feierliche Ansprache halten, um die Öffentlichkeit darauf aufmerksam zu machen, daß sie einem Scherz aufsitzt. Er ist einer von jenen Herren, die das geringste Anzeichen von Verulkung schon meilenweit vorausriechen.

Es heißt, eine Ausstellung von Portraits sei nicht interessant. Das ist, als würde man sagen, eine Ausstellung von Landschaften sei nicht interessant. Ich sehe nicht, warum das Gesicht eines Herren weniger interessant sein soll, als andere Landschaften. Ein Herr, die physische Erscheinung eines Herrn, ist eine kleine Welt genau wie eine andere auch. Sie ist eine Landschaft mit Orten und Vororten und Jahrmärkten, mit Feldern und urtümlichen Wäldern, mit fauligen Tümpeln und wenig belebten Steilhängen, und es hat ein ganzes wimmelndes Leben darin Platz, wie in jeder anderen Gegend auch. Es gibt Züge, die abfahren, und Züge, die ankommen, es gibt sich drehende Winde, es gibt Sonnenschein und es gibt Stürme. Man kann eine schöne Sommerfrische in

Jean Dubuffet. Antonin Artaud mit Haarbüscheln. 1947 (Kat. 314)

dem Gesicht eines Herrn verbringen, ein bißchen dort verweilen, darin herumspazieren und herumreisen. Es ist genauso gut wie das Engadin oder die Bretagne. Das Engadin ist eine sehr interessante Zirkusnummer, und die Bretagne auch, aber auch die physische Erscheinung des Herrn Peter, oder des Herrn Paul oder Hans sind Zirkusnummern.

Früher hatte ich eine Wirtin, die die Ansicht vertrat, daß ein Kunstwerk, um besonders künstlerisch und wirklich schön zu sein, und wirklich bedeutend, traurig sein müsse. Sie sagte, daß die schönsten Theaterstücke, die schönsten Gedichte und die schönsten Musikstücke immer die traurigsten wären, aber ich war in diesem Punkt nie ihrer Ansicht.

In meinen Portraits gebe ich meinen Gestalten, soweit es nur möglich ist, gerne einen kleinen festlichen Ausdruck. Was mich interessiert, ist natürlich das jedem eigene Fest, die persönliche Variante von Fest, aber um die Wahrheit zu sagen: nein, ich habe nicht sehr ausgeprägt das Gefühl, daß jeder so besonders wäre. Ich habe eher das Gefühl, daß es eine kleine Melodie gibt, die von überall her die ganze Welt durchzieht. Und diese Musik ist nicht nur in den Gesichtern der Menschen, sondern ebenso in den Bäumen, in den Wolken, den Gewässern und im Wind. Und es ist die Stimmung dieses Festes, die ich meinen Gestalten vor allem gerne gebe. Ich glaube sehr wohl, daß das summarische und ungestaltete Portrait, in dem aber trotzdem ein wenig von jener Musik klingt, mir einen besseren Dienst tut als das allereifrigste, dem diese kleine Stimmung fehlt. Im übrigen ist es mir ziemlich egal, ob man das für bedeutende oder unbedeutende Kunst hält. Unbedeutend: das gefällt mir sehr gut. Ich bin sogar gerne unbedeutend. Kleine, unbedeutende Kunst, gerade gut, um sie in den Wind zu werfen, die liebe ich vor allem. Nichts für meine Wirtin. Nichts für Herrn René Huygne.

Wenn man mir von bedeutenden Dingen beziehungsweise unbedeutenden Dingen, oder auch von fröhlichen beziehungsweise traurigen Dingen, oder auch von Dingen, die gut sind, und Dingen, die schlecht sind, spricht, so verstehe ich diese Terminologie überhaupt nicht. Ich finde nicht, daß eine Wiese schlecht daran tut, eine Wiese zu sein, und die Wolke gut daran, eine Wolke zu sein, und daß die Schlange Pech hat damit, daß sie keine Füße hat, und der Tausendfüßler damit, daß er zu viele hat, und ich finde auch nicht, daß die Vorstellung, die der kahle Baum bietet, weniger lustig oder weniger schön ist, als die des blühenden Baumes.

Damit ich ein Portrait gut gebrauchen kann, dürfen für mich die Züge der Persönlichkeit nicht zu festgelegt sein. Und schon gar nicht markant, im Gegenteil, eher unauffällig. Sogar verschwiegen. Die geheimnisvollen Dinge, die keiner gebrauchen kann, die sind interessant, und so gut gegen Diebstahl versichert, denn gleichzeitig wenn man sie verliert, kann der, der sie findet, nichts mit ihnen anfangen. Mit einem Wort, sie sind gut verschlossen. Ich schließe sie dreimal ab, meine Portraits. Danach kann ich sie auf die Eisenbahn geben, ohne daß sie mir gestohlen werden.

Maast kennt einen Text von einem chinesischen Philosophen, der sagt, daß es in der Natur der Erde liegt, die Dinge zu erschaffen, und in der Natur des Himmels, sie wieder zuzudecken, aber allein in der Natur des Menschen, beides auf einmal zu tun: zu erschaffen und wieder zuzudecken. Ich glaube, oft erfindet er all seine chinesischen Philosophen.

Wenn ich von einem Portrait spreche, das ich gebrauchen kann, dann meine ich damit eins, das ich in meinem Zimmer gegenüber dem Bett zwanzig Jahre lang hängen haben kann, ohne daß es jemals aufhört, zu leben und mich zu interessieren, ohne daß seine Batterien leer werden, ohne daß es aufhört zu funktionieren. Solche Bilder sind selten, Bilder, an die man sich halten kann, wie ein Jäger an seinen Hund, wie ein Trinker an seinen Wein. Ein Bild, das so lange funktioniert, gelingt einem nicht oft. Oft ist es nicht einmal ein Berufsmaler, dem eins gelingt, es kann auch zufällig mal ein ganz beliebiger Typ sein. Vielleicht ist es einer, der es zum ersten Mal versucht, ohne sich groß anzustrengen.

Ich habe bemerkt, daß, damit ich ein Portrait gebrauchen kann, es vor allem mit Leben erfüllt sein muß, mit einem kleinen eigenen Bilderleben, wie ein Baum, wie ein junger Hund. Das ist es, was ein Bild brauchbar macht, und absolut nicht die Unart, daß man es vollstopft mit dokumentarischen und topographischen Angaben über bestimmte Züge jener fraglichen Gestalt, etwa über ihre dicken oder gewölbten Augenbrauen, über ihr fettes Kinn, über ihren Haarschnitt usw. Von diesen Angaben hat es immer genug, in dieser Richtung braucht man nicht zu suchen. Mit ihnen hindert man eher das Portrait daran, zu funktionieren, man versperrt ihm die Wege, engt das Feld ein. Interessant sind nur die Wege, deren Ziel man nicht kennt, die Löcher, deren Grund man nicht sieht, die Rauchschwaden, die den Hintergrund verdecken. Diese Bilder erlauben einem, in ihnen große Spaziergänge zu machen, und niemals die gleichen. Die Portraits, die einen zwingen, immer denselben Spaziergang zu machen, kann ich nicht leiden. Ich liebe die Gärten, in denen man nach Lust und Laune herumstrolchen kann, ich kann es nicht leiden, wenn der Gärtner mir Kurven und Ovale darin gezogen hat, die mich nach zwei Tagen zu Tode langweilen. Ich liebe es, wenn der Gärtner seine Hand nicht zu sehr spüren läßt. Vor allem, daß er Brombeersträucher darin stehen läßt. Viele Brombeersträucher.

Im Allgemeinen braucht ein Portrait viel Allgemeines, und sehr wenig Spezifisches. Gewöhnlich tut man zu viel Spezifisches hinein, immer zu viel. Maast sagt, daß das Portrait von Herrn Dubois, bevor es Herrn Dubois ähnlich sieht, erst einem Menschen ähnlich sehen muß. Er sagt, daß in vielen Portraits, die man gewöhnlich sehen kann, vergessen wurde, zuerst einen Menschen zu machen, und ihm Leben zu verleihen, bevor man sie Herrn Dubois ähneln läßt. Was will man mit so einem Portrait anfangen? Es funktioniert überhaupt nicht.

Natürlich muß man auch ein bißchen dokumentarische Angaben über die besonderen Eigenheiten des Herrn Dubois hineinbringen, ohne die es ja kein Portrait mehr wäre. Aber erst ganz zum Schluß, an letzter Stelle und sehr vorsichtig. Es ist so wenig wichtig für den Fall des Herrn Dubois, ob er so eine oder so eine Nase hat, ob sein Knie rund ist oder spitz, ob sein Hals länger ist, ob er einen Zahn mehr oder weniger hat, ob er Haare hat oder keine – man widmet diesen Dingen immer viel mehr Aufmerksamkeit, als sie verdienen. Die Menschen ähneln einander so sehr!

Damit ein Portrait für mich wirklich funktioniert, darf es kaum ein Portrait sein. An der Grenze zum Nicht-Mehr-Portrait. Denn erst dann funktioniert es wirklich gut. Ich liebe es sehr, wenn die Dinge bis an ihre äußerste mögliche Grenze getrieben werden.

Auch bei einem Gemälde liebe ich es, wenn es an der Grenze zum Nicht-Mehr-Gemälde ist. Der Schwan singt erst in dem Moment, in dem er verschwindet.

Wenn man dieses Phänomen nicht sehr gut kennt, ist man geneigt, genau das Gegenteil zu tun; man will dann das, was man entdeckt hat, ganz besonders deutlich zeigen, also unterstreicht man, stellt heraus, reibt unter die Nase, redet und redet! Und je mehr man hineinpackt, desto weniger kommt heraus. Nadeln darf man nur in Heuhaufen verstecken! Man muß sie riskieren.

Erst wenn man die Sachen riskiert, fangen ihre verborgenen Qualitäten an zu singen. Ich riskiere unheimlich gern Sachen, die ich gern habe. Schließlich verklärt sich so ein Ding immer erst dann, wenn es schon fast verloren ist. Wenn ich Freundschaft für jemand empfinde, dann riskiere ich diese Freundschaft immer ganz besonders (damit sie ganz besonders laut singt). Bei einer richtig soliden Schnur springe ich mit hundert tollen Faxen über sie drüber und hänge, damit ich so ganz spüre, was Solidarität ist, und vor allem, was eine Schnur ist, mich hinterher gern an ihr auf.

Zum Streitpunkt, ob man eine Person sehr gut und sehr lange kennen muß, um ein gutes Portrait von ihr zu machen, weiß ich nicht, was sagen. Wenn man sie sehr wenig gesehen hat, erscheint sie als ein ganzes Fragenfeld, als Brunnen ohne Grund. Wenn man sie dann öfter getroffen hat, glaubt man klarer zu sehen, und dann täuscht man sich am meisten. Wenn man sie noch besser kennt, entdeckt man mehr und mehr Eigenarten an ihr und einmalige Besonderheiten, bis hin zu dem Punkt, wo man fast alle überhaupt denkbaren Eigenarten an ihr entdeckt, sogar die, die sich untereinander widersprechen, aber das macht nichts, das heißt nur, daß die ganze Geschichte nicht so einfach ist, wie man einen Augenblick lang geglaubt hatte, und daß man eben noch nicht weiter gekommen ist als bis zur ersten Sprosse, und schon ist das ganze Fragenfeld wieder da und auch die Brunnen, von denen wir oben sprachen, nur daß sie jetzt noch tiefer sind.

Es ist mir aufgefallen, daß Maast die Dinge nicht lange betrachtet, sondern vielmehr oft. Sogar sehr oft, aber niemals lang. Er ist immer mit dem Blick unterwegs. Ich glaube, er macht das, weil der Blick sich beschlägt, sobald er sich irgendwo aufhält, Gifte sondern sich ab, die ihn ganz schnell zersetzen, und gewinnbringend kann man überhaupt nur kurz irgendwo hinschauen. Dafür sollte man die Sachen allerdings oft anschauen, und jedesmal den Blickwinkel wechseln, nie zweimal unter demselben Blickwinkel. Sie einmal von oben, einmal von unten streifen, und einmal von der Seite – besonders von der Seite. Malcolm de Chazal rät dem Maler, »Seitenblicke« aufs Bild zu werfen. Auf die Sachen natürlich auch.

LES GENS SONT BIEN PLUS BEAUX QU'ILS CROIENT
VIVE LEUR VRAIE FIGURE
à la Galerie René Drouin
17, Place Vendôme
PORTRAITS
à ressemblance extraite, à ressemblance cuite et confite dans la mémoire, à ressemblance éclatée dans la mémoire de
Mr Jean DUBUFFET
PEINTRE
DU 7 AU 31 OCTOBRE 1947
CAUSETTE

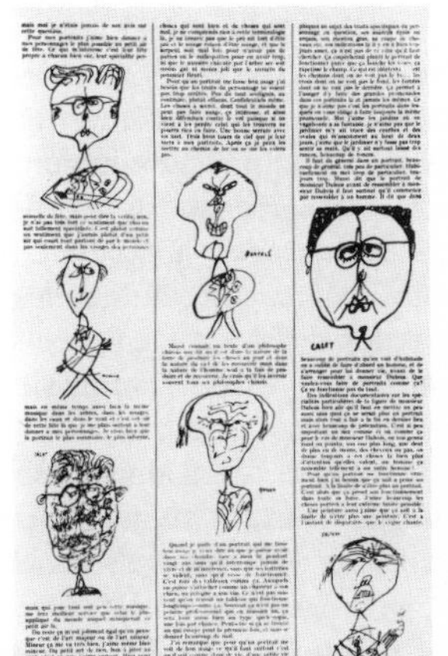

PLUS BEAUX QU'ILS VEULENT
CATALOGUE
PEINTURES
DESSINS
(Hors programme)
L'ARBI
BEAUX MALGRÉ EUX

Jean Dubuffet, Katalog zur Ausstellung ›Portraits‹ in der Galerie René Drouin, Paris, 7.–31. Okt. 1947 (vgl. Kat. 307–316)

Michel Tapié

Un art autre

Es kann heute keine Kunst geben, außer sie ist verblüffend: Während alles aufgeboten wird – aus den besten und schlechtesten Gründen – um die Kunst zu erklären, sie zu popularisieren und sie uns schmackhaft zu machen als wohlvertraute Ergänzung unseres täglichen Lebens, wissen die Schöpfer, die dieses Namens würdig sind, sehr wohl, daß es ihnen nicht möglich ist, ihre unverzichtbare Botschaft außerhalb des Ungewöhnlichen, des Paroxysmus, des Magischen und der totalen Ekstase zu übersetzen. Darum wird hier niemals die Rede sein von Arbeiten, die einzig in der Ästhetik wurzeln, da diese nicht mehr ist als ein Vorwand für eitle Forderungen, als ein zweifelhaftes Alibi für Talentübungen ohne die mindeste Notwendigkeit.

Es soll auch nicht die Rede sein von den Künsten des Vergnügens, welche übersinnliche Bedeutung man dem Wort Vergnügen auch geben kann, die Ästhetik einbegriffen – so hochgezüchtet, so vergewaltigt sie auch sei: Die Kunst wird woanders ausgeübt, draußen, auf einer anderen Ebene dieser Wirklichkeit, die wir anders wahrnehmen; die Kunst ist anders. Die klügsten Sammler wissen das sehr wohl, diejenigen, die ihre Bilder nicht an die Wände hängen, weil sie finden, daß das dekorative Schicksal, das den »aufgestellten« Bildern gewährt wird, unwürdig ist des wirklichen Kunstwerkes mit allem, was es an Mysteriösem und Außergewöhnlichem und total Nutzlosem – verglichen mit all den Funktionalismen, die es gibt oder geben könnte – in sich trägt (...).

Der Weg der Kunst stellt sich jetzt nämlich dar wie der mystische Glaubensweg für den heiligen Johannes vom Kreuz: schroff und ohne jeden Trost, wie zweitrangig er auch sei. Seit Nietzsche und Dada stellt sich die Kunst dar als das unmenschlichste aller Abenteuer, vom Anfang bis zum Ende: Nur das Werk, das dieses Namens würdig ist, rechtfertigt die Pioniere von heute, und was es mit sich bringt, hat nicht viel zu tun mit Vergnügen, sondern viel eher mit der schwindelerregendsten Prüfung, die einem Menschen je zu ertragen aufgegeben war, nämlich sich über sich selbst zu beugen, ohne jedes Geländer. Um diesen Preis werden nicht wenige scheinbar unwandelbare Begriffe in Frage gestellt, wenn sie nicht gar ein für alle Mal hinweggefegt werden.

Man kann sagen, daß seit dem Impressionismus diese Begriffe von Schönheit, Form, Raum und Ästhetik mehr oder weniger in Frage gestellt worden sind, aber bis heute hatten die aggressiven Werke diese Begriffe schlecht behandelt, indem sie ihnen den Rücken kehrten, sie angriffen, sie sogar leugneten, in jedem Fall aber sich gegen sie richteten (was immer noch eine Form ist, sie zuzugeben). Die Werke von heute existieren *außerhalb* dieser Begriffe, in einer totalen Gleichgültigkeit ihnen gegenüber, so, als wisse man nichts von ihnen, als wären sie niemals gewesen. Dada war der große Einschnitt. (...)

Es ist schon zu lange her, daß die Form jede Zukunftshoffnung verloren zu haben schien, unauflöslich mit dem Schicksal des Formalismus verknüpft wie sie war. Das Leben ist ihr so fremd geworden, die Ausdruckskraft so unvereinbar, daß die Bildhauer selber – selbstverständlich die, die in der Plastik alle Angebote des heutigen Abenteuers ausleben wollen – mit allen Mitteln versuchen, sich *anders* auszudrücken als durch sie: die Maler, mit der offensichtlichen Freiheit einer Technik, die auf neuen Wegen bis ins Unendliche multiplizierbar ist, handeln wissentlich ohne sie, in einer Formlosigkeit, die sich gegenüber dem gewöhnlichen Imperativ der Form mit der größten Ungeniertheit und der fruchtbarsten Anarchie verhält. Der Westen entdeckt endlich das Zeichen und bricht aus in die Vehemenz einer transzendentalen Kalligraphie, einer Über-Bedeutung, die vom grausamen Schwindelgefühl eines künftigen reinen Zustandes trunken ist.

Aber im infernalischen Rhythmus der heutigen Epoche, in der die Serien sich schnell abnutzen, kann nur die *Doppeldeutigkeit* die Kunst retten vor den akademischen Fallen, die unerbittlich verbunden sind mit der Gewohnheit, die uns jedes Abenteuer, wie belebend anarchisch es auch am Anfang hätte sein können, in Unterricht verwandeln will. (...)

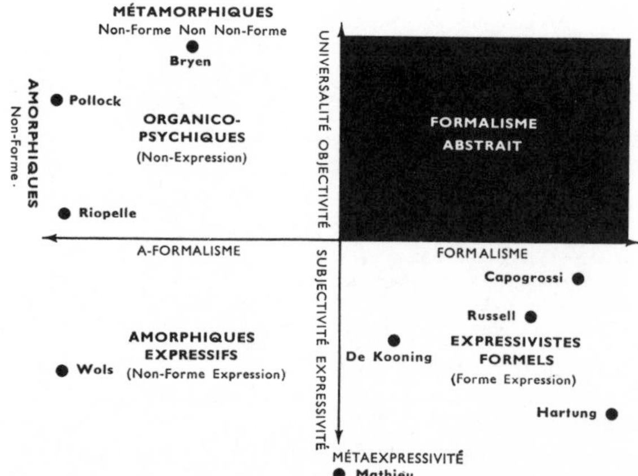

Georges Mathieu, Versuch einer Standortbestimmung, bezogen auf die Koordinaten Formalismus/Expressivität. Aus dem Kat. der Ausstellung ›Véhémences confrontées‹, Galerie Nina Dausset, 8.–31. März 1951

Hans Hartung. PAS – 59. 1948 (Kat. 391)

Zwei erschütternde Ausstellungen bezeichneten 1945 den Beginn dieser anderen Sache, in der wir uns jetzt langsam wiederfinden und in der wir unerschöpfliche Angebote an tiefen Abenteuern sehen: Ich will von den ›Otages‹ von Jean Fautrier und den ›Hautes pâtes‹ von Jean Dubuffet sprechen. Die Ausstellung von Fautrier bestand in einer sehr weiträumigen Hängung von 20 bis 30 sehr kleinen Gemälden: Köpfe von Geiseln, die so behandelt waren, daß alle wie ein einziges unendlich wiederholtes Bild mit kaum wahrnehmbaren Unterschieden erschienen. (. . .) Es hieß, es hätten sich wahrscheinlich keine zehn Leute dafür interessiert: Das erstaunt mich überhaupt nicht, im Gegenteil, denn, in der Malerei ist Beifall eher dazu angetan, mich mißtrauisch zu machen. (. . .)

Fautrier, der über 25 Jahre Erfahrung hinter sich hat, in der vollen Kenntnis eines Handwerks mit komplexen Möglichkeiten, zeigte uns Werke, die frei waren von jedem dem Amateur so lieben ästhetischen Effekt, aber voll von magischer Bedeutung, die unendlich wirkte, und das auf einem ganz *anderen* Weg als dem der traditionellen künstlerischen Gewohnheiten, die die modernistischen Bewegungen verteidigt oder angegriffen hatten, ohne sie jedoch auszulöschen, um sich *anders* zu gebärden. (. . .)

Das Problem besteht nicht darin, ein figuratives Thema durch die Abwesenheit eines Themas zu ersetzen, ob man das dann abstrakt, nonfigurativ oder nonobjektiv nennt, sondern vielmehr darin, ein Werk zu schaffen – mit oder ohne Thema – vor dem man schließlich gewahr wird, wie groß die Aggressivität oder Banalität des ersten oberflächlichen Kontaktes zunächst auch sein mag, daß man den Boden unter den Füßen verliert, daß man entweder in Irrsinn oder in Ekstase verfällt. (. . .)

Durch das Werk von Jean Dubuffet gelang es mir, diese *andere Sache* wahrzunehmen, auch durch seine Einstellung zur Entwicklung dieses so offensichtlich unmenschlichen, dieses so angenehm aggressiven, dieses so gefährlich verführerischen Werkes, das sich je nach Laune des Augenblicks auf dem Höhepunkt der Aggressivität präsentiert, oder im Gegenteil als das Zeugnis einer sehr langen und mühevoll tiefschürfenden Arbeit.

Erst nach 25 Jahren der Erfahrung, des »Schürfens«, wie er selber sagt, hat Jean Dubuffet sich entschlossen, seine Werke zu zeigen. (...)

Der Erfolg seiner ersten Ausstellung machte ihn mißtrauisch: Man liebte seine Farbe, nun gut! Also keine Farben mehr. Man muß das Beste eines Werkes plündern, um es zu übertreffen. Seine Suche nach der rohen Kraft, fern jedes farbigen Effektes, brachte ihn schnell dahin, die Materie selbst zu schänden und die Gewohnheiten gegenüber der Materie. (...)

All jene der Kunst angeblich ›innewohnenden‹ Probleme vom Typ ›Komposition‹, ›Gleichgewicht‹ etc. werden im Werk von Jean Dubuffet übel zugerichtet; mit ihrem Anschein von Frechheit, Provokation und Verachtung lösen sie regelmäßig Wutanfälle bei den Anhängern des konformistischen Modernismus aus. (...)

Mit Dubuffet hat das Publikum angefangen wahrzunehmen, daß es verteufelt anders gehen kann, wie unangenehm diese Feststellung auch für jene sein mag, die aufgrund seriöser Referenzen Karriere machen, um ihren Rückzug aus dem wirklichen Abenteuer zu sichern. Daher die lärmende Entrüstung bei allen maßgeblichen Ausstellungen Dubuffets. (...) Der Schock, der durch Dubuffet ausgelöst wurde, machte es möglich, den immensen Gehalt des langsam gewachsenen und der Geschichte weit vorausgreifenden Werkes von Fautrier zu verdeutlichen, und in dem Maße, wie sie der Öffentlichkeit vorgestellt wurden, die grausam Dämonen austreibende Gewalt eines Henri Michaux, die »erlittene Vehemenz« von Georges Mathieu und die nicht weniger starke, aber diffusere expressionistische Vehemenz von Jackson Pollock zu verarbeiten, ebenso wie die unauffälligere, aber fast noch verblüffendere von Alonso Ossorio.

Aus all dem resultiert ein neuer Sinn, der eine neue Skala der Sensibilität schafft, eine neue Klaviatur der Seele, ein anderes Empfinden der Kraft, der Zukunft und des Lebens. (...) Ich habe dieses Abenteuer einstweilen BEDEUTUNG DES FORMLOSEN genannt: es haben meisterlich daran teilgenommen durch den Geist ihrer Nachforschungen (aber ohne jeden Gedanken an kollektive Arbeit, um so besser in jeder Hinsicht): Tobey, Hartung, Bryen, Hofmann, Sutherland, Riopelle, Guiette, Soulages, Serpan, Graves, Brauner, Ubac, DeKooning, Appel, Gillet, Rothko, Sam Francis, Ronet, Russell, Arnal, Phillip Martin, Capogrossi, Dova, Kline, die Bildhauer Germaine Richier, Maria Baskine, Butler, Paolozzi, Kopac und Claire Falkenstein ...

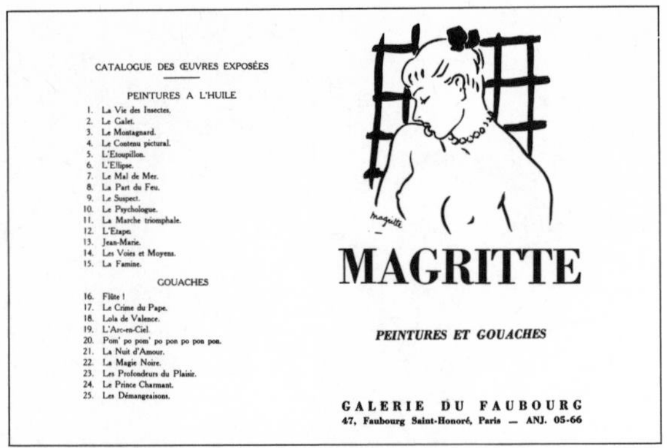

CATALOGUE DES ŒUVRES EXPOSÉES

PEINTURES A L'HUILE

1. La Vie des Insectes.
2. Le Galet.
3. Le Montagnard.
4. Le Contenu pictural.
5. L'Etoupillon.
6. L'Ellipse.
7. Le Mal de Mer.
8. La Part du Feu.
9. Le Suspect.
10. Le Psychologue.
11. La Marche triomphale.
12. L'Etape.
13. Jean-Marie.
14. Les Voies et Moyens.
15. La Famine.

GOUACHES

16. Flûte !
17. Le Crime du Pape.
18. Lola de Valence.
19. L'Arc-en-Ciel.
20. Pom' po pom' po pon po pon pon.
21. La Nuit d'Amour.
22. La Magie Noire.
23. Les Profondeurs du Plaisir.
24. Le Prince Charmant.
25. Les Démangeaisons.

magritte

MAGRITTE

PEINTURES ET GOUACHES

GALERIE DU FAUBOURG
47, Faubourg Saint-Honoré, Paris — ANJ. 05-66

René Magritte, Peintures et Gouaches, Galerie du Faubourg, Paris, 11. Mai–5. Juni 1948. Katalogumschlag und Verzeichnis der ausgestellten Werke (vgl. Kat. 351–359)

René Magritte

Bilder und Gouachen der ›période vache‹

Seine Bilder und Gouachen der »période vache«, entstanden Ende 1947/Anfang 1948, stellte Magritte im Mai 1948 in der Galerie du Faubourg in Paris aus. Es war seine erste Einzelausstellung in Paris. Die von Magritte selbst geprägte Bezeichnung »vache« als Parodie auf das Wort »fauve« (»wildes Tier«) weist darauf hin, daß er hoffte, die Pariser in ihren Vorstellungen von gepflegter ›Peinture‹ zu irritieren. Tatsächlich löste die Ausstellung bei Publikum und Kritik einen Skandal aus.

Magrittes Provokation verunsicherte selbst Freunde. Zur Zeit der Ausstellung schrieb Magritte an Scutenaire: »Eluard ›mag‹ meine Ausstellung, *kaufen* würde er jedoch lieber ›den Magritte von ehedem‹. Er verlangt, daß man seine doppelsinnigen Worte ... in positivem Sinne auffassen möge. Er möchte die ausgestellten Gemälde nicht ›an seinen Wänden‹ haben, obwohl er sie gern mag (zweifellos, weil wir Gemälde nicht mehr ansehen, sobald sie einmal an der Wand hängen).«

Als Antwort auf diese Reaktionen schrieb Scutenaire die satirische Biographie »Leben und Taten des Magritte von ehedem, universeller und Pariser Maler« (Abgedruckt mit Anmerkungen von Suzi Gablik).

René Magritte.
Seekrankheit. 1947
(Kat. 355)

Louis Scutenaire

Leben und Taten des Magritte von ehedem, Universeller und Pariser Maler:

1. In Vereinigung des Descartes[1] mit den Primitivmysterien[2] und der NATO mit den Tropen wurde René Magritte von Ehedem als Sohn eines Mannes aus der Auvergne und einer von Flöhen geplagten Squaw aus la Chocolata in Guatemala geboren.
2. ›Du wirst ein Maler sein!‹ weissagt ihm Canakrol[3], eine Germano-Maya-Zauberin, als sie ihn in der Grotte des Pueblo in die Liebe einführt. Sie schnitzt unheilbringende Statuen[4], macht Talismane und stirbt jung.
3. René Magritte von Ehedem kommt nach Paris, schreibt sich an der Schule[5] dieser Stadt ein, wo er große Mode wird, und monopolisiert den Markt[6].
4. ›Er ist unser erster Primitiver‹, erklärt Jean-Baptiste Bernanos. ›Er ist der höchste Gipfelpunkt unseres Modernismus‹, verkündet Jean-Baptiste Gide. ›Er wird am Fuße des Kreuzes sterben‹, schreibt Jean Baptiste Claudel. ›Halt die Klappe!‹ erwidert Jean-Baptiste Péret dem letzteren in einem Interview mit *Le Figaro Mercenaire*.
5. Als Cagoulard, Trotzkist und National-Radikaler[7], besucht Magritte von Ehedem Les Baux in der Provence zusammen mit Jean-Baptiste Malraux, der bei dieser Gelegenheit seinen genialsten Ausspruch tut: ›*Que beaux sont les Baux!*‹
6. Magritte macht einen kurzen und brutalen Abstecher in den Surrealismus, erliegt dort dem Einfluß von Dédé Sunbeam, Ulysse Préchacq, Violette Nozières und Maurice Sachs[8]. Dann geht er ab durch die Sakristei.
7. Im Café ›Pomonasaft‹[9] provoziert René Magritte von Ehedem eine Statue aus Staub zu einem Duell auf Ärsche. Die Statue trägt den Spitznamen Léon-Paul Tartre (oder Merdre), der, wie schon der Name sagt, als Wiederentdecker des Enteritismus gilt[10].
8. Die Statue unterliegt und wird in einem der Marne-Taxis, die einst die Armee von Klucks zum Stehen brachten, zum Grab fortgeschafft.
9. Flora[11], Magrittes Tante, die von dem Millionär Bata (Bata-Schuhe) geschieden ist, wird von den Sowjets ermordet, was aber den Maler nicht davon abhält, Mitglied des KGB zu werden[12]. ›Was macht ein bißchen mehr oder weniger zwischen Freunden schon aus ...‹ enthüllt er Paul Guth[13] im Zuge einer berühmten Unterhaltung.

René Magritte. Der Inhalt der Bilder. 1947 (Kat. 351)

10. ›Es gibt nur eine Bitterkeit, und das ist unsere. Aber unsere ist auch eure und die des fluvialen Bussards‹, schreibt Magritte von Ehedem am Schluß seines symphonischen Gedichtes über die Camargue ›Tu Tuut beu zz zz zz zz zz‹.[14].
11. Magritte heiratet Jean Marie[15], einen berühmten Star; es gibt keine Nachkommen (von wegen der Pipette).
12. Seine Beziehungen zu den Streikführern, über vielen Cocktails bei der Concierge de Noailles angeheizt, führen ihn zur Teufelsinsel.
13. Hier wird er zum Katholizismus bekehrt; er entkommt mit der Hilfe von Bidegnole[16], des Voodoo, der Madonna der Landstreicher, des Stahlmonopols, der Prämonstratenser, von Miß Paris, der Mafia, Pierrot-le-Fou und dem Wahren Gesicht Frankreichs.
14. Als Mitglied des Instituts, Preisträger der Akademie der Vereinigten Abstrakten und Figurativen Kunst, übt Magritte einen tiefgehenden Einfluß auf Matisse, Van Gogh, Bonnat, Renoir und Chabas aus.
15. Sein Atelier – zugleich Auktionslokal – ist mit großbrüstigen ligurischen Statuetten, der Wäsche von Wöchnerinnen, gallo-romanischen Phalli, Maiskolben à la Faulkner, Figuren aus Cheyenne und Schubkarren aus Saintonge geschmückt[17].
16. ›Es hat schon oft so große Trottel gegeben wie die heutigen Kritiker‹, sagt René Magritte von Ehedem eines Tages zu seinem Kollegen P.c.s.o.[18] ›Das ist richtig‹, antwortete ihm der andere, ›aber sie waren nicht vom *Combat*‹.
17. Im Konzert Colonne gibt Magritte Melodien der Abfallesser aus der Kabylei und der Schafkastrierer aus Tahiti zum besten, auf der Harfe interpretiert von Christian Bérard und auf der Bratsche begleitet von Christian Dior. ›Es ist sehr christlich‹, schreibt Abbé Bruckberger[19] mit ungewöhnlichem Scharfblick im *Franc-Tireur*.
18. Magritte von Ehedem dekoriert im Freskostil das Hinterzimmer von ›Les Temps Modernes‹ mit Szenen, die durch den *Traum* von Zola inspiriert sind. Aber Étourneau Ponty[20] läßt sie mit der Begründung, sie seien zu zersetzend, herunterkratzen.
19. Magritte von Ehedem klagt den Pamphletschreiber an und erhält beträchtlichen Schadenersatz zugesprochen. Als er das Gericht verläßt, bestiehlt ihn der Räuber Genet vor den Augen der Kameras von Universal-International, Metro-Goldwyn-Mayer, Paramount, Panthé usw., usw., usw., usw., usw.
20. Heute steht René Magritte von Ehedem, noch immer aufrecht, im Mist des Löwen von Belfort und der Pferde von Marly und hält gegen die Nachgiebigkeit der Monegassen, die Unversöhnlichkeiten der Tartaren und die Schwere der Belgier das knarrende Banner des Pariser Anstands hoch.

Anmerkungen:

[1] Das heißt Rationalismus.
[2] Im Gegensatz zu den Anhängern von Breton interessierte sich Magritte niemals für das Okkulte.
[3] Der Name der Frau, die Georgettes Vater nach dem Tod ihrer Mutter geheiratet hatte. Im Wallonischen bedeutet das Wort ›gelocktes Schamhaar‹.
[4] Die Spezialität von Breton, der Hopi-Statuen sammelte. Breton war auch gegen die *Vache*-Gemälde.
[5] École de Paris (d. h. Picasso, Chagall, Matisse usw.)
[6] Magritte hatte bei seiner Ausstellung überhaupt nichts verkauft.
[7] All das sind einander entgegengesetzte politische Anschauungen.
[8] Verschiedene drittklassige Surrealisten. Violette Nozières wurde dadurch berühmt, daß sie ihren Vater und ihre Mutter ermordete. Die Surrealisten brachten in Erinnerung an ihren Prozeß aus dem Jahr 1933 ein Buch mit Gedichten und Zeichnungen heraus, das von Flamel publiziert wurde.
[9] Das Café Flore.
[10] Existentialismus

[11] Flora, Magrittes wirkliche Tante, hatte ein Schuhgeschäft in Soignies, wo sie Bata-Schuhe verkaufte.

[12] Die sowjetische Geheimpolizei.

[13] Ein sehr bekannter Journalist dieser Zeit, der viele berühmte Leute, aber niemals Magritte interviewte.

[14] Das reduzierte die Literatur, vor allem Lautréamont, auf das Summen einer Mücke.

[15] Ein Maler in Paris, der gern Frauenkleider trug.

[16] Ein erfundenes Wort, zusammengesetzt aus *gnole,* das in der Volkssprache ›Alkohol‹ bedeutet, und aus dem Namen des Politikers Georges Bideault.

[17] Wieder eine Travestie auf den Enthusiasmus der Surrealisten für das Primitive, das Exotische und das Okkulte.

[18] Picasso.

[19] Ein katholischer Kunstkritiker, der im Surrealistenmilieu lebte. Es war unvorstellbar, daß er im *Franc-Tireur,* einer kommunistischen Zeitschrift, schrieb.

[20] Der Philosoph Maurice Merleau-Ponty, ein Freund von Sartre. ›Étourneau‹ ist ein weiteres Wortspiel. *Merle* heißt ›Amsel‹, und *étourneau* heißt ›Star‹.

Internationale tentoonstelling van experimentele kunst, Cobra, Stedelijk Museum Amsterdam, 3.–28. Nov. 1949. Erster Saal

René Magritte. Die Ellipse. 1948 (Kat. 359)

Constant

Es ist unser Verlangen, das die Revolution zustande bringt

Für die, deren Blick weit in den Bereich des Verlangens reicht, ist das Experimentieren in künstlerischer, sexueller, sozialer und jeder anderen Hinsicht ein notwendiges Werkzeug, um Ursprung und Ziel unseres Atmens, seine Möglichkeiten und seine Grenzen kennenzulernen.

Man könnte sich aber fragen, wozu es gut sein soll, sich, wie der Mensch, von einem Extrem ins andere fallen zu lassen und sogar die Grenzen, die uns Moral, Ästhetik und Philosophie gesetzt haben, zu durchbrechen. Woher kommt also dieses Bedürfnis, mit jenen

Tony Appel und der Architekt Aldo van Eyck beim Einrichten der ▷ COBRA-Ausstellung im Stedelijk Museum Amsterdam 1949 (vgl. Kat. 366)

Bindungen, die uns seit mehr als tausend Jahren an ein soziales System gebunden haben, dank dem wir denken, leben und schaffen konnten, zu brechen? Ist unsere Kultur denn nicht fähig, fortzubestehen und uns eines Tages zur Befriedigung unserer Wünsche zu verhelfen?

Tatsächlich ist diese Kultur niemals fähig gewesen, auch nur einen einzigen Menschen zu befriedigen, weder einen Sklaven, noch einen Herrn, der doch glaubte, in seinem Luxus und seiner Wollust, in der alle kreativen Möglichkeiten des Individuums zusammenflossen, glücklich zu sein.

Für uns, die Menschen des 20. Jahrhunderts, heißt vom Verlangen reden, vom Unbekannten reden. Denn das einzige, was wir vom Reich unserer Wünsche wissen, ist, daß sie auf ein immensen Freiheitsbedürfnis hinauslaufen. Nun, die Befreiung unseres gesellschaftlichen Lebens, die wir als elementare Aufgabe ansehen, wird uns die Tür in eine neue Welt öffnen, in der alle Erscheinungen der Kultur, in der alle inneren Beziehungen unserer vereinigten Leben einen anderen Wert haben werden.

Constant. Verbrannte Erde II. 1951 (Kat. 369)

Constant. Für uns die Freiheit. 1949 (Kat. 365)

Es ist unmöglich, ein Verlangen anders als durch seine Befriedigung kennenzulernen, und die Befriedigung unserer elementaren Wünsche ist die Revolution. Denn in der Revolution findet die schöpferische Aktivität statt, das heißt, nur die kulturelle Aktivität des 20. Jahrhunderts, nur die Revolution wird uns unsere Bedürfnisse auch des Jahres 1949 erkennen lassen. Keine Definition kann die Revolution ersetzen! Der dialektische Materialismus hat uns gelehrt, daß das Bewußtsein von den sozialen Gegebenheiten abhängt. Und wenn diese uns daran hindern, uns Befriedigung zu verschaffen, dann treiben uns unsere Bedürfnisse zur Entdeckung unserer Wünsche, und es kommt zum Experimentieren, das heißt, zur Erweiterung der Erkentnis. Das Experimentieren ist nicht nur ein Instrument der Erkenntnis, es ist die eigentliche Bedingung der Erkenntnis in einer Epoche, in der unsere Wünsche nicht mehr mit den kulturellen Gegebenheiten, die sie lenken müssen, übereinstimmen.

Aber worauf basiert denn das Experiment? Da unsere Wünsche uns zum größten Teil unbekannt sind, muß das Experimentieren immer den aktuellen Erkenntnisstand zum Ausgangspunkt nehmen. Was wir schon kennen, ist der Grundstoff, aus dem wir Möglichkeiten ableiten, die er nicht zugeben wollte. Und wenn diesem bereits Erreichten einmal neue Funktionen abgewonnen sind, erstreckt sich vor unseren Augen ein noch größeres Feld, das uns noch nicht vorstellbaren Entdeckungen entgegenführen kann. So haben sich also die Künstler an die Entdeckung der Kreativität begeben, jener Kreativität, die erstickt war, seit die heutige Kultur aufgebaut worden ist. Denn da die Kreativität das Mittel par excellence der Erkenntnis ist, ist sie auch das Mittel zur Befreiung, ist sie auch das Mittel zur Revolution. Die heutige, individualistische Kultur hat die Kreativität durch die künstlerische Produktion ersetzt, die nur die Zeichen eines tragischen Unvermögens, die Verzweiflungsschreie des von den ästhetischen Verboten: Du darfst nicht . . . angeketteten Individuums produziert.

Kreativität ist stets: das bisher noch Unbekannte tun, und das Unbekannte macht denen Angst, die etwas bewahren zu müssen glauben. Aber wir, die wir nichts zu verlieren haben als unsere Ketten, wir können das Abenteuer sehr wohl wagen. Wir riskieren mit ihm nur eine Jungfräulichkeit, die ohnehin steril ist, nämlich die der Abstraktion. Füllen wir also die jungfräuliche Leinwand *Mondrians* aus, und sei es auch nur mit unserem Unglück. Ist Unglück nicht für starke Menschen, die kämpfen können, besser als der Tod? Der Feind selbst hat uns gezwungen, zu Untergrundkämpfern zu werden, in den Widerstand zu gehen, und wenn sein Vorzug in der Disziplin liegt, so liegt der unsere im Mut. Und Kriege gewinnt man mit Mut, und nicht mit Disziplin.

Das ist unsere Antwort auf die Abstrakten, ob sie sich auf die Spontaneität berufen, oder nicht. Ihre Spontaneität ist diejenige eines aufbegehrenden Kindes, das nicht weiß, was es will; das frei sein will, ohne den Schutz der Eltern aufzugeben.

Aber frei sein ist stark sein. Freiheit zeigt sich nur in der Kreativität oder im Kampf, und beide haben im Grunde dasselbe Ziel: die Verwirklichung unseres Lebens.

Das Leben verlangt Kreativität, und Schönheit ist das Leben!

Wenn sich also die Gesellschaft gegen uns, gegen unsere Werke wendet, mit dem Vorwurf, sie seien »unverständlich«, dann antworten wir:

1. Daß die Menschheit des Jahres 1949 unfähig ist, etwas anderes zu verstehen als den notwendigen Kampf zu ihrer Befreiung.

Die Mitglieder der Gruppe ›COBRA‹, vor dem Stedelijk Museum Amsterdam, 1949

2. Daß wir alle nicht »verstanden« werden wollen, sondern befreit, und *daß wir aus denselben Gründen, die die Welt zum Kampf treiben, zum Experimentieren verdammt sind.*

3. Daß wir nicht kreativ sein können in einer passiven Welt und *daß der derzeitige Kampf unsere Erfindungskraft nährt.*

4. Schließlich, daß die Menschheit, wenn sie einmal kreativ geworden ist, sich nur noch von jenen ästhetischen und ethischen Konzeptionen wird verabschieden können, die nie ein anderes Ziel hatten, als die Kreativität zu bremsen, und die verantwortlich sind für das jetzt fehlende Verständnis der Menschen für unser Experimentieren. Nun, Verstehen ist nichts anderes als Wiedererschaffen, was aus demselben Geist geboren ist.

Die Menschheit, uns eingeschlossen, ist dabei, ihre Wünsche zu entdecken, und indem wir sie befriedigen, werden wir sie kennenlernen.

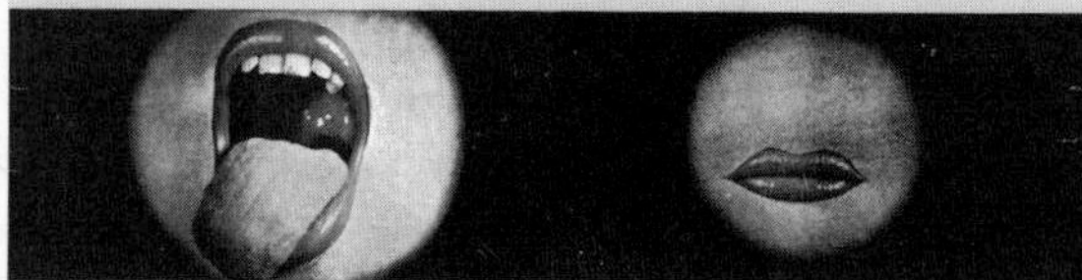

Umschlag (Vorder- und Rückseite) von ›COBRA‹, Nr. 4, Amsterdam, November 1949. Diese Nummer der Zeitschrift diente gleichzeitig als Katalog für die Ausstellung im Stedelijk Museum

Christian Dotremont

Die große natürliche Begegnung

Die internationale Ausstellung experimenteller Kunst, die im Museum der Stadt Amsterdam, aber im Zeichen von Cobra von der holländischen experimentellen Gruppe organisiert wurde, vereinigt die anständigsten und die gesündesten Künstler von heute miteinander. Die anständigsten: denn sie suchen nirgendwo Halt außer in ihrer eigenen Kraft. Nicht eines dieser öffentlichen Organe macht für sie Reklame, weder André Breton, noch André Fougeron, noch George-Waldemar, noch der Abbé Morel.

Sie sagen niemals: »Ich hab's«. Sie sagen: »Ich bin auf der Suche, wir sind auf der Suche«. Sie sind auf der Suche, weil im Jahre 1949 die Kunst mehr denn je nur einen Wert haben kann, wenn sie sich von allen Bevormundungen und allen Haltestricken löst, wenn sie sich von all den Adelsbriefen und Beglaubigungsschreiben befreit, die die Vergangenheit ihr so großzügig ausgestellt hat. Sie kann eine Funktion nur an jenem extrem heiklen Punkt haben, an dem Zukunft die Gegenwart erhascht, an dem die Gegenwart die Zukunft gestaltet.

Die gesündesten: denn sie sind die einzigen, die auf der Straße arbeiten und doch nicht wie die Schafe dem Strom nachlaufen; die anderen machen sich gemein mit dem Pittoresken (die Naturalisten), verrücken die Symmetrie des Kaminaufsatzes (die späten Surrealisten), oder schließen sich im Zimmer ein und werden zu immer kümmerlicheren Jockeys eines immer x-beinigeren Bokkes (die »Abstrakten«).

Ich möchte schnell einfügen, daß ich, hätte ich die Macht, noch mal so kreuz und quer zu laufen, noch mal all die unzähligen Schritte zu tun, die ich getan habe, ich würde sie ganz genauso wieder tun, denn sie führen mich zu jenem großen beflaggten Platz, der vor Lachen strahlt, ja schreit, zu jenem Platz, den wir, Kameraden, ohne uns dessen immer bewußt gewesen zu sein, miteinander der Wüste, dem Abenteuer entrissen haben, und der Ihnen, meine Damen und Herren, offen steht.

Es springt einem geradezu ins Gesicht, und dennoch muß ich schreiben, was ich weiß: daß die in Amsterdam zusammengekommenen Künstler natürlich sind wie das Brot, daß ihr Leben für ihre Kunst bürgt; ich kenne sie. Appel, der ein Friseur ist, ein außerordentlicher Handarbeiter, Corneille, der die Araber liebt, Constant, der einen Sohn wiegt, Carl Henning Pedersen, der die Sprache überschreitet, Ortvad, der den nordschwedischen und den südschwedischen Dialekt vereinigt, Thommesen, der vor allem Schreiner ist, Heerup, der in seiner kleinen Hütte malt und in seinem großen Garten Skulpturen schafft, Mancobe, der Südafrikaner ist, Bury, der in seinen verlorenen Augenblicken Metallarbeiter ist, Alechinsky, der mauert, Østerlin, der sich in einem Büro abschindet, Doucet, der niemals ernst ist, und all die anderen – es ist nicht einer unter ihnen, der nicht mit beiden Füßen im Leben stünde, und vor allem darum tun sie, was sie tun.

Es springt einem geradezu ins Gesicht, und dennoch muß ich aufschreiben, was sie denken und was ich denke: Das allgemeine Übel dieser elenden Zeit, das Gängelband dieser Epoche ist der Formalismus.

Die Leute leben außerhalb ihrer selbst wie die Obdachlosen, oder in sich drin wie die Höhlenbewohner. Die, die nicht am Faden der Wirklichkeit leben, ertrinken in den Tiefen, und die, die an der Oberfläche leben, führen ein Leben, so flach wie die Pfannkuchen. Sie ertragen diesen Weihrauchgeruch, den das Innenleben hat, wenn es sich vom Außenleben abtrennt, und diesen Kulissengeruch und diesen widerlich süßen Geruch von Kleister, den die Wirklichkeit hat, wenn sie ihres Herzens, ihres Instinktes und ihres Blutes beraubt wird.

Le tout petit COBRA Nr. 4. Linolschnitt von Pierre Alechinsky, 1950. Der Text (»Mit Gewalt wird man Fougeron«) ist eine Abwandlung des Sprichworts »C'est en forgeant qu'on devient forgeron« (»Übung macht den Meister«) und eine Anspielung auf André Fougeron, den führenden Maler des französischen sozialistischen Realismus

Trotzdem ist es unmöglich, daß sich die Wirklichkeit nur beschränkt auf die Melancholie einer Sackgasse, auf die Arbeitshose des Metallarbeiters, der sich vor seinem Spiegel kämmt, auf den Minotaurus, den Sellerie, den Hering, die Gitarre, den Blumentopf, die Kirche und das Denkmal an der Ecke.

Aber die Zahl der Touristen ist Legion, der Fotoapparat mit Weitwinkelobjektiv macht Furore, die Leute sehen nur noch das Aufmarschieren der Garde, die Uniformen, die Türen und die Nummern, die Taxen und die Katzen; es ist keiner da, der sich mit offenen Augen in die verblüffenden Wälder des Alltags trauen würde, der sich trauen würde, was ihn doch umfängt, zu umarmen, der aufhören würde, mit dem Universum umzugehen, als wäre es ein Raritätenmarkt. Die Menschen haben alles zerbombt. Die einen aus Eigennutz, die anderen von Befehls wegen, oder aus Dummheit. Sie haben das Gerippe übriggelassen. Hiroshima ist ihre Hauptstadt. Sie haben alles in Asche gelegt: die märchenhaften Dörfer, die sie im Herzen trugen, die merkwürdigen Fische, die den Ozean durchweben, die unsichtbaren Möbel des sichtbaren Hauses, und das ganze Universum, dessen Kuß nur eine Erscheinung zweiten Ranges ist.

Der Formalismus schließt den Kreis, sie haben ihm alles geopfert, was sie sehen konnten und nachdem sie sehen konnten, alles, woran sie von innen rühren konnten, und alles, was sie tun konnten. Und es genügt das geringste System, die geringste Verwaltung, daß ihnen die Stagnation als Leben, als Fortschritt, als Zerstörung dessen, was nach dem Schaufenster kommt, und als Erhaltung der Brezeln, die drinnen modern, erscheint.

Im wilden Rauschen der Gezeiten leben sie mit Sonnenbrillen wie die Maulwürfe, aber ihre Labyrinthe sind so sauber, die Grünflächen sind so ordentlich – im französischen Stil – geharkt, die Mittelmäßigkeit braucht soviel Zeit, wirft so viele Probleme auf, daß man beschäftigt ist; und da nie Zeitmangel herrscht, ist ja alles in Ordnung. Der geringste Anschein von Ordnung, der haarfeine Faden einer Methode genügt ihnen, den Akrobaten, um sich in der Patsche aufrecht zu halten. Das absurdeste Objekt, das vom scheinheiligsten aller Diktatoren eingesetzt wird, der Bankauszug, ist doch mit Zahlen versehen und unterschrieben, und dann ist ja alles in Ordnung.

In der großen Schau der Scheiße ist die Lüge ein Wanderpreis, verkehrt die Taktik die Sprache in ihr Gegenteil, aber da es jeder so macht, ist ja alles in Ordnung.

Sie haben so viele Gewohnheiten, daß sie sich frei fühlen: sie können sie ja auswechseln.

Ausmalung des Wochenendhauses für dänische Architekturstudenten in Bregneröd bei Kopenhagen. Gemeinschaftsarbeit von COBRA-Mitgliedern, Aug./Sept. 1949. Wand: Carl-Henning Pedersen. Tür: Asger Jorns siebenjähriger Sohn Klaus. Decke: Anders Østerlin

Derjenige, der den Formalismus verteidigt, oder ihn deckt, oder ihm eine unverständliche Philosophie mit legaler Syntax gibt, ist ein Rationalist.

Derjenige, der ihn angreift, der den eisernen Vorhang hebt oder auch nur anprangert, ist ein Verrückter.

Der Traum, der durch Symbole oder Kürzel das Verlangen zum Ausdruck gibt, gehört für unsere Leute zur Kategorie des Grotesken. Stattdessen erscheint es ihnen schicklich, gegen ihr Verlangen zu leben.

Ihr größter Widerspruch, ihr tiefster Riß liegt dennoch nicht darin. Er liegt darin, daß sie, je mehr sie die Erscheinungen, die Formen und die Hüllen pervertieren, sich um so mehr an sie klammern, sie um so mehr als die einzige Wirklichkeit darstellen.

In Wahrheit haben sie das Gerippe ausgestopft, haben sie die Fassaden verdoppelt. Sie sind darin, sie sind dahinter mit ihren gigantischen Lügenapparaten.

Karel Appel. Fragende Kinder. 1949 (Kat. 363)

Angesichts einer solchen Situation erhält ein guter, grober Farbfleck erst seinen wahren Wert. Er ist wie ein Aufschrei der Hand des Malers, dem der Formalismus einen Maulkorb verpaßt hat. Er ist wie ein Aufschrei der Materie, die der Formalismus in die Knechtschaft der Knechtschaft des Geistes – und welches Geistes, des Salongeistes, oder des Treppenhausgeistes – schicken will.

Asger Jorn. Gestalt. 1945 (Kat. 371)

André Tamm:

Die deutsche Volkskunst und ihr Verhältnis zur experimentellen Kunst

Gegen Ende des Mittelalters wurde das bestehende Band zwischen Künstler und Volk zerrissen. Die Renaissance sanktionierte diesen Bruch. Der Künstler wurde Lakai der kirchlichen und weltlichen Macht. Aber ein mit Ehren überhäufter Lakai: denn zur gleichen Zeit, als die Machthaber ihn zu dieser passiven Rolle zwangen, verliehen sie ihm einen geradezu übernatürlichen, göttlichen Rang und hoben ihn ober- und außerhalb des sozialen Kampfes. Fünfhundert Jahre mußten vergehen, bis der Künstler, indem er sich den Sinn für das Experimentelle aneignete, das heißt: indem er die Kunst an sich in Frage stellte, die ursprünglichen Quellen der künstlerischen Kreativität, das Recht der Kunst auf ein Vor und Zurück und die dingliche Unmittelbarkeit der Mythen wiederentdeckte. Fünfhundert Jahre mußten vergehen, bis der Künstler sich so wieder mit dem Volk vereinigte.

Wenn auch das Volk im Verlaufe seines Exils nicht jeden Kontakt zu den Quellen der Kreativität verloren hatten, so hatte es sich doch gefährlich untergraben lassen vom bürgerlichen Idealismus: Auge, Geist und Empfindungsvermögen nähren sich nicht ungestraft vom Naturalismus, und man könnte sogar sagen, daß allein durch das Wahrnehmen von naturalistischen Werken das Empfindungsvermögen selbst in gewisser Weise naturalistisch wird. Das erklärt auch (wenigstens teilweise), warum das Volk sich in neun von zehn Fällen (vor allem in Frankreich) immer noch von der experimentellen Kunst abwendet, wo diese ihm doch zutiefst nahe steht. Wo liegen heute die lebendigsten Zentren der deutschen Volkskunst? Drei lassen sich unterscheiden: 1. der Niederrhein, also das Delta Köln-Aachen-Mosel (Berührung mit der flämischen Volkskunst). 2. das Gebiet, das sich zwischen dem Thüringer Wald und dem Erzgebirge erstreckt (Berührung mit der tschechischen Volkskunst). 3. Oberbayern bis zur Schweizer Grenze (Berührung mit der alpenländischen Volkskunst). In diesen Zentren ist die Volkskunst nie ganz ausgestorben; sie hat von Generation zu Generation fortgelebt. Aber die Produktion ist begrenzt. Denn es handelt sich um Volkskunst im wahrsten Sinne, nur für den eigenen Bedarf des Volkes gemacht. Ihr Spektrum reicht von der Magie bis zur schlichten und einfachen Verzierung. Im übrigen sind einige Produkte in die industrielle Produktion gegangen und zwar eindeutig um den Preis einer dümmlichen ›Verschönerung‹. Unter dem Nazi-Regime wurden die Volkskunstobjekte in ihrem Rang zum oberflächlichen Spielzeug degradiert. Ihre psychologische, sinnliche und mythische Bedeutung wurde sorgfältig ignoriert. Und aus demselben Geist heraus sprach das Nazi-Regime der modernen experimentellen Kunst jeglichen Wert ab, und ließ von ihr nur die untergeordneten Produkte (›surrealistischen‹ Schmuck, Plakate etc.) zirkulieren. Darüber hinaus setzte Goebbels alles in Bewegung, um die Handwerkerfamilien, die Volkskünstler, zu veranlassen, nur noch in großer Zahl Propagandabilder, Medaillons und ähnliches herzustellen. Für uns deutsche experimentelle Künstler ist dies eine der größten Schandtaten des Nazi-Regimes. Und wir bedauern zutiefst, daß der ›sozialistische Realismus‹ anscheinend, wo er nur kann, dieselbe antivolkstümliche (und also auch anti-experimentelle) Richtung einschlägt.

Vor und nach dem Ersten Weltkrieg gab sich der Expressionismus alle Mühe, aus denselben Quellen wie die Volkskunst zu schöpfen. Wenn ihm dies nicht gelang, so lag das meiner Ansicht nach daran, daß er soziales und sentimentales Pathos miteinander vermengte, eine Gefahr, vor der wir uns heute nur um so mehr hüten müssen. Nur E. L. Kirchner gelang es vielleicht, sich genügend zu ›entbürgerlichen‹, mindestens in bestimmten Werken, in denen der Einfluß der Volkskunst offensichtlich ist. Im übrigen gewinnt das Werk Kirchners stetig an Bedeutung. Von Hitlers Kulturbarbarei zur Verzweiflung getrieben, nahm Kirchner sich das Leben. Was den 1943 gestorbenen Oskar Schlemmer betrifft, so hat er, zusammen mit Baumeister, seit 1915 eine Alternative zum deutschen Expressionismus gefunden. Sein Werk wird immer ein Beispiel bleiben für die natürlichen Möglichkeiten einer volkstümlich-experimentellen Kunst. Trotz all seiner Aktivitäten im Bauhaus blieb er in Deutschland bis zum Ende dieses Krieges verkannt. Erst heute taucht sein Werk wieder auf. Die deutsche experimentelle Kunst hat heute das Stadium des Formalismus überwunden. Der größte Teil der jungen Künstler hat im ›Untergrund‹ sein surrealistisches Stadium durchgemacht. Nunmehr haben sie es überwunden, und sich einer Kunst zugewandt, die abstrakt-surrealistisch genannt werden könnte, einer Kunst, deren *Metaphern* von der *Metamorphose* abhängen, einer Kunst, die nicht zum Volk herabsteigen muß, weil ihre Wurzeln volkstümlich sind: die Katastrophen, die wir durchgemacht haben, haben uns in die Menge entlassen, und wir werden dieser Menge nie mehr den Rücken kehren.

Asger Jorn, Carl-Henning Pedersen und Egill Jacobsen. Umschlag (Vorder- und Rückseite) von Cobra Nr. 1. Kopenhagen. März 1949

LES PREMIERES REALISATIONS ARCHITECTURALES

LA TRIENNALE DE MILAN

Lucio Fontana : Luminaire spatial au néon au 1er étage de la IXe Triennale de Milan.

MILANI : Plafond à l'entrée de la Triennale. *Photo Aragozzini.*

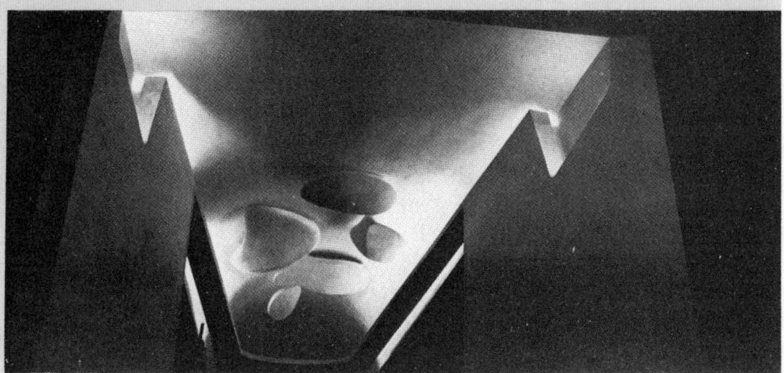

Alexander Calder

Wie ich zur Abstraktion kam

Nach einem Besuch im Pariser Atelier Mondrians im Jahre 1930 bin ich zur Abstraktion gekommen. Besonders berührt hatten mich einige farbige Rechtecke, die er, seiner persönlichen Empfindung entsprechend, an der Mauer angebracht hatte. Ich sagte ihm, daß ich sie gerne oszillieren sehen würde. Er war nicht meiner Meinung. Daraufhin versuchte ich, abstrakt zu malen. Jedoch bereits zwei Wochen später war ich wieder beim plastischen Material angelangt.

Ich glaube, daß von diesem Zeitpunkt an meine Formenwelt ihren Sinngehalt aus dem System des Universums oder aus einem Teil dieses Systems bezieht. Dies ist ein großes Vorbild, wenn man es zum Gegenstand seiner Arbeit erwählt.

Ich denke an Körper, die im Raum schweben, an Körper von unterschiedlichen Dimensionen und verschiedener Dichte, die sich in ihrer Farbigkeit und Wärme verschieden zueinander verhalten, umhüllt von gasartigen Substanzen – die einen unbeweglich, die anderen von ihrem eigenen Rhythmus bewegt –, und alle diese Körper stellen sich mir als der ideale Ursprung der Formen dar. Ich möchte sehen, wie sie sich entwickeln, bald in geringer Distanz, bald durch unendliche Räume voneinander getrennt. Und voller Vielfalt in ihren Gestaltqualitäten wie in ihren Bewegungen.

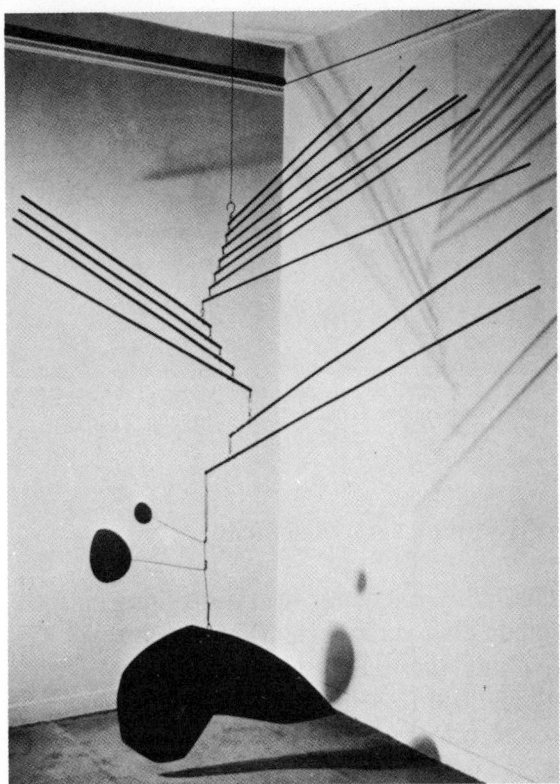
Alexander Calder. 13 Stacheln. 1940 (Kat. 207)

◁ Bericht von Piero Dorazio über die IX. Mailänder Triennale 1951. Aus: Art d'aujourd'hui, Série 3, No. 2. Januar 1952. Deckengestaltungen von Fontana und Milani

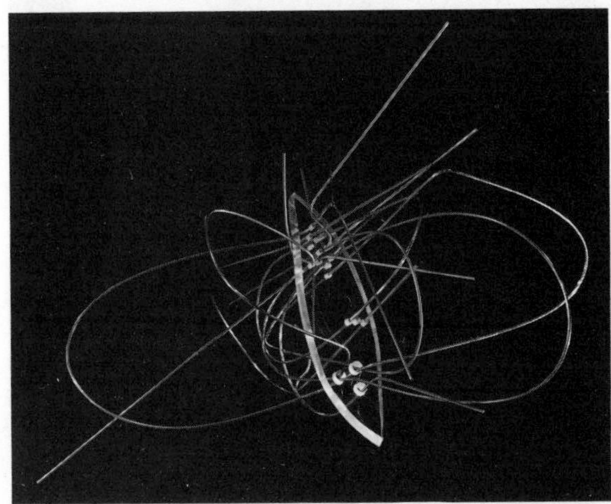
László Moholy-Nagy. Zweifache Form mit Chromstäben. 1946 (Kat. 216)

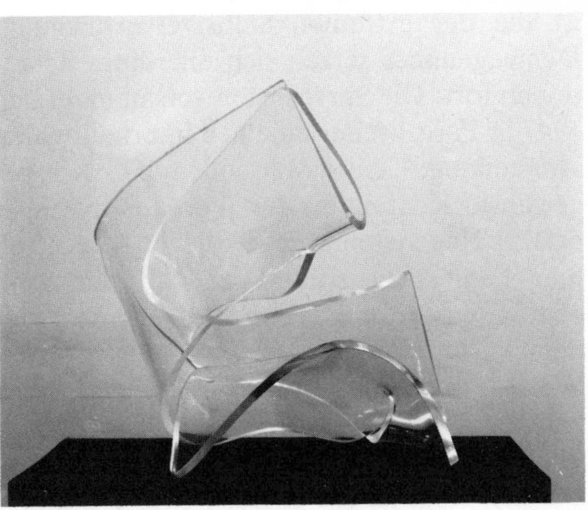
László Moholy-Nagy. Doppelschlinge. 1946 (Kat. 217)

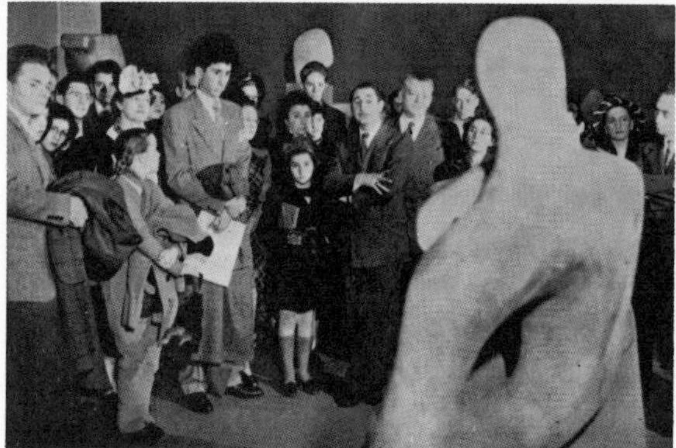

›Das fragende Publikum‹. Titelbild vom Bulletin of the Museum of Modern Art, New York, Herbst 1947

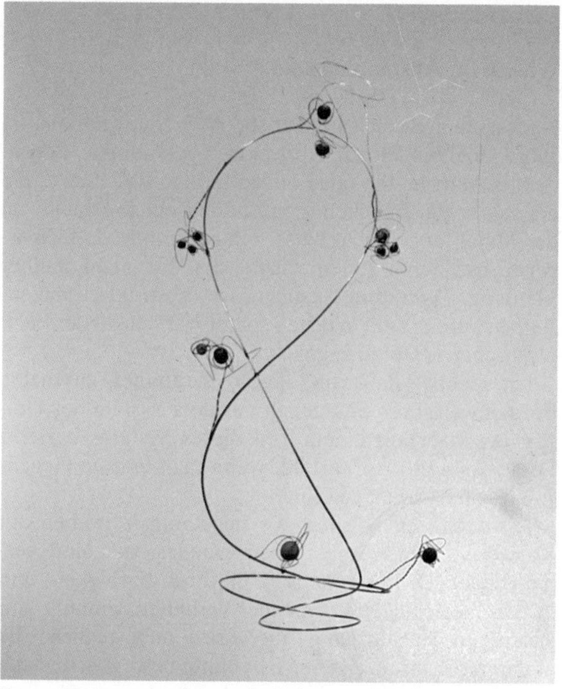

Georges Vantongerloo. Massen im Universum. 1946 (Kat. 125)

Abstraktion als Weltsprache

Die Jahre, mit denen die Ausstellung einsetzt, haben eine veränderte Moderne gezeigt. Das Weltbild dieser Kunst hat sich in den individuellen Lösungen ihrer Erfinder erweitert. Sie selbst haben die Grenzen der eigenen Entwürfe und Systeme überwunden. Vom späten Mondrian kann sich keine Schule mehr ableiten.

Zugleich entstand eine radikal ›andere Kunst‹, in deren Programm die Möglichkeit einer Schulbildung nicht einmal vorgesehen war. Die neue Kunst am Ende des Weltkriegs ist die der extremen Selbstverwirklichung. Demgegenüber setzen sich allerdings Traditionen fort: Die Surrealisten versammeln sich 1947 in Paris wieder zu einer Internationalen Ausstellung; die während des Krieges gewahrte Kontinuität der ›konkreten Kunst‹ erfährt eine systematische Pflege. Aber auch hier kann man anmerken, daß der 1946 gegründete ›Kandinsky-Preis‹ weniger mit dem späten, in der Isolation entstandenen Werk des Meisters zu tun hat, als eben mit der früh angelegten Perspektive der Abstraktion, die für die aktuelle Manifestation der geometrischen Abstraktion genutzt wird. Dewasne, Deyrolle, Poliakoff, Max Bill, Raymond,

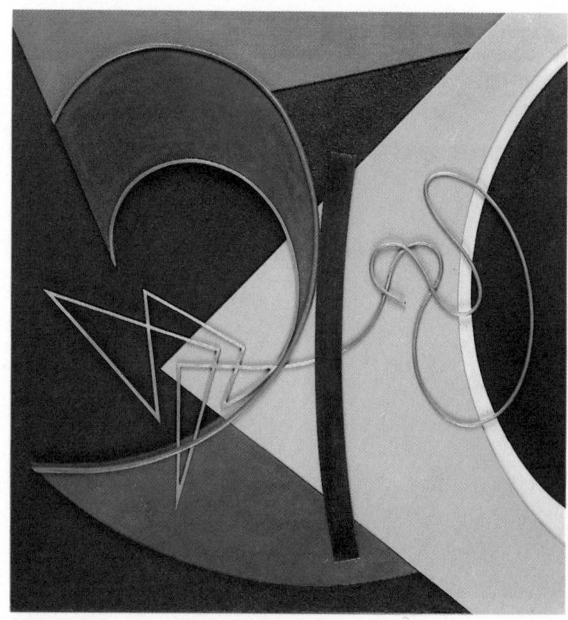

César Domela. Ohne Titel. 1947 (Kat. 444)

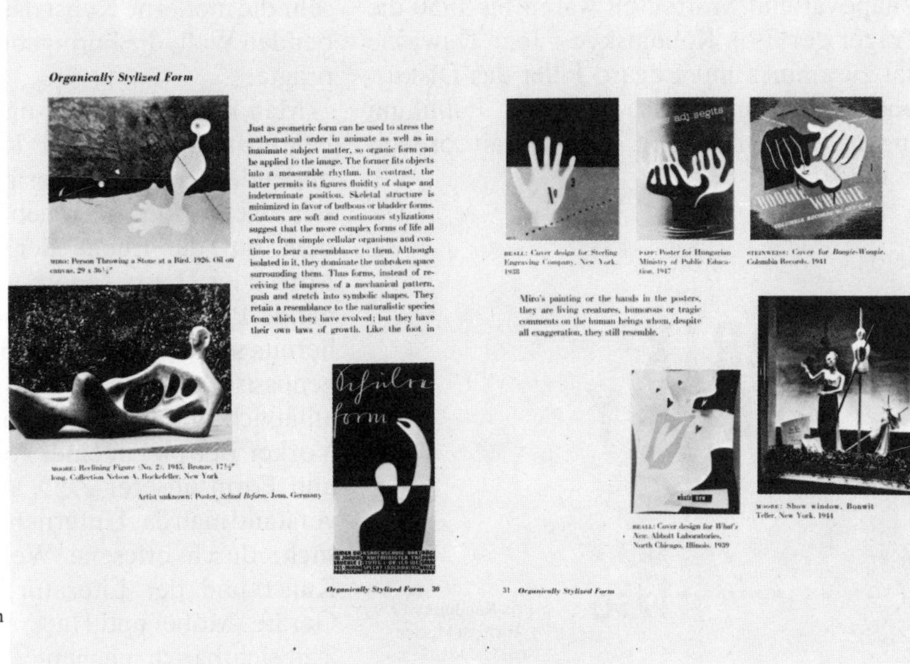

Organically Stylized Form

Just as geometric form can be used to stress the mathematical order in animate as well as in inanimate subject matter, so organic form can be applied to the image. The former fits objects into a measurable rhythm. In contrast, the latter permits its figures fluidity of shape and indeterminate position. Skeletal structure is minimized in favor of bulbous or bladder forms. Contours are soft and continuous stylizations suggest that the more complex forms of life all evolve from simple cellular organisms and continue to bear a resemblance to them. Although isolated in it, they dominate the unbroken space surrounding them. Thus forms, instead of receiving the impress of a mechanical pattern, push and stretch into symbolic shapes. They retain a resemblance to the naturalistic species from which they have evolved; but they have their own laws of growth. Like the foot in Miro's painting or the hands in the posters, they are living creatures, humorous or tragic comments on the human beings whom, despite all exaggeration, they still resemble.

MIRO: Person Throwing a Stone at a Bird. 1926. Oil on canvas, 29 x 36¼"

MOORE: Reclining Figure (No. 2). 1945. Bronze, 17½" long. Collection Nelson A. Rockefeller, New York

Artist unknown: Poster, *School Reform*. Jena, Germany

BEALL: Cover design for Sterling Engraving Company, New York. 1938

PAPP: Poster for Hungarian Ministry of Public Education. 1947

STEINWEISS: Cover for *Boogie-Woogie*, Columbia Records. 1941

BEALL: Cover design for *What's New*. Abbott Laboratories, North Chicago, Illinois. 1939

MOORE: Show window, Bonwit Teller, New York. 1944

Organically Stylized Form 30

31 *Organically Stylized Form*

›Organically Stylized Form‹ (organisch stilisierte Form). Doppelseite aus dem Bulletin of the Museum of Modern Art, New York 1949, No 1

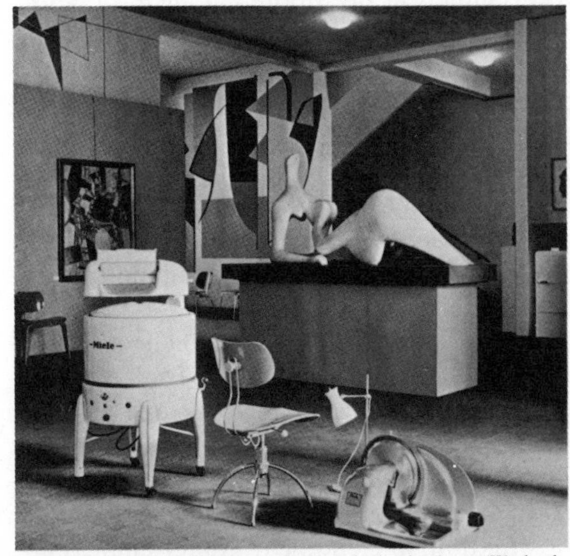

Mensch und Form unserer Zeit – ein Versuch, durch erlesene Werke der bildenden und angewandten Kunst und der Literatur, durch technische Geräte, Möbel und Hausrat die FORM unserer Zeit sichtbar zu machen. Städtische Kunsthalle Recklinghausen. 13. Juni–13. August 1952. Ruhr-Festspiele 1952

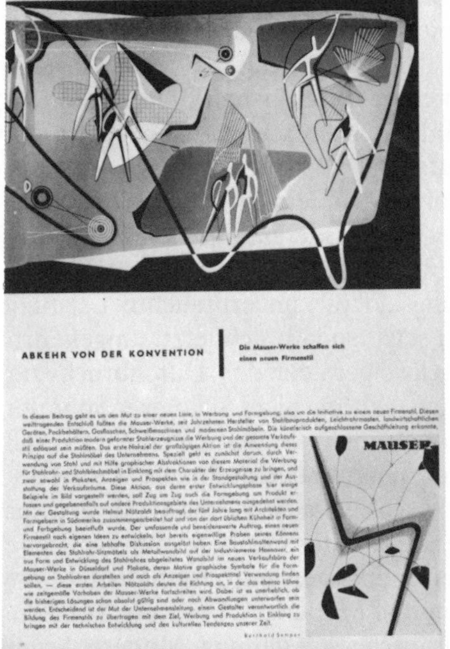

ABKEHR VON DER KONVENTION

Die Mauser-Werke schaffen sich einen neuen Firmenstil

»Abkehr von der Konvention – Die Mauser-Werke schaffen sich einen neuen Firmenstil«. Aus: Magnum, September 1956

Chapoval und Mortensen waren bis 1950 die Träger der ›Prix Kandinsky‹.[70] Jean Dewasne hat zusammen mit Edgard Pillet das Diskussionsforum eines auch für das Publikum zugänglichen ›Atelier d'Art Abstrait‹ organisiert.

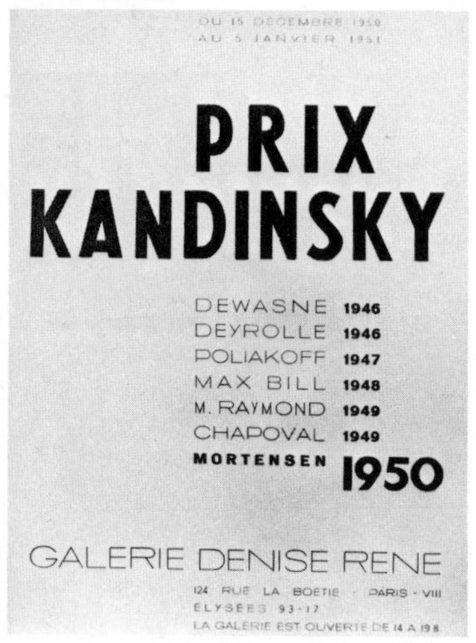

Prix Kandinsky 1950 – Richard Mortensen, Galerie Denise René, Paris, 15. Dez. 1950 – 5. Jan. 1951 (Plakat)

Es ist eine kulturpolitische Folge des Weltkrieges, daß die Moderne jetzt in die Geschichte ihrer öffentlichen Geltung eintritt. Dabei zählt nicht so sehr die Einzelleistung, dies allenfalls als Beispiel, sondern vielmehr das Phänomen ›Modernität‹, für das Publikum eine Begegnung insgesamt mit dem ›Neuen‹.

Wenn wir bisher betont haben, daß die Ausstellung auf die unverbrauchte Leistung der Kunst setzt, so läßt sich jetzt, umgekehrt, nicht verschweigen, daß der ›Durchbruch‹ zur öffentlichen Geltung nicht auf dieser Spur der Kreativität geschah, sondern in einem Prozeß der Angleichung, in einem Prozeß des restlosen Verbrauchs. Die Moderne wird jetzt als Vermittler, als ›Stil-Spender‹ für das neue Lebensgefühl erwogen und bestätigt. Seit 1949 das Museum of Modern Art in New York die dokumentarische Ausstellung ›Modern Art in Your Life‹ veranstaltete, wird immer wieder auf diese Beweisführung zurückgegriffen: wie sehr die moderne Kunst das Gesicht der umgebenden Welt, die Formgebung des Fortschritts prägte.

Man könnte meinen, diese Frage wäre das begrenzte Problem der Korrespondenz von bildender Kunst und Design. Die zeitgenössische Rezeption indes hebt diese Korrespondenz auf die Ebene der Kunstvermittlung. Miró oder Henry Moore werden an das staunende Publikum durch eine verwandte, aber bereits schon angenommene Modernität zeitgenössischer Formgebung herangetragen. Als anläßlich der Ruhr-Festspiele 1952 das New Yorker Beispiel in einer Ausstellung ›Mensch und Form unserer Zeit‹ aufgegriffen wurde, verstand man das Unternehmen als einen »Versuch, durch erlesene Werke der bildenden Kunst und der Literatur, durch technische Geräte, Möbel und Hausrat die Form unserer Zeit sichtbar zu machen«.[71]

Die eingängig demonstrierte Form-Einheit von Waschmaschinen-, Brotschneidemaschinen-, Bürostuhl-Formen mit der biomorphen Kurvatur abstrakter Gemälde und Skulpturen von Baumeister bis Moore hat auch für heute noch etwas Bestechendes, und wenn man das ganze Spektrum der Nierentisch-Kultur, wie es damals sehr bewußt geschehen ist, noch einmal mit der ›mitspielenden‹ Kunst der Calderschen Mobiles, mit den Rhythmen und mit der Musikalität einer das neue Lebensgefühl mit- und nachschreibenden abstrakten Malerei in Beziehung setzt, so wird zumindest die neuerliche Nostalgiewelle für die fünfziger Jahre verständlich. Die Nutzung der Kunst unterhalb dessen, was sie an Problem und Widerspruch in sich trägt, gelang damals prächtig. Die Nähe zu diesem ›entschwerten‹ Gebrauch, zu diesem leichten Luxus der Formgebung, schaffte die angewandte Abstraktion spielend. Die Materialien, Farben und Konstruktionsart der Reliefs etwa eines Domelas können als Inbegriff dieser Modernität, als ›Form‹ der Zeit gelten. Aber auch die Zusammenarbeit des Architekten Baldessari und Lucio Fontana für die Mailänder Triennale 1953 geht in diesem Kontext weitgehend auf.

UN ATELIER D'ART ABSTRAIT

14, RUE DE LA GRANDE-CHAUMIÈRE - PARIS

L'avènement de l'art abstrait fut l'aboutissement d'un travail collectif considérable. Ceux qui prétendent que l'art moderne ne présente qu'un amas incohérent de brillantes individualités montrent tous les signes d'un aveuglement qui leur semble être le seul recours pour combattre l'évidence de ce travail collectif. Car on ne peut comprendre l'histoire de l'art depuis un siècle si on néglige son but essentiel, la marche à l'abstraction.

Loin d'être un simple mouvement comme l'impressionnisme, le fauvisme ou le cubisme, l'art abstrait s'oppose à l'art figuratif tout entier, quel que soit son degré d'évolution ou de compromission. Il est un monde infiniment varié où tous les tempéraments et toutes les conceptions prennent leur place.

Une révolution aussi fondamentale à laquelle on ne peut trouver dans ce domaine aucun équivalent, ni en ampleur, ni en puissance ne peut manquer de déborder le cadre de la plastique pour s'intégrer à d'autres aspects de l'activité, relatifs tout aussi bien à la morale, à la sensibilité, qu'à l'intelligence pure, tant individuelle que collective.

Quelles ont été les prémisses de l'art abstrait ? Quels domaines a-t-il déjà explorés ? Dans quel sens s'est-il dégagé de l'art figuratif et de ses dégénérescences ? Dans quelle mesure et par quel côté lui est-il encore parfois attaché ? En bref, où en est l'art abstrait, comment le faire évoluer, se purifier et s'enrichir ? Répondre à ces questions et y répondre par une œuvre concrète, tel est le but qu'un Atelier d'Art Abstrait doit essayer d'atteindre.

Il devient en effet indispensable de créer un lieu où les jeunes peintres puissent connaitre tout ce que leurs ainés ont déjà apporté à cet art ; un lieu où les contacts, les réflexions et les discussions qu'ils auront entre eux, pourront être constamment revivifiés par la fréquentation des plus grands artistes et des esprits les plus éclairés en cette matière.

Si un tel atelier ne peut prétendre révéler des génies, il peut du moins écourter les premiers temps de tâtonnement et d'exploration, faciliter et élargir l'activité si profondément sérieuse des jeunes peintres.

Il ne s'agira pas, dans cet atelier, de recevoir l'enseignement d'un maitre ; mais plutôt de recueillir tous les renseignements utiles pour tirer en commun les leçons qui s'imposeront.

Ceux qui viendront ici ne se contenteront pas de recevoir, ils doivent savoir qu'ils auront aussi à chercher et à découvrir, à s'enfoncer dans l'inexploré, source constante de fécondité. Ils participeront, chacun selon son désir, à une œuvre collective et à chacun incombera une part de responsabilité dans les réussites comme dans les échecs du mouvement.

Nous demandeions aux maitres de l'art abstrait de venir s'entretenir avec les élèves aussi souvent et aussi régulièrement que possible. Tous les quinze jours auront lieu des conférences ouvertes au public.

Nous serons nous-mêmes à l'Atelier chaque jour afin d'assurer la continuité du travail et la vie du groupe.

Jean DEWASNE. Edgard PILLET.

Ouverture de l'Atelier le 16 octobre. Première Conférence avec les collaborateurs d'ART D'AUJOURD'HUI, le mardi 24 octobre.

Ankündigung eines »Atelier für abstrakte Kunst« in Paris. Aus: Art d'aujourd'hui, Ser. 2. No. 1, Oktober 1950

Ein Atelier für abstrakte Kunst

Auszüge aus dem nebenstehenden Text

Der Durchbruch der abstrakten Malerei war das Ergebnis einer beachtlichen Gemeinschaftsarbeit. (...) Man kann die Geschichte der Kunst seit einem Jahrhundert nicht verstehen, wenn man ihr wesentliches Ziel außer Acht läßt: die Hinwendung zur Abstraktion. Weit davon entfernt, eine gewöhnliche Bewegung zu sein wie der Impressionismus, der Fauvismus oder der Kubismus, wendet sich die abstrakte Kunst gegen jede Figuration ... Sie ist eine unendlich verzweigte Welt, in der jedes Temperament und jede Konzeption ihren Platz findet.

Welches sind die Prämissen der abstrakten Kunst? Welche Bereiche wurden bereits erforscht? Inwieweit hat sie sich von der figurativen Kunst und ihren Abarten gelöst, in welchem Maß und in welcher Beziehung ist sie ihr noch verpflichtet? Kurz: wo steht die abstrakte Kunst heute, wie kann sie weiterentwickelt, gereinigt und bereichert werden? Antworten auf diese Fragen zu geben – und zwar Antworten in der konkreten Arbeit – ist das Ziel, welches sich ein Atelier für abstrakte Kunst setzen muß.

In der Tat ist es unumgänglich, daß ein Ort geschaffen wird, wo die jungen Maler das kennenlernen können, was ihre Vorläufer zu dieser Kunst beigetragen haben. Ein Ort, wo die Kontakte, die Überlegungen und die gemeinsamen Diskussionen der Jungen ständig belebt werden können durch den häufigen Besuch der größten Künstler und der kundigsten Fachleute auf diesem Gebiet. (...)

Charles Estienne

Ist die abstrakte Kunst ein Akademismus?

Die abstrakte Kunst ist in Gefahr ... das bedeutet nicht, daß irgendeine äußere Gefahr sie bedroht ... ganz im Gegenteil: sie hat jetzt ihr eigenes Haus, ihren Salon, ihre Galerien, sie ist der große Star einer vollständigen Revue. Abgesehen von den Kritikern, die sie speziell verteidigen und daher von vielen – zu Recht oder zu Unrecht – als Spezialisten für sie angesehen werden, interessiert, beschäftigt und beunruhigt sie die anderen Kritiker. Bedeutende abstrakte Künstler erhalten in den nicht abstrakten Ausstellungskomitees ehrenvolle Plätze. Und schließlich fängt diese Kunstform sogar an, in kommerzieller Hinsicht jene Sammler und Galerien zittern zu lassen, die von ihrem Gegenteil am meisten überzeugt waren. Und da es von nun an unbestritten ist, daß »das wesentliche Ziel der Kunstgeschichte seit einem Jahrhundert das Vordringen zur Abstraktion« ist, warum sollte daraus nicht eine Schule gemacht werden? Das ist heute bereits getan, und ein Atelier für abstrakte Kunst ist gerade in der Rue de la Grande Chaumière, in dem bevorzugten Viertel für Kunstakademien, eröffnet worden.

Das bedeutet auch nicht, daß die Gefahren des Akademismus, die mir heute die abstrakte Kunst als solche zu bedrohen scheinen, einzig von der Existenz einer Akademie – Pardon, eines Ateliers – herrühren, in dem, in gemeinschaftlichem Geist, alles in Bewegung gesetzt wird, um das ungewöhnliche Vordringen in Richtung auf den weiter oben bezeichneten Stern zu beschleunigen und festzulegen . . . Das bedeutet ferner auch nicht, daß man eine prinzipielle Abneigung gegenüber einem menschenfreundlichen Ort zur Schau tragen müßte, an dem ein junger Maler die technischen Voraussetzungen, welche die Effizienz in jenem universellen menschlichen Bereich fördern, jener menschlichen Geste, die von allen einsamen die gefährlichste ist, der Geste der ästhetischen Schöpfung, wenn nicht erlernen, so doch entdekken könnte. Aber genau da beginnt – und ich wage zu sagen, enthüllt sich – die Doppelbödigkeit. Wie weit gefaßt der Betrieb eines Ateliers für abstrakte Kunst auch sei, zwei Gegebenheiten, zwei Axiome sind für die Gründer dieses Ateliers außerhalb jeder Diskussion:

1. Außerhalb der abstrakten Kunst ist kein Heil.
2. Wer Atelier sagt, legt den Akzent auf die technischen Mittel einer Kunst: es gibt also eine abstrakte Technik, und man kann, wenn nicht sie lehren, so doch über sie informieren . . ., was schließlich den Akzent eher auf die Technik einer Kunst, als auf ihre Poesie legt.(. . .)

Jeder Künstler, der dieses Namens würdig ist, ist in permanenter Revolte gegen seinen eigenen Stil; der erhabenste, aber auch der undankbarste Anteil seiner Mühe besteht darin, die Kodifizierung seines eigenen Stils, und wäre es durch ihn selbst, zu verhindern. Was soll man also sagen zu einer Kodifizierung, die unter dem Vorwand des Unterrichtens, oder wenn man zur Scheinheiligkeit der Nuancen greifen will, unter dem Vorwand der ›Information‹, von außen gekommen ist? Und, was schlimmer ist, einer Kodifizierung, die doppelt willkürlich ist, sowohl in sich selbst als auch in der Auswahl der kodifizierten Bestandteile?

Die Grundelemente des neuen plastischen Kodes sind: die geometrische Form und die sogenannte reine Farbe – rein, das heißt rein von Vitaminen, möglichst unpersönlich, möglichst entleert vom schmarotzenden Beben der Modulation und der Materie. Kurz, eine malerische Ästhetik geschnittener Flächen und der Verflachung.

Eine Ästhetik, gegen die ich keinerlei prinzipielles Vorurteil habe, wenn sie eine persönliche Ästhetik ist, und, um es noch besser zu sagen, wenn sie die persönliche Praxis des Künstlers ist, die bei ihm einer inneren Notwendigkeit entspricht, einer Angst oder tiefen und versteckten Komplexen, deren er sich entledigt, indem er sie an den Tag bringt, indem er sie in eine exakte und für ihn vollkommene Form bannt, eine Form, die Ordnung und Stil ist und sowohl für den Menschen als auch für den Künstler die Lösung bedeutet. Und es ist verständlich (wenn auch nicht statthaft), daß ein aufrichtiger Künstler, der sich in einer bestimmten Form wiedergefunden hat, versucht ist, sie anderen mit dem ganzen Gewicht und der Überzeugungskraft der erlebten Erfahrung zu vermitteln. Aber die Sache ist dann ernst und nicht statthaft, wenn einer es macht, um nicht *mehr* machen zu müssen . . .

ATELIER D'ART ABSTRAIT
J. DEWASME — E. PILLET
10, rue de la Grande-Chaumière, Paris-VIe

Cet atelier, dont nous avons suivi avec intérêt l'effort de l'année passée, a repris son activité depuis le 1er octobre.

Corrections le lundi, mercredi et vendredi matin.

A partir du mercredi 14 novembre, à 10 h. 30 et toutes les semaines, par J. Dewasne : TECHNOLOGIE DE LA PEINTURE.

Ce cours est ouvert aux personnes étrangères à l'atelier.

Dans le courant du mois d'octobre reprise des conférences publiques.

Photo Meywald.

Anzeige des Ateliers für abstrakte Kunst. Aus: Art d'aujourd'hui. Série 2, No. 8, Oktober 1951

Und im Jahre 1950 liegen viele Quadrate und Kreise und Dreiecke in der Luft. Noch schlimmer und vor allem ärgerlicher: Man hat noch viel mehr davon *in seiner Umgebung vor Augen,* und vor allem in einem großen Teil der zahllosen Bilder und Skulpturen, die sich abstrakt nennen. (. . .) Und das ganze ist kein Stil und auch keine Mode, sondern etwas Schlimmeres: eine neue Routine, ein neuer Verschleiß von Auge und Geist, kurz, ein neuer Gegenstand, der *neue äußere Gegenstand* – und daß dieser neue, trügerische und plumpe Gegenstand vielleicht nur für die Maler, sofern sie abstrakt sind, existiert, ändert absolut nichts an der Tatsache, daß dieser Gegenstand von nun an als Gegenstand, als äußeres Vorbild existiert, und sich in den Akademien und Kreisen, in denen man sich schmeichelt, sich zur reinsten abstrakten Kunst zu bekennen, Unsicherheit ausbreitet. (. . .)

Ja, soweit sind wir gekommen. Und es ist kein Fortschritt, sofern es in der Materie des Ästhetischen überhaupt einen Fortschritt gibt, mit Befriedigung das zahlreiche Publikum zu registrieren, das heute durch die Drehtür der abstrakten Kunst wandert. Kein Fortschritt, sondern das genaue Gegenteil, eine Sklerose, eine monströse Versteifung und eine *neue Krise des Objekts.* Das neue Objekt ist der ärgerliche, der sterbenslangweilige abstrakte Zierat, den man kodifizieren und als Kunst hinstellen will. Es ist dringend notwendig, gegen ihn jene Revolte wiederaufzunehmen, die – wie Breton sagt – Kandinsky zu Beginn dieses Jahrhunderts einleitete, als er ein anderes Objekt fand, das zwischen ihm und seiner Malerei stand. Und man muß nicht zurückgehen auf den naturalistischen Realismus: niemals sind wir je weiter von ihm entfernt gewesen. (. . .)

Worauf es uns ankommt, ist, die Differenz der Mobiles Calders und deren im Dekorationskontext nicht erschöpfte Phantastik zu zeigen. Die andere Freiheit der Scherenschnitte von Matisse, seines Jazz gehört hierher: Manifestationen, die in den fünfziger Jahren noch etwas anderes sind als der nun an die Kunst herangetragene öffentliche Anspruch.

Die neue Geltung der Moderne führt zu Großaufträgen, die den offiziellen Status in den fünfziger Jahren international bestätigen sollen. Auch ein neuer Kontakt zwischen Kirche und Kunst bahnt sich an; inoffiziell vermittelt, mit umstrittenen und später bewunderten Resultaten: Nicht nur die bekennend religiösen Künstler der Ecole de Paris arbeiten für die Ausstattung neuer Kirchen, wie 1950 Bazaine und Rouault für die Kirche in Assy, wo das Kruzifix von Germaine Richier längere Zeit für Aufregung sorgt. Mit Léger in Audencourt, Corbusier in Ronchamp und Matisse in Vence setzen die Großen der Moderne Denkmäler – nicht zuletzt für eine im Zeichen des Optimismus veränderte Zeit. Als Folge des Krieges kann die moderne Kunst nicht nur zum Modell des Lebensstils werden, sondern zum Medium, zu einem Gefäß der jetzt, nach dem Überleben, in die Zukunft gerichteten Hoffnung.

Mit diesem allenthalben wahrnehmbaren Autoritätszuwachs für die vormals ›entartete‹ oder ›degenerierte‹ Kunst ging auch die Formierung eines neuen Widerstandes gegen die Moderne einher. Für die deutsche Kunstdiskussion der Nachkriegszeit, die sich erst um Hans Sedlmayrs 1948 erschienene Schrift ›Verlust der Mitte‹ voll entzündet hatte,[73] war die verspätete Gründlichkeit einer Totalkonfrontation charakteristisch: die gesamte Moderne und ihre Wurzeln bis in die französische Revolution standen zu einer weltanschaulichen Diskussion an, die natürlich keine Klärung bringen konnte. Dieser ›Kampf um die Moderne‹ kulminierte szenisch während des ersten ›Darmstädter Gesprächs‹ im Sommer 1950, an dem außer den Hauptkontrahenten Sedlmayr und Baumeister, wie eine zeitgenössische Fotomontage zeigt, Johannes Itten, G. F. Hartlaub, Franz Roh und Gotthard Jedlicka teilnahmen.[73] Beteiligt hatten sich in den Diskussionen in einer gefüllten Stadthalle freilich noch viele. Adorno hat sich damals zu Wort gemeldet; Hans Hildebrandt, der einst noch das Handbuch der Kunstwissenschaft an die Gegenwart heranführte, war dabei; Ottomar Domnick, der bereits 1948 eine Wanderausstellung neuer französischer Kunst durch deutsche Städte organisierte, vertrat die Sache der jungen abstrakten Kunst.

Wenn wir hier diese Debatte auch noch durch eine damalige Rezension aufgreifen,[74] so um den Stand der Rezeption zu zeigen: Das unterentwickelte, völlig gestörte, das heißt, das nicht vorhandene Verhältnis zur Kunst der unmittelbaren Gegenwart charakterisiert diese Jahre. Die kleine Gruppe von Künstlern, Kennern und Interessierten auf der einen Seite, die um das Abendland besorgte, meinungsbildende und Vorurteile bestätigende, ansonsten ignorante Verteidigung der Kultur auf der anderen Seite: Nicht die Konstellation, aber der Gegenstand der Auseinandersetzung und die Proportionierung der Parteien mögen sich schon im Verlauf der fünfziger Jahre gewandelt haben. Noch die erste, 1955 in Kassel veranstaltete documenta hat ihre Aufgabe in der Erfüllung des riesigen Nachholbedarfs sehen können: Zum Durchbruch kam damals nicht so sehr die Avantgarde-Kunst der frühen fünfziger Jahre, sondern die ›klassische‹ Moderne.

Gleichzeitig aber wird die abstrakte Kunst, deren ›Sprache‹ in die Lebensgestaltung einer fortschrittlichen Umwelt mitverwickelt ist, zum Ausdrucksträger im weltanschaulichen Dienst. Die Logik dieses Prozesses ist ebenso einsichtig wie das Ergebnis mit ihrer Doktrin

WALTHER MEINIG EIN NEUER TRAKTOR KOMMT

„Der wahre Entscheidungsweg der heutigen Kunst, die fortschrittlichen gesellschaftlichen Zielen dient, ist der Weg des modernen Realismus, in dessen Mittelpunkt die gesellschaftlichen Interessen unserer Zeit in die diesen Interessen dienen-

WILLI BAUMEISTER KOSMISCHE GESTE

„Frühere Zeiten zeigten dem Betrachter die Bilder seiner Bindungen. Die Macht der Bilder band ihn an seine Welt. Tun wir etwas anderes? Wir sind an die Freiheit gebunden, und wir behaupten nicht, daß sie leicht zu haben wäre."

Gegenüberstellung: Walter Meinig und Willi Baumeister. Aus: ›Das Kunstwerk‹, Heft 5, 1951

fragwürdig. Das durchgängige Freiheitsmotiv der Moderne verklärt sich nach der Verfolgung und wird nach dem Krieg verkürzt, zumal damals tatsächlich eine neue expressiv-informelle Kunst entsteht, exklusiv mit der Abstraktion verbunden. Und die Weltsprache der Abstraktion wird somit auch in der politischen Konfrontation in Alleinvertretung die Sprache der Unterscheidung zwischen dem Westen und dem Osten, wo seit 1948 die Doktrin des ›Sozialistischen Realismus‹ den künstlerischen Ausdruck reguliert. Ein Dokument aus der Zeit des Kalten Krieges ist die deutsch-deutsche Konfrontation zweier preisgekrönter Gemälde. Das eine Bild, *Ein neuer Traktor kommt,* hatte bei dem Wettbewerb ›Demokratischer Aufbau‹ Erfolg: ein Programmbild jenes Realismus, der den »fortschrittlichen gesellschaftlichen Zielen dient« und »in dessen Mittelpunkt die diesen Interessen dienenden Menschen stehen«. Diesem Bild von Walther Meinig gegenüber bildete damals die Zeitschrift ›Kunstwerk‹ das in jenem Jahr, 1951, auf der Biennale in San Paolo mit einem Preis bedachte Bild Baumeisters ab: *Kosmische Geste.* Der Kommentar dazu, wie könnte es anders sein, argumentiert mit der zum Inhalt gewordenen Haltung ›Freiheit‹. So heißt es: »Frühere Zeiten zeigten dem Betrachter die Bilder seiner Bindungen. Die Macht der Bilder band ihn an seine Welt. Tun wir etwas anderes? Wir sind an die Freiheit gebunden, und wir behaupten nicht, daß sie leicht zu haben wäre« – ein Zitat aus dem Katalog der ersten Ausstellung des Deutschen Künstlerbundes 1951 in Berlin von Georg Meistermann. Meistermann war wohl der erste junge Künstler, der nach dem Krieg einen Kunstpreis bekam: Sein *Neuer Adam* darf als ein Programmbild der die Freiheit der Abstraktion tatsächlich zum Inhalt wählenden, mit anderen Worten, als ideologische Abstraktion einer ganzen Generation gelten, doch wohl im Unterschied nicht nur zu dem weitgreifenden Werk Baumeisters, sondern auch zu jenen Künstlern in der Nachkriegszeit, die sich *direkt* der Sache der Kunst verpflichtet hatten, der Malerei zum Beispiel, wie Nay das besessen tat.

Die scheinbar beliebige Verfügbarkeit der abstrakten Formsprache erwies sich auf Dauer als verhängnisvolles Problem für den mitmalenden, mitgestaltenden, mitbildhauernden Künstler. In der Skulptur brachten die Mischformen von konstruktiver und organischer Abstraktion eine die Zeitgenossen vorübergehend begeisternde Blüte hervor. Die neue Skulptur galt, als Raumfigur, Raumzeichen, als Material- und Formexperiment zwischen der Erwägung wiederbelebter Archaik und transparenter Struktur, als die Errungenschaft des Jahrzehnts.

MEISTERMANN, Georg
geb. 1911 in Solingen

Der neue Adam, 1949
Öl auf Leinwand

Dieses mit dem 1. Preis ausgezeichnete Werk befindet sich in den USA. In unserer Ausstellung: Reproduktion
und ein Original:
Blatt, 1950
Öl auf Leinwand

Besitzer: Galerie „Der Spiegel", Köln.

Studium an der Akademie Düsseldorf bei Professor Nauen und Professor Mataré. Seit 1937 Glasmalerei.

210

Georg Meistermann. Der neue Adam. 1949. Dem Bild wurde beim ›Deutschen Kunstpreisausschreiben 1949‹ (Blevin-Davis-Kunstpreis. Einmalige Stiftung durch den Amerikaner Blevin-Davis) der erste Preis zugesprochen (Abb. aus dem Katalog ›Deutsche Kunstpreisträger seit 1945‹, Recklinghausen 1956)

Mit der Dokumentation des internationalen Wettbewerbs für das *Denkmal des unbekannten politischen Gefangenen* wollen wir diese Leistung im repräsentativen Querschnitt andeuten. Die abgebildeten Beispiele sind durchweg die Auslese – aus rund 3500 Einsendungen. Künstler aus 57 Ländern, allein aus der Bundesrepublik über 600, nahmen an der Ausschreibung teil, für die das Londoner Institute of Contemporary Arts federführend war und für die beträchtlichen Preismittel aus einer anonymen Stiftung amerikanischer Herkunft stammten.

Daß diese ›Olympiade‹ der modernen Skulptur weitgehend in Vergessenheit geriet, verwundert heute. Denn mit Ausnahme einiger damals schon bekannter Größen, wie Marino Marini oder Henry Moore, der für die internationale Jury tätig war, nahm an diesem Wettbewerb durchweg die gesamte Elite der modernen Skulptur teil. Unter den Preisträgern waren Antoine Pevsner, Naum Gabo, Calder und Max Bill, die Italiener Mirko Basaldella und Luciano Minguzzi. Auch unter den national Ausgewählten trifft man auf die ältere und die jüngere Generation: Fritz Wotruba war ebenso beteiligt wie Rudolf Hoflehner, Hans Uhlmann ebenso wie Karl Hartung, Bernhard Heiliger oder Fritz Koenig. Unter den ›Ausjurierten‹ findet man Schoeffer und Lardera; auch würde man Edouardo Paolozzi schwerlich in diesem Wettbewerb der frühen fünfziger Jahre vermuten.

In der Arbeit des Gewinners des Großen Preises zeigt sich der Konflikt zwischen Themenstellung und der abstrakten Skulptur. Reg Butler sei als Künstler »ebenso Dichter wie Ingenieur«, charakterisierte damals Will Grohmann den englischen Eisenplastiker;[75] und so gelang diesem ein preiswürdiges Sinnbild für die gestellte Aufgabe – radikal zwar in den formalen Details, deutlich indes in der assoziativen Anspielung des turmartigen Drahtgebildes auf den Wachturm eines Konzentrationslagers. Zadkines noch figurales Denkmal für eine zerstörte Stadt, das 1951 in Rotterdam aufgestellt wurde, war gewiß ein Vorläufer und Anreger dieses Wettbewerbs. Jetzt aber kann bereits eine allgemein veränderte Sprache der Skulptur festgestellt werden. Grohmann, der sich jahrelang stark für die Errichtung des Butlerschen Denkmals in Berlin einsetzte, spricht der jetzt wahrnehmbaren Veränderung historische Bedeutung zu: Die Isolierung der Plastik seit etwa 1800 scheint nun dem Ende entgegenzugehen, eine neue Verbindung zur Landschaft, Architektur im städtebaulichen Zusammenhang bahne sich an.

Diese Entwicklung, die im weiteren Verlauf der Aufbau- und Wirtschaftswunderjahre als ›Kunst am Bau‹ mit zähem Nachleben institutionalisiert wurde, betraf die neue Malerei in einem geringeren Maß. Deren heftige Expansion als ›Weltsprache‹ bestimmte zwar die Kunstszene der fünfziger Jahre, führte indes ebenso dramatisch am Ende des Jahrzehnts zu dem kreativen Konflikt eines versuchten ›Ausstiegs‹ aus dem Bild.

Große Ausstellung französischer abstrakter Malerei. Stuttgart, München, Düsseldorf, Hannover, Frankfurt, Kassel, Wuppertal und Hamburg 1948. Plakat mit Peinture, 1947, von Pierre Soulages

Willi Baumeister

Das Unbekannte in der Kunst

Einführung

Soll ein tätiger Künstler seine Meinung einer umgrenzten Idee, einem festgelegten Thema anvertrauen? Verfällt er damit nicht der klügelnden Theorie? Erweckt eine solche Schrift den Eindruck, das künstlerische Werk sei aus einem Gefühl des Unvermögens ergänzt worden? Welche besonderen Umstände bildeten den Anlaß zu dem außergewöhnlichen Tun? – Es waren greifbar harte Umstände, nämlich der Wandel des Unsterns, der sich 1933 erhob, die Umkehrung aller Werte und die letzten Exzesse, die ihrem Ende zurasten.

Ungern wird angesichts der unsagbaren Leiden der Menschheit auf die Kunst verwiesen, wenn der Satan über die Welt fegt, wenn die Stadt brennt und die Trümmer fliegen, wenn man im Sinne der alten Propheten »aus dem Schutt seine Nahrung sucht«. Angesichts der Erschütterung aller Lebensbedingungen hebt sich trotz allem ein vorsichtiges Periskop aus den verschütteten Kellern des Geistes durch den Druck angesammelter, gestauter Ungeduld.

Kann der verhinderte Maler ein Schlupfloch finden, eine Orgelröhre, aus der sein letzter Ton pfeift? Kunst ist keine Beschäftigung, Kunst beschäftigt immerwährend den Künstler.

Es ist merkwürdig, in welch kausaler Fährte sich eine Tätigkeit wandelt, fortsetzt. Vom Malen größerer Bilder zum kleinformatigen Zeichnen und Illustrieren bis zuletzt in aufgezwungener, äußerster Einschränkung: zum Schreiben. An sich schon durch die Verhältnisse an eine langjährige außergewöhnliche Daseinsform gebunden, die Zukunft als ewige Düsternis, des Lehramts enthoben, in Diffamierung und so weiter, entstand zuletzt zwangsläufig das vorliegende Produkt im Winter 1943 als Zeichen einer durch Zusammenpressung fast zum Verlöschen gebrachten letzten Virulenz.

Urach, Neujahr 1943/44

Das »Unbekannte in der Kunst«, das hier abgehandelt ist, soll als umrissener Begriff an dieser Stelle vorangestellt sein: Gemeint ist, daß dem Kunstbetrachter durch das Kunstwerk ein vordem unbekannter Wert geschenkt wird, und daß sich daraus auch ein Wert der Kunstbetrachtung herleitet. Außerdem soll als Bedeutendstes betont werden, daß in dem Resultat einer künstlerischen Leistung ein Hauptwert erzeugt wurde, der dem tätig gewesenen Künstler selbst vordem nicht bekannt war. Hierin liegt die umfassende Macht der Kunst in Form eines fortzeugenden Prozesses.

Nur gelegentlich ist ein zweites Unbekanntes, das Zukünftige, berührt, das durch das Abrollen der Zeit zum Bekannten wird. Wenn auch prinzipiell eingeschlossen, so doch weniger hervorgehoben ist das dritte Unbekannte, das Rätsel der Kunst und des Lebens. Das Unbekannte gewinnt auch im Hinblick auf das menschliche Leben eine umfassende Bedeutung.

Haus Weller, Horn am Bodensee, April 1945

Die Malerei ist die Kunst des Sichtbaren. Vom Standpunkt des Malers aus ist Malerei die Kunst des Sichtbarmachens von etwas, das durch ihn erst sichtbar wird, und vordem nicht vorhanden war, dem Unbekannten angehörte. Der Betrachter hat sich mit dem nun Sichtbarge-

Jackson Pollock. Der Wasserbüffel. Um 1946 (Kat. 403)

wordenen zu befassen. Die Sehstrahlen sind die Vermittler. Die Reinheit des Sehens, besser des Schauens, übermittelt die Eigenkräfte der Malerei, die sich auf der Bildebene ausbreiten. Das mit den Augen Wahrnehmbare ist der reale Leib des Werkes. Es ist ein Zellenleib aus Flächenteilen und gleich Schuß und Kette die dichtgewebte Aufbaustruktur. Die gemalte Fläche zeigt durch die Gestaltung der künstlerischen Mittel ein stummes Schauspiel, ein Drama der Farben und Formen, der Linien, der Kontraste, Beeinflussungen und Beziehungen.

Ist es dem Betrachter gegeben, neben dem Gegenständlichen auch die elementaren Aussagen der Farben und Formen in sich aufzunehmen, so sind alle Hoffnungen vorhanden, daß er seinen Gewinn zu ziehen imstande ist. Denn in den Farben und Formen sind elementare Kräfte enthalten, stärkere Urkräfte als in den dargestellten Nachbildungen. Diese Urkräfte gehören nur dem Sehbaren an und können ihrem Wesen nach nicht in beschreibende Begriffe gefaßt werden. Sie sind nicht der Mantel von Darstellungen, sondern das gegenständlich Dargestellte ist in gewissem Sinn eine Maskierung der Urkräfte.

Bei allen gegenständlichen und ungegenständlichen Werken, wie auch bei Ornamentationen und Schrift, ist es ein Verborgenes, was der Beschauer mit aufnehmen soll. Es erweist sich, daß dazu eine Kontemplation nötig ist, die mehr Zeit erfordert, als durchschnittlich angenommen wird. Stellen sich Ungereimtheiten und Zweifel ein, besonders bei Werken, bei denen ein hoher Rang anzunehmen ist, so soll der Beschauer diese Ungereimtheiten möglichst auf sich beruhen lassen. Denn es könnte sich im Verlauf der Betrachtung erweisen, daß diese vielleicht doch eine nötige Position ausfüllen.

*

Das bis dahin Unbekannte sind jene als merkwürdig rätselhaft auffallenden Formulierungen im Werk, auf die der Beschauer eingehen muß, um überhaupt das Wesen jeder Kunstäußerung erfassen zu können. Gerade in den harten Nüssen sind die Kerne. Kunst besteht nie in Regeln, sondern immer in Ausnahmen vom Standpunkt des Erfahrungsmäßigen. Erfahrung kann, was das zum Schöpferischen Bezügliche anlangt, nie auf Kunst angewandt werden. Das Unbekannte bildet den polaren Gegensatz zu jeder Erfahrung. Kunst sollte als Metamorphose betrachtet werden, als beständige Umwandlung. Das Mißverständnis liegt darin, daß der schwache Betrachter einen erfahrungsmäßigen Halt vergeblich sucht. Der Kenner, der eingeweihte Betrachter, zieht seine Emotionen aus derjenigen Formgebung, die dem rationalen, erfahrungsmäßigen Empfinden zuwiderläuft. Der Gutwillige und der Naive lassen solche Formgebungen auf sich wirken und wehren sie nicht ab.

Wie der Künstler immerfort dem Unbekannten durch seine Werke neue Werte entreißt, durch seine Produktion Neues zur Kenntnis bringt, gleichsam vorwärts entdeckt, so gibt es gleichermaßen ein Entdecken rückwärts oder auch seitwärts. Man entdeckt, was praktisch schon vorhanden ist, Vergangenes, durch den jeweils neuen Standpunkt, den die Kunst neu geschaffen hat. Man entdeckt zeitlich Gleichlaufendes wie durch Resonanztöne, die von einem vorher unbeachteten Gegenstand plötzlich mitklingen, – er meldet sich – wenn der Ton seiner Wellenlänge angeschlagen wurde. Die praktische Entdeckung durch den Spaten der Ausgrabung fällt nicht durchaus mit der kunstwertmäßigen Entdeckung zusammen. Es gehört die künstlerische Schau dazu, einen Gegenstand ins Blickfeld zu rücken, zum Kunstwert zu erheben oder zu übergehen.

*

Der Künstler im Verhältnis zum Unbekannten

> Der originale Künstler verläßt das Bekannte und das Können. Er stößt bis zum Nullpunkt vor. Hier beginnt sein hoher Zustand.

Das originale Produzieren beruht nicht auf vergleichbarem Können, der originale Künstler kann in diesem Sinne im hohen Zustand nichts. Er produziert seine bedeutenden Werte ohne Lehrgut, ohne Erfahrung, ohne Nachahmung. Nur auf diese Weise findet er bisher Unbekanntes, Originales. Das Genie »kann« nichts und nur damit alles.

Man teilt die Kunstgeschichte in Stile ein, im Zusammenhang mit geographischen Bezirken und Zeitabschnitten. Für ferner zurückliegende Zeiten und für völkerkundliche Kulturen, in denen Künstlerpersönlichkeiten nicht faßbar werden, sind diese Einteilungen zur Verständigung unentbehrlich. Für näherliegende Epochen europäischer Kunst tritt der einzelne Künstler in den Vordergrund. Die Stilbenennung wird zweitrangig. In diesen Zeiten wird deutlich, daß einige Künstler durch unabhängiges Empfinden und Produzieren zu Begründern der Stile wurden. Hemmung und Befangenheit ist ihnen fremd. (Alles ist möglich.) Sie vertrauen auf ihre »Mitte«. Das bis dato Unbekannte, vor dem sie bei Beginn eines Werkes stehen, wirft sie nicht in Scheuheit, sondern es erscheint ihnen geradezu verheißend. Der immerwährenden Konventionsbildung arbeiten ihre Vorstöße immer wieder entgegen. Durch Kühnheiten, Erfindungen sondern sie sich ab. Maler, die mitgerissen wurden, ohne selbst zu finden, reflektieren die originalen Werte in gedämpften Spiegeln. Durch diese Zweitrangigen und ihre weitere Gefolgschaft tritt der Stil erst in Erscheinung. Es ist die Eigenschaft des Zweitrangigen, daß er die neu gefundenen Werte als Gebiet sieht, das er aussteckt, beackert und beerntet.

Anders der Künstler originaler Art.

Er sieht eigentlich nicht. Da er als Vorderster mit jedem Werk ins Unbekannte stößt, kann er nicht voraussagen, auf was er stoßen wird. Er kann weder die Endform des einzelnen Werkes voraussehen, noch seine gesamte Lebensleistung überschauen, wenn er auch seiner Sache sicher ist. Im Gegensatz hierzu wissen die Epigonen, was sie wollen und tun, denn sie haben abgeschlossene Leitbilder vor sich. Die Struktur ihrer Empfindungen und wie dieselben sich herbeifinden, und damit verbunden die Methode ihres maltechnischen Bildaufbaues, sind ganz anders als diejenigen des Finders neuer Werte.

Selbst wenn der Künstler, bewegt von einem unfaßbaren Urwillen, in hohem Bewußtsein seiner Handlung seine Sache sagt, meißelt oder malt, läßt er sich überraschen von dem, was unter seinen Händen entsteht. Im Vertrauen auf seine einfache Existenz hat er vielleicht eine Hoffnung, die Intensität, die die Konsequenz verbürgt und ihn den kompromißlosen Weg führt. Dadurch, daß er keinem greifbaren Vorbild nachstrebt, daß er auch zugleich an die Präexistenz seiner Werke glaubt, gelingt das Originale, das Einmalige, der künstlerische Wert überhaupt.

Gleichsam blind greift er zu zunächst seltsam erscheinenden Aussagen, die teils auch von seinen Mitteln auszugehen scheinen, als daß sie allein durch ihn hervorgebracht werden. Es ist ein künstlerischer Höchstzustand, der die »Erfahrung« hinter sich läßt und ihn von aller »Anwendung« von bekannten Wirkungen fernhält. Der eigene Zustand ist vielleicht das Einzige, was er empfindet und den er bis zu einem bestimmten Grad des Bewußtseins herbeiführen kann, indem er unter anderem »nichts versäumt«. Er entscheidet sich nie, sondern seine »Mitte« führt eine Reife herbei, bei der es keine Entscheidung mehr gibt. Nichts ist ihm dissonant. Er kann warten, bis die Dissonanz von heute zur Harmonie von morgen wird. Dabei spürt und vermerkt er Widerstände, die bewirken, daß seine Konsequenz noch dichter wird. Er ist das Organ eines Weltganzen, dem er verantwortlich bleibt anhand seiner Selbstverantwortung. In der künstlerischen Zone vereinigen sich das allgemein gesetzmäßige, natürliche Entstehen und der Freiheitsbegriff. Die Freiheitssubstanz entwickelt sich immer neu an den Widerständen.

Um die geschlossene Einheit kreist in scheinbarem Dualismus ein letzter abgesprungener, zeitbedingter Wert in Gegenüberstellung: die selbstgezeugte Vision.

Die Vison

Der Künstler als Membran einer hohen Allgemeinheit äußert sich im Kunstwerk in totaler Art, indem er seiner Vision eine kongeniale Fassung in der unteilbaren Einheit des Kunstwerkes zu geben versucht. Seine Werke steigen zu jener Höhe der Verdichtung auf, die in ihrer Geschlossenheit alle Vielfältigkeit ihres Aufbaues verloren haben. Sie erscheinen gleich einer äußersten Synthese als ein monumentales Symbolzeichen, ähnlich einem rätselhaften Ideogramm, das nicht mehr teilbar ist und in seinem Kerngehalt undeutbar bleibt.

Ernst Wilhelm Nay. Die Jakobsleiter. 1946 (Kat. 382)

Darmstädter Gespräche 1950

Das Menschenbild in unserer Zeit

Die Situation der Kunst in unserer Zeit – das große Thema des dreitägigen ›Darmstädter Gesprächs‹ (15.–17. 7. 1950) – wird schon allein durch die Tatsache einer solchen öffentlichen Diskussion beleuchtet, die wohl in keiner anderen Epoche der Menschheitsgeschichte möglich gewesen wäre. Man hat den Vergleich mit den »Religionsgesprächen« der Reformationszeit gezogen. Aber daß es um Kunst ging (im Anschluß an eine Ausstellung ›Das Menschenbild unserer Zeit‹ das charakterisiert die repräsentative Bedeutung, die den Fragen der freien Ausdrucksgestaltung heute weit über den Bezirk des nur Ästhetischen hinaus zukommt, eine Bedeutung, die das künstlerische Bekenntnis für weite Kreise unserer geistigen Elite geradezu in den Rang des religiösen Bekenntnisses erhoben hat. Daß der große Saal der Stadthalle meist bis auf den letzten Platz von einem lebhaft für und wider interessierten Publikum gefüllt war, ist wohl auch nicht nur der Zirkus-Sensation geistiger Gladiatorenkämpfe – oder den berühmten Namen der in die Ruinenstadt geladenen prominenten Diskussionsteilnehmer – zuzuschreiben.

Freilich dürfte es nicht vielen der versammelten Laien klar geworden sein, worum eigentlich auf dem Podium der Streit der Schriftgelehrten ging. Zweifellos: um die moderne Kunst. Aber offenbar verstand fast jeder Redner etwas anderes unter diesem so überaus vielsinnigen Wort, so daß der eine etwa den Surrealismus, der andere die absolute Malerei, ein dritter den Expressionismus stillschweigend damit identifizierte. Verwirrender war, daß das Für und Wider nicht klar herauskommen konnte, da es keinen ehrlichen und erklärten Gegner gab. Sedlmayr, dessen »Verlust der Mitte« die Zielscheibe scharfsinniger Geistespfeile aus den verschiedensten Richtungen hergeben mußte, stritt alle Agressionsabsichten ab und erklärte sich von denen mißverstanden, die sein Buch als Polemik gelesen haben. Wenn er immer wieder die führenden Künstler der Gegenwart als große und bewundernswerte Begabungen bekomplimentierte, ihnen aber im gleichen Atemzuge Herz, Ursprünglichkeit, Gläubigkeit, Liebe usw. abstritt, wenn er u. a. behauptete, Worte wie »untermenschlich« (manchmal sagte er auch etwas vornehmer »infrarealistisch«) seien nicht als Werturteile, sondern als objektiv wissenschaftliche Typenbezeichnungen gemeint – dann bedauert man doch, daß er die doppelzüngige Diplomatie Marc Antons (»Doch Brutus ist ein ehrenwerter Mann!«) an einem Orte zum Vorbild nahm, wo es im eigentlichen Sinne darauf angekommen wäre, »Farbe zu bekennen«.

Teilnehmer am Darmstädter Gespräch über ›Das Menschenbild in unserer Zeit‹, 15.–17. Juli 1950. Links v.o.n.u.: G.F. Hartlaub, H. Sedlmayr, G. Jedlicka. Rechts: W. Baumeister, J. Itten, F. Roh

Andererseits wurden seine Gegner (d.h. wohl ausnahmslos alle übrigen Sprecher) oft allzusehr durch die Dialektik des Widerspruchs dazu getrieben, den Anschein eines Optimismus zu geben, den gewiß kaum einer von ihnen vertrat. Nicht die »Gefährdung« sollte bestritten werden, von der Sedlmayr sprach. Das Menetekel von der »Menschheitskrise« wurde lange vor ihm schon zum Gemeinplatz. Das dunkle Wort ›Verlust der Mitte‹ konnte richtig als Verlust der Bindung präzisiert – dann aber sofort auch mit dem »Gewinn der Freiheit« gleichgesetzt werden – einer Freiheit, die nicht Willkür sondern innere Notwendigkeit bedeutet. Diese Überzeugung trug schon den Einleitungsvortrag von Itten (Zürich) über »Die Möglichkeiten der modernen Kunst«, dem dann der Vortrag Sedlmayrs über »Die Gefahren der modernen Kunst« folgte. Aber vielleicht konnte sich nur ein aufmerksamer und geschulter Zuhörer darüber klar werden, daß es nicht um die Entscheidung zwischen einer schwarzen und einer rosaroten Brille ging, sondern darum, daß für Sedlmayr (wie für andere Gleichgesinnte, die es aber vorgezogen hatten, der Einladung nach Darmstadt nicht zu folgen) die heutige Kunst nur Spiegelung, Symptom, wenn nicht gar Bazillus der tiefen Negationen ist, die er als die »Krankheit unserer Zeit« bezeichnet, also des Rationalismus, der Mechanisierung, des Materialismus, des Nihilismus; während sie, die Kunst, nach der Ansicht der anderen just gegen diese negativen Zeiterscheinungen auf der Seite der heilenden Gegenkräfte steht: zwar in rücksichtsloser Wahrhaftigkeit den Disharmonien standhaltend, ohne sie vorschnell aufzulösen, aber doch eine neue Art von Harmonie oder zumindest von geistiger Ordnung aus ihnen kristallisierend. (Adorno, Frankfurt, äußerte allerdings Zweifel an der Brauchbarkeit des allzu abgenutzten Wortes Harmonie für die neu gesuchte »Stimmigkeit«.) Daß schon Gestaltung allein die Negation überwindet, indem sie als Positives das gelungene und leidenschaftlich bejahte Werk in die Waage wirft, kam besonders prägnant in den Vorträgen von Alfred Weber (Heidelberg) und Jedlicka (Zürich) zur Sprache. Besonders die Künstler selbst waren es dann, die immer wieder darauf hinwiesen, daß jede Kunst eine tiefe Gläubigkeit voraussetze und daß gerade die heutige (antinaturalistische) Kunst einen Idealismus verkörpere, ein neues Streben zu einer neuen Mitte, ja zu einem neuen religiösen Ausdruck, sei es nun innerhalb oder außerhalb der alten Bindungen. Freilich – wie dem Berichterstatter ein Künstler im Privatgespräch sagte – dürfe man nicht mit sentimentalen Ulanenritten gegen Panzerkolonnen vorgehen wollen, sondern die »entseelenden« Mächte der Technik usw. mit ihren eigenen Mitteln, d. h. mit Intelligenz, Präzision, Subtilität bekämpfen, um sie unter die Herrschaft des Geistes zu zwingen. Sedlmayr beharrte in seiner rein destruktiven Anschauung, die keinen Ausblick aus dem Chaos der Zeit zu zeigen vermag, es sei denn in eine Vergangenheit, die er selbst für unwiderbringlich verloren erklärt, oder in eine umnebelte Zukunft, von der er nicht die geringste greifbare Vorstellung geben kann. Dagegen bemühten sich die anderen Gesprächsteilnehmer zu zeigen, daß gerade der Kunst unserer Zeit die ordnende und erlösende Funktion zugestanden werden müsse, daß sie das Chaos nur bejahe, weil es Gelegenheit biete, neue kosmische Entwürfe daraus zu formen, neue Ordnungen, und seien es auch Ordnungen aus Trümmern.

Was sich durch geistesgeschichtliche Argumente an Sedlmayrs Thesen widerlegen läßt, hatte am Anfang der Diskussion Franz Roh (München) in einem knappen Referat zusammengetragen; leider wurde auf seine Punkte in der Folge überhaupt nicht mehr eingegangen. Von der psychologischen Seite her bewies Mitscherlich (Heidelberg) den Nonsens der Unterscheidungen von »Oben« und »Unten«, Köberle (Tübingen) gestand in großzügiger Weise als Theologe der Kunst jene Autonomie zu, die der Kunstgelehrte Sedlmayr ihr verwehren möchte, zeigte aber auch die Möglichkeiten einer Versöhnung von Kunst und Religion, die gerade in der heutigen spiritualistischen Kunst lägen. Alfred Weber (Heidelberg) betonte als Soziologe in einem überraschenden Bekenntnis zur Bauhaus-Kultur die tiefe Menschlichkeit gerade der radikalsten Modernen, ihren Gestaltungswillen, der »durch das Gitterwerk der Technik hindurchgreift« zu neuen reineren Lebensformen und Erlebnisweisen; und der Mainzer Philosoph Holzamer stellte den Satz auf, daß die eigentliche Würde des Menschen in der Fähigkeit liege, sich über den engmenschlichen Standpunkt zu erheben. Nach so viel Ernst und Methode – und einem unmittelbar anschließenden enthusiatischen Bekenntnis von Domnick (Stuttgart) zur gegenstandslosen Malerei – war dann eine wahre Erholung die urtümlich humoristische, wenn auch etwas »gegenstandslos« ins Weite schweifende Plauderei des Malers Willi Baumeister, der von den Höhlenbildern von Altamira über seinen »Kollegen Dürer« und das »große Kind« Cézanne sehr konkrete Fingerzeige zum Verständnis der sogenannten abstrakten Malerei gab – und dafür von dem gleichen Publikum den gleichen begeisterten Applaus erhielt, den am Vortage die verschlagene Kasuistik seines mephistophelischen Antagonisten Sedlmayr geerntet hatte.

Kurt Leonhard

Gutachten der Akademie der Künste zum Entwurf eines Denkmals des unbekannten politischen Gefangenen

Drei Jahre sind vergangen, seitdem Reg Butlers Modell eines Denkmals zu Ehren des unbekannten politischen Gefangenen aus einem weltweiten Wettbewerb von nicht weniger als 3500 Einsendungen siegreich hervorgegangen ist, und wenn nicht alles täuscht, so hat sein Entwurf an künstlerischer und moralischer Gültigkeit in der Zwischenzeit eher gewonnen als verloren. Das Kunstwerk hat gehalten, was es den Preisrichtern von 1953 zu versprechen schien. Deutlicher noch als in der Stunde der Urteilsfällung, in der auch noch andere glänzende Vorschläge von hervorragenden, zum Teil weltberühmten Künstlern als Möglichkeiten zur Diskussion standen, wird dem heutigen Betrachter die Legitimität der Butlerschen Lösung bewußt. Die monumentale Konstellation zwischen den drei Elementen des

Denkmals: Fels, Turm und Frauengruppe, bringt eine umgreifende Dreieinigkeit von Mensch, Natur und Technik zur Sprache und erweist sich als ein großer künstlerischer Gedanke, dem man eine mehr als subjektive ›Notwendigkeit‹ zuschreiben muß. Nicht weniger einleuchtend ist die besondere Dramatik der Situation zwischen Turmgerüst und der einzelnen Frauengestalt einerseits und zwischen dieser und der abseits stehenden Doppelfigur andererseits. Auch die vieldeutige Unbestimmtheit der Assoziationen, die durch die Stahlkonstruktion beschworen werden sollen oder können, stellt sich als ein künstlerisches Gelingen heraus. Je mehr der Betrachter erkennen kann: Käfig, Galgen, Kreuz, Guillotine oder Wachturm eines Gefangenenlagers, desto zwingender wird die Sinnfülle des Werkes sich ihm offenbaren. Der eine beherrschende Grundgedanke wird aber von keinem aufgeschlossenen Beurteiler zu verkennen sein: die Vergitterung und Materung des Menschen durch ein technisch bestimmtes Instrumentarium und der Triumph seiner moralischen Energie über Gefangenschaft und Tod, das unaufhaltsame Auffliegen seiner Freiheit, ausgedrückt in dem steil ragenden Antennen-Motiv. Ein berühmtes Vers-Paar Friedrich von Schillers scheint hier in die Sprache eines modernen Plastikers übersetzt worden zu sein: »Der Mensch ist frei geschaffen, ist frei, und wär' er in Ketten geboren.«

Die deutsch-schweizerische Jury mit Bernhard Heiligers Modell für das ›Denkmal für den unbekannten politischen Gefangenen‹. V.l.n.r.: W. Grohmann, H. Hildebrandt, A. Jannasch, Vertreter des British Council, C. Giedion-Welcker, H. Scharoun, C. Linfert, A. Rüdlinger (vgl. Kat. 467)

Preisträger des Wettbewerbs für das ›Denkmal für den unbekannten politischen Gefangenen‹, 1953: 1. Preis: Reg Butler, 2. Preise: Naum Gabo, Mirko Basaldella, Barbara Hepworth, Antoine Pevsner. Aus: ›Art d'aujourd'hui‹, Série 4, No.5, Juli 1953 (vgl. Kat. 462, 468, 471)

Was die geschichtliche Rechtmäßigkeit des Themas angeht, so ist die Akademie der Meinung, daß sie kaum bestritten werden kann. Ähnlich wie einst die mythosartige Figur des unbekannten Soldaten als das gültigste und volkstümlichste Sinnbild aus der Erlebnislast des Ersten Weltkrieges hervorgegangen ist, so muß heute, im Zeichen des zweiten Weltkrieges und seiner Folgen, der unbekannte politische Gefangene als der heimliche Held der Epoche erscheinen. Was der englische Kunstkritiker Herbert Read seinerzeit zur Themenstellung jenes internationalen Wettbewerbs der Plastiker bemerkt hat, trifft in der Tat den Kern der Sache: »Hier, so scheint es«, sagt er »war eine Gelegenheit, unsere Inspiration zu prüfen und unser Zeitalter von dem Vorwurf der moralischen und ästhetischen Indifferenz zu befreien.«

Die Akademie hat sich mit der Frage beschäftigt, ob das Denkmal in Berlin errichtet werden sollte oder nicht, und ist zu dem Schluß gekommen, daß es innerhalb der freien Welt keinen geeigneteren Ort gibt als die ehemalige Reichshauptstadt. Wenn der Butlersche Turm hier seinen Platz finden könnte, so würde sich damit seine geistige, moralische und politische Bestimmung in mehr als nur einem Sinne erfüllen. Er würde dann verstanden

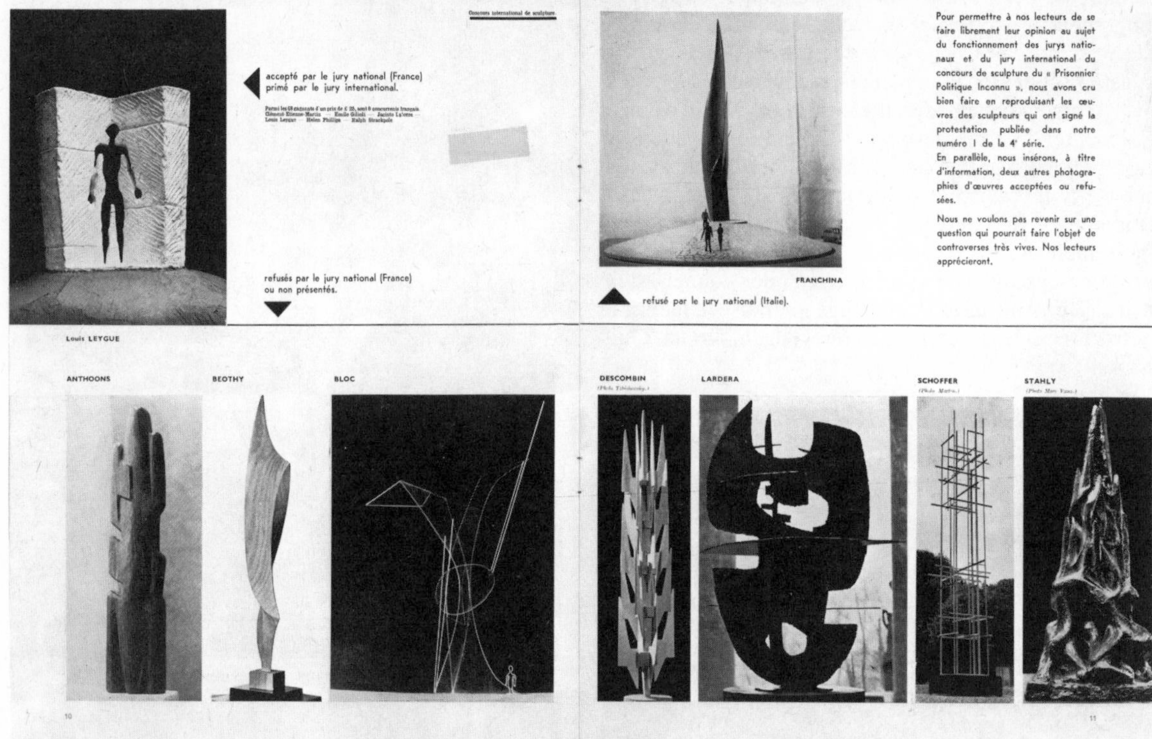

Nicht prämierte Entwürfe beim Wettbewerb für das ›Denkmal für den unbekannten politischen Gefangenen‹, 1953: Louis Leygue, Anthoons, Beothy, Bloc, Franchina, Descombin, Lardera, Schoeffer, Stahly. Aus: ›Art d'aujourd'hui‹, Série 4, No. 5, Juli 1953 (vgl. Kat. 469, 474)

werden müssen nicht nur als ein Mahnmal im gegenwärtigen Kampf zwischen Freiheit und Tyrannei und als Sinnbild des politisch-moralischen Selbstbewußtseins dieser Stadt als einer Insel der Freiheit, sondern auch als ein Zeichen der Erinnerung an alles, was einst, von Berlin aus befohlen, an politischen Verbrechen in Deutschland begangen und erlitten wurde. Ein Motiv der Entsühnung und der Elan einer kämpferischen Geistesgegenwart würden sich verbinden. Die internationale Bedeutung der Position Berlins, seine stellvertretende Leistung im Namen der gesamten Freien Welt würden nicht weniger sinnfällig zum Ausdruck kommen als das nationale Bekenntnis zur Anerkennung und Wiedergutmachung einer nationalen Schuld. Ein nationaler und ein internationaler Aspekt würden sich also gegenseitig ergänzen und beleuchten: in diesem Sinne wäre es besonders zu begrüßen, wenn der Entwurf eines Nicht-Deutschen und Bürger einer der im Kampf gegen den Faschismus siegreichen Nationen auf deutschem Boden verwirklicht werden könnte. Würde man sich anstatt für Berlin etwa für die Klippen von Dover entscheiden – auch dieser Vorschlag ist bekanntlich gemacht worden –, so würde die Bedeutungsfülle des Werkes sozusagen an Dimension verlieren. Es würde dann nur noch als eine national-englische Angelegenheit verstanden werden.

Die Akademie ist davon überzeugt, daß Berlin durch den Beschluß, Butlers Denkmal innerhalb seiner Bannmeile zu errichten, die Teilnahme nicht nur der künstlerischen, sondern auch der politischen Weltöffentlichkeit auf sich ziehen und wegen der Kühnheit seiner Entscheidung bewundert werden würde. Der Gedanke an Berlin als den Vorort der freien Welt würde aufs neue belebt werden. Gleichzeitig aber würde die in einem solchen Beschluß zum Ausdruck gebrachte künstlerische bzw. kunstkritische Initiative weltweite Zustimmung oder doch Aufmerksamkeit finden. Politische, moralische und ästhetische Interessen würden ausnahmsweise einmal zusammenfallen. Die Errichtung des Denkmals würde eine Herausforderung an die Trägheit des menschlichen Geistes bedeuten. Sind wir nicht heute, in

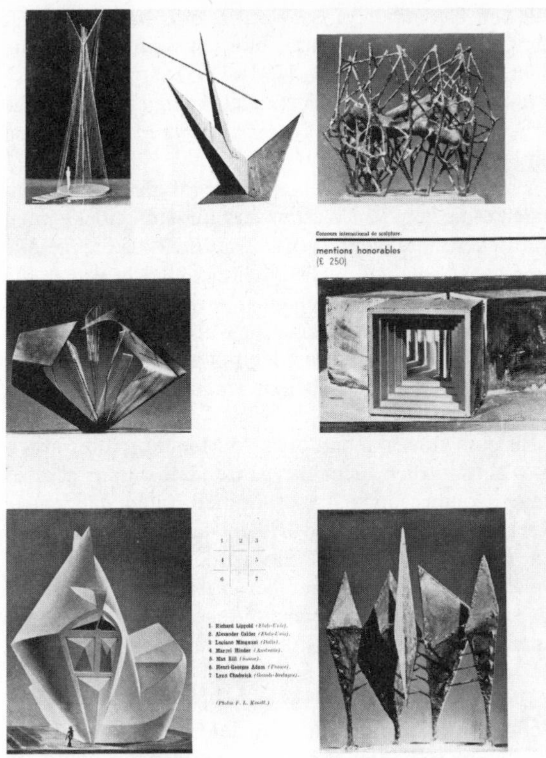

Ehrenvolle Erwähnungen beim Wettbewerb für das ›Denkmal für den unbekannten politischen Gefangenen‹, 1953: Richard Lippold, Alexander Calder, Luciano Minguzzi, Marcel Hinder, Max Bill, Henry-Georges Adam, Lynn Chadwick. Aus: ›Art d'aujourd'hui‹, Série 4, No. 5, Juli 1953 (vgl. Kat. 461, 463, 470)

Deutschland so gut wie in anderen Ländern, schon wieder auf dem besten Wege, in einer Atmosphäre des seelischen Schlendrians, des geistigen Von-der-Hand-in-den-Mund-Lebens und der ohnmächtigen Vergeßlichkeit gegenüber den katastrophalen Bewandtnissen der Epoche, sind wir nicht im Begriff, in Provinzler und Schildbürger einer restaurativen Biedermeierei zu entarten? In einer Welt, die an ihrer Phantasie- und Ideenarmut, an ihrer Zerfahrenheit und Orientierungslosigkeit zu verkümmern und veröden droht, kann das Butlersche Denkmal durch die Entschiedenheit seiner thematischen Struktur den Menschen an seine ideenbildende Kraft und damit an seine ewige Bestimmung erinnern: an sein Selbstsein, seine »Freiheit und Würde«, und zwar nicht in der Sprache einer idealistischen Verblasenheit, sondern in der exakten Ausdrucksweise einer wahrhaft zeitgemäßen und unserem fortschrittlichen Begriff von Wirklichkeit entsprechenden Kunst. Die Aussage dieses Denkmals ist ja zutreffend nicht nur auf die kriegerisch-terroristischen Aspekte des Zeitalters. Es ist das Verhältnis des Einzelnen zur Massenwelt überhaupt, genauer gesagt: es ist die dramatische Spannung zwischen Mensch und Technik, also ein Kardinalthema der Epoche, das hier dargestellt und gemeistert worden ist: die Freiheit des Einzelnen, die sich durch die Technik, mit der Technik gegen die Technik zu behaupten hat, die Selbstbewahrung des Individuums in der allgemeinen Verfallenheit eines nur noch in Massen gelebten Daseins.

Ein Trümmerberg in der Nähe des Bahnhofs Zoo würde nach Ansicht der Akademie ein geeignetes und durchaus sinnentsprechendes Fundament für die Errichtung des Denkmals abgeben. Er würde dann die Rolle des »Felsens« zu spielen haben. Was die Frage der Finanzierung der notwendigen Arbeiten anlangt, so wird sie sowohl von Professor Grohmann als auch von Mr. Anthony Kloman, dem Organisator und Chairman der erwähnten internationalen Jury, zwei hervorragenden Kennern der Sachlage, ausgesprochen optimistisch beurteilt. Es würden sich, ihrer Meinung nach, verhältnismäßig leicht eine oder mehrere amerikanische Stiftungen interessieren lassen, die die erforderliche Summe zur Verfügung stellen könnten. Es ist auch daran gedacht worden, an die Hinterbliebenen der Opfer der Terror-Regimes in allen betroffenen Ländern durch öffentliche Aufrufe zu appellieren, sie zur Beisteuerung von kleinen und kleinsten Beiträgen zu veranlassen und damit gewissermaßen als ›moralische‹ Geldgeber zu verpflichten. Die finanzielle Hauptlast aber würde von den Stiftungen getragen werden.

Hans Egon Holthusen

Reg Butler

Zum Entwurf für das Denkmal des Unbekannten Politischen Gefangenen

Es begann mit dem Zusammentreffen dreier ganz verschiedener Ideen, ersonnen in den Köpfen von drei Menschen. Sie alle hatten eine einzige plastische Vorstellung zum Ergebnis. Es begann für mich schon 1948. Aus vielen Gründen war ich damals nicht der Mensch, der ich heute bin. Ich war viel jünger, wesentlich romantischer, sicherlich romantischer, soweit es die Skulptur betrifft. Ich führte ein unbequemes Doppelleben, einerseits war ich Architekt, und andererseits wäre ich gern Bildhauer gewesen. Ich verbrachte einen großen Teil meiner Zeit in dem rauhen und felsigen Streifen von Cornwall, der zwischen Trevose Head und dem Osten der Bedruthen Steps liegt. Lange Zeit war ich damit beschäftigt, Eisenskulpturen zu machen, die dichter und monumentaler sein sollten als die, die ich vorher gesehen hatte, und damals kam mir die Idee, daß es wunderbar aufregend sein müsse, ein großes turmartiges Mal zu errichten, eine sehr große Skulptur, die auf den zerklüfteten Bergen stehen sollte, die um Trevose Head liegen. (...)

Ich war zu jenem Zeitpunkt von der Idee besessen, mir mit eigenen Händen ein turmartiges Eisenmonument zu errichten. Der Plan kam nicht sehr weit. Der Entwurf, an dem ich arbeitete, sollte auf dem Felsen stehen, im Grundsätzlichen dem »Gefangenen«-Schema sehr ähnlich. Der Felsen war sozusagen ein Teil der Komposition, er war wesentlich als eine Art Ausgangspunkt für die Struktur, die aus Eisen und sehr hoch sein sollte, vielleicht 100 oder 150 Fuß hoch. Aber aus mancherlei Gründen kam der Plan nicht weiter. (...)

Aber obgleich ich damit nicht weiterkam, blieb der Gedanke haften. Viele Male habe ich seitdem von einem ungeheuren Turm geträumt, der eine Bergküste überragt, an dem Wind und Wasser sich brechen.

Die zweite Idee entstand, soviel ich weiß, in Amerika. Ich hatte meine Hand nicht im Spiel und weiß auch nicht, wer den Gedanken eines Wettbewerbs hatte oder wer das Geld dafür aufbrachte, und ich weiß es bis heute nicht. Ich hörte zuerst im Herbst 1951 davon, als durch eine jener seltsamen Übereinstimmungen gerade die Arbeit an dem Entwurf für ein anderes Monument von mir beendet worden war. (...)

Reg Butler mit dem Arbeitsmodell für das ›Denkmal für den unbekannten politischen Gefangenen‹, 1953

Ich arbeitete also in jenem Herbst daran, als ich zum ersten Male von dem Wettbewerb für den Unbekannten Politischen Gefangenen hörte. Natürlich war dies gerade die Chance, die ich mir wünschte, vielleicht war es die Chance, mit dem Problem einer wirklich überragenden mechanischen Struktur fertig zu werden, bedeutsam und bedeutungsvoll und verbunden mit all' den Problemen, mit denen ich mich in jenem Stadium meines Lebens beschäftigte.

Bis zum Einsendetag, etwa 15 Monate später, arbeitete ich natürlich nicht die ganze Zeit daran, aber es gingen kaum einige Tage vorüber, ohne daß einige Skizzen oder kleine Entwürfe entstanden, welche zeigten, daß die Idee wuchs. Sie wurden zur Form, deren Umrisse immer deutlicher hervortraten, je länger ich daran arbeitete. Alle frühen Versuche bestanden aus einer in einem Rahmen stehenden menschlichen Figur, die zu einem felsigen Grund und zu einer Konstruktion in Beziehung stand. Ich bin ganz sicher, daß dieses von Anfang an die Lösung war, und der Gedanke an Figuren auf einem Berg beherrschte mein Denken völlig. In jedem Falle sah ich eine Figur in Beziehung zu einer unheilvollen und einem Foltergerät ähnlichen Metallkonstruktion vor mir. Allmählich wurde während der Arbeit die Plattform, auf welcher die Figur stand, höher, die Figur selbst wurde kleiner und das Ganze wuchs stufenweise. Das Problem, das mich im Frühjahr jenes Jahres besonders beunruhigte, war die Tatsache, daß, wie sehr auch immer der einzelne Entwurf vom plastischen Gesichtspunkt aus zufriedenstellend schien, das Verhältnis zwischen der Figur und dem Turm doch immer falsch war. (...)

Gerade um diese Zeit trat die dritte Person, von der ich schon sprach, in Erscheinung. Die dritte Person war ich selbst, aber von einer anderen Seite meines Wesens aus. Es war der Teil von mir, der seit fast zwei Jahren von der Idee eines in den Himmel aufblickenden Hauptes eingenommen war. (...)

Später habe ich in Diskussionen sehr viel über diese Plastik erfahren. Ich habe viele klugen und viele weniger klugen Dinge über sie sagen gehört. Ich traf Leute aus Belsen und Buchenwald und sprach mit ihnen, ebenso mit Menschen, die während des Krieges interniert waren. Glauben Sie mir, daß ich mir bei der Arbeit an diesem Werk der Ähnlichkeit nicht bewußt war, die zwischen ihm und dem Wachtturm besteht, der wohl alle

Reg Butler, Arbeitsmodell für das ›Denkmal für den unbekannten politischen Gefangenen‹ auf der Humboldthöhe, Berlin. Fotomontage

Konzentrationslager beherrscht hat. Ein Soldat erzählte mir, daß er das Gefühl der Freiheit in dem Augenblick gehabt habe, als er bei Kriegsschluß plötzlich entdeckte, daß in dieser großen beherrschenden Anlage kein Maschinengewehrposten mehr saß. Dieses interessierte mich außerordentlich, da ich eine ähnliche Empfindung gehabt hatte, ohne jedoch verstandesmäßig eine Beziehung zu meinem Werk herzustellen.

Ich wußte, daß der Gefangene entfernt werden mußte. Ich kam nicht weiter, solange er auf der Plattform stand. Ich weiß, daß eine Frau dort stehen mußte, in ihn hinaufstarrend, direkt in den dramatischen Brennpunkt. Aber ich kann in Worten nichts weiter erklären, als daß dieses mein Vorschlag für ein Monument für den Unbekannten Politischen Gefangenen ist.

Viele von Ihnen mögen Ähnlichkeiten mit all' jenen Dingen wie Galgen und Guillotinen finden, mit dem Kreuz oder der Kreuzigung, andere wieder mit den schon erwähnten Beobachtungs- oder Wachttürmen, aber was ich hoffe und was mir die größte Freude wäre, ist, daß dieses Symbol allmählich von vielen Menschen unter einer einheitlichen Idee gesehen würde, der Idee des Unbekannten Politischen Gefangenen.

In diesem Sinne erfuhr die Skulptur durch [die oben erwähnte] Kritik und durch kleine Abbildungen in allen Zeitungen eine ziemlich weite Verbreitung, eine weitere, als sonst je möglich gewesen wäre. Aber ich wäre erst glücklich, wenn je die Zeit kommen sollte, in der eine Form, die wie drei Beine wirkt, ein an die Wand gezeichnetes Stativ mit einer in die Luft aufragenden Stange darauf, ein Zeichen für die Idee der politischen Haft würde, die berechtigte und entsprechende Verkörperung eines Ideals. Dann erst könnte man sagen, daß die Skulptur gewirkt hat. Bis jetzt sah man lediglich Photographien des Entwurfs. Das endgültige Urteil darüber, ob es als Plastik wirksam ist, muß bis zur Ausführung dahingestellt bleiben. (...)

Und wenn man es besucht und die Treppe durch den Felsen aufsteigt und auf die Plattform hinaustritt, wo der Wind durch das Gestänge pfeift, findet man sich Seite an Seite mit riesigen Bronzefiguren, die starr in die Konstruktion aufblicken. Dann glaube ich, hat man die Gelegenheit, etwas von der dramatischen Verwandtschaft zwischen sich und diesen Figuren zu spüren, die das Besondere dieser einmaligen Situation vermitteln könnte.

Henri Laurens, Galerie Louis Carré, Paris, 19. Okt.–19. Nov. 1945 (vgl. Kat. 164)

Henri Matisse. Frauen und Affen. 1952 (Kat. 426)

Fernand Léger. Adieu New York. 1946 (Kat. 211)

◁ Henri Matisse. Frau mit Amphore und Granatäpfeln. 1953 (Kat. 427)

Fernand Léger. Ausstellung im Musée des Arts décoratifs, Paris, Juni–Okt. 1955

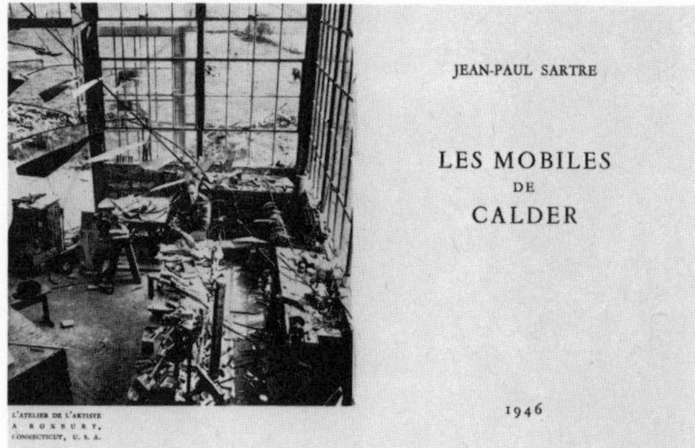

Alexander Calder, Mobiles, Stabiles, Constellations. Galerie Louis Carré, Paris, 25. Okt. – 16. Nov. 1946. Doppelseite aus dem Katalog

Jean-Paul Sartre

Die Mobiles von Calder

Ein Mobile, das ist ein kleines, örtlich begrenztes Fest, ein nur durch seine Bewegung bestimmter Gegenstand, der ohne diese Bewegung nicht existiert; eine Blume, die verwelkt, sobald sie stillsteht, ein reines Spiel der Bewegung, so wie es ein reines Spiel des Lichts gibt. Gelegentlich unterhält Calder sich damit, eine neue Gestalt nachzubilden: so hat er mir einen Paradiesvogel mit eisernen Flügeln geschenkt; es braucht nur ein kleiner warmer Luftzug ihn zu streifen und aus dem Fenster zu entweichen, und schon belebt sich der Vogel klirrend, richtet sich auf, schlägt ein Rad, wiegt seinen federgeschmückten Kopf, wippt und schwankt, und plötzlich, als gehorchte er einem unsichtbaren Wink, dreht er sich langsam mit weit ausgebreiteten Schwingen um sich selbst. Doch meistens bildet Calder nichts nach, und ich kenne keine Kunst, die weniger trügt als die seine. Die Bildhauerkunst suggeriert Bewegung, die Malerei Tiefe oder Licht. Calder vermittelt uns nichts Bestimmtes; er fängt wirkliche, lebendige Bewegungen ein und verleiht ihnen Gestalt. Seine Mobiles haben keinen tieferen Sinn, sie verweisen auf nichts außer sich selbst: sie sind, das ist alles; sie sind etwas Absolutes. In ihnen ist der ›Anteil des Teufels‹ vielleicht stärker als in jeder anderen Schöpfung des Menschen. Sie haben zu viele und zu komplizierte Federn, als daß ein menschliches Gehirn – auch das ihres Schöpfers nicht – alle ihre möglichen Bewegungen voraussehen könnte. Für jede von ihnen legt Calder ein allgemeines Bewegungsschema fest, dann überläßt er sie sich selbst: Tageszeit, Sonne, Wärme und Wind bestimmen dann, in welcher Weise sie sich jeweils bewegen; so bleibt das Gebilde immer halbwegs zwischen der Gebundenheit einer Statue und der Unabhängigkeit eines Naturereignisses; jede seiner Bewegungen ist eine Eingebung des Augenblicks; man erkennt darin zwar das von seinem Schöpfer angeschlagene Thema, aber darüber legt das Mobile tausend eigene Variationen; es ist wie eine kleine Jazzmelodie, einmalig und vergänglich wie der Himmel, wie der Morgen; läßt man sie sich entgehen, dann hat man sie für immer verloren. Valéry sagte vom Meer, es werde immer wieder von vorn begonnen. Ein Gebilde von Calder ist gleich dem Meer und hält uns genauso gefangen: immer wieder von vorn begonnen, immer neu. Man darf nicht nur einen flüchtigen Blick darauf werfen; man muß in stetem Umgang mit ihm leben, muß sich ganz von ihm gefangennehmen lassen. Dann erfreut sich die Phantasie an diesen reinen Formen, die ewig wechseln, frei und doch geordnet zugleich. (. . .)

(. . .) Diese Mobiles, die weder etwas Lebendiges noch etwas Mechanisches sind, die und immer aufs neue überraschen und dann doch wieder in ihre ursprüngliche Stellung zurückkehren, gleichen Wasserpflanzen, welche die Strömung hin- und herbewegt, sie gleichen den Blütenblättern der Mimose, dem Altweibersommer, der vom Wind getragen wird. Kurz: Obwohl Calder nichts nachbilden, sondern höchstens Tonleitern und Akkorde aus unbekannten Bewegungen schaffen wollte, sind seine Mobiles doch lyrische Schöpfungen und zugleich technische, beinahe mathematische Gebilde und überdies auch das eindrucksvolle Symbol der Natur, jener großen, unfaßbaren Natur, die so verschwenderisch mit ihrem Blütenstaub umgeht und Tausende von Schmetterlingen auf einmal ausschlüpfen läßt, und von der man niemals weiß, ob sie die blinde Verkettung von Ursachen und Wirkungen ist oder die zaghafte, immer wieder verzögerte, gestörte und durchkreuzte Entfaltung einer Idee.

Josef Albers. Amerika. 1949/50. Ziegelwand, 2,6 × 3,3 m. Harvard University, Cambridge/Ma.

Stuart Davis.
Stilleben-Landschaft
für sechs Farben, Seventh
Avenue style. 1940
(Kat. 213)

Fritz Glarner. Beziehungsreiches Gemälde, Tondo Nr. 3. 1945 (Kat. 445)

Stuart Davis. Kolonialer Kubismus. 1954 (Kat. 215)

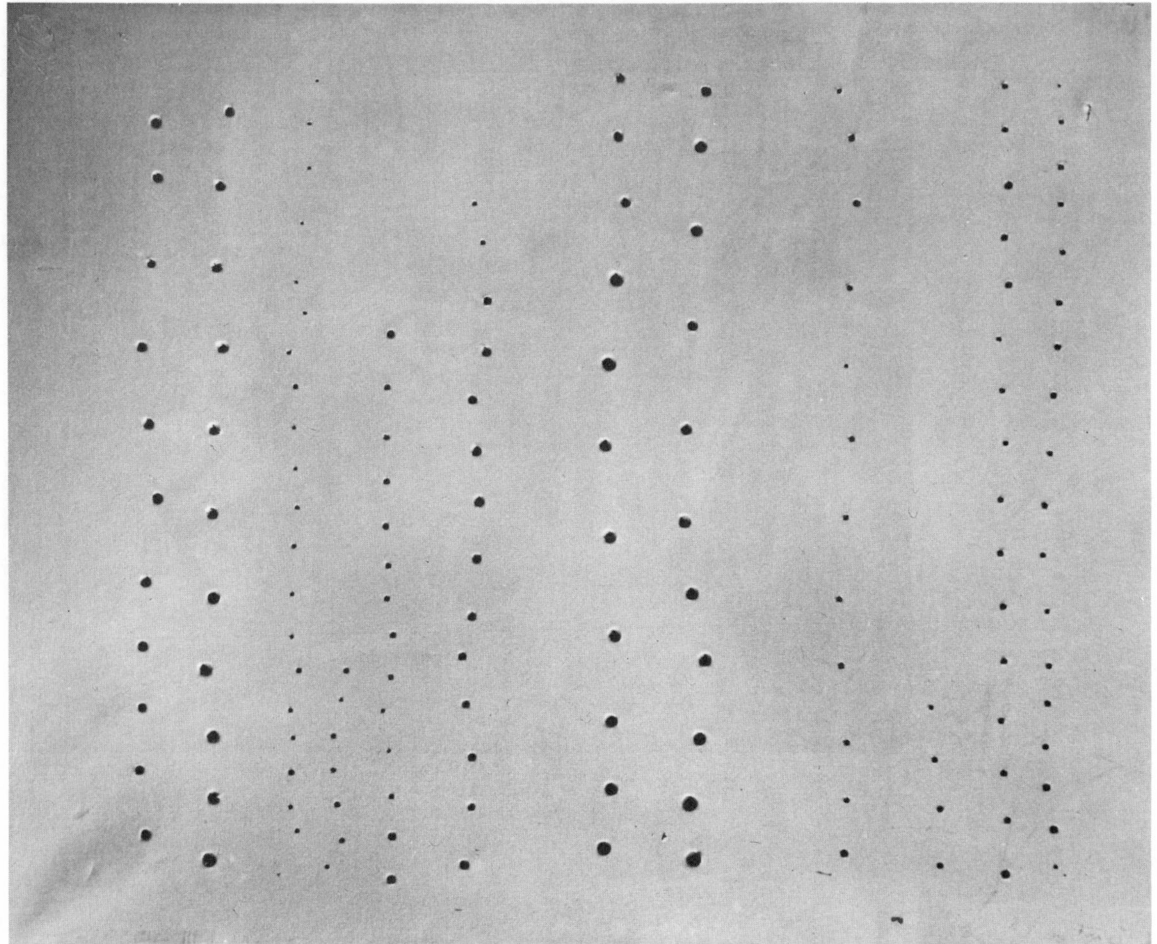

Lucio Fontana. Raumkonzept 49–50 B 3. 1949/50 (Kat. 398)

Lucio Fontana

Aus dem Manifiesto blanco (1946)

Die bewegte Materie bekundet ihr totales Sein, indem sie sich in Zeit und Raum entfaltet und bei ihren Veränderungen verschiedene Stadien der Existenz annimmt. Wir fordern volles Verständnis der primären Werte der Existenz. Wir wenden uns an die Materie und an ihre Entwicklung, die schöpferischen Quellen der Existenz. Wir entscheiden uns für die eigentliche Energie der Materie, ihren Drang zum Sein und zur Entfaltung. Wir fordern eine Kunst, die von allen ästhetischen Kunstgriffen frei ist. Wir üben das aus, was der Mensch an Natürlichem und Wahrem besitzt. (...) Wir begeben uns in die Natur, wie es die Kunst in ihrer Geschichte niemals getan hat. Die Liebe zur Natur drängt uns, sie nachzubilden. (...) Unsere Absicht ist es, das ganze Leben des Menschen, das, an die Funktion seiner natürlichen Bedingungen geknüpft, eine echte Offenbarung des Seins darstellt, in einer Synthese zu vereinigen. Wir nehmen die ersten künstlerischen Erfahrungen als Prinzip. Die Menschen der Prähistorie, die zum erstenmal Töne vernahmen, als sie auf einen Hohlkörper trommelten, wurden durch rhythmische Bindungen gebannt. Von der Suggestionskraft des Rhythmus getrieben, mußten sie tanzen bis zur Trunkenheit. Empfindung war alles beim primitiven Menschen. Empfindung angesichts der unbekannten Natur, musikalische Empfindung, rhythmische Empfindung. Unsere Absicht ist es, diese ursprüngliche Gegebenheit des Menschen zur Entwicklung zu bringen.

Lucio Fontana mit ›Nature‹, 1960 (vgl. Kat. 524–531)

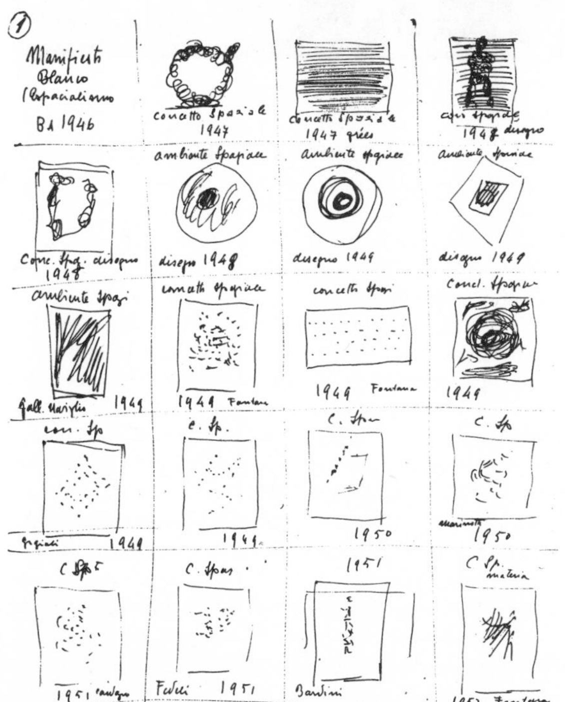

Lucio Fontana, Diagramm. Die Entwicklung seiner Arbeit von 1946 (Manifiesto blanco) bis 1951

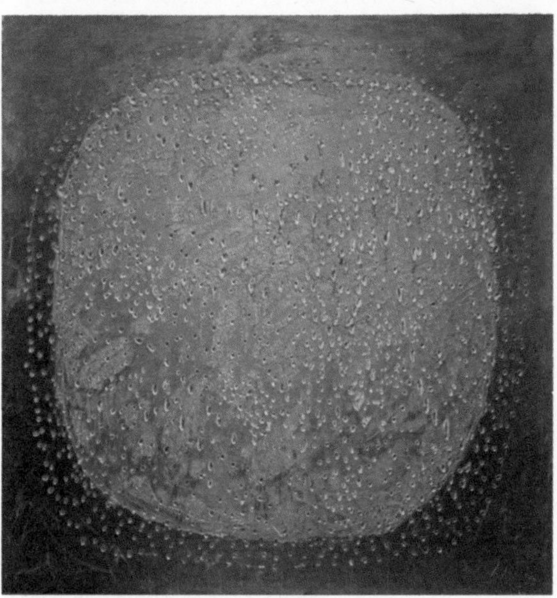

Lucio Fontana. Raumkonzept. 1960 (Kat. 532)

Werner Haftmann

Aus dem Vorwort des Katalogs zur documenta II

Versucht man in dem so verwirrend erscheinenden Panorama der zeitgenössischen Kunst die großen Gliederungen zu erkennen, so stellt man überrascht fest, daß die überreiche Fülle der Argumente, Vorschläge und Experimente, die die Entwicklung und Entstehung der modernen Kunst begleitet hatten, sich wie in einem Brennspiegel zu wenigen Leitgedanken verdichtet hat. Eines ist sogleich festzustellen, daß die ganze große Domäne der Auseinandersetzung mit den optischen Erscheinungsbildern der Gegenstandswelt nur noch schwache Impulse herzugeben vermag. Die Kunst ist abstrakt geworden. Noch zwischen 1945 und 1950 hätte es – in den Auseinandersetzungen um »art témoin«, »art engagé«, die existentialistische Wirklichkeitsinterpretation, den sozialistischen Realismus, den mythischen Verismus, der von Mexiko einstrahlte – scheinen können, als dränge ein neues deklamatorisches Pathos der Wirklichkeitsbeschreibung in einer großen expressiven Zeichenschrift nach oben. Picassos ›Guernica‹ von 1937, sein ›Nachtfischen in Antibes‹ von 1939 waren die unbestrittenen Leitbilder. Aber schon da wirkte die stille, aber ungemein eindringliche Überzeugungskraft von Paul Klee, von Kandinsky und Mondrian. In Frankreich nahmen Bazaine, Bissière, Manessier die Botschaft Klees auf und ließen in die nachkubistische Formgestalt weiter vom Sichtbaren abliegende poetische Inhalte einfließen. In Italien zerbrach die entscheidende Künstlergruppe – Fronte Nuovo delle Arti – gerade an der Frage, ob die Deutung von Wirklichkeit und Leben sich mit der expressiven Metaphorik der Gegenstandszeichen begnügen könne oder ob zum vollständigen Ausdruck des zeitgenössischen Wirklichkeitserlebnisses eine unmittelbarere, von den ausgeformten Bildern der Natur abgelöste Schrift zu entwickeln sei. Sie wurde durch Birolli, Santomaso, Vedova im letzteren Sinne entschieden. In Deutschland brach im Strahlungskreis von Baumeister und aus der von Klee und Kandinsky fest gegründeten Tradition die abstrakte Malerei als der bestimmende Stilausdruck sehr schnell durch und sammelte sich anfänglich im Künstlerkreis um die Zen-Gruppe. Aber auch eine sich isoliert haltende besondere Individualität wie E. W. Nay entwickelte in einem faszinierenden logischen Prozeß aus mythisch durchstrahlten, noch vom Figuralen bestimmten Kompositionen einen freien Farbformsatz musikantischer Natur. Allenthalben also und in großer Schnelligkeit vollzogen sich diese Verwandlungen.

Jean Bazaine. Der Winter. 1951 (Kat. 433)

Nicolas de Staël. Histoire naturelle. 1948 (Kat. 437)

Im großen erfolgte die Besitzergreifung der abstrakten Domäne in den Grenzen, die Mondrian und Kandinsky abgesteckt hatten. Das war auf der einen Seite die »konkrete Kunst«, auf der anderen Seite die den persönlichen Empfindungen und inneren Lebenserfahrungen geöffnete expressiv abstrakte Kunst.

In diese Lagerung aber brach mit erstaunlicher Gewalt eine ganz neue, dramatisch-dynamische abstrakte Ausdrucksmalerei ein. Sie wurde völlig unabhängig voneinander und in sehr persönlichen Ausprägungen vorgetragen durch Hartung, Wols und Pollock. Hartung, herkommend vom deutschen Expressionismus und von Kandinsky, hatte eine auf das Ausdrucksvermögen der Linie und der begleitenden suggestiven Farbe beruhende Zeichenschrift aus dynamisch verspanntem Balken- und Strichwerk, räumlichen Gitterungsformen und jagendem Strichgeknäul gefunden, mit der er auf dem suggestiven Flächengrund Momente der menschlichen Existenz in ihrer dramatischen Spannung in überzeugender

Maria Helena Vieira da Silva. Weisse Komposition. 1953 (Kat. 436)

Auguste Herbin in seinem Atelier, um 1949

Lesbarkeit aufzeichnen konnte. Alles, was die moderne Lebenserfahrung an Zuständlichem dem Menschen zu tragen aufgab, ließ sich mit dieser vor Erregung und Kraft zitternden, aber zu feierlichem Ernst gebändigten Zeichenschrift anschaulich objektivieren. Wols, der vom Surrealismus, von Klee und der frühen abstrakten Zeichenweise Kandinskys ausging, erarbeitete sich einen unsäglich sensiblen, jede innere Regung aufnehmenden, inhaltlich frei improvisierenden Klangkörper aus spinnwebfeinem Strichgewebe mit lockenden Farbgründen, in dem aber explosive Formballungen und eine hektische ausfahrende Gestik die Lagerung der Form immer wieder aufsprengten und hinter dem Lyrischen und Kontemplativen, das Wols im Einklang mit der Natur zu erreichen suchte, das Drama des verletzbaren Menschen in einer verletzten Welt heraufkommen ließ. Pollock schließlich, ein idealistischer und wie Thomas Wolfe von mächtigen barock-pathetischen Gefühlen überwältigter Amerikaner, überließ sich nun ganz der reinen Ausdrucksgebärde und Pathosgeste, in deren verschränkten Spuren auf der Leinwand er ohne jede Hemmung durch Malverfahren und Ästhetik in einer Sturzflut widersprüchlicher Aktionen sein tägliches Drama aufzeichnete und in einer wilden Dithyrambik, die sich außerhalb

Roger Bissière in seinem Atelier, 1955

Serge Poliakoff. Composition. 1951 (Kat. 434)

über den Haufen geworfen und in einer oft zügellosen und die schon einmal vergessenen provokatorischen Verfahren des Dadaismus wieder heranholenden Experimentiersucht die sonderbarste Exzentrik zutage gefördert. Er hat der modernen Sensibilität eine neue Sprache geliefert, mußte aber in Kauf nehmen, daß die Menge seiner Mitläufer seine oft gewaltsamen und ganz von der Kraft der künstlerischen Individualität lebenden Sprachmittel als Abzeichen wahrer Modernität mißverstand, als die »signes extérieurs du génie«, – wie Hartung einmal scherzend sagte. So kam es, daß heute schon, aus dem mit so viel Einsatz, Leid und Herzblut gewonnenen Ausdrucksverfahren eine lyrisch gemütliche oder wichtigtuerische Biedermeierei heraufkommt: der tachistische Professor oder das Schaf im Wolfspelz.

Die allgemeine Wegrichtung, die sich in diesen letzten 15 Jahren anlegte, ist also recht klar. Lagen in den Jahren, die dem Kriegsende unmittelbar folgten, noch alle bildnerischen Gedanken vom expressiven Realismus über den Surrealismus bis hin zur konkreten Kunst im Spiel, so mündeten all diese einzelnen Richtungen schließlich – und als ungefähres Stichjahr läßt sich 1950

des bewußten Geistes zur rhythmischen Strophe von barbarischer Gewalt ordnete, eine Art von Lebensballade niederschrieb. Das besondere Pathos des modernen Seinserlebnisses – inmitten von fremden Räumen, veränderten Dimensionen, in einer aus Erkenntnis wahrhaft verfremdeten Natur – fand nun gerade in diesen neuen expressiven Malverfahren die Ausdrucksmittel, um die Unruhe, die Angst, aber auch die Leidenschaft der gefährlichen Entdeckung oder den Überschwang von wunderbaren Geheimnissen, das Paradoxe und Absurde, aber auch die Kontemplation des Wunderbaren sich von der Seele zu malen. Seit etwa 1950 hat dieser neue abstrakte Expressionismus sich mit verblüffender Schnelligkeit über die verschiedensten Spielarten hervorgebracht, die sich in zahlreichen Stilbezeichnungen spiegeln: – »art autre«, »art informel«, »révolution de l'infiguré«, »action painting«, »tachisme« usw. Er hat die im Nachkubismus ausgearbeiteten bildnerischen Kategorien und dessen Ästhetik erneut in Frage gestellt oder

Victor Vasarely. Orgovan. 1950–55 (Kat. 454)

Jean-Paul Riopelle.
Spanien. 1952 (Kat. 439)

Sam Francis. Ohne Titel. 1952 (Kat. 440)

annehmen – in der abstrakten Kunst. Weil diese aber von den verschiedensten Ausgangspunkten her erreicht wurde, ist ihre innere Gliederung genauso vielteilig wie die gegenstandsgebundene Malerei es vor einem halben Jahrhundert war.

Es ist wohl sicher, daß ein gewichtiger Teil der Faszination an der modernen Kunst auf das große und verführerische Ausmaß der in ihr sich ausdrückenden menschlichen Freiheit zurückzuführen ist. Diese Freiheit aber stellt die unmittelbarste Weise der Konfrontation mit der Wirklichkeit und den Tatsachen des eigenen Daseins dar, die dem menschlichen Geschlecht je möglich war. Ihre voraussetzungslose Offenheit veränderte das Verhältnis zur Wirklichkeit und zum menschlichen Wesen. Denn durch sie erst wurde erkannt, daß das Ergebnis einer Beobachtung nicht absehen kann von dem, der beobachtet, daß der Bezug zum Gegenstand dessen Definitions- und Erscheinungsweise bestimmt, daß also der klassische herrscherische Gegensatz zwischen Mensch und Objekt nur eine und nur sehr unvollständige Erkenntnisweise war. (...)

Denn selbst dort, wo das Naturerlebnis betont im Spiel liegt, ist es ja nicht das sichtbare Ding, das reproduziert oder interpretiert werden soll, sondern es ist der Bezug

Alberto Burri.
Großes Weiß. 1952 (Kat. 476)

zu ihm, der sich im schauenden Menschen herstellt und der zu der vertiefteren Weise der modernen Naturerkenntnis im natürlichen Rapport steht. Um aber die Gleichnisfähigkeit von Ding und Figur, die bisher metaphorisch den Inhalt des Kunstwerkes trug, durch eine direkte Sprache zu ersetzen, war es nötig, die dem Bildner zur Verfügung stehenden Mittel so umzubauen, daß sie tragfähig für die neuen Absichten wurden. Das Ziel war, sie von ihrer reproduktiven, beschreibenden und interpretierenden Funktion zu befreien und ihnen evokative Funktionen zuzuerteilen. Die gesamten Kategorien des Bildes – Linie, Form, Farbe, Raum, Rhythmik – wurden jetzt zu ihrer stärksten darstellerischen Selbständigkeit gebracht. Mit ihrer Hilfe wurde die Bildfläche zum Resonanzkörper, zum Begehungs- und Erscheinungsfeld verwandelt. So entstand in über viele Jahrzehnte hin vollzogenen Arbeitsgängen eine Malerei, die unser so radikal verwandeltes Verhältnis zur Wirklichkeit und zur menschlichen Existenz in sich hineinnehmen konnte und aus ihr – niegesehene – Bilder evozieren konnte. Weil diese Bilder aber aus der Mitte des zeitgenössischen Welt- und Daseinserlebnisses stiegen, weil sie in eigentümlicher Spiegelung den unanschaulichen Entwürfen der Wissenschaft und den Tatsachen des modernen Lebens mit ihren verborgenen Wirkkräften in Welle, Kraftfeld, Umlauf und Geschwindigkeit und den neuen Erlebnis- und Erkenntnistatsachen von Raumgestalt und Kosmos und der Strukturen, die den Stoff begründen und zusammenhalten, antwortende und anschaubare Vorstellungsbilder entgegenhielten, die das alles in dichterischer Verwandlung in sich enthielten, deshalb konnte die sie erschaffende Kunst im letzten Jahrzehnt zu dem bestimmenden Stilausdruck unserer Zeit werden und diese große Faszination in die zeitgenössische Gesellschaft hinein und insbesondere auf die jungen Generationen ausüben.

An der Oberfläche läßt sich das alles recht optimistisch an. Das ist aber nicht so. Denn wie die großartigen Einsichten unseres wissenschaftlichen Geistes die Gefahr der Pervertierung deutlich zeigen: – wie aus der Erkenntnis des Aufbaus der Materie durch den unbedachten Zorn eines so integren Geistes wie Einstein die Atombombe kam, wie aus der sozialen Organisation der modernen Arbeitswelt durch ein ungesteuertes Gewinnstreben die Gefahr der unbewältigten Automation der menschlichen Tätigkeiten aufstand, wie aus der Erkenntnis des Aufbaus der menschlichen Persönlichkeit und ihres Existenzfeldes die Vernichtung, Umgestaltung und Manipulation der Persönlichkeit selbst möglich wurde, so trägt die große, in der modernen Kunst investierte Freiheit und die bindungslose Offenheit ihrer Entscheidungen die gleiche Gefahr der Pervertierung in sich. Kürzlich las ich einen Satz von Jean Cocteau, der etwa besagte, daß die Künstler heute an ihrer zu großen Freiheit litten, sie hätten keine Möglichkeit mehr zum Ungehorsam. Das leuchtet ein – wenn man die eintönig wiederholte Revoluzzergebärde als konventionelle Geste jeder dieser sich neu bildenden

Willem de Kooning. Vorstadt von Havanna. 1958 (Kat. 511)

Franz Kline. Mass. Harbor. 1961 (Kat. 506)

Künstlerkonventikel immer wieder bemerken muß, wenn man die aus Geschäfts- und Sportjargon sich drollig zusammenmischende Selbstreklame und die Rekordsucht im Übertrumpfen mit Absurdem betrachtet, wenn man die fatale Aufmarschsucht, diese Bildung von »Gangs« aus Malern, Kritikern und Händlern bemerkt, die selbst passable Talente in eine lärmende Bande von Gauklern verwandelt. Dann mag sich ein aus kritischer Distanz herüberblickender Geist wohl fühlen wie jener Beobachter, der hinter den schalldichten Glaswänden eines Tanzcafés die zuckenden und hüpfenden Bewegungen der Tänzer sieht und nicht umhin kann, sie mit den sinnlosen Gebärden von Verrückten zu vergleichen. Kurz, es leuchtet ein, wenn man das »Leiden an der Freiheit« als Unbehagen an ihr und als Verlorensein in ihre Leere empfindet, als Anspruch und Forderung, als »Freiheit von Etwas«. Der schöpferische Sinn der Freiheit liegt aber in ihrer Richtung zu Etwas. Das ist ihr Ethos. Die moderne Kultur ist ein sehr umfassendes Abenteuer, das zwischen den negativen und positiven Polen der Freiheit sich ereignet. Ihr Wert bestimmt sich allein aus der sittlichen Kraft derer, die sie geformt haben. Dann heißt »Leiden an der Freiheit« nicht Wunsch zum Ungehorsam, sondern Gehorsam gegen ihre Forderung, ihrem gestaltlosen Hohlraum in Entwürfen Gestalt zu geben, die aus der Tiefe des Menschen, aus seiner Fühlfähigkeit, aus Leidenschaft, sittlicher Kraft und Wahrheitsverlangen steigen. Sie sind immer nur dem Einzelnen anvertraut, seiner Einsamkeit, seinem Wagnis. Ihre Wiederholung, die dann zu Gruppe und Stil führt, hat nur dann Wert, wenn sie ins Einvernehmen gerät mit der menschlichen Haltung ihres ersten Täters. Die moderne Kultur bewegt sich auf schmalem Grat, und die Gefahr ist immer gegenwärtig, daß sie abstürzt.

Man täusche sich auch nicht: – als eine der grundlegenden Ausdrucksformen der persönlichen Daseinsweise ist die moderne Kunst überall dort ein Ärgernis, wo der Glaube an Autorität, der Wille zur Macht, die zeitgenössischen Spielarten des politischen Totalitarismus zur Freiheit des Einzelnen im Gegensatz stehen. Überall dort wird die moderne Kunst in den Anklagezustand versetzt, und die erdrückenden Machtmittel der politischen Maschinerie werden gegen sie in Gang gebracht. Bei der Labilität der zeitgenössischen politischen Systeme und angesichts der furchtbaren Spannung, unter der sie gegeneinander agieren, ist immer die Gefahr gegeben, daß die moderne Kunst in ein gesellschaftliches Niemandsland hineinmanövriert wird, in dem sie wieder einmal zum Freiwild erklärt werden kann.

Aber man übersehe auch nicht, daß die moderne Kunst heute bereits zum tragfähigen Grund weltweiter zwischenmenschlicher Beziehungen geworden ist. Im letzten Jahrzehnt ist gerade sie es gewesen, die über all die hemmenden Besonderheiten von Sprache, Sitte, Geschichte, Rassegefühl und Folklore hinweg ein menschheitliches Bewußtsein hat herstellen können. Ihre Ausdrucksformen und Erlebnisweisen haben zum erstenmal der seit der Romantik aufleuchtenden Idee einer Weltkultur eine gewisse Wirklichkeit gegeben. Von Europa über die beiden Amerika, über Afrika und Asien bis hin zum Fernen Osten hat sie innere Übereinstimmungen wachrufen können und diese Übereinstimmungen in eine Sprachform einbetten können, die eine unmittelbare Kommunikation möglich macht. Sie kann als erster Modellfall von Menschheitskultur gelten. Dies aber mit um so bedeutenderem Recht, als sie den zivilisatorischen Übereinstimmungen, wie sie der Siegeszug der Technik hervorbrachte, ein geistiges und seelisches Leitbild zur Seite gab, das wohl die allgemeinen Vorstellungsbilder jener technischen Welt und ihrer Weise der Naturerkenntnis in sich barg, zugleich aber auch das innerlich Schauende und Erkennende als unabdingbares Komplement unseres zeitgenössischen Daseins in der durch unser modernes Denken verwandelten Welt festhielt: – damit der besonderen Weise der Naturbeherrschung eine besondere Form der Naturbeseelung entspräche und der Mensch im Gleichgewicht bliebe, worüber die Völker Asiens und des Fernen Ostens uns noch manches zu sagen haben werden.

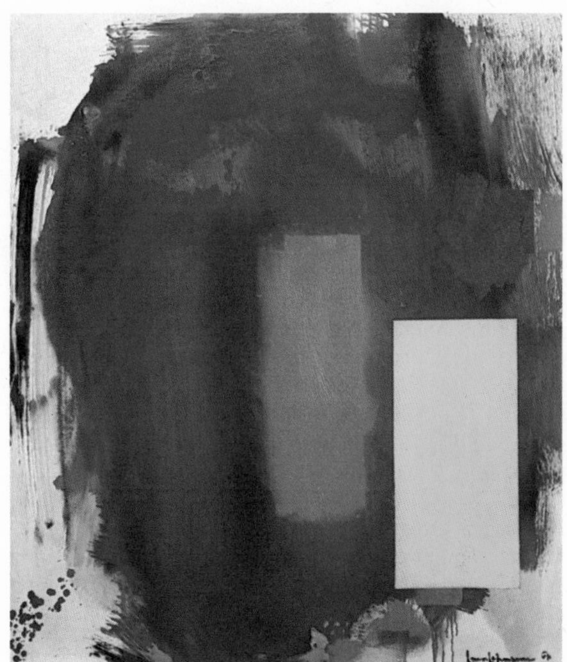

Hans Hofmann. Mitternachts-Stille. 1964 (Kat. 502)

Franz Kline. Shenandoah wall. 1961 (Kat. 507)

Georges Mathieu

Über einige Prinzipien seiner Malerei

»Ich glaube, daß Schnelligkeit des Schöpfungsaktes eine der wichtigsten Voraussetzungen meiner Malerei ist. Auf jeden Fall bin ich der erste Maler, der den Begriff der Schnelligkeit in die Malerei des Abendlandes einführte. Ich bin überzeugt, allein die Schnelligkeit des Handelns macht es möglich, das, was aus den Tiefen des Wesens aufsteigt, zu erfassen und auszudrücken, ohne daß sein spontaner Ausbruch durch rationelle Überlegung und Intervention zurückgehalten und geändert wird. Man hat eingewendet, daß mit dieser Methode im Gegenteil nur das zum Ausdruck gelange, »was sich als erste Möglichkeit anbietet«. Dieser Einwand ist jedoch sinnlos, wenn man bedenkt, daß der Maler das auszuführende Werk – selbst ohne genaue Vorstellung und genaue Absicht – schon vorher nährte und in sich trug. Daher allein ist es möglich, daß zum Beispiel die großen Meister der Kalligraphie im Orient ein Meisterwerk in einigen Sekunden ausführten, Resultat von 50 oder 60 Jahren Arbeit und Disziplin; daß die Dichter oder Komponisten oft jahrelang ihre Werke bedenken, bevor sie sie plötzlich, oft in kürzester Zeit, niederschreiben. Racine sagte: »Meine Tragödie ist fertig. Ich brauche sie nur noch zu schreiben.« Mozart komponierte die Trilogie seiner letzten Symphonien in der unwahrscheinlich kurzen Zeit von 6 Wochen, und niemand dachte daran, erstaunt zu sein. Wenn man an den progressiven Jazz denkt: welche Möglichkeit an Improvisation und Spontaneität, und dennoch welche Arbeit, welche Disziplin!

Nuit de la poésie, Théâtre Sarah Bernhardt, Paris, 23. Mai 1956. Georges Mathieu malt in 20 Minuten vor 2000 Zuschauern sein Bild ›Hommage aux poètes du monde entier‹. Für das Szenarium dieser ›Nuit de la poésie‹ konstruierte Nicolas Schoeffer seine erste spatiodynamisch-kybernetische Skulptur CYSP I.

Es ist klar, daß diese Schnelligkeit der Ausführung nicht um ihrer selbst willen angewendet wird. Es handelt sich nur um eine Konsequenz: die abendländische Malerei befreit sich endlich nicht nur vom Gegenständlichen, sondern auch vom Gebrauch eines Vorbildes oder vorhergehend ausgeführten Zeichnungen und Entwürfen.«

»Für mich macht es keinen Unterschied, ob ich in meinem Atelier oder vor tausend Personen male. Während des schöpferischen Aktes bin ich allein mit meiner Leinwand, ob im Atelier oder in der Öffentlichkeit. In diesem Augenblick ist nur die stumme Sprache zwischen meinem Bild und mir wirklich, alles andere, was um mich herum geschieht oder nicht geschieht, ist ohne Interesse. Ich habe niemals die Idee gehabt, in der Öffentlichkeit zu malen. Aber seit der »Nacht der Poesie« im Theater Sarah Bernhardt in Paris, wo man mich bat, ein Bild von 4 mal 12 Metern in 20 Minuten und in der Anwesenheit von 2000 Personen zu malen, ist immer wieder die Öffentlichkeit mit dieser Bitte an mich herangetreten, sei es in Tokio, in Stockholm oder in Düsseldorf.

Der Akt gewinnt an Bedeutung, wenn man an den amerikanischen Ausdruck von »Action Painting« denkt, der zuerst auf Pollock und mich angewendet wurde. Im Grunde aber ist dieser Vorgang nicht neu. In Japan zum Beispiel ist es ganz selbstverständlich, daß ein Meister der Kalligraphie ein oft riesenhaftes Bild in der Gegenwart von Hunderten von Menschen ausführt. Für uns in der westlichen Welt ist es noch neu und ungewohnt, daß ein Zuschauer der Entwicklung und Entstehung eines Bildes beiwohnen kann, wie er zum Beispiel der Aufführung einer Symphonie von Beethoven beiwohnt.«

Georges Mathieu. Die Schlacht von Brunkeberg. 1958 (Kat. 441)

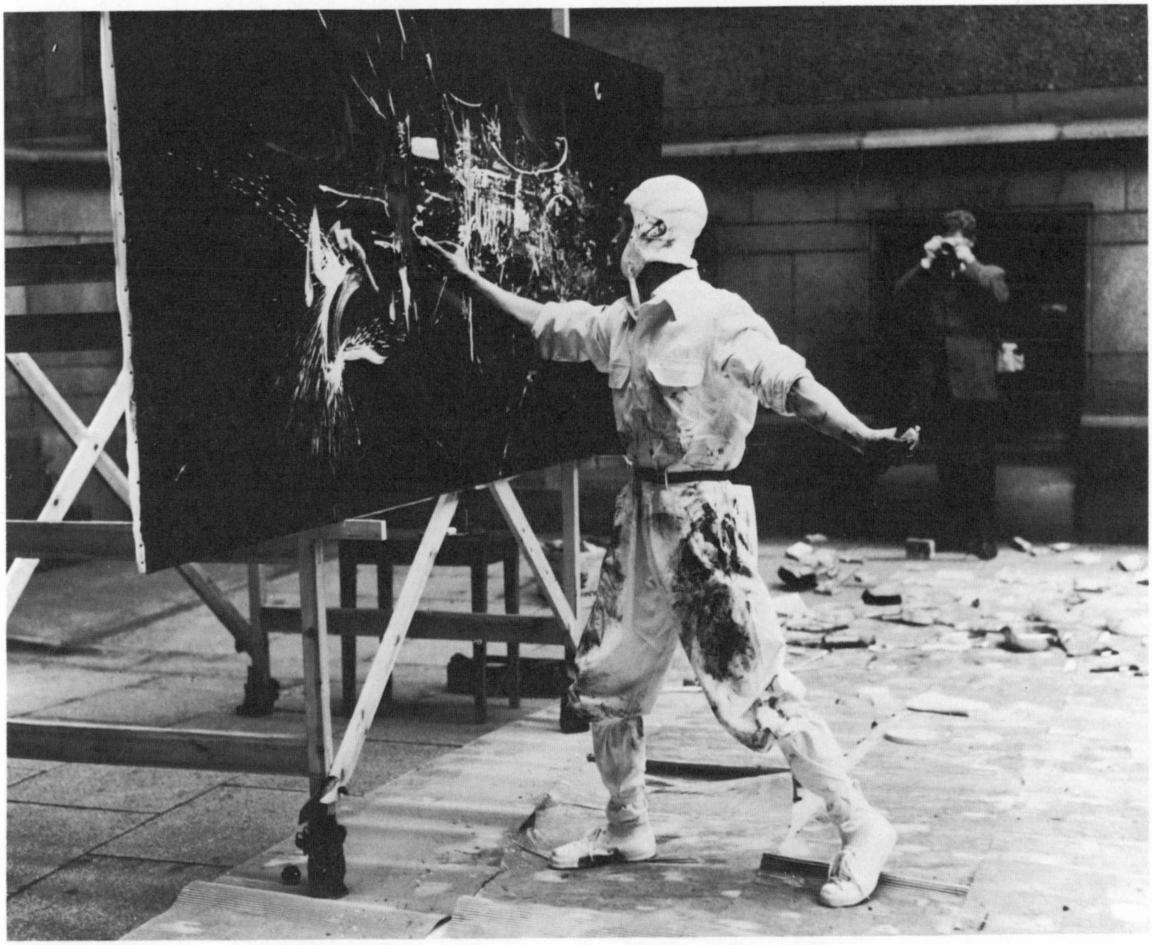

Georges Mathieu malt vor 200 Zuschauern im Hof des Hallwylska Museet in Stockholm die ›Bataille de Brunkeberg‹. 23. Juli 1958

Antonio Saura

Jackson Pollock

Die erste Hälfte unseres Jahrhunderts war reich an radikalen Lösungen des Raumproblems in der Malerei. Einige der bemerkenswertesten finden wir im analytischen Kubismus von Picasso und Braque (Aufriß einer ebenen Fläche, die sich ausdehnt und einen zweidimensionalen Ausdruck aufnimmt, dessen Tiefe durch rein malerische Mittel erreicht wird), bei Kandinsky (Fläche, die den Impuls einer inneren Notwendigkeit aufnimmt und endgültig von jeder gegenständlichen Darstellung befreit ist), bei Malewitsch (schwebende Darstellung einer metaphysischen Leere, kosmischer Ordnungswille und Panik vor der Unendlichkeit, Raumkern), bei Mondrian (Anordnung des Universums mit einer auf die Vertikale und die Horizontale beschränkten Bewegung, Zurückdrücken der Farbe bis an die äußerste Grenze), bei Wols (Sprengung von Malewitschs ›Raumkern‹, Zerstörung der traditionellen Komposition), bei Fautrier (eine formlose Materie als einziges plastisches Objekt, ein Materialraum), und bei Hartung, Mathieu oder Kline (die Geste als Symbol in einem vorbestimm-

Antonio Saura.
Cana. 1957 (Kat. 516)

Emil Schumacher.
documenta II. 1964
(Kat. 486) ▷

Asger Jorn.
Ausverkauf einer Seele.
1958 (Kat. 498)

Bernard Schultze, um 1957

Karl Otto Götz in seinem Atelier in der Kunstakademie Düsseldorf, 1959

Antoni Tàpies. Compositon ›Grau‹. 1955 (Kat. 517)

ten, aber nicht gezielten Automatismus, als direktes Mittel einer dynamischen Ausdruckskraft).

Pollocks Raum macht ein anderes Extrem geltend, das vielleicht in der Kunst unserer Tage die größte Wirkung gezeigt hat. Im Vergleich zu den Beiträgen der Malerei innerhalb der letzten fünfzig Jahre (Expressionismus, Kubismus, Dada, Surrealismus und die klassische abstrakte Kunst), die alle vom Instinkt, nicht von einer bewußten Synthese herkommen, ergibt Pollocks Werk die lebendigste Version vom Bildraum: eine flüssige, dehnbare Aufteilung, die das Bild nach allen Richtungen hin verlängert. Pollock versucht, eine totale, bestürzende Wirklichkeit wiederzugeben, das Bild also nicht in ein einheitliches, aktives Zentrum zu verwandeln, sondern in eine kosmogonische Einheit, die sich ständig bewegt, in das undefinierte Bruchstück eines inneren Chaos. Damit kann die Leinwand eine Vielfalt von Blickpunkten enthalten, oder sie braucht überhaupt keinen zu fixieren. Jedes Fragment hängt in einer Art dynamischer Kette an seinem Nachbarfragment, ein Lavastrom, der einen Strudel heller Töne, Leerzonen und komplizierter rhythmischer Wechsel bildet, zieht sich über die Leinwand – ein klangreicher Komplex ungewöhnlicher Risse und Abgründe. Pollock wandte bis zu seinem Tod eine experimentelle Technik an, die nur wenig mit der Tradition zu tun hat: er besprengte die Leinwand mit flüssiger Farbe. Damit kann er dramatische Furchen durch die Fläche ziehen, die sich in einem dynamischen Kontrapunkt übereinanderlagern und einen undurchdringlichen Wald, in dem sich das Auge verliert, wuchern lassen. Eine Gestaltungsorgie ohne Anfang und Ende. Die orientalische Auffassung von Malerei als lebendiges Wesen, das in einen bewegten Kosmos eingetaucht ist, verbindet sich bei Pollock mit einem ungestümen Ausdruck, der auf der Bildfläche die Handlung und die Unendlichkeit der Raumausdehnung mit Gesten zusammenfaßt. Das Bild entsteht aus einer Kontinuität von Raum und Zeit mittels einer dynamischen Struktur, die den Raum ›baut‹, vergrößert und entgrenzt.

Trotz seiner Bedeutung und seines Einflusses auf die heutige Malerei gibt Pollocks Werk Anlaß zu Mißverständnissen. Die Bilder sehen experimentell aus, daher bleibt der eigentliche Inhalt einer Kritik verborgen, die sich von der ungewöhnlichen Technik überrumpeln läßt. Dieser Mißdeutung verfallen zuweilen Kritiker und Künstler, die sich doch von einem so umfassenden Werk beeindruckt fühlen sollten. Ein Beispiel ist das Interview mit Max Ernst von Françoise Choay im France-Observateur vom 30. Januar 1958. Der surrealistische Maler sagt über Pollocks Bilder: »Ich sehe in ihnen das Symbol der erschreckenden, unmenschlichen Welt, in der wir leben, und ich fühle mich insofern dafür verantwortlich, als Pollock von mir seine berühmte Technik des ›drippings‹ übernahm. Ich erklärte sie ihm 1942 in einer New Yorker Galerie vor meinem Bild ›La planète affollée ...‹« Es ist wahrscheinlich, daß Max Ernst dem amerikanischen Maler diese ›Spritztechnik‹ erklärt hat – Ernst ist einer der experimentellsten Maler und hat gerade mit seinen

Emilio Vedova. Zusammenprall von Situationen. 1958 (Kat. 478)

Arnulf Rainer. Kreuzübermalung. 1956 (Kat. 514)

technischen Entdeckungen außergewöhnliche Ergebnisse erzielt. Bei Pollock jedoch liegt der Fall anders. Seine frühen Bilder und die späten, mit normalen technischen Mitteln gemalten Arbeiten enthalten dieselbe bewegte Raumauffassung. Man darf Max Ernsts (übertrieben kategorische) Meinung nicht mit dem eigentlichen Motiv der besessenen, dionysischen Malerei Pollocks verwechseln. Seine Technik, ganz gleich ob sie übernommen oder von ihm entdeckt ist, hat er mit maßloser Energie so weit entwickelt und so eng mit seinem Ausdrucksbedürfnis verknüpft, wie Max Ernst seinerzeit die ›Decalcomanie‹, die Dominguez erfand. Doch nur Ernst hat dieses Verfahren zu Resultaten geführt. Resultate aber, die weit weniger kraftvoll und neuartig sind als die Räume Pollocks.

Ad Reinhardt

Zwölf Regeln für eine neue Akademie*

»Der Wächter der wahren Tradition in der Kunst« ist die Akademie der schönen Künste: »Um unserer Kunst gewisse Regeln zu geben und sie rein zu halten.« Die erste Regel und zugleich das absolute Maß der schönen Künste und der Malerei, welche die höchste und freieste Kunst ist, ist ihre Reinheit. Je mehr Verwendungen, Bezüge und »Hinzufügungen« ein Gemälde hat, desto weniger rein ist es. Je mehr Zeug darin ist, je geschäftiger das Kunstwerk ist, desto schlechter ist es. »Mehr ist weniger.«

Je weniger ein Künstler in nicht-künstlerischen Begriffen denkt, und je weniger er leichte, gewöhnliche Geschicklichkeit ausnutzt, desto mehr ist er ein Künstler. »Je weniger ein Künstler sich in seinem Gemälde aufdrängt, desto reiner und deutlicher sind seine Ziele.« Je weniger ein Bild einem Zufallspublikum ausgesetzt wird, desto besser. »Weniger ist mehr.«

Die zwölf zu befolgenden technischen Regeln (oder: Wie man die zwölf zu vermeidenden Dinge vollbringt) sind:

1. Keine Textur. Die Textur ist naturalistisch, mechanisch und eine vulgäre Eigenschaft, besonders die Pigmenttextur oder das Impasto. Spachteln, Leinwandstiche, Vertreiben der Farbe (durch Lasieren) und andere Techniken der Action-Malerei sind unintelligent und zu vermeiden. Keine Zufälle oder Automatismen.

2. Keine Pinselführung oder Kalligraphie. Handschrift, Handarbeit oder Handzuckungen sind privat und zeugen von schlechtem Geschmack. Keine Signatur und kein Markenzeichen. »Die Pinselführung soll unsichtbar sein.« »Man soll nie dem Einfluß böser Dämonen die Herrschaft über den Pinsel einräumen.«

3. Kein Skizzieren oder Zeichnen. Alles, wo man anfängt und wo man aufhört, soll im vorhinein im Geist ausgearbeitet werden. »In der Malerei soll die Idee im Geiste vorhanden sein, ehe der Pinsel zur Hand genommen wird.« Keine Linie und kein Umriß. »Wahnsinnige sehen Umrisse, und daher zeichnen sie diese.« Eine Linie ist eine Gestalt; ein »Quadrat ist ein Gesicht.« Kein Schattieren und kein Streifen.

4. Keine Formen. »Das Feinste hat keine Form.« Keine Gestalt, kein Vorder- oder Hintergrund. Weder Volumen noch Masse, weder Zylinder, Kugel, noch Kubus, noch Boogie-Woogie. Kein Stoßen und kein Ziehen. »Keine Form oder Substanz.«

5. Keine Gestaltung. »Gestaltung ist überall.«

6. Keine Farben. »Farben blenden.« »Farben stechen in die Augen wie etwas, das einem im Halse stecken

bleibt.« Die Farben sind ein Aspekt des Äußeren und somit nur der Oberfläche, sind »ein zerstreuender Schmuck« und »offenbaren einen unbesonnenen Charakter mit schändlicher Eindringlichkeit«. Farben sind barbarisch, physisch, unstabil, sehen nach Leben aus, »lassen sich nicht gänzlich beherrschen« und »sollen verborgen sein.« Kein Weiß. »Weiß ist eine Farbe und alle Farben.« Weiß ist »nicht künstlerisch, passend und angenehm für Kücheneinbauten, und wohl kaum das richtige Medium, um Wahrheit und Schönheit auszudrücken.« Weiß auf Weiß bildet »einen Übergang vom Pigment zum Licht« und »eine Leinwand für die Projektion von Licht« und »bewegliche« Bilder.

7. Kein Licht. Kein helles oder direktes Licht auf dem oder über dem Gemälde. Trübes, spätnachmittägliches Zwielicht, das nicht mehr zurückgestrahlt wird, ist draußen am besten. Kein Helldunkel, »die übelriechende Wirklichkeit der Handwerker, Bettler und runzligen, zerlumpten Zecher.«

Mark Rothko, 1960

Ad Reinhardt, April 1961

8. Kein Raum. Der Raum soll leer sein, nicht vorspringen und nicht flach sein. »Das Gemälde soll hinter dem Bildrahmen liegen.« Der Rahmen soll isolieren und das Bild vor seiner Umgebung schützen. Raumunterteilungen innerhalb des Gemäldes sollen nicht zu sehen sein.

9. Keine Zeit. »Die Uhrenzeit ist belanglos.« »Es gibt kein antik oder modern, keine Vergangenheit oder Zukunft in der Kunst. Ein Kunstwerk ist immer gegenwärtig.« Die Gegenwart ist die Zukunft der Vergangenheit und die Vergangenheit der Zukunft.

10. Kein Format und keine Proportionen. Die Weite und Tiefe des Denkens und des Gefühles in der Kunst stehen in keinem Verhältnis zu physischer Größe. Große Formate sind aggressiv, positivistisch, unmäßig, käuflich und ohne Anmut.

11. Keine Bewegung. »Alles ist in Bewegung, unterwegs. Die Kunst soll ruhig sein.«

12. Kein Gegenstand, kein Vorwurf, kein Thema. Keine Symbole, Bilder, Gesichter oder ready-mades. Weder Freude noch Schmerz. Kein geistloses Arbeiten oder geistloses Nichtarbeiten. Kein Schachspielen.

* Die Quellen der Zitate der Alten wird der Autor auf schriftliche Anforderung liefern.

Mark Rothko. Ohne Titel. 1963 (Kat. 523) ▷

Francis Bacon. Studie für ein Porträt von van Gogh II. 1957 (Kat. 488)

Francis Bacon. Studie für ein Porträt von van Gogh III. 1957 (Kat. 489)

Francis Bacon. Studie für ein Porträt von van Gogh IV. 1957 (Kat. 490)

Francis Bacon. Studie für ein Porträt von van Gogh V. 1957 (Kat. 491)

David Sylvester

Auszüge aus Interviews mit Francis Bacon

FB: Kennen Sie die große *Kreuzigung* von Cimabue? Ich denke immer an sie, als wäre sie eine Metapher – ein Wurm, der das Kreuz entlang kriecht. Ich versuchte, etwas aus dem Gefühl zu machen, das ich manchmal bei jenem Bild dieser Darstellung hatte, die sich wellenförmig am Kreuz hinunterbewegt.
DS: Und dies ist natürlich nur eins von einer ganzen Anzahl bestehender Bilder, die Sie benutzt haben.
FB: Ja, sie erzeugen andere Bilder in mir. Und natürlich hofft man immer, sie zu erneuern.

Vincent van Gogh, L'artiste peintre sur la route de Tarascon (Selbstporträt auf der Straße nach Tarascon). August 1888. Öl auf Leinwand, 48 × 44,5 cm. Ehemals Magdeburg, Kaiser Friedrich-Museum (verschollen) (vgl. Kat. 487–493)

Francis Bacon in seinem Atelier

Francis Bacon. Studie für ein Porträt von van Gogh VI. 1957 (Kat. 492)

DS: Und sie werden sehr verändert. Aber können Sie allgemein sagen, inwieweit Sie diese Veränderungen von bestehenden Bildern voraussehen können, bevor Sie ein Bild beginnen und inwieweit sie im Verlauf des Malens passieren?
FB: Sie wissen, daß in meinem Fall alle Gemälde – und je älter ich werde, desto mehr trifft dies zu – zufällig entstehen. Wenn ich sie auch im Geist vorhersehe, so führe ich sie doch kaum jemals so aus, wie ich sie vorhersehe. Sie verändern sich beim Malen. Ich benutze sehr große Pinsel, und bei meiner Arbeitsweise weiß ich sehr oft nicht, was die Farbe macht, und sie macht viele Dinge besser, als ich sie hätte machen können. Ist das ein Zufall? Vielleicht könnte man sagen, daß es kein Zufall ist, weil es ja zum Auswahlverfahren wird, welchen Teil dieses Zufalls man auswählt, um ihn zu erhalten.

Man versucht natürlich die Spontaneität des Zufalls zu erhalten und trotzdem eine Kontiunität zu wahren.
DS: Sie malen bekanntlich sehr oft Serien.
FB: Ja. Teilweise deshalb, weil ich jedes Bild immer in einer Bewegung sehe, man könnte fast sagen, in sich bewegenden Abfolgen. So, daß man es mehr oder weniger von der sogenannten normalen Darstellung bis zu einem sehr, sehr weit entfernten Punkt verfolgen kann.
DS: Malen Sie, wenn Sie eine Serie malen, ein Bild nach dem anderen oder arbeiten Sie gleichzeitig daran?
FB: Ich male eins nach dem anderen. Eins beeinflußt das andere.
DS: Und bleibt eine Serie nach der Fertigstellung eine Serie für Sie? Das heißt, möchten Sie, daß die Bilder zusammenbleiben oder ist es Ihnen völlig gleich, ob sie getrennt werden?
FB: Ideal wäre es, wenn ich Räume voller Bilder malen könnte mit unterschiedlichen Themen, die aber als Serie verstanden würden. Ich sehe Räume voller Bilder; sie kommen auf mich zu wie Dias. Ich kann den ganzen Tag träumen und sehe Räume voller Gemälde. Aber ob ich sie wirklich so darstelle, wie sie mir in den Sinn kommen, weiß ich nicht, weil sie natürlich dahinschwinden. Natürlich hofft man immer, das eine Bild zu malen, das all die anderen zunichte macht, d.h. alles in einem Bild zu konzentrieren. Aber Tatsache ist, daß in den Serien ein Bild ständig auf das andere zurückwirkt, und manchmal sind sie in Serien besser als getrennt, weil ich es leider noch nie geschafft habe, das eine Bild zu malen, in dem alle anderen vereinigt sind.

Francis Bacon. Van Gogh in einer Landschaft. 1957 (Kat. 493)

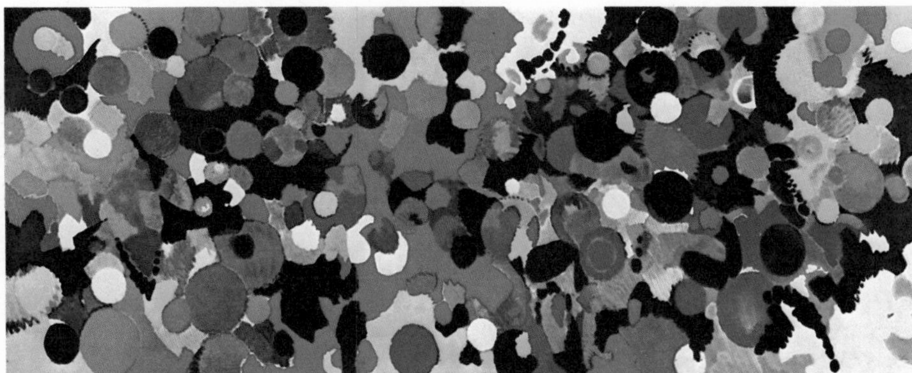

Ernst Wilhelm Nay. Das Freiburger Bild. 1956 (Kat. 479)

Ernst Wilhelm Nay

Brief an Will Grohmann

Köln, 29. 2. 1956

(...) Man kann wohl den allgemeinen Gedanken festhalten, daß alles bildnerische Tun ein Gestalten des Raumes ist, sofern man nicht ausdrücklich der Meinung ist, daß bildnerisches Gestalten ein Mittel sei, Empfindungen auszusagen. (...) Während nun seit der Renaissance der Scheinraum das bildnerische Tun der Malerei bestimmte, besteht seit und mit Cézanne das immer wieder von Pathos und vom Sentiment verdrängte Bemühen um den echten Raum. Der echte Raum der Malerei, die eine Flachkunst ist, ist die Fläche, diejenige Fläche nämlich, die keinerlei Illusionsräumlichkeit zuläßt, weder im illusionistisch-perspektivischen, noch im kubisch-konstruktiven Sinn, noch im transzendent-offenen, unbegrenzten Sinn.

Jean Gebser spricht von dem aperspektivischen Weltbild, das zugleich eine neue Bewußtseins-Stufe fordert. Der aperspektivische Raum, der Raum ohne Mittelpunkt, in dem jeder Punkt Mittelpunkt ist, der Raum der ›endlich begrenzt‹ ist, ist ungestaltbar, denn er ist unerkennbar und unvorstellbar in seinen Funktionen. Die Fläche wird also keineswegs in der Lage sein, ihn darzustellen oder sichtbar zu machen – als Raum, wie den perspektivischen Raum. Sichtbar wird aber das Begehen, das existentielle Verhalten in diesem aperspektivischen Raum, d. h. ein solches Begehen, das ist eine Aufgabe, die die Fläche zu lösen vermag. Offensichtlich bedarf es zu dieser Sichtbarmachung, zu dieser Determination, der Einsetzung eines bewußten, geistigen, organisierten Tuns, einer Methode, die das Begehen als Flächenexerzitium vorzeigt, zugleich aber insgeheim so mit der Seele sich verbunden sieht, daß Fläche und Exerzitium zum Kunstwerk aufsteigen. Man kann nur sagen, daß heute Kunstwerk als Malerei da entsteht, wo die Erkenntnis über den aperspektivischen Raum sich mit den Mitteln der echten Fläche so verbindet, daß – um technisch zu sprechen – im Einrasten beider Betätigungen von selbst mehr geschieht als zu meinen war, nämlich Kunstwerk. Das Bewußtsein steigt zur Erkenntnis auf,

Norbert Kricke. Raumplastik ›Große Mannesmann‹. 1958–61. Edelstahl, Höhe 7 m. Düsseldorf

daß die arithmetische Methode das Begehen des unvorstellbaren aperspektivischen Raumes als Fläche spürbar machen kann. Die Schönheit der Bilder soll dazu verleiten, daß ein solches Erlebnis ohne Reflexion erfahrbar ist, während bisher oft die Reflexion durch Pathos oder Schock verhindert wurde. Geschieht doch dieser Vorgang als Kunstwerk eben durch die Farbe, den unfaßbarsten, unkontrollierbarsten Wert. Das Neue ist das ganz anders geartete Verhalten zur Fläche. (...) Hier geschieht aber in purer Form die eigentliche Erfahrung der Fläche selbst, allein und isoliert, sie selbst macht sich spürbar und aussagbar, eine Choreographie erzeugend, aber es ist keine Choreographie, die irgendwie in sich geordnet irgendwo stattfinden könnte, sondern die Fläche selbst schafft diese Choreographie.

Dieses ganze bildnerische Anliegen ist nicht mit Gewalt zu bewältigen, auch nicht als Folge intellektueller Erwägungen, sondern in der Freiheit des künstlerischen Tuns, das als ein formal, also bildnerisch-poetisches anzusehen ist. Und von dort her, von den Bildern her, ist es einzusehen.

Josef Albers. Nachts. 1958 (Kat. 447)

Josef Albers

Wenn ich male und konstruiere
versuche ich visuelle Artikulation

Dann denke ich nicht an Abstraktion
und ebensowenig an Expression
und suche nicht Ismen
nicht augenblickliche Mode

Ich sehe daß Kunst wesentlich
Absicht ist und Schauen
daß Form vielfache Vorstellung sucht

Ich habe nicht gesehen
daß forcierter Individualismus
oder forcierte Exaltation
Ursprung ist für dauernde Formulierung
für bleibenden Sinn

Mir genügt in meiner Arbeit
mit mir selbst zu kompetieren
mit einfacher Palette mit einfacher Farbe
vielfache Instrumentierung zu suchen

Und wage weiter Varianten

◁ Giorgio Morandi. Stilleben. 1957 (Kat. 279)

◁ Giorgio Morandi. Italienisches Stilleben. 1957 (Kat. 280)

Triumph und Skepsis – Weltausstellung – Biennale – documenta

Am Ende der fünfziger Jahre scheint der Streit um die moderne Kunst entschieden. Sie ist als *die* Kunst des 20. Jahrhunderts im Kontinuum akzeptiert und erhält in ihrer Gesamtheit einen quasi-offiziellen Status. Sie ist im Weltbild des Fortschritts integriert.

Drei Ereignisse in den letzten Jahren des Jahrzehnts zeigen die Moderne im Zenit ihrer öffentlichen Geltung: die Weltausstellung in Brüssel 1958, die Biennale in Venedig im selben Jahr und die documenta II 1959 in Kassel.

Erst jetzt triumphiert die Moderne als Avantgarde der Epoche. Tradition und Gegenwart verbinden sich hier für einen historischen Augenblick. Die optimistische Perspektive der abstrakten Kunst als einer Weltsprache wird jetzt auf internationaler Bühne mit verbindlichem Anspruch ›aufgeführt‹. Die Brisanz dieser Aufführung resultiert in Brüssel aus der (auch kulturellen) Ost-West-Begegnung. Dort wird dem ›Sozialen Realismus‹ staatlicher Prägung nicht bloß die neueste Kunst des Westens entgegengestellt, sondern als Manifestation die fortlaufende Geschichte der ›ungegenständlichen‹ Kunst.

Im Schatten des Brüsseler Atomiums, dieses ebenso naiven wie anmaßenden monumentalen Sinnbilds für den Fortschritt, wird die mitgeführte Kunst der Weltausstellung erfaßt und restlos erklärt. So rechtfertigt der Katalogtext der großartig resümierenden Ausstellung ›50 ans d'art moderne‹ die seltsamerweise ›Exotismus‹-verdächtigen Werke von Kandinsky, Klee, Miró, Baumeister und Arp als eine »wissenschaftlich begründbare, psychologisch und ästhetisch erklärbare Parallelerscheinung« zu den magischen Malereien der Vorgeschichte und der primitiven Völker; so beruft er sich auf Berechnungen, die beweisen sollen, daß gewisse geometrisch-abstrakte Skulpturen von Pevsner, Gabo oder Hep-

›Nukleare Malerei‹: Atompilz – Wols, La flamme, 1946/47. Aus: ›Magnum‹, Juni 1959

›Die Masse‹: J. Pollock, Number 1, 1948 – Badestrand. Aus: ›Magnum‹, Juni 1959

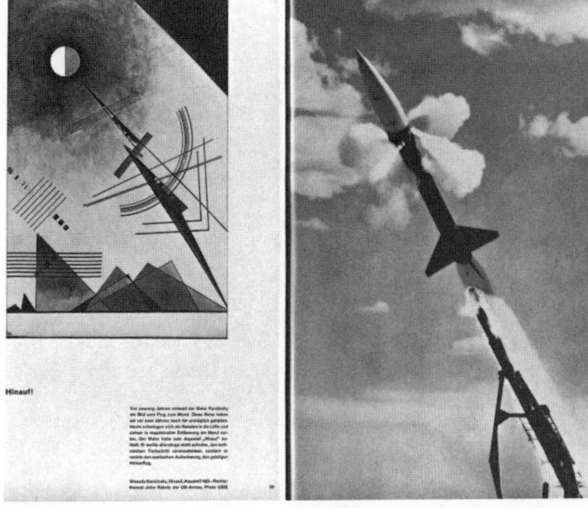

›Hinauf!‹ W. Kandinsky, Hinauf, Aquarell, 1925 – Honest John Rakete der US Armee. Aus: ›Magnum‹, Juni 1959

worth den Forschungen von Mathematikern entsprechen, woraus dann gefolgert werden kann, daß die Künstler »einzig auf ihre Intuition sich verlassend, die Geheimnisse des Kosmos zu ahnen vermögen.«[76]

Der Triumph der Kunst wird im Zeichen der totalen Wissenschaftsgläubigkeit als Teilbereich der großen Anmaßung vereinnahmt: »Wenn wir noch auf die erstaunlichen Ergebnisse hinweisen, welche die moderne Kunst in der Erforschung der menschlichen Seele und des Unterbewußten erzielte, dürfen wir ruhig den Schluß ziehen, daß der kunstschaffende

Das Moderne ist westlich

Die „Moderne" ist eine Spezialität des Westens. Ihr Geburtsort heißt Paris. Später ist sie auch in Moskau und Leningrad aufgetaucht, aber ihre eigenwillige Spontaneität vertrug sich nicht lange mit den Regeln des historischen Materialismus. Die moderne Kunst ist apolitisch, und ihre Gedankensprünge sind nicht kontrollierbar. Das paßte natürlich dem Zentralkomitee nicht. So mußte sich die Moderne wieder auf die freie Welt des Westens zurückziehen.

Oben: Surrealismus-Ausstellung in Paris / Foto William Klein
Rechts: Bernard Buffet „Männer", Ölbild / Foto Charles Wilp
Unten: Hans Arp „Knospenkrone" / Foto Susanne Schapowalow

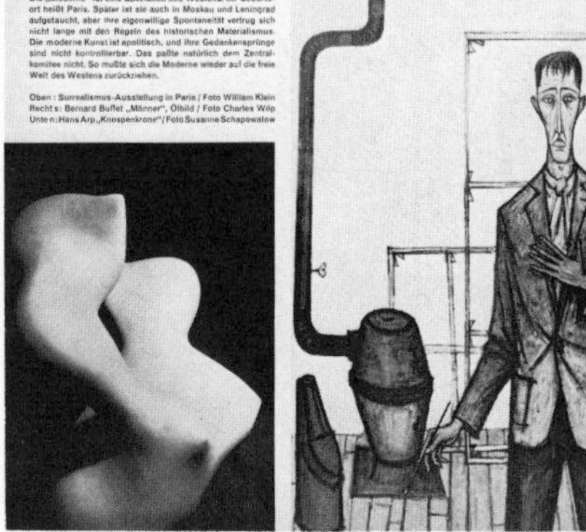

›Das Moderne ist westlich‹. Aus: ›Magnum‹ Dezember 1961. Legende: Die »Moderne« ist eine Spezialität des Westens. Ihr Geburtsort heißt Paris. Später ist sie auch in Moskau und Leningrad aufgetaucht, aber ihre eigenwillige Spontaneität vertrug sich nicht lange mit den Regeln des historischen Materialismus. Die moderne Kunst ist apolitisch, und ihre Gedankensprünge sind nicht kontrollierbar. Das paßte natürlich dem Zentralkomitee nicht. So mußte sich die Moderne wieder auf die freie Welt des Westens zurückziehen.

Weltausstellung 1958 in Brüssel, UdSSR-Pavillon

Mensch noch nie so vollständig die Schöpfung beherrscht hat wie in unserer Zeit« – heißt die Konklusion, mit Hinweis auf die heroisch-tragische Konsequenz von »Angst und Verzweiflung, Stolz und Ekstase«.[76]

Tradition und Zukunft der Moderne sind jetzt vor aller Öffentlichkeit ausgebreitet: »Weit davon entfernt, mit der Vergangenheit zu brechen, erweckt die abstrakte Kunst deren reinste und echteste Ausdrucksformen zu neuem Leben. Sie stellt keinen Niedergang, sondern einen neuen Anfang dar.« Und dann wird die Bilanz für die Gegenwart gezogen: »So unterschiedliche Temperamente wie Bazaine, Nay, Wols, Pollock, Manessier, Winter, Riopelle, Poliakoff, Santomaso, Capogrossi, Afro, Masson, Werner, Corneille, Sam Francis, Hitchens, Jorn, Appel, Lubarda sind alle Vertreter einer Kunst, die eine neue Welt entdeckte, den Raum des Psychischen. Schon die einfache Aufzählung aller dieser Maler, vor allem aber die Vielfalt ihrer Ausdrucksmittel zeigen, daß diese Kunstrichtung sich in voller Entwicklung befindet und noch über ein riesiges Potential verfügt.«[76]

Mit Blick auf dieses Potential und auf die beschworene Entwicklung hat wohl Werner Haftmann ein Jahr später das Credo der documenta II formuliert (siehe Textdokument S. 196–203) und die Kasseler Ausstellung, die sogleich als »Olympia der Kunst« rezensiert wurde, auf der die Kunst sich »Auf dem Weg zu einem künstlerischen Weltstil«befände, mit großer Hoffnung eröffnet.[77]

Diese Perspektive des mit weltweiter Geltung verkündeten Epochenstils wird durch Ehrungen für Künstler bekräftigt, die sich um die Verbreitung der ›Weltsprache‹ verdient gemacht haben: Mark Tobey, damals schon eine Symbolfigur der Verbindung ostasiatischer Kultur und westlicher Malerei, erhielt den Malerei-Preis der Biennale 1958, auf der auch schon Antonio Tàpies mit einem Sonderpreis gefördert wurde. Hans Hartung fiel in jenem Jahr der fortan international renommierte ›Rubens-Preis‹ der Stadt Siegen zu. Daß diese Phase des Triumphs so kurz sein und daß die Entfaltung der abstrakt-informellen Kunst auf der 59er documenta nicht bloß einen Höhepunkt, sondern bereits den Kollaps bedeuten würde, bleibt als Überraschung der Zeitwende in die sechziger Jahre hier zu konstatieren. Auf der Strecke blieben der Anspruch auf Weltstil und auch jener Rezeptionsrahmen, in den die zeitgenössische Kunst als ein Produkt der offiziösen Forschritts- und Freiheitsideologie eingepaßt wurde.

Vor allem die individuelle Konzeption der informellen Kunst eignete sich schlecht für eine kommunikative Entwicklung, geschweige denn für eine Sprachgründung. Vor dem »tachistischen Professor«, einem »Schaf im Wolfspelz«, hatte Haftmann selbst gewarnt. Der im documenta-Jahr erschienene Prachtband

Malversuche mit Affen. Aus: Desmond Morris, ›Biologie der Kunst. Ein Beitrag zur Untersuchung bildnerischer Verhaltensweisen bei Menschenaffen und zur Grundlagenforschung der Kunst‹, 1963 (engl.: The Biology of Art, 1962)

›Abstrakte Maler lehren‹ exerziert den Widerspruch des in die Autoritätsstruktur zurückverwiesenen Individualismus und schreckt durch Sterilität ab.[78]

Die Inflation war auf zwei Fronten vorangetrieben worden. Während die abstrakte Akademie für die restlose Verspießerung und nebenbei für beliebige Anwendung sorgte – wofür das abstrakte Wandbild der Schlacht von Cannae in der Führungsakademie der Bundeswehr in Hamburg nur ein Beispiel ist – führten die Akteure im Betrieb ihren eigenen Ansatz ad absurdum: Mathieus spektakuläre Malaktionen gleichen einem permanenten künstlerischen Harakiri. Einen zeitgenössischen Höhepunkt in der Geschichte der informellen Malattitüden markiert wohl der ehemalige Bauhaus-Schüler Xanti Schawinsky, der 1960 in New York mit seinem Sportwagen *Spuren* ›malte‹.

Doch das Schlüsselerlebnis des Vorurteils lieferte schon 1957 wie nebenbei eine dokumentarische Ausstellung von Malversuchen mit Affen im Londoner Institute of Contemporary Art. Den sensationellen Negativ-Effekt dieser Ausstellung brachte Desmond Morris auf die lapidare Formel: »Der Durchschnittsengländer liebt die Tiere und haßt die abstrakte Kunst«.[79]

Ungeliebt blieb die zeitgenössische Avantgarde-Kunst in den Jahren ihrer größten öffentlichen Entfaltung. So macht die Rezension der Biennale 1958 im Magazin ›Stern‹ (siehe Seite 220–222) die »Diktatoren des modernen Kunstbetriebes« für »Blech und Bluff und Jutesäcke« in Venedig verantwortlich und belegt den verblüffenden Vorwurf an die modernen Künstler, sie würden »die vom Menschen befreite Roboterwelt« auf der Biennale präsentieren, doppelseitig mit Werkabbildungen, u. a. an prominenter Stelle mit Alberto Burri, David Smith, Pevsner und Gabo.

Zwischen optimistisch verpflichtender Anerkennung und kräftig belebtem Vorurteil bewegt sich die ›rezipierte Moderne‹ am Ende des Jahrzehnts. Die neue Form der Isolierung, die des ›Betriebs‹, bleibt auch fortan bestehen. Daß die Leistung der neuen Kunst jenseits des Betriebs und nur mit einer anderen Differenzierung der ›Haltung‹ zu ermitteln ist, dafür hier noch ein abschließender Hinweis aus dem Jahr 1958. Im Kommentar zu der Basler Ausstellung ›Kunst und Naturform‹, die ganz aus dem Geist jener Fortschrittsjahre abstrakte Malerei mit dem Forschungsmaterial mikroskopischer Aufnahmen konfrontierte, fragt Georg Schmidt im Zusammenhang mit der informellen Malerei, ob es nicht die »geistige Mission« dieser Kunst wäre, gegen den technischen und hygienischen Perfektionismus, gegen die wachsende Bedrohung alles Persönlichen mit einer angemessenen Antwort zu opponieren.[80] Tatsächlich wurde diese Antwort zum Thema der Kunst – über das allerdings Weltausstellung, Biennale und documenta noch keine Rechenschaft geben.

Xanti Schawinsky. Spuren. 1960

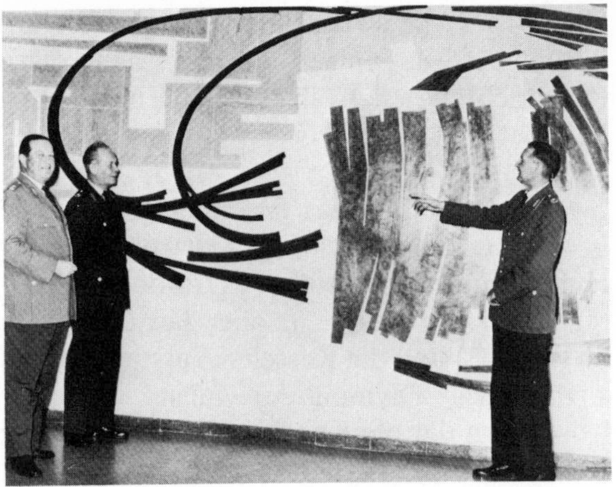

Die Schlacht von Cannae. Wandbild in der Führungsakademie der Bundeswehr in Hamburg

Henri Nannen

Lieber Sternleser!

Es ist in diesem Sommer genau zweiundzwanzig Jahre her, da geschah in Deutschland etwas, das uns noch heute die Schamröte ins Gesicht treiben kann.

Längst waren die Bücher von Thomas Mann und Stefan Zweig, von Heinrich Heine und Franz Werfel auf den Scheiterhaufen des Herrn Goebbels verbrannt. Schauspieler wie Albert Bassermann und Fritz Kortner, Dirigenten wie Fritz Busch und Bruno Walter und Sänger wie Josef Schmidt und Richard Tauber hatten ins Ausland gehen müssen. Die Komponisten Felix Mendelssohn, Jacques Offenbach und Paul Hindemith waren von den deutschen Musikbühnen verbannt.

Da holte Adolf Hitler zum Schlag gegen die bildende Kunst, gegen Malerei und Plastik aus.

Im Englischen Garten in München war das ›Haus der Deutschen Kunst‹ entstanden, von den Münchnern respektlos ›Palazzo Kitschi‹ genannt, und den Professor Adolf Ziegler hatte sein Führer zum Präsidenten der Reichskunstkammer gemacht. Dieser Ziegler war dem Hitler aufgefallen, weil er dessen geliebte und durch Selbstmord geendete Nichte Geli Raubal nach einer Fotografie höchst naturgetreu zu malen verstanden hatte. Naturgetreue Postkartenmalerei aber war das Gebot der Stunde, und so hing denn auch in der ›Ersten Großen Deutschen Kunstausstellung‹ Zieglers bis auf jede Hautpore und jedes Haar genau gemaltes Bild ›Die vier Elemente‹ – vier nackte Damen, die von den Besuchern bald in »Die vier Sinne« umgetauft wurden, der fünfte, der Geschmack, fehlte eben.

Die Komödie dieser armseligen Ausstellung wurde zur Tragödie durch eine andere Bilderschau, die wenige Straßen weiter unter dem Titel ›Entartete Kunst‹ gezeigt wurde. Hitler hatte die deutschen Museen und Sammlungen ausrauben lassen, um in einer als Schreckenskammer aufgemachten Ausstellung all das an den Pranger zu stellen, was nicht in sein politisches Programm und in seinen pedantischen Kunstverstand hineinging.

Bilder und Plastiken, die Ausdruck echter menschlicher Ergriffenheit waren, fand man hier mit den zweifelhaften Erzeugnissen einer irregeleiteten Phantasie bunt vermischt. Ein ganz nach innen gewandtes Mädchenbildnis von Karl Hofer hing neben dem aus Tapetenresten, Kofferzetteln, Straßenbahnfahrscheinen und einem alten Gardinenring zusammengeklebten ›Ringbild‹, mit dem der »Dadaist« Kurt Schwitters aus Hannover »dem Bürger in die Fresse hauen« wollte. Ein Saal mit Werken von Lovis Corinth, mit dem gegeißelten Christus an der Mittelwand, hätte die Feierlichkeit eines Kirchenraums haben können, wären nicht die demagogischen Spottschriften an den Wänden gewesen, die auf den johlenden Pöbel berechnet waren, der nichts verstand und sich über alles amüsierte. Bilder von Emil Nolde, Paul Klee, Max Beckmann und Oskar Kokoschka waren mit Plastiken von Barlach, Lehmbruck, René Sintenis und vielen anderen in den engen Räumen des Münchner Kunstvereins sinnlos und bösartig wie in einem KZ zusammengepfercht. Nach Schluß der Ausstellung aber versteigerte man die Kunstwerke, um die uns die Welt beneidet hatte, für ein Butterbrot ins Ausland.

Als der Spuk des »Dritten Reiches« zu Ende gegangen war, und als es sich auch in der Kunst wieder zu regen begann, war praktisch jeder ein Verfolgter des Naziregimes gewesen, ein Meister wie Kokoschka oder Beckmann ebenso wie die Hersteller von »Gemälden« aus Drahtgitter und Scheuerlappen, der große Bildhauer Lehmbruck ebenso wie die Erzeuger sonderbarer Klempnerware aus Abfallblech und Leitungsrohr, die nun ihre bisher unterdrückten »Meisterwerke« einem erstaunten Publikum darboten.

Und nun begann die Gleichmacherei noch einmal, diesmal aber von der anderen Seite her.

Wie der Kunst-Terror des totalen Staates durch die Diktatoren des modernen Kunstbetriebes abgelöst wurde, lesen Sie auf Seite 5 in Henri Nannens Brief an die Leser

Blech und Bluff und Jutesäcke

Moderne Künstler präsentieren auf der Biennale in Venedig die vom Menschen befreite Roboterwelt

Befreiter Geist …

Gottes Ebenbild …

Zum Aufhängen …

Ein Saurier-Gerippe ist das nicht, …

Ausgespannte Jutesäcke …

Skeptisch …

Ein Nichts, …

DER STERN

Bericht über die Biennale 1958 in Venedig. Aus: ›Stern‹, Jg. 11, Heft 36, 9. Sept. 1958

Hatte Hitler in der naturgetreuen Postkartenmalerei den Ausdruck einer »erhabenen und zum Fanatismus verpflichtenden Mission« gesehen – nun wurde mit dem gleichen Fanatismus jeder Künstler verfemt, auf dessen Bildern auch nur noch Reste von Naturformen zu erkennen waren.

Wer heute einen Baum malt wie van Gogh oder eine noch in ihrer natürlichen Struktur erkennbare Landschaft wie Cézanne oder gar den Körper einer Frau wie Corinth, wer die Welt anschaut und sie künstlerisch verdichtet, wer sie nicht auseinandermontiert in ihre atomaren Bestandteile, der wird von den offiziellen Kunstmanagern niedergeschrien. Künstler wie Beckmann, Kokoschka und Hofer, die sich nicht einfach von dem lästigen Zwang der Natur freimachen, sondern sich mit ihr auseinandersetzen, gelten bereits als »klassisch« – was nichts anderes heißen soll als »hoffnungslos überholt«. Aber dort, wo der Mensch, wo die Natur aus den Formungen der Maler und Bildhauer ausgetrieben ist, dort liegt die wahre Zukunft der Kunst, künden die Propheten der Moderne. Und ihr Oberprophet, der Professor Will Grohmann, schreibt denn auch über eine Malerin: »Noch malt sie die Landschaft der Toscana und Stilleben mit Krügen. Hoffentlich wird sie bald das Klima der Toscana und das Leere der Krüge malen.«

Keine Sorge. Herr Professor Grohmann, das Leere wird schon gemalt: in Paris sind zur Zeit die »Monochromisten« der letzte Schrei. Sie bemalen ein Stück Leinwand mit nichts als blauer Farbe, rahmen es ein, nennen es »Vision Nr. 5«, und bewundernd stehen die Kenner vor dieser Einfallslosigkeit.

Der Mensch aber, der den Künstlern einmal als das von Gott gesetzte Maß aller Dinge galt, ist für die modernen Kunstaugen nichts als ein Zufallsprodukt der Natur oder besser: der Biochemie, um deren Formeln und ihre symbolhafte Niederschrift es dem abstrakten Künstler weit mehr zu gehen scheint als um eine Anschauung der Welt, als um eine Weltanschauung.

Weltanschauung? Der moderne Künstler rümpft über dieses Wort die Nase. Wie der Mensch überwunden ist, so wird auch die Welt nicht mehr angeschaut und erlebt, sondern nur noch als Rohstoff oder als Ballung elementarer Kräfte angesehen. Die Vielfalt der Formen, die die Natur sich in ihrer unendlichen Fülle leistet, wird von der Kunst einfach »abstrahiert«.

Die Überlegung ist etwa so: Warum erweckt eine herabhängende Trauerweide ein trauriges, eine verwehte Dünenlinie ein sehnsüchtiges, eine lodernde Flamme ein erregendes Gefühl? Warum erscheint eine Eiche stark, ein welkendes Blatt vergänglich, eine Gewitterwolke drohend? Es ist nicht das Holz der Weide, nicht der Sand der Düne und nicht der Wasserdampf der Wolken. Es sind nur die Formen und die Farben der Dinge, die uns diese Eindrücke vermitteln. Also kann man die Formen und Farben auch von den Naturgegenständen ablösen, sie abstrahieren und mit ihnen eine neue Welt schaffen.

Es ist nichts als die Anmaßung des Menschen, der die Welt in chemischen und physikalischen Formeln erfaßt zu haben glaubt. Die Analyse, die Auflösung der Dinge in ihre Grundbestandteile und Urkräfte, wird von der Wissenschaft auf die Kunst übertragen. Unsere Physiker spielen am Schalthebel des großen Kraftwerkes »Welt« herum, das jeden Tag auseinanderfliegen kann. Die alte fromme Ordnung ist zum Teufel gegangen. Der Mensch ist nicht mehr das Maß aller Dinge, sondern nur noch das tödlich bedrohte Objekt der von ihm beschworenen Kräfte – der Zauberlehrling wird den Besen, den er gerufen hat, nicht mehr los.

Wer anders als die Kunst könnte denn in dieser ebenso entgötterten wie entmenschlichten Welt wieder eine Wertordnung schaffen? Statt dessen gebärden sich die Manager der Moderne vollends als die großen Auflöser und Zertrümmerer. Und wehe, wenn einer anders malt oder bildhauert, als es die allgemeine Regel vorschreibt. Er wird einfach nicht ausgestellt. Denn Trumpf ist die international konfektionierte Kunstmode, deren gegenstandslose Produkte von Tokio bis Buenos Aires, von New York bis Paris und von Havana bis Hamburg einander bis zum Verwechseln ähnlich sehen.

Wenn Sie die nächste Seite umschlagen, sehen Sie, was auf der sogenannten »Kunstbiennale« in Venedig gezeigt wird, eine symbolische Zukunftsvision von verbogenen Eisenträgern und Metallgerippen – das ist der Weisheit letzter Schluß. Das bleibt übrig vom Menschengeist und seiner perfekt funktionierenden Welt, wenn ein Betriebsunfall passiert.

Aber eines noch zum Schluß: Tausendmal schlimmer als alle diese Verirrungen wäre der Versuch, ihnen mit Unterdrückung oder gar mit Verboten zu begegnen. Was uns zu beunruhigen hat, ist nicht die Tatsache, daß ein Maler leere Flächen geschickt aufteilt und seine Dekorationen als künstlerische Offenbarungen ausgibt. Auch nicht, daß ein anderer glaubt, er könne für das atomare Vabanque-Spiel und die Zerrissenheit unserer Zeit nur die zerplatzte Form als künstlerisches Symbol anerkennen.

Aber wir sollten uns dagegen wehren, daß die mächtigen Manager in den Ausstellungen, im Kunsthandel und in der Kritik alles diffamieren und niederhalten, was ihrer Geisteshaltung den Tribut nicht zollen will.

Herzlichst
Ihr

Henri Nannen

John Anthony Thwaites

Abstrakte Kunst und Gesellschaftsleben in Deutschland

In der Geschichte der abstrakten Kunst Deutschlands hat es ein ganz bestimmtes Ereignis gegeben, das nicht vergessen werden sollte: vor acht Jahren wurden die Künstler von den damaligen Machthabern als Verbrecher angesehen. Vor weniger als einem Jahrzehnt mußten die meisten von ihnen sich als Geächtete verstecken, und zwei von ihnen wurden in Konzentrationslager verschleppt. Diese Tatsachen lassen die Annahme zu, daß die Kunst in Deutschland eine besondere Rolle im gesellschaftlichen Leben spielt. Sir Herbert Read schreibt über ein ähnliches, in Sowjetrußland aufgetretenes Phänomen: »Die kommunistischen Diktatoren beargwöhnen nicht so sehr einen bestimmten künstlerischen Stil, sie beargwöhnen vielmehr die Kunst an sich, die in der Lage ist, den menschlichen Geist ganz für sich zu beanspruchen. Daher ist es ihnen schließlich gelungen, der Kunst jegliche Bedeutung zu entziehen.« Die gleichen Überlegungen lassen sich sehr gut auch auf die Nazi-Machthaber anwenden.

Wenn man jedoch die abstrakte Kunst bis zu ihren ersten Anfängen zurückverfolgt – sie ist vor 43 Jahren in Deutschland entstanden – ist man erstaunt, zu erkennen, bis zu welchem Grad die Kunst bestimmte gesellschaftliche Veränderungen anzeigt. Bereits die kaiserliche Gesellschaft von 1910 trug in sich den Keim der Zersetzung, die acht Jahre später eintreten sollte, doch noch läßt nichts den Schluß auf sein Vorhandensein zu. Nur die Malerei konnte von diesen Umwälzungen eine Ahnung vermitteln. Tatsächlich hätte ein aufmerksamer Beobachter lange vor dem Ersten Weltkrieg in den

Hans Uhlmann, 1957

Galerie 22, Düsseldorf 1958. V.l.n.r.: Manfred de la Motte, Peter Brüning. Emil Schumacher, Gerhard Hoehme, Karl Fred Dahmen, Wilfried Gaul, Karl-Heinz Heering

Werken der Brücke, oder eher noch in denen des Blauen Reiters jene Revolution von 1918 vorhersehen können, deren Scheitern so verheerende Folgen für die ganze Welt haben sollte. Man war in der Tat Zeuge des Aussterbens der alten Formen. Die sogar noch ältere Tradition der erzählenden Malerei wurde verlassen. Nicht nur die Welt von Leibl und Lenbach, sondern auch diejenige von Liebermann und Slevogt ging in Scherben. (...)

Es wäre ein Irrtum anzunehmen, daß Hitler mit seinem Kampf gegen die moderne Kunst nur die Rachegefühle des verbitterten Malers ausgelebt hätte. Er hat hier, wie auch sonst, instinktiv in Übereinstimmung mit den sozialen Strömungen, die ihn an die Macht gebracht hatten, gehandelt. Die Vernichtung der ›degenerierten Kunst‹ gehörte zu den Punkten seines Wahlprogramms, die er tatsächlich verwirklicht hat. Einmal mehr spielten die moderne Kunst und die Abstraktionstendenzen eine klar umrissene Rolle im gesellschaftlichen Leben, eine Rolle, die sich für ihre Anhänger als verhängnisvoll erwies. Aber nach 1945 wird in der Politik das Steuer herumgerissen. All das, was vorher verdammt worden war, kommt automatisch wieder zu Ehren – sogar die moderne Kunst. Es profitierten davon – leider – vor allem die Expressionisten. Ihre Kunst, die beim Aufkommen des Nazismus im Sterben lag, wurde nun der jungen Generation unentwegt angepriesen. Die Rolle der Kunst hatte sich noch einmal gewandelt: diesmal gehörte sie sogar zum »Re-edukations«-Programm der Deutschen. (...)

Aber obgleich die reaktionäre Bewegung noch immer an Terrain gewinnt, konnte das Vorwärtsschreiten der Jugend nicht aufgehalten werden. Die junge Generation, die zunächst von Marc und dann von Klee, Kandinsky und Willi Baumeister beeinflußt worden ist, hat schließlich zu Hans Hartung gefunden. Der Sieg der Abstraktion ist derart vollständig, daß schwerlich ein junger Künstler von Qualität zu finden ist, der nicht von ihr abhängt. Sowohl die jungen Künstler als auch das junge Publikum betrachten die abstrakte Kunst als ihr natürliches Element. Und zwar deswegen – so glaube ich – weil die abstrakte Kunst den einen Teil der Wirklichkeit ausdrückt, nach dem sie suchen. Trotz alledem bleibt den jungen Leuten ein Handikap: in der Gegenwart vollständig vom Alltag in Anspruch genommen und bedroht von einem zukünftigen Militärdienst, eingezwängt zwischen einer feindlichen Außenwelt und einer alten Generation, die ihr im allgemeinen Unverständnis entgegenbringt, werden tausenderlei Dinge von ihnen gefordert, die sie davon abhalten, sich der Kunst so vollständig zu ergeben, wie sie es gerne täten.

Franz Roh

Freiheit und Bindung des Künstlers

Das ›Europäische Forum‹, Alpbach 1958, hatte diesmal seine Erörterungen für die verschiedenen Fakultäten unter das Thema ›Bilanz der Freiheit‹ gestellt. Für die bildenden Künste ergab sich ein mehrwöchiger Kursus über ›Freiheit und Bindung des Künstlers‹, geleitet von Franz Roh und Juliane Roh. (...) Da die Hörer sich einseitig für die Fragen der Gegenwart interessierten, wurden vor allem diejenigen Einschränkungsversuche durchgenommen, welche den Künsten im späteren 19. und 20. Jahrhundert durch eine retardierende Kritik auferlegt werden sollten.

Es wurde nachgewiesen, daß die moderne, gegenstandsfreie Malerei und Skulptur ein Maximum von Freiheit erreicht hat, weil sie sich weder an die Gegenstände der Außenwelt noch an bestimmte Kompositionsregeln, noch an die Spezialwünsche eines Auftraggebers bindet. In Referaten wurden jene Schriften erörtert, welche in dieser Freiheit Gefahren sehen. Die meisten dieser Thesen wurden von den Studenten widerlegt: auch die abstrakte Malerei sei keineswegs umweltfremd, und die absolute Musik der Sinfoniekonzerte sei ganz allmählich geradezu populär geworden, obgleich hier, im Gegensatz etwa zu Lied und Oper, der gegenständliche Inhalt fehle, bei welchem unmusikalische Menschen erst Halt zu finden pflegen. Ein Referat mit farbigen Lichtbildern verglich dann strukturelle Fotos der realen Außenwelt mit verwandten Werken der Graphik und Malerei, um zu zeigen, daß sich auch bei abstrakter Kunst Gegenstücke aus der vorgegebenen Natur finden lassen. (Paul Klee: der heutige Künstler arbeitet nicht *nach* der Natur, sondern wie die Natur. (...)

Schließlich war zu erörtern, ob der übersteigerte Freiheitsbegriff standhalte, den z. B. manche Surrealisten gefordert haben, wenn sie allein die Produktion in einer Art Trance gelten lassen wollen. An vielen Fällen wurde aufgezeigt, daß ein Schaffensprozeß doch immer den Filter eines kontrollierenden Bewußtseins passiere. Trotzdem konnte herausgearbeitet werden, daß auch falsche Theorien und Interpretationen vorübergehend Bedeutung haben können, indem sie neuen Ausdrucksmitteln zum Durchbruch verhelfen. In Wahrheit aber handle es sich immer um ein kompliziertes Funktionsgeflecht von Freiheit und Determination. In der Malerei des 20. Jahrhunderts findet sich ein hohes Maß normierender Selbstbindung (Mondrian) neben einem extremen Freiheitsbedürfnis (art informel bis Tachismus).

Da viele Angriffe gegen eine ungegenständliche Kunst mit religiösen Argumenten geführt werden, interessierte auch ein Referat über ›Kirche und moderne Kunst‹ an Hand des Buches von Pater Régamey. Sieht hier doch ein Priester gerade in der abstrahierenden Kunst besondere Chancen für das religiöse Erleben.

Leicht war nachzuweisen, wie unsinnig die Kunstverbote des Nationalsozialismus und die beinah identischen des Kommunismus sind, so daß beide Regierungsformen die bildenden Künste gänzlich banalisiert oder gar zum Verlöschen gebracht haben, wobei noch nicht einmal erwiesen ist, daß eine größere Gestaltungsfreiheit die gewollten politischen und wirtschaftlichen Ordnungen auch nur schwächen würde.

Asger Jorn

Punkt und Linie zur Fläche. Vom Raum zurück zum Punkt (1966)

Vorwort zu »Die Ordnung der Natur/De divisione naturae«

(In Ulm, um Ulm und um Ulm herum)

Der hervorragende deutsche Kunsthistoriker Richard Eichler hat in seinem prachtvollen Werk ›Könner Künstler Scharlatane‹ im Jahre 1961 geschrieben:

»Daß der modernistische Nachwuchs willens ist, in die Fußstapfen der erfolgreichen Vorbilder zu treten und alle propagandistischen Möglichkeiten, die unsere perfektionierte Gegenwart bietet, zu nutzen, beweist der Fall ›Gruppe Spur – Professor Bense‹. Natürlich ist es ein Extrem an Frechheit, was sich die Münchner Extremisten geleistet haben – aber ist es nicht folgerichtig, wenn

Nervenruh!
Keine
Experimente!

Damen und Herren: lassen Sie sich nicht provozieren:

Das ist das letzte Gefecht!

1957/58 ist die größte Jahrhundertswende aller Völker und Zeiten! Es ist erreicht. Der neue Mensch ist da!

Füglich sind durchaus zu viel Revolutionen zu verzeichnen gewesen.

In Deutschland wollen wir keinen Tachismus, wir wollen Fleckenmalerei.

Kunst ist Leben und Leben ist Kunst!

Todesopfer: Wols, Nicolas de Stael, Jackson Pollock, Dylan Thomas, James Dean

In der Natur gibt es keine Kunst

Nur für Künstler!

Grundlegende Fakten der Kunsttragödie des 20. Jahrhunderts:

Kunsthändler sind Diebe Farbenhändler sind Räuber
Kunsthistoriker sind Betrüger Kunstkäufer sind Idioten
Kunstkritiker sind Lustmörder Sammler sind Pervertierte

Trotzdem geht die Kunst ohne diese notorischen Verbrecher kaputt!

Nur für Amerikaner!

There is little question any longer that the hegemony of style in advanced painting has been transferred from Paris to New York. Such of the very mature European artists who have made their own personal contributions to the 20th century style as Giacometti and Balthus have shown how harmoniously they have associated their subject and their real world. How much better for Europeans to paint thus than to imitate an essentially inimitable American jargon. Alfred Frankfurter

Will Grohmann ist unsympathisch.

Kaufen Sie **1000 Gedichte von 100wasser**
S. Fischer-Verlag, Frankfurt/M.

Leseprobe: LYRIK
Hundhammer Katzensichel
Christlieb Teufelswut
Tripper mit Telefonanschluß

Wann kommt der neue Einheitsstuhl?

Kunst ist Aktion.
Kunst ist Tod.
Die Kunst ist tot.
Also ist Töten Kunst.
Kunst ist Töten.
Kunst hat Töten.

aus: Opinions sur l'art moderne.

Er hat viel durchgemacht!
Guy Debord Mémoires
Sensationelle lettristische Enthüllungen des jüngsten und erfahrensten Memoirenschreibers der Neuzeit.

Warum hast Du keine hübsche Frau?
Es gibt genug davon.
Also.
Eben.

Werfen Sie Ihre Bibel ins Feuer!
Im März erscheint „Pour la Forme"
von **Asger Jorn.**

Das unnötigste Werk der Welt!
Ein notwendiges Aufklärungswerk für Kinder, Erwachsene und Dienstpersonal.

Max Bill muß nach Ulm zurück!!!

So leicht kommen sie nicht davon.

La Bauhaus imaginiste

Ein Gespenst geistert durch die Welt: die situationistische Internationale. Es handelt sich um eine Dachorganisation des Psychogeografical Commitee, London, der Internationale Lettriste, Paris und des Mouvement internationale pour une Bauhaus Imaginiste und dessen Experimentallabors in Alba, Italien. Diese Vereinigung wurde anläßlich der Versammlung der Delegierten der einzelnen Organisationen in Cosio d'Arossio, Italien im Juni 1957 beschlossen.

München, 1. Januar 1958

Die situationistische Internationale
gez. ASGER JORN HANS PLATSCHEK

›Nervenruh! Keine Experimente!‹ Flugblatt der Situationistischen Internationale, München 1958

auch die Jüngsten schon nach den letzten Mitteln greifen, um das Interesse auf sich zu lenken? Wie die Alten sungen, oder – der Apfel fällt nicht weit vom Stamm.

Sechs frisch der Akademie entwachsene Malerjünglinge hatten, um der Ausstellung ihrer ›Werke‹ Beachtung zu verschaffen, angekündigt, zur Eröffnung würde der Ästhetiker und frühere Professor an der Hochschule für Gestaltung in Ulm, Max Bense, sprechen. Die Wirkung blieb nicht aus, denn viele, viele kamen. Die Gäste und Zeitungsleute waren dann aber doch vor den Kopf gestoßen (noch bevor sie die Bilder gesehen hatten), als statt des Professors ein Tonbandgerät tiefschürfende, verschachtelte und mit Fremdwörtern gespickte Sätze von sich gab. Wie zum Hohn stand neben dem Gerät auf dem Rednerpult das übliche Glas Wasser. Ein Brief wurde verlesen, in dem sich Professor Bense entschuldigte und bat, mit dem von ihm besprochenen Tonband vorliebzunehmen.

Die eigentliche Überraschung jedoch kam erst Tage später. Professor Bense schrieb an die berichterstattenden Zeitungen: ›... Ich erkläre Ihnen, daß ich nie mit den Veranstaltern verhandelt habe ... nie ein Tonband besprochen habe ... Offenbar haben Fremde aus meinen Büchern auf Tonband gesprochen ... Sie sind einer bewußt arrangierten Täuschung zum Opfer gefallen. Es versteht sich, daß ich gegen die Veranstalter Strafantrag stelle.‹ Zum Schlimmsten ist es dank der Vermittlung der Presseleute nicht gekommen, und so blieb die Affäre eine bezeichnende Episode am Rande des modernistischen Kunstbetriebes.«

Diesem historischen Bericht über die Großzügigkeit der Presseleute und Albernheit der Spur-Künstler fehlt noch ein Detail. Der Vortrag, den die jungen Künstler auf Tonband aufgenommen hatten, war von Anfang bis Ende ein so ungeheurer Unsinn, daß man sich unmöglich vorstellen konnte, daß ein Publikum ihn ohne Protest anhören könnte und noch dazu Applaus klatschen könnte. Aber gerade das geschah. Der Vortrag wurde in den Zeitungen gelobt und gefeiert und als echter und geistreicher Bense rezensiert.

Ganz Deutschland hätte gelacht, wenn das Tonband öffentlich in einem Gerichtssaal abgespielt worden wäre.

Die Spur-Gruppe hatte geglaubt, das Bense-Publikum zum Nachdenken zwingen zu können. Das war falsch gewesen. Bense bleibt Bense. Die Gruppe wurde später wegen Gotteslästerung verurteilt. Die katholische Kirche glaubte, daß man diesen Herrn mit Gott verwechselt hätte. Mißverständnisse treten immer auf. Den Leuten, die behaupten, Bense zu schätzen und zu verstehen, möchte ich sagen, daß die Dinge sehr einfach sind. Ich sage nur das Gegenteil von Bense. Damit ist nicht gesagt, daß Bense nicht recht hat. Wir sprechen nur über Dinge, die nichts miteinander zu tun haben. Außer vielleicht, daß sie gegensätzlich sind.

Diese Geschichte geht auf das Jahr 1953 zurück. Damals hielt ich mich in der Schweiz als Rekonvaleszent auf und hörte, daß Max Bill ein neues Bauhaus gründen wollte.

Ich bot ihm eine Zusammenarbeit an. Er lehnte ab und schrieb, die architektonische Entwicklung hätte nichts mehr mit der bildnerisch erfundenen zu tun, sondern mit dem industriellen Reproduktiven. Kein Bildkünstler sollte mehr etwas in dem neuen Bauhaus zu sagen haben. Ich schrieb dazu, wenn die Dinge so lägen, würde ich ein Bild-Bauhaus gründen. Er faßte das wohl als Faschingsscherz auf. Doch es entstand ein imaginistisches und imaginäres Bauhaus. Die Resultate sind die folgenden:

Wenn neue Perspektiven, neue Formauffassungen für die Künstler, für die ich dieses Buch schreibe, notwendig sind, sind sie es deswegen schon, weil der Maler W. Kandinsky über das alte Bauhaus hinaus eine umfassende und unglückliche Bedeutung für die sogenannte moderne abstrakte Bildauffassung bekommen hat. Im Gegensatz zu Paul Klee fixierte er in seinem Bauhaus-Buch: ›Punkt und Linie zur Fläche‹ die Orientierung der Bildkunst nach der euklidischen Geometrie, obwohl schon die neuen asymmetrischen Kompositionsbegriffe von Mondrian durch van Doesburg in die Formsprache des Bauherrn eingegangen waren. Van Doesburg wurde hinausgeworfen und mit ihm die Möglichkeit, das weiterzuentwickeln, was mit ›De Stijl‹ seinen Anfang genommen hatte. Vielleicht waren damals schon die erneuernden Entwicklungsmöglichkeiten verbraucht. Jedenfalls steht die modernistische Kunstentwicklung bis herauf zur Pop- und Op-Art auf der Grundlage von Kandinsky mit ein wenig Mondrian. Eine entgegengesetzte Entwicklung, die oft als Tachismus bezeichnet wird, fand durch den Maler Wols eine direkte Beziehung zum alten Bauhaus. Einige erkenntnismäßige Neuerungen dieser Gegenentwicklung will ich hier zeigen.

Mario Merz

Die Bedeutung Gallizios für die neue Generation

Kennzeichnend für Gallizio war – und dies ist ein seltener Fall – daß er kein Intellektueller war, gleichzeitig jedoch sehr an den Ideen hing.

Maler wurde er aus einem plötzlichen Einfall heraus, nicht etwa, weil er den Maler spielen wollte. Seine Malerei schien instinktiv zu sein, doch basierte sie durchaus auf seinen Ideen.

Das Merkwürdige an ihm war ... daß er den Apothekerberuf ausübte; daneben befaßte er sich noch mit Ethnologie, Archäologie und dem Sammeln von Heilpflanzen; daß er unvorhergesehen mit 52 Jahren die Malerei entdeckte ... dies ist das Faszinierende an ihm, nicht, daß es unverhofft geschah, sondern aus einem Prinzip heraus.

Es scheint mir, als sei die Malerei für ihn eine Übung, eine Gedankenübung eher als der Wille zu malen gewesen, denn ich habe ihn niemals malen sehen. Sein Atelier bekam ich nie zu Gesicht, obwohl ich nicht eben selten in Alba war. Für mich war Gallizio ein Mensch, der viel reiste; ich habe ihn in Turin, Pisa und Mailand getroffen. Und wenn ich ihn in Alba sah, so nie im Kittel, der Arbeitskleidung der Maler ... geschweige denn mit einem Pinsel in der Hand!

Meine Erinnerung an ihn ist im übrigen die Erinnerung an den Menschen, nicht den Maler Gallizio.

Der Mensch war unzweifelhaft weitaus stärker als der Maler, und das beweist, daß die Malerei als eine Notwendigkeit aufgetaucht ist, um bestimmte Ideen darzustellen. Eine Demonstration also. Man kann sie auf verschiedene Weise durchführen; und dies machte wohl den Reiz aus, den er nicht nur auf mich, sondern auch auf viele andere ausgeübt hat. Die Idee war soviel wichtiger als die praktische Ausführung; die Idee, die dahinterstand.

Ich glaube, daß die Begegnung mit Jorn, Debord, Constant und auch mit Intellektuellen auf dieser Basis zustandekam. Denn in gewissen Personen sah er Menschen, mit denen er reden konnte, statt ihnen Bilder vorzuführen; d. h., er redete mit ihnen über alles mögliche, nur nicht über Malerei!

Damals war dies eine höchst sonderbare Angelegenheit ... die für einen heutigen Künstler ganz selbstverständlich geworden ist.

Auch wenn mich das Problem der nach Kilometern bemessenen Leinwand ernstlich hätte interessieren können, wäre dies nicht die Grundlage unseres Gesprächs gewesen; der Dialog beruhte auf einem sozialen, gesellschaftlichen Aspekt – es ging nicht darum, zu sagen: Komm mal her und schau, was ich gemacht habe! – weder er noch ich, noch die anderen, die in seinem Hause ein- und ausgingen, taten dies.

Seine politisch-sozialen Konturen, also die Art, wie er sein Leben einrichtete, dies war der beherrschende

Pinot Gallizio zerschneidet eine Rolle von ›pittura industriale‹. Laboratorio sperimentale di Alba, 1960

Faktor. Das Produkt war Nebensache. Im Grunde verachtete er das Produkt ziemlich tief, auch wenn er daran festhielt. Wichtig erschien ihm das Leben selbst, das er als Künstler in gewisser Weise führen konnte; als eine Lebensform.

Daß er die Bilder zerschnitt . . . ist der typische Einfall einer Person, der die Malerei eigentlich egal ist, denn ein richtiger Künstler tut so etwas nicht. (. . .) Ein wahrer Künstler schneidet seine Leinwand nicht nach Metern zu!

Er konnte dies jedoch tun, da das Bild für ihn lediglich eine Möglichkeit war, zu erleben, wie man heute Künstler wurde. Er nahm an einem Ideenwettbewerb teil.

Deshalb war ihm das in den Sinn gekommen; ich würde sagen, daß er darin sogar mehr noch ein Mittel sah (und nicht nur als Ausdruck der Verachtung), seine Position als neuer Künstler zu beurteilen.

Eine weitere wesentliche Eigenschaft Gallizios war seine ausgeprägte Aktivität: Wenn ihm etwas einfiel, mußte er es auch ausführen; er fand sich nicht damit ab, etwas zu denken und dann wieder fallenzulassen.

Wie alle Leute, die etwas aus einem Gedanken heraus getan haben, nicht aus der Praxis heraus, lebendiger bleiben; Ideen sterben letztendlich nie; sie wandern von einem zum andern, ändern ihr Aussehen; scheinbar wandeln sie sich völlig, doch sind auch bestimmte Werturteile in anderen Personen wieder erkennbar. (. . .)
(Nach einer Tonbandaufzeichnung mit Mirella Bandini)

Michelangelo Pistoletto

In jener Zeit bestand eine merkwürdige Übereinstimmung zwischen Pinot Gallizio und Mario Merz.

Ich erinnere mich, daß Mario Merz ein Jahr lang ganz allein in einem Schuppen oder Stall in der Nähe von Pisa gearbeitet hat, um eine Ausstellung vorzubereiten, die Ende des Jahres, ich glaube 1962, in der Galerie Notizie stattfinden sollte.

Als der Termin der Ausstellung bereits sehr nahegerückt war, sind Tapié, die Lonzi und Pistoi hingegangen . . . aber er hat sie nicht eingelassen . . . Am Tag der Eröffnung war alles fertig, bloß er war nicht da. Endlich kam er an und hatte ein einziges Bild im Wagen, das 15 Zentimeter dick war! Das ganze Jahr über hatte er an diesem Bild gearbeitet! Und als man es aufhängte . . . ist es kaputtgegangen!

Merz hatte für dieses Bild Ölfarbe verwendet, er hatte es in Ölfarben gemalt, gewissermaßen mit dem Geruch des Öls.

Dasselbe . . . tat Gallizio. Statt darüberzugehen, etwas zu machen und dann darüberzugehen, wie Merz es

Transparent: Toutes les toiles sont garanties »coton pur« (Alle Bilder sind garantiert »reine Baumwolle«) Mostra al Politeama Corino, Alba 1956

damals tat, ging Gallizio vorwärts und machte . . . Kilometer.

Meiner Meinung nach wollte er einfach diesen Ölgeruch stets einatmen; er wollte die uralte Geschichte der Malerei einatmen, die für ihn eine großartige, wichtige Erscheinung war, in die er auf alle möglichen Arten eindringen wollte. Kunst so zu verstehen, ist durchaus nicht neu: es ist Liebe zur alten Mutter Kunst und gleichzeitig eine Begegnung mit all den jungen Künstlern der damaligen Zeit, wie Cobra, Jorn, Constant u. a., die tatsächlich etwas mit dieser Malerei zerbrechen wollten.

Und dann eine doppelte Entdeckung: zunächst einmal die Existenz dieses so bedeutenden, antiken, klassischen Phänomens und dann die ihm innewohnende Möglichkeit, frei zu sein, auf völlig offene und unbefangene Weise Kommunikation herzustellen. Diese Offenheit war für Gallizio äußerst wichtig; die Möglichkeit, durch dieses Pigment mit den Leuten reden zu können, sovielen Leuten zu begegnen und ein Abenteuer, ein richtiges Abenteuer zu erleben. (. . .)

Außerdem meine ich, daß es nicht darum ging, die Malerei, die Kunst zu inflationieren. Die Unzufriedenheit mit dem Medium Malerei (ich spreche nicht nur von Gallizio, sondern von all denen, die Malerei als Malerei einsetzten), welches so begrenzt war, obwohl dennoch jeder darin verliebt war, veranlaßte ihn, es um jeden Preis kritisieren, doch gleichzeitig auch liebkosen zu müssen. In diesem Sinn war es kein negativer Akt der Inflationierung von Malerei, sondern das Phänomen der Multiplizierung eines Faktums (auch wenn dies nicht recht verstanden wurde). (. . .)
(Nach einer Tonbandaufzeichnung von Mirella Bandini)

Bazon Brock

Die endlose Linie – theoretisches Objekt
Text des Leporello zum Plakat

Ein erstes Gefühl der Bekanntheit dessen, wovon wir sprechen!

Sie brachen also von Ramesses auf und lagerten sich in Sokkoth. Von Sokkoth brachen sie auf und lagerten sich in Etham, das am Rande der Wüste liegt. Von Etham brachen sie auf und wandten sich nach Phihahiroth, das Beelsephon gegenüber liegt, und lagerten sich vor Magdalum. Von Phihahiroth brachen sie auf und zogen mitten durch das Meer in die Wüste und wanderten drei Tage lang durch die Wüste Etham und lagerten sich in Mara. Von Mara brachen sie auf und kamen nach Elim. In Elim waren zwölf Wasserquellen und siebzig Palmen, und sie lagerten sich daselbst. Von Elim brachen sie auf und lagerten sich am Schilfmeere. Vom Schilfmeere brachen sie auf und lagerten sich in Daphka. Von Daphka brachen sie auf und lagerten sich in Alus. Von Alus brachen sie auf und lagerten sich in Raphidim. Von Raphidim brachen sie auf und lagerten sich in der Wüste Sinai. Aus der Wüste Sinai brachen sie auf und lagerten sich in Kibroth Hattaawa. Von Kibroth Hattaawa brachen sie auf und lagerten sich in Rethma. Von Rethma brachen sie auf und lagerten sich in Remmomphares. Von Remmomphares brachen sie auf und lagerten sich in Lebna. Von Lebna brachen sie auf und lagerten sich in Rassa. Von Rassa brachen sie auf und lagerten sich in Keelatha. Von Keelatha brachen sie auf und lagerten sich am Berge Sepher. Vom Berge Sepher brachen sie auf und lagerten sich in Arada. Von Arada brachen sie auf und lagerten sich in Makeloth. Von Makeloth brachen sie auf und lagerten sich in Thahath. Von Thahath brachen sie auf und lagerten sich in Thare. Von Thare brachen sie auf und lagerten sich in Methka. Von Methka brachen sie auf und lagerten sich in Hesmona. Von Hesmona brachen sie auf und lagerten sich in Moseroth. Von Moseroth brachen sie auf und lagerten sich in Benejaakan. Von Benejaakan brachen sie auf und lagerten sich bei Hor-Hagadgad. Von Hor-Hagadgad brachen sie auf und lagerten sich in Jetebatha. Von Jetebatha brachen sie auf und lagerten sich in Hebrona. Von Hebrona brachen sie auf und lagerten sich in Asiongabar. Von Asiongabar brachen sie auf und lagerten sich in der Wüste Sin, das ist Kades.

Eine Linie meint gern einen bedeutsamen kennzeichnenden Strich

Die zu strickende Geschichte

Fünf Herren werden sich in der Klasse HUNDERTWASSER der staatlichen Akademie für bildende Künste in Hamburg versammeln. Um dorthin zu gelangen, werden sie folgenden Weg beschreiten (während jeder von ihnen einen Faden von außen um seinen rechten Zeigefinger laufen läßt): Aus den Streuungen Gottes, 10.^{27}, Nebelnester, Spiralnebel, Milchstraße, Sternwolken, Fixsternhimmel geraten sie ins Planetensystem. Von dort in unser Sonnensystem, auf unsere Erde, in die westliche Hemisphäre auf einen Kontinent, nach Europa, nach Mitteleuropa, nach Deutschland, nach Norddeutschland, nach Hamburg, Hamburg 27, Hamburg Lerchenfeld, Lerchenfeld 13, Akademie, zwei Treppen hoch, linker Hand, Mittelpunkt des Raumes 213. Sie werden dort jeder mit jeweils einem Gesicht einer nackten Wand gegenüberstehen, jeder mit seinen vier Gesichtern also vier nackten Wänden.

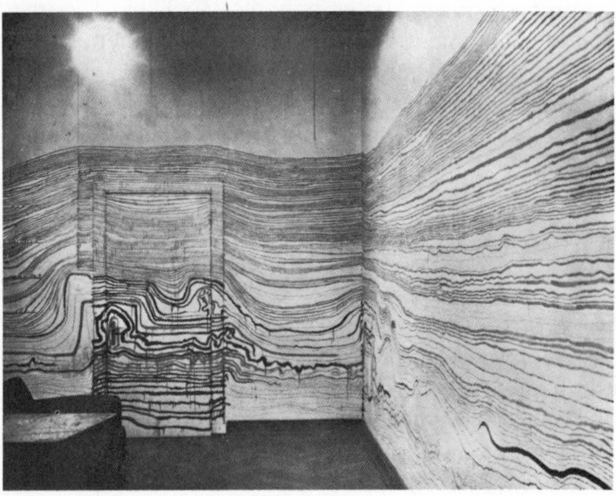

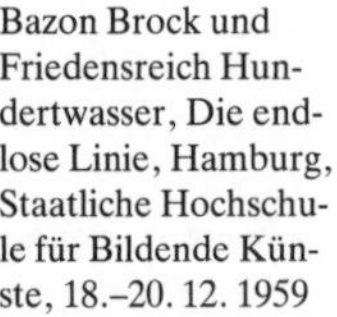
Bazon Brock und Friedensreich Hundertwasser, Die endlose Linie, Hamburg, Staatliche Hochschule für Bildende Künste, 18.–20. 12. 1959

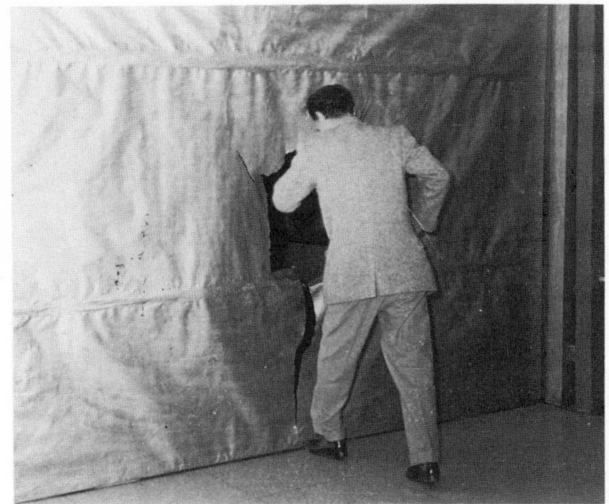

Saburo Murakami, Aktion anläßlich der ersten Galerie-Ausstellung von Gutai, Ohara Hall, Tokio, Oktober 1955

Was fordert eine leere Wand, wie hebt an ihrem Widerstand das Erleben an. Franz MON antwortet darauf:

an einer mauer stehen fünf mit dem ohr an der mauer. es ist nichts zu hören. keiner hört etwas. das nichthören ist so laut, daß es von jedem eine art des widerstandes fordert. die arten sind: langsam mit dem ohr die wand hinabrutschen, weil, wenn der körper kleiner wird, auch das nichthören kleiner wird: der körper, der in sich zurückkehrt, dröhnt in sich; mit den flachen händen neben dem kopf abwechselnd die wand schlagend; mit dem kopf selbst die wand (das nichthören dauert zwar an, aber es wird doch etwas gehört); den platz des hörens nach rechts oder links verschieben. dies letzte ist die ehrlichste art, sie kommt kaum vor. erfolg hat jedoch die art, die nur einmal vorkommt, weil sie nur einmal vorzukommen braucht, wie alles was mit der sache nichts zu tun hat; die wand mit einem taschenmesser anzubohren, bis sie durchlässig wird; *derjenige, der ein taschenmesser besitzt, leistet keinen Widerstand mehr, und die wand leistet keinen Widerstand.* er blickt durch die winzige öffnung, die er in höhe seines nabels unbemerkt von allen zustande gebracht hat.

Obwohl der Satz: »zieht die Linie« weder wahr noch falsch sein kann, sind in dieser Aufforderung nahezu alle Probleme angeschlitzt, denen wir uns heute in den beiden freien Künsten gegenüber-gebunden finden. Während wir unser Hauptgeschäft führen, werden wir *Kolleg halten über: Anfang, schlechte Unendlichkeit, Blindheit, Kontinuum, Unmittelbarkeit, Sinn, Gestus, Motorik, die Leere, Negation, ereignislose Zeit, Zeitbegriff, Auslösungszwang, Ablauf und Widerstand, und gemeinsam ein Buch schreiben. (...)*

Gutai in Japan

Die Gutai-Gruppe (Gutai = ›konkret‹, ›Aktualisierung des Geistes durch die Materie‹) wurde im Dezember 1954 um Jiro Yoshihara gegründet. Mit Ausstellungen und Manifestationen im Freien und mit Aktionen auf der Bühne versuchte Gutai die traditionellen Formen von Malerei und Skulptur radikal zu erweitern. Der Durchbruch zu nationaler und internationaler Anerkennung erfolgte nach der Entdeckung von Gutai durch Michel Tapié im Jahr 1957. Ausstellungen in Amerika (Martha Jackson Gallery, New York 1958) und in Europa (Turin 1959) brachten der Happening-Bewegung wichtige Impulse.

Shozo Shimamoto. Durch Kanonenschüsse bemalte Leinwand, aufgehängt an Bäumen, in einem Park bei Kobe am Ufer des Ashiya. 10 × 10 m. ›Second Outdoor Exhibition of Gutai Art Group‹ 1956

Kazuo Shiraga, Aktion, Nishinomiya Beach bei Osaka, April 1956

Kazuo Shiraga während einer Aktion anläßlich der ersten Galerie-Ausstellung von Gutai, Ohara Hall, Tokio, Oktober 1955

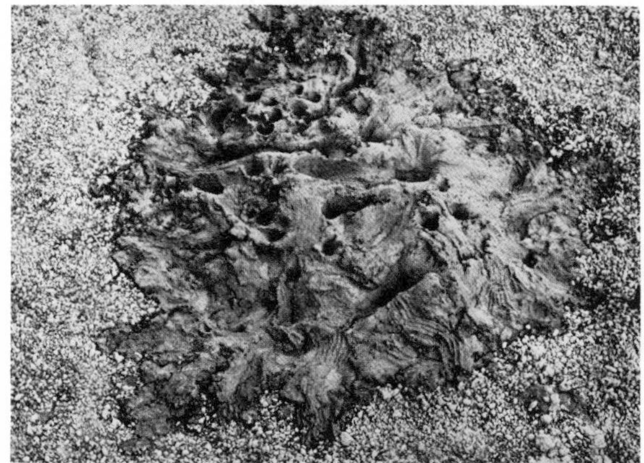

Tonhaufen von Shiragas Aktion anläßlich der ersten Galerie-Ausstellung von Gutai, Ohara Hall, Tokio, Oktober 1955

Wir wollen nicht einfach das Komplizierte abgrenzen und das Elementare vermehren. Das Linienziehen ist kein Vorgang, an dem wir Thesen verifizieren wollen. Nicht Situation eines naturwissenschaftlichen Experiments. Nicht Flucht eines Denkens, das sich selber nicht traut, in die bloße Unmittelbarkeit. Zwar gilt nach wie vor für die Künste: »vergegenständliche tapfer«, doch nur so weit, als sie sich immer erst ihre eigene Unmittelbarkeit vorgeben müssen.

Wir sahen, daß die Wand ihren Widerstand gegen den Menschen nicht durchhält. Sie muß das Eindringen gestatten. Ist der Bleistift einmal in die Wand eingetaucht, dann wird das Sichtbarwerden der Linie nur noch von unserer Konzentration abhängen. Der Gedanke, daß der Anfang zufällig ist, bedeutet nicht, daß der Gedanke eines Anfangs zufällig ist. (Weitere solcher Anfänge waren: eine in einer Schachtel mitgebrachte Fliege wird freigelassen und berührt zum erstenmal die Wand. *Das Bild einer Frau, die nur mit ihrer Haut angezogen ist, wird auf die Wand projiziert, ein Anfänger geht auf sie zu, wird verlockt, ihr zu folgen und befindet sich, sobald die Projektion aussetzt, in der Wüste;* ein angewiderter Besucher spuckt an die Wand; in der Mitte des Raumes wird in bezug auf die Nord-Südachse der Anfangspunkt durch die Werte festgelegt: $X h = h_0$, $x t = t_1$ und Raumwinkel $y = 23° 27'$ (= Schiefe der Ekliptik, Winkel der Abweichung des Herzens von der Körperachse usw.)

Die längste Reise beginnt mit dem ersten Schritt. Das Ziehen der Linie ist unmöglich, wenn man nicht diesen Satz berücksichtigt. *Wenn jemand mir sagt, »ich reise nach New York«, weiß ich, daß er niemals ankommen wird.* Er wird mir sagen müssen: »ich mache jetzt eine Bewegung.« Die Kernsätze aller bisherigen Kunst waren vom Typus des Satzes: »ich reise jetzt nach New York.« *Wie aber erhebt man sich von einem Stuhl?* Wie sah die Welt aus, ehe sie entstand? Ist der Anfang von Etwas ein scharf markiertes Ereignis? Wie ist der infinitesimale archimedische Punkt zu gewinnen? Reicht die Erklärung aus, daß Ruhe und Bewegung nicht gegensätzlich, sondern graduell voneinander unterschieden sind? Wenn nicht, *ist das Bewußtsein ein geheimnisvolles Vermögen, die Kluft zu überspringen?*

Wir werden den Anfang als Bestimmung der Linie zu ihrem Ende einführen, das unabsehbar ist. Das aber heißt: damit Etwas anfangen kann, muß schon immer Etwas auf dem Wege sein. Was auf dem Wege ist, ist ein Zufälliges, das durch unsere Freiheit bestimmt wird. Diese Bestimmung ist der Grund der Linie.

Harold Rosenberg

Das Publikum als Inhalt

Für viele Menschen ist die ganze moderne Kunst grotesk. Diese Bilder werden nie in der Lage sein, und Skulpturen zu schätzen, deren Widersinn absichtlich ist.

Solche Werke sind ja offensichtlich als Provokation gedacht. Anstatt sich auf die Kunst zu konzentrieren, auf ihre Probleme und auf ihre Bedürfnisse, spricht der Künstler dem Publikum gegenüber über das Publikum selbst. (...)

Robert Rauschenberg begann beispielsweise deshalb damit, unbemalte Leinwände auszustellen, weil er die Theorie vertrat, daß Ausstellungsbesucher sowieso nicht Bilder anschauen, sondern nur aus dem Grund in Galerien und Museen kommen würden, um einander zu treffen und um gesehen zu werden. In letzter Zeit hat er in seinen Werken aus dem Wirrwarr von Erinnerungen und Erbstücken das ausgesucht, an dem das Herz des einfachen Mannes hängt. Kaprow, der weniger humorvoll ist, sieht sich selbst als ein Erinnerungsstück. Mit einer Direktheit, die keinem dieser beiden eigen ist, hält Johns dem Galeriebesucher das Emblem unter die Nase, das er verehrt. (...)

Diese Dinge werden nun Neo-Dada genannt, in Anlehnung an die Kunstbewegung, die im 1. Weltkrieg in ähnlicher Weise die psychologische Verfassung des Publikums mit einbezog. In seinem Ursprung war Dada jedoch Teil eines großen revolutionären Gegenschlags: mit Dada wurde versucht, die herrschenden Klassen in Europa der Kunst zu berauben, eines der wenigen Dinge, die ihr noch verblieben waren und durch die sie noch hoffen konnte, ihr Ansehen aufrechtzuerhalten. Neo-Dada hat demgegenüber keinen vergleichbaren geschichtlichen Ursprung – man stelle sich einen amerikanischen Künstler vor, der versucht, das Ansehen der Kunst bei den Leuten zu untergraben, die sie sich finanziell leisten können! Im Neo-Dada wurde das destruktive Moment in einen satirischen Rippenstoß gegen das genüßliche Selbstbewußtsein gemildert. Es dauert bei einem Picabia länger, bis er einem gefällt, als bei einem Johns.

Die Kunst des Kritisierens ist dann am besten, wenn sie reine Platitüden hervorbringt. (...) Wirklich große Dada-Kunst unserer Zeit ist das Guggenheim Museum von Frank Lloyd Wright, wo der Schöpfer nicht mehr zwischen seinen eigenen Ideen und seiner Meinung von seinem Publikum unterscheiden konnte – und genau das ist die Grundbedingung solcher Platitüden. Die unaufhaltsam absteigende Rampe, über die er die Kunstliebhaber der Metropole führt, ist eine Bildbetrachtungs-Maschine: das ganze Paket der modernen Kunst in einem Schwung und aus – ehe man sich's versieht. (...)

Jasper Johns in seinem Atelier mit einem Flaggenbild von 1953. Fotografiert von Robert Rauschenberg

Cy Twombly, 1955

Eine Malerei, die dem Publikum des Spiegel vorhält, (...) stammt nur sehr begrenzt von der Geschichte von Malerei und Skulptur ab und ist auch nicht zukunftsweisend für diese Kunstgattungen (...)

Das amerikanische Neo-Dada ist weder eine Bewegung noch eine Tendenz. Es ›verdrängt‹ nicht irgendeine andere Art von Kunst: es ist nicht die ›Antwort‹ auf die Abstraktion; es ist keine ›Revolte der Jugend‹. Es ist – als die Wiederbelebung eines ständigen Motivs der Kunst überhaupt – voller Pep, weil es herausgefunden hat, wie Materialien völlig unerwartet die Zivilisation, die sie selbst produziert hat, kritisieren.

Robert Rauschenberg in seinem Atelier, 1958. Mit Odalisque und Monogram (vgl. Kat. 546 und 547)

Jasper Johns. Zielscheibe mit Gipsabgüssen. 1955 (Kat. 542)

Jasper Johns. Graue Rechtecke. 1957 (Kat. 543)

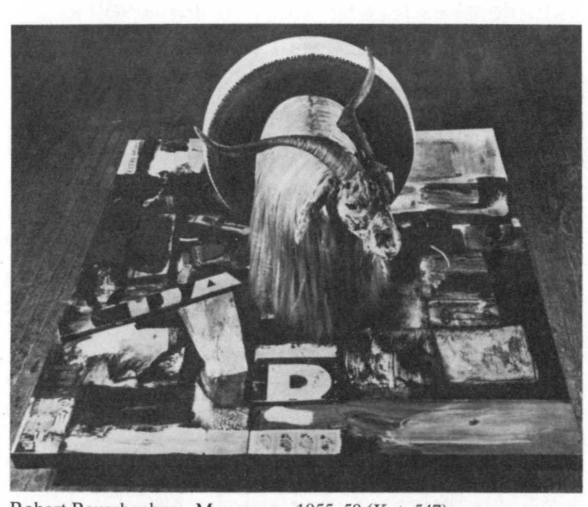
Robert Rauschenberg. Monogram. 1955–59 (Kat. 547)

Robert Rauschenberg. Odalisque. 1955–58 (Kat. 546)

Ausstieg aus dem Bild
Wiederkehr der Außenwelt

Die Grenze ist verwischt, als hätte es sie nie gegeben. Die Blicke waren so sehr fixiert, nicht unbedingt auf die Bilder, aber auf ihre vermeintliche Ideologie, auf ihre Thesen und Lehren und auf die permanente, im Lauf der Zeit verinnerlichte Diskussion, daß man die Veränderungen kaum wahrnahm. Daß die abstrakte Kunst zwar nicht die Welt, aber die Kulturszene ›in Atem gehalten‹ hat, kann man behaupten. Die Erregung der Debatten spürt man heute noch aus den hier zitierten Dokumenten heraus. Man registrierte jede Zumutung und nahm sie doch hin, denn die neuen Erkundungen oder Verrücktheiten hielten sich in jenem nicht mehr in Frage gestellten Rahmen: dem der ›abstrakten‹ Kunst. Als großer Stilentwurf der Epoche hatte die abstrakte Gestaltung öffentliche Geltung gewonnen. Auf den Spielwiesen dieser vermittelten Kunst war alles möglich, nur eines nicht vorstellbar –, daß die Kunst wieder gegenständlich werden könnte.

Jasper Johns. Große weiße Zahlen. 1958 (Kat. 544)

Das ist hier sehr vereinfacht gesagt. Trotzdem scheint es wichtig zu vergegenwärtigen, wie die zeitgenössische Kunst an der Wende von den fünfziger in die sechziger Jahre rezipiert wurde. Es ist heute schwer vorzustellen, daß erst ganz spät die vollzogene Veränderung bemerkt, ja daß der Schock erst durch die Pop Art ausgelöst wurde. Das war die Zäsur: Nicht die Wiederkehr der Außenwelt in die Kunst wurde nun etwa bestätigt, sondern der Skandal der Trivialisierung der Kunst mühsam beigelegt. Nichts war aufstörender als dieser Mißbrauch des Bildes. Hier wurde ein Gegenentwurf vermutet, und zwar als Entweihung, nicht als Veränderung. Ausgetragen wurde die Diskussion erst im Jahr der dritten documenta, 1964, als Rauschenberg auf der Biennale in Venedig den Preis für Malerei erhielt. Auch wenn man heute über alles bestens informiert sein kann und die Korrekturen durch die monographischen und Gruppen-Retrospektiven längst an den Mann gebracht sind, bleibt es jenseits des Studiums von Zeittafeln doch zu überlegen, warum die Aufregung so spät und an diesem Punkt des durch die scheinbar platten Wirklichkeitsklischees geprüften Bildes ansetzte.

Der Gegensatz Abstrakt – Gegenständlich brach hier mit Vehemenz auf. Daß die ›Strukturen‹ und ›Texturen‹ zur Zeit des Informel sehr wohl Schemen von eingewobenen Figuren mitführen konnten, daß die Skulptur der fünfziger Jahre immer auch figural war und daß schließlich eine ›Neue Figuration‹ sich auch schon zu behaupten begann, dies alles zusammen reichte nicht aus, um am System der Abstraktion zu zweifeln. Es kam offenbar darauf an, daß die integrierende Einheit gewahrt blieb, daß das Bild durch die Malgeste definiert sein mußte. Die tatsächlich nie völlig überwundenen, den Pinselschwüngen anhaftenden Zeichen und die im Malfeld untergetauchten Gesichter störten nicht weiter: Sie störten die Sehgewohnheit nicht. Auch wenn das Wort hier zum erstenmal fällt: Um die Überprüfung der Sehgewohnheit, das heißt, um ihre Bloßstellung geht es nicht nur an dieser Klammerstelle unserer Ausstellung.

Man kann nicht sagen, daß die Bilder von Lichtenstein und Warhol oder Rosenquist gleich dazu beigetragen hätten, die Bilder und die Kunst des Informel anders zu sehen. Die neuen Bilder haben nur auf sich selbst aufmerksam gemacht, sie haben die anderen einfach außer Kraft gesetzt, indem sie – das muß man sagen: erstaunlich schnell – neue Sehgewohnheiten geschaffen haben.

Wir sind jetzt, wohlgemerkt, mitten in den sechziger Jahren, im Jahrzehnt der Innovationen. Mag sein, daß der Einbruch der Wirklichkeit in die Kunst, so wie sie in diesen Bildern radikal formuliert wurde, überfällig war. Wir werden noch sehen, daß in anderen Kanälen diese Wirklichkeitsverarbeitung um einiges früher schon in Gang gekommen war. Jetzt aber ging alles sehr schnell. Marshall McLuhans Losung, *›Das Medium ist die Botschaft‹* rief eine neue Produktion und ihre Deuter auf den Plan; die Medien-Brücke verband auf einmal Europa und Amerika. Information, Kunstkonsum, Multiple hießen die Stichworte. Viel ist davon nicht geblieben, so scheint es heute, obwohl – und nicht weil – alles schon im Museum ist.

Die Auswahl, die wir treffen, enthält diese Welt des Fortschritts, reflektiert im widerstandsfähigen Werk. Daß Warhol Historienbilder für die Konsumwelt malte, erscheint heute nicht mehr als anmaßende Behauptung. Denn bei ihm wurde die Absage an die individualistische Malübung mit dem kreativen Gebrauch der ›Maschinenähnlichkeit‹ in einem letztlich doch malerischen, die Technik unterordnenden Werk verbunden. Sah man zunächst diesen Umgang mit dem klischierten Abbild in der Nachfolge der Duchampschen ›Readymades‹ als neuere Antikunst-Demonstration und damit als ein Stück Kulturkritik innerhalb der bildenden Kunst, so begriff man bald die Warholsche Bildwelt im größeren Zusammenhang, als Zeugnis einer Epoche in ikonographischer und formaler Einheit. Ob Pop Art kritisch, ironisch oder bejahend sei, wurde noch in der Nähe des Auftritts diskutiert, als die Kardinalfrage ›Kunst oder Nicht-Kunst‹ gerade abgetan war. Geblieben sind die Bilder, die diese Befragung abwehren können, die sich nicht auf Stellungnahmen reduzieren lassen, aber dafür Zeit- und Zivilisationsgeschichte verarbeiten und in Kunst verankern.

Zu bedenken ist, daß das gemalte Bild, dieses zentrale Medium der bildenden Kunst in der Neuzeit, während der Geschichte der Moderne als Modell der Veränderungen im Kontinuum seine Krisen übersteht. Das Bild ist nicht Ziel. Die Avantgarden zielen auf Weltveränderung. Die entworfenen Utopien lassen nicht nur die traditionellen Gattungen der bildenden Kunst hinter sich, sondern sie heben die Vorstellung von Kunst auf, indem sie die Grenze zwischen Kunst und Leben aufheben wollen. Die Praxis der Avantgarden mit den demonstrativen, symbolischen Gesten hat sich in die Grenzaufhebung schon früh eingeübt. Da war das Bild am besten geeignet, Vehikel der Veränderungs-, Ausweitungs- und Aufhebungsübung zu werden. Man kann behaupten: als solches hat das Bild überlebt. Es bleibt stets als ›mißbrauchtes‹ Kunstwerk das verläßlichste, komplexe Zeugnis der jeweils zeitgenössischen Kreativität, die ihrerseits über die mit dem autonomen Bildwerk gesetzten Grenzen hinauszielt. Das Bild ist das Maß dafür, daß es in der Kunst keinen Fortschritt geben kann. Das ›Neue‹ relativiert sich im Bild zur spezifischen Bestandsaufnahme im größeren Kontinuum der Moderne.

Dieser Exkurs angesichts der Bilder von Warhol gilt dem Fortschrittsjahrzehnt der Sechziger. Das Panorama zumal inmitten des Jahrzehnts ließe sich bunt nachmalen. Die *Großen amerikanischen Akte* von Tom Wesselmann, *Love* von Robert Indiana liefern den Begriff von ›Pop‹ und verbinden sich mit der Leuchtfarben-Pracht und den optischen Stereoeffekten einer zum Blendwerk des technologischen Fortschritts expandierenden neokonstruktivistischen Kunst. Wenn wir aus Pop Art, Op Art und angewandter Kinetik in der Ausstellung kein ›Panorama‹ machen, so ist das die Konsequenz des Einstiegs. Jene Eröffnung legt auf unverbrauchte Kunst Wert, auf eine Kunst, deren Qualität vorab in der Welthaltigkeit trotz Isolierung, im mitenthaltenen Kommentar, im Widerstand und in der Selbstbehauptung gefunden wurde: Die offizielle Kunst wurde ausgespart. Diese Perspektive gilt für die anthologische Auswahl der gesamten Ausstellung, trifft freilich besonders wirksam die sechziger Jahre mit ihrer, man kann die Behauptung riskieren, ›offiziellen Kunst‹. Denn wie anders könnte man die Entfaltung des öffentlichen Abenteuers von Kunst, Kunststoff, Technologie, Scheinpartizipation und Spiel im Rückblick sehen. Was geblieben ist, sind Fassadenverschönerungen, die rostenden Trümmer der angewandten Utopie.

Dokumentiert wird indes der frühe, damals unbemerkte Beginn der Auseinandersetzung mit der Umwelt, ein Modellfall für den ›Ausstieg aus dem Bild‹, durch die partielle Rekonstruktion der Londoner Ausstellung ›This is Tomorrow‹ von 1955. Die Zusammenarbeit von Malern, Bildhauern und Architekten in der ›Independent Group‹, die noch vor Mitte der fünfziger Jahre begann und damals schon die Analyse der Massenkultur zum Thema hatte, ist eine indirekte, aber auch entlarvende Kritik der zehn Jahre später wirksam gewordenen experimentellen, um Popularität durch Annäherung werbenden Show-Kunst.

Es ist die Frage, wie läßt sich für den heutigen, für unseren Gebrauch die zweifache Zeitrechnung ausgleichen? Auf der einen Seite die zeitgenössische Rezeption, die das Kunsturteil und weithin die Aufnahmefähigkeit und folglich die bewußte Auseinandersetzung mit der neuen Kunst geprägt hat. Auf der anderen Seite die von den Künstlern geleistete Avantgarde-Geschichte, deren Daten anders, weit auseinander liegen und grundsätzlich von den ereignishaften Durchbrüchen abweichen.

So konnten und mußten wir von dem ›Schock‹ ausgehen, den die Bilder der Pop Art auslösten, von einem Schock, der erst die bis dahin herrschende Vorstellung von der zeitgenössischen Kunst, die ganz im Zeichen der abstrakt-informellen Kunst geprägt war, endlich ablöste. Aber auch der Kontext dieses Durchbruchs gilt ja nicht mehr. Wir sehen die Katastrophen-Bilder von Warhol, die virtuos geformten, beziehungsreichen Ding-Metamorphosen von Claes Oldenburg, die intelligenten Kommentar-Bilder von Roy Lichtenstein. ›Pop Art‹ hat sich als Vorstellungsrahmen aufgelöst, gibt es nicht, hat es nie gegeben: nur die Bilder von einigen Künstlern.

So gibt es auch keine darauf zielende Vorgeschichte, keine Vorbereitung dafür. Die Aktivität von Richard Hamilton und Eduardo Paolozzi bei der Ausstellung ›This is Tomorrow‹ belehrt, daß das Konstruieren einer englischen ›Pop Art‹ unter Berufung auf dieses legendenbildende Gründungs- und Legitimationsdatum genauso fragwürdig ist wie die Katalogisierung der angeführten amerikanischen Malerei als ›Pop Art‹. Auch hier kommt es auf die individuelle Leistung an, deren Basiserweiterung im Fall von Hamilton durch die Rekonstruktion des Beitrags für ›This is Tomorrow‹ in der Ausstellung nachprüfbar wird.

Die Spannung der doppelten Zeitrechnung läßt sich ohne Verlust des lebendigen zeitgenössischen Zusammenhangs nicht aufheben: sich nur auf die Premieren zu berufen, die ohnehin meist unbemerkt, jedenfalls mit wechselnder Resonanz stattfanden, wäre eine Roßkur lexikalischer Kunstgeschichte. Unsere Ausstellung, die die Werke ohne die nachträglichen Stil-Etikette zu zeigen und zu gruppieren versucht, gibt wahlweise Hinweise auf einen internen Geschichtszusammenhang. So meint die räumliche Nähe von ›This is Tomorrow‹ zu den Décollagen von Hains, Dufrêne und Villeglé, zu der Dokumentation von Happening und Fluxus ein Zeitphänomen, einen offenbar gemeinsamen Impuls, den man als ›Ausstieg aus dem Bild‹ apostrophieren kann. Natürlich wird Rauschenberg dort zu finden sein, auch wenn er diesmal zusammen mit Johns und Twombly – entgegen ihrer damaligen Rezeption – näher gerückt ist an die ›überwundene‹ Malerei der fünfziger Jahre.

Diese ›Verschiebungen‹ wollen keine neue Wertung geben, immerhin aber anregen, die auf sich gestellten Bilder neu und wieder einmal anders zu sehen: ob es heute noch schwer fällt, in Rauschenbergs *Monogram* – die Ziege mit dem Autoreifen – Malerei zu sehen; ob es so zwingend ist, Jasper Johns' Vorgehen als gemalte Theorie zu lesen; ob Twombly, unter Malern gezeigt, tatsächlich integrierbar ist. Es sind rhetorische Fragen, halbwegs. Man kann sie fast risikolos verneinen – oder auch bejahen. Ebenso wenig originell, vage und unverbindlich ist es, diese drei Amerikaner in Nachbarschaft zu rücken, haben sie doch ohnehin den gleichen Hintergrund und noch von ihrem Beginn her eine enge Verbindung. Aber gerade das macht neugierig, diese Maler zusammen zwischen den Welten zu sehen: zwischen der Generation der Väter und jener neuen Perspektive, die diesen Künstlern durch die Zeit, durch ihre eigene Wandlung

Richard Hamilton. Was ist es nur, das die Wohnungen von heute so ganz anders, so reizvoll macht? 1956 (Kat. 551)

und vor allem durch die Rezeption so grundverschieden zukam. Von diesem Ende her, von heute aus gesehen, ist die Zusammenführung von Rauschenberg, Johns und Twombly schon etwas riskanter. Der erste gilt als Vermittler und wurde in einer Übersichtsausstellung auch einmal als ›Prä-Pop‹ etikettiert. Dem zweiten kommt eine fast schon überstrapazierte analytische Bedeutung zu, die aber in den sechziger Jahren von angeregten Kollegen bis hin zum Bereich der Minimal Art bestätigt wird. Der dritte schließlich bewegt sich mit seiner Stil-Konsequenz seit zwanzig Jahren schon außer Konkurrenz. Genauso könnte man Twombly an einer anderen Stelle der Ausstellung, mit einer Werkgruppe aus den sechziger Jahren, oder mit ganz neuen Bildern heute zeigen.

Hier bricht das Problem auf: wie wird man der eigenen These von der gleichzeitigen Gegenwart unverbrauchter Kunst gerecht, wenn man sie doch wieder in die historischen Etappen einordnet, deren chronologische

Abfolge einer Vergegenwärtigung zumindest dramaturgisch entgegenwirkt. Die Antwort ist den Bildern überlassen, sie haben die Chance, ›wie am ersten Tag‹, sich wieder abzusetzen von der Kunst, die voranging. Es kommt jetzt nicht auf die Geste an. Der ausradierte de Kooning trennt hier Rauschenberg nicht von der Malerei des Abstrakten Expressionismus. Der wiederhergestellte Zusammenhang der kontroversen Bilder ist für beide Seiten eine Bewährungsprobe.

So sehr die zwar von Fall zu Fall unterlaufene, aber grundsätzlich beibehaltene chronologische Abfolge in der Ausstellung ein unüberwindbares Problem für die repräsentative Vergegenwärtigung der sich im jahrzehntelangen Kontinuum vollziehenden Einzelleistung bedeutet, so sehr bringt sie andererseits die Chance einer gegenseitigen Vitalisierung an den ›Gelenkstellen‹ der Avantgarde. De Kooning, Franz Kline oder Hans Hofmann sind jetzt – in der Nachbarschaft von Robert Rauschenberg – nicht als Abstrakte Expressionisten isoliert. An der Grenze zu einem freilich vielfach nur imaginären ›Ausstieg aus dem Bild‹ können die Beschaffenheit und die Lehre jener Bilder neu gesehen und erfahren werden, die den ›Ausstieg‹ zwar nicht probiert, aber vorbereitet und *auf ihre Weise* in und mit dem Bild verwirklicht haben. Allan Kaprow bezieht sich auf Pollock. Das Happening seines Konzepts versteht sich in der dreidimensionalen Lebensfülle als eine organische Erweiterung des Action Painting und von Pollocks ›all over‹. Dies ist ein Grund, von der Dokumentation nicht nur der Kaprowschen Happenings zurückzugehen zu Pollocks *Number 32*.

Daß dieser Weg kein ›Zurück‹ ist, ist die These der Ausstellung. Diese hundert Meter in der Ausstellung, mit denen man gleichsam den historischen Abstand von acht, zehn oder zwölf Jahren begeht, mögen Ereignisse in unumkehrbarer Folge markieren. Aber diese Einbahnstraße gilt nur, wenn man das so sagen darf, für die Anlieger. Und sie sind es schließlich, die dafür sorgen und daran mitwirken, daß man diese Regelung des Nahverkehrs aufhebt. Es sind zusätzliche Winke: Kaprow macht auf Pollock aufmerksam. Die Bildtafeln mit Plakatabrissen der Pariser Décollagisten gemahnen an Wols, der die Plakatwände und den Prozeß ihrer Verwitterung fotografierte – bevor er zu malen begann.

Der ›Ausstieg aus dem Bild‹ ist eine Metapher, die wir nicht überanstrengen möchten, die sich aber für den Gesamtprozeß, für die andauernde Tendenz aufdrängt. Daß es seit langem nicht mehr selbstverständlich sein kann, Bilder zu malen, haben wir oben ausgeführt. Die Spannung, die an das Bild in permanenter Attacke herangetragen wird, ist ein ›Trotzdem‹. Daß das Bild aufbrechen wird, war vorprogrammiert, wenngleich für die Akteure der Nachkriegszeit und der frühen fünfziger Jahre, die der Sprengung dieses Vehikels am nächsten kamen, vermutlich undenkbar. Der dann faktische und schmerzlose Ausstieg aus dem Bild am Ende der fünfziger Jahre, der, wie gesagt, zum Teil geradezu unbemerkt vor sich ging, hatte vielfache Folgen. Spezialisten und Manipulateure bekamen ebenso ihre Chance, wie jene Zeitgenossen, die das von der gestischen Malerei aufgegebene Gefäß des Bildes für neue Inhalte nutzen konnten.

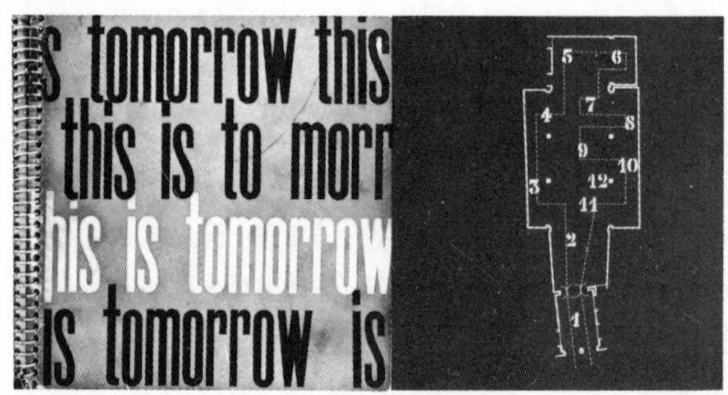

›This is Tomorrow‹, London, The Whitechapel Art Gallery, 9. August bis 9. September 1956. Katalogumschlag und Grundriß der Ausstellung

Richard Hamilton. Das ist morgen. 1956 (Kat. 550)

›This is Tomorrow‹, London 1956. Beitrag von Richard Hamilton, John McHale und John Voelcker

Richard Hamilton

(...) Irgendwie schien es nicht notwendig zu sein, die alte Tradition des direkten Kontakts mit der Welt aufrechtzuerhalten, Illustrierte oder alle möglichen visuellen Vermittler konnten ebensogut Anregungen liefern.

Es ist eine Sache der Blickerweiterung – der Ausdehnung seiner Landschaft –, die den Künstler veranlaßt, Massenmedien als Quellenmaterial anzusehen. Die Kubisten haben einen mehrfachen Gesichtspunkt ihrer Sujets angenommen, indem sie sich drumherum bewegt haben. In den fünfziger Jahren sind wir uns mehr der Möglichkeit bewußt geworden, die ganze Welt auf einmal durch die große, uns umgebende visuelle Matrize zu sehen, ein synthetischer ›Augenblick‹. Kino, Fernsehen, Illustrierte, Zeitungen überfluteten den Künstler mit einer Totallandschaft, und diese neue Umgebung war fotografisch, in der Hauptsache eher Reportage als Kunstfotografie. (...)

Reyner Banham

Die Ehe von zwei geistigen Auffassungen

SEINE

autoritärer hegelianischer metaphysischer
traum von gesamtkunstwerk große vereinigung
aller disziplinen totale kunst
ideale gestaltungskraft geistiger harmonie unter einzig
gottähnlichem geist
tradition von
    römischer planung wagnerischer oper synthetischem theater
euphalinos l'esprit nouveau la groupe espace
ein wille führt die hierarchie der hände
kulturheld
leonardo da vinci

Zwei Seiten aus dem Katalog This is Tomorrow. Grundriß des Beitrags Nr. 2 von Richard Hamilton, John McHale und John Voelcker. Collage von R. Hamilton (vgl. Kat. 552)

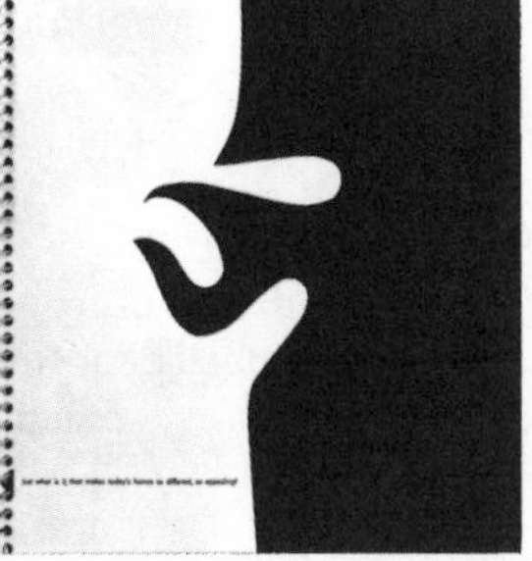

Doppelseite aus dem Katalog ›This is Tomorrow‹ mit der Collage von R. Hamilton ›Just what is it...‹ (Kat. 551)

IHRE
liberalistischer rousseauistischer mittelalternder
traum von gewillten kollaborateuren unter
heiligen schriftlichen bedingungen AMTG
oder zumindest AMG unter gewissen hochreinen bestrebungen ohne vorgespiegelter
tradition von
nazarenern präraffaels kelm scott century guild
worpsweder werkstätte bauhaus
verlangen und hände in freier vereinigung
kultobjekt
gotische kathedrale

NEHMEN SIE DAS AN?
in art nouveau
van der velde architekt und stichler verkündet
gleichheit für all die künste
aber orwellianische konsequenz
ein
architekt
erweist sich
mehr gleich als die anderen künste zusammen und
die architekten
werden
selbsternannte führer von freien kollaborateuren
auserwählte köpfe von vorbildlichen hierarchien
um beide möglichkeiten gleichzeitig durchzusetzen und
sie zu genießen
kultobjekt
AEG
kulturheld
walter gropius

ES IST EIN WÜRFEL!
kongress und vereinigung fanden sich
in einer gemeinsamen logik der formalen ästhetik
eine ehe die durch die gleiche zahl teilbar ist
ein verhältnis aus maßen und der harmonie der farben
ausgerichtet auf
architektur malerei skulptur
disziplin als eins gesehen
farbige flächen im raum zu arrangieren
im quadratischen additiven mechanischen begründet
in der natürlichen beschaffenheit der materialien und der abstimmung der farbtöne
strukturabmeßungen in kunstobjekten
kultobjekt
raumrahmen
kulturheld
max bill
endprodukt
mondrian in 3D am maßstab des menschen

HERANWACHSENDER BUB
am maßstab des menschen ist groß
genug einzudringen
matrix von plänen und das netz von linien
ist umgebung wenn sie von dir betreten wird
und nicht du aber allein der katalog kann sagen
wer setzte
farbige fläche auf farbigen pfahl
maler? architekt?
farbigen pfahl auf farbige fläche
architekt? bildhauer?
farbige fläche auf farbige fläche
bildhauer? maler?
dies ist's wo du hinkommst wenn
die grenzen nicht mehr bestehen und nur
undifferenzierbare umgebung bleibt
sogar im inneren des raumrahmens tun sich
wege hinter den künsten auf
türsteher
alexander dorner

JETZT MANN
hinter der kunst ein langer weg steig aus
wo immer du willst
hinter
horizontal
vertikal
maß
harmonie
abstrakt
figurativ
ästhetisch
gerade
so weiterhin um so näher
zu der überlegenheit von dir
eingetretener betrachter ohne
wen
die komplizierteste struktur
ist keine umgebung mit
wem
sogar ein loch im boden ist
für dich
mit symbolen des menschlichen interesses eingedrückt
empfängnisverhütende päckchen sind erschöpft
kassettenschachteln römische töpfe
golfbälle kohle kilroy
war hier
symbole die in einigen
sozialen zusammenhängen funktionieren kanäle der information
aber nicht alle
menschen sind gleich
wie zu

nase augen ohren mund hände füße
als weniger wie zu
sprache brünette heiraten
weiß nicht sagen 9 prozent
habe nichts über kybernetik gehört
noch weniger als wie zu
etwas von jackson pollock annette klooger gehört zu haben
coppi oberth abarth dirty dick godot nkruma tex
RTP TNP IBM IBV PMI PLM PSI ESP EEG ARB IOJ NPL ZDA
providence rhode island oder wahrsagung
es macht nichts
wie du die tatsache einschätzt daß du sie einschätzt
zusammenhänge werden von dir gemacht
deinem mögen
und nichtmögen
ebenbildern
und brüdern
es gibt keinen grund am
quadrat zu kleben
meister deinen zusammenhang und den rest
symbole und kanäle sollen hinzugefügt werden von
dir
kultobjekt
du
kulturheld
du
endprodukt
du

›This is Tomorrow‹, London 1956. Beitrag »Patio & Pavilion« von N. Henderson, E. Paolozzi, A. und P. Smithson.

Doppelseite aus dem Katalog ›This is Tomorrow‹, Gruppenbild mit P. Smithson, E. Paolozzi, A. Smithson und N. Henderson

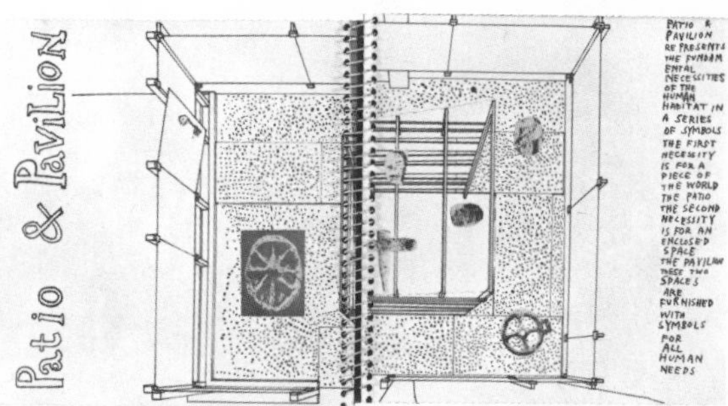

Doppelseite aus dem Katalog ›This is Tomorrow‹, Grundriß des Beitrags Nr. 6 ›Patio & Pavilion‹ von N. Henderson, E. Paolozzi, A. und P. Smithson

Erstes Manifest des Nouveau Réalisme

»Die Nouveaux Réalistes«

Mailand 16. April 1960

Es nützt nichts, wenn weise Akademiker und wackere Leute, aufgeschreckt vom Tempo der Kunstgeschichte und der außerordentlichen Verschleißkraft unserer Zeit, versuchen, die Uhrzeiger zurückzudrehen und die Sonne und den Flug der Zeit aufzuhalten.

Wir sind heute Zeugen des Ausverkaufs und der Verhärtung alles gängigen Vokabulars, aller Sprachen und aller Stile. Dieser völligen Erschöpfung der traditionellen Mittel begegnen in Amerika und Europa hie und da individuelle Abenteuer, die die Tendenz haben – wie weit auch immer ihre Forschungsgebiet reicht –, die Grundlage einer neuen Ausdrucksform zu definieren.

Es handelt sich hierbei nicht um ein zusätzliches Rezept für die Verwendung einer Öl- oder Lackfarbe. Die Malerei auf der Staffelei hat, wie jedes andere klassische Ausdrucksmittel der Malerei oder der Skulptur, ihre Zeit gehabt. Heute tut sie die letzten, manchmal noch immer großartigen Atemzüge einer langen Alleinherrschaft.

Was kann man uns sonst anbieten? Das hinreißende Abenteuer des wirklichen Sehens, nicht durch die Brille leicht faßlicher oder erfundener Übersetzung. Was ist sein Kennzeichen? Die Einführung einer soziologischen Wechselbeziehung im entscheidenden Stadium der Mitteilung. Die Soziologie kommt dem Bewußtsein und dem Zufall zu Hilfe, sei es bei der Auswahl oder dem Zerreißen eines Plakates, bei der Beschaffenheit eines Objekts, bei Abfall und Müll, bei der Entfesselung mechanischer Erregbarkeit oder der Verbreitung von Sensibilität jenseits der Grenzen ihrer Wahrnehmung.

Jean Tinguely. L'Art fonctionnel. Paris, 13. Mai 1960. Umzug durch Paris von Jean Tinguelys Atelier in der Impasse Ronsin zur Galerie des 4 Saisons in der Rue Grenelle. Abb.: Ecke Rue Vaugirard und Boulevard Montparnasse. ›Gismo‹ (Kart. 582), gezogen von P. Hultén und R. Filliou (vgl. Kat. 580–584)

Alle diese Abenteuer (und es gibt und wird noch mehr geben) heben die übermäßige Distanz zwischen objektiver Zufälligkeit und individuellem Drang nach Expressivität, wie sie vom kritisch urteilenden Verstand geschaffen wurde, auf. Die gesamte soziologische Wirklichkeit, das Gemeingut menschlicher Aktivität, die große Vielfalt unserer gesellschaftlichen Beziehungen, des Handelns in der Gesellschaft, ist geladen, zur Beurteilung zu erscheinen. Ihre künstlerische Berufung sollte über allen Zweifel erhaben sein, wenn es auch immer noch viele gibt, die an die Ewigkeitsdauer der angeblich adligen Gattungen, insbesondere der Malerei, glauben.

Jacques Mahé de la Villéglé und Mimmo Rotella, Paris 1962

Arman. Le Plein (Die Fülle). Galerie Iris Clert, Paris. Oktober 1960

Jean Tinguely. Gismo. 1960 (Kat. 582)

Yves Klein. Anthropométries de l'époque bleue. Institut d'Art Contemporain, Paris, 9. März 1960. Malaktion mit Aufführung der Symphonie monotone

In dem in seinem Drang wesentlicheren Stadium der vollen affektiven Ausdruckskraft und in der Freisetzung des schöpferischen Individuums durch den natürlich zuweilen barock anmutenden Augenschein mancher Experimente hindurch machen wir uns auf den Weg nach einem neuen Realismus der reinen Empfindsamkeit. Hier liegt zumindest einer der Wege in die Zukunft. Mit Yves Klein, Tinguely, Hains, Arman, Dufrêne und Villéglé wurden in Paris unterschiedliche Voraussetzungen geschaffen. Der Sauerteig wird fruchtbar werden, unvorhersehbar noch in all seinen Konsequenzen, sicherlich aber bilderstürmerisch (aufgrund der Bilder und der Dummheit ihrer Anbeter).

Yves Klein

»Als ich 15 Jahre lang Monochrome gemalt habe,
als ich entmaterialisierte Malerei geschaffen habe,
als ich die Kräfte des leeren Raumes manipuliert habe,
als ich Feuer und Wasser geformt habe, und aus Feuer und Wasser Malerei geschaffen habe,
als ich mich lebendiger Pinsel bedient habe, um zu malen,
mit anderen Worten, des nackten Körpers lebendiger Modelle,
die mit Farben bemalt waren – diese lebendigen Pinsel waren
ständig unter meinem Befehl, d. h. ein wenig nach rechts und
nun nach links, wieder ein bißchen nach rechts usw. Was mich selbst betrifft, hatte ich das Problem des Abstandes so gelöst, daß ich mich der zu malenden Fläche in einer

bestimmten und von mir selbst auferlegten Entfernung hielt,
als ich den Lufturbanismus und die Luftarchitektur erfunden habe –
selbstverständlich wird die traditionelle Bedeutung der Ausdrücke Architektur und Urbanismus durch diese neue Auffassung transzendent. Ich wollte ursprünglich an die Sage vom verlorenen Paradies wieder anknüpfen. Dieses Vorhaben ist angewandt worden auf die bewohnbare Oberfläche der Erde durch die Klimatisierung der großen geographischen Gebiete, durch eine absolute Kontrolle der wärmemäßigen und atmosphärischen Zustände und wieweit sie mit unserem psychischen und morphologen Zustand verbunden sind –,

Yves Klein. Anthropométrie 155. 1961 (Kat. 568)

als ich eine neue Auffassung der Musik vorgeschlagen habe mit meiner ›Monotone-Silence-Symphonie‹, als ich unter anderen zahllosen Abenteuern das Konzentrat eines Theaters der Leere aufgesammelt habe, da hätte ich nie geglaubt, vor 15 Jahren, zur Zeit meiner ersten Versuche, daß ich eines Tages plötzlich das Bedürfnis hätte, mich zu rechtfertigen, daß ich es für notwendig hielte, Ihren Wunsch zu befriedigen, das Wie und Wo kennenzulernen, das Wie und das Wo von allem, was geschehen ist, und das Wie und das Wo von einer für mich noch gefährlicheren Sache, nämlich von dem Einfluß meiner Kunst auf die jungen Künstlergenerationen in der heutigen Welt...

Alle Tatsachen, die sich widersprechen, sind authentische Prinzipien einer Erklärung des Universums.

Manche Kritiker haben laut behauptet, daß ich mit dieser Methode nichts anderes erreichte als die einfache Neuauflage der sogenannten ›action painting‹-Technik. Ich möchte nun, daß man folgendes versteht: Dieses Verfahren unterscheidet sich von ›action painting‹ dadurch, daß ich während der ganzen Zeit dieses Schaffens von jeder physischen Arbeit befreit bin.

Die künstlerische Tätigkeit muß vor meinen Augen und unter meinem Befehl stattfinden, während ich dabei Abstand halte und davon losgelöst bin. Sobald das Werk beginnt, sich zu erfüllen, stehe ich bei diesem Festakt,

Yves Klein. Triptychon. 1960 1. MP 16 (pink) 2. MG 17 (gold) 3. JKB 75 (blau) (Kat. 567)

Raymond Hains. Avec le grand concours de l'humanité et de la nation francaise. 1956 (Kat. 556)

unbefleckt, ruhig, entspannt; ich nehme mit vollem Bewußtsein auf, was geschieht, und bin bereit, die entsprechende Kunst in der faßbaren Welt zu empfangen. Was hat mich zu der Anthropometrie geführt? Die Antwort auf diese Frage liegt in den Werken, die ich zwischen 1956 und 1957 geschaffen habe, als ich damals an der Schöpfung der übersinnlichen Farbempfindsamkeit wie an einem großen Farbabenteuer arbeitete. Ich hatte eben alle meine früheren Werke in meinem Atelier beiseite geräumt. Es war leer. Die einzige physische Tätigkeit, die mir übrigblieb, war, in meinem leeren Atelier auszuharren. Dabei entfaltete sich auf eine wunderbare Weise die schöpferische Tätigkeit von übersinnlichen Malzuständen. Allmählich wurde ich gegen mich selbst mißtrauisch, aber nie gegen das Übersinnliche. Von diesem Augenblick an arbeitete ich mit Modellen, wie alle anderen Maler.

Als ich 1957, im Laufe meiner blauen Monochrom-Periode, das Bewußtsein dieser sogenannten Malempfindsamkeit erlangte, schien mir die Malerei keine funktionelle Beziehung zum Blick mehr zu haben. Diese Malempfindsamkeit existiert außerhalb von uns und gehört dennoch unserer Sphäre an. Wir haben kein Recht auf den Besitz des Lebens selbst. Nur über die Empfindsamkeit besitzen wir das Leben und können es kaufen. Jene Empfindsamkeit, die uns gestattet, das Leben zu verfolgen, und zwar auf der Stufe seiner materiellen Grunderscheinungen, in dem Austausch, der das Universum des Raumes und der weiten, ganzen Natur darstellt.

Weder Geschosse, Raketen noch Sputniks werden aus den Menschen Eroberer des Weltraumes machen. Der Mensch wird den Raum nur durch die Kräfte der Empfindsamkeit erobern, die erschreckend sind, obwohl von Frieden erfüllt. Er wird den Raum erst erobern können – was er sich am sehnlichsten wünscht –, wenn er ihn mit seiner eigenen Empfindsamkeit durchdrungen hat. Die menschliche Empfindsamkeit ist allmächtig gegenüber der übernatürlichen Wirklichkeit.

Lang lebe das Übersinnliche.«

Première Biennale de Paris, 1959. Saal mit der Palissade von Raymond Hains und der Decke von François Dufrêne (vgl. Kat. 564)

Zweites Manifest des Nouveau Réalisme

»Bei vierzig Grad über Dada«

Paris, Mai 1961

Dada ist eine Farce, eine Legende, ein Geisteszustand, ein Mythos. Ein schlecht erzogener Mythos, dessen unterirdisches Weiterleben und dessen kapriziöse Manifestationen jedermann stören. André Breton hatte zunächst gedacht, er könne sein Schicksal besiegeln, indem er Dada dem Surrealismus einzuverleiben versuchte. Doch die Kraft der Anti-Kunst schlug ihm ein Schnippchen. Der Mythos des Unvollständigen hat zwischen den Weltkriegen heimlich weitergelebt, um nach 1945 in Michel Tapié Garant einer neuen Kunstrichtung zu werden. Die absolute ästhetische Verneinung machte einem methodischen Zweifel Platz, aufgrund dessen die neuen Zeichen endlich Gestalt annehmen konnten. Als notwendige, zugleich ausreichende Tabula Rasa hat der Nullpunkt Dada die phänomenologische Bezugnahme des abstrakten Lyrismus hervorgebracht: Er wurde der große Einschnitt in die Kontinuität der Tradition, aus dem die Schlammwoge der Rezepte und Stile hervorbrandete, vom Formlosen bis zum wolkenhaft Verschwommenen. Entgegen der allgemeinen Erwartung hat der Dada-Mythos die Exzesse des Tachismus sehr wohl überlebt; es war die Malerei auf der Staffelei, die die Anlage vorbrachte, indem sie die letzten Illusionen untergehen ließ, die hinsichtlich des Monopols der traditionellen Ausdrucksmittel – in der Malerei wie in der Skulptur – noch bestanden.

Wir sind heute Zeugen eines allgemeinen Ausverkaufs und der Verhärtung alles gängigen Vokabulars: Bis auf wenige, immer seltener werdende Ausnahmen überall nur Stilwiederholung und anpassungsfähiger Akademismus.

YVES KLEIN PRÉSENTE : LE DIMANCHE 27 NOVEMBRE 1960

NUMÉRO UNIQUE

FESTIVAL D'ART D'AVANT-GARDE NOVEMBRE - DÉCEMBRE 1960

SEANCE DE 0 HEURE A 24 HEURES

La Révolution bleue continue

Dimanche

27 NOVEMBRE

Le journal d'un seul jour

THEATRE DU VIDE

ACTUALITÉ

UN HOMME DANS L'ESPACE !

Le peintre de l'espace se jette dans le vide !

Sensibilité pure

L'ESPACE, LUI-MÊME.

SUITE EN PAGE 2

SUITE EN PAGE 2

Yves Klein, Le journal d'un seul jour, 27. Nov. 1960. Titelseite

César mit einer Compression

Dieser elementaren Erschöpfung der klassischen Verfahrensweisen begegnen – zum Glück – bestimmte individuelle Maßnahmen, die darauf hinzielen, wie weit auch immer ihr Forschungsgebiet reicht, die normativen Grundlagen einer neuen Ausdrucksform zu definieren. Was sie uns anbieten, ist das spannende Abenteuer der in sich und nicht durch das Prisma der begrifflichen oder imaginativen Umschreibung wahrgenommenen Realität. Welches ist ihr Kennzeichen? Die Einführung einer soziologischen Wechselbeziehung im wichtigen Stadium der Mitteilung. Die Soziologie kommt dem Bewußtsein und dem Zufall zuhilfe, sei es auf der Ebene gepreßten Alteisens, bei der Auswahl oder beim Zerfetzen eines Plakats, der Beschaffenheit eines Objekts, der Entfesselung mechanischer Erregbarkeit, der Verbreitung von Sensibilität jenseits der logischen Grenzen ihrer Wahrnehmung.

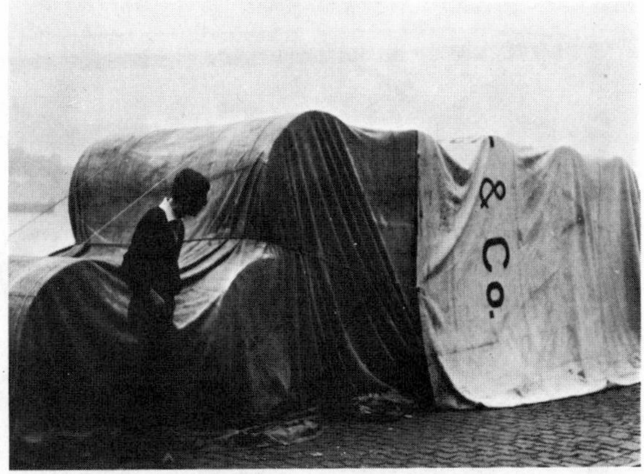

Christo, Verpackungsaktion im Kölner Hafen. Galerie Lauhus, Köln, September 1961

Die neuen Realisten betrachten die Welt als Gemälde, das große grundlegende Werk, dessen Fragmente, voll von umfassender Bedeutung, sie sich aneignen. Sie zeigen uns das Reale in den verschiedenen Aspekten seiner ausdrucksgeladenen Gesamtheit. Und durch das Medium dieser spezifischen Bilder haben wir die gesamte soziologische Wirklichkeit, das Allgemeingut menschlicher Aktivität, die große Vielfalt unseres gesellschaftlichen Austausches, unseres Handels in der Gesellschaft, die zur Beurteilung einberufen ist. Im gegenwärtigen Kontext bekommen die Readymades von Marcel Duchamp (und ebenfalls die Funktionsobjekte von Camille Bryen) eine neue Bedeutung. Sie spiegeln das Recht auf unmittelbaren Ausdruck eines ganzen Sektors moderner Aktivität, den der Stadt, der Straße, des Betriebs, der Serienproduktion. Diese künstlerische Taufe des gebräuchlichen Objekts macht von jetzt an den Fall Dada par excellence aus. Nach dem Nein und dem Nullpunkt ist jetzt eine dritte Position des Mythos erreicht: die Anti-Kunst-Geste von Marcel Duchamp nimmt positive Eigenschaften an. Der dadaistische Geist identifiziert sich mit einer Aneignungsweise der modernen äußeren Wirklichkeit. Das Readymade ist nicht mehr der Gipfel von Negativität und Polemik, sondern das Grundelement eines neuen Ausdrucksrepertoires. Solcher Art ist der neue Realismus: eine vielmehr direkte Art, die Füße wieder auf die Erde zu setzen, aber 40 Grad über dem Nullpunkt Dada und somit auf einer Höhe, in der der Mensch, wenn es ihm gelingt, sich wieder in das Reale zu integrieren, es mit seiner eigenen Transzendenz identifiziert, die da ist Emotion, Gefühl und schließlich, noch immer, Poesie.

Daniel Spoerri. Roberts Tisch. 1961 (Kat. 588)
»Fallenbild: Gegenstände, die in zufälligen, unordentlichen Situationen gefunden werden, werden in genau der Situation, in der sie gefunden werden, auf ihrer zufälligen Unterlage (Tisch, Schachtel, Schublade usw.) befestigt. Verändert wird nur ihre Ebene: indem das Resultat zum Beispiel zum Bild erklärt wird, wird Horizontales vertikal. Beispiel: die Reste einer Mahlzeit werden auf dem Tisch befestigt und mit dem Tisch an der Wand aufgehängt.« (d. s.)

Arman. Anhäufung von Kannen. 1961 (Kat. 576)

daniel spoerri

die automaten von tinguely
motoren und formen
weiße schwarze formen
vor weißem vor schwarzem
hintergrund der nichts ist
vor dem bewegung stattfindet
bewegung im nichts
bewegungen

ein motor als kraft als ursache
als umsetzung einer unsichtbaren bewegung
die sichtbare formen sichtbare bewegungen verursacht
im hintergrund der nichts ist
vor dem hintergrund der nichts ist

formen die nicht formen sind
sondern elemente
elemente eines ganzen
elemente die nicht einzeln für sich
sondern nur im ganzen
im gesamten ablauf begreifbar sind
aber nur begreifbar nicht erklärbar
und nicht zu deuten

formen die nicht formen sind
sondern elemente
elemente wie ihr hintergrund nichts
nicht greifbar

nur die knappste erinnerung an materie
elemente die durch bewegung
formen bilden volumen bilden
vielleicht auch das nur
weil das auge zu träge ist
reine bewegung zu sehen

die automaten von tinguely sind
gegen festgelegtes
gegen aussagen endgültige lösungen
gegen stillstand entweder oder
sie sind zerstörend weil sie ständig zerstören
sie sind aufbauend weil sie immer aufbauen
sie entscheiden sich nicht
sie machen keine vorschläge
sie behaupten nichts

weil sie bewegung sind
weil sie nur im augenblick
für einen bruchteil
verhältnisse bezüge aufzeigen
um sie gleich wieder zu zerstören
um gleich wieder neue aufzubauen

sie sind maschinen weil sie aktiv
selbständig bewegung ausführen
sie sind antimaschinen weil sie zwecklos
der zufall bestimmt

Jean Tinguely. Schwarzweißes mechanisches Lautrelief. 1955 (Kat. 579)

Piero Manzoni

Einige Realisationen, einige Experimente, einige Projekte

Meine ersten »Achrome« stammen aus dem Jahre 1957; sie bestehen aus mit Kaolin und Leim durchtränkter Leinwand. Im Jahre 1959 wurde der Raster der »Achrome« mittels einer Nähmaschinennaht hergestellt. 1960 führte ich sie in Hydrophylmaterial aus und experimentierte dabei mit phosphoreszierenden Farben, anderen, kobaltchloridgetränkten, die sich nach der jeweiligen Wetterlage farblich änderten. 1961 machte ich weiter mit Arbeiten aus Stroh und Plastik und mit einer Serie von Bildern, stets weiß, mit Wattebäuschen und danach mit haarigen Oberflächen, wie Wolken, und zwar in Natur- und Kunstfaser. Ich führte auch eine Skulptur in Kaninchenfell aus. 1959 machte ich eine Serie von 45 »corpi d'aria« (pneumatische Skulpturen), die einen Maximaldurchmesser von 80 cm aufwiesen (Höhe mit Basis 120 cm): Der Käufer konnte, falls er es wünschte, außer der Hülle und der Basis (diese in einem dazugehörigen kleinen Futteral) auch meinen Atem erwerben, der in eben demselben Ballon aufbewahrt wurde.

Zur selben Zeit habe ich für einen Park eine Gruppe von »corpi d'aria« (immer in sphärischer Gestalt) mit einem Durchmesser von rund 2,50 m entworfen. Mittels einer Vorrichtung zur Luftkompression pulsierten sie, nicht synchronisiert, in einem sehr langsamen Atemrhythmus (Probeexemplare in Form kleiner Ballons 1959).

Ausgehend vom selben Prinzip habe ich außerdem für ein Gebäude eine pneumatisch pulsierende Decke und Wand vorgeschlagen. Darüber hinaus hatte ich für einen Park an ein kleines Gebüsch pneumatischer Zylinder gedacht, wie Säulen aufgereckt, die sich durch Windstöße vibrierend bewegen sollten. (Bei demselben Vorhaben wären andere, sehr hohe Säulen aus Stahl, durch Windeinwirkung zum Klingen gebracht worden.)

Für draußen habe ich eine Skulptur mit selbständigen Bewegungen ausgearbeitet (1959 bis 1960). Dieses mechanische Lebewesen sollte unabhängig sein und seine Nahrung aus der Natur selbst (Sonnenenergie) beziehen; des Nachts hätte es sich geschlossen und in sich selbst zurückgezogen. Tagsüber hätte es seinen Standort gewechselt, Töne erzeugt und Strahlen und Fühler ausgestreckt, um Energie zu suchen und Hindernisse zu umgehen. Obendrein hätte es die Fähigkeit gehabt, sich zu reproduzieren.

Jean Tinguely, Hommage à New York. 1960. Museum of Modern Art, New York

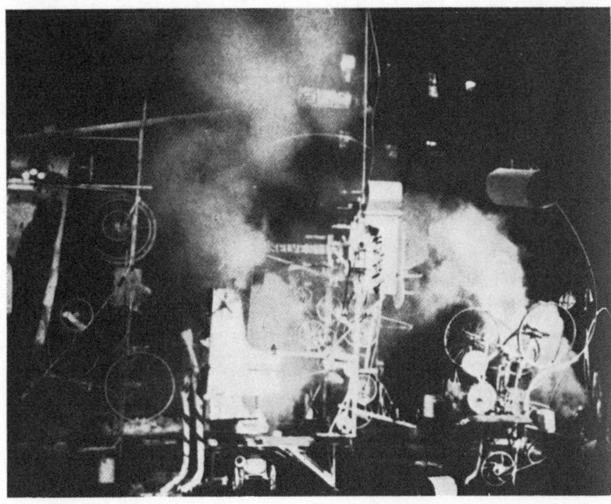

1960 habe ich ein altes Projekt realisiert: die erste Plastik im freien Raum. Eine Kugel wurde von einem Luftstrom in der Schwebe gehalten. Nach demselben Prinzip habe ich später an reinen Lichtkörpern (»corpi di luce assoluti«) gearbeitet, die, ebenfalls sphärisch, von einem entsprechend gelenkten Luftstrom gehalten, sich wie ein Wirbel in sich selbst drehten und dadurch in der Vorstellung ein Volumen schufen.

Anfang 1959 habe ich meine ersten Linien ausgeführt, erst kurze, dann immer längere (19,11 m, 33 m, 63 m, 1000 m usw. . . .); die bis heute längste mißt 7200 m (1960 Herning, Dänemark). Alle diese Linien werden in versiegelten Schatullen aufbewahrt. Ich möchte sogar eine weiße Linie entlang des gesamten Meridians von Greenwich ziehen!

Piero Manzoni. Socle du monde (Sockel der Welt). 1961. Herning/Dänemark, Herning Kunstmuseum

1960 habe ich während zweier Manifestationen (Kopenhagen und Mailand) hartgekochte Eier in die Kunst eingeführt, indem ich sie mit meinem Fingerabdruck versah. Das Publikum konnte unmittelbar mit den Kunstwerken in Beziehung treten, indem es die ganze Ausstellung in 70 Minuten aufaß. Seit 1960 verkaufte ich die Abdrücke meines rechten und linken Daumens. 1959 habe ich daran gedacht, lebende Personen auszustellen (tote Personen wollte ich dagegen unter Verschluß bringen und in durchsichtigen Plastikblöcken konservieren). 1961 habe ich damit begonnen, Personen zu signieren und sie dann auszustellen. Diesen meinen Werken gebe ich ein Echtheitszeugnis mit. Noch im Januar 1961 habe ich den ersten magischen Sockel (»base magica«) gebaut: Jede Person und jedes Objekt blieben solange Kunstwerk, als sie sich auf diesem Sockel befanden. Einen zweiten Sockel dieser Art habe ich in Kopenhagen aufgestellt. Auf einen dritten, aus Eisen und von großem Ausmaß, aufgestellt in einem Park in Herning (Dänemark 1962), stellte ich die Erde: Es ist der »Sockel der Welt« (»base del mondo«).

Im Mai 1961 habe ich in 90 Dosen »Künstlerscheiße« (»merda d'artista«) produziert und verpackt (30 g pro Stück), die in natürlichem Zustand konserviert war (made in Italy). In einem voraufgehenden Plan dachte ich daran, Fläschchen mit »Künstlerblut« (»sangue d'artista«) herzustellen.

Von 1958 bis 1960 habe ich eine Serie von »tavole di accertamento« (Sicherheitstafeln?) vorbereitet, von denen acht, als Lithographien zu einer Mappe vereinigt, publiziert wurden (geographische Karten, Alphabete, Fingerabdrücke). Was die Musik betrifft, so habe ich 1961 zwei »Aphonien« komponiert: die Aphonie Herning (für Orchester und Publikum), die Aphonie Mailand (für Herz und Atem). Zur Zeit habe ich ein elektronisch kontrolliertes Labyrinth in Arbeit, das zu psychologischen Tests und Gehirnwäschen dienen kann.

Piero Manzoni. Linea m. 7200, 4. Juli 1960. Herning/Dänemark, Herning Kunstmuseum. Manzoni bei der Ausführung seiner 7200 Meter langen Linie

Piero Manzoni.
Farblos. 1958 (Kat. 590)

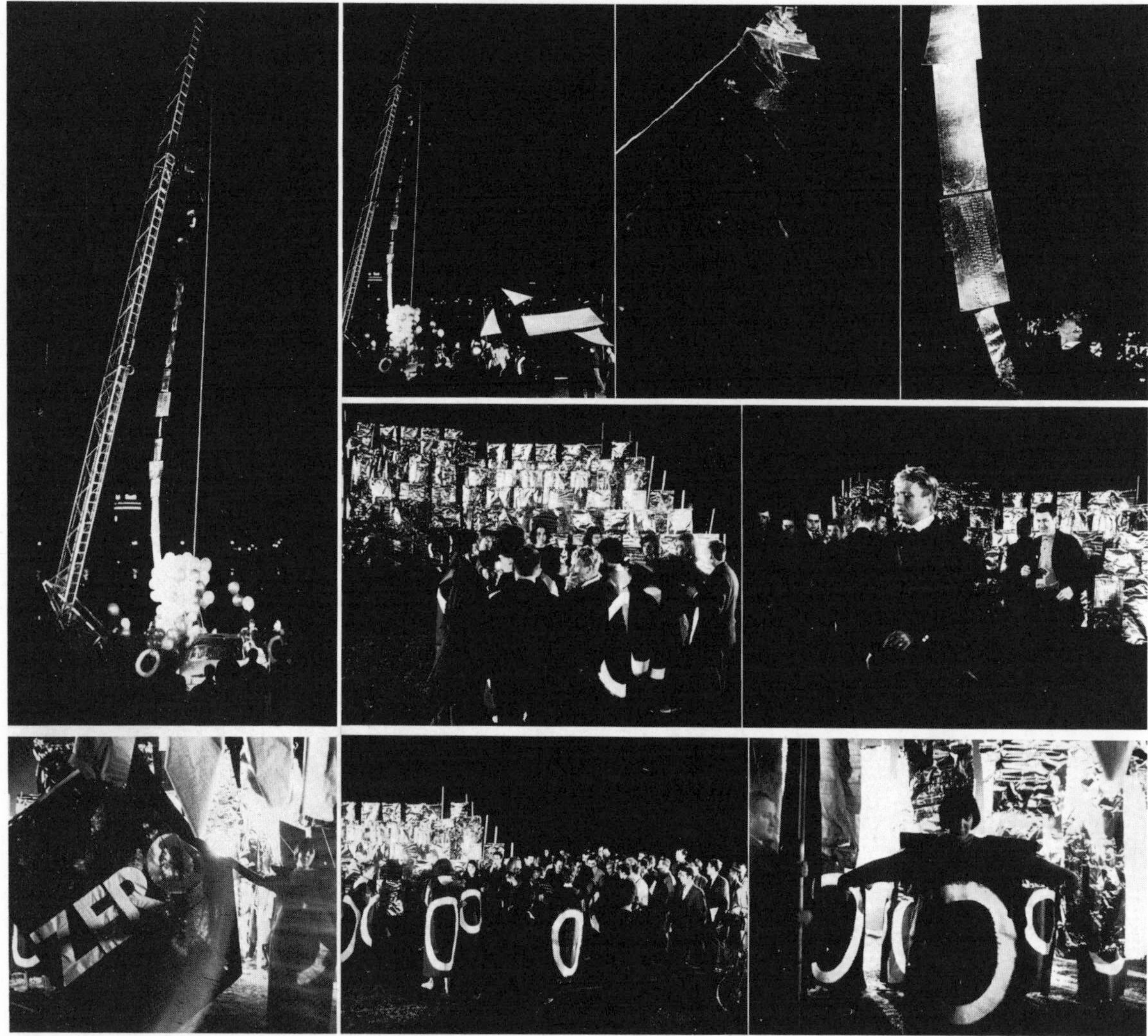

ZERO: Fest auf den Rheinwiesen, Düsseldorf 1961. Lichtfahnen von Mack, in Zusammenarbeit mit Piene und Uecker

Heinz Mack

Unsere kühnen Erwartungen, unsere wachen Träume, unsere Ideen und unsere Taten, sie werden sich verwirren und verlieren und werden schließlich verraten, wenn wir noch immer bereit sind, unsere Werke dem konfusen Inventar der Welt zu überlassen. Die Kultureinrichtungen, erdacht, um unsere Interessen zu schützen, zeigen noch immer die Beständigkeit von Friedhöfen. Die Versuchungen täuschen uns darüber und fördern nur deren Konservierung.

Morgen aber werden wir auf der Suche nach einer neuen Dimension der Kunst auch neue Räume aufsuchen müssen, in denen unsere Werke eine unvergleichliche Erscheinung gewinnen werden.

Solche Räume sind: der Himmel, das Meer, die Antarktis, die Wüsten. In ihnen werden die Reservate der Kunst wie künstliche Inseln ruhen.

Otto Piene

Jetzt

Die Kunst der Gegenwart ist wieder an einem Wendepunkt: die Erforschung und Durchdringung des Raumes nähert sich ihrem Ende.

Die Motive zum Aufspüren eines neuen Raumempfindens lagen in der vorangegangenen Epoche von Krieg und Nachkriegszeit. Das Handgemenge der Formen und Farben, die dramatische Enge, die Pergamonschlacht der Flucht- und Verfolgungsbilder, die Alpträume, die ›Gitterbilder‹, die Barrikaden von Balken, Linien und Flächen, die Ballungen der Angst und Verzweiflung (die alle Ausdruck von Angst und Verzweiflung der Autoren, ihrer Mitmenschen und ihrerUmwelt waren), die Poesie der Katastrophen – alles das weckte die Sehnsucht nach Stille, Freiheit, Ruhe, gelassener Einfühlung in den Rhythmus der Schöpfung, nach dem Immerwährenden; lenkte den Blick zum Himmel, zu den Sternen und in unberührte Zonen. So entstand die große Quarantäne, Zéro, die Stille vor dem Sturm, die Phase der Beruhigung und Sensibilisierung. Ihr verdanken wir die neue Reinheit der Farbe und das adäquate Empfinden für ihren Wohllaut. Ihr verdanken wir die Fähigkeit, die Natur zu bewundern, ohne Naturalisten, d. h. blinde Nachahmer zu sein. Wir entdeckten jene großzügige Schönheit, ohne uns über die Schrecken der Vergangenheit und ihre Ursachen hinwegzutäuschen.

Wir entdeckten aufs neue das Licht, in dem und in Beziehung zu dem eine wirkliche Besinnung nur möglich ist. Es verlangte nach Artikulation, um künstlerisch »meßbar«, d. h. überhaupt spürbar zu werden. Damit setzte es sich unmittelbar in Beziehung zum Dunkel.

Diese Kräfte: die Reinheit der Farbe, die Wirkungsweise von Naturvorgängen, die Freiheit des neuen Raumempfindens und die Faszination des Lichts bestimmten die Richtung unserer Bemühungen, deren Ergebnisse summarisch als »Zéro« verstanden wurden (und – nebenbei – Anlaß zu einer Fülle von Mißverständnissen gaben, vor allem bei jenen prädestinierten Akademikern und Funktionären, die immer auf der Lauer liegen, bestehende Kategorien zu konservieren und neugeschaffene zu katalogisieren).

Nach einigen Jahren kristallisierten sich zwei Tendenzen heraus. Während meine und die Arbeit meiner engeren Freunde einer passiven, einem kleinbürgerlichen Materialismus zuneigenden Epoche gestaltende Aktivität, d. h. positive Beschwörung von Ideen – »die reine Schönheit« und die Möglichkeit zur Verwandlung – entgegensetzte, entdeckte der »Neue Realismus« auf dem Wege zu neuen Medien die Spuren der aktuellen Zivilisation und ihren Abfall als ironisch materialisiertes Gegenbild zur historischen Existenz des Menschen. Es ist geradezu die »natürliche« Konsequenz, daß die Verwendung dieses Abfalls eine ironisch-satirische Tendenz haben muß, deren Schockwirkung den Menschen erregt, indem sie ihn kritisiert.

Dieser mittlerweile solide etablierten Tendenz stellen wir unseren »Neuen Idealismus« entgegen, der nicht nur die Gegenwart als Folge der Vergangenheit (das Heute als Konglomerat der Gegenstände von gestern; die eigene Geste als Persiflage der gestrigen Gesten anderer; die Aktion als Reaktion), sondern mehr noch die Zukunft als Folge der Gegenwart zu begreifen sucht. Einer konfusen Welt versuchen wir nicht die exemplarische Konfusion, einer absurden Gesellschaft nicht die Absurdität, sondern Klarheit und Vitalität entgegenzustellen.

Jan J. Schoonhoven. Erstes serielles Relief. 1960 (Kat. 602)

Günther Uecker. Organische Struktur. 1960 (Kat. 605)

Allan Kaprow. Kiosk. 1957–59 (Kat. 629)

Allan Kaprow, 18 Happenings in 6 Parts, 4.–10. Oktober 1959, Reuben Gallery, New York, Rauminstallation

Allan Kaprow

Vor und zurück
Eine Möbelkomödie für Hans Hofmann

April 1963

anweisung
irgendwer kann einen raum oder mehrere räume
beliebiger form, größe, proportion und farbe
finden oder bauen.—
dann sie vielleicht einrichten
vielleicht einiges anstreichen,
vielleicht alles.

jeder andere kann hereinkommen
und, wenn die räume eingerichtet sind,
dinge arrangieren und es sich gemütlich machen,
wie es ihm gerade paßt.

täglich ändert sich die sache.

an die aussteller
dies sind titel, anweisung und einige allgemeine gedanken über meinen beitrag zu dieser ausstellung ehemaliger schüler von hans hofmann. jeder aussteller hat das recht, das environment aufzubauen oder es nicht zu beachten. er mag es selbst tun oder jemanden damit beauftragen. all die hier gedruckte information ist auch in einer holzkiste enthalten. auf kartons geschrieben. diese kiste sollte während der gesamten ausstellung auf dem boden der galerie stehen, die öffnung oben. die besucher sind eingeladen, drin zu blättern. neben der kiste sollte ein flaches podium stehen, auf das die gelesenen kartons abgelegt werden können. die besucher sollten gebeten werden, nach dem lesen die kartons wieder in die rechte reihenfolge zu bringen. ein schild könnte entsprechendes besagen. in der nähe könnten fotos der newyorker realisation dieses environments ausgestellt werden; und ebenfalls fotos von jeder weiteren version. nach einiger zeit könnte eine aufzeichnung der morphologie der konzeption von ausstellung zu ausstellung sich als instruktiv erweisen. während der ausstellung sollte von zeit zu zeit jemand nachprüfen, ob die kartons noch in der numerierten reihenfolge in der kiste stehen. will ein aussteller dieses environment als spezielle ausstellung bringen, sollte die kiste in die nähe des eingangs zu dem raum oder den räumen plaziert werden. keinesfalls darf eine gedruckte oder maschinengeschriebene kopie dieser informationen dem publikum gezeigt werden. das würde den sinn der kiste zerstören. ich stelle mir die kiste vor als eine art leichttransportabler aktenschrank. gleichzeitig lädt sie den besucher ein, sich physisch schon mit der idee der situation zu beschäftigen, zumindest mit einer vorstufe davon. hinzukommt hier, und natürlich auch im eigentlichen environment, der wunsch, das gewohnte »pssst, nicht berühren!« zu umge-

Allan Kaprow, Push and Pull. A Furniture Comedy for Hans Hofmann (Vor und Zurück. Eine Möbelkomödie für Hans Hofmann), 17. April 1963. Realisiert im Rahmen der vom Museum of Modern Art organisierten Wanderausstellung Hans Hofmann and his Students (vgl. Kat. 630)

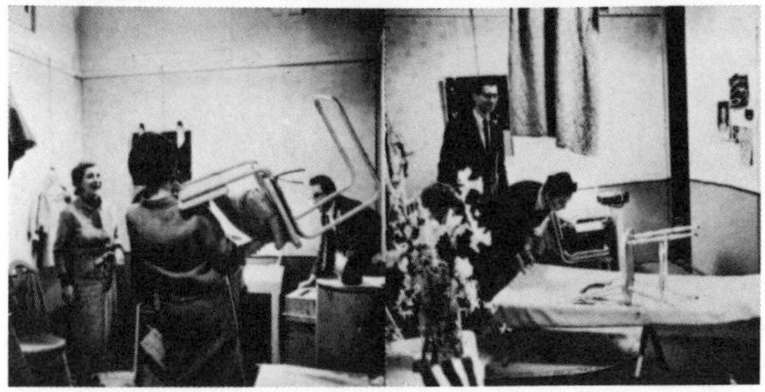

hen – ein aspekt, der bei alter kunst angebracht sein mag, für gewisse, sich gerade zu entwickeln beginnende traditionen aber ein verständnishindernis ist. ich bin sehr am handschlag zwischen dem künstler und den anderen interessiert.
museums- und galeriedirektoren können jetzt die instrumente sein, dies zuwege zu bringen.

gesichtspunkte:

stell dir vor, eines menschen wohnung übernommen zu haben. wie kannst du den kerl loswerden, wenn er aus jedem möbelstück, aus jedem arrangement spricht? magst du mit ihm leben? stell dir die wohnung unmöbliert vor. was würdest du tun: allerhand dinge kaufen (wenn, welchen stils?), auf den straßen was auflesen, verwandte und freunde fragen (deren dinge dich immer an sie erinnern werden)? vielleicht statt dessen ohne möbel leben. was den stil betrifft: warum nicht alles völlig ohne beziehung zu allem anderen lassen – in farbe, form, epoche, anordnung, etc.? ist das möglich? magst du zuckerstangen? warum dann nicht alles gestreift anstreichen? oder, besser, wie zwölf verschiedene sorten zuckerstangen? vielleicht pünktchen, billionen pünktchen, babypünktchen, mamapünktchen, papapünktchen, rosa, braune, rotzgrüne, weiße, orangene, signalrote, spanischblaue pünktchen überall, auf fußböden und decken, innen in schubladen, im waschbecken, auf dem porzellan, auf bettlaken und kissen ... magst du lieber runde räume oder sechseckige, höhlen, anbauten, räume ohne fenster, dachluken?
angenommen, du liebst es, vom fußboden zu essen (man sagt, es gibt so saubere leute) – du könntest ihn mit einem teppich aus lebensmitteln belegen. im muster eines persers. und du könntest quer durch den raum nach muster speisen. und ein neues muster dadurch hervorbringen. vielleicht ist doch formalismus dasjenige welches. dann wähle sorgfältig einen großen stuhl, einen kleinen, einen größeren tisch und eine sehr kleine lampe und drück sie und schieb sie umher, bis sich eine bedeutsame anordnung ergibt. die bedeutsamkeit ergibt sich aus der sowohl kalkulierten als auch intuitiven gegenseitigkeit, die zwischen jedem druck in die eine richtung und jedem zug, der aus der anderen richtung dagegen wirkt, besteht. bedeutsamkeit mag man erhalten entweder durch ein system von symmetrien (jede zieh-schieb-beziehung annähernd gleich) oder ein system von asymmetrien (jede zieh-schieb-beziehung annähernd äquivalent).
aber vorsicht!: setz dich nie auf die stühle! das würde die komposition zerstören. es sei denn allerdings, du machtest die ganze schieberei noch mal von vorne, bis die sache wieder stimmt, und zum drittenmal, wenn du wieder aufstehst. berücksichtige, ob du ein rotschopf und in kellygrün gekleidet bist oder nicht. bist du dick? dicker als der tisch? in diesem falle: zieh dich schnell um, wenn die farbe nicht mit der des kleinen stuhls korrespondiert. und verliere einige pfund gewicht!
aber wohin mit den kindern? und ihrem spielzeug? ich schlage vor, einer variablen proportion von drei gelben spielzeugenten äquivalenz zu einem mittelgroßen violetten kleid (gedämpft durch schwarzes haar, braune augen und leopardenfellhandtasche) zuzugestehen. und diese bezugssysteme bilden exaktes gleichgewicht zu der kombinierten dichte des orangenen großen stuhls, des bräunlichen ornaments des bezugsstoffs und des beigen streifens, der unten um ihn herumläuft. du darfst die räume zwischen den möbeln und ihre bedeutung im gesamtraum nicht vergessen. sie sind tatsächlich »feste körper«, einer anderen ordnung, und jedes negative feld ist gefärbt und qualifiziert durch die es einfassenden komponenten (tisch, stühle, etc.). ferner kann die wechselbeziehung zwischen negativem und positivem so ausgeglichen werden, daß sie eine höhere neutralität erzeugt als die richtungen der einzelnen elemente. vollendet ausgeführt, wird ein schweigen von perfekter ausdruckslosigkeit das resultat sein. andererseits könnten das negative oder das positive akzentuiert werden, könnten eine maßstabgemäße beziehung bilden. dies wiederum könnte durch konzepte geschlossener und offener felder übertrieben oder neutralisiert werden: eine türe öffnen oder sie schließen, z. b., kann die grenze der struktur

Jim Dine, Car crash, 1.–6. 11. 1960. Happening im Rahmen der ›New Happenings at the Reuben Gallery‹, New York 1960–61. Einladungskarte

Jim Dine, Car crash, 1.–6. 11. 1960, Happening, Reuben Gallery, New York

bilden oder zerstören. da nun diese verallgemeinerungen durch das häufige auftreten von in irgendeinem raum zurückgelassenem kinderspielzeug konkretisiert werden, ist es lediglich erforderlich, den raum nicht zu betreten, wenn drinnen kinderspielzeug sich befindet, und vice versa. doch zieh jetzt nicht die schlußfolgerung, hier sei »jedes für sich«! die weitere frage ist: »wer weiß, wie man formen komponiert?«. wenn »form« jetzt zuviel für dich ist, warum streichst du nicht alles und nimmst den reinen sprung? was ist ein »reiner sprung«? (das wort »komödie« im titel dieses environments hat nicht unbedingt was mit humor zu tun – wenn es das auch haben kann –. ich hatte balzacs »comédie humaine« im sinn.) statt »formen« versuche doch einfach eine solche idee: räume voll von menschen in kontrast zu leeren räumen; der eine vielleicht ein pfandhaus, der andere eine mönchszelle ... ein abendrotbeleuchteter raum gegen einen montagsblauen ... oder der »raum«, den deine eigenen gefühle bilden, wenn du dich, wo auch immer, irgendwo in den wald setzt. sind das nicht auch »formen«? ist eine nackte frau auf einem bett eine bessere form als eine rosa decke auf einem bett? welche ist persönlicher? wenn die formen deiner möblierung »dich« ausdrücken, wie steht's dann mit anderen? wenn gäste kommen und du ihnen stühle hinsetzt, drückst du dann nicht »sie« ein wenig aus? was geschieht mit dem raum? wer hat nun recht? sollen räume bewohnt oder bestaunt werden? ich hörte von leuten, die antike stühle haben, auf die man sich nicht setzen darf, weil sie zusammenbrechen würden. oh bitte laß doch diesen aschenbecher stehen, wo er steht, genau dort drückt er nämlich vati so gut aus! aber vielleicht wird der kochgeruch von pilzsuppe die farbakkorde der wände, speziell der zuckerstangengestreiften, noch verstärken. ich glaube, rhythm-and-blues im radio paßt gut zu tonlosen tv-nachrichten. versuchs, wenn du wirklich deine räume komponieren willst. hast du je daran gedacht, einen raum für die dunkelheit zu arrangieren, für die nacht also, wenn du zu bett gehst und nur trübe schatten siehst? ein raum nur zum fühlen! nasse flächen, rauhe, sandpapierne objekte, anderes weich wie schaumgummi, um mit den zehen reinzugeraten, wenn du morgens um 4 zum badezimmer strebst, seidiges gleitet an deinen wangen vorbei, sehr große körper, zedernholzkästen etwa, zur blindenschriftlichen identifikation. dies sollte ein überlegenswertes problem sein, das würde alle sinne entwickeln außer dem auge. wie lange dauert es, künstlerische sinne zu entwickeln? warum nicht einen innenarchitekten fragen?

wenn sie wünschen, können die aussteller hier ihre eigenen »gesichtspunkte« anfügen und mit schwarzer emaille und pinsel, wie angezeigt, auf die blanken kartons schreiben, die noch in dieser kiste stecken. so wird sich die kiste durch hinzufügungen ebenso verändern wie das environment durch interpretation und wechsel.

Robert Whitman, The American Moon, 29. 11.–7. 12. 1960. Happening im Rahmen der ›New Happenings at the Reuben Gallery‹, New York 1960-61. Einladungskarte

Neo-Dada in der Musik, Kammerspiele Düsseldorf, 16. Juni 1962. Parallele Aufführungen von Stücken von D. Higgins, S. Busotti, J. Curtis, T. Ischiyanagi, J. MacLow, G. Maciunas, N. J. Paik, B. Patterson, D. Schnebel, W. Vostell, La Monte Young

Ben Vautier

Um die Wahrheit zu sagen, ich glaube, vielleicht traf ich ...

Ich traf **Henry Flynt** 1964 in New York. George Maciunas stellte ihn mir in seinem Atelier in der Canal Street vor.

Ich war mir schon darüber klar, daß Flynt, aufgrund seiner extremen Opposition gegen die bürgerliche Kultur, wichtig war. Flynt sah aus wie ein properer bürgerlicher amerikanischer Student mit kurzem Haarschnitt. Später in dieser Woche demonstrierte ich mit Henry Flynt gegen ein Stockhausen-Konzert in der Carnegie Hall, obwohl ich mit Flynt und seiner Opposition gegen Stockhausen nicht einverstanden war. Unter den Demonstranten befand sich auch AY–O, der die ganze Zeit grinste. Ich glaube, das war das erste Mal, daß ich AY–O traf.

Ich traf **Daniel Spoerri** 1960 in Nizza. Eine Kunstgalerie stellte die Neuen Realisten zum ersten Mal in Nizza aus. Arman, Tinguely, Spoerri, Cesar usw. waren da. Die meisten der Künstler hatten ihre Starallüren bis auf Spoerri, der sich für alles und jeden zu interessieren schien. Als ich also mein Flugblatt über die Neuen Realisten und über mich selbst verteilte, las er es und sagte, daß es ihm gefalle. Aber ich habe ihm nicht geglaubt.

Ich versuchte **La Monte Young** 1964 zu treffen. Ich ging ihn in seinem Atelier besuchen, aber die Tür war verschlossen. Danach traf ich La Monte Young in Ant-

Nam June Paik in seinem Kölner Atelier, 1959. Mit H. G. Helms, S. Busotti und H. K. Metzger

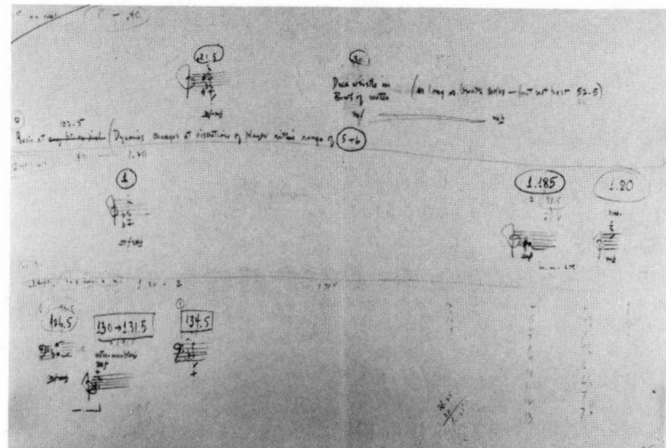
John Cage. Wassermusik. 1952 (Kat. 621)

werpen, in Wirklichkeit schlief ich während seines Konzertes ein. Am nächsten Morgen weckte mich La Monte und sagte zu mir: »Weißt Du, ich nehme es den Leuten nicht übel, die während meiner Konzerte einschlafen.«

Ich kann mich nicht daran erinnern, wann ich **Emmett Williams** traf, entweder 1962 im Viertel Contrescarpe in Paris oder in London oder New York.

Ich traf **Joe Jones** in Villefranche in der «Cédille qui sourit«. Ich kann nicht genau sagen, unter welchen Umständen. Aber später zog er nach Falicon mit Donna, Brechts Freundin. Wir trafen uns auch an einem Neujahrs-Abend. Ich kann mich noch an diesen Abend erinnern. George war betrunken. Er machte die Runde und fragte jeden: »Sag', könntest Du einen Menschen umbringen?« Jeder sagte ›nein‹, bis auf Joe Jones, der ›ja‹ sagte und George direkt in die Augen sah.

Ich habe **Ben Vautier** niemals getroffen.

Ich traf **Robert Watts** 1964 in New York. Ich hielt ihn jedoch für jemand anderen.

Ich traf **Benjamin Patterson** bei einem Konzert 1964 in George Maciunas Atelier in der Canal Street. Er spielte ein Stück mit dem Titel ›Interview‹. Einer nach dem anderen kam auf die Bühne und Patterson fragte jeden persönlich: »Vertraust Du mir?« Diejenigen, die mit ›Ja‹ geantwortet hatten, mußten sich auf der linken Seite des Raumes hinsetzen, diejenigen, die mit ›Nein‹ geantwortet hatten, mußten sich rechts hinsetzen. Als der Raum geteilt war, zwischen denen, die Vertrauen zu Ben Patterson hatten, und denen, die kein Vertrauen zu ihm hatten, wurde das Licht gelöscht und Ben überschüttete alle mit Kaffee. Ich erinnere mich, daß mir dieses Stück gefiel.

Wir saßen im Garten von Annies Haus in Cros-de-Cagnes in der Sonne um einen Tisch. Um 12 Uhr an diesem 20. August 1968 kamen **Tomas Schmit** und seine Freundin aus Deutschland an. Ich erinnere mich, daß ich an eben diesem Tag Radio hörte, als der Sprecher den Einzug der russischen Panzer in Prag ankündigte.

Um die Wahrheit zu sagen, ich traf **George Brecht** 1964 auf einer Party bei Leo Castelli in New York. Alle schienen dazusein, Ray Johnson, Lichtenstein, Stella, Warhol usw. Duchamp und John Cage spielten in einer Ecke Schach. Ich war gerade 10 Minuten da, als George Brecht aufstand und um Ruhe bat: »Meine Damen und Herren«, sagte er, »ich würde Ihnen gerne jemanden hier im Raume vorstellen, der gerade aus Europa angekommen ist, Herr Ben Vautier. Ben ist nicht nur noch ein Künstler, sondern einer der größten zeitgenössischen Schöpfer.« Sogar John Cage und Duchamp hörten auf, Schach zu spielen, um George zuzuhören, der mich verwirrte, da er 10 Minuten lang jedem detailliert die Gründe darlegte, warum er mich für so bedeutend hielt.

Nein, ich kann nicht weiterlügen. Es war nicht ganz so. Ich habe George nie auf einer Cocktail-Party getroffen.

Um die Wahrheit zu sagen, ich hörte das erste Mal 1964 von George Brecht. Eines Tages erhielt ich einen erstaunlichen Brief, in dem mir Brecht schrieb: »Lieber Herr Ben, seit ich Ihre Schriften gelesen habe, hat sich mein Leben verändert. Ich habe sogar John Cage aufgegeben und ich beabsichtige, meine Arbeit auf Ihre Analysen des Egos zu konzentrieren, die endlich die wahre und objektive Sicht der Kunstsituation zeigen.« Am Ende des Briefes bat er mich, zu akzeptieren, daß er kommen und in Villefranche leben werde, um mir näher zu sein.

Nein, ich lüge noch immer, das ist es auch nicht. Die reine Wahrheit ist, daß George Brecht mir niemals diesen Brief geschickt hat, er hat allerdings eines Tages Maciunas angerufen, um ein Treffen mit mir zu vereinbaren. Wir entschlossen uns, uns im Café au Go Go zu treffen, wo wir ein langes Gespräch hatten. Er fragte mich eine Menge über meine Arbeit. Danach gingen wir zur Fishbach Gallery, wo er mir 2 Stunden lang seine Arbeiten zeigte und mich fragte, was ich davon hielte. Dann machten wir uns auf.

Nein, das ist es auch nicht. Die reine Wahrheit ist die, daß . . .

Ich traf **George Brecht** 1964. Einer der Gründe, warum ich in diesem Jahr in die Staaten flog, war, George Brecht zu treffen. Da er nicht in New York war, besuchte ich ihn mit George Maciunas in seinem Haus in New Jersey. Bei diesem Treffen gab er mir eine kleine durchsichtige Plastik-Box, die ein Foto von Benjamin Franklin und eine kleine Marmel enthielt. Ich erinnere mich noch daran, daß ich enttäuscht war, denn ich erwartete, daß es Brecht freuen würde, zu erfahren, daß ich die ganze Reise von Frankreich her nur gemacht hatte, um ihn zu treffen. Es schien ihn nicht sehr zu beeindrucken.

Ich traf **Filliou** 1962 in Paris in einem Café am Place de la Contrescarpe. Daniel Spoerri hatte mir von Filliou erzählt. Mein erster Eindruck von Filliou war: was für eine Type! Was um Himmels Willen sieht Spoerri in diesem Mann? Später um 1964 änderte ich meine Meinung. Seinerzeit steckte Filliou bis zum Hals in Poesie, was ich für unwichtig hielt.

Hierüber bin ich nicht ganz sicher, aber ich glaube, eines Tages kam ich in New York in ein Atelier, wo 3 oder 4 Chinesen Papierschachteln falteten. Eine davon war **Takako.** Das nächste Mal, glaube ich, traf ich Takako, als sie für George Brecht in Villefranche kochte.

Ich habe **Mieko Shiomi** nie getroffen.

Ich traf **Dick Higgins** 1962 in London. Er ging mir fürchterlich auf die Nerven. Er ging auf und ab und redete, als ob ihm die Welt gehörte. Er lud uns alle zum Essen in ein indisches Restaurant ein, wo er viel Aufhebens wegen des Essens machte und eine Menge über die Türkei redete.

Ich traf **Nam June Paik** 1965 in Paris bei Jean Jacques Lebels Festival de la Libre Expression, Paik war aufgedreht und nervös. Ich merkte, daß er auf die Präsenz und die Reaktion des Publikums nicht so sehr achtete wie ich, und das beeindruckte mich. An diesem Abend bat er mich, ihm zu helfen. Ich sollte das Licht ausdrehen und die Musik einschalten, wenn er mir von der Bühne durch ein Handzeichen Anweisung dazu geben würde. Ich war so nervös, daß ich alles falsch machte. Ich schaltete die Musik ein, wenn er das Licht ausgedreht haben wollte und umgekehrt. Als die Show zu Ende war, entschuldigte ich mich eine halbe Stunde lang. Am folgenden Tag war ich sehr enttäuscht darüber, daß er nicht blieb, um mein Konzert zu sehen.

Nam June Paik. One-for Violin Solo, aufgeführt im Rahmen der Fluxus-Veranstaltung ›Neo-Dada in der Musik‹, Kammerspiele Düsseldorf, 16. Juni 1962

Ich traf **Ray Johnson** 1964 in New York. Er sagte, daß er es eilig habe und daß wir uns am Freitag sehen würden. Freitagabend kamen zwei gefährlich aussehende Banditen mich abzuholen. Sie sagten, wir würden Ray Johnson später treffen, und daß er sie geschickt habe. Wir stiegen in ein großes Auto. Ich versuchte, das Schweigen damit zu füllen, über Kunst zu sprechen. Sie interessierten sich jedoch nicht für Kunst. Sie brachten mich zu einem Chinesischen Restaurant. Ich bekam ein wenig Angst, wollte es aber nicht zeigen. Ich fuhr also fort lauter und lauter über Kunst zu sprechen, da ich mich mehr und mehr in die Falle gegangen fühlte. Sie fuhren fort, in einem besonderen Slang über Leute zu sprechen, die ich nicht kannte und über Drogen. Ich ging auf die Toilette, um Atem zu schöpfen. Ich war in dieser Nacht ganz allein in New York mit zwei Fremden, die sich nicht viel darum scherten, was ich dachte. Nachdem wir gegessen hatten, sagten sie, wir würden Ray in der Wohnung eines Mädchens treffen, die in einem gefährlichen Viertel von New York wohnte. Ray war nicht da und sie unterhielten sich darüber, wie sie einen ihrer Freunde aus dem Gefängnis holen könnten. Er schien jemanden umgebracht zu haben. Jetzt hatte ich wirklich Angst. Ich sagte, daß ich nach Hause gehen wolle. Aber sie antworteten, daß es unmöglich sei. Das Mädchen mit Namen Dorothy erzählte mir, daß Spoerri ihr erster französischer Liebhaber gewesen sei. Dann sah sie mir gerade in die Augen. Ich sagte, daß ich müde sei und legte mich verängstigt auf die Couch schlafen. Am nächsten Morgen, als ich die Sonne durchs Fenster scheinen sah, dankte ich Gott dafür, daß ich noch lebte. Ich ging raus, einen Kaffee trinken, nahm ein Taxi und fuhr zurück zu Maciunas Atelier. Ich denke oft an diese Nacht, und daran, wie sehr ich mich lächerlich gemacht hatte und was für ein Feigling ich war.

Robert Filliou

Über die Galerie Légitime

Ich gründete die Galerie Légitime im Januar 1962.

Die allererste Galerie war meine erste Mütze, die ich vorher in Tokio gekauft hatte. Die Arbeiten, die entlang den Straßen von Paris ausgestellt waren, waren meine Schöpfung.

Später, in Deutschland, wo die Reise fortgesetzt wurde, stahl man mir meine Galerie. Möglicherweise war es als Ausgleich gedacht, wenn das deutsche Fernse-

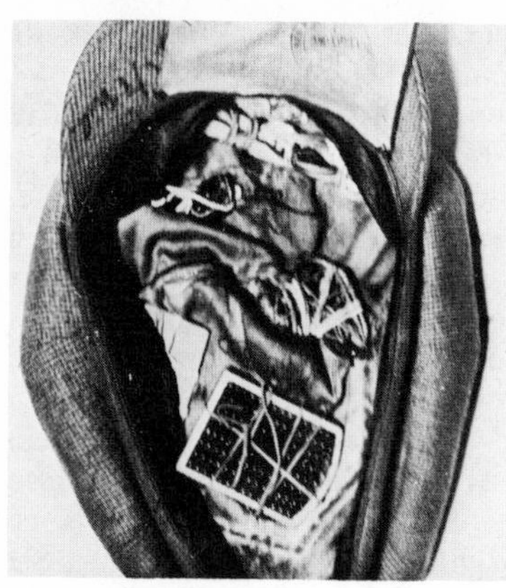

Robert Filliou, Galerie Légitime. 1962. Straßenperformance, Paris, Frankfurt, London

hen einen Monat später die Wanderungen der neuen Galerie (einer anderen Mütze) filmen kam.

Im Juli 1962 organisierte die Galerie Légitime – ein beliebiger Hut – eine Ausstellung mit Werken des amerikanischen Künstlers Benjamin Patterson. Wir gingen durch Paris von 4 Uhr morgens bis 21 Uhr. Den Ausgangspunkt bildeten die Hallen, das Ende La Coupole.

Im Oktober 1962 stellte die Galerie Légitime – eine Melone selbstverständlich – im Rahmen der »Misfits' Fair« in London Arbeiten von Vautier, Williams, Page, Koepke, Spoerri, Filliou aus. Das war die »exposition congelée« (die Gefrorene Ausstellung), deren Eröffnung vom 22. Oktober 1962 bis zum 22. Oktober 1972 stattfand. Zu diesem Zweck wurde die Galerie in einen Gefrierbeutel gesteckt, wo sie bis zum vorgesehenen Datum bleiben wird.

Dem Eigentümer einer jeden wird dringend geraten, sie ab und zu sich aufzusetzen: auf der Straße, auf Abendgesellschaften, Vernissagen etc. ..., denn ihr Aspekt lebendiger Poesie, Aktion, des Anstands ist keinesfalls zu vernachlässigen.

Daher kommt übrigens ihr Name. Denn ich erachtete es als *legitim* daß die Kunst aus ihren Höhen in die Straße herabsteige. Außerdem, berücksichtigt man die katastrophale Bestimmung des Künstlers in unserer Gesellschaft, die ihn ins Elend oder in die Prostitution treibt, ist *alles* was er Gutes (oder Schlechtes) tun kann, um Geld zu verdienen *legitim*.

Aie! Aie! Aie!

Gislind Nabakowski

Spiele & Widersprüche
Auszug aus einem Interview mit George Brecht

GN: Was hat Fluxus zusammengehalten? Gemeinsame Ideen und Ziele oder Freundschaften unter den Mitgliedern?
GB: Das ist schwer zu sagen, denn Fluxus hat sehr viele ungenaue Aspekte. Zu denen gehört auch die Frage, ob Fluxus in den USA oder in Europa früher auftauchte oder, ob es sogar schon wirkliche Fluxusideen gab, bevor dieses Wort überhaupt entstand.
GN: Fluxus hat kein Entstehungsdatum?
GB: Nein, auch gar kein Entstehungsmanifest, wie z. B. der »Neue Realismus« (Nouveau Réalisme), der sich genau auf Ort und Stunde datieren läßt.
GN: Aber man kann den Beginn von Fluxus mit einigem Spielraum auf das Ende der 50er Jahre und den Beginn der 60er datieren?
GB: Ich weiß nicht so genau. – Dazu müßte man George Maciunas fragen oder mal in seinen Schriften nachlesen!
GN: Was waren es denn für Ideen, die Fluxus zusammengehalten haben? Oder waren es Künstlerpersönlichkeiten und Freundschaften?
GB: Alle drei. – Diese Leute fühlten sich sehr verbunden, ihre Arbeiten hatten verschiedene Gemeinsamkeiten. Die Tatsache, daß wir damals alle befreundet waren, hat jedoch die ausschlaggebende Rolle gespielt.
GN: Um jetzt nicht ungenau zu werden, sollten wir vorher die Unterschiede zwischen »Fluxus« und »Happenings« klären.
GB: Ich selbst habe bis zu der Kölner Ausstellung »Happening & Fluxus« überhaupt keine Unterschiede bemerkt. – Kaprow, Oldenburg, Dine, Withman und die anderen waren schließlich meine Freunde, daher hatte ich auch überhaupt kein Interesse, zwischen ihnen Unterschiede zu machen. Erst nach der Kölner Ausstellung hat sich dann meine Meinung geändert. In Köln war mir nämlich aufgefallen, daß es in einigen Happenings ganz aggressive Tendenzen gibt. Unter den Happening-Leuten gab es damals verschiedene, die ganz aggressiv in die Aufführungen der Gruppe reingehauen haben und sogar die Leute, das Publikum mit völlig überflüssigen Unterschriftensammlungen für nichtssagende Ideen wirklich belästigt haben. (...)
GN: Welche Ziele hatte Fluxus?
GB: Hm, oh!! – Also, wenn du Maciunas fragst, dann erhälst du eine Antwort; fragst du Henry Flynt, erhälst du noch eine. Ihre beiden Antworten kommen sich sehr nahe. Fragst du danach aber Tomas Schmit oder mich, kriegst du schon wieder zwei neue Antworten. (...)

Wolf Vostell

Cityrama (1) 1961

Am 15. 9. 61 permanente realistische Demonstration an 26 Stellen in Koeln. Leben und Realitaet-Aktionen und Vorfaelle zu dé-collage Gesamtkunstwerken erklaert. Die Stellen werden von Vostell 1958–1961 ausgewaehlt.

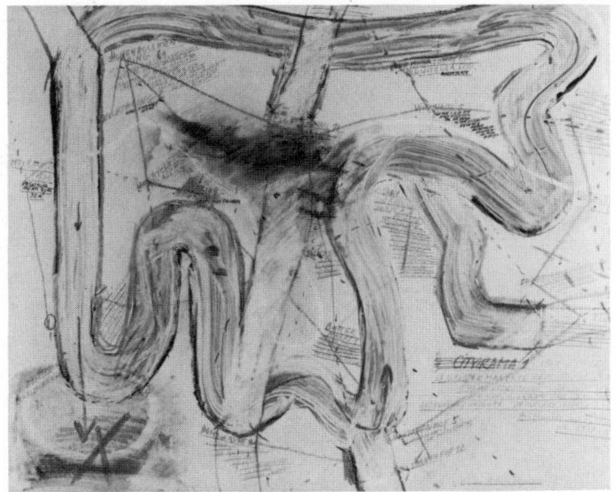

Wolf Vostell. Partitur zu Cityrama (1). Köln 1961 (Kat. 625)

gehen sie; hoeren sie; sprechen sie;

1. Ruine Maximinenstraße (Eingang Domstr.)
   /Mehrere Truemmerloecher; gehen Sie dort hinein. Bleiben Sie ruhig stehen und hoeren Sie die Geraeusche des Hauptbahnhofs, verlieben Sie sich!
2. Ruine Maximinenstraße (Eingang Domstr.)
3. Ruine Maximinenstraße (Eingang Domstr.)
4. Ruine Maximinenstraße (Eingang Domstr.)
   /Urinieren Sie in dem Truemmergrundstueck und denken Sie an Ihre besten Freunde.
5. Sudermannplatz
6. Maximinenstraße
7. Domstraße 21
8. Hohenzollernring 60
   /Stellen Sie sich an diese Stelle, so lange bis der naechste Unfall passiert.
9. Im Stavenhof neben Nr. 5
   /Fuer Juergen Becker.
10. Ecke Luebecker-Maybachstraße
   /Stellen Sie sich 5 Minuten an diese Stelle und ueberlegen Sie, ob 6 Menschen oder 36 Menschen in der Nacht des 1000-Bomber-Angriffs hier umgekommen sind.
11. Lindenstraße 58
   /Gehen Sie in den Hauseingang dieses armen Hauses und beobachten Sie die Spiele der Kinder, dann nehmen Sie einen Fisch in den Mund und gehen spazieren.
12. Thuermchenswall (Hauseingang) 16
13. Maastrichter Straße 14
14. Maybachstraße 170
15. Juelicher Straße 18
16. Ecke Richard Wagner Str.–Bruesseler Str. Schrottplatz
17. Im Stavenhof Nr. 12
   /dort sehen Sie sicher alte Autowracks, die von Kindern ausgepflueckt werden. Nehmen Sie auch ein Stueck Auto mit.
18. Friesenwall 112–116
19. Hansaring 64
20. Friesenwall 112–116
21. Friesenwall
   /Gehen Sie von hier aus zum Eigelstein in ein Kino, und wiederholen Sie alles, was dort gezeigt wird.
22. Buttermarkt 1 gegenueber der Galerie Lauhus
23. Victoriastraße 5
24. Hansaring 45–47
   /Gehen Sie von dort aus in einen Waschsalon und fragen Sie, in welchem Jahr wir leben; schauen Sie dann ununterbrochen auf die Auslagen eines Wurstgeschaeftes.
25. Glockenring 2
26. Limburger Straße 15

George Segal. Ruth in her kitchen (Ruth in ihrer Küche). 1964

Claes Oldenburg. Zeichnung aus dem ›Storebook‹ ▷

Claes Oldenburg. Rote Strumpfhosen mit Fragment 9 (47). 1961 (Kat. 656) ▷

Claes Oldenburg

The Store

Ich bin für eine Kunst, die politisch-erotisch-mystisch ist, die etwas anderes tut, als in einem Museum auf ihrem Arsch zu sitzen.
Ich bin für eine Kunst, die aufwächst, und nicht weiß, daß sie Kunst ist; eine Kunst, die die Chance hat, am Nullpunkt zu beginnen.
Ich bin für eine Kunst, die sich auf den alltäglichen Mist einläßt und doch siegreich bleibt.
Ich bin für eine Kunst, die das Menschliche nachahmt, das, wenn notwendig, komisch ist, oder gewalttätig, oder was immer nötig ist.
Ich bin für eine Kunst, die ihre Form den Linien des Lebens selbst entnimmt, die sich krümmt und ausdehnt und ansammelt und spuckt und tropft und schwer ist und rauh und stumpf und süß und dumm wie das Leben selbst.
Ich bin für einen Künstler, der verschwindet und in einer weißen Mütze wiedererscheint und Schilder oder Flure malt.
Ich bin für eine Kunst, die aus dem Kamin kommt wie schwarzes Haar und sich am Himmel verteilt.
Ich bin für eine Kunst, die sich aus der Geldbörse eines alten Mannes ergießt, wenn er von einer vorbeifahrenden Stoßstange zur Seite geschleudert wird. Ich bin für die Kunst aus der Schnauze eines Hündchens, das fünf Stockwerke vom Dach fällt.
Ich bin für die Kunst, die ein Kind schleckt, nachdem es das Einwickelpapier abgelöst hat.

Ich bin für eine Kunst, die wie die Knie der Menschen wackelt, wenn der Omnibus über ein Schlagloch fährt.
Ich bin für eine Kunst, die man raucht, wie eine Zigarette, die riecht wie ein Paar Schuhe.
Ich bin für eine Kunst, die wie eine Fahne flattert, oder die einem hilft, die Nase zu putzen wie ein Taschentuch.
Ich bin für eine Kunst, die man anziehen und ausziehen kann, wie Hosen, die Löcher bekommen, wie Socken; Kunst, die man ißt wie ein Stück Torte oder wie einen Haufen Scheiße verächtlich fortwirft.
Ich bin für eine Kunst, die mit Verbänden bedeckt ist.
Ich bin für eine Kunst, die in Dosen verkauft wird oder am Strand angeschwemmt wird.

RAY-GUN MFG. CO.
DICIEMBRE 1 AL 31
THE
STORE
BY
CLAES OLDENBURG
107 E. 2ND ST.
HOURS: FRI., SAT., SUN. 1 TO 6 P.M.
AND BY APPOINTMENT
IN COOPERATION WITH
THE GREEN GALLERY

Claes Oldenburg. The Store. 1961. Plakat

Ich bin für eine Kunst, die sich krümmt und keucht wie ein Ringer. Ich bin für eine Kunst, die ihr Haar verliert. Ich bin für eine Kunst, auf der man sitzen kann. Ich bin für eine Kunst, mit der man in der Nase bohren oder an der man seine Zehen stoßen kann.
Ich bin für eine Kunst aus der Hosentasche, aus tiefen Gehörgängen, von des Messers Schneide, aus den Mundwinkeln; eine Kunst, die man ins Auge stößt oder am Handgelenk trägt.
Ich bin für eine Kunst unter dem Rock und die Kunst, Kakerlaken zu kneifen. Ich bin für die Kunst der Konversation zwischen dem Bürgersteig und dem Metallstock eines Blinden.
Ich bin für die Kunst, die in einem Topf wächst, die in der Nacht vom Himmel herabkommt wie der Blitz, die sich in den Wolken verbirgt und grollt.
Ich bin für eine Kunst, die sich entfaltet wie eine Landkarte, eine Kunst, die man drücken kann wie den Arm des Liebchens oder küssen kann wie einen Lieblingshund.
Eine Kunst, die sich ausdehnt und quietscht wie ein Schifferklavier, auf die man sein Essen verschütten kann wie auf ein altes Tischtuch.
Ich bin für eine Kunst, mit der man hämmern, stechen, nähen, leimen, feilen kann.
Ich bin für eine Kunst, die einem die Uhrzeit sagt, oder wo eine bestimmte Straße ist.
Ich bin für eine Kunst, die alten Damen über die Straße hilft.
Ich bin für die Kunst der Waschmaschine. Ich bin für die Kunst einer Zahlung von der Regierung. Ich bin für die Kunst des Regenmantels aus dem letzten Krieg.
Ich bin für die Kunst, die im Winter aus den Kanalschächten kommt wie Nebel.

Ich bin für die Kunst, die splittert, wenn man auf eine gefrorene Pfütze tritt. Ich bin für die Kunst der Würmer im Apfel. Ich bin für die Kunst des Schweißes, der sich zwischen übereinandergeschlagenen Beinen entwickelt.
Ich bin für die Kunst des Nackenhaars und der verdreckten Teetassen, für die Kunst zwischen den Zinken von Gasthausgabeln, für den Geruch von kochendem Abwaschwasser.
Ich bin für die Kunst, am Sonntag zu segeln, für die Kunst der rotweißen Benzinpumpen.
Ich bin für die Kunst von hellen blauen Fabriksäulen und blinkender Biskuitschilder. Ich bin für die Kunst von billigem Gips und Email. Ich bin für Kunst abgenutzten Marmors und zerschmetterten Schiefers. Ich bin für die Kunst rollender Pflastersteine und rutschenden Sands. Ich bin für die Kunst der Schlacke und der schwarzen Kohle. Ich bin für die Kunst toter Vögel.
Ich bin für die Kunst des Asphaltritzens und des Wandbeschmierens. Ich bin für die Kunst, Metall zu treten und

Claes Oldenburg. The Store (Der Laden). 107 East 2nd Street, New York, Dezember 1961. Blick durch das Schaufenster auf die Straße

Claes Oldenburg. Luftpostbrief (104). 1961 (Kat. 680)

Claes Oldenburg im Store, 1961 (vgl. Kat. 634–687)

zu biegen und Glas zu zerbrechen, und an Dingen zu zerren, damit sie herunterfallen.

Ich bin für die Kunst des Puffens und der entrindeten Bäume und der Bananen, auf denen man gesessen hat. Ich bin für die Kunst von Kindergerüchen. Ich bin für die Kunst von Mama-Gebabbel. Ich bin für die Kunst der Unterwäsche und die Kunst der Taxis. Ich bin für die Kunst von Eiskrem-Kugeln, die man auf Beton fallen läßt. Ich bin für die majestätischen Hundekothaufen, die sich wie Kathedralen erheben.

Ich bin für die blinkenden Künste, die die Nacht erhellen. Ich bin für die Kunst des Fallens, Plätscherns, Wackelns, Springens, An- und Ausgehens.

Ich bin für die Kunst dicker Lastwagenreifen und schwarzer Augen.

Ich bin für die Kool-Kunst, 7-UP-Kunst, Pepsi-Kunst, Sunshine-Kunst, 39 Cents-Kunst, 15 Cents-Kunst, Vatronol-Kunst, Dro-bomb-Kunst, Vam-Kunst, Methol-Kunst, L&M-Kunst, Exlax-Kunst, Venida-Kunst, Heaven Hill-Kunst, Pamryl-Kunst, San-o-med-Kunst, Rx-Kunst, 9.99-Kunst, Jetzt-Kunst, Neue Kunst, Wie-Kunst, Feuerschadenverkaufs-Kunst, Letzte Gelegenheits-Kunst, Einzige Kunst, Diamanten-Kunst, Morgen-Kunst, Frankfurter Würstchen-Kunst, Ducks-Kunst, Frischfleischabteilungs-Kunst.

Ich bin für die Kunst des von Regen durchnäßten Brots. Ich bin für den Tanz der Ratten zwischen den Stockwerken. Ich bin für die Kunst von Fliegen, die im elektrischen Licht auf einer glatten Birne laufen. Ich bin für die Kunst feuchter Zwiebeln und fester grüner Schößlinge. Ich bin für die Kunst des Klickens der Nüsse, wenn die Kakerlaken kommen und gehen. Ich bin für die braune, traurige Kunst schimmelnder Äpfel. Ich bin für die Kunst des Miauens und Krachs der Katzen und für die Kunst ihrer dummen elektrischen Augen. Ich bin für die weiße Kunst der Kühlschränke und ihres muskulösen Öffnens und Schließens.

Claes Oldenburg. Registrierkasse. (6) 1961 (Kat. 639)

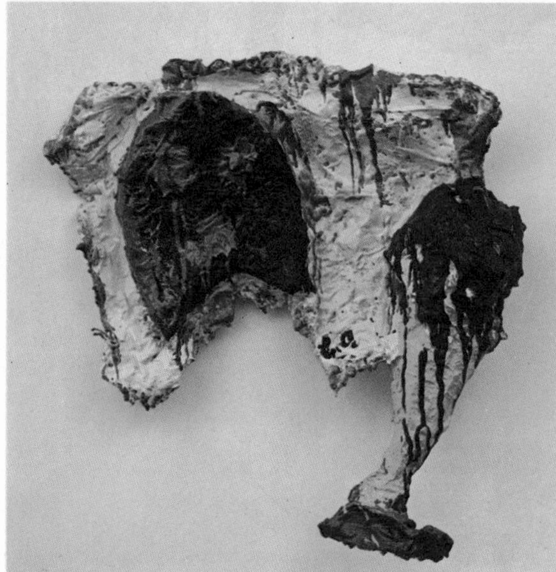

Claes Oldenburg. Eishörnchen und Schuhabsatz. 1961 (Kat. 652)

Inventory of Store Dec. 1961

1.	**9.99**	free hanging	$399.95
2.	**39 cents**	relief	198.99
3.	**Store Ray-Gun**	free hanging	249.95
4.	**Success Plant**	free standing	249.99
5.	**"To My Love"**	Inscription from Cake relief	149.95
6.	**Cash Register**	free standing	349.99
7.	**U.S. Flag Fragment**	relief	297.95
8.	**Bunting**	relief	149.99
9.	**Times Square Figure**	free standing	149.98
10.	**Statue of Liberty Souvenir**	free standing	169.98
11.	**Funeral Heart**	relief	349.98
12.	**Store Cross**	relief	399.98
13.	**Wedding Bouquet**	free hanging	229.89
14.	**Bride Mannikin**	free standing	899.95
15.	**Injun Souvenir**	free standing	124.99
16.	**Toy Ray Gun**	free lying	34.99
17.	**Mannikin with One Leg**	free standing	499.98
18.	**Auto Tire with Fragment of Price**	relief	449.69
19.	**Iron Fragment**	relief	449.95
20.	**Sewing Machine**	relief	449.99
21.	**Rings Fragment**	relief	199.98
22.	**Wrist Watch on Blue**	relief	295.98
23.	**Cigarette and Smoke**	free hanging	99.95
24.	**Girl, Flag, Cigarettes**	reliefs on wood	198.99
25.	**Cigarettes in Pack Fragment**	relief	499.99
26.	**Pepsi-Cola Sign**	relief	399.98
27.	**Oranges**	relief	279.89
28.	**Orange Juice**	relief	199.95
29.	**Plate of Meat**	relief	399.98
30.	**Bacon & Egg**	relief	229.95
31.	**Big Sandwich**	relief	149.98
32.	**Red Pie**	relief	399.95
33.	**Small Yellow Pie**	relief	169.99
34.	**Four Flat Pies in a Row**	free standing	149.95

Ich bin für die Kunst von Rost und Schimmel. Ich bin für die Kunst der Herzen, Begräbnis-Herzen oder Schätzchen-Herzen voller Nougat. Ich bin für die Kunst abgenutzter Fleischerhaken und singender Fässer von rotweiß-blauem und gelbem Fleisch. Ich bin für die Kunst auf dem Heimweg von der Schule weggeworfener und verlorener Sachen.

Ich bin für die Kunst verlogener Bäume und fliegender Kühe und des Geräuschs von Rechtecken und Quadraten. Ich bin für die Kunst der Pastellstifte und des schwachen, grauen Bleistift-Bleis, des körnigen Aquarells und der klebrigen Ölfarbe, die Kunst der Scheibenwischer und die Kunst der Finger auf einem kalten Fenster, auf staubigem Stahl oder in den Blasen an den Seiten einer Badewanne.

Ich bin für die Kunst von Teddybären und Gewehren und geköpften Kaninchen, explodierender Schirme, vergewaltigter Betten, von Stühlen, deren braune Knochen zerbrochen sind, von brennenden Bäumen, Kanonenschlagresten, Hühnerknochen, Taubenknochen und Kisten, in denen Männer schlafen. Ich bin für die Kunst leicht angefaulter Begräbnisblumen, aufgehängter blutiger Hasen und schrumpliger gelber Hühner, von Baßtrommeln und Tambourins und Plastikplattenspielern.

Ich bin für die Kunst von ausrangierten Kästen, die wie Pharaonen verschnürt sind. Ich bin für eine Kunst der Wassertanks und eilender Wolken und klappernder Fensterläden.

Claes Oldenburg. Großes gelbes Kuchenstück. 1961 (Kat. 683)

★ RAY GUN THEATER ★

PROD. C. OLDENBURG

SCHEDULE
WINTER-SPRING 1962

STORE DAYS	1ST VERSION	FEB. 23, 24
	2ND VERSION	MAR. 2, 3
NEKROPOLIS	1ST VERSION	MAR. 9, 10
	2ND VERSION	MAR. 16, 17
INJUN (N.Y.C.)	1ST VERSION	APR. 20, 21
	2ND VERSION	APR. 27, 28
VOYAGES	1ST VERSION	MAY 4, 5
	2ND VERSION	MAY 11, 12
WORLD'S FAIR	1ST VERSION	MAY 18, 19
	2ND VERSION	MAY 25, 26

PERFORMANCES IN REAR THREE ROOMS OF RAY GUN MFG. CO., 107 E. 2ND ST. (BETWEEN AVE. A AND 1ST AVE.), UNLESS OTHERWISE ANNOUNCED. AUDIENCE LIMITED BY AVAILABLE SPACE TO 35 EACH NIGHT. RESERVATIONS NECESSARY. CALL OR 4-0380 OR GR 5-4681, OR WRITE. CONTRIBUTION $1. PERFORMANCES START AT 8:30 P.M.

RAY GUN MFG. CO. • 107 E. 2ND ST., • N. Y. C.
OR 4-0380 or GR 5-4681

IN COOPERATION WITH THE GREEN GALLERY
15 W. 57 ST., N.Y.C. • PL 2-4055

Claes Oldenburg, Ray Gun Theater. Programm der Happening-Veranstaltungen in den Räumen der Ray Gun Mfg. Co., 107 East 2nd Street, New York, 23. Febr.–26. Mai 1962

Ich bin für eine von der amerikanischen Regierung zugelassene Kunst, eine Klasse-A-Kunst, eine Normalpreiskunst, eine gelbreife Kunst, eine besonders ausgefallene Kunst, eine tischfertige Kunst, eine preiswerte Kunst, eine kochfertige Kunst, eine vollgereinigte Kunst, eine Sparkunst, eine Iß-besser-Kunst, eine Schinkenkunst, Schweinefleischkunst, Hühnchenkunst, Tomatenkunst, Bananenkunst, Apfelkunst, Truthahnkunst, Kuchenkunst, Plätzchenkunst.
Zusatz.
Ich bin für eine Kunst, die heruntergekämmt ist, die von beiden Ohren herabhängt, die auf die Lippen und unter die Augen gelegt wird, die von den Beinen rasiert wird, auf die Zähne gebürstet wird, an den Oberschenkeln befestigt wird, über den Fuß gezogen wird.

Mai 1961

Donald Judd

Spezifische Objekte

Die Hälfte oder mehr der besten neuen Arbeiten der letzten Jahre ist weder Malerei noch Skulptur. Normalerweise sind sie dem einen oder anderen mehr oder weniger verwandt. Die Arbeiten sind recht verschieden, und vieles in ihnen, das weder in Malerei noch Skulptur zu finden ist, ist auch verschieden. Aber es gibt doch einiges, was bei fast allen gemeinsam vorkommt.

Die neuen dreidimensionalen Arbeiten bilden keine Richtung, Schule oder Stil. Die gemeinsamen Aspekte sind zu allgemein und auch nicht so häufig, um schon eine Richtung auszumachen. Die Unterschiede sind größer als die Ähnlichkeiten. Die Ähnlichkeiten muß man aus den Arbeiten herausschälen, sie sind nicht, wie bei einer Richtung, Grundprinzip oder abgrenzende Richtschnur. Dreidimensionalität verkörpert nicht ganz so stark nur ein Behältnis, wie es bei Malerei und Skulptur der Fall zu sein schien, jedoch die Tendenz ist vorhanden. Aber heute sind Malerei und Skulptur nicht mehr so neutral, nicht mehr einfach Behältnis, sondern schärfer umrissen, nicht unbestritten und nicht unumgänglich. Sie sind bestimmte, letztlich abgegrenzte Formen, die verhältnismäßig bestimmte Qualitäten hervorbringen. Vieles in den neuen Arbeiten wird durch den Wunsch motiviert, von diesen Formen wegzukommen. Drei Dimensionen sind eine einleuchtende Alternative: Ihre Verwendung ist nach allen Seiten hin offen. Viele Gründe für ihre Verwendung sind negativ, gegen Malerei und Skulptur gerichtet, und da beide so allgemein und wenig spezifisch sind, muten auch die negativen Gründe an wie Gemeinplätze. ›Motiv für eine Veränderung ist immer ein leichtes Unbehagen; nichts treibt uns zur Veränderung des Bestehenden oder zu neuer Aktion als leichtes Unbehagen.‹ Die positiven Gründe gehen mehr ins einzelne. Ein weiterer Grund dafür, zuerst die Unzulänglichkeiten von Malerei und Skulptur anzuführen, liegt darin, daß beide bekannt sind und ihre einzelnen Elemente und Qualitäten leichter ausmachen.

Die Einwände gegen Malerei und Skulptur klingen intoleranter, als sie in Wirklichkeit sind. Es bestehen Unterschiede. Das Desinteresse an Malerei und Skulptur ist Desinteresse daran, wieder Malerei und Skulptur zu produzieren, nicht Desinteresse an Malerei und Skulptur von denen, die die letzten, avancierten Formen entwickelten. Neue Arbeiten enthalten immer Einwände gegen alte, aber wirklich relevant sind diese Einwände nur für die neuen. Sie sind ein Bestandteil. Wenn die älteren Arbeiten erstklassig sind, ist es vollendet. Neue Inkonsequenzen und Einschränkungen sind nicht retroaktiv, sie betreffen ja nur Arbeiten, die noch

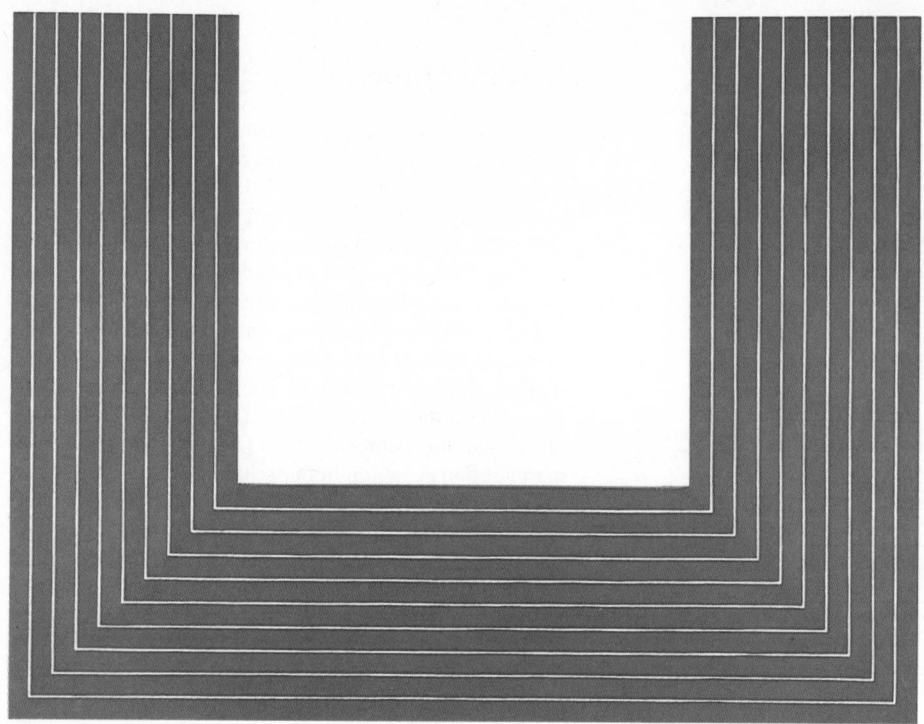

Frank Stella.
Lake City. 1960/61
(Kat. 691)

in der Entwicklung stecken. Augenscheinlich wird dreidimensionales Arbeiten Malerei und Skulptur nicht einfach sauber ablösen. Es ist nicht wie bei einer Richtung; wie dem auch sei, Richtungen tragen nicht mehr; und auch die lineare Geschichtsentwicklung ist etwas zerfasert. Die neuen Arbeiten übertreffen Malerei einfach an Wirkung, aber Wirkung ist nicht der einzige Gesichtspunkt, obwohl der Unterschied zwischen Wirkung und Ausdruck auch nicht allzu groß sein dürfte. Es gibt noch andere Möglichkeiten außer Wirkung und Form, in denen eine Art von Kunst mehr – oder weniger – sein kann als eine andere. Schließlich ist eine flache, rechteckige Fläche einfach zu handlich, um ohne weiteres auf sie zu verzichten. Manche Sachen lassen sich eben nur auf einer flachen Oberfläche machen. Lichtensteins Darstellung einer Darstellung ist ein gutes Beispiel. Aber diese Arbeiten, die weder Malerei noch Skulptur sind, stellen beides in Frage. Jüngere Künstler werden sich damit auseinandersetzen müssen. Diese Arbeiten werden wahrscheinlich Malerei und Skulptur verändern.

Der Hauptfehler der Malerei liegt darin: Sie ist eine rechteckige, flach auf die Wand gesetzte Fläche. Ein Rechteck ist eine eigenständige Form; es ist offensichtlich die gesamte Form; es bestimmt und begrenzt die Anordnung dessen, was auch immer auf oder in ihm ist. In den Arbeiten vor 1946 sind die Ränder des Rechtecks eine Grenze, das Ende des Bildes. Die Komposition muß auf die Ränder eingehen und das Rechteck zu einer Einheit werden, aber die rechteckige Form als solche wird nicht betont. Die Bestandteile sind wichtiger, und die Beziehungen zwischen Farbe und Form ereignen sich zwischen ihnen. In den Bildern von **Pollock, Rothko, Still** und **Newman** und später bei **Reinhardt** und **Noland** wird das Rechteck betont. Die Elemente innerhalb des Rechtecks sind großflächig und einfach und stehen in unmittelbarer Beziehung zum Rechteck. Formen und Oberfläche sind nur dergestalt, daß sie plausiblerweise in und auf einer rechteckigen Fläche vorkommen können.

Frank Stella, Leo Castelli Gallery, New York, 28. 4.–19. 5. 1962 (vgl. Kat. 689–691)

John Chamberlain.
Essex. 1960 (Kat. 702)

Es gibt nur wenige Teile, und die sind dem Ganzen so untergeordnet, daß man sie nicht mehr als Teile in dem Sinn ansprechen kann. Ein Bild ist nahezu eine Entität, ein Ding, und nicht die unbestimmbare Summe einer Gruppe von Entitäten und Beziehungen. Das Ein-Ding überwältigt das frühere Bild. Es etabliert auch das Rechteck als bestimmte Form, es ist nicht länger eine verhältnismäßig neutrale Begrenzung. Eine Form hat nur eine begrenzte Anzahl von Möglichkeiten. Die

Werke von Chamberlain, Rauschenberg und Stella in einer Gruppenausstellung, Leo Castelli Gallery, New York 1961

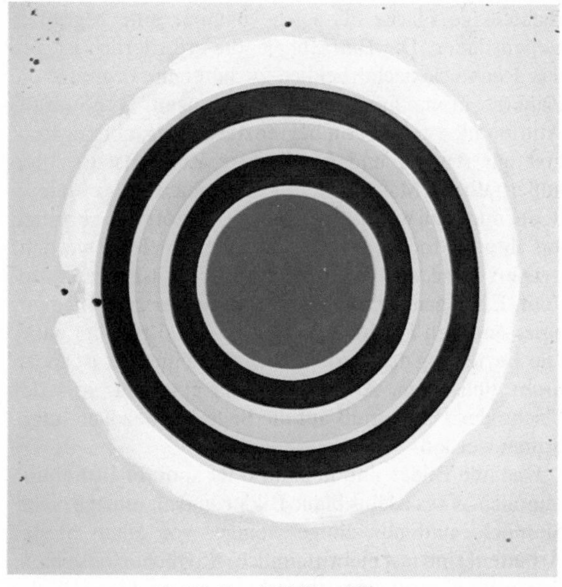

Kenneth Noland. Virginia Site. 1959 (Kat. 693)

Cy Twombly.
Ohne Titel. 1961
(Kat. 537)

rechteckige Fläche als solche hat nur eine begrenzte Lebensdauer. Die Einfachheit, die erforderlich ist, um das Rechteck nachdrücklich zu betonen, begrenzt die Zahl der in ihm möglichen Anordnungen. Der Sinn für Autonomie ist auch von begrenzter Dauer, aber er steht erst am Anfang und hat bessere Zukunftsaussichten außerhalb der Malerei. Sein Vorkommen in der Malerei heute mutet an wie ein Anfang, bei dem oft neue Formen aus älteren Modellen und Materialien abgeleitet werden.

Die Fläche wird auch betont und steht nahezu autonom. Es ist ganz klar eine Fläche ein oder zwei Inch vor einer anderen Fläche – der Wand – und parallel dazu. Die Beziehung der beiden Flächen zueinander ist spezifisch: eine Form. Alles auf – oder ein wenig in – der Fläche des Bildes muß auf die Seite hin bezogen angeordnet werden.

Fast alle Bilder sind in einer oder anderer Beziehung räumlich. **Yves Kleins** blaue Bilder sind als einzige nichträumlich, und nur einige wenige, vor allem **Stellas** Arbeiten, sind fast nicht-räumlich. Möglicherweise kann man nicht viel mit einer aufrechten, rechteckigen Fläche und bei Abwesenheit von Räumlichkeit machen. Alles auf einer Fläche hat Raum hinter sich. Zwei Farben auf der gleichen Fläche liegen fast immer verschieden tief. Eine gleichmäßig verteilte Farbe – vor allem bei Ölmalerei – die die gesamte Fläche oder einen Großteil des Bildes einnimmt, wirkt fast immer flach und unendlich tief zugleich. Die Räumlichkeit ist bei allen Arbeiten, bei denen die rechteckige Fläche betont wird, nicht tief. **Rothkos** Räumlichkeit ist nicht tief, und die rechteckigen weichen Formen verlaufen parallel zur Fläche, aber der Raum wirkt fast traditionell illusionistisch. **Reinhardts** Bilder haben just hinter der Leinwand eine flache Ebene, und diese scheint wiederum unendlich tief. **Pollocks** Farbe befindet sich ganz klar erhaben auf der Leinwand, und die Räumlichkeit wird hauptsächlich von Markierungen auf der Oberfläche verursacht, daher ist sie nicht sehr deskriptiv und illusionistisch. **Nolands** konzentrische Streifen sind nicht so eindeutig Farbe-auf-Fläche wie Pollocks Farbe, aber sie machen den buchstäblichen Raum flacher. So flach und nicht-illusionistisch Nolands Bilder sind, die Streifen treten doch

Andy Warhol. Weisse Katastrophe I, Autounfall. 1963 (Kat. 708) ▷

Andy Warhol (vgl. Kat. 708)

Andy Warhol. 129 die in Jet-Plane Crash. 1962. 129 starben beim Flugzeugunglück. 1962 (Kat. 707)

hervor und zurück. Sogar ein einzelner Kreis beeinflußt die Oberfläche, hat ein wenig Raum hinter sich.

Abgesehen von einem völlig mit Farbe oder Markierungen bedeckten unveränderten Gebiet, läßt alles, was in ein Rechteck und auf eine Fläche gesetzt wird, einen an etwas in und auf etwas denken, etwas in seiner Umgebung, was einen an einen Gegenstand oder eine Gestalt in seinem Raum denken läßt, in dem diese reinere Beispiele für eine ähnliche Welt sind – das ist der Hauptzweck von Malerei. Die in letzter Zeit entstandenen Bilder sind nicht völlig autonom. Es gibt ein paar dominierende Bereiche, **Rothkos** rechteckige Flächen oder **Nolands** Kreise und den Bereich um sie herum. Zwischen den Hauptpartien – den ausdrucksstärksten Teilen – und dem Rest der Leinwand – Fläche und Rechteck – ist eine Kluft. Die zentralen Formen treten auch noch in einem weiteren und unbeschränkten Kontext auf, obwohl die Autonomie der Bilder die allgemeine und solipsistische Qualität früherer Arbeiten beeinträchtigt. Die Felder sind normalerweise nicht begrenzt und vermitteln den Eindruck von Sektionen, herausgeschnitten aus etwas unbestimmt Größerem.

Ölfarbe und Leinwand sind nicht so kräftig wie Industrie-Farben oder wie Farben und Oberflächen von Materialien, vor allem wenn das Material dreidimensional verwendet wird. Öl und Leinwand sind etwas Vertrautes und haben, wie die rechteckige Fläche, eine bestimmte Qualität und Grenzen. Die Qualität vor allem wird mit Kunst identifiziert.

Die neuen Arbeiten sind augenscheinlich Skulptur ähnlicher als Bildern, aber sie stehen Bildern näher. Die meisten Skulpturen sind wie die Bilder von Pollock, Rothko, Still und Newman. Das ganz Neue daran ist das große Format. Das Material wird etwas stärker betont als vorher. Die bildliche Darstellung enthält ein paar hervortretende Ähnlichkeiten mit anderen sichtbaren Dingen und eine Reihe versteckter Bezüge, alles zur Verträglichkeit verallgemeinert. Die Teile und der Raum sind voller Anspielungen, deskriptiv und etwas naturalistisch. Die Skulpturen von Higgins sind ein Beispiel und – ganz anders – die von **Di Suvero.** Higgins Skulpturen lassen einen an Maschinen und verstümmelte Körper denken, seine Verbindung von Gips und Metall wirkt recht eigentümlich. **Di Suvero** verwendet Balken wie Pinselstriche und ahmt – wie Kline – Bewegung nach. Das Material bewegt sich nicht nach Eigengesetzlichkeit: Ein Balken stößt hervor, ein Stück Eisen folgt einer Bewegung, zusammen bilden sie ein naturalistisches und anthropomorphes Bild. Ebenso der Raum.

Die meisten Skulpturen werden Stück für Stück gemacht, durch Addition, werden zusammengesetzt. Die Hauptteile bleiben verhältnismäßig separat. Sie und die kleineren Teile sind eine Sammlung von – kleinen bis

H. C. Westermann. Die große Veränderung. 1963 (Kat. 728)

großen – Variationen. Es gibt Hierarchien von Klarheit und Kraft und von Nähe zu einer oder zwei Hauptideen. Holz und Metall sind das übliche Material, einzeln oder zusammen, und, wenn zusammen, ohne große Kontrastwirkung verwendet. Farbe ist selten. Durchschnittliche Kontrastwirkung und naturgegebene Einfarbigkeit sind üblich und helfen, die Teile zu verbinden.

Von alldem ist nur wenig in den neuen dreidimensionalen Arbeiten. Bis jetzt ist der offensichtlichste Unterschied bei diesen so verschiedenen Arbeiten der zwischen denen, die mehr Objekt, Einzelding, und denen, die offen und ausgedehnt, mehr oder weniger ›Environment‹ sind. Obwohl der Unterschied ihrer Natur nach nicht so groß ist wie in der Erscheinung. **Oldenburg** und andere haben beides gemacht. Es gibt Vorläufer für einige Merkmale der neueren Arbeiten. Bei **Arps** Skulpturen und oft auch bei **Brancusi** sind die Teile normalerweise untergeordnet und nicht separat. Duchamps Readymades und andere Dada-Objekte werden auch auf einmal und nicht Stück für Stück gesehen. **Cornells** Kästchen haben zu viele Teile, um auf den ersten Blick als strukturiert zu erscheinen. Eine Teil-für-Teil-Struktur kann nicht zu einfach oder zu kompliziert sein. Sie muß ordentlich erscheinen. Der Grad von Arps Abstraktion, der mäßige Bezug zum menschlichen Körper – weder zu imitativ noch verborgen – ist anders als die Bildsprache der meisten neuen dreidimensionalen Arbeiten. Duchamps Flaschentrockner steht manchen davon nahe. Die Arbeiten von **Johns** und **Rauschenberg** und Assemblagen und Flachreliefs allgemein – Ortmans Reliefs zum Beispiel – sind Vorläufer. Die wenigen Abgüsse von Johns und einige Arbeiten von Rauschenberg, wie die Ziege mit dem Reifen, sind Anfänge.

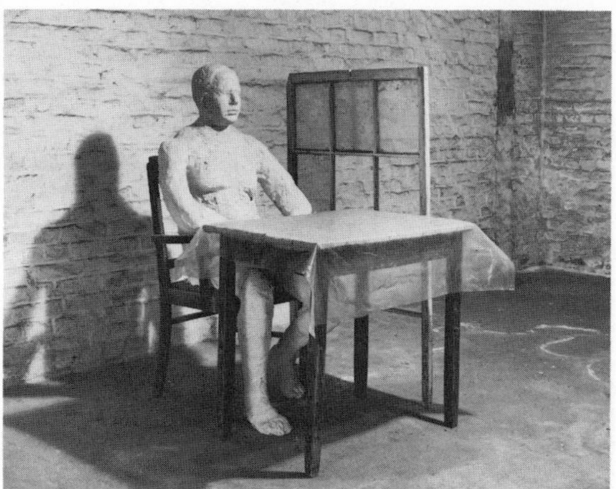

George Segal. Mann am Tisch sitzend. 1960 (Kat. 632)

Einige europäische Bilder sind mit Objekten verwandt, die von **Klein** zum Beispiel und von Castellani, die unvariierte Bereiche mit Flachreliefelementen enthalten. Arman und einige andere arbeiten in drei Dimensionen. Dick Smith hat einige große Stücke in London gemacht, wobei Leinwand über schiefe, aus

Roy Lichtenstein malt Big painting No. 6, 1965 (vgl. Kat. 700)

Roy Lichtenstein. Paar. 1963 (Kat. 697)

parallelen Röhren bestehende Gestelle gespannt ist; die Oberfläche ist bemalt, als wären es Bilder. Philip King, auch in London, macht, scheint's, Objekte. Einige West-Coast-Arbeiten liegen wohl auch auf dieser Linie, die von **Larry Bell,** Kenneth Price, Tony Delap, Sven Lukin, Bruce Conner, **Kienholz** natürlich und andere. Eine der Arbeiten in New York, die ein paar oder sehr viele von diesen Merkmalen aufweisen, sind die von **George Brecht,** Ronald Bladen, John Willenbecher, Ralph Ortiz, Anne Truitt, Paul Harris, Barry McDowell, **John Chamberlain,** Robert Tanner, Aaron Kuriloff, **Robert Morris,** Nathan Raisen, Tony Smith, Richard Navin, **Claes Oldenburg,** Robert Watts, Yoshimura, John Anderson, Harry Soviak, Yayoi Kusama, **Frank Stella,** Salvatore Scarpitta, Neill Williams, **George Segal,** Michael Snow, **Richard Artschwager,** Arakawa, Lucas Samaras, Lee Bontecou, **Dan Flavin** und Robert Whitman. **H. C. Westermann** arbeitet in Connecticut. Einige dieser Künstler machen beides, dreidimensionale Arbeiten und Malerei. Ein geringer Teil der Arbeiten anderer Künstler, zum Beispiel **Warhols** und **Rosenquists,** ist dreidimensional.

Malerei und Skulptur sind zu erstarrten Formen geworden. Ein guter Teil ihrer Bedeutung ist nicht glaubhaft. Wenn man drei Dimensionen benutzt, benutzt man keine gegebene Form. Die Zeit ist noch zu kurz, und es sind noch zu wenig Arbeiten, als daß man Grenzen sehen könnte. Bis jetzt – im weitesten Sinne – sind drei Dimensionen vor allem ein Raum zum Hineingehen. Die Merkmale für drei Dimensionen treffen nur auf einen kleinen Teil der Arbeiten zu, wenig im Verhältnis zu Malerei und Skulptur. Einige der allgemeineren Aspekte bleiben möglicherweise bestehen – ob die Arbeit etwa objekthaft oder spezifisch ist – aber andere Merkmale müssen sich noch entwickeln. Da das Spektrum so weit ist, wird sich dreidimensionales Arbeiten wohl in eine Reihe verschiedener Formen aufteilen. Auf jeden Fall werden die Arbeiten größer sein als Malerei und viel größer als Skulptur, die, im Vergleich zu

Edward Hopper. Western Motel. 1957 (Kat. 541)

Roy Lichtenstein. Großes Gemälde Nr. 6. 1965 (Kat. 700)

Malerei, recht spezifisch ist, dem – was normalerweise Form genannt wird – viel näher, da sie eine bestimmte Art Form hat. Weil die Natur von drei Dimensionen nicht bestimmt, von vornherein gegeben ist, kann man etwas Glaubhaftes, fast alles machen. Natürlich kann man auch innerhalb einer gegebenen Form, wie Malerei, etwas zustande bringen, aber eingeschränkt und weniger stark und abwechslungsreich. Da Skulptur keine so allgemeine Form ist, kann sie vielleicht nur sein, was sie heute ist – was bedeutet, daß, wenn sie sich sehr verändert, sie zu etwas anderem wird; dann ist sie zu Ende.

Drei Dimensionen sind wirklicher Raum. Das befreit vom Problem des Illusionismus und des nur bezeichneten Raums – Raum in und um Markierungen und Farben –, ist Befreiung von einem der hervorstechenden Relikte europäischer Kunst, einem, gegen das am meisten vorzubringen ist. Die zahlreichen Begrenzungen des Bildes bestehen nicht mehr. Eine Arbeit kann so stark sein, wie nur vorstellbar. Tatsächlicher Raum ist wirklich aussagestärker und spezifischer als Farbe auf einer flachen Ebene. Ganz offensichtlich kann in drei Dimensionen alles jede nur denkbare Form annehmen – regelmäßig oder unregelmäßig – und jede nur denkbare Beziehung zu Wand, Boden, Decke, Raum, Räume oder Außenwelt, zu nichts oder zu allem, haben. Jedes Material kann so, wie es ist, oder bemalt verwendet werden.

Eine Arbeit muß nur interessant sein. Die meisten Arbeiten haben letztlich eine Qualität. In älterer Kunst wurde die Vielschichtigkeit hervorgehoben und machte die Qualität aus. In neuerer Malerei lag die Komplexität im Format und den wenigen Hauptformen, die aufgrund

James Rosenquist. Ich liebe dich mit meinem Ford. 1961 (Kat. 704)

verschiedener Interessen und Probleme zustande gekommen waren. Ein Bild von **Newman** ist letzten Endes nicht einfacher als eines von Cézanne. Bei dreidimensionalen Arbeiten ist das Ganze aufgrund komplexer Absichten gemacht worden, und diese werden nicht zerstreut, sondern durch eine Form zur Geltung gebracht. Es ist nicht nötig, daß eine Arbeit viele Dinge zum Angucken, Vergleichen, Eins-nach-dem-anderen-Analysieren oder Nachsinnen hat. Das Ding als Ganzes ist das Interessante. Die Hauptsachen stehen für sich allein und wirken intensiver, reiner und kraftvoller. Sie werden nicht durch ein überkommenes Format, Variationen einer Form, gedämpfte Kontraste, verbindende Teile und Gebiete verwässert. Europäische Kunst mußte einen Raum und seinen Inhalt darstellen und dazu noch verhältnismäßig einheitlich und ästhetisch interessant sein. Die abstrakte Malerei vor 1946 und der größte Teil der Malerei danach behielt die darstellungsmäßige Unterordnung des Ganzen unter seine Teile bei; Bildhauerei heute noch. In den neuen Arbeiten stehen Form, Image, Farbe und Oberfläche autonom, nicht als Teil und verstreut. Es gibt keine unbeteiligten oder zweitrangigen Gebiete oder Teile, keine verbindenden oder überleitenden Flächen. Der Unterschied zwischen den neuen Arbeiten und älterer Malerei wie zeitgenössischer Bildhauerei ist ähnlich dem, zwischen einem von Brunelleschis Fenstern in der Badia di Fiesole und der Fassade des Palazzo Rucellai, die als Ganzes nur ein unentwickeltes Rechteck und hauptsächlich eine Sammlung von sehr geordneten Teilen ist.

Wenn man drei Dimensionen benutzt, kann man alle möglichen Materialien und Farben verwenden. Die meisten Arbeiten enthalten neues Material, entweder neue Erfindungen oder Dinge, die bisher in der Kunst nicht gebraucht wurden. Bis vor kurzem hat man kaum etwas mit dem weiten Bereich industrieller Produkte gemacht. Fast nichts ist mit industriellen Techniken gemacht worden, und das wird wohl auch wegen der Kosten nicht so schnell geschehen. Kunst könnte in Massenproduktion gemacht und in sonst nicht verfügbaren Möglichkeiten, wie Stanzen, gebraucht werden. **Dan Flavin,** der Leuchtstoffröhren verwendet, hat sich die Ergebnisse industrieller Produktion zu eigen gemacht. Materialien sind sehr verschieden und einfach Material – Formica, Aluminium, Kaltwalzstahl, Plexiglas, rotes und normales Messing usw. Sie sind spezifisch. Wenn sie unverändert eingesetzt werden um so mehr. Normalerweise sind sie auch aggressiv. Es liegt etwas von Objektivität in der nackten Identität eines Materials. Natürlich werden die Qualitäten des Materials – harte oder weiche Masse, Stärken von 1/32, 1/16 oder 1/8 Inch, Biegsamkeit, Glätte, Lichtdurchlässigkeit, Stumpfheit – nicht-objektiv gebraucht. Das Vinyl bei **Oldenburgs** weichen Objekten sieht aus wie immer, glatt, schlaff und ein bißchen unangenehm, und ist objektiv, aber man kann es biegen, nähen, mit Luft oder Kapok füllen und aufhängen oder niedersetzen, wo es zusammensackt und einfällt. Die meisten neuen Materialien sind nicht so leicht zu handhaben wie Öl auf Leinwand und schwer aufeinander abzustimmen. Sie sind nicht von vornherein Kunst. Form und Material einer Arbeit stehen in enger Beziehung. Früher wurden Struktur und Bildhaftigkeit einer Arbeit in neutralem und homogenem Material ausgeführt. Da nur wenige Arbeiten auf Zusammenballung von Material beruhen, entstehen Probleme beim Kombinieren der verschiedenen Oberflächen und Farben und dabei, die Einzelteile so miteinander zu verbinden, daß die Einheit nicht gefährdet wird.

Dreidimensionale Arbeiten enthalten normalerweise keine anthropomorphe Bildhaftigkeit. Wenn darauf angespielt wird, geschieht das für sich und explizite. Auf jeden Fall sind die Hauptinteressen ganz klar. Jedes Relief von Bontecou ist ein Image. Das Image, die einzelnen Teile und die gesamte Form sind koextensiv. Die Teile sind entweder Teil des Lochs oder Teil des Walls, durch den das Loch gebildet wird. Loch und Wall sind zwei Dinge, letztlich aber das gleiche Ding. Die Teile und Unterabteilungen sind radial oder konzentrisch zum Loch angelegt, führen hinein, heraus oder schließen ein. Die radialen und konzentrischen Teile treffen sich mehr oder weniger im rechten Winkel und sind im Detail Strukturen im alten Sinne, aber zusammengenommen der Einzelform untergeordnet. Die meisten neuen Arbeiten haben keine Struktur im üblichen Sinn, vor allem die Arbeiten von **Oldenburg** und **Stella.** Die Arbeiten von **Chamberlain** enthalten Komposition. Die Natur von Bontecous einzelnem Image ist gar nicht

Dan Flavin, Green Gallery, New York, 18. Nov.–12. Dez. 1964. links: The alternate diagonals of March 2, 1964 (to Don Judd), 1964. rechts: The nominal three (to William of Ockham), 1963/64 (vgl. Kat. 718)

so verschieden von denen,die in einem kleinen Bereich der halbabstrakten Malerei vorkamen. Das Image steht in erster Linie für sich, gefühlsmäßig, was nicht so sehr an die alte Bildhaftigkeit erinnern würde, aber interne und externe Bezüge – wie Gewalttätigkeit und Krieg – sind mit ins Spiel gebracht worden. Diese Hinzufügungen sind etwas bildhaft, aber das Image ist in seinem Kern neu und aufregend; ein Image war noch nie vorher die ganze Arbeit, so groß, so explizit und aggressiv. Die verspannte Mündung ist wie ein fremdes gefährliches Objekt. Die Qualität ist intensiv, knapp und manisch. Das Boot und die Möbel, die Kusama mit weißen Auswüchsen bedeckt hat, haben verwandte Intensität, sind von gleicher Besessenheit und auch fremde Objekte. Kusama hat Interesse an manischer Wiederholung; das ist ein autonomes Interesse. Yves Kleins blaue Bilder sind auch knapp und intensiv.

Bäume, Gestalten, Nahrungsmittel oder Möbel in einem Gemälde haben Formen oder enthalten Formen, die gefühlsbezogen sind. Oldenburg hat diesen Anthropomorphismus bis ins Extrem geführt und die gefühlsbezogene, durch ihn grundlegende und bio-psychologische Form gemacht – mit der gleichen äußeren Form wie ein Objekt – und lautstark die Idee von der naturgegebenen Präsenz menschlicher Qualitäten in allen Dingen untergraben. Darüber hinaus macht **Oldenburg** keine Bäume und Menschen. Alle zum großen Teil anthropomorphen Objekte Oldenburgs sind von Menschen gemacht – geradezu eine empirische Tatsache. Ein einzelner oder mehrere haben diese Dinge gemacht und ihre Vorlieben mit einverleibt. So praktisch wie ein Eiskremhörnchen ist – eine Menge Leute haben eine Wahl getroffen, und die Mehrzahl fand das Äußere und die Existenz in Ordnung. Dies Interesse zeigt sich noch stärker in seinen neuen Haushaltsgeräten und dem Haushaltszubehör, vor allem in der ›Bedroom Suite‹, wo die Wahl grauenhaft ist. Oldenburg übertreibt die akzeptierte oder gewählte Form und verwandelt sie in seine eigene. Nichts Hergestelltes ist völlig objektiv, rein praktisch oder nur da. Oldenburg kommt sehr gut ohne etwas aus, was man normalerweise Struktur nennen würde. Kugel und Hörnchen des großen Eiskremhörnchens sind genug. Das Ganze ist eine profunde Form, wie sie einem manchmal in primitiver Kunst begegnet. Drei dicke Lagen mit einer kleinen oben drauf genügen. Oder ein schlaffer, rosafarbener, an zwei Seiten aufgehängter Lichtschalter. Eine einfache Form und ein oder zwei Farben sind nach alten Maßstäben gemessen recht wenig. Wenn man Veränderungen in der Kunst von rückwärts her vergleicht, sieht es so aus, als würde es immer reduzierter, da nur die alten Merkmale zählen und die immer weniger werden. Aber die neuen Dinge sind augenscheinlich ein Mehr, wie Oldenburgs Materialien und Techniken. Oldenburg braucht drei Dimensionen, um ein reales Objekt zu simulieren und zu vergrößern sowie das und eine gefühlsbezogene Form gleichzusetzen. Wenn man einen Hamburger malte, hätte er immer noch etwas vom traditionellen Anthropomorphismus. George Brecht und Robert Morris brauchen reale Objekte und sind darauf angewiesen, daß der Betrachter diese Objekte kennt.

Donald Judd, Green Gallery, New York, 17. 12. 1963–11. 1. 1964 (vgl. Kat. 715–717)

Komposition und Bildhaftigkeit in **Chamberlains** Arbeiten sind primär die gleichen wie bei älterer Malerei, aber sie sind zweitrangig, gemessen an dem äußeren Eindruck von Unordnung, und sie werden zuerst vom Material verborgen. Das zerknüllte Blech hat die Tendenz, so zu bleiben. Zuerst ist es neutral, nicht künstlerisch, und scheint später objektiv. Wenn Struktur und Bildhaftigkeit einem klarwerden, scheint es zuviel Blech und Raum, mehr Zufall und Beiläufigkeit als Ordnung. Die Aspekte von Neutralität, Zu-viel, Form und Bildhaftigkeit könnten ohne drei Dimensionen und das bestimmte Material nicht zusammen eingebunden sein. Die Farbe ist auch neutral und sensitiv und hat – anders als Ölfarben – ein weites Spektrum. Jede wesentliche Farbe ist – anders als bei Malerei – in dreidimensionalen

Arbeiten verwendet worden. Farbe ist nie unwichtig wie normalerweise bei Skulptur.

Stellas ›Shaped Paintings‹ enthalten mehrere wichtige Merkmale dreidimensionaler Arbeiten. Die Peripherie einer Arbeit und die Linien im Innern korrespondieren miteinander. Die Streifen wirken nirgendwo wie separate Teile. Die Oberfläche ist weiter von der Wand abgerückt als gewöhnlich, bleibt aber parallel zu ihr. Da die Oberfläche außergewöhnlich vereinheitlicht ist und kaum oder überhaupt keine Raumtiefe enthält, wird die parallele Ebene außergewöhnlich deutlich. Es handelt sich nicht um eine rationalistische oder zugrunde liegende Ordnung, sondern um ganz einfache Ordnung wie die von Kontinuität: Aufeinanderfolge von Dingen. Ein Gemälde ist kein Abbild. Die Formen, die Einheitlichkeit, Entwurf, Anordnung und Farbe sind spezifisch, aggressiv und kraftvoll.

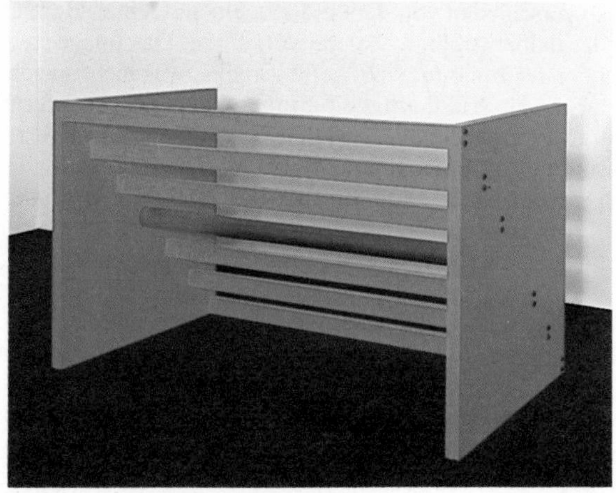

Donald Judd. Ohne Titel. 1963 (Kat. 716)

Dan Flavin, The nominal three. 1963/64 (Kat. 718) Installation InK, Zürich

The nominal three (für William von Ockham) begann einfach als **one (für William von Ockham)** auf zwei Zeichnungen vom 24. Juni 1963. In einer etwas späteren Zeichnung schlug Flavin drei Sätze vor und bezeichnete es **the nominal 3** und **three from meditation (for Wm. of Ockham),** letzteres mit einem gewissen Bezug auf einen römisch-katholischen Mystizismus, der sich in den Titeln früherer Arbeiten findet. Flavin betrachtete **the nominal three** als additives System und deutete in mehr als einer Zeichnung für mögliche Installationen den Gebrauch von vier Sätzen an. Obwohl er die drei Sätze in **fluoreszierendem Licht** in der Green Gallery eng nebeneinander gruppierte, hatte er vorgeschlagen, je einen Satz einer Vierergruppe auf jeder der vier Wände des Raumes anzubringen. Als Flavin dieses Stück in der National Gallery of Canada am 6. März 1969 installierte, wählte er eine vorhandene 24 feet (ca 8 m) Unterteilung. Er stellte die zwei mittleren Röhren auf die zentrale senkrechte Achse der Wand, während die äußeren Kanten des ersten und dritten Abschnittes die Enden der Unterteilung überstrahlten. Das bedeutete, daß die einzelne fluoreszierende Lampe auf der Linken einen offenen Raum nach links hatte, während der rechte Teil der drei in einer Ecke war. Was ursprünglich eine ziemlich kompakte Gruppierung gewesen und gleichmäßig für eine bestimmte Wand aufgeteilt worden war, wurde in der National Gallery zu einem Arrangement, das sachlich durch die Grenzen der vorhandenen Fläche einer gewählten Unterteilung bestimmt wurde.

Robert Ryman. Ohne Titel. 1963 (Kat. 720)

Carl Andre

Fragen und Antworten

1. Wer ist ein Künstler?
   A. Ein Künstler ist jemand, der sagt, er sei ein Künstler
   B. Ein Künstler ist jemand, der ein Diplom von einer Kunstakademie hat
   C. Ein Künstler ist jemand, der Kunst macht
   D. Ein Künstler ist jemand, der mit Kunst Geld verdient
   E. Ein Künstler ist nichts von dem, etwas von dem, alles von dem
2. Was ist Kunst
   A. Kunst ist das, was ein Künstler Kunst nennt
   B. Kunst ist das, was ein Kritiker Kunst nennt
   C. Kunst ist das, was ein Künstler macht
   D. Kunst ist das, was dem Künstler Geld einbringt
   E. Kunst ist nichts von dem, etwas von dem, alles von dem
3. Was ist Qualität in der Kunst?
   A. Qualität in der Kunst ist eine Fiktion des Künstlers
   B. Qualität in der Kunst ist eine Fiktion des Kritikers
   C. Qualität in der Kunst sind die Kosten, Kunst zu machen.
   D. Qualität in der Kunst ist der Verkaufspreis von Kunst
   E. Qualität in der Kunst ist nichts von dem, etwas von dem, alles von dem
4. Was für eine Beziehung besteht zwischen Politik und Kunst?
   A. Kunst ist eine politische Waffe
   B. Kunst hat nichts mit Politik zu tun
   C. Kunst dient dem Imperialismus
   D. Kunst dient der Revolution
   E. Die Beziehung zwischen Politik und Kunst ist nichts von dem, etwas von dem, alles von dem
5. Warum mache ich weiter?
   A. Ich mache weiter, weil Kunst meine Lebensaufgabe ist
   B. Ich mache weiter, weil ich mit Kunst mein Geld verdiene
   C. Ich mache weiter, weil die Kunst stirbt, wenn ich aufhöre
   D. Ich mache weiter, weil die Kunst unverändert weitergeht, wenn ich aufhöre
   E. Ich mache weiter wegen nichts von dem, etwas von dem, all dem

Carl Andre. 37 Werkstücke. 1969 (Kat. 725)

»Ich wünsche nicht Kunst zu machen, die Dich zerdrückt, oder Dir ins Auge schießt. Ich habe Arbeiten gerne, mit denen man in einem Raum ist, und die man jederzeit ignorieren kann. Für mich ist das Kunstherstellen ein Genuß. In meiner Kunst habe ich versucht, Erfahrung so stark wie möglich zu konzentrieren. Dies befriedigt meine Bedürfnisse, und ich glaube kaum, daß ich eine Person mit solch einzigartigen Bedürfnissen bin, die andere Leute nicht haben«.

Robert Morris, Green Gallery, 1964 (vgl. Kat. 714)

Robert Morris

»Entscheidend für die sechziger Jahre war die Notwendigkeit der Wiedereinsetzung des Objekts als Kunstwerk. Objekte waren ein erster einleuchtender Schritt weg vom Illusionismus, von der Anspielung und der Metapher. Sie sind der reinste Typ einer künstlichen, unabhängigen Einheit, offensichtlich abgerückt und geschieden vom Anthropomorphen. Es ist nicht besonders überraschend, daß sich die Kunst, die zu größerer Konkretheit, weg von dem Illusionären, tendiert, an die im wesentlichen idealistische Bildersprache der Geometrie hält. Von allen faßbaren oder erfahrbaren Dingen sind die symmetrischen und geometrischen am leichtesten als Formen zu behalten. Die Kunst der sechziger Jahre war eine des Abbildens. Jedoch erscheint die Abbildung als Modus primitiv, weil sie stillschweigend davon ausgeht, daß Formen vor Substanzen rangieren. Wenn in die Priorität ganzer Bilder ästhetisch nichts mehr investiert wird, dann ist die Projektion oder Abbildung einer Form kein notwendiger Modus mehr.«

Sol LeWitt

Sätze über konzeptuelle Kunst

1. Konzeptuelle Künstler sind eher Mystiker als Rationalisten. Sie gelangen sprunghaft zu Lösungen, die der Logik verschlossen sind.
2. Rationale Urteile wiederholen rationale Urteile.
3. Nicht-logische Urteile führen zu neuen Erfahrungen.
4. Formale Kunst ist im wesentlichen rational.
5. Irrationale Gedanken sollten streng und logisch verfolgt werden.
6. Wenn der Künstler während der Ausführung einer Arbeit seine Meinung ändert, kompromittiert er das Ergebnis und wiederholt frühere Ergebnisse.
7. Der Wille des Künstlers ist dem von ihm ausgelösten Prozeß von der Idee zur Vollendung der Arbeit untergeordnet. Sein Wille zielt vielleicht nur auf Ich-Bestätigung.
8. Wenn Wörter wie Malerei und Skulptur verwendet werden, bezeichnen sie eine ganze Tradition und beinhalten eine konsequente Anerkennung dieser

Tradition; damit erlegen sie dem Künstler, der ohnehin eine Überschreiten der Grenzen scheut, Beschränkungen auf.

9. Konzeption und Idee sind verschieden. Konzeption beinhaltet die allgemeine Richtung, während Ideen Bestandteile davon sind. In den Ideen verwirklicht sich die Konzeption.
10. Ideen allein können Kunstwerke sein. Sie sind Teil einer Entwicklung, die irgendwann einmal ihre Form finden mag. Nicht alle Ideen müssen physisch verwirklicht werden.
11. Ideen entwickeln sich nicht unbedingt in logischer Folge. Sie können einen in eine Richtung weisen, die man nicht erwartet, aber eine Idee muß zwangsläufig im Geist abgeschlossen sein, bevor die nächste geformt wird.
12. Zu jedem Kunstwerk, das physisch verwirklicht wird, gibt es viele unausgeführte Variationen.
13. Ein Kunstwerk läßt sich als Verbindung zwischen dem Geist des Künstlers und dem des Betrachters verstehen. Aber es erreicht vielleicht nie den Betrachter, oder verläßt nie den Geist des Künstlers.
14. Die Worte eines Künstlers zu einem anderen können eine Ideenkette auslösen, wenn beide die gleiche Konzeption teilen.
15. Da keine Form ihrer Natur nach einer anderen überlegen ist, kann der Künstler jede gleichwertig benutzen, von (geschriebenen oder gesprochenen) Wörtern bis hin zu physisch Vorhandenem.

Sol LeWitt. Variabler Kubus. 1965 (Kat. 724)

16. Wenn Wörter benutzt werden und sie aus Gedanken über Kunst hervorgehen, dann sind sie Kunst und nicht Literatur; Zahlen sind nicht Mathematik.
17. Alle Ideen sind Kunst, wenn sie sich auf Kunst beziehen und innerhalb der Konventionen von Kunst liegen.
18. Normalerweise glaubt man, die Kunst der Vergangenheit zu verstehen, wenn man die Konventionen der Gegenwart auf sie anwendet; so mißversteht man sie aber.
19. Die Konventionen von Kunst werden durch Kunstwerke verändert.
20. Gelungene Kunst verändert unsere Auffassung von den Konventionen, indem sie unser Erkenntnisvermögen verändert.
21. Das Erkennen von Ideen führt zu neuen Ideen.
22. Der Künstler kann sich seine Kunst nicht vorstellen und sie nicht erkennen, bevor sie nicht vollendet ist.
23. Ein Künstler kann ein Kunstwerk falsch auffassen (anders verstehen als der Künstler, der es gemacht hat), aber durch diese Mißinterpretation dennoch zu eigenen Gedanken angeregt werden.
24. Auffassung ist subjektiv.
25. Der Künstler muß nicht unbedingt seine eigene Kunst verstehen. Seine Auffassung ist weder besser noch schlechter als die von anderen.
26. Ein Künstler kann unter Umständen die Kunst von anderen besser verstehen als seine eigene.
27. Die Konzeption eines Kunstwerks kann Gegenstand oder Herstellungsprozeß der Arbeit beinhalten.
28. Wenn sich die Idee der Arbeit erst einmal im Geist des Künstlers festgesetzt hat und die endgültige Form feststeht, geht der Herstellungsprozeß automatisch vonstatten. Es gibt viele Nebenwirkungen, die der Künstler sich nicht vorstellen kann. Diese können als Ideen für weitere Arbeiten dienen.
29. Der Prozeß ist mechanisch, und man sollte nicht in ihn eingreifen. Er sollte seinen eigenen Verlauf nehmen.
30. In einem Kunstwerk sind viele Elemente enthalten. Die wichtigsten sind die hervorstechendsten.
31. Wenn ein Künstler in einer Reihe von Arbeiten die gleiche Form, aber anderes Material benutzt, sollte man annehmen, daß die Konzeption des Künstlers das Material mit einschließt.
32. Belanglose Ideen kann man nicht durch eine schöne Ausführung retten.
33. Es ist schwierig, eine gute Idee zu verpfuschen.
34. Wenn ein Künstler sein Handwerk zu gut beherrschen lernt, wird seine Kunst glatt.
35. Diese Sätze sind Bemerkungen zu Kunst, keine Kunst.

◁ Larry Bell. Ohne Titel. 1969 (Kat. 746)

Larry Bell, Untitled, 1971, Spiegelglas, Installation in der Tate Gallery, London

Helene Winer

Die Schule von Los Angeles

(...) Wenn diese Stadt überhaupt eine Tradition kennt, dann ist es die von ständigem Experiment und Wandel; und wenn sie ein Bewußtsein von Geschichte hat, dann ist es nicht die Ehrfurcht Vergangenem gegenüber, sondern eher ein spielerischer Umgang mit dem Alten – Nostalgie als Attitüde. Es ist erstaunlich, daß ein historisches Element eher bei den Künstlern auftaucht, die nur zeitweise hier leben – wie etwa David Hockney – nicht aber bei denen, die ständig hier leben. (...)

Hier in Los Angeles entstehen Arbeiten, die, rein technisch gesehen, das Raffinierteste sind, was bislang hergestellt wurde, mit schärfster Präzision und äußerster Klarheit der Durchführung. Vielleicht läßt sich diese Künstlergruppe am ehesten und besten dadurch kennzeichnen, daß jeder einzelne von ihnen sowohl das Bedürfnis wie auch die Fähigkeit besitzt, diesen sehr besonderen Los-Angeles-Lebensstil gewissermaßen als Elixier für seine künstlerische Arbeit zu benutzen. (...)

Ohne jede Frage aber ist die Kunst in Los Angeles beeinflußt von zwei rein physikalischen Gegebenheiten, die für diese Stadt typisch sind – einmal nämlich die ungewöhnliche Leuchtkraft des kalifornischen Himmels und zum anderen die Weitläufigkeit der Küstenebene mit ihren grandiosen Panoramen, selbst wenn sie gelegentlich von Smog verdüstert sind. Dieser sinnliche Eindruck von unendlichem Raum wird noch verstärkt durch meist niedrige Gebäude, die von Palmen überragt sind, und durch das fast immer schöne und klare Wetter.

Die Reaktion der Künstler auf diese Weite ist nun nicht einfach der Versuch einer monumentalen Konkurrenz, sie liegt eher in einer bestimmten Sensibilität oder in einer Haltung, die sich in der Wahl des Malmaterials, der Farbigkeit, gelegentlich auch der Bildinhalte ausdrückt; ebenso wie die Lust am Erschaffen oder Einbeziehen von Umwelten. Sinnliche Tiefe von Farbfläche

David Hockney. Amerikanische Sammler. 1968 (Kat. 745)

oder durchscheinendem Material bezeugen deutlich die Sensibilität und Empfindlichkeit eben jener physischen und kulturellen Umwelt gegenüber. Auch die Tatsache, daß in dieser Stadt ständig alle Informationen über den fortgeschrittensten Stand jeder Technologie auf Abruf bereitsteht, hat die Künstler nicht dazu verführt, in platter und direkter Art zu reagieren – etwa in simpler Beschränkung auf Kinetik oder in unreflektierter Faszination oberflächlicher technischer Phänomene. Bei den bedeutendsten Künstlern hat die Technik keinen Eigenwert, sie benutzen Material und dessen Möglichkeit nicht einer beliebigen Geste wegen, sondern ausschließlich zur Verfeinerung oder Verdeutlichung ihrer Konzeption. Neue Werkstoffe wie etwa Fiberglas, Plexiglas, Polyesterharze, Glas- und Emaillefarben spielen in der Kunstszene der sechziger Jahre in Los Angeles eine große Rolle wegen ihrer künstlerischen Möglichkeiten – Licht, Transparenz, Tiefe und Oberfläche zugleich.

Edward Ruscha. Radio. 1962 (Kat. 751)

John McCracken. Sanfte Berührung. 1968 (Kat. 749)

John McCracken, Robert Elkon Gallery, New York 1967

Sensibilität der Selbsterfahrung – Grenzen der Ausstellbarkeit – Avantgarde und Museum

Wir sind im Museum.

Jetzt erst fällt dies notwendig auf und ist selbst aus dem Text nicht zu verdrängen. Wir sind im Museum mit der Kunst. Ist das Museum die Botschaft?

Die Kunst kommt an die Grenze ihrer Ausstellbarkeit. Texte, Anweisungen, situationsbedingte Installationen sind ihre Form, natürlich auch Bilder. Aber der Kontext ist soweit sensibilisiert, daß er die Wahrnehmung von Kunst nicht nur beeinflußt und beeinträchtigt – wie immer schon bis zu einem gewissen Grad –, sondern daß er über die Wahrnehmung und damit über die Wirkung der Kunst wesentlich mitentscheidet.

Wir sind im Museum mit der Kunst: Daß dies einem bewußt wird, ist schon die Wirkung dieser neuen Kunst der sechziger Jahre und das Problem ihrer Vergegenwärtigung.

Wenn es in der Kunst keinen Fortschritt gibt, so hat die vielfältige Wandlung der Erscheinung eine Abfolge mit jeweils weitergereichter, rückbezogener, verarbeiteter und erweiterter Konsequenz. In diesem Zusammenhang der Avantgarde-Kunst haben wir an einer Gelenk- und Aufbruchstelle in den späteren fünfziger Jahren ein metaphorisches Motiv herausgearbeitet, den ›Ausstieg aus dem Bild‹. Danach erst kommen die sechziger Jahre mit einer Kunst veränderten Bewußtseins, deren repräsentativer Impuls es werden sollte, die Kunst aus dem Museum herauszuführen.

Doch wenn man diesen Hinweis so stehen läßt, entsteht der Eindruck von einer geradlinigen Entwicklung, als würde Schritt für Schritt die Wandlung vollzogen. Zu dieser Überlegung verführt schon der Weg durch die Ausstellung: am Anfang die Tafelbilder, im Bilderrahmen die hineingearbeitete, einsehbare Vision von 1939; danach in Handlungseinheit das Malfeld *und* der Künstler, Gemälde der späten vierziger und der fünfziger Jahre, vor denen der Betrachter immerhin Augenzeuge eines geleisteten *Prozesses* wird; schließlich die Ausweitung des Formats und der Übertritt in die dritte Dimension. Aber wir fragten schon: ist Rauschenbergs *Monogram,* dieses in fünfjähriger Arbeit und erst mit der dritten Fassung abgeschlossene Werk nicht immer noch ›nur‹ Malerei, ein Bild also, bloß mit anderen Mitteln gemalt?

Tatsächlich läßt sich der Umbruch am Ende der fünfziger Jahre allein auf diesem Weg nicht herleiten. Das Veränderungsmuster, seinerseits Voraussetzung für die Bewußtseinswandlung der sechziger Jahre, ist komplex und bestätigt den größeren Wirkungszusammenhang der gesamten Avantgarde. Zum Beispiel: Richard Hamilton, der bei der so ambivalenten kultursoziologischen Demonstration von ›This is Tomorrow‹ maßgebend mitwirkte, hat sich zuvor schon mit Duchamp befaßt; er war es, der die Reste von Schwitters' englischem ›Merzbau‹ sicherte. Duchamps Präsenz, die Auseinandersetzung mit Dada, der Einfluß eines Musikers und Lehrers wie John Cage sind die Auslöser neuer, intermedialer Aktivitäten, die den aufs Bild fixierten Werkbegriff auflösen, zugleich die Teilnahme fordern, und versuchen, den vordem reinen Rezipienten in die Handlung miteinzubeziehen.

Bewirkt wird nicht etwa auf Dauer die Aktivierung des großen Publikums. Mit dieser Zielvorstellung scheiterte schließlich die Happening-Bewegung. Auch der durch Frustrierung aufstörende Effekt der Fluxus-Konzerte und -Feste hat sich als Form einer radikalen Kommunikation in wenigen Jahren erschöpft, oder auch: in einem anderen, erweiterten Zusammenhang erfüllt. Als vor elf Jahren in Köln noch einmal, anläßlich der großen Dokumentation ein ›happening & fluxus‹-Festival veranstaltet wurde,[81] glich das Eröffnungskonzert schon ein wenig einem melancholisch stimmenden Veteranentreffen. Denn gerade damals hat man wohl noch frisch vor Augen gehabt, daß eine Zeitwende den ausgegrabenen Stoff von den Jahren des Aufbruchs trennte: die protest- und happeningverwandten Demonstrationstechniken waren inzwischen politisch relevant und wirksam vor der Öffentlichkeit und von der Öffentlichkeit übernommen und ausgeübt worden.

Die künftige politische Aktion ist eine Perspektive des Veränderungsmusters an der Wende in die sechziger Jahre, aber gewiß nicht die einzige. Haltung und Auffassung ändern sich, damit auch die Werke. Man muß Oldenburgs *Store* nicht als erstarrtes Happening sehen, ein solches Bild trifft eher schon auf Lichtensteins *Brushstrokes* zu, der selber an Happenings nicht beteiligt war. Aber diese Riesenformate mit dem künstlich erstellten, nachgestellten Muster des spontanen Pinselzugs setzen die Behauptung des veränderten Zustands in den Raum: Bilder, die Bild und Bildersatz in einem sind, lächelnde Zeugnisse des fragwürdigen Triumphs, lassen uns heute doch wieder neugierig fragen, was das für eine Zeit war, die goldenen sechziger Jahre?

Auch sie –, die objekthaften Bildtafeln gefrorener Malerei – sind Ergebnisse des Ausstiegs: Rückkoppelungen, Recherchen, Bilder über Bilder, Kunst über Kunst, und dazu noch andeutungsweise extrovertierte Welterfassung mit viel ›Heute‹ aus der Konjunktur der Konsumgesellschaft.

Was geschichtliche Veränderung heißt, erfahren wir auch durch ganz andere Formen des Ausstiegs. Eine Generation nimmt von der Gegenwartskunst Abschied; gerade Leute, die sich für die Moderne sendungsbewußt engagierten, rechneten damals mit den extremen Erscheinungen ab: Auch das ergibt einen symptomatischen Zusammenhang. Um nur ein Beispiel zu bringen: Michel Seuphor, den wir im Zusammenhang mit Mondrian zitierten, zählte 1964 den Spuk zusammen: nach dem ›Action Painting‹ vor allem die mit Dolchhieben gespaltene Leinwand Fontanas, Yves Kleins Kunst des Bluffs, insgesamt die moderne Tollheit des Unvollendeten, bis ihn dann endlich die Pop Art zum Lachen bringt.[82] Dies alles, was wir aufzählten, ist nun im Museum und ist dort nicht fehl am Platz, wenn wir es schaffen, diese Œeuvres ihrem eigenen Anspruch gemäß zu verkraften und in ihrem Zusammenhang zu orten; dann ist Mondrian unter einem Dach mit dem puren Pigment Yves Kleins möglich. Als »eine Art Datenbank« bejahte Beuys das ›alte‹ Kunstmuseum in einem Gespräch vor einem ›Feuerbach‹ im Hessischen Landesmuseum, was vor zehn Jahren, zur Zeit der ›Krise‹ des Musentempels, keineswegs selbstverständlich war.[83]

Wir richten unsere Ausstellung gelassen in einer Art Museum ein, ja wir erstreben durch die provisorische Verfügung über gewünschte Werke ungewollt schon das Modell eines ideal lebendigen Museums für die Ausstellungszeit: Datenbank für die These der unverbrauchten Kunst, Raum für ihre Vergegenwärtigung.

Das Problem stellt sich mitten in den sechziger Jahren ein. Jetzt hat die Konsequenz des frühen Ausstiegs Erscheinungsformen angenommen, die einer Einordnung entlang der Wände und der gemeinschaftlich bewohnten Räume widerspricht. Es ist nicht mehr möglich, die Kunst im vollen Umfang ihrer Absichten und Leistungen einzufügen. Wir müssen eingestehen: wir sind im Museum.

Aber ein anderes: Noch nie war das Museum so sehr Stützpunkt der Avantgarde wie in unseren Jahren. Eine nicht für die Grande Galerie produzierte Kunst füllt die Arena eines ausgeräumten Museums möglichst der Gründerjahre und entfaltet sich darin optimal. Die Kunst kommt an die Grenze ihrer Ausstellbarkeit: statt dessen wird sie inszenierbar.

Dies gilt für eine generelle Praxis seit den ersten Installationen der Minimal Art. Der Eindruck von der ersten großen europäischen Ausstellung in Den Haag im Frühjahr 1968 war: Die neue Skulptur sprengt den Rahmen des herkömmlichen Museums, sie ist primär nicht ›museumsfähig‹. Sie ergreift Besitz von den Räumen, zunächst einmal durch das Volumen. Grundsätzlich ohne Sockel, barfuß sozusagen, zeigt sich die Skulptur, was den Raum betrifft, anlehnungsbedürftig und unduldsam zugleich. Ihre Existenz wird erst im Raum, durch den Raum relevant. Die Skulptur, als Körper hier ein glattes, unzugängliches Objekt, definiert den Raum als einen innerhalb der gegebenen Grenzen gegenwärtig belebten Raum. Die Skulptur ist nicht Zentrum und Ziel (der Betrachtung etwa), keine in sich geschlossene, eigene Welt. Ihre mögliche Autorität ist extrovertiert, wie ein Meilenstein, der, gleichgültig wo er steht und auch ohne Inschrift, aufruft, sich zu orientieren. Im Museum freilich stößt der Blick auf Wände, sieht auch Details, versteht diese jedoch allein in ihrer raumbegrenzenden Funktion. Für Bilder ist da kein Platz mehr.

Der Einbruch dieser Kunst in die Wahrnehmungsgewohnheiten von Kunst, der Eindruck von diesem Einbruch ist kaum mehr zu rekonstruieren. Zuviel wurde davon heute praktisch angewandt, vom Bühnenbild bis zum postmodernen Monumentalismus etwa im Neubau der Washingtoner National Gallery – was die betroffenen Künstler, wie etwa Donald Judd, zu Protest veranlaßte.

Was damals aufstörend wirkte, war die Vermittlung schockhaft neuer Erfahrungen: derartige Skulptur erfüllt – vielleicht zum erstenmal in Reinkultur – den Anspruch, künstlich geschaffenes Objekt, nichts anderes als Objekt,zu sein. Das unmittelbar Handschriftliche fällt völlig weg – zugunsten der totalen Konzentration auf Raumwirkung, Raumvermittlung. Man meinte hier, die suggestive Rechenschaft über das bewußte Erleben des Raumes (was als Teilaspekt die Malerei von Francis Bacon gestreift haben mag) als alles ausschließende Botschaft verkörpert zu finden: ausgeschlossen schien da selbst die Kunst im herkömmlichen Sinn. Denn, auch das ist eine Empfindung aus dem Jahr 1968, die Kunst wird hier nicht mehr als isolierter, ›Kunstwerke‹ schaffender Bereich anerkannt, sie ist als kreativer Eingriff in das Leben der Gesellschaft verstanden.

Auf dem Umweg der Raumerfahrung hat die Minimal Art den zunächst verblüfften, dann betroffenen Ausstellungsgänger für Selbsterfahrung sensibilisiert. Noch im selben Jahr erlebten die Besucher der documenta 4 das Wechselbad der eigenen Gefühle im fluoreszierenden Licht eines von Dan Flavin an den Kanten mit Leuchtröhren markierten, ansonsten dunklen Kubus.

Es ist die bange Frage, ob man diese – wie alle andere hier nur zitierbare – Kunst so vermitteln kann, daß sie sich ihrer Qualität gemäß entfaltet? Der Konflikt der ›Vorstellung‹ dieser mit minimalen optischen Daten auf das Bewußtsein zielenden Kunst liegt im direkten Anspruch begründet, den die Skulpturen Andres, Judds oder LeWitts, die Installationen von Morris und einigen anderen an den Wahrnehmenden stellen. Die festumrissenen Objekte werden, man kann das tendenziell behaupten, mit der Aufnahme, durch die Begegnung, durch mitarbeitende Aufnahme und Aneignung zu funktionierenden Werken. Die ausstellerische Bedingung für die ›Geltung‹ dieser Kunst ist so die eigenständige, raumbezogene, aufführende Inszenierung. Um die Leistung dieser Kunst in der Entfaltung zu zeigen, hätten andere räumliche Dimensionen eigens dafür erschlossen werden müssen – ein Ausstieg aus dem limitierten Rahmen dieser Ausstellung.

Es schien indes sinnvoll, diesmal beispielhaft auf das Kontinuum hinzuweisen und die

Verbundenheit auch dieser aufs erste so sensationell ›anderen‹ Kunst im Kontext der Bildwerke anschaulich werden zu lassen. So ist in der Ausstellung die Gruppe farbig gefaßter Skulpturen von Donald Judd zu sehen, Zeugnisse eines ›Umbruchs‹, den andererseits auch die Malerei Stellas objekthaft ›verkörpert‹.

Daß die hier vollzogenen Veränderungen Konsequenzen einer lange erarbeiteten Ganzheitsvorstellung von Kunst sind, dafür zeugt an dieser Stelle der Ausstellung der noch einmal, mit einem späten Hauptwerk, mit *Who's afraid of red, yellow and blue* vorgestellte Barnett Newman. Auch hier ist man

Barnett Newman vor Who's afraid of red, yellow and blue III, 1967/68 (vgl. Kat. 712)

nicht als Betrachter, sondern als Wahrnehmender eines psychophysischen Effekts im weitesten Sinn betroffen. Die Ausdehnung der Leinwand ist zugleich die Ausdehnung der Farbe, und gerade die physische Präsenz der Farbe ist zunächst einmal der verbal nicht ohne Verlust umsetzbare, anschauliche ›Inhalt‹, dessen Form gleichfalls mit dem absoluten Maß des Bildes, mit dessen ›Zeichnung‹ gegeben ist. Eine weitgetriebene Formlosigkeit, eine die formale Perfektion der vorangegangenen (europäischen) Moderne negierende Haltung, die ihrerseits die reine Emotion zum Ansatz der Kunstübung wählt, wird selbst präzis: erreicht wird eine Ausweitung der Dimension, in der die jeder kompositionellen Unterordnung entzogene Farbe als ›erschaffte‹ Farbe mit der Syntax einer ›persönlichen Sprache‹ zu tun hat. Newman, der die Farbe »nie manipuliert« hat, der sich nicht bemüht hat um »bestehende Regeln«, sucht sich durch Kunst »auf die absoluten Emotionen« zu beziehen.[84]

Das ist die Aktualität Newmans heute noch: sie war aber damals, gegen Ende der sechziger Jahre, noch von einer anderen, zeitgenössischen Brisanz. Die Botschaft, zu beginnen »mit dem Chaos der reinen Phantasie und des reinen Gefühls«, traf auf eine Generation im Aufbruch. Wurde dieses Bekenntnis ursprünglich bei der Suche des neuen Selbstverständnisses und der Selbstbehauptung amerikanischer Malerei gegenüber der europäischen Tradition entwickelt, so bekam es jetzt eine andere, überregionale Verbindlichkeit.

Ohnehin wurde Europa der Schauplatz der Ereignisse. Die Parole aus dem Pariser Mai, die ›Die Phantasie an die Macht‹ hob, wurde in der Leistung der Avantgarde-Kunst in den Jahren an der neuen Zeitwende in die siebziger Jahre Realität. Die langfristig genutzte, kreative Konsequenz aus den früheren Veränderungen erbrachte jetzt die Ernte. Der ›Ausstieg‹ aus dem Bild führte zu einer fast schon generellen ›Entmaterialisierung‹ der Kunst, aber zur gleichen Zeit zu neuen, reflektierten Bildsprachen, zu einem neuen Subjektivismus, zu Sezessionen – vor allem aber zu Werkresultaten, deren programmatische Bedeutung erst im folgenden Jahrzehnt ausgewertet wurde.

Bei der ersten großen und wohl wichtigsten Manifestation dieser internationalen Avantgarde, die Harald Szeemann 1969 in Bern zusammenbrachte, schien freilich die Konfrontation, die Verweigerung, die Absage an den Fortschritt, insgesamt der Anti-Effekt

Allan Kaprow, Household (Haushalt), Happening, Mai 1964, Cornell University, Ithaka

dieser Kunst, die ›Antiform‹ das wichtigste Merkmal. ›Bewußtseinskunst‹ gegen alle Vorstellungen der jeweiligen Gesellschaft zu machen, schien der Impuls dieser Kunst – das Verbindende an ihr – zu sein. Für einen Rückzug aus der Gesellschaft, aus Stadt und Zivilisation, vor allem aber für einen demonstrativen Auszug aus dem Museum sprach der Anblick der auf einmal nur noch poveren Kunst aus nichtigem Material in amorphem Zustand. Als Ereignis ist der Auftritt dieser Kunst unwiederholbar. Schon drei Jahre später war es nicht mehr möglich, die neue Kunst zu einer solchen ›Manifestation‹ in Kassel zu vereinen. Was an Spannung so verloren ging, hat allerdings nicht primär mit der Arbeit des Künstlers zu tun. Was entfällt, ist die Spannung im historischen Moment, die Wahrnehmung der Kunst in Übereinstimmung mit der Zeit, die plötzliche Wirkung der Kunst als Kommentar, der sensationelle Anti-Effekt.

Dies ist zu verkraften. Hinter der verbrauchten Aktualität des Kommentarcharakters und den Stichworten im Innovationsregister – Arte Povera, Konzeptuelle Kunst, Land Art – wurden auf Dauer die Künstler und ihre Arbeitskonzepte, ihre unverbrauchten Werke sichtbar. Diese Differenzierung entschädigt.

Wir sind im Museum, das ist allerdings wahr: der Umfang der Arbeit dieser Generation – wie soll man dem ganzen Beuys gerecht werden, wie soll man Nitsch vermitteln, wie können Broodthaers' Recherchen wirklich lesbar gemacht, wie kann der Weg auf De Marias *Las Vegas Piece* auch nur angedeutet werden? – der Umfang der Arbeit dieser Künstlergeneration ist nur bedingt museumsfähig. An der Grenze der Ausstellbarkeit liegt es am Publikum, Phantasie zu entwickeln. Wie man sieht: die Künstler sind ins Museum zwar nicht zurückgekehrt, aber sie sind zur Mitarbeit bereit.

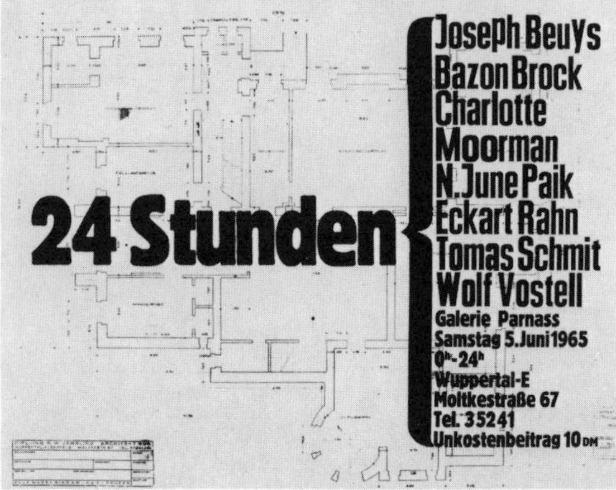

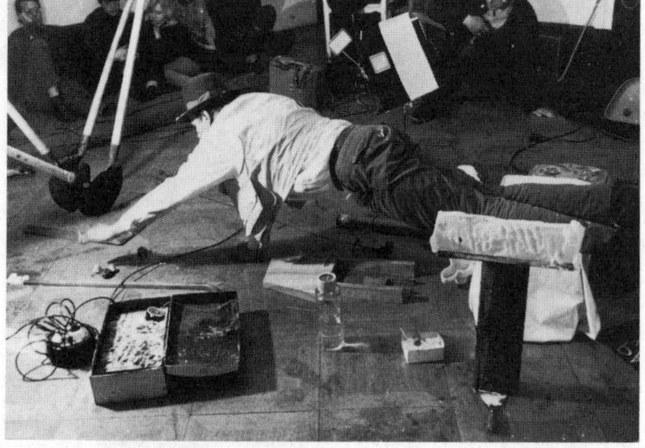
Joseph Beuys

Bazon Brock

Charlotte Moorman

24 Stunden. Galerie Parnass, Wuppertal, 5. Juni 1965. Happening mit J. Beuys, B. Brock, Ch. Moorman, N. J. Paik, E. Rahn, T. Schmit, W. Vostell; Fotos: Ute Klophaus

Nam June Paik

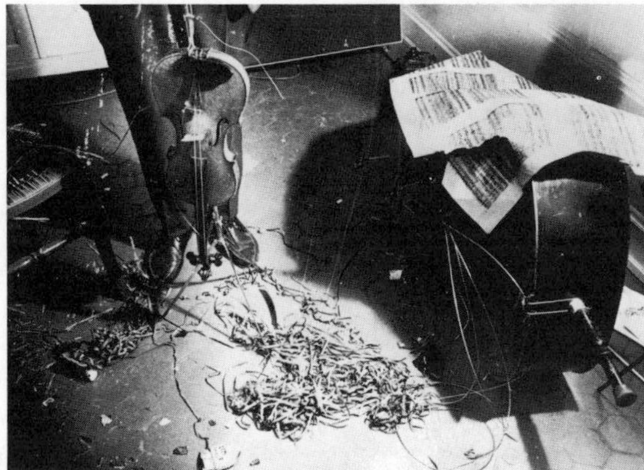

Eckart Rahn

Bazon Brock

Zeitpunkte zum Werden von Etwas

Als Wenzel BEUYS Wassermassen zu beiden Seiten seines Stuhles niedergehen sieht.
Als wir BEUYS' Sprache durch Raumbegriffe beschrieben: »Wenn ich nach München komme, bestelle ich Lungen-h . . . immer zuerst.«
Als er den Hebel ansetzt »Langziehung anstelle von Erziehung«.
Als Wenzel Evgen sagte.
Als nach drei Nächten Morgen wurde und die Straßenbahnen nicht zu hören waren.
Als Wenzel sagte »Das ist wie . . . «
Als Frau JÄHRLING und Evgen VOSTELLs Fleisch vom Boden kratzten.
Als BEUYS aus dem Kriege zurückkam.
Als JÄHRLING nach Afrika umziehen wollte.
Als BEUYS Vollasiate wurde, während wir die Zeitläufte aushoben, BAUMs Kaffee reichten, PAIK uns für die Armen einzunehmen versuchte.
Als ich sagte: »Europas Sieg ist total.«
Als VOSTELL sagte: »Den Widerspruch liefern wir gleich noch mit.«
Als PAIK sagte: »Wir brauchen eine japanische Raffinerie.«
Als BEUYS sagte: »Freud ist Mediziner und sonst nichts.«
Als es nach drei Nächten Morgen wurde vor Wenzel.
Als ein Stück Zucker schräg zu Boden fiel.
Als wir uns gegen uns selbst entschieden.
Als ich merkte, daß dies für mich das entscheidende happening geworden sei.
Als das Buch gemacht werden sollte.
Als die Photos kamen.

Tomas Schmit

Wolf Vostell

Joseph Beuys. Die Fahne Alan Khoa. 1956. Foto: Ute Klophaus

Frage: Wie ist Ihre Stellung zur Kunst überhaupt?
Beuys: Meine Stellung zur Kunst ist gut. Meine Stellung zur Antikunst ebenfalls.

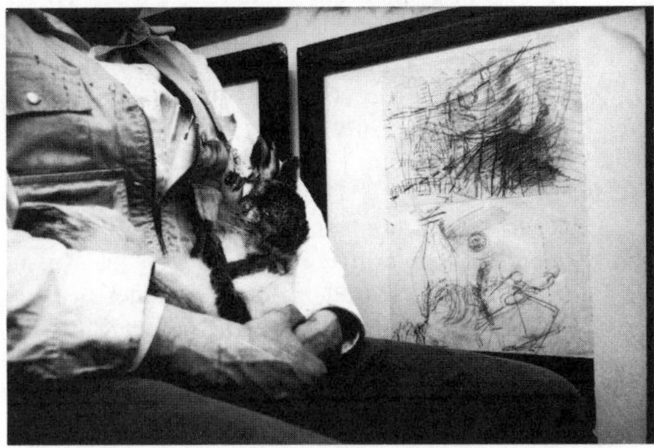

Joseph Beuys. Wie man dem toten Hasen die Bilder erklärt. Galerie Alfred Schmela, Düsseldorf 1965

Joseph Beuys:

Joseph Beuys Lebenslauf Werklauf

1921 Kleve Ausstellung einer mit Heftpflaster zusammengezogenen Wunde
1922 Ausstellung Molkerei Rindern b. Kleve
1923 Ausstellung einer Schnurrbarttasse (Inhalt Kaffee mit Ei)
1924 Kleve Öffentliche Ausstellung von Heidenkindern
1925 Kleve Documentation: »Beuys als Aussteller«
1926 Kleve Ausstellung eines Hirschführers
1927 Kleve Ausstellung von Ausstrahlung
1928 Kleve Erste Ausstellung vom Ausheben eines Schützengrabens
Kleve Ausstellung um den Unterschied zwischen lehmigem Sand und sandigem Lehm klarzumachen
1929 Ausstellung an Dschingis Khans Grab
1930 Donsbrüggen Ausstellung von Heidekräutern nebst Heilkräutern
1931 Kleve Zusammengezogene Ausstellung
Kleve Ausstellung von Zusammenziehung
1933 Kleve Ausstellung unter der Erde (flach untergraben)
1940 Posen Ausstellung eines Arsenals (zusammen mit Heinz Sielmann; Hermann Ulrich Asemissen und Eduard Spranger)
Ausstellung Flugplatz Erfurt-Bindersleben
Ausstellung Flugplatz Erfurt-Nord
1942 Sewastopol Ausstellung meines Freundes
Sewastopol Ausstellung während des Abfangens einer JU 87
1943 Oranienburg Interimausstellung (zusammen mit Fritz Rolf Rothenburg + und Heinz Sielmann)
1945 Kleve Ausstellung von Kälte
1946 Kleve warme Ausstellung
Kleve Künstlerbund »Profil Nachfolger«
Happening Hauptbahnhof Heilbronn
1947 Kleve Künstlerbund »Profil Nachfolger«
Kleve Ausstellung für Schwerhörige
1948 Kleve Künstlerbund »Profil Nachfolger«
Düsseldorf Ausstellung im Bettenhaus Pillen
Krefeld Ausstellung »Kullhaus« (zusammen mit A. R. Lynen)
1949 Heerdt Totalausstellung 3 mal hintereinander
Kleve Künstlerbund »Profil Nachfolger«
1950 Beuys liest im »Haus Wylermeer« Finnegans Wake
Kranenburg Haus van der Grinten »Giocondologie«

Kleve Künstlerbund »Profil Nachfolger«

1951 Kranenburg Sammlung van der Grinten Beuys: Plastik und Zeichnung

1952 Düsseldorf 19. Preis bei »Stahl und Eisbein« (als Nachschlag Lichtballett von Piene)
Wuppertal Kunstmuseum Beuys: Kruzifixe
Amsterdam Ausstellung zu Ehren des Amsterdam-Rhein-Kanal
Nijmegen Kunstmuseum Beuys: Plastik

1953 Kranenburg Sammlung van der Grinten Beuys: Malerei

1955 Ende von Künstlerbund »Profil Nachfolger«

1956–57 Beuys arbeitet auf dem Felde

1957–60 Erholung von der Feldarbeit

1961 Beuys wird als Professor für Bildhauerei an die Staatliche Kunstakademie Düsseldorf berufen
Beuys verlängert im Auftrag von James Joyce den »Ulysses« um 2 weitere Kapitel

1962 Beuys: das Erdklavier

1963 FLUXUS Staatliche Kunstakademie Düsseldorf
An einem warmen Juliabend stellt Beuys anlässlich eines Vortrages von Allan Kaprow in der Galerie Zwirner Köln Kolumbakirchhof sein warmes Fett aus.
Joseph Beuys Fluxus Stallausstellung im Hause van der Grinten Kranenburg Niederrhein

1964 Documenta III Plastik Zeichnung

1964 Beuys empfiehlt Erhöhung der Berliner Mauer um 5 cm (bessere Proportion!)
Beuys empfiehlt Erhöhung der Berliner Mauer um 5 cm (bessere Proportion!); 1964 Beuys »VEHICLE ART«; Beuys Die Kunstpille; Aachen; Festival Kopenhagen; Beuys Filzbilder und Fettecken. WARUM? Freundschaft mit Bob Morris u. Yvonne Rainer; Beuys Mausezahnhappening Düsseldorf-New-York; Beuys Berlin »Der CHEF«; Beuys das Schweigen von Marcel Duchamp wird überbewertet. 1964 Beuys Braunräume; Beuys Hirschjagd (hinten); 1965 und in uns ... unter uns ... landunter, Galerie Parnaß Wuppertal; Projekt Westmensch; Galerie Schmela, Düsseldorf: ... irgend ein Strang ...; Galerie Schmela, Düsseldorf »Wie man dem toten Hasen die Bilder erklärt«; 1966 und hier ist schon das Ende von Beuys: Per Kirkeby »2,15«; Beuys Eurasia 32. Satz 1963 – René Block, Berlin – »... mit Braunkreuz«; Kopenhagen: Traekvogn Eurasia; Feststellung: der größte Komponist der Gegenwart ist das Conterganskind; Division the Cross; Homogen für Konzertflügel (Filz); Homogen für Cello (Filz); Manresa mit Björn Nörgard, Galerie Schmela, Düsseldorf; Beuys Der bewegte Isolator; Beuys Der Unterschied zwischen Bildkopf und Bewegkopf; Zeichnungen, Galerie St. Stephan, Wien; 1967 Darmstadt Joseph Beuys und Henning Christiansen »Hauptstrom«; Darmstadt Fettraum, Galerie Franz Dahlem, Aha-Straße; Wien Beuys und Christiansen: Eurasienstab 82 min fluxorum organum; Düsseldorf 21 Juni Beuys gründet die DSP deutsche Studentenpartei; 1967 Mönchengladbach (Johannes Cladders) Parallelprozess 1; Karl Ströher; DAS ERDTELEPHON; Antwerpen Wide White Space Gallery: Bildkopf – Bewegkopf (Eurasienstab); Parallelprozess 2; DER GROSSE GENERATOR 1968 Eindhoven Stedelijk van Abbe Museum Jean Leering. Parallelprozess 3, Kassel Documenta IV Parallelprozess 4; München Neue Pinakothek; Hamburg ALMENDE (Kunstverein); Nürnberg RAUM 563 × 491 × 563 (Fett); Chrenjom Stuttgart, Karlsruhe, Braunschweig, Würm-Glazial (Parallelprozess 5); Frankfurt/M: Filz TV II Das Bein von Rochus Kowallek nicht in Fett ausgeführt (JOM)! Düsseldorf Filz TV III

Joseph Beuys, »... irgend ein Strang ...,« Galerie Alfred Schmela, Düsseldorf 1965 (vgl. Kat. 761–780)

Joseph Beuys. »... irgend ein Strang ...«, Galerie Alfred Schmela, Düsseldorf 1965

Parallelprozess; Köln Galerie Intermedia: VAKUUM — MASSE (Fett) Parallelprozess .. Gulo borealis .. für Bazon Brock; Johannes Stüttgen FLUXUS ZONE WEST Parallelprozess – Düsseldorf, Staatliche Kunstakademie, Eiskellerstrasse 1: LEBERVERBOT; Köln Galerie Intermedia: Zeichnungen 1947–1956; Weihnachten 1968: Überschneidung der Bahn von BILDKOPF mit der Bahn von BEWEGKOPF im All (Space) Parallelprozess – 1969 Düsseldorf Galerie Schmela FOND III; 12. 2. 69 Erscheinung von BEWEGKOPF über der Kunstakademie Düsseldorf; Beuys übernimmt die Schuld für Schneefall vom 15. bis zum 20. Februar; Berlin – Galerie René Block; Joseph Beuys und Henning Christiansen Konzert: Ich versuche dich freizulassen (machen) – Konzertflügeljom (Bereichjom).
Berlin: Nationalgalerie; Berlin: Akademie der Künste: Sauerkrautpartitur – Partitur essen! Mönchengladbach: Veränderungskonzert mit Henning Christiansen; Düsseldorf Ausstellung Kunsthalle (Karl Ströher); Luzern Fettraum (Uhr); Basel Kunstmuseum Zeichnungen; Düsseldorf PROSPEKT: ELASTISCHER FUSS PLASTISCHER FUSS.

1973 Joseph Beuys geboren in Brixton

Joseph Beuys

... irgend ein Strang ...

with Compliments from FLUXUS

1	1951	Fettbild: Fettklotz
2	1956	Die Fahne Alan Khoa
3	1956	Joyceregion
4	1956	Wärmezeitmaschine des Hirschführers
5	1957	Hirschfilm 4
6	1957	Hirschfilm 13
7	1957	Gummierte Kiste
8	1958	Doppelbild: Infiltration
9	1959	Doppelbild: Entladung
10	1959	Schädelphysiologie
11	1960	halbiertes Filzkreuz mit Staubbild „Magda"
12	1960	Signal
13	1961	fettiges Tuch (für den Hirsch)
14	1961	–
15	1962	Aufzeichnung für Fett-Filz-Demonstration
16	1962	Fetteckenwirkung: Braunkreuz
17	1962	Fetteckenwirkung: Braunraum mit Braunkreuz
18	1963	FLUXUS Namenliste
19	1963	FLUXUS Staubbild
20	1963	– (Objekt mit Hasenfell)
21	1963	Wegweiser für den Khan
22	1963	Stapelplastik?
23	1963	Batterie (Stapel)
24	1963	Batterietasche mit Braunkreuz
25	1964	Schokolade mit brauner Fußbodenfarbe bemalt
26	1964	Morgunbladid (Filzzeitung)
27	1964	herausgelöste Fettecke
28	1965	2 90 Grad Filzwinkel
29	1965	90 Grad Filzwinkelfarbwinkel (Hirschfuß)
30	1965	Fettecken in Dosen (Handgranatenwerfer)
31	1965	90 Grad überzelteter Filzwinkel
32	1965	34 Grad Filzwinkel bemalt
33	1965	2 90 Grad Filzwinkelfilzkerben
34	1965	warmer Stuhl
35	1965	Filzsohle und Eisensohle
36	1965	Cyanprozeß
37	1965	Mein und meiner Lieben verlassener Schlaf (Stapel)
38	1965	Schneefall

mit Sondergenehmigung
von „Projekt Westmensch"

Joseph Beuys, »... irgend ein Strang ...«, Galerie Alfred Schmela, Düsseldorf 1965. Einladungskarte mit Werkverzeichnis (vgl. Kat. 761–780)

Beuys empfiehlt Erhöhung der Berliner Mauer um 5 cm (bessere Proportion!)
Dies ist ein Bild und sollte wie ein Bild betrachtet werden. Nur im Notfall oder aus Schulungsgründen greift man zur Interpretation.
»Es ist mir nicht verständlich, warum Sie nicht ohne Interpretation den offensichtlichen Sinn verstehen.«
1. Fragantwort: »Ist es ein Paradoxon mit dem die Künstler zu allen Zeiten gearbeitet haben um eine tiefer liegende Schicht anzubohren?«
2. Fragantwort: »Ist es eine Chiffre?«
Ich mache mit der Hand eine Geste, die zum Ausdruck bringt, daß die Antworten zum mindesten nicht falsch sind, nehme aber jetzt die Führung an mich, damit die Sache nicht auf dem Paradoxongleis weiter läuft.
Ich fange ganz real – banal an (Untertreibungsmethode!)
»Die Betrachtung der Berliner Mauer, aus einem Gesichtswinkel, der allein die Proportion dieses Bauwerkes berücksichtigt, dürfte doch wohl erlaubt sein. Entschärft sofort die Mauer. Durch inneres Lachen. Vernichtet die Mauer. Man bleibt nicht mehr an der physischen Mauer hängen. Es wird auf die geistige Mauer hingelenkt und diese zu überwinden, darauf kommt es ja wohl an.
Zunächst also wird die Mauer durch mich, für mich überwunden. Motto: Unter meiner Herzensregierung wäre die Mauer erst garnicht entstanden.
Spontan entstehende Frage: Welches Wesensglied in mir oder anderen Menschen hat dieses Ding entstehen lassen? Wieviel hat jeder von uns zum Möglichsein dieser Mauer beigetragen und trägt weiter bei. Ist jeder Mensch ausreichend am Verschwinden dieser Mauer interessiert? Welche antiegoistische, antimaterialistische, welche wirklichkeitsgemässe geistige Schulung bekommt der junge Mensch diese jemals zu überwinden?
Quintessenz: die Mauer als solche ist völlig unwichtig.
Reden Sie nicht soviel von der Mauer! Begründen Sie durch Selbsterziehung eine bessere Moral im Menschengeschlecht und alle Mauern verschwinden. Es gibt ja so viele Mauern zwischen Mir und Dir.
Eine Mauer in sich ist sehr schön, wenn die Proportion stimmt.
Wenn ich nach Berlin komme, zerrt man nach spätestens 5 Minuten an mir herum. »Waren Sie schon an der Mauer?« Ja, ich kenne die Mauer aus innerer Erfahrung. Ich weiß genau, was das ist, diese Mauer. Weiter erkläre ich mich bereit, dieses Mauerproblem in meinem Leben zu lösen, falls man mir Gelegenheit dazu gibt.
Seit vielen Jahren liegen Forschungsergebnisse vor, die dieses möglich machen.
Den erprobten Forschungsergebnissen sind neue hinzugetreten, die nicht nur gut gemeint sondern auch wirklich gut sind. Es ist Heilkraft darin. Es hat sich schon gezeigt. Es wird sich mehr und mehr zeigen.

Dieter Roth

Ein Lebenslauf von 46 Jahren

Der oft D. Roth genannte Karl-Dietrich Roth startete vor 46 Jahren zum Lauf seines Lebens, dem furchtvollen, wütenden Rennen – im schwarzen Hannover, gezwungen dazu und gestoßen darein von seinen ahnungslosen Herstellern. Er wuchs heran, sich unter den bösen Deutschen im horriblen Hannover gewahrend, zur Zeit der tollen Herrschaft eines von den schrecklichen Deutschen herbeigezauberten Wüterichs, Hitler genannt, inniglich geliebter Mörderich, äußerst menschenfressender Bösewicht auf Erden, oft verwechselt mit dem tollen Wüterich im Himmel, Gott genannt, jener Bösewicht, ein äußerst massenmordender Phantombajazzo, oft Herr Hirngespinst genannt.

Roth lebte und bebte, 13 flachgedrückte Jahre hindurch, in jenem Reiche voll bellender, schlagender, würgender, schlingender Wüteriche männlicher sowohl als auch weiblicher Gestalt. Er wohnte im Dauerregen der Schläge von Stock oder Faust, im Dauerbrenner des Geschimpfes, – nah und fern – des schaurigen Menschenfresserpacks alldort, ein zitternd zagender, in die Angsthose pissender Hundehaufen, verdroschen und verdonnert, zitternd und zagend, wixend in die Angstlaken, krümmte er sich durch vier jener dreizehn Jahre im rauschenden und heulenden Bomben- und Granatenregen, herbeigezaubert von den bösen Feinden jener Bösen – der Deutschen –, den entsetzlich grausamen, mörderischen Engländern und Amerikanern, hirnverbrannten Massenmördern allesamt, Freiheitskämpfer genannt.

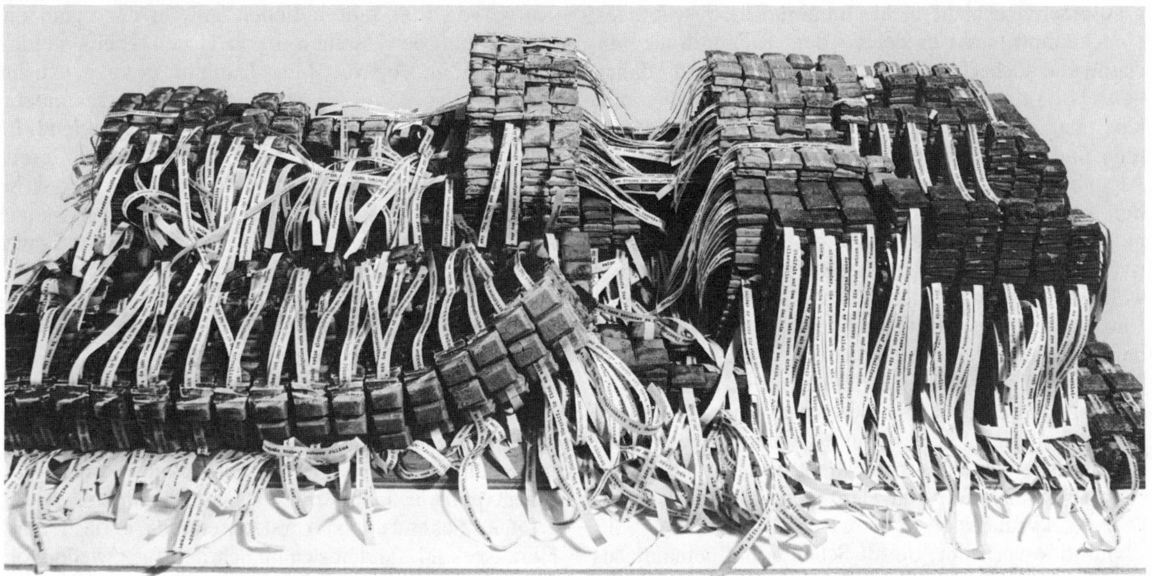

Diter Rot. Schokoladenmeer. 1970 (Kat. 733)

Von diesem Orte des Horrors, aus dieser Lärmhölle brachte man den kleinen Karl-Dietrich an einen gelobt genannten Ort, den Roth aber als Ort des Horrors fürchten lernte und als Hölle, – obwohl eine leise, die einem den Schrecken statt durch die Augen und Ohren von unten her hineinschraubt, in den innersten Bauch –. Jenes Land –»Meine liebe Heimat« oft genannt – war gerade am Überlaufen, voll der hirnverbrannten Kanonenbauer, sowie der seit undurchschaubaren Zeiten schon Messer wetzenden Moralspezialisten, Soldaten der Verteidigung genannt; auf Mord und Totschlag vereidigt; Leidige, Rülpser, Stolpernde, Würstchen Fressende, Angst Schwitzende, Scheißende, Pissende an Baum, Wand und Tier sowie Mensch, Tölpel, Miniaturen genannt, als Massenmörder entlarvt und bekannt, und lag eine Kurve von 12 Jahren Sehnenlänge des Roth'schen Lebenslaufes auf jenem Gebiet. Er schmiegte sich der Biegung an, sich krümmend, zitternd in seine Angsthosen scheißend oder pissend, verzagend sich in den nassen Hosen krümmend und dareinpissend. Er lag in der schnellen Kurve, sich in seinen Angsthosen windend, winselnd und fürchtend, nach Windeln fragend, kleine Gebete sagend, zitternd und zagend. Oft fand man ihn – oder fand er sich – zitternd und zagend, jasagend, in den nassen Hosen; jugendzäh damals noch – obschon jetzt alterszäh–. Jugendzäh hoffend zitterte er dahin und zatterte er daher. Er lebte in diese – damals eine gräulich Heraufkommende – Zeit des Lebenslaufes, des abscheulichen Rennens, hinein bzw. herein, was von Widersachern der Menschen – den Menschen – Vollgestopftes und in Massen dickevoll Bevölkertes, wie ein Marmeladentopf dick gestrichen voll, wie ein vollgekackter Trauertopf. Ihm wackelten – zitterten – die Ohren im Moralgebell und im Schlachtengesang, dem Gesang vom großen Menschenschlachtefest. Vernehmlich gesungen von jenen Trotteln, Schnöseln oder Idioten genannten Soldaten, welche auch Patrioten des Vaterlandes und anderer horribler Orte genannt werden, auch Menschenfresser genannt, oft jedoch nicht erkannt als Kannibalen, sondern als in Töpfen rührende Mutterköche auftretend. (Es rührt sich aber Menschenfleisch in den Töpfen.)! Fürchte dich, du Schweizer Kind!

K. D. Roth drehte sich heimlicherweise den Pfahl des Christentums, langsam, mühselig u.a.m., aus dem Fleische. Viele Runden Lebenslaufes später sitzen ihm noch unzählbar Winzige, fernwirkend, im Fleisch und im Wurstsalat, daß die Verdauung flattert, und das Herz knattert, und beim Wixen, Scheißen, Pissen oder Küssen der Schmerz rattert, war doch Karl Dietrich Roth in das allumklammernde Schraubstück geraten – den Ehrgeiz –, Schraubstock genannt. Genannt auch: Die Schraubzwinge der Brust, Geldgier genannt, sich stark zwickend bemerkbar Machende. »Ach!« schreit er da, die Widersacher auf beiden Seiten ihn drückend, »Weh!« schreit er, das Eingeschraube im Eingeweide, »Sei Heil dem vor!«, oder: »Sei Heil dem unterm Zitterfuß!«, so tönte die Stimme des Jammers fortan, jedoch, das stoppte den grausamen Rennlauf nicht. Immernoch, obschon fest eingeklemmt, sinkt er doch – dem Klemmdruck weichend und nachgebend indem er zu Matsch wird – dahin, »Oweh!« rufend. Ojeh, obschon es ihm gelang seine kanonengraue Schweiz, die von Kanonenbauern Gerittene und Gewehrträgern überquellende dort auf den Alpenbergen oben, zu flüchten (zu den Pfeifen kauenden Nordkannibalen, mit den zwitschernden Vogelsahnetorten auf dem Picker), auszureißen, geriet er doch ins tiefe schwarze Loch – das schwärzeste der Löcher in welche er bis jetzt gefallen ist – nämlich die Schweinerei, Ehe genannt, dieses Dreckloch, und strampelte er in der darin zu findenden Scheiße sieben Jahre lang herum. Jammernder, Klammernder, Fickender, Selbstbedauernder; bereuenderweise beweinenswerte Nachfolge aufstellend, Nachfolger genannte hinausstoßend in die schauerliche Weite des schreckenerregenden, schauerlichen Erdplaneten –, von Menschengedanken zerstunkene Kackbrütanstalt, darin das große Kackei liegt, als Zivilisation verkannt, oft als Scheißei mißbenannt, als Kackei aber auftretend bzw. daliegend, mit Traum vom Überfluß gesättigt. »Geschrei und Gestank: Heil sei denen zuwider, trete denen entgegen!«, tönt es seither aus dem Klemmsatz des Schraubstücks, allwo D. R. seine Notpfeile spitzt; und – den nächsten Vers seiner Geschichte vom Lebenslauf mit Zittern, trillernd, zu begleiten vermeinend, (deren Flut wir einen mit Spitztrillern uns anspritzenden Hosenmatz entspringen zu sehn vermeinen, ein Pisshase,) da ruft er: Im Doppelnelson – jener Doppelklemmschraube – allfestestens eingeschraubt, schreit er nun, und er tritt um sich, ein echter bösgemeiner Zentraleuropäer, ein rechter Deutscher Schimpfer, Schreier (der Wut und des wütend furchtbar schimpfenden Haßprotzers), im wörtlichen Sinne um sich schlagender Kackbrüter; unter Schimpfern, Schreiern und Kackbrüdern der echtgemein hinterträchtige Sauhund aus Frankreich oder den Niederlanden sowie Polen, der Schweiz und anderen Schrecken verbreitenden Stätten der Ausbrütung und Aufziehung – der Aufzucht – der allgefährlichen Rasse Menschen, aus der Schweiz, Polen, Griechenland etc. etc. Ein echt dämlicher Franzose oder ein zu fürchtender, mit aller Macht Deutscher sowie Russe, Alle, zum sich Fürchten, sind sie da.

»Ojeh!« rufend floh D. Roth zu den sogenannten Nordamerikanern, grausamen, Mord und Totschlag verbreitenden Bewohnern der Erde, entsetzliche Mörderbrut. Ward er prompt einer der ihren? Ja, die Antwort laute: Er wurde ein Branntwein Trinkender, ein Selbstkitzeler, ein Zitterbratzen. Warum, lautet nun die Frage, und die Antwort möge lauten: Weil er selber einer war, nen Zitterbratzen bzw. eine Zitterbrätzin, mit Bitterbratzen. Wie ne Zitter, zeternd, miaute er sich durch jene Kurve von drei Jahren Lebenslauf, in der Hand die Gesellschaft der Flaschen. In die Hosen scheißend hing er nun da, im Kopf die Reue. Dann fiel er ab, genau auf die Stelle wo er vorher gewesen, wo er hergekommen war, dicht neben das Eheloch, es knapp vermeidend. Er sank in immer schärfere, tiefere Reue, in der Gesellschaft der Flaschen, im Kopf die Reue, in der Hose Scheiße sowie Pisse, so hing er in der Armutskatze Krallen, des Armutsvogels Krallen (der Armutskatze Klauen).

Jedoch, eine Löwin erschien, zu seiner Rettung aus der Armutskatze Klauen schien sie angetreten zu sein. Sie trat auf den Tatzen heran und schlug die Armutskatzen zu Brei (der aussah wie Hundebratzen, welch ein Traum!). Sie kaute ihn – was er, erwachend, plötzlich glaubte sehen zu wähnen – aus den Schuhen, in siebenjährigem Prozeß. Sie ihn aus den Schuhen kaute, den Fluchtvehikeln. Jammernd, umsonst, klammerte er sich, erfolglos fickend und kickend, darein. Da, er fiel heraus! Herausgekaut, fand er sich im Schraubstück wieder vor, strotzend von traurigem Schmutz und feuriger Trauer, – der Sphinx aus dem Rachen gefallen, in die Gesellschaft der Flaschen und Kannibalen aufs neue geraten –, floh der R. und langte wieder an ... bei denen welche er geflohen hatte (ist der doch einer der ihren), Menschen Kauende, Messer Wetzende, Zähne Putzende, Bellende, Pissende, Scheißende sich einander in die Töpfe; dicke Kanonen selbst unter dem erdbewohnenden Pöbel. Diese alle, ein Blut durstendes, äußerst zu fürchtendes Pack, genannt mord-, moral-, schimpf- und schlachtegeiles Gewolfe, hirnverbrannte Massenmörder, speiet auf ihr Bild, in Gedanken, speiet auf sie, überkannibalistisch absingende Selbstfresser usw. usw.! So rennt er dahin, auf dem Lauf des Lebens, zwischen und unter Mördern stolpert er mörderisch dahin. »Fliehe und fliege du!« wünscht ihm furchterregterweise jener, der von ebenso angsterfüllter Art, (er selber). »Du armer, verlassener Mensch und Arsch, laß dich nicht von deinen Zeitgenossen erwischen, flieh Käfer, flieh!«

bei der Abreise, Stuttgart 24. 9. 76
(Dieter Roth)

Otto Muehl und Hermann Nitsch, Fest der psycho-physischen Naturalismus, Perinetgasse 1, Wien, 28. 6. 1963

Bundespolizeidirektion Wien
Bezirkspolizeikoat Brigittenau
Zl. betreff Wien, am 1. Juli 1963

Mühl Otto und Hermann Nitsch

Übertretung des Schmutz- und Schundgesetzes
Verletzung der Sittlichkeit
Störung der Ordnung
Verteilung von Druckwerken ohne Impressum
Verteilung von Druckzetteln durch Kinder
Verteilung von Druckzetteln auf Straßengrund ohne behördliche Bewilligung

Bericht

Über Auftrag und in Anwesenheit des Herrn Stadthauptmannes Pol.rat Dr. Schönfeld sowie im Beisein des Abteilungskommandanten, Pol.Maj. Kl. Schmid und 20 Mann Sicherheitswache unter Führung eines Oberleutnants wurde von den Gefertigten die Überwachung einer Veranstaltung in Wien 20, Perinetgasse 1 am 28. 6. 1963 in der Zeit von 17 Uhr bis 20 Uhr 15 durchgeführt.
Die beiden Kunstmaler Otto Mühl, geb. 16. 6. 1925 in Grodnau, Bez. Oberwarth, Bgld. led. Wien II.,
und Hermann Nitsch
haben am 26. 6. 1963 um Genehmigung angesucht, am 28. 6. 1963 in der Zeit von 18 bis 20 Uhr ein Schaumalen auf der Fahrbahn der Perinetgasse veranstalten zu dürfen. Aus verkehrstechnischen Gründen wurde jedoch die Benützung der Fahrbahn der Perinetgasse zu dem im Ansuchen erwähnten Zwecken nicht bewilligt.

Otto Mühl ist Mieter eines im Hause Perinetgasse 1 befindlichen Kellerlokales. Dieses Lokal ist cca 12 m lang und 5 m breit und der Fußboden cca 2 m unter dem Straßenniveau. Es besitzt 3 an der Gassenfront gelegenen Fenster, die mit undurchsichtigen Glasteilen, welche aus mehreren cca 15×15 cm großen Scheiben bestehen, versehen sind. Einige Scheiben waren eingeschlagen, so daß man von der Straße aus in das Innere des Lokales blicken konnte. Das Lokal kann sowohl vom Gehsteig der Perinetgasse aus durch einen mit einer doppelflügeligen Eisentür versehenen Eingang über mehrere Stufen als auch vom Souterrain des Hauses durch einen mit einer Holztür versehenen Eingang betreten werden.

Die Stiege und das Geländer des vorderen Einganges befinden sich in einem sehr schlechten Zustand. In der Nähe des rückwärtigen Einganges war verschiedenes Gerümpel gelagert. Das Lokal erscheint aus diesen

Otto Muehl und Hermann Nitsch, Fest des psycho-physischen Naturalismus, Perinetgasse 1, Wien, 28. 6. 1963

Gründen für eine öffentlich zugängliche Veranstaltung nicht geeignet zu sein.

Beim Eintreffen der gefertigten am 28. 6. 1963 um 17 Uhr bot die Perinetgasse ein normales Straßenbild. Um cca 17 Uhr 30 hatten sich bereits cca 20 Personen vor dem Haus Nr. 1 angesammelt. Es handelte sich offenbar um zur Veranstaltung der beiden Maler geladene Gäste. Die Ansammlung dieser Personen hatte zur Folge, daß auch zahlreiche Passanten angelockt wurden und in der Perinetgasse stehenblieben. Die Zahl der Neugierigen und die Besucher der Veranstaltung betrug um 18 Uhr 30 cca 300 Personen, wodurch die Fahrbahn verstellt und der Verkehr stark behindert war.

An die versammelte Menschenmenge wurden von Kindern Zettel in rotem und schwarzem Druck im Ausmaße von 21 × 14 cm verteilt. Die Zettel, von welchen je ein Exemplar dem Akt beiliegt, waren nicht mit dem gesetzlich vorgeschriebenen Impressum versehen, sie waren Einladungen einer Ausstellung des Malers Hermann Nitsch in der Galerie Josef Dvorak, (...)

Die beiden Schüler Franz Haider, am 9. 10. 1955 in Mödling, N. Ö. geb., österr. Staatsbürger, Eltern Franz Mauer, Wien XX., Perinetgasse 3/3/24 wh. u. Emil Amon, am 27. 7. 1954 in Wildumbach, N. Ö. geb. Osten Stbg., Eltern Mathias u. Elisabeth, Wien XX, Perinetgasse 3/4, wh., wurden bei der Verteilung der Zettel betreten. Eine behördliche Bewilligung wurde der h. a. vorliegenden Information zufolge nicht erteilt.

Um 18 Uhr 30 stellte sich Otto Mühl auf den Gehsteig der Pg. vor den Eingang seines Kellerlokales, vor welchem ein alter Spiegel angebracht war, auf und warf zwei Ziegelstücke gegen den Spiegel. Der Spiegel zerbrach und der Eingang zum Kellerlokal wurde frei. Nun betrat Mühl von cca 70 Personen gefolgt das Lokal. Die Vorgänge in diesem Lokal wurden von Krim. Ray. Insp. Eder überwacht. In dem Keller, an dessen Seitenwänden verrostete Eisenteile, Draht u. Spiegelbruchstücke lagen, war die westlich gelegene Stirnseite mit weißer Leinwand ausgekleidet. Dort befand sich auch eine mit einem weißen Stoff überzogene Liegestätte, und davor hing an einem Strick und einem Fleischerhaken vom Plafond ein geschlachtetes Lamm. Neben der Liegestätte standen mehrere Kübel, in denen sich die Eingeweide eines Tieres, vermutlich eines geschlachteten Lammes befanden. Nitsch, der zu Beginn der Veranstaltung auf der Liegestätte lag und mit einem weißen Tuch bedeckt war, stand auf, nahm die Eingeweide aus einem Kübel und warf sie auf ein Tuch, welches unterhalb des aufgehängten Lammes aufgebreitet war. Er zerriß mit seinen Händen und verwendete auch eine Schere zur Zerkleinerung der Gedärme. Dann zerkaute er eine weiße Blume, vermutlich eine Teerose, und spie die zerkauten Teile auf die Eingeweide. Dann ergriff Nitsch einen Mauerhaken und hieb mit diesem auf das abgehäutete Lamm ein, wodurch Fleischfetzen und Blut sich vom Tierkörper ablösten und gegen die Leinwandauskleidung spritzten. Durch die mit dem Mauerhaken geführten Schläge pendelte das Lamm hin und her und riß schließlich ab. Das Lamm fiel in die Zuschauermenge, welche auf diesen Vorfall mit Gelächter reagierte. Dann legte sich Nitsch auf das Bett und bedeckte sich mit zerkleinerten Gedärmen. Die Kleidung des Nitsch, welche aus einem weißen Hemd, dunkler langer Hose und schwarzen Halbschuhen bestand, sowie die Liegestätte und die Auskleidung der Stirnseite des Lokals wurden während der oben geschilderten Tätigkeit stark mit schliemigen Gedärmen beschmutzt. Nitsch wurde überdies mit einem Kübel mit einer roten, blutähnlichen Flüssigkeit überschüttet. Schließlich bot Nitsch, sowie die Liegestätte sowie die Auskleidung der Stirnseite des Lokals einen derartig widerlichen Anblick, der Zuschauer veranlaßte, das Lokal zu verlassen. Während der Darbietung nahm Nitsch ein Getränk zu sich, wobei es sich vermutlich um Wein gehandelt hat. Er machte auch einen alkoholisierten Eindruck. Die Veranstaltung wurde von dumpfer Musik, in der ständig Hammerschläge mitklangen, begleitet. Die Musik wurde durch ein Magnetophon und einen Lautsprecher erzeugt. Während der Veranstaltung wurden auch zahlreiche photographische Aufnahmen gemacht. Vorerst waren offensichtlich vorwiegend Anhänger der »Kunstrichtung« der beiden Veranstalter sowie Bildberichterstatter im Lokal anwesend. In der Folge jedoch, bald auch andere Neugierige aus der Umgebung. Da die beiden Eingänge zum Kellerlokal seitens der beiden Veranstalter nicht überwacht und sonst jedermann ungehindert an der Veranstaltung teilnehmen konnte, befanden sich auch Kinder im Alter von ca. 10 bis 12 Jahren sowie mehrere Jugendliche unter 16 Jahren unter den Zuschauern. Es war auch von der Straße aus durch einige eingeschlagene Fensterscheiben möglich, die Vorgänge im Lokal zu beobachten.

Auf der Straße vor dem Lokal nahm eine wachsende Anzahl von Personen gegen die Veranstaltung Stellung und bezeichnete sie als widerlich und ärgerniserregend. Es wurde auch kritisiert, daß Kinder Gelegenheit hätten, der Veranstaltung beizuwohnen bzw. dieselbe von der Straße aus zu sehen. Der Unmut der Umstehenden auf der Straße nahm mit dem Fortgang der offensichtlich Ärgernis erregenden Vorgänge im offenen Kellerlokal immer lautere und erregtere Formen an. Die Aktionen der beiden Veranstalter hatten – wie ja auch in ihrem Programm angekündigt war – einen stark sinnlich-perversen Einschlag und waren offensichtlich darauf abgestellt, bei den beiden Akteuren, nach und nach sinnliche Erregungen durch das Zerfleischen des Tierkörpers, das

Spritzen des Blutes, Wühlen in den Gedärmen usw. hervorzurufen. Das wurde noch durch eine sonderbare primitive Musik, deren Rhythmus durch hammerschlagähnliche Geräusche hervorgehoben wurde, gesteigert, welche mittels Magnetophon und Lautsprecher abgespielt wurde. Die Akteure stießen von Zeit zu Zeit Schreie aus, welche ebenfalls sinnlich wirkten bzw. wirken sollten. Über Auftrag des Herrn Stadthauptmannes wurde um 19.00 die Perinetgasse durch SWB beräumt. Anschließend wurde die Veranstaltung im Lokal, deren Ende für 20.00 Uhr angekündigt worden war, vorzeitig polizeilich geschlossen und die hausfremden Personen aus dem Lokal gewiesen. Bei der Räumung der Straße und des Lokals ereigneten sich keine Zwischenfälle. Um 20.00 Uhr verließen Nitsch und Mühl das Lokal, nachdem sie es versperrt hatten. Hierauf entfernten sich auch die letzten Zuschauer und um 20.15 Uhr bot die Perinetgasse das normale Straßenbild.
Kurz eh.
Krim.Rev.Insp.
Melaun eh.
Krim.Ray.Insp.
Eder eh.
Krim.Ray.Insp.
Bundespolizeidirektion Wien
Bezirkspol. Koat Brigittenau
eingelangt am 3. 7. 63
Zahl Pst. 2118/1/63

Polizeieinsatz beim Fest des psycho-physischen Naturalismus von Otto Muehl und Hermann Nitsch

Hermann Nitsch

Die Eroberung von Jerusalem

»wenn es keinen krieg gibt, muß man ihn in tragödien machen« christian dietrich grabbe

wegen seiner schweren aufführbarkeit gerät dieses drama in die nähe der concept art. trotzdem ist es mit den heute zur verfügung stehenden technischen mitteln leicht zu realisieren. die aufführungskosten wären um vieles geringer als für militärische übungen aufgewendet werden.

nach jeder aktion sind die in dem jeweiligen raum zu registrierenden gerüche angegeben. gerüche, die sich aus der aktion nicht unmittelbar ergeben, werden aus spraydosen versprüht. die für jede aktion benötigte besetzung der lärmmusik ist ebenfalls angegeben. wenn nicht anders vorgeschrieben, wird während der gesamten dauer der jeweiligen aktion gelärmt.

die bühne ist zu einer unterirdischen stadt erweitert. der beigegebene plan zeigt mit nummern gekennzeichnete unterirdische gänge und räume, in welchen sich die aktionen ereignen. die decken, böden und wände der in die erde gegrabenen gänge und räume sind betoniert. die beleuchtung der gänge und räume ist, wenn nicht anders angegeben, sehr hell.

bezüglich der aufführungsweisen ist alles offen gelassen. es ist keine genaue aufführungsdauer vorgesehen. es können sich alle geschehnisse innerhalb weniger stunden, einiger wochen, einiger monate oder jahre ereignen. obwohl die geschehnisse auf der partitur, bedingt durch die enge unserer sprachordnung, nacheinander angegeben sind, heißt das nicht, daß sie sich auch tatsächlich nacheinander ereignen müssen. viele geschehnisse können sich gleichzeitig oder in einer beliebigen ganz anderen reihenfolge ereignen. die aktionsabfolgen sollen für den spielteilnehmer nicht wie auf einer guckkastenbühne übersichtlich angeordnet werden. der spielteilnehmer soll lediglich von dem jeweiligen regieplan in kenntnis gesetzt werden, um selbst zu wählen, welche ereignisse er erleben will. es kann sich ergeben, daß der spielteilnehmer zu manchen ereignissen stößt, deren dramatischer kulminationspunkt, höhepunkt bereits überschritten ist; oder das geschehnis ist vorbei, nur mehr die relikte der aktion sind zu registrieren, die verwendeten substanzen beginnen bereits zu faulen. die wegrichtung der spielteilnehmer kann durch los oder würfel bestimmt werden. es kann sich ergeben, daß wege gegangen und räume betreten werden, wo sich nichts ereignet, vielleicht ist lediglich die lärmmusik von der ferne zu hören wie das donnern einer untergrundbahn.

die am einfachsten zu realisierende aufführungsart bleibt die unmittelbare aneinanderreihung der geschehnisse. die mitspieler gehen in einen raum, besichtigen ihn bzw. nehmen an der in dem raum stattfindenden aktion teil, gehen von da in den nächsten raum und nehmen dort an der aktion teil. es wird sich öfters ergeben, daß die verschiedenen prozessionen und tierherden gleiche gänge und räume benützen, d. h. sie können sich begegnen. die begegnung ist bestandteil des spieles. auch werden viele räume zu mehreren zwecken benützt.

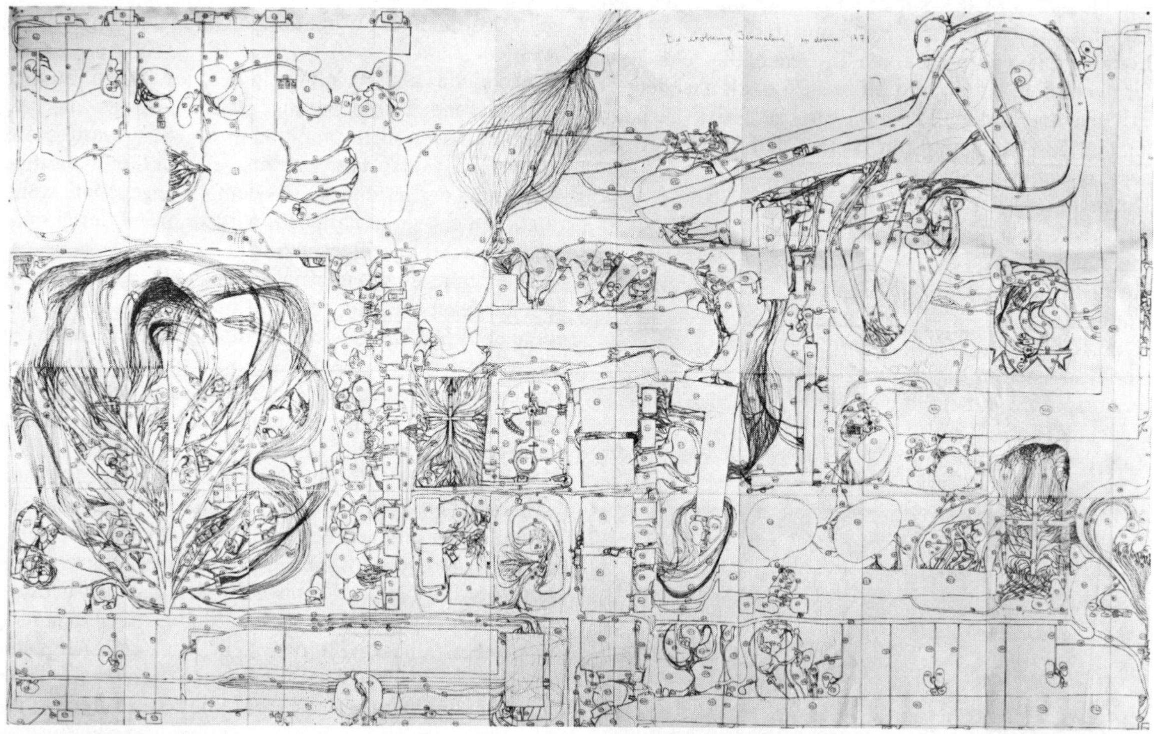

Hermann Nitsch. Die Eroberung von Jerusalem. 1971 (Kat. 758)

in raum 132 wird auf einer tragbahre die leiche neros gebracht. der tote nero ist mit einem weißen mit hermelin besetzten königsmantel bekleidet. um seinen kopf ist eine dornenkrone gewunden. um die auf den boden gestellte tragbahre laufen weiße kaninchen. der mantel von nero wird geöffnet, sein oberkörper und sein unterleib sind nackt, unterhalb seiner linken brustwarze wird mit einem skalpell eine tiefe ca. 5 cm lange wunde geschnitten. ca. 30 9jährige nackte knaben, deren schädel kahl geschoren sind, kommen in den raum, klaffen die brustwunde neros auf, drücken ihre lippen gegen das fleisch der wunde, lecken die innenwände der wunde, saugen blut und wasser heraus und küssen die wunde.

das geschlechtsteil von nero wird mit einem skalpell zerfleischt, die beiden hoden werden entfernt und auf den boden geworfen. an der stelle des geschlechtsteiles wird mit dem skalpell solange herumgewuchert, bis eine lochartige blutige wunde entsteht, auf die wunde wird mit stark nach vanille riechendem puder bestreute watte gelegt. keimfreier verbandstoff wird darüber gewunden. der schädel der leiche neros wird mit einem beil zerschmettert und zerfleischt. seile werden an hände und füße neros gebunden, die seile werden an 4 gegenüberliegenden punkten des raumes befestigt, die seile werden aufs äußerste gespannt. nero hängt mit auseinandergezogenen füßen und händen ca. 1 m über dem boden. der leib des toten neros wird geöffnet. die blutigfeuchten gedärme werden von nr. 40 mit beiden händen aus dem geöffneten körper gezogen und gerissen, und auf den boden geworfen, die kaninchen werden aus dem raum getrieben. EIN GESCHLACHTETES ABGEHÄUTETES LAMM WIRD ZERRISSEN, DIE WARMEN BLUTIGFEUCHTEN GEDÄRME WERDEN AUS DEM LEIB DES GESCHLACHTETEN TIERES GERISSEN. 20 schweine und 30 hunde werden in den raum getrieben und zerreißen die leiche von nero.

DIONYSOS

von gang 132 kann über enge stiegenaufgänge ins freie gelangt werden. man erreicht eine hügelige landschaft mit weingärten. singende prozessionen gehen durch die kellergassen und die wege zwischen den weingärten. aus den offenen türen der weinkeller riecht der wein. gesang und gespräche der in den kellern trinkenden ist zu hören. es ist ein heißer sommerabend (schwüler weingeruch, kühler alter nasser kellergeruch vermischt sich mit dem geruch feuchter frischer rosen).

frische (tee)rosen
frische pfingstrosen

es hat lange nicht geregnet.

die blumen müssen
gegossen werden

frischer flieder + koch-
salz
frische (tee)rosen
frische pfingstrosen
frischer salat
frisches obst(kirschen)
frischgemähtes gras

von den grünen weinbergen ist lärm zu hören (ekstatisches geschrei, hörner, schwere blasinstrumente, schrille flöten) betrunkene und drogenberauschte hüllen sich in blutige felle (in häute frischgeschlachteter tiere), torkeln, fallen, springen, laufen und tanzen den hügel abwärts, gefolgt von schaf-, ziegen- und rinderherden. sie schütten blut, urin, wein und erbrochenes vor sich her. das gebrüll der gestirne, die sterne donnern in ihren bahnen. das all drängt zum chaos. die erde erdröhnt unter der macht des dionysischen exzesses. sie zerren und schleifen das FLEISCH DES GOTTES, rinder und böcke werden geschlachtet. das blut tropft auf die erde. aus allen bauernhöfen kommen sie gerannt und reihen sich ein. die spielteilnehmer betrinken sich in den weinkellern, laufen zu dem dionysischen zug, reihen sich ebenfalls ein, hüllen sich in blutige felle von frischgeschlachteten tieren. schlachtwarmes blut, laue milch (kuhmilch, ziegenmilch, schafmilch), saure milch, wein und urin wird verschüttet. wein und milch rinnt in schäumenden bächen durch die felder. tröge von frischen feuchten (frischgegossenen) blumen. teerosen werden auf den boden geschüttet. GOTT IN GESTALT EINES GESCHLACHTETEN STIERES WIRD ZERRISSEN. frauen krallen ihre finger in das fleisch des tieres, beißen mit ihren zähnen in das salzig schmekkende rohe dampfend dunstende fleisch und beißen in die hoden. an dem geschlechtsteil des tieres wird gelutscht und urin herausgesogen. die gedärme werden herausgekrallt, herausgerissen, gequetscht und gebissen, bis kot herausdringt. das fleisch des GOTTIERES wird auseinandergerissen, gewaltsam zerfleischt, aus dem tier herausgerissene orange und FLEISCHSTÜCKE werden in die luft gewirbelt, in der gegend herumgeworfen. mit fleisch wird BALL gespielt. der gott hat sich der lust geopfert, um als auferstandener im allgemeinen leben innig wieder zu kommen.

zur metaphysik der aggression

mit der eroberung von jerusalem handelt es sich um meine bitterste phantastisch tragische arbeit. ein tempelartiges labyrinth von festlicher grausamkeit bohrt sich in ein mythisches unterreich. diese arbeit überblickend, berührt mich keine trauer. überhaupt gibt es keine gefühlsverbindungen zu vulgär inhaltlichem, eher sehe ich alles ästhetisch wertfrei, berausche mich an schönheit, an überquellender form, die an keine humanen regeln gebunden ist und die sich rückhaltlos des todes und sexueller sadomasochistischer zerfleischungslust bedient. es liegt alles vor mir wie ein üppiger blumengarten voll schwelgerischem trunkenen wachstum, überlagert von einem gewirr von düften. alle sinne sollen bis zu ihren wurzeln aufgeregt werden, aufgeregt bis zur wahrnehmungsqual, bis zu den grenzen des noch erträglichen. die schönheit neutralisiert und tilgt die frage der moral, nach der verantwortung. mögen sie die tragen, die sich dazu berufen fühlen. uns haben die schönheiten von katastrophen ins grund- und bodenlose verführt. die struktur der form ist uns tiefere metaphysische wirklichkeit als die moral. ich habe mich bemüht, mein theater zu humanisieren, erklärungen zu finden für das aggressiv orgiastische meiner spiele, für die lust, gesund wütig zu zerstören, in warmen eingeweiden eines geschlachteten tieres zu wühlen,und letztlich wollte ich mich für den klar zutage tretenden wunsch zu töten, entschuldigen. als ich an einen sinn, die statik und die moral einer humanen gesellschaftsordnung noch irgendwo glaubte, versuchte ich, mit meiner arbeit eine art ventil anzubieten, durch welches alles unterdrückte verdrängte abreagiert und beseitigt werden sollte. ich akzeptierte die humanen geleise der freudschen psychoanalyse, die mich aber doch lehrte, all diese abgründe der ekstase, der aggression zu schauen, trotzdem sah ich alles eher zweidimensional. aber schon bei meinen früheren konzeptionen hatte ich einen verdacht. wenn man hinter die tatsache der verdrängung von vitalität, von lebensenergien sieht, wenn man den ekstatischen triebdurchbruch, den ausbruch verdrängter energien beschaut, so handelt es sich nicht nur um einen ausbruch irgendwelcher verdrängter eingeengter bereiche, sondern ein blick tut sich auf ins chaotisch abgründige, ins unerschöpfliche, unerschöpflich dionysische. eine elementare kraft rührt uns an, vor der uns schauert. hinter all den regeln und ordnungen der sprache, des staates und der zivilisation ist ein irrationales uns chaotisch scheinendes kräftegefüge, das gerufen jederzeit bereit ist, unsere ordnungen zu durchbrechen und hinwegzuspülen. das dionysische bietet sich an. einer rationalen politisch schwächlichen ordnung stellt sich ein stärkeres »göttlich« prometheisches wirken entgegen. die statik entspricht nicht den naturgesetzen, sie wird gebildet durch den scheingeborgenheitsuchenden durchschnitt, durch das wirklich böse der lauheit, der trägheit. das naturgesetzliche wirklichkeitsbildende metaphysische prinzip ist die verwandlung, das dynamische, die veränderung, das dionysisch revolutionäre prinzip.

Günter Brus

Handlungsablauf:

1. Nach Einsatz des Geräusches erhebe ich mich aus der bereits eingenommenen Bauchlage (Kopf am Kreisumfang – Füße zur Ecke).
   Ich krieche auf allen vieren zur linken Wand, stoße an und krieche zur rechten Wand.
   Aufschlagen des Kopfes auf das Polster (etwa 3×) retour zur linken Wand und wieder um zur rechten Wand (Polster 8×), und wieder zur linken Wand usw. Das Tickgeräusch beendet diesen Teil.
2. Ich nehme wieder die anfangs beschriebene Ruhelage ein.
3. K1 löst einen Schreikrampf aus und dieser wird durch K2 exakt beendet. Bewegung vehement.
4. Nach kürzerer Ruhelage nähere ich die rechte Hand mit weit auseinander gespreiztem Zeige- und Mittelfinger dem Drahtende, ohne einen wirklichen Kontakt herzustellen.
5. Nach dem Tickton setzt wiederum die Pendelbewegung von der linken zur rechten Hand, und umgekehrt, ein (Polsterkopf). Dazwischen der 3. Knall, auf welchen ich nicht reagiere.
6. Der Tickton beendet die Pendelbewegung. Ich begebe mich wieder in die Ruhelage.
7. Der 4. Knall, eigentlich ein extrem lautes Geräusch, das eine Minute dauert, löst ein spontanes Hochschnellen aus – hysterisches Geschrei, Wälzen usw. in der Art eines Anfalls. Exaktes Ende nach einer Minute.
8. Ruhelage in der Position, in welcher ich mich eben befinde.
9. Der Tickton: ich berühre mit der Stirn den Plastikknopf auf der Polsterseite. Abermals Tickton.

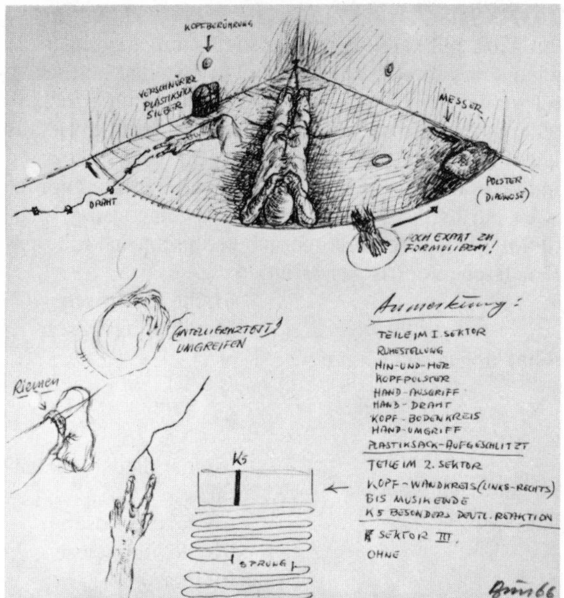

Günter Brus. Blatt 9 aus Ablauf einer Aktion. 1966 (Kat. 759)

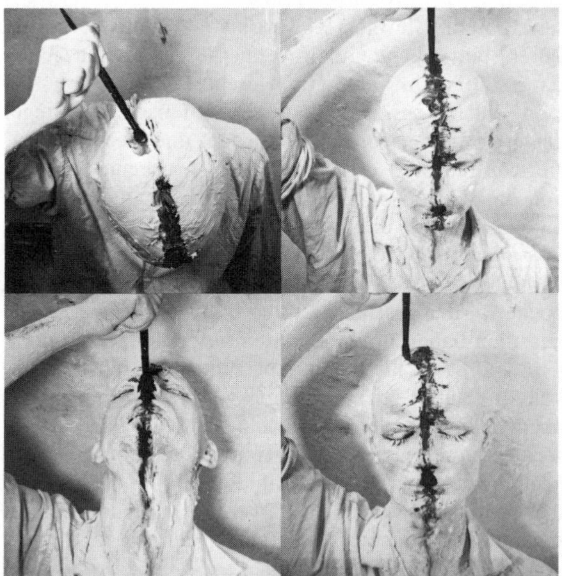
Günter Brus, Selbstbemalung und Selbstverstümmlung, Galerie Junge Generation, Wien, 6. 7. 1965

10. Ich krieche zur anderen Seite und berühre mit der Stirn den Wandknopf.
11. Auf Knall: energische Reaktion in Form eines Wegschleuderns.
12. Rückzug zur Ecke, Ruhelage kauernd bis Tod.

Hermann Nitsch. Schüttbild. 1960 (Kat. 757)

Otto Muehl

Die Materialaktion

die materialaktion ist über die bildfläche hinausgewachsene malerei, der menschliche körper, ein gedeckter tisch, auf dem sich das materialgeschehen ereignet, oder ein raum wird zur »bildfläche«.

zur dimension des körpers, des raumes, kommt die dimension der zeit: die abfolge der aktionen, ihre geschwindigkeit, die simultaneität mehrerer aktionen. hier ist die ähnlichkeit mit dem theater gegeben. auf die bezeichnung theater wird verzichtet, weil sie zu sehr mit traditionellen vorstellungen belastet ist. das theater arbeitet noch vielfach mit symbolen, die eine fabel illustrieren sollen.

die materialaktion arbeitet mit symbolen, die selbst die geschichte sind, die aneinanderreihung und mischung von symbolen als für sich existierende wirklichkeiten. sie wollen nichts erklären, sie sind das, als was sie erscheinen, als eine sich vollziehende wirklichkeit. das zerschnitzeln einer gurke über einem menschlichen körper bedeutet nichts anderes, als das, was geschieht, bedarf keiner deutung und spricht für sich. daß sich dazu allerhand denken läßt, ist klar. ein reales geschehen auf die bühne gebracht entzweckt das geschehen, wird zur materialaktion.

das agieren eines zahnarztes auf der bühne gewinnt eine andere bedeutung als der gleiche vorgang in einer ordination, dem man zufällig beiwohnt. doch ist der beschauer fähig, für sich eine entzweckung des geschehens vorzunehmen (was sonst die bühne leistet) und den vorgang als materialaktion zu erleben. diese leistung vollbringt jeder gute fotograf. die kamera zwingt ihn zur entwirklichung. durch vermengung der materialien werden optische sensationen erzeugt, wie z. b. auch beim kochen entstehen. wer das zubereiten einer speise fähig ist wie eine naturkatastrophe oder eine naturkatastrophe wie das zubereiten einer speise zu erleben, ist erfinder einer materialaktion.

jetzt ist es verständlich, daß der mensch in der materialaktion nicht als mensch, sondern als körper behandelt wird, wenn auch als körper, der das meiste interesse auf sich zieht.

die körper, dinge, die wir sonst als objekte unserer zwecke sehen und bewerten, werden durch die materialaktion radikal entzweckt. der schock bleibt nicht aus, besonders, wenn es um geschlechtliches geht; wenn der beschauer gezwungen wird, einen weiblichen oder männlichen körper mit seinen geschlechtlichen attributen entzweckt und daher formal zu begreifen.

der mensch tritt nicht als mensch, als person, als geschlechtswesen auf, sondern als körper mit bestimmten eigenschaften.

er wird in der materialaktion wie ein ei aufgeschlagen und zeigt den dotter.

die materialaktion ist eine methode, die wirklichkeit zu erweitern, wirklichkeiten zu erzeugen und die dimension des erlebens auszudehnen.

Otto Muehl. Materialaktionen. 1963–67
Versumpfung eines weiblichen Körpers. 1963

Avantgarde und Zeitgeschichte
Fortschritt und Verweigerung

Warhols Historienbilder für die Konsumwelt sind gewiß der stärkste Beitrag der Avantgarde zur Zeitgeschichte in den sechziger Jahren. Durch das Zusammenwirken von umfassender Ikonographie, zeitgemäßer Technik und radikaler Form rückt die Warholsche Bildproduktion von 1962/65 in eine Schlüsselposition. Jetzt erst wird die Wiederkehr der Außenwelt ›identifizierbar‹ in der neuen Malerei. Rauschenberg zeigt fortan, wie man das Bild-Klischee für neue Bilder virtuos handhaben kann – und wird so zum Chronisten der Epoche: vom Optimismus der Kennedy-Ära und der Mondfahrt bis hin zu Vietnam. 1970 montiert er die aus Zeitungsausschnitten erstellten *Currents-Collagen* zu einer zwanzig Meter langen Bildfront, vor der damals der ›Newsweek‹-Kritiker befand: »Die Aussage heißt Krise – zu Hause, in Übersee, in der Atmosphäre.«[85]

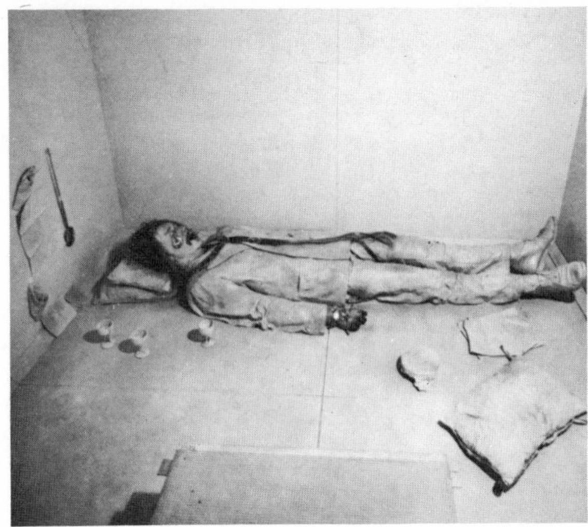

Paul Thek. Zikkurat, das Grab – Tod eines Hippie (Innenansicht). 1967

Paul Thek. Zikkurat, das Grab – Tod eines Hippie (Außenansicht). (Kat. 727)

Der Setzkasten der engagierten Kunst ist seit den späten sechziger Jahren mit malerisch manipulierten Klischee-Elementen sehr prall gefüllt. Arroyo, Erro, die Gruppe Cronica verarbeiten so Gesellschafts- und Kunstkritik im Geist der 68er Jahre.

Als einen »Scherz über Minimal Art« empfand man Paul Theks erstmals in New York gezeigtes *Grab*.[86] Es kommt wohl auf den Kontext an: Vier Jahre später, auf der fünften documenta in Kassel, sinnierte die zugereiste Jugend in Theks weihrauchgeschwängertem Sanktuarium, dessen Prototyp eben dieses *Grab – Tod eines Hippie* war.

Im Zeichen der Zeitgeschichte wäre eine Überblendung von Theks Grabfigur und Richard Hamiltons *Kent State*-Motiv mit dem liegenden Opfer angebracht. Letzteres geht auf ein Dokumentarfoto von einer Protestkundgebung auf dem Campus im Jahr 1969

Öyvind Fahlström. Dr. Schweizers letzte Mission. 1962–66
Installation für die Biennale in Venedig. 1966 (vgl. Kat. 732)

zurück, die nach dem Eingreifen der Nationalgarde blutig endete. Die in beiden Fällen intensiv wirksame ikonographische Tradition – Leichnam Christi – fordert zum Vergleich heraus. Und doch trennen Welten die beiden zeitgenössischen Werke. Hamilton wahrt nicht nur die Distanz (darin mit Warhol einig), er arbeitet mehrschichtig auch *mit* der Distanz: Sein Siebdruck-Bild in 5000facher Auflage reflektiert zugleich über die Medien.[87] Thek indes setzt auf Direktheit, Identifikation – er selbst ist der tote Hippie –, auf »absoluten Fetischismus«.[88]

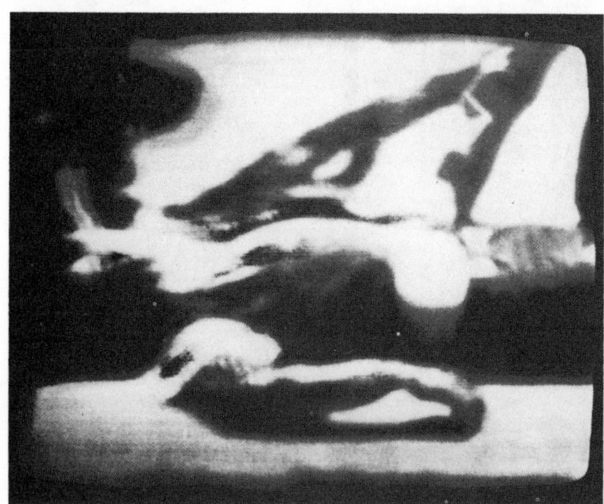
Richard Hamilton, Kent State, 1970. Siebdruck, 73 × 103 cm

So gesellt er sich zu den ›Moralisten‹ unserer Ausstellung: zu Edward Kienholz, dessen grauenerregendes *State Hospital* von 1966 auf das Erlebnis einer frühen Empörung zurückgeht[89], zu Öyvind Fahlström, der besessen pessimistische Allegorien der Zivilisation in Form von raumgreifenden Comics anfertigt. Statt des Expressionismus von *Guernica* blieb Fahlström die Orchestrierung der Daten; es blieb auch der Zweifel: »Kann das Muster der Tatsachen Poesie werden?«[90]

Was diese Künstler verbindet, ist die souveräne formale Artikulation ihres Engagements, das zugleich die radikale Absage an den Kunst-Fortschritt und dessen affirmative Ideologie bedeutet.

Nicolas Schoeffer

Die Zukunft der Kunst – die Kunst der Zukunft

(...) Wenn wir es zulassen, daß die Kluft zwischen der Tendenz zur Niederhaltung des Niveaus auf seiten der Massen und der Tendenz zur Aristokratisierung der Spezialisten größer wird, so gehen wir ungeheuren gesellschaftlichen Gefahren entgegen. Denn dieser Prozeß kann zwei extreme Erscheinungen hervorrufen: entweder eine allgemeine Ausbreitung der Tendenz zur Niederhaltung des Niveaus oder aber eine allgemeine Machtergreifung der spezialisierten Gruppen, wodurch dann die Spaltung zwischen den niedergehaltenen Massen und den Elitegruppen mehr oder weniger besiegelt wäre. (...)

Die neue Elite wird zwischen zwei möglichen Haltungen schwanken: der Machtergreifung über die Massen, deren Niveau niedriggehalten wird, und der beständigen Anhebung des Niveaus der Masseninformation, d. h. der Verbreitung von ästhetischen, wissenschaftlichen und technischen Informationen. (...)

Seit kurzem zeichnet sich deutlich eine neue menschliche Verhaltensweise ab, eine objektive, rationale, strukturbetonte Haltung, die eher technisch als gefühlsbetont zu nennen ist und deren Bestreben auf die ständige Anhebung des Informationsniveaus und die Einbeziehung weiterer Gesellschaftskreise in die Aktivität gerichtet ist.

Eine solche Verhaltensweise ist der der Wissenschaftler und Technokraten sehr nahe, während sie von der des Künstlers, wie man ihn sich noch vor kurzer Zeit vorstellte, denkbar weit entfernt ist. Im künstlerischen Schaffensprozeß spielt unbestreitbar die schöpferische Imagination eine wesentliche Rolle. (...)

Die Imagination ist nichts anderes als ein besonderes Kombinationssystem, das auf eine bestimmte Auswahl von Informationen und ihre Verarbeitung im Hinblick auf die Erstellung neuer Informationen abgerichtet ist. Die schöpferische Imagination des Künstlers ist unzweifelhaft am ehesten fähig, Informationen aus allen Gebieten mit größter Sicherheit auszuwählen und zu überwinden, um daraus Informationen zu schaffen, die dem Anschein nach neu sind und auch wirklich weiterführen, zudem ihrer Struktur nach die besten Proportionen aufweisen. Das alles gibt diesen Informationen einen besonderen Wert, den wir als ästhetischen bezeichnen. (...)

Der Künstler muß der handelnde Pol des universalen Bewußtseins sein. Erschien die Kunst bisher mehr oder weniger zweckfrei, so muß sie nun einer Kunst weichen, deren Funktion immer deutlicher zutage tritt.

Der Künstler muß das Tafelbild zugunsten einer umfassenden Kunst aufgeben. Es genügt nicht mehr, dem Publikum Eindrücke zu vermitteln, es muß zutiefst beeindruckt werden. Um dieses Ziel zu erreichen, müssen die künstlerischen Produkte in die lebendigen Umlaufbahnen der Gesellschaft einbezogen werden. Die Informationsnetze müssen den wahren ästhetischen Produkten geöffnet werden.

Dazu bedarf es aber einer neuen Kunst-Technologie und einer völligen Umwandlung der Beziehungen zwischen dem herstellenden Künstler und dem verbrauchenden Publikum. (...)

Es ist ja gerade die Rolle der Kunst, die drei Dimensionen zu überwinden und neue Dimensionen zu erobern.

Wir können uns mit Sicherheit heute schon für die Zukunft anstelle des kleinen Bildschirms einen Raum denken, der den Verbraucher allseitig umgibt.

In diesem Raum wird der Verbraucher von audiovisuellen (olfaktorischen, taktilen) Programmen umgeben sein, er wird hier in einem richtigen, durch und durch ästhetischen Klima baden, das er selbst nach seinen Wünschen dosieren, neu zusammenstellen und programmieren kann. Dieses Bad wird ihn in die Lage versetzen,

Ausstellung mit Werken von Schoeffer, Morellet, Herbin, Soto, Albers u. a. in der Galerie Denise René, Paris 1966

sich immer mehr zu entfalten, zu vervollkommnen, zu sensibilisieren, zu konzentrieren und auszudrücken; es wird zu einer neuen menschlichen Hygiene führen. Diese ästhetische Hygiene ist auch für die Gemeinschaften, die sozialen Gruppen unentbehrlich, die in Stadtgebieten verschiedener Ausdehnung wohnen.

An besonders hervorgehobenen Punkten werden intensive und hochwertige ästhetische Effekte abgegeben. In der Organisation der Wohnkomplexe, wo die Kybernetik bewußt allgegenwärtig sein wird, werden diese besonderen Punkte sinnvoll verteilt werden und der Gemeinschaft wirkungsvoll dienen. Auf dem praktischen Gebiet können wir Apparaturen erwarten, in denen Raum, Licht, Zeit, Organisation und Programmierung zusammenwirken, um Informationen über die Aktivität und außerdem über die Bedürfnisse, die in ständig zunehmenden individuellen Forderungen sich ausdrücken, abzugeben. Diese Apparaturen können in beweglicher oder fixierter Form verwirklicht werden.

Bewegliche Komplexe: Diese Komplexe können vollkommen beweglich sein wie die Gruppen kybernetischer Skulpturen vom Typ »CYSP I«, in verschiedenen Formen und mit unterschiedlichen Effekten.

Solche Gruppen können – den Bedürfnissen und Forderungen gemäß – auf der Erde, auf dem Wasser und in der Luft bewegt werden. Dadurch entsteht in ihrer Umgebung unvermittelt ein totales Spektakel, das eine durchgreifende Ästhetisierung des Ortes im Sinne von Anreiz oder Entspannung schafft, je nach dem vom zentralen kybernetischen Regler empfangenen Programm. (...)

Parallel zu der Entwicklung der physiologischen Vorgänge wird eine neue Form des künstlerischen Schaffens entstehen, das sich auf die Menschheit richtet. Denn die Menschheit kann durch genetische Verbesserung nach und nach ästhetisiert werden.

In dieser Periode seiner Entwicklung wird der Mensch danach streben, sich in ein reines ästhetisches Produkt zu verwandeln, indem er selbst zum Kunstwerk wird. So kehrt der Mensch zum Objekt zurück, er ist das einzige Objekt, das gleichzeitig Idee und Effekt ist, ein fabrizierter Mensch, der vom Menschen entwickelt und transzendiert wird.

Edward Kienholz

Die Landesbewahranstalt, 1964.

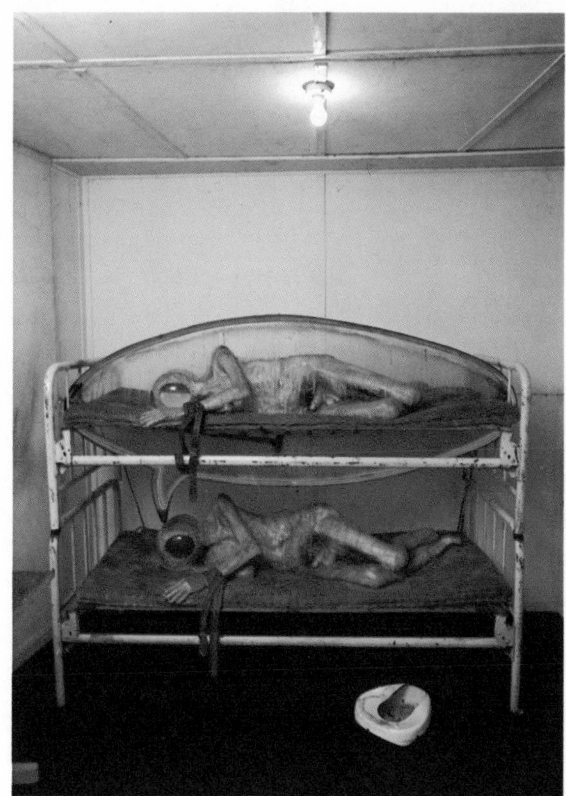

Edward Kienholz. Die Landesbewahranstalt. 1966
© Edward Kienholz (Kat. 731)

THE STATE HOSPITAL, DIE LANDESBEWAHRANSTALT ist einer Nervenklinik nachgebildet, in der Kienholz 1948 gearbeitet hat. Entsetzt über sadistische Pfleger, gleichgültige Ärzte und die typisch unmenschliche Behandlung der Patienten, hat Kienholz (im Rückblick) dieses Spital als zornige Anklage aller derartigen Orte gebaut.

Das Tableau handelt von einem alten Mann, der Patient in einer staatlichen Nervenklinik ist. Er liegt mit einer Armfessel auf einem Bett in einem kahlen Zimmer. (Das Stück wird ein richtiges Zimmer, bestehend aus Wänden, Decke, Boden, versperrter Tür etc., einbeziehen.) Es werden außerdem eine Bettschüssel und ein Spitaltisch (gerade außer Reichweite) da sein. Der Mann ist nackt. Er hat Schmerzen. Er ist mit einem in ein

Edward Kienholz. Die Landesbewahranstalt. 1966 (vgl. Kat. 731 und Abb. S. 309)

Handtuch (um verräterische Spuren zu vermeiden) gewickelten Stück Seife auf den Magen geschlagen worden. Sein Kopf ist ein erleuchtetes Goldfischglas mit Wasser, das zwei lebendige schwarze Fische enthält. Er liegt sehr still auf der Seite. Es gibt kein Geräusch in dem Zimmer.

Über dem alten Mann in seinem Bett ist sein genaues Duplikat, samt dem Bett (Betten werden wie zweistökkige Betten übereinandergestapelt). Die obere Gestalt wird ebenfalls den Goldfischglaskopf, die beiden schwarzen Fische etc. haben. Aber außerdem wird sie von einer Art Plastik- oder Plexiglasblase umschlossen sein, (vielleicht ähnlich wie eine Comic-Blase), die die Gedanken des alten Mannes darstellt.

Sein Geist kann nicht für ihn über den gegenwärtigen Augenblick hinausdenken. Er ist dort für den Rest seines Lebens eingewiesen.

Erdskulpturen – Prozesse der Erweiterung – Handlungseinheit als Werk

Drei Fotos: Eine Galerie voller Erde. Fünfzig Kubikmeter, gleichmäßig in drei Räumen verteilt, sechzig Zentimeter hoch, reichen gerade bis zum Fenstersims. Die Aufnahme zeigt den Durchblick in der Raumfolge.

Zwei Linien, parallel gezogene Kalkstreifen draußen in der Wüste. Der volle Abstand von gut dreieinhalb Metern verringert sich in der Perspektive und verschwindet schließlich ganz auf der Strecke von einer halben Meile. Die Zeichnung auf dem Grund verstand sich als Studie für die zuvor konzipierten *Wände in der Wüste.*

In das ›All-over‹-Muster des dritten Bildes schiebt sich ein Winkel hinein, dadurch erst wird diese Luftaufnahme identifizierbar und erklärbar. Wieder ein Wüstenstück, jetzt mit einem scharfgeschnittenen Weg im gestrüppübersäten Gelände: Ausschnitt aus dem einfachen und doch beim Begehen irritierenden, vom Benutzer Entscheidungen fordernden Wegsystem.

Die drei Fotos mit Arbeiten von Walter de Maria aus den Jahren 1968/69 sind nicht nur Belege einer die Grenze der Ausstellbarkeit überschreitenden Kunst, sondern auch Hinweise darauf, warum es angebracht scheint, auf die Etikettierung der neuen Kunst im Sinn der Innovations-Patente der sechziger Jahre zu verzichten. Denn der hier sicher legitime Begriff von ›Land Art‹ wird allenfalls dem

Walter de Maria. Earthroom. 1968, 50 m^3 Erde, Galerie Heiner Friedrich, München, Sept. 1968

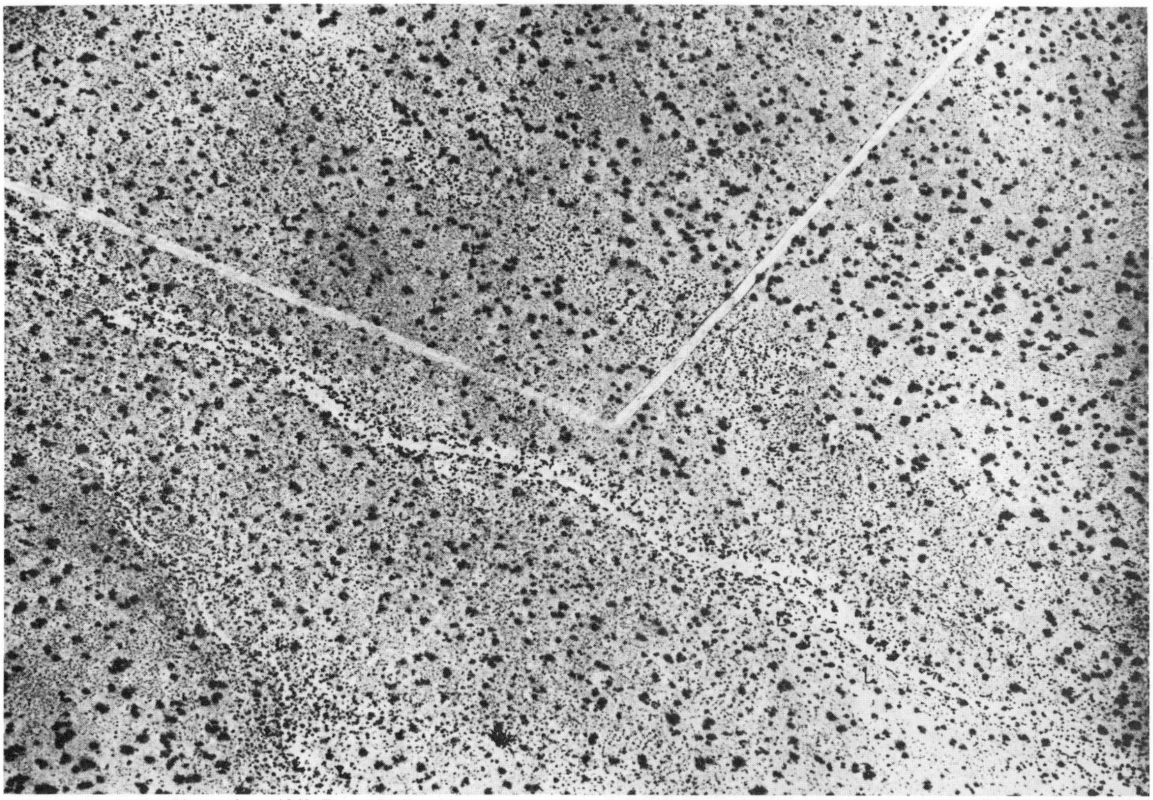

Walter de Maria. Las Vegas piece. 1969, Desert Valley, Nevada

Medium, nicht aber der komplexen Beschaffenheit der Werke gerecht. Die Erschließung des neuen Mediums als Material und Raum setzt *konzeptuelle* Arbeit voraus. Der Stil indes zeigt die Merkmale jener *Minimal Art,* die als Sammelbegriff gemeinhin die damals neue Tendenz der amerikanischen Skulptur abdeckt und kennzeichnet.

In einem überschwenglichen und zugleich ironischen Beitrag für La Monte Youngs ›Anthology‹ entwirft de Maria bereits 1960 das große Vorhaben: »Ich denke seit einiger Zeit über ein Kunstareal nach, das ich gerne bauen möchte. Es würde eine Art von großem Loch im Erdboden sein ... Das Graben des Lochs wäre ein Teil der Kunst«. Die Vision von einem Schauspiel mit Löffelbaggern und Bulldozern endet für ihn ernüchternd: »Kaum

Walter de Maria. Half-mile long drawing (study for The walls in the desert), zwei Kalklinien von 800 m Länge im Abstand von 3,65 m, Mojave Desert, Calif., April 1968

Michael Heizer, Circumflex, 36,5 m lang, Massacre Creek Dry Lake, 1968

habe ich über diese wunderbare Kunst nachgedacht, da wird sie auch schon in meinem Geiste getötet. Ist denn nichts sicher? Vielleicht glauben Sie, daß ich nicht ernsthaft sei? Ich bin es. Und sollte dieser Artikel in die Hände des Besitzers einer Baufirma fallen, der daran interessiert ist, die Kunst und meine Ideen zu fördern, möchte er sich sofort mit mir in Verbindung setzen ...«

Große Erdskulpturen bis hin zum Kasseler *Vertikalen Erdkilometer* sind inzwischen realisiert. Aber auch das in unserer Ausstellung gezeigte Bild de Marias, die gelbe Leinwand mit der Plakette in der Mitte: *The colour men choose when they attack the earth* von 1968 geht auf die frühe Vision zurück und führt die Farbe der Bulldozer, Bagger und Traktoren diesmal in Öl vor.

Die Belege sind beschreibbar, doch im Unterschied zur traditionellen Malerei und Skulptur sind diese nur dokumentierbaren, nicht aber abbildbaren Werke kaum zu vermitteln. Ihre Realität und Wirkung sind situationsgebunden; es gibt nicht den Betrachter *vor* dem Werk, sondern den Wahrnehmen-

Robert Smithson. 1000 Tonnen Asphalt. 1969 (Kat. 806)

Robert Smithson, Asphalt rundown, Rom 1969 (vgl. Kat. 805–810)

den, der sich mitten in die vorgegebene Eins-zu-eins-Situation begibt.

So sind nicht nur der Ausstellbarkeit, sondern auch dem Gebrauch dieser Kunst Grenzen gesetzt. Von diesem Problem lenkt die Etikettierung und bereits kunsthistorische Erfassung als eine Art Kompensation der nicht gemachten Erfahrung ab. Selbstverständlich sind Werke und Projekte von de Maria, Heizer und Smithson als ›Land Art‹ gemeinsam klassifiziert. Entscheidend indes dürfte der Unterschied der Haltungen, der Absichten und Formen ins Gewicht fallen. Bei Heizer zum Beispiel der spontane, expressive, monumentale Zug, bei Smithson umgekehrt der Prozeßcharakter der Erdarbeiten.

Ein erster, in der Ausstellung geleisteter Schritt ist die Entfernung der Schutz-Schilder ›Konzept Art‹, ›Minimal Art‹, ›Land Art‹, ›Prozeß Art‹, ›Body Art‹ und anderer mehr, damit der Blick die individuelle Leistung suchen kann und dann aber auch den zweifellos starken inneren Zusammenhang der Avantgarde der vorgerückten sechziger Jahre.

Das neue Selbstverständnis der vielgestaltigen Arbeit konstituiert diesen Zusammenhang. Die Resultate der Tätigkeiten einzelner Künstler mit dem Vorrang der ›Idee‹ bilden in der Regel ein breites Spektrum quer durch die Medien und Gattungen: Text, Bild, Objekt, Außenprojekt, Aufführung, Aktion, Foto, Film, Video ergeben zusammen jene Wirkungseinheit, mit der man nun anstelle des klassischen Künstler-›Œuvres‹ – diesem aber doch in der Funktion entsprechend – zu rechnen hat. Dieser faktischen Erweiterung des Werk-Begriffes steht eine praktische Verengung der Rezipierbarkeit gegenüber. Probe aufs Exempel sind hier neben den Fotobelegen der Erdskulpturen auch die plastischen Arbeiten Bruce Naumans, die als Werkresultat für sich bestehen, zugleich aber Teil einer Handlungseinheit sind, in deren Mittelpunkt der Künstler *agiert.*

Als ein Prozeß der ›Entmaterialisierung der Kunst‹ konnte man damals aus der Nähe den Weg der Avantgarde protokollieren.[92] Im Rückblick geht es nicht um eine Marschroute, sondern um den *Umriß* der heute noch wirksamen, auf Dauer materialisierten Leistung, auf die eine Werk- und Dokumentauswahl in der Ausstellung hinweist.

Bruce Nauman. Ohne Titel. 1967 (Kat. 753)

Bruce Nauman. Henry Moore zum Versagen verdammt. 1967 (Kat. 752)

Richard Serra

Richard Serra. Splashing. 1968 (Kat. 857a)

Sogenannte menschliche Werte sind nicht Zentrum meines Anliegens. Will jemand seine Energie auf ihre Herstellung verwenden, so bietet sich hierfür die politische Arena an. Das Interessante an abstrakter Kunst besteht darin, daß sie sich freihält von der Verpflichtung auf ideologische Prämissen. Ich bin mir bewußt, daß, wenn Arbeiten in Galerien und Museen enden, sie sich der Moral dieser Institutionen nicht entziehen können. Natürlich existieren sie nicht unabhängig von jener umfassenden kapitalistischen Struktur, die eine genaue Überprüfung braucht . . . Jeder Künstler, den ich kenne, hat sich bis zu einem gewissen Grade – und bis zu diesem gewissen Grade sind wir alle mehr oder weniger schuldig – mit diesen Inkonsistenzen in seinem Leben zu befassen. . . . Zur Zeit gibt es einen starken Trend, abstrakte Kunst als sozial irrelevant abzutun . . . Ich habe nie geglaubt, daß Kunst eine Rechtfertigung außerhalb ihrer selbst braucht.

Ich habe sehr früh (1968) mit Arbeiten angefangen, die mit Balance und Gewichtslosigkeit zu tun hatten. Sie basierten einzig auf einem axiomatischen Konstruktionsprinzip, nach dem jedes Element alle anderen stützt und gleichzeitig von allen anderen gestützt wird. Das erste Stück dieser Gruppe, *House of Cards,* bestand aus vier Platten. Jede Platte hatte ein Gewicht von 480 Pfund. Die Platten lehnten so gegeneinander, daß sie sich um jeweils zweieinhalb Inches überlappten und einen offenen Pyramidenstumpf formten. Das Befriedigende an diesem Stück war, daß sich seine Ästhetik einzig aus der Problemlösung ergab und alles Unwesentliche ausschloß.

Richard Serra, Prop Pieces. Galerie Ricke, Köln, März 1969, von links nach rechts: Richard Landry, Philip Glass, Michael Buthe

Lawrence Weiner. Eine Sprühdose von 400 Gramm Emailfarbe bis zur Entleerung direkt auf den Boden gesprüht. 1967/68 (Kat. 837)

Lawrence Weiner

1. Der Künstler kann die Arbeit machen
2. Die Arbeit kann von einer anderen Person hergestellt werden
3. Die Arbeit muß nicht realisiert werden

Jede dieser Möglichkeiten ist gleichwertig und entspricht der Intention des Künstlers; die Entscheidung über den Zustand liegt beim Empfänger nach der Übernahme.

Wenn um in einem kulturellen Kontext zu existieren

1. Kunst vom Künstler gemacht werden kann
2. Kunst von einer anderen Person hergestellt werden kann
3. Kunst nicht realisiert werden muß

scheint die Auffassung angemessen
daß alle Möglichkeiten gleichwertig sind und der Beschaffenheit von Kunst entsprechen; die Entscheidungen über den Zustand nach der Übernahme hingegen nicht.

Douglas Huebler

Während der letzten zehn Jahre haben andere, bereits bestehende Kunstformen, die Sammler dazu herausgefordert, von ihren Erwartungen an den Begriff des Originals abzugehen. Jeder könnte zum Beispiel einen Andre oder Flavin reproduzieren. Was hätten wir dann? Ich glaube, daß die Sensibilität, die hinter einem Kunstwerk steht, weithin zugänglich sein sollte. Zugleich glaube ich aber, daß der Sammler ein Mensch ist, der mit dem Künstler in eine Art Konspiration tritt, die über die bloße Zugänglichkeit der Sache hinausgeht; eine Übereinkunft darüber, daß das, was der Besitzer sein eigen nennt, tatsächlich das »Original« sei. In jedem Falle hat die Kunst der jüngsten Zeit den Illusionismus, Expressionismus, die Einzigartigkeit und selbst die Permanenz (Chamberlain) aufgegeben: Eigenschaften, die früher Objekten beigemessen wurden. Nun gibt es Arbeiten, die auch den Objektcharakter noch aufgegeben haben, so daß es kein Objekt mehr gibt, welches man besitzen könnte.

Joseph Kosuth

In ihrem strengsten und radikalsten Extrem ist die Kunst, die ich konzeptuelle nenne, eben dergestalt, weil sie auf einer Untersuchung über das Wesen von Kunst beruht. Daher besteht sie nicht einfach in der Tätigkeit der Anfertigung von Kunstaussagen, sondern im Ausarbeiten und Durchdenken sämtlicher Implikationen in allen Aspekten des Begriffs ›Kunst‹...

Das Publikum der Conceptual Art setzt sich vorwiegend aus Künstlern zusammen – was besagt, daß ein von den Beteiligten getrenntes Publikum nicht existiert. Daher wird Kunst in gewissem Sinn so ›ernsthaft‹ wie Wissenschaft oder Philosophie, die gleichfalls kein ›Publikum‹ haben. Sie ist interessant oder nicht, je nachdem, ob jemand informiert ist oder nicht.

Robert Barry

Interviewer: Welche Arbeit werden Sie bei PROSPECT 69 zeigen?
Robert Barry: Die Arbeit besteht aus den Ideen und Vorstellungen, die die Leute haben, wenn sie dieses Interview lesen.
I.: Kann diese Arbeit gezeigt und ausgestellt werden?
R.B.: Nein, aber es kann Sprache dazu verwendet werden, um die Situation anzudeuten, in der Kunst existiert. Für mich hat Kunst mit dem Hervorbringen von Kunst zu tun, und nicht damit, wie jemand Kunst verstehen will.
I.: Wie können diese Ideen erfahren werden?
R.B.: Die Arbeit ist in ihrer Gesamtheit nicht erfahrbar, weil sie in den Gedanken so vieler Menschen existiert. Jeder einzelne kann nur den Teil erfahren und kennen, der in seinen Gedanken existiert.
I.: Ist das »Unbekannte« auch in Ihren übrigen Arbeiten ein wichtiges Element?
R.B.: Ich benutze das Unbekannte, weil es die Veranlassung für Möglichkeiten ist und weil es weitaus realer ist als alles sonst. Einige meiner Arbeiten bestehen aus vergessenen Gedanken oder aus Dingen meines Unbewußten. Ich benutze auch Dinge, die nicht kommunizierbar sind, die unerfahrbar oder noch unbekannt sind. Die Arbeiten sind wirklich, aber nicht konkret; sie haben eine andere Form von Existenz.

Jiro Sahara

Ein Bewohner der Erde als kosmisches Wesen. (Man as cosmic being)

Als ich die Grenze von Arizona hinter mir zurückließ, durch die Wüste nach Mexico-City kam, da traf ich in einem billigen Hotel einen außergewöhnlichen Menschen. Ich möchte dieses Ereignis in folgender Weise festhalten: auf einem bestimmten Punkt dieser Erde 19° 40' nördlicher Breite und 99° 10' westlicher Länge begegnete ich einem Erdenbewohner, – einem kosmischen Wesen.

Ich betrat sein Zimmer. Auf einem Tisch eine aufgespannte Leinwand, die mit grauer Farbe bemalt war. Auf derselben sah ich mit weißer Farbe gemalte Zahlen, Buchstaben, – ein spanisches Wort 6 ABRIL 1968. Das bedeutet die Zeit, welche die Erde benötigt für eine einzige Drehung um sich selbst. Das war meine erste Begegnung mit On Kawara.

Er sagte »Das ist painting (Malerei)!«. Er legte besonderen Wert auf die Betonung der letzten Silbe »ing«. »Dies ist ein Spiel ohne Ende, ich spiele es weiter mit Vergnügen bis zu meinem Tod«, und er lächelte verschämt. – Seit diesem Tage beobachte ich seine ungewöhnliche Lebensweise. Täglich, während sechs oder sieben Stunden, malte er am Datum des jeweiligen Tages. Gestern, heute und auch am darauffolgenden Tage. Jeden Tag hat er diese Arbeit wieder aufgenommen und fortgesetzt, seither sind fünfzig Tage vergangen. Als er das Bild 30 MAYO 1968 malte, verließ ich Mexico-City und reiste zurück in die Vereinigten Staaten.

Hundertzwanzig Tage später erhielt ich in Los Angeles eine Ansichtskarte aus Kolumbien. Auf der Rückseite war folgender Satz aufgestempelt: I GOT UP AT 10. 24 A.M., ON KAWARA (ich bin um 10.24 aufgestanden). Später erhielt ich solche Karten aus Peru und Ecuador. Auch diese Karten waren gestempelt, versehen mit Datum und der genauen Zeitangabe, wann er an diesem Tage aufgestanden war, genau wie auf der ersten Karte, die ich in Empfang nehmen konnte.

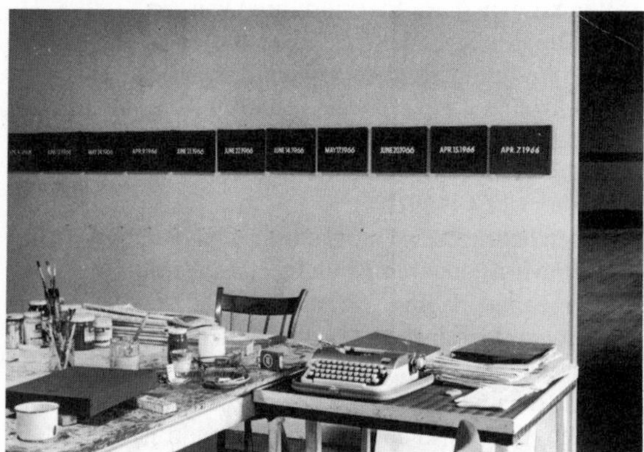
On Kawaras Atelier, 1966

Vierhundert Tage nach unserem ersten Zusammentreffen in Mexico-City sind wir erneut zusammengekommen. Ich besuchte ihn in seiner Wohnung im East Village (New York) und fand auf seinem Arbeitstisch ein ungetrocknetes Bild liegen, auf dem wiederum das Datum des Tages gemalt war. An der Wand hing ein selbstangefertigter Kalender, der 100 Jahre von 1901 bis zum Jahr 2000 vermerkte. Mit gelber Farbe waren die bisher von ihm gelebten Tage ausgestrichen, schwarze Punkte bezeichneten die Tage, an welchen ein Bild (Date-Painting) entstanden war. Auf einem anderen Tisch lagen mehrere Bogen Papier ausgebreitet, angefüllt mit Zahlen, mit der Schreibmaschine getippt, – Jahreszahlen, die auf einen Zeitabschnitt weit vor unserer Zeitrechnung hinwiesen: 998031 B.C., 998030 B.C., 998029 B.C. . . . (B.C. = before Christ = vor Christus).

»Ich möchte die Zahlen einer Million Jahre tippen und in einem Buch zusammenfassen! Wenn ich 500 Jahre auf einem Bogen Papier festhalten kann, dann benötige ich für diese Arbeit 2000 Blatt Papier, und die Geschichte der Menschheit findet sich lediglich auf den letzten zehn Seiten wieder!« – Eine Million Jahre ergeben eine Million Umkreisungen der Erde um die Sonne.

Sein Tagesablauf in New York war derselbe wie in Mexico-City. Wenn er aufgestanden war, verschickte er zwei Ansichtskarten I GOT UP AT . . ., ON KAWARA und ein Telegramm I AM STILL ALIVE, ON KAWARA. Anschließend begann er mit Malen und malte wieder während sechs, sieben Stunden das Datum des Tages. Vor dem Schlafengehen strich er dieses Datum auf dem 100-Jahre-Kalender aus. Jeden Tag wiederholte sich diese Tätigkeit.

Später hatte ich Gelegenheit, mir die ›Date-Paintings‹ (Datum-Bilder) anzusehen, – Bilder die er in den vergangenen sieben Jahren gemalt hatte. Das waren weit über tausend Bilder. Während ich in einem dunklen Keller diese Bilder betrachtete, erinnerte ich mich eines berühmten Astronomen, der über einen längeren Zeitabschnitt elektrische Botschaften in die Atmosphäre (Himmel) sendete, um mit kosmischen Wesen Kontakt herzustellen.

Anschließend an meinen vierjährigen Studienaufenthalt in den Vereinigten Staaten besuchte ich Indien. Nach der Reise quer durch die zentralasiatische Wüste erreichte ich Benares, die heilige Stadt. An den Ufern des Flusses Ganges verbrannte man täglich die sterblichen Überreste von Menschen. Als ich einmal beobachten konnte, wie zweihundert Leichen verbrannten und ihre Körper sich auflösten, schickte ich eine Ansichtskarte nach New York mit den folgenden Angaben: »25° 35' nördlicher Breite und 81° 58' östlicher Länge«, der genauen Ortsbestimmung des erwähnten Geschehnisses. Fünf Tage später erreichte mich ein Telegramm mit dem Wortlaut: I AM STILL ALIVE, ON KAWARA (ich bin noch am Leben).

Daniel Buren, Sandwichmen, Paris, April 1968

Gemeinschaftsaktion von Buren, Mosset, Parmentier und Toroni

Salon de la Jeune Peinture, Paris 1967

Während der ganzen Dauer der Vernissage für den Salon de la Jeune Peinture am 2. Januar 1967 arbeiteten Buren, Mosset, Parmentier und Toroni vor dem Publikum. In voller Lautstärke wiederholte ein Tonband den ganzen Tag lang in drei Sprachen den Satz:

»Buren, Mosset, Parmentier, Toroni raten Ihnen klug zu werden.«

Gleichzeitig wurde ein Flugblatt mit dem folgenden Text verteilt:

da Malen ein Spiel ist,
da Malen Farben harmonisch oder dissonant aufeinander abstimmen heißt,
da Malen bewußt oder unbewußt Kompositionsregeln anwenden heißt,
da Malen die Bewegung aufwerten heißt,
da Malen die Außenwelt darstellen heißt (oder sie interpretieren, oder sich ihrer bemächtigen, oder gegen sie protestieren, oder sie zeigen),
da Malen der Phantasie ein Sprungbrett anbieten heißt,
da Malen die Innenwelt sichtbar machen heißt,
da Malen eine Rechtfertigung ist,
da Malen zu etwas nutze ist,
da Malen heißt, mit Rücksicht auf Ästhetizismus, Blumen, Frauen, Erotik, alltägliche Umgebung, Kunst, Dada, Psychoanalyse, Krieg in Vietnam zu malen,
SIND WIR KEINE MALER.«

Am Abend des zweiten Januar zogen Buren, Mosset, Parmentier und Toroni aus dem Salon aus und gaben bekannt, daß sie den Organisatoren für ihre Gastfreundschaft dankten, daß sie es aber genauso ablehnten, in diesem Salon zu bleiben wie in einem anderen, sei er doch nichts anderes als die Fortführung der Verirrungen des neunzehnten Jahrhunderts und ein Sammelbecken derjenigen Malerei, die »bis zum Beweis des Gegenteils, von der Bestimmung her objektiv reaktionär ist« (...)

Daniel Buren, Olivier Mosset, Michel Parmentier, Niele Toroni, Gemeinschaftsaktion auf dem Salon de la Jeune Peinture. Paris 1967 (vgl. Kat. 797)

1-26 ODYSSEE 3

HOMER

ERSTER GESANG

Ratschluß der Götter, daß Odysseus, welchen Poseidon verfolgt, von Kalypsos Insel Ogygia heimkehre. Athene, in Mentes' Gestalt, den Telemachos besuchend, rät ihm, in Pylos und Sparta nach dem Vater sich zu erkundigen und die schwelgenden Freier aus dem Hause zu schaffen. Er redet das erstemal mit Entschlossenheit zur Mutter und zu den Freiern. Nacht.

Sage mir, Muse, die Taten des vielgewanderten Mannes,
Welcher so weit geirrt nach der heiligen Troja Zerstörung,
Vieler Menschen Städte gesehn und Sitte gelernt hat
Und auf dem Meere so viel' unnennbare Leiden erduldet,
Seine Seele zu retten und seiner Freunde Zurückkunft.
Aber die Freunde rettet' er nicht, wie eifrig er strebte;
Denn sie bereiteten selbst durch Missetat ihr Verderben,
Toren! welche die Rinder des hohen Sonnenbeherrschers
Schlachteten; siehe, der Gott nahm ihnen den Tag der Zurückkunft.
Sage hievon auch uns ein weniges, Tochter Kronions.
Alle die andern, soviel dem verderbenden Schicksal entflohen,
Waren jetzo daheim, dem Krieg entflohn und dem Meere.
Ihn allein, der so herzlich zur Heimat und Gattin sich sehnte,
Hielt die unsterbliche Nymphe, die hehre Göttin Kalypso,
In der gewölbeten Grotte und wünschte sich ihn zum Gemahle.
Selbst da das Jahr nun kam im kreisenden Laufe der Zeiten,
Da ihm die Götter bestimmt, gen Ithaka wiederzukehren,
Hatte der Held noch nicht vollendet die mühende Laufbahn,
Auch bei den Seinigen nicht. Es jammerte dieser die Götter;
Nur Poseidon zürnte dem göttlichen Odysseus
Unablässig, bevor er sein Vaterland wieder erreichte.
Dieser war jetzo fern zu den Äthiopen gegangen,
Äthiopen, die zwiefach geteilt sind, die äußersten Menschen,
Gegen den Untergang der Sonne und gegen den Aufgang,
Welche die Hekatombe der Stier' und Widder ihm brachten.
Allda saß er, des Mahls sich freuend. Die übrigen Götter

Hanne Darboven. Homers Odyssee. 1971 (Kat. 856)

A. R. Penck. Standart. 1970–72 (Kat. 788)

Sigmar Polke und Chris Kohlhöfer. Polke als Palme – Polke entlaubt einen Baum – Die Weide, die nur meinetwegen hohl gewachsen ist. Drei Blätter aus der Mappe »... Höhere Wesen befehlen«. 4 Zeichnungen von Sigmar Polke + 14 Drucke nach Fotos von Polke und Chris Kohlhöfer. edition 10, Galerie René Block, Berlin 1968

Richard Long. Untitled. 1968

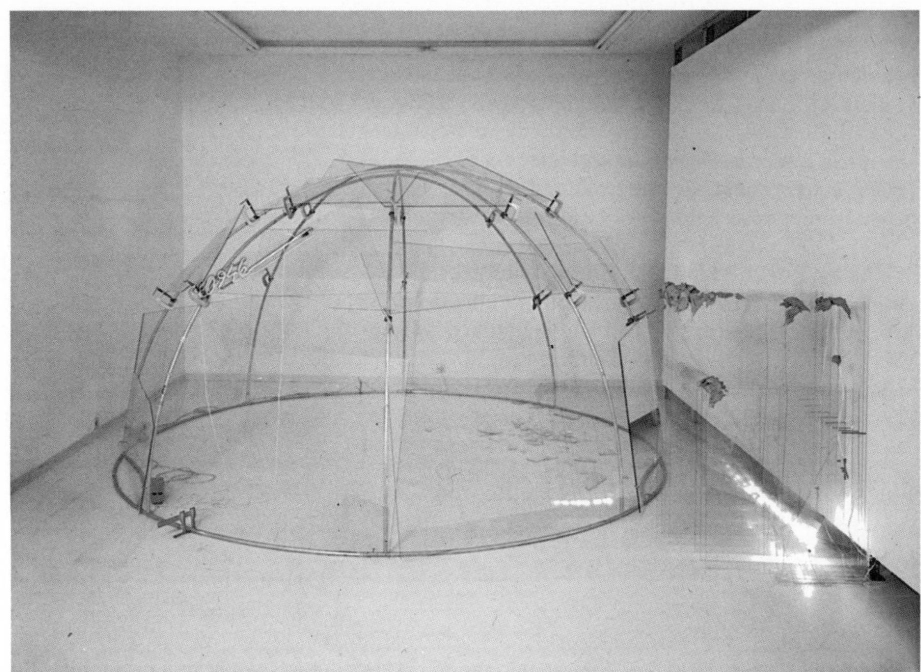

Mario Merz.
Versteck-Objekt. 1968
(Kat. 814)

Mario Merz

Ein sehr langer Sonntag dauert annähernd seit 1966 – und jetzt sind wir im Jahr 1976

Ein sehr langer Sonntag dauert annähernd seit 1966 – und jetzt sind wir im Jahr 1976. Wir sind fast am Nachmittagsende von einem sehr langen Sonntag angekommen. Wir haben nie gearbeitet! Beinah zehn Jahre lang haben wir an nichts anderes gedacht, als daran, einen sehr langen Sonntag zwischen zwei unermeßlichen und grauen Arbeitswochen, die zu Anfang bedrücken und vielleicht auch danach, zu verbringen. Vor '66 scheint es uns, daß wir alle mehr oder weniger gearbeitet haben. Und danach? Nachher erscheint es uns, daß wir arbeiten sollten (nach den Lebensregeln unseres Jahrhunderts).

Wir fühlen (am Sonntag fühlt man das, und wie!), daß wir *nicht* bei der Arbeit sind. Das Bewußtsein dieses Umstands läßt uns ein wenig dämonisch werden, während wir so sehr Menschen sind an diesem sehr langen Sonntag.

Während unserer langen Sonntagsjahre erscheinen uns in langsamer, aber feierlicher Erinnerung, in der Untätigkeit – und es geschieht mit Ungenügen und mit einem leichten Zorn –, in langsamer aber feierlicher Erinnerung die Gesichter und Gespräche von denjenigen, die uns bei der Arbeit zusahen.

Die Kritiker, die Galeristen und in zweiter Reihe jene, die irgend etwas Kleines bezahlen, die Sammler – erscheinen und verschwinden bei unseren langsamen, aber leicht zornigen Gesten voller Überdruß. Wir waren nicht bei der Arbeit, während sie, wenn sie erscheinen (was selten vorkommt) – zumindest denken wir, daß sie denken, daß wir bei der Arbeit sind, nämlich für die Kultur, und somit für uns, für sie und für das, was die Kultur langsamerhand von sich gibt. Statt dessen sind wir dabei, die Kultur zu entkleiden, um zu sehen, wie sie gemacht ist. Und das ist unser langer Sonntag, wir entkleiden gerade die Kultur, um zu sehen, wie sie gemacht ist.

Aber diese Entkleidung dauert unendlich lang, und das läßt uns an diesem sehr langen Sonntag dabei verharren, ebengerade die Kultur zu entkleiden, um zu sehen, wie sie gemacht ist. Aber diese Entkleidung hört nicht mehr auf! . . ! Und so ist sie wirklich lächerlich, die Entkleidung, auch wenn sie wirklich (das behaupten wir) so sehr notwendig ist.

Um das Jahr '68 (wir erinnern uns kaum innerhalb dieses nicht enden wollenden Sonntags) haben wir einen Iglu gemacht, bedeckt mit der drohend herabhängenden Erde, und darauf eine politische und siegreiche Invektive für das Viet-Volk eingraviert oder besser, anstatt eingraviert, was an eine Grabplatte erinnert hätte, beleuchtet (!) – Wenn der Feind sich konzentriert, verliert er Land, wenn er sich zerstreut, verliert er Kraft –; und wir haben über diese dynamische und irreversible Idee nachgedacht und haben sie entzündet (mit Neon!), damit sie uns während unseres langen Sonntags nicht aus dem Sinn käme. Sie haben gewonnen.

Wir haben entdeckt, daß die Kultur sich auszieht und uns den Befreiungskrieg erscheinen läßt von einem intelligenten General, der sagt – Wenn der Feind sich konzentriert, verliert er Land, wenn er sich zerstreut, verliert er Kraft –, während es doch das Volk ist, das sagt, weil es das Volk ist, das die schmutzigen Finger in die Reisfelder taucht sowie in den Raum, der ihm zum Leben gegeben ist, ein unermeßlicher Raum! Ein Land! Man sagt, »Ihr« Land.

Jannis Kounellis. Zugemauerte Tür. 1968 (Kat. 817)

Da unten im Jahr '68, ist der leuchtende, weil irreversible Satz entzündet.

Was für ein langer Sonntag! Beim Morgengrauen schon die Meldung vom Krieg und seine Bestätigung später, doch was für eine Bestätigung! Für uns ist es Sonntag. Wir haben das Vergnügen gehabt, dieses Erzeugnis an unseren Freund, den Sammler, zu verkaufen.

Wir sind hier dabei, die Kultur auszuziehen, und die Kultur versorgt uns ab und zu mit ihren aktuellen Themen durch die Kriege und durch das Achtgeben auf die wirkliche Lebendigkeit und Schnelligkeit der Zahlen; wie viele Kilometer haben wir an diesem unglaublichen Sonntag ohne Arbeit durchschritten! Denn wir, wir haben nie gearbeitet, und wir sind uns dessen bewußt – wir fuhren nur immer und ausschließlich fort, dazusein, um anzugeben, daß man bei dieser ewigen Kriegs- und allgemeinen Arbeitsfreude nicht sehr gut arbeiten konnte. Die Akkumulation der Zeitungen! Und der Zahlen!

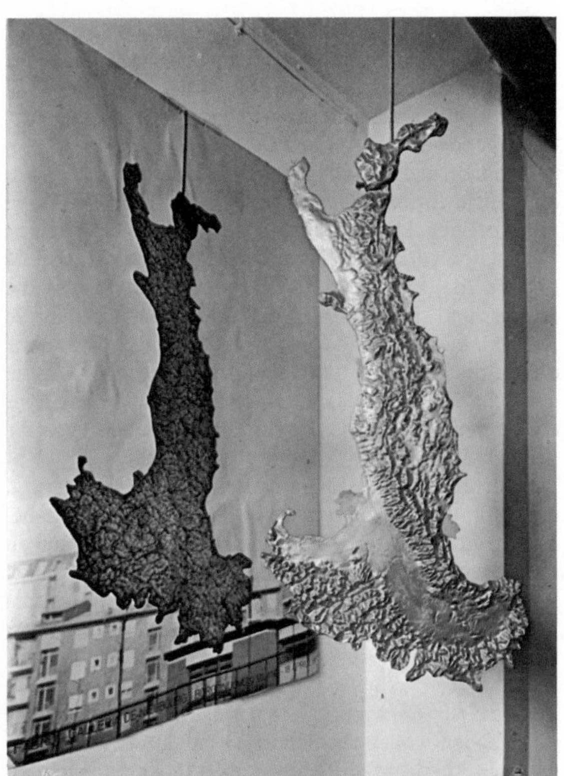

Luciano Fabro. Das goldene Italien. 1968 (Kat. 815)

Wir haben ein paarmal einen Sprung ins Ausland gemacht und dabei ein paar Kippen geraucht, was hier entehrend war, dort aber nicht unbedingt (doch beinahe auch dort für denjenigen, der arbeitet). Wir haben natürlich auch dorthin unsere kommunistischen Ideen gebracht, aber dort gibt es wirklich niemanden, den das interessiert, denn dort gibt es schon viele Leute, die an den Arbeitstagen nicht arbeiten. Und das zeigt, daß unser Sonntag auch im Raum sehr lang ist. Wir haben unsere sonntäglichen sehr langen Hände sinken lassen, unseren raum-zeitlichen Halbschlaf auch auf N. Y usw. usw. erstreckt.

Giulio Paolini. Und was sonst werde ich lieben, wenn nicht das Geheimnis? 1969 (Kat. 819)

Jetzt ist die Abneigung allgemein. Viele Künstler zittern, wenn sie ihre Farben auf das Bild werfen, und wir nicht, wir denken, daß wir es nicht tun; aber uns erscheint die Kultur im Licht und entkleidet oder aber bekleidet mit Licht wie die Erzengel dem Dante.

Darum können wir Werke bauen, in denen die Kultur erscheint, um hiernach natürlich zu verschwinden. Das ist unsere Verzweiflung.

Sie erscheint uns, um hiernach zu verschwinden, und wir haben kaum die Zeit (so geschwind vergeht sie), um ein Werk bauen zu lassen oder um es selbst zu bauen. Sie erscheint uns (während unseres Sonntags!) und verschwindet hiernach. Und hinterläßt sie Spuren? Uns zufolge, ja, sie hinterläßt fürchterliche Spuren, wie ein Feuerengel, sie brennt.

Aber sonntags! Welche Brandspur kann es sonntags geben, wenn nicht ein Unglück!

Der Engel, der arbeitet, verbrennt die Erzeugnisse an den Arbeitstagen, nicht am Sonntag.

Sonntags passieren die Unglücke wie die Kriege und die lächerliche Akkumulation der Erzeugnisse.

Was für eine Abneigung für uns Arme, die wir einen so langen Sonntag aufrechterhalten!

Unsere Super-Arbeit hat man uns mit Symbolen belohnt.

Während wir uns auf eine einzigartige und umzingelnde Untersuchung einlassen, eine Kultur zu entkleiden – eine Kultur besteht nur aus Übertreibungen und aus Ablagerungen, deswegen, in bezug auf Gesicht und Gefühl, aus Chaos! Etwas überschreitet das Gefühl, und etwas zeigt sich nicht. Aber das ist Schlamm! Was hier sonntags überschreitet und weicht: bauen, wie es geschieht.

Wir haben mit den Erzeugnissen anderer Menschen gearbeitet. Deshalb haben wir mit verschiedenen Kulturen gearbeitet. Deshalb haben wir immer weiter sonntags gelebt.

Weil, wie man sagt, die Kulturen sind – wir sagen, die Kulturen überschreiten und verschwinden –, deshalb sind sie nicht ewig, wenn nicht in der Erinnerung oder in der Energie der Bedeutungen von vorher oder nachher ohne Unterschied. Ein Neon ist ein Neon vor und nach der Bedeutung. Während ist das Neon die Bedeutung. Und darum Sonntag.

Sonntags zieht sich die Kultur die Arbeitskulturen aus und erscheint feierlich in den Schlamm der Untätigkeit getaucht.

Und wir ziehen sie aus (Versuch), sie kommt sowieso zurück in den Schlamm des wirklichen Chaos von Abfällen so vieler Werte – eine Kultur von Alltagswerk –

Waren wir deutlich genug?

Zuerst war das Chaos, dann war die Arbeit, danach das Chaos der Arbeit und danach die Entkleidung des Chaos der Arbeit!

Wir sind beinah alle Marxisten wegen des Gedankenganges, der besagt: Marx hat diesen elementaren Prozeß gesehen: die Entkleidung des Chaos der Arbeit.

Dies ist eine symbolische Entkleidung.

Wir haben sonntags all diesem beigewohnt – die Kultur ist für den, der arbeitet, sonntäglich.

Wir haben all diesem beigewohnt. Die Symbole sind nur Schlamm.

Versucht es mit der Muschel des Meeres oder der Erde, sie scheint symbolisch für die Kultur des Nichtbestehenden (für die Geschichte!), aber sie ist kein Symbol des Schlamms. Sie ist Schlamm.

Darum können die Symbole, was ihre Realität und Identität anbelangt, unbesorgt mit uns sein; die Symbole sind immer aus Schlamm oder kehren schnell zu Schlamm zurück, auch wenn sie den Kopf erheben. Wir wissen, daß ein Haus außer Alltagskultur Schlamm ist; unser Sonntag fährt fort, die Kulturen in ihre traurige, aber reale Identität mit der Erde einzulullen. Das ist es, was die Kunst immer versucht hat zu tun und was sie (sonntags) für diejenigen getan hat, die im Symbol einen Haken suchen, der sie aus diesem herauszieht.

Und was ist dies? Der Schlamm, natürlich sonntags. Am Werktag wird der Schlamm Gegenstand. Der Konsum muß seine Pflicht erfüllen.

Marcel Broodthaers. Theorie der Figuren. 1970/71 (Kat. 862)
Truhe mit 11 Objekten sowie 11 Einzelobjekte

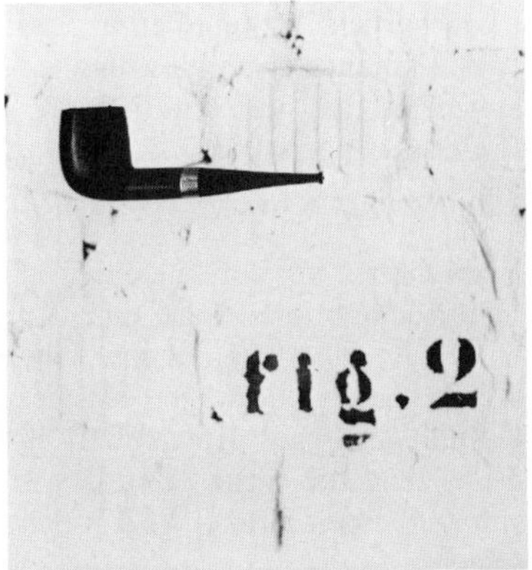

PARIS DUSSELDORF AMSTERDAM

aus Anlass der Eröffnung einer Ausstellung im Guggenheim Museum am 5 Okt. 1972 an der ich unter den Düsseldorfer Künstlern teilnehme.
[Marcel Broodthaers]

Düsseldorf, 28-9-72

Lieber Beuys,

Es ist lange her, seit ich Dir einen offenen Brief geschickt habe. (Juni 1968). Heute ergibt sich wieder ein Anlass, Dir zu schreiben. Ich versage mir allerdings den Kunstgriff. Zu oft werden diese offenen Briefe durch Polemik entwerdet und durch die Veränderlichkeit der Umstände überholt.

In einem verfallenen Haus in Köln, das selbst schon schwer zu entdecken war, habe ich einen Brief gefunden. Ich habe ihn entziffert; Staub und Regen haben hier einige Worte, dort ganze Sätze ausgelächt. Das Papier, auf dem ich nur mühsam die Unterschrift Jacques Offenbachs entziffern konnte, war den chemischen Einflüssen der Verunreinigungen zum Opfer gefallen und dadurch so brüchig geworden, dass ich es vorgezogen habe, den Brief abzuschreiben; die handgeschriebene Form habe ich beibehalten, um die geschriebene Ehre meiner Handschrift zum Unterpfand für die Echtheit des Briefes zu geben.

M.B.

Köln, ...18..

Lieber Wagner,

Ich habe soeben die letzte Note der "Grossherzogin von Gerolstein" geschrieben. Wie weit bin ich doch von Tristan und Isolde entfern! Und ich weiss, dass ich mich noch weiter entfernen werde.

—— —— —— ——, ——
— und ——

Ja und nein —— Was die Nachwelt dazu sagen wird? — Vielleicht —— Zweifel kommen mir —— Dann —— 1848 ——, — von 1849. Dein Aufsatz "Die Kunst und die Revolution" —— von — Magie — Politik? —— derer Du Dir sicherlich bewusst bist. Die Politik der Magie? der Schönheit oder der Hässlichkeit? —— — Messias! ——

Im Kampf gegen den Verfall der Kunst wäre demnach das Musikdrama die einzige Form, die alle Künste vereinigen könnte. Ich bin kaum mit der Position einverstanden, die Du beziehst, und auf jeden Fall erkläre ich meine Ablehnung, wenn Du in einer Definition der Kunst die der Politik mit einschliessen willst — Magie? —

Mein lieber Wagner, unsere Beziehung ist schwierig geworden. Dies ist gewiss die letzte Mitteilung, die ich Dir sende. (Anmerkung: Aus dem in Köln gefundenen Brief scheint hervorzugehen, dass Offenbach die Absicht aufgegeben hat, ihn seinem Adressaten zukommen zu lassen)

König Ludwig II liess Hans H. von seinen Schlössern weisen. Ihre Majestät zieht Dich jenem Spezialisten der Flötenkompositionen vor. Dass kann ich verstehen. Wenn es sich dabei um eine künstlerische Entscheidung handelt ... Aber ist nicht diese Leidenschaft, die der Monarch für Dich an den Tag legt, gleichermassen von einer politischen Entscheidung getragen? Ich hoffe, dass Dich diese Frage eben so sehr beunruhigt wie mich.
Welchen Zwecken dienst Du, Wagner? Warum? Wozu? Elende Künstler die wir sind.

Vive la Musique!
Jacques Offenbach

P.S.
Ein Exemplar der beiden Oktavbände von Stendhals Roman - le Rouge et le Noir - lag ebenfalls im Schutt auf dem Boden. Kein Stuhl, kein Tisch. Weiter gab es nichts in dieser Dachkammer. Diese Souvenirs bewahre ich sorgfältig.

M.B.

Marcel Broodthaers, Offener Brief an Beuys, 1972

Blinky Palermo. Ohne Titel. documenta 5, Kassel 1972

Immer war der Künstler als Zeitgenosse zu erkennen. Zeitgenosse – aber nicht nur in der jeweils ihm zugewiesenen Rolle. Das Rollenspektrum vom passiven Seismographen der fünfziger Jahre bis zur Scheinaktivität des Polit-Clowns in den Sechzigern relativiert sich angesichts der Werke.

Geht man vom Kunstwerk aus, erscheint der Anteil des Künstlers am zeitgenössischen Leben anders. Es enthält, als Modell der Selbstverwirklichung, in unterschiedlicher Formulierung und Absicht die Auseinandersetzung zwischen dem eigenen und dem von außen herangetragenen Anspruch. Der eigene Anspruch ist mitgeprägt durch die Tradition der Avantgarde, die nicht die Erneuerung der Kunst, sondern ihre Ausweitung und damit Veränderung, Utopie im Sinn hat. Der Einbruch der Wirklichkeit in diese Tradition, in die Planspiele der Utopie, hat seit den dreißiger Jahren die Avantgarde zu einem anderen Realitätsbewußtsein gezwungen, hat die Auseinandersetzung zwischen dem tradierten, aber in Frage gestellten Anspruch und der – bedrohenden – Beanspruchung nicht nur intensiviert, sondern zum Thema der Kunst gemacht. Der betroffene, herausgeforderte Künstler tritt auf den Plan und tritt nicht mehr ab: Die im zeitgenössischen Kontext nun auf

Das Angebot des Künstlers

Ausstellung und Handbuch enden offen. Ihre Perspektive ist die Aufdeckung der unverbrauchten künstlerischen Leistung der Moderne zunächst in einer drei Jahrzehnte langen Epoche, die man in einander fremde Teile zu gliedern gewohnt war. Von den Veränderungen am Ende der dreißiger Jahre, deren dauerhafte Konsequenzen für Künstler, Kunst und Publikum hier ins Auge gefaßt wurden, führt der Weg zu der Avantgarde der späten sechziger Jahre – und weiter.

Der Weg der politischen Initiative: Beuys und Studenten bei der Gründungsversammlung der Organisation für direkte Demokratie am 1. Juni 1971 in der Düsseldorfer Kunstakademie.

einmal ›realistischere‹ Haltung des Künstlers ist fortan nicht mehr wegzudenken.

Es ist eine Haltung des individuellen kreativen Widerstandes, der in den Bildern und in den medial erweiterten Arbeiten der neuen Kunst Verbindlichkeit und Modellcharakter gewinnt: Dieses Angebot steht jetzt in größerem Zusammenhang zur Rezeption an.

Der klassische Außenseiter, der moderne Künstler, emanzipiert sich zum Zeitgenossen, der die ihm zugestandene, ja aufgedrängte Freiheit zur permanenten Sezession wahrnimmt.

Die Ergebnisse dieser Kunst bieten sich als Basis der Verständigung über den ausgetragenen Konflikt zwischen Leben und Kunst an. Aber nicht nur auf das ›Verstehen‹ dieser Kunst kommt es an, sondern vorrangig auf die Einsicht in die Notwendigkeit ihrer Entstehung.

James Lee Byars. documenta 5, Kassel 1972

Anmerkungen

1 Michel Tapié, Un art autre, Paris 1952. Vgl. Text-Dokument S. 158–160

2 Willi Baumeister, Das Unbekannte in der Kunst, Stuttgart 1947. Vgl. Text-Dokument S. 180–182

3 Charles Estienne, L'Art Abstrait est-il un Académisme? Paris 1950 (Editions De Beaune). Vgl. Text-Dokument S. 175f.

4 Werner Haftmann, Malerei nach 1945. Einführung zum Katalog der zweiten documenta 1959 (Malerei), Köln 1959. S. 18. Vgl. Text-Dokument S. 196–203

5 *Chat saisissant un oiseau,* 22. April 1939, Öl auf Leinwand, 82 × 100 cm. Paris, Musée Picasso

6. André Breton – Diego Rivera, Für eine unabhängige revolutionäre Kunst, in: Günter Metken, Als die Surrealisten noch recht hatten, Texte und Dokumente, Stuttgart 1976, S. 183–187. »Trotzki, ständig von Attentaten bedroht, verlangte aus taktischen Gründen, daß seine Unterschrift durch die von Rivera ersetzt werde.« Metken, a. a. O. S. 422

7 Traum-Zeichen-Raum. Benennung des Unbenannten. Kunst in den Jahren 1924 bis 1939, Wallraf-Richartz-Museum Köln, 23. 10. – 12. 12. 1965

7a André Breton, Le Surréalisme et la peinture, in: La Révolution Surréaliste, Nr. 4, Juli 1925; Nr. 6, März 1926; Nr. 7, Juni 1926. Deutsch: A. Breton, Der Surrealismus und die Malerei, in: Metken a. a. O. S. 273–305

7b Max Ernst, Au-delà de la peinture. In: Cahiers d'Art, XI, Nr. 6/7, 1936, S. 149–184. Deutsch: M. Ernst, Jenseits der Malerei, in Auszügen zitiert bei Metken, a. a. O. S. 326–333. – Max Ernst, Beyond Painting, New York 1948 (Documents of Modern Art)

8 Nr. 1/1932, 2/1933, 3/1934, 4/1935, 5/1936 (Nachdruck: édition paule nemours, Paris)

9 Paul Eluard, Die poetische Evidenz, in: Metken, a. a. O. S. 257

10 Charles Nodier in seinen *Souvenirs, Episodes et Portraits,* Paris 1831 Deutsch zit. in: Man Ray, Inventionen und Interpretationen, Katalog zur Ausstellung des Frankfurter Kunstvereins 1979, S. 97

11 Paul Eluard, Die poetische Evidenz, in: Metken, a. a. O. S. 256

12 Paul Eluard, a. a. O. S. 258f.

13 Pierre Courthion, Georges Rouault, Leben und Werk, Köln 1962, S. 293

14 Paul Fierens, Archiv der Familie Rouault, zitiert bei Courthion, a. a. O. S. 302

14a Pierre du Colombier in ›Le Pilori‹, 7. Mai 1942; zitiert bei Courthion, a. a. O. S. 345

15 Salvador Dali, Die Eroberung des Irrationalen, in: Salvador Dali, Unabhängigkeitserklärung der Phantasie und Erklärung der Rechte des Menschen auf seine Verrücktheit, Gesammelte Schriften, hrsg. von Axel Matthes und Tilbert Diego Stegmann, München 1974, S. 268f.

15a Salvador Dali, Ich fordere Aragon heraus, in: Dali, Gesammelte Schriften, a. a. O. S. 287

16 Salvador Dali, Die Eroberung des Irrationalen, a. a. O. S. 270f.

17 Marcel Jean, Die Geschichte des Surrealismus, Köln 1961, S. 220

18 Salvador Dali, Ich fordere ... a. a. O. S. 285–288

18a In: Salvador Dali: Katalog zur Ausstellung in Baden-Baden vom 29. 1.–18. 3. 1971

19 In: Max Ernst, Retrospektive 1979, Katalog zur Max-Ernst-Ausstellung, hrsg. von Werner Spies, München 1979, S. 309

20 Vgl. Salvador Dali, Die Eroberung des Irrationalen, in: Dali, Gesammelte Schriften, a. a. O. S. 279

21 John Allwood, The Great Exhibitions, London 1977, Kap. 10 ›World Fair Competition‹, S. 145

22 Ebda. ›Going to the Fair‹, anonymes Gedicht

23 Contemporary Art of 79 Countries, International Business Machines Corporation, 1939 o. O. (New York), Introduction

24 Contemporary Art, a. a. O. Nr. 73, ›Germany‹

25 Von Hans Hildebrandt, zitiert in: Wilhelm Lehmbruck, Die Kniende, Einführung von Eduard Trier, Stuttgart 1958, S. 6

26 Wilhelm Lehmbruck, a. a. O. S. 7

27 Rheinischer Kurier Nr. 207, 1927, zitiert in: Im Namen des Volkes, Das ›gesunde‹ Volksempfinden als Kunstmaßstab, Katalog zur Ausstellung des Wilhelm-Lehmbruck-Museums der Stadt Duisburg, 6. 5. – 22. 7. 1979, S. 3

28 In: Im Namen des Volkes, a. a. O. S. 15

28a Rembrandt als Erzieher. Von einem Deutschen. (August Julius Langbehn) Leipzig 1890
Theodor Alt, Die Herabwertung der deutschen Kunst durch die Parteigänger des Impressionismus, Karlsruhe 1911
Franz Marc, Antwort auf den Protest deutscher Künstler, München 1911

29 ›Ausstellung 30 deutscher Künstler, eingeladen von den nationalsozialistischen Studenten‹ in der Galerie Ferdinand Möller, Berlin, Juli bis September 1933

30 Zum Beispiel Paul Schultze-Naumburg, Kunst und Rasse, München 1927 und Hans F. K. Günther, Rasse und Stil, München 1927^3

31 Adolf Hitler, Mein Kampf, München 1935, S. 283f.; zitiert bei Joseph Wulf, Die Bildenden Künste im Dritten Reich, Eine Dokumentation, Reinbek bei Hamburg, 1966, S. 337

31a Zitiert in: Entartete Kunst, Bildersturm vor 25 Jahren, Ausstellungskatalog zur Ausstellung im Haus der Deutschen Kunst, München, vom 25. 10. – 16. 12. 1962, Dokumentation S. XXI

31b Hitler-Rede am 19. 7. 1937, zitiert bei Wulf, a. a. O. S. 360f.

32 Vgl. Wulf a. a. O. S. 361f. und 358–360

33 Zitiert bei Wulf, a. a. O. S. 190f.

34 In der Volks-Illustrierten Nr. 33 vom 18. 8. 1937, zitiert in: Widerstand statt Anpassung, Deutsche Kunst im Widerstand gegen den Faschismus 1933–1945, Katalog zur Ausstellung des Badischen Kunstvereins Karlsruhe vom 27. 1. – 9. 3. 1980, Berlin 1980 (Elefanten Press), S. 116

35 Maurice de Vlaminck, Rückblick in letzter Stunde, St. Gallen 1965, S. 129f. (Titel der Originalausgabe 1943 in Paris: ›Portraits avant décès‹) vgl. Text-Dokument S. 133f.

36 Vlaminck, a. a. O. S. 86

37 Rede Hitlers am 1. 9. 1933 auf dem Reichsparteitag in Nürnberg, zitiert in: Im Namen des Volkes, a. a. O. S. 3

37a Malcolm Cowley, interviewt von Wieland Schulz-Keil im Film ›1939: Kunst im Schatten der Weltpolitik‹. Filmserie des WDR zur Ausstellung Westkunst, unten S. 504

38 Katalog-Vorwort zu ›The War as seen by Children‹, London, Januar 1943, zitiert bei J. P. Hodin, Oskar Kokoschka, sein Leben seine Zeit, Frankfurt 1968, S. 305

39 Hodin, a. a. O. S. 298, 321

39a Oskar Kokoschka, Mein Leben, München 1971, S. 238

40 Vgl. hierzu: Zwischen Widerstand und Anpassung, Kunst in Deutschland 1933–1945, Katalog zur Ausstellung in der Akademie der Künste vom 17. 9. – 29. 10. 1978 in Berlin, und: Widerstand statt Anpassung (s. Anm. 34)

41 J. P. Hodin, Oskar Kokoschka, a. a. O. S. 308f.

42 Michel Ragon, Das Abenteuer der abstrakten Kunst, Darmstadt 1957, S. 43

43 Franz Meyer, Marc Chagall, Köln 1961, 1968^2, S. 416

44 Werner Spies, Traum und Lüge Francos, Frankfurt 1968, S. 8

45 In: Mitteilungsblatt der Reichskammer der bildenden Künste vom 1. Mai 1941, zitiert bei Wulf, a. a. O. S. 378

46 Brief von Julius Bissier vom 11. Mai 1942 und Tagebucheintragung vom 12. Mai 1942, in: Oskar Schlemmer, Briefe und Tagebücher, München 1958

46a Brief an Heinz Rasch, 20. 6. 1942, zitiert in: Willi Baumeister, Gemälde. Ausstellungskatalog Tübingen 1972, S. 155

47 Willi Baumeister, Tagebuch Juni 1944, zitiert in: Willi Baumeister, Zeichnungen und Gouachen, Katalog der Nationalgalerie Berlin, 1972, S. 20

48 Willi Baumeister, Das Unbekannte in der Kunst, a. a. O., Einführung (datiert ›Neujahr 1943/44‹) vgl. Text-Dokument S. 180

49 Michel Seuphor, Piet Mondrian, Köln 1956, S. 184

49a Den Vergleich hat Serge Sabarsky gezogen im Katalog ›Paul Klee. The late years 1930–1940‹, Serge Sabarsky Gallery, New York 1977

50 In: Wols, Aufzeichnungen. Aquarelle, Aphorismen, Zeichnungen, hrsg. von Werner Haftmann, mit Beiträgen von Jean-Paul Sartre und Henri-Pierre Roché, Köln 1963, S. 34

51 In: Arts and Architecture, Bd. 61, Februar 1944, zitiert in: Jürgen Claus, Theorien zeitgenössischer Malerei in Selbstzeugnissen, Reinbek bei Hamburg 1963, S. 62

52 In: Julian Heynen, Barnett Newmans Texte zur Kunst, Hildesheim/New York 1979 (Studien zur Kunstgeschichte Band 10), S. 29, 53

53 In: Max Ernst, Retrospektive, a. a. O. S. 170

54 Life Magazine, 15. 1. 1951

55 ›Abstract Expressionism – The Formative Years‹, Ausstellung im Whitney Museum of Art, New York 1978, Katalog von Robert Carleton Hobbs und Gail Levin.

56 Dieser Hinweis findet sich bei William S. Rubin, Dada and Surrealism, New York 1968, Stuttgart 1972, S. 344

57 Michel Ragon, a. a. O. S. 28f.

58 Ebda.

59 Jaime Sabartés, Picasso. Gespräche und Erinnerungen, Zürich 1956, S. 237

60 Ernst Jünger, Werke, Bd. 2, Stuttgart 1962, S. 366

61 Françoise Gilot/Carlton Lake, Leben mit Picasso, München 1965, S. 298 und John Berger, Glanz und Elend des Malers Pablo Picasso, Reinbek bei Hamburg 1973, S. 209ff.

62 Françoise Gilot/Carlton Lake, a. a. O. S. 190f.

63 Brassai, Gespräche mit Picasso, Reinbek bei Hamburg, 1966, S. 52

64 Françoise Gilot/Carlton Lake, a. a. O. S. 199

65 Schuldt, Francis Picabia, Katalog zur Ausstellung in der Galerie Werner vom 14. 3. – 15. 4. 1980, Köln 1980, S. 16

66 In: Art d'aujourd'hui, März/April 1954, zitiert bei Jürgen Claus, Kunst heute, Personen, Analysen, Dokumente, Reinbek bei Hamburg 1965, S. 23

67 Jean-Paul Sartre, Das Ende des Krieges, in: Jean-Paul Sartre, Paris unter der Besatzung, Artikel, Reportagen, Aufsätze 1944–45, Reinbek bei Hamburg, 1980, S. 72ff.

68 Jackson Pollock, My Painting, in: Possibilities 1, Problems of Contemporary Art, New York 1947/48, S. 79 (siehe Text-Dokument S. 116ff.)

69 In: Wols, Aufzeichnungen, a. a. O. S. 55

70 Les Prix Kandinsky 1946–1961, Katalog zur Ausstellung in der Galerie Denise René vom 7. 3. – 10. 4. 1975. Paris/New York 1975. Die Preisträger bis 1961 waren: Degottex, Palazuelo, Istrati, Dumitresco, Chillida, Dorazio.

71 Mensch und Form unserer Zeit, Katalog zur Ausstellung in der Städtischen Kunsthalle Recklinghausen vom 13. 6. – 3. 8. 1952, S. 1

72 Hans Sedlmayr, Verlust der Mitte, Salzburg 1948

73 Darmstädter Gespräch, Das Menschenbild in unserer Zeit, hrsg. von Hans Gerhard Evers, Darmstadt 1950. Siehe Text-Dokument und Abb. S. 183

74 S. Text-Dokument, S. 183f.

75 Will Grohmann, Bildende Kunst und Architektur, Berlin 1953, S. 272

76 50 ans d'art moderne, Exposition universelle et internationale de Bruxelles 1958, Brüssel 1958. Deutsch: 50 Jahre moderne Kunst, Köln 1959, S. 62ff.

77 Vgl. die Rezensionen von Carl Georg Heise, Auf dem Weg zu einem künstlerischen Weltstil, Die Zeit, 24. Juli 1959 und Albert Schultze-Vellinghausen, Olympia der Kunst, FAZ vom 25. Juli 1959

78 Gustav Hassenpflug, Abstrakte Maler lehren, München/Hamburg 1959 (über Georg Meistermann, Fritz Winter, Ernst Wilhelm Nay, Gerhard Fietz, Hans Thiemann, Conrad Westphal, Josef Fassbender, Rolf Cavael, Hann Trier)

79 Desmond Morris, Biologie der Kunst, Düsseldorf 1963, S. 13

80 Georg Schmidt, Vom Sinn der Parallele »Kunst und Naturform«, in: Kunst und Naturform, hrsg. von Georg Schmidt und Robert Schenk, München 1967[3], S. 23–28. Die wichtigsten Ansätze zu einer differenzierten Aufarbeitung dieses Komplexes befinden sich im Katalog zur Ausstellung ›Thema: Informel‹ des Städtischen Museums Leverkusen vom Februar/März 1973, vor allem in den Aufsätzen von Lothar Romain, Zur Theorie und Kritik der informellen Kunst, und von Rolf Wedewer / Thomas Kempas, Thema: Informel – Elf Sätze

81 happening & fluxus, Ausstellung im Kölner Kunstverein vom 6. Nov. 1970 bis 6. Jan. 1971

82 in: Annuaire du Musée des Beaux-Arts d'Anvers 1964, zitiert in: Michel Seuphor, Gestaltung und Ausbruch in der modernen Kunst. Olten 1967, S. 247ff.

83 in: Wie modern ist die moderne Kunst? Film von Laszlo Glozer, Bayerischer Rundfunk 1971

84 vgl. Anm. 52

85 Douglas M. Davis, Strong Currents, in: Robert Rauschenberg, Werk 1950–1980. Katalog zur Ausstellung in der Staatlichen Kunsthalle Berlin vom 23. März–4. Mai 1980, S. 91 (Englisch in: Newsweek, 27. Juli 1970)

86 William Wilson, Paul Thek: Love – Death, in: Arts and Artists, April 1968, S. 23

87 Laszlo Glozer, Richard Hamilton, Kent State. 1970, in: Laszlo Glozer, Kunstkritiken, Frankfurt 1974, S. 22ff.

88 Robert Pincus-Witten, Thek's Tomb, in: Artforum, November 1967, S. 23ff.

89 Edward Kienholz 1960–1970, Katalog zur Ausstellung in der Städtischen Kunsthalle Düsseldorf vom 16. Juni–2. August 1970, Abb. 89ff. (S. Text-Dokument, S. 309f.)

90 Vgl. Laszlo Glozer, Kartographie der verkauften Welt. Wie der Schwede Oyvind Fahlström Gesellschaftskritik in Bildergeschichten betreibt – Zu einer Ausstellung in München, in: Süddeutsche Zeitung, 27./28. April 1974, S. 111

91 Walter de Maria, Art Yard, May 1960, in: La Monte Young / J. McLow, An Anthology, New York 1963. Zitiert nach: Bildnerische Ausdrucksformen 1960–1970, Sammlung Karl Ströher, Katalog des Hessischen Landesmuseums Nr. 4, Darmstadt 1970, S. 245

92 So zum Beispiel in Lucy R. Lippards Buch »Six Years: The dematerialization of the art object from 1966 to 1972«, New York/Washington 1973

Ausstellungsplan

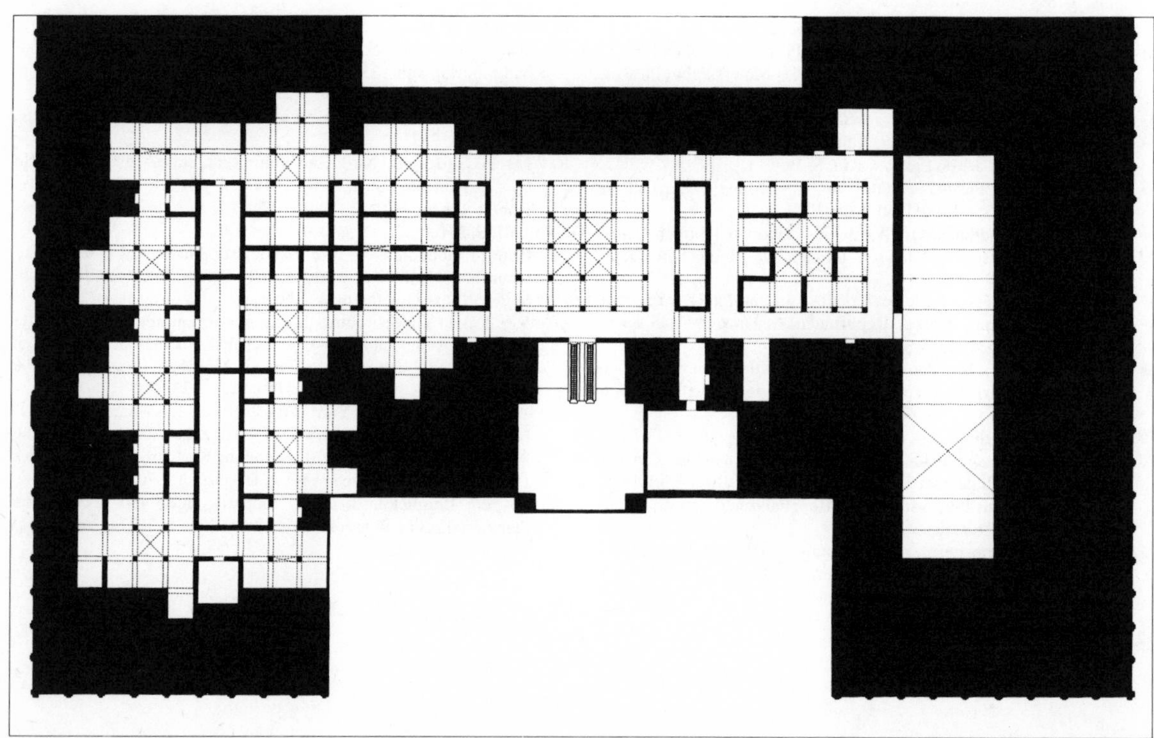

Weltkrieg und Moderne 1939–1945

1 Panorama 1939: Picasso, Kokoschka, Chagall, Rouault, Dali, etc.

2 Spätwerke im Exil: Klee, Kandinsky, Schwitters, Beckmann; Emigration in Grasse

3 Schauplatz New York: Mondrian, Duchamp, Ernst, Matta, Gorky, Cornell, etc.

4 *Ruheraum.* Brüche in der Kontinuität: Picabia, de Chirico, etc.; Wettbewerb ›Die Versuchung des Heiligen Antonius‹

Abstraktion als Weltsprache 1944–1959

5 Die neue Kunst in Europa. Paris 1944–1951: Fautrier, Wols, Dubuffet; COBRA; deutsche Malerei der Nachkriegsjahre

6 Amerikanische Malerei: Pollock, Still, Newman

7 Malerei der frühen fünfziger Jahre – Aufbruch und Akademie. Denkmal für den unbekannten politischen Gefangenen

8 Triumph und Skepsis – Entfaltung der abstrakten Malerei: de Kooning, Kline, Burri, Vedova, Jorn, etc.; Bacons ›Van Gogh‹-Bilder

Zwischen Fortschritt und Verweigerung 1956–1972

9 *Ruheraum.* Ausstieg aus dem Bild: Rauschenberg; ›This is Tomorrow‹; Yves Klein, ›Nouveau Réalisme‹; Happening und Fluxus; Zero

10 Bild und Objekt – die frühen sechziger Jahre: Oldenburg, Lichtenstein, Warhol; Stella, Judd

11 *Eingangshalle.* Segal, Thek, Kienholz, Fahlström, LeWitt, Flavin, de Maria

12 Die sechziger Jahre: Beuys, Nauman, Serra, Broodthaers, Merz, Kounellis, Polke, etc.

Heute – 37 Künstler der jungen Generation

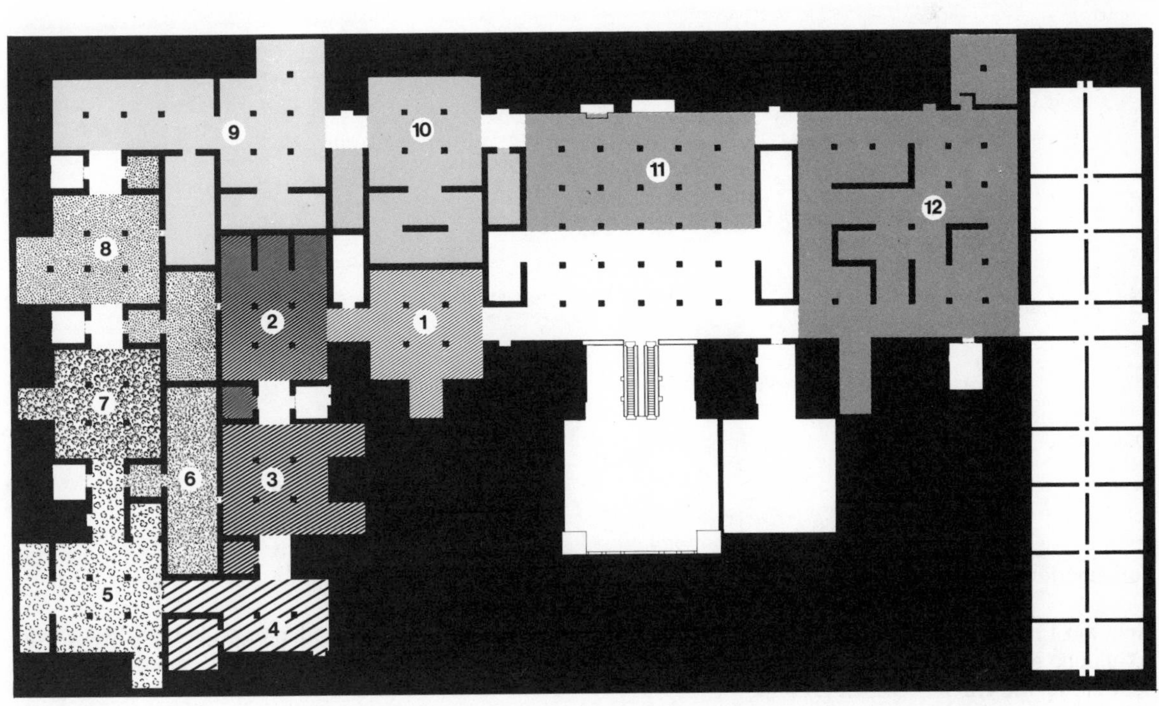

KATALOG

Konzeption:
Marcel Baumgartner, Kasper Koenig

Biografische Texte:
Karin Thomas und Winfried Konnertz

Redaktion:
Margareta Helleberg, Maja Oeri

Lektorat:
Inge Bodesohn

Vorbemerkung

Steht am Ende der Bildlegende Vgl. Abb. Seite . . ., so weist das auf eine Farb- oder vergrößerte Schwarzweiß-Abbildung im Textteil hin. Auf nur im Textteil abgebildete Werke wird im Katalog mit dem Vermerk Siehe Abb. Seite . . . verwiesen.

Leihgeber

Aachen, Neue Galerie – Sammlung Ludwig
Aachen, Sammlung Ludwig
Aalborg, Nordjyllands Kunstmuseum
Altenberge, Sammlung Otto und Barbara Dobermann
Amsterdam, Stedelijk Museum
Amsterdam, Jean Leering
Ann Arbor/Mi., The University of Michigan Museum of Art
Antibes, Sammlung Hans Hartung
Antwerpen, Bernd Lohaus und Anny De Decker
Athen, Jean und Karen Bernier
Atherton/Ca., Mr. & Mrs. Harry M. Anderson
Baden-Baden, Dieter Keller
Baltimore/Md., Estate of Mark Rothko
Basel, Kunstmuseum
Basel, Galerie Beyeler
Basel, Emanuel Hoffmann- Stiftung
Basel, Succession Arp
Basel, Ernst Beyeler
Basel, Franz Meyer
Berkhamstead, Hertfordshire, Reg Butler
Berkeley Heights/N.Y., Dr. Billy Klüver
Berlin, Nationalgalerie, Staatliche Museen Preußischer Kulturbesitz
Berlin, Anna und Otto Block
Berlin, René Block
Berlin, Ursula Block
Berlin, Bernhard Heiliger
Berlin, Reinhard Onnasch
Bern, Kunstmuseum
Bern, Kunstmuseum, Paul Klee-Stiftung
Bern, Sammlung fk
Beverly Hills/Ca., Robert H. Halff
Bochum, Kunstsammlungen der Ruhr-Universität
Bochum, Galerie Inge Baecker
Bochum, Galerie m
Bottrop, Quadrat – Moderne Galerie
Brüssel, Musées Royaux des Beaux-Arts de Belgique
Brüssel, Galerie Isy Brachot
Brüssel, Daled Collection
Buchschlag, Sammlung Frau Margot Krätz
Buffalo/N.Y., Albright-Knox Art Gallery
Cambridge/Ma., Harvard University, Fogg Art Museum
Cambridge/Ma., Collection of Graham Gund
Chatham/N.Y., Ellsworth Kelly
Chicago, The Art Institute of Chicago
Chicago, Collection William J. Hokin
Chicago, Prof. Karlen Mooradian
Chicago, Morton G. Neumann Family Collection
Chicago, Mr. & Mrs. Joseph Shapiro
Città di Castello, Fondazione Palazzo Albizzini
Clamart, Fondation Arp
Concord/Ma., Agnes Gund
Dallas/Tx., Museum of Fine Arts
Dallas/Tx., Collection of Susan & Robert Hoffmann
Darmstadt, Hessisches Landesmuseum
Dortmund, Museum am Ostwall
Düsseldorf, Kunstmuseum
Düsseldorf, Kunstsammlung Nordrhein-Westfalen
Düsseldorf, Galerie Heike Curtze
Düsseldorf, Siegfried Cremer
Düsseldorf, Dorothee und Konrad Fischer
Düsseldorf, Kasper Fischer
Düsseldorf, Norbert Kricke
Düsseldorf, Reiner Ruthenbeck
Düsseldorf, Günther Uecker
Düsseldorf, Sammlung Dr. Ulbricht
Duisburg, Wilhelm Lehmbruck-Museum
Eindhoven, Stedelijk van Abbemuseum
Essen, Museum Folkwang
Essen, Hans und Annelie Piotrowiak
Florenz, Fondazione Mirko
Frankfurt/M., Museum für moderne Kunst
Frankfurt/M., Edda und Werner Hund
Freiburg, Chemisches Institut der Universität, Land Baden-Württemberg
Genf, Cavalieri Holding Co., Inc.
Gent, Museum van Hedendaagse Kunst
Den Haag, Galerie Nova Spectra
Hannover, Kunstmuseum mit Sammlung Sprengel
Hannover, Hildegard Uhlmann
Hamburg, Kunsthalle
Hamburg, Galerie Neuendorf
Hamburg, Dr. Werner Funk
Hamburg, Franz Erhard Walther
Herning/Dänemark, Carl Henning Pedersen og Else Alfelts Museum
Herning/Dänemark, Kunstmuseum
Hinterzarten, Siegfried Adler
Houston/Tx., Sarah Campbell Blaffer Foundation
Houston/Tx., Menil Foundation Collection
Høvikodden/Norwegen, Sonia Henie-Niels Onstad Art Center
Humlebaek, Louisiana Museum of Modern Art
Kassel, Staatliche und Städtische Kunstsammlungen, Neue Galerie
Köln, Museum Ludwig
Köln, Galerie Gmurzynska
Köln, Galerie Karsten Greve
Köln, Galerie Jöllenbeck

Köln, Galerie Paul Maenz
Köln, Galerie Rudolf Zwirner
Köln, Buchhandlung Walther König
Köln, Joachim Linthe
Köln, Sammlung Günther und Carola Peill
Köln, Bernard Schultze
Köln, Dr. Speck
Krefeld, Kaiser Wilhelm-Museum
London, The Arts Council of Great Britain
London, Imperial War Museum
London, The Trustees of the Tate Gallery
London, Marlborough Fine Art Ltd.
London, Rose Adeane
London, J. Kasmin
London, Kasmin Ltd.
London, Collection Dr. S. Charles Lewsen
Los Angeles/Ca., County Museum of Art
Los Angeles/Ca., Margo Leavin Gallery
Los Angeles/Ca., Mr. & Mrs. Max Palevsky
Madrid, Galeria Theo
Mailand, Collezione Teresita Fontana
Mailand, Gino di Maggio
Mailand, Conte Giuseppe Panza di Biumo
Markgröningen, Archiv Sohm
Malmö, Sammlung Anders Malmberg
Meriden/Ct., Collection of Mr. & Mrs. Burton Tremaine
Meudon, Odile Degand
Meudon, Susi Magnelli
Minneapolis/Mn., Minneapolis Institute of Arts
Minneapolis/Mn., Walker Art Center
Mönchengladbach, Städtisches Museum
Mönchengladbach, Heinz Mack
Much Hadham, Hertfordshire, The Henry Moore Foundation
München, Bayerische Staatsgemäldesammlungen, Neue Pinakothek
München, Städtische Galerie im Lenbachhaus
München, P.A.P. Kunstagentur Karlheinz und Renate Hein
München, Galerie van de Loo
München, Kunstagentur Wolfgang Wunderlich
München, Sammlung Otto van de Loo
München, Sammlung Dürckheim
München, Six Friedrich
Münster, Westfälisches Landesmuseum für Kunst und Kulturgeschichte
Naarden/Holland, Sammlung Agnes und Frits Becht
New Haven/Ct., Yale University Art Gallery
New York, The Solomon R. Guggenheim Museum
New York, The Museum of Modern Art
New York, The Whitney Museum of American Art
New York, Dia Art Foundation
New York, Robert Elkon Gallery
New York, André Emmerich Gallery Inc.
New York, Sidney Janis Gallery
New York, Pierre Matisse Gallery
New York, The Pace Gallery
New York, Max Protetch Gallery
New York, Sonnabend Gallery
New York, William R. Acquavella
New York, Collection Mr. & Mrs. David K. Anderson
New York, Mr. & Mrs. Armand Bartos
New York, Collection Richard Brown Baker
New York, Estate of Alexander Calder, Courtesy of M. Knoedler & Co.
New York, Mr. & Mrs. Leo Castelli
New York, Collection William N. Copley
New York, Estate of Joseph Cornell, Courtesy Castelli Feigen Corcoran
New York, CPLY Art Trust
New York, Mr. & Mrs. Harold Diamond
New York, Mr. & Mrs. Lee V. Eastman
New York, Letty Lou Eisenhauer
New York, Private Collection Robert Elkon
New York, Richard L. Feigen
New York, Collection Mr. & Mrs. Victor W. Ganz
New York, Arthur & Carol Goldberg
New York, Milton A. Gordon
New York, Collection Joseph Helman
New York, On Kawara
New York, Collection Joseph Kosuth
New York, Marion Lefebre Burge
New York, Marcia Marcus
New York, Christophe de Menil
New York, Claes Oldenburg
New York, Robert Rauschenberg
New York, The Estate of Mary Alice Rothko
New York, Collection Raymond Saroff
New York, Collection Robert C. Scull
New York, Collection Mr. & Mrs. Richard Selle
New York, Richard Serra
New York, Collection Toni Shafrazi
New York, Estate of Robert Smithson and John Weber Gallery
New York, Collection of Holly & Horace Solomon
New York, Mr. & Mrs. Harry Spiro
New York, Mr. & Mrs. Meyer Steinberg
New York, Frank Stella
New York, Paul Thek
New York, Collection Mr. & Mrs. Howard Wise
New York, Collection Richard S. Zeisler
Northhampton/Ma., James Holderbaum
Norwich, University of East Anglia, The Robert & Lisa Sainsbury Collection
Old Westbury/N.Y., Mr. & Mrs. David A. Wingate
Oslo, Halvor N. Astrup

Ottawa, National Gallery of Canada/Ottawa, Galerie Nationale du Canada
Otterlo, Rijksmuseum Kröller-Müller
Paris, Collection Fonds National d'Art Contemporain
Paris, Musée National d'Art Moderne – Centre Georges Pompidou
Paris, Musée Picasso
Paris, Galerie D. Breteau
Paris, Galerie Maeght
Paris, Galerie Aimé Maeght
Paris, César Domela
Paris, Philippe et Denyse Durand-Ruel
Paris, Ivana de Gavardie
Paris, M. et Mme Adrien Maeght
Paris, Marc Martin-Malburet
Paris, Collection Carmen Martinez et Viviane Griminger
Paris, Georges Mathieu
Paris, Mme Olga Picabia
Paris, Jacques Putman
Paris, Nicolas Schoeffer
Paris, Pierre Soulages
Paris, Succession Gonzalez
Paris, Jean Tinguely
Passumpsic/Vt., Patty Mucha
Philadelphia/Pa., Philadelphia Museum of Art
Philadelphia/Pa., Dr. & Mrs. Morton Kligerman
Pontoise, Musée de Pontoise
Portland/Or., The Portland Art Museum
Prag, Národní Galerie
Remscheid, Wolfgang Feelisch
Richmond/Va., Collection Sydney & Frances Lewis
Roeselaere/Belgien, Frans Verhoestraete
Rom, Galleria Nazionale d'Arte Moderna
Rom, Vatikanische Museen
Rom, Galleria l'Attico
Rom, Collezione Franchetti
Rom, Jannis Kounellis
Rom, Collezione Bruno Sargentini
Rotterdam, Gemeentemuseum Boymans-van Beuningen
Saarbrücken, Saarland-Museum
Saint Etienne, Musée d'art et d'industrie
Saint-Paul de Vence/Frankreich, Fondation Maeght
Sarasota/Fl., John and Mable Ringling Museum of Art
Schiedam, Stedelijk Museum
Seattle/Wa., Mr. & Mrs. Frederick Ayer
Seattle/Wa., Mr. & Mrs. Bagley Wright
Silkeborg, Kunstmuseum
Southhampton/N.Y., Collection Roy & Dorothea Lichtenstein
South Nyack/N.Y., Robert & Frances Breer
South Pasadena/Ca., Taylor A. Smith & Edward B. Smith V.
St. Georgen, Sammlung D. Gräßlin
St. Louis/Mo., Washington University Gallery of Art
St. Louis/Mo., Mr. & Mrs. Ronald K. Greenberg
Stockholm, Moderna Museet
Stockholm, Sammlung G. Douglas
Stockholm, Göran Ohlin
Stroud/Gloucestershire, Lynn Chadwick
Stuttgart, Staatsgalerie
Stuttgart, Archiv Baumeister
Stuttgart, Diter Rot
Stuttgart, Frau Tut Schlemmer
Thousand Oaks/Ca., Edwin Janss
Toronto, Art Gallery of Ontario
Tucson/Az., The University of Arizona Museum of Art
Tübingen, Kunsthalle
Tübingen, Prof. Dr. Georg Zundel
Turin, Musei Civici – Galleria d'Arte Moderna
Turin, Collezione Ezio Gribaudo
Turin, Gian Enzo Sperone
Turin, Mme Christian Stein
Washington/D.C., National Gallery of Art
Washington/D.C., Smithsonian Institution, Hirshhorn Museum and Sculpture Garden
West Chester/Pa., Mr. & Mrs. Robert Dale McKinney
Wien, Museum Moderner Kunst
Wiesbaden, Sammlung Henkell
Winterthur, Kunstmuseum
Winnetka/Il., Mr. & Mrs. Paul Gotskind
Wolfsburg, Städtische Galerie
Wyncote/Pa., Ira & Tonian Genstein
Zumikon/Schweiz, Sammlung Rudolf und Leonore Blum
Zumikon/Schweiz, Frau Binia Bill
Zürich, Kunsthaus
Zürich, Thomas Ammann Fine Art
Zürich, Galerie Bruno Bischofberger
Zürich, Max Bill
Zürich, Sammlung Hans Bolliger
Zürich, Frau Emmy Graeser
Zürich, Richard Paul Lohse
Zürich, Nachlaß Vantongerloo
Zürich, Sammlung Dr. Max H. Welti

Sammlung Crex
Sammlung FER
Sammlung de Jong
Stiftung Lichtenstein
Sammlung Barbara Nüsse
Sammlung Ströher
Kanton Tessin, Schweiz

sowie zahlreiche weitere Leihgeber, die nicht genannt werden möchten.

Georges Rouault

Geb. 27. Mai 1871 in Paris. 1885–90 Ausbildung als Glasmaler. 1890–95 Studium an der Kunstakademie Paris, u. a. bei Gustave Moreau, dort Begegnung mit Henri Matisse. 1903 Mitbegründer des Pariser Herbstsalons. 1911 Übersiedlung nach Versailles. 1917–27 Entstehung der illustrierten Bücher. Zerstört nach dem Tod seines Händlers Ambroise Vollard 1939 über 300 unvollendete Bilder. Während der Okkupation zunächst Aufenthalt in Südfrankreich, 1942 Rückkehr nach Paris. Seit 1940 ausschließlich religiöse Themen als Anklage gegen Krieg und Gewalt. – 13. Februar 1958 in Paris gestorben.

Georges Rouault
1 Le saint suaire. 1937
(Das Schweißtuch)
Öl auf Papier, auf Leinwand montiert.
104 × 73,7 cm
London, Marlborough Fine Art Ltd.
(Vgl. Abb. Seite 39)

Marc Chagall

Geb. 7. Juli 1887 in Liosno bei Witebsk, Rußland. 1907 Malerausbildung in Witebsk und an der Akademie St. Petersburg, u. a. bei Leon Bákst. 1910–14 Aufenthalt in Paris und Freundschaft mit Apollinaire. 1914 Ausstellung in der Galerie ›Der Sturm‹, Berlin. 1914–22 in Rußland. Förderung durch den sowjetischen Kulturkommissar A. W. Lunatscharskij. 1922–23 Emigration über Berlin nach Paris. 1930–39 zahlreiche Reisen. Bei zunehmender Verfolgung der Juden durch die Nazis 1938–39 und später in der amerikanischen Emigration (1941) malt Chagall symbolische Bilder mit dem Thema Kreuzigung. 1947 Rückkehr nach Paris, 1949 Übersiedlung nach Vence. Bedeutende internationale Aufträge, u. a. Glasfenster für die Synagoge der Hadassahklinik, Jerusalem (1962), für die Decke der Grand Opéra, Paris (1963) und für die Wanddekoration der Metropolitan Opera, New York (1966). – Lebt in Vence.

Marc Chagall
2 Crucifixion blanche. 1938
(Weiße Kreuzigung)
Öl auf Leinwand. 155 × 139,5 cm
Chicago, The Art Institute of Chicago,
Gift of Alfred S. Alschuler
(Vgl. Abb. Seite 69)

Oskar Kokoschka

Geb. 1. März 1886 in Pöchlarn, Österreich. 1905–09 Besuch der Kunstgewerbeschule in Wien, gleichzeitig Mitarbeit an den Wiener Werkstätten. Schreibt expressionistische Dramen, die z. T. mit eigenen Zeichnungen im ›Sturm‹ (dessen Mitarbeiter Kokoschka seit 1910 ist) erscheinen. 1916 schwere Verwundung an der russischen Front. 1919–24 Lehrtätigkeit an der Dresdner Kunstakademie. 1924–31 zahlreiche Reisen. 1931 in Wien. 1934 Emigration nach Prag, 1938 Flucht nach London, malt politisch engagierte Bilder gegen den Faschismus. In poetischen Allegorien und Satiren schildert Kokoschka mit den Ausdrucksmitteln des Expressionismus die eigene Emigrantensituation in einem kriegsführenden Land. 1953 Übersiedlung an den Genfer See. 1954–62 regelmäßige Lehrtätigkeit an der Salzburger Sommerakademie. Erfolgreicher Porträtist und Maler von Stadtansichten. – 22. Februar 1980 in Montreux gestorben.

Oskar Kokoschka
3 Das rote Ei. 1939
Öl auf Leinwand. 63 × 76 cm
Prag, Národní Galerie
(Vgl. Abb. Seite 65)

Man Ray

Geb. 27. August 1890 in Philadelphia. 1911 Begegnung mit Alfred Stieglitz. 1913 Besuch der ›Armory Show‹. 1915 Freundschaft mit Marcel Duchamp und Francis Picabia. 1917 Mitbegründer der New Yorker Dada-Gruppe. 1918 erste ›Acrografien‹. 1921 geht er nach Paris, schließt sich den Surrealisten an. Arbeitet nebenbei als Modefotograf. 1922 erste Rayogramme. 1924 Beteiligung an René Clairs Film ›Entr'acte‹. 1940–51 in Hollywood. 1951 Rückkehr nach Paris. Man Ray führt als einer der ersten die fotografische Technik in die moderne Kunst ein. – 18. November 1976 in Paris gestorben.

Salvador Dali

Geb. 11. Mai 1904 in Figueras, Katalonien, Spanien. Ab 1921 Studium an der Kunstakademie Madrid. 1927/28 Begegnung mit den Surrealisten auf Einladung von André Breton in Paris. 1929 und 1931 Zusammenarbeit mit Luis Buñuel an den surrealistischen Filmen ›Un chien andalou‹ und ›L'âge d'or‹. 1939 Treffen mit Sigmund Freud. Malt unter dem Eindruck des drohenden Weltkrieges apokalyptische Symbolbilder. 1940 Übersiedlung in die USA. Läßt sich in Pebble Beach, Kalifornien, nieder. Schreibt Bücher und arbeitet für die Werbung. 1948 Rückkehr in das Franco-Spanien, läßt sich in Port Lligat nieder. 1975 große Retrospektive in Paris. – Lebt in Cadàquès.

Yves Tanguy

Geb. 5. Januar 1900 in Paris. Matrose der Handelsmarine. Als Maler Autodidakt, Freundschaft mit Jacques Prévert. 1925 Anschluß an die Surrealisten-Gruppe. 1930 Reise nach Afrika. 1939 Begegnung, 1940 Heirat mit der amerikanischen Malerin Kay Sage. Gemeinsame Reise durch den Südwesten der USA. 1942 Niederlassung in Woodbury, Ct., USA. Mitinitiator einer amerikanischen Surrealismus-Bewegung, die aus der Emigration europäischer Surrealisten in die USA hervorgeht. Teilnahme an der Ausstellung ›Artists in Exile‹ in der Pierre Matisse Gallery, New York, und an der Surrealisten-Ausstellung ›Reid Mansion‹, die André Breton und Marcel Duchamp organisieren. – 15. Januar 1955 in Woodbury gestorben.

Man Ray
4 Portrait imaginaire de D.A.F. de Sade. 1938
(Imaginäres Porträt des D.A.F. de Sade)
Öl auf Leinwand. 60 × 45 cm
USA, Privatbesitz
(Vgl. Abb. Seite 38)

Salvador Dali
5 Philosophie éclairée par la lumière de la lune et du soleil couchant. 1939
(Philosophie vom Licht des Mondes und der untergehenden Sonne erhellt)
Öl auf Leinwand. 128 × 160 cm
Privatbesitz
(Vgl. Abb. Seite 46)

Yves Tanguy
6 L'extinction des espèces II. 1938
(Vernichtung des Menschengeschlechts)
Öl auf Leinwand. 92 × 73 cm
Privatbesitz
(Vgl. Abb. Seite 32)

Constantin Brancusi

Geb. 21. Februar 1876 in Hobitza, Rumänien. Verbringt seine Kindheit als Gelegenheitsarbeiter. Lernt als Achtzehnjähriger lesen und schreiben. 1896 erste Reise nach Wien, arbeitet zeitweise als Kunstschreiner. 1898–1902 Studium an der Kunstakademie Bukarest. Wandert zu Fuß nach München und weiter (1904) nach Paris. Studium an der Ecole des Beaux-Arts. 1908 mit der Plastik ›Kuß‹ Abwendung vom Naturalismus. 1909 enge Kontakte zu Apollinaire, Modigliani, Jacob, Duchamp und Satie. 1913 Teilnahme an der ›Armory Show‹. 1914 Freundschaft mit Fernand Léger und Tristan Tzara. In den zwanziger und dreißiger Jahren zahlreiche Reisen, u. a. nach Indien. 1937 Fertigstellung der ›Endlosen Säule‹ (siehe Abb. S. 31), des ›Tor des Kusses‹ und des ›Tisch des Schweigens‹ in Tirgu-Jiu (Rumänien), einer Stadt in der Nähe seines Geburtsortes. In einem Reduktionsprozeß entwickelt Brancusi aus Naturformen in sich geschlossene Grundformen, seine 'Urformen'. Sie bedeuten höchste plastische Konzentration im Raum und sind zugleich Symbol. – 16. März 1957 in Paris gestorben.

Otto Freundlich

Geb. 10. Juli 1878 in Stolp, Pommern. 1903–04 Studium der Kunstgeschichte in Berlin (bei Wölfflin) und München. 1905–06 in Florenz, Beginn der künstlerischen Arbeit. 1908–09 in Paris, Atelier im Bateau-Lavoir, Montmartre, wo er Picassos Nachbar ist. 1914 Kriegsdienst als Sanitätssoldat. 1916–24 überwiegend in Köln. Zahlreiche Beiträge für die Zeitschrift ›Die Aktion‹ zu Kunst und Politik, Mitglied der Novembergruppe. Zusammenarbeit mit der Kölner Dada-Gruppe. 1924 Übersiedlung nach Paris. Führt 1929 und 1933 monumentale Plastiken aus. 1931 Mitglied von ›abstraction-création‹. Mitarbeit an der Kölner Zeitschrift ›a bis z‹. In den Farbkompositionen der ausgehenden dreißiger Jahre erreicht Freundlich eine harmonisierende Synthese von geometrischer und lyrischer Abstraktion. 1939 französische Internierung, 1940 Entlassung, Flucht in die Pyrenäen. 1943 Verhaftung durch die deutsche Besatzung und Deportation in das Konzentrationslager Maidanek in Polen, dort am 9. März 1943 umgebracht.

Constantin Brancusi
7 L'oiseau. 1940
(Vogel)
Polierte Bronze auf Marmorplinte und Sandsteinsockel. Höhe der Bronze 135 cm, Höhe der Plinte 17 cm, Höhe des Sandsteinsockels 106 cm
Berlin, Staatliche Museen Preußischer Kulturbesitz, Nationalgalerie
(Vgl. Abb. Seite 30)

Otto Freundlich
8 Komposition. 1939
Tempera auf Papier, auf Leinwand aufgezogen. 193 × 146 cm
Pontoise, Musée de Pontoise, Donation Jeanne et Otto Freundlich
(Vgl. Abb. Seite 54)

Piet Mondrian
(Biografie siehe Seite 366)

9 Composition in red, blue and yellow. 1937–42
(Komposition in Rot, Blau und Gelb)
Öl auf Leinwand. 60,3 × 55,4 cm
New York, The Museum of Modern Art, The Sidney & Harriet Janis Collection

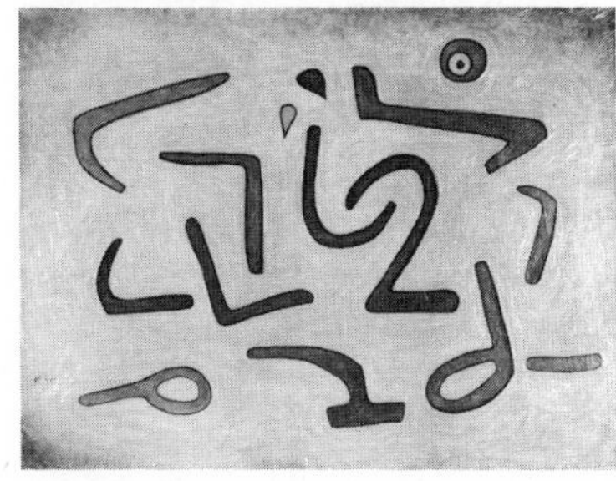

Paul Klee
(Biografie siehe Seite 346)

10 Zerstörtes Labyrinth. 1939
Öl- und Wasserfarben gefirnißt, auf ölgrundiertem Papier auf Jute über Keilrahmen. Originale Rahmenleisten. 54 × 70 cm
Bern, Kunstmuseum, Paul Klee-Stiftung
(Vgl. Abb. Seite 29)

Pablo Picasso
(Biografie siehe Seite 362)

11 Chat à l'oiseau. April 1939
(Katze und Vogel)
Öl auf Leinwand. 97,1 × 130,1 cm
New York, Collection Mr. & Mrs. Victor W. Ganz
(Vgl. Abb. Seite 25)

Wassily Kandinsky
(Biografie siehe Seite 353)

12 Le carré rouge. 1939
(Das rote Viereck)
Öl auf Leinwand. 64 × 80 cm
Chicago, Morton G. Neumann Family Collection
(Vgl. Abb. Seite 35)

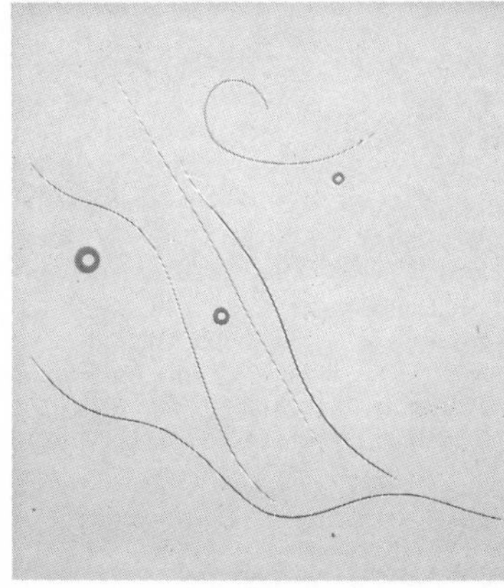

Alexander Calder
(Biografie siehe Seite 367)

14 Model for 1939 New York World's Fair. 1938
(Modell für das Projekt zur Weltausstellung in New York 1939)
Aluminium, gewalztes Metall, Draht, hölzerne Spulen, Schnur auf Holzsockel.
37,4 × 50,1 × 24,7 cm
New York, Estate of Alexander Calder, Courtesy of M. Knoedler & Co.
(Vgl. Abb. Seite 47)

Kurt Schwitters
(Biografie siehe Seite 350)
15 Die Frühlingstür. 1938
Assemblage. 87,8 × 72 cm
Köln, Galerie Gmurzynska

◁ **Georges Vantongerloo**
(Biografie siehe Seite 354)

13 Variantes. 1939
(Varianten)
Öl auf Hartfaserplatte. 101 × 92,9 cm
Zumikon/Schweiz, Frau Binia Bill
(Vgl. Abb. Seite 34)

Henry Moore

Geb. 13. Juli 1898 in Castleford, Yorkshire, England, als Sohn eines Bergmanns. Nach Kriegsdienst 1919–25 Kunststudium in Leeds und London. 1923 erste Reise nach Paris. 1926–39 Lehrtätigkeit am Royal College of Art und an der Chelsea School of Art, London. 1936 Besuch der prähistorischen Höhlen in den Pyrenäen. 1940–42 offizieller ›war artist‹. In Londoner Luftschutzbunkern entstehen während der Luftangriffe Zeichnungsserien. Nach dem Krieg zahlreiche öffentliche Aufträge, u. a. ›König und Königin‹ (1952–53), ›Krieger mit Schild‹ (1953–54), ›Drei aufrechte Figuren‹ (1955–56). Moore entwickelt elementare Formen im Bereich figürlicher Themen, bezogen auf die konkrete Kriegssituation als Ausdruck einer Schutzgebärde gegen Angst und drohende Gefahr. – Lebt in Hoglands, Much Hadham, Hertfordshire, England.

16 Women and children in the tube. 1940
(Frauen und Kinder in der U-Bahn)
Feder und Tinte, Kreide, laviert. 28 × 38 cm
London, Trustees of the Imperial War Museum

17 Grey tube shelter. 1940
(Graue U-Bahn-Szene)
Feder und Tinte, Kreide, laviert, und Gouache. 28 × 38 cm
London, The Trustees of the Tate Gallery

18 Tube shelter perspective. 1941
(Ansicht aus dem U-Bahn-Schacht)
Bleistift, Wachskreide, Tinte, laviert, und Gouache. 28,2 × 23,5 cm
Much Hadham, The Henry Moore Foundation

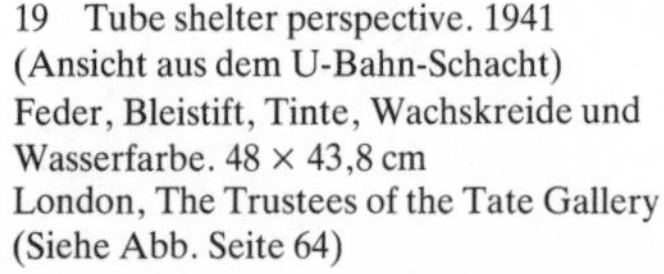

19 Tube shelter perspective. 1941
(Ansicht aus dem U-Bahn-Schacht)
Feder, Bleistift, Tinte, Wachskreide und Wasserfarbe. 48 × 43,8 cm
London, The Trustees of the Tate Gallery
(Siehe Abb. Seite 64)

20 A Tilbury shelter scene. 1941
(Bunker-Szene im U-Bahnhof Tilbury)
Bleistift, Feder, Pinsel und Tinte, Wachskreide und Gouache. 42 × 38 cm
London, The Trustees of the Tate Gallery

21 Shelterers in the tube. 1941
(Schutzsuchende in der U-Bahn)
Feder und Tinte, Wachskreide und Wasserfarbe. 38 × 56 cm
London, The Trustees of the Tate Gallery

22 Woman seated in the underground. 1941
(Sitzende Frau im U-Bahn-Schacht)
Feder, Bleistift, Pinsel und Tinte, Wachskreide und Gouache. 48,2 × 38 cm
London, The Trustees of the Tate Gallery

25 Pink and green sleepers. 1941 ▷
(Rosa und grüne Schlafende)
Feder und Tinte, Kreide, Wachskreide, laviert, und Gouache. 38 × 55,8 cm
London, The Trustees of the Tate Gallery

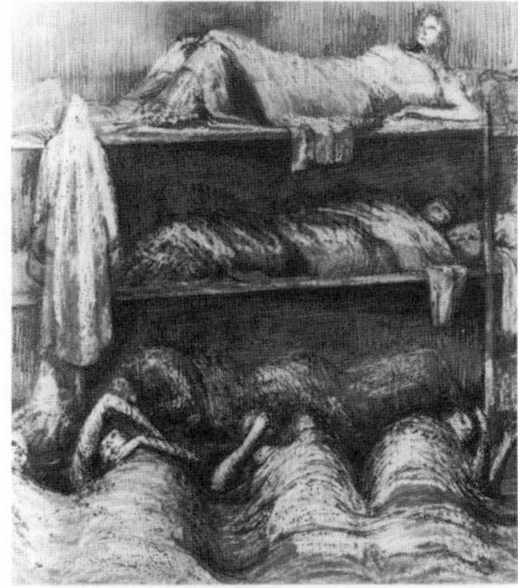

23 Shelter scene: bunks and sleepers. 1941
(Bunker-Szene: Kojen und Schlafende)
Feder und Tinte, Wachskreide, Wasserfarbe und Gouache. 48,2 × 43,2 cm
London, The Trustees of the Tate Gallery

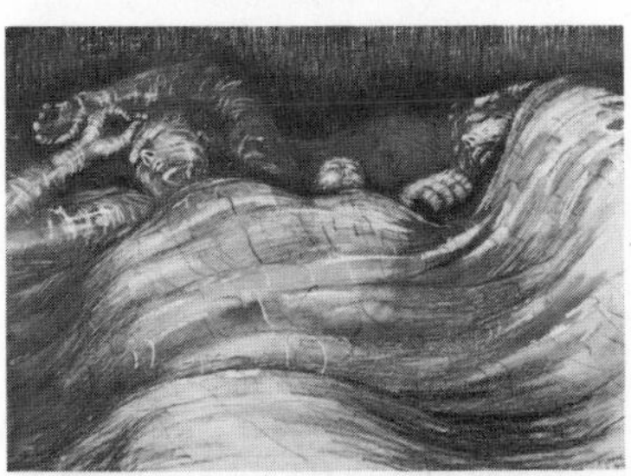

24 Sleeping shelterers: two women and a child. 1941
(Schlafende Schutzsuchende: zwei Frauen und ein Kind)
Feder, Tinte, Kreide, Wachskreide und Wasserfarbe. 28,1 × 46 cm
Norwich, University of East Anglia, The Robert & Lisa Sainsbury Collection

26 Pale shelter scene. 1941
(Trübe Bunker-Szene)
Feder, Kreide, Wasserfarbe, Gouache.
48,5 × 43 cm
London, The Trustees of the Tate Gallery

Shelter sketchbook nr. 2. 1941
(Bunker-Skizzenbuch Nr. 2)
9 Zeichnungen. Bleistift, Wachskreide, Wasserfarbe, Tinte und Ausziehtusche.
je 20,4 × 16,5 cm
Much Hadham, The Henry Moore Foundation

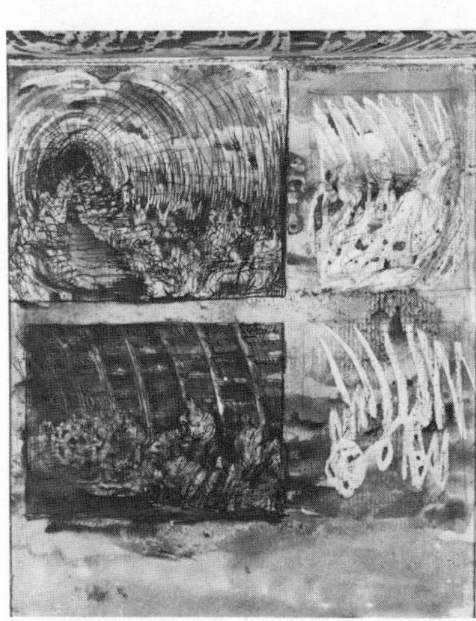

27 Seite 4:
Tube shelter scenes
(U-Bahn Bunker-Szenen)

28 Seite 6:
Women and children with bundles
(Frauen und Kinder mit Bündeln)
und
List of subjects for shelter drawings
(Liste der Themen für die Bunker-Zeichnungen)

29 Seite 7:
Three figures sleeping – platform scene of sleeping people. Study for shelter drawing
(Drei schlafende Figuren. Studie für Bunkerzeichnung)

30 Seite 13:
Study for ›Tilbury shelter scene‹
(Studie zu ›Bunker-Szene Tilbury‹)

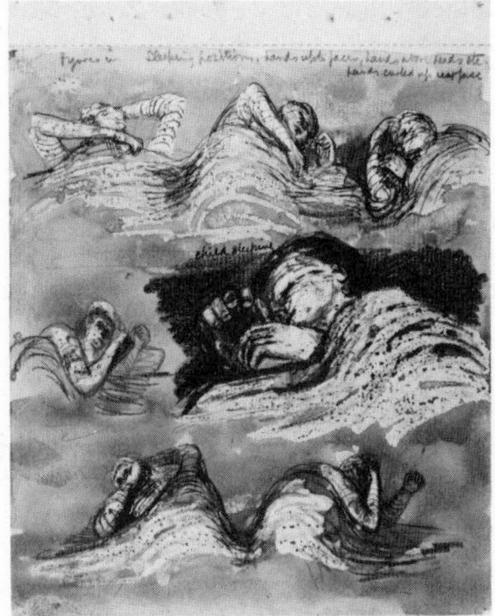

31 Seite 35:
Sleeping positions (Schlafstellungen)

32 Seite 66:
Two blanketed figures in shelter corner. Study for ›Two women wrapped in blankets‹.
(Zwei in Decken gewickelte Personen in einer Bunker-Ecke. Studie zu ›Zwei in Decken gehüllte Frauen‹)

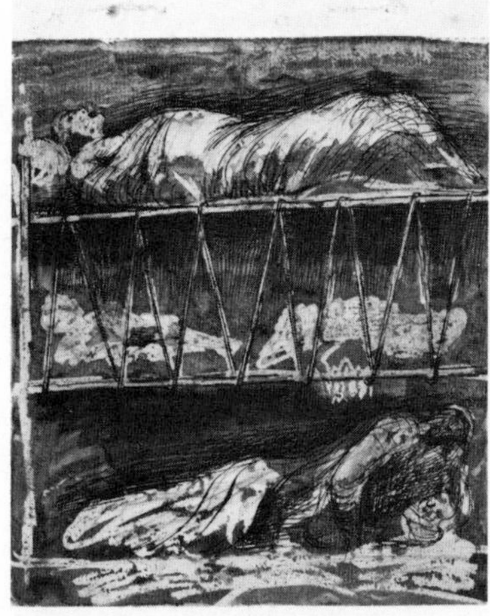

33 Seite 74:
Bunks with sleepers. Study for shelter scene
(Kojen mit Schlafenden. Studie für Bunker-Szene)

34 Seite 80:
Two figures sharing same green blanket
(Zwei Personen teilen sich eine grüne Decke)

35 Seite 89:
Woman with plaster in her hair, 3 studies
(Frau mit Gips im Haar, 3 Studien)

Max Beckmann

Geb. 12. Februar 1884 in Leipzig. 1900–03 Studium an der Großherzoglichen Kunstschule Weimar bei Carl Frithjof Smith und Julius Meier-Graefe. 1903 erste Reise nach Paris, 1904 Übersiedlung nach Berlin. 1906 Aufenthalt in Florenz. 1914–15 Krankenpfleger und Sanitätssoldat an der Front. 1915 Übersiedlung nach Frankfurt a. M., 1925 Übernahme der Meisterklasse am Städelschen Kunstinstitut. 1926–32 regelmäßige Aufenthalte in Paris. 1933 Entlassung aus dem Lehramt, Entfernung seiner Bilder aus deutschen Museen. 1937 Emigration nach Amsterdam, wo er auch während der deutschen Besetzung zurückgezogen weiterarbeitet. Schwarze, harte Konturen gliedern den Bildraum, in dem eigene Welterfahrung in mythischen Bildern verarbeitet wird. 1947 Übersiedlung nach St. Louis, 1949 nach New York. 1950 Preis der 25. Biennale Venedig. – 27. Dezember 1950 in New York gestorben.

36 Schauspieler. 1941/42
Öl auf Leinwand. Triptychon.
Mittelteil 199,4 × 150 cm,
Seitenteile je 199,4 × 83,7 cm.
Cambridge/Ma., Fogg Art Museum, Harvard University, Gift of Mrs. Culver Orswell
(Vgl. Abb. Seite 84)

37 Les artistes mit Gemüse. 1943
Öl auf Leinwand. 149,9 × 115 cm
St. Louis/Mo., Washington University Gallery of Art
(Vgl. Abb. Seite 72)

38 Messingstadt. 1944
Öl auf Leinwand. 115 × 150 cm
Saarbrücken, Saarland-Museum

39 Begin the Beguine. 1946
Öl auf Leinwand. 178 × 121 cm
Ann Arbor/Mi., The University of Michigan Museum of Art, Purchase 1948
(Vgl. Abb. Seite 87)

◁ 40 Luftballon mit Windmühle. 1947
Öl auf Leinwand. 138 × 128 cm
Portland/Or., The Portland Art Museum, Helen Thurston Ayer Fund
(Vgl. Abb. Seite 85)

Oskar Schlemmer

Geb. 4. September 1888 in Stuttgart. 1903–05 Lehre als Intarsienzeichner, ab 1906 Studium an der Akademie der Bildenden Künste in Stuttgart. Freundschaft mit Willi Baumeister. 1912 Meisterschüler von Adolf Hoelzel. 1916 erste Aufführung mit Figurinen des ›Triadischen Balletts‹, enge Freundschaft mit Willi Baumeister. 1920 Berufung an das Bauhaus, zunächst für Bildhauerei, 1923 Leitung der Bühnenwerkstatt. 1929 Berufung an die Akademie Breslau, 1932 an die Akademie Berlin. 1933 aus dem Lehramt entlassen. 1938–39 Tarnanstriche für ein Stuttgarter Malergeschäft, ab 1940 im Lacklaboratorium der Wuppertaler Farbenfabrik von Dr. Kurt Herberts. Während dieser Zeit der ›inneren‹ Emigration des verfemten Künstlers entsteht die Serie der kleinformatigen ›Fensterbilder‹. – 13. April 1943 in Baden-Baden gestorben.

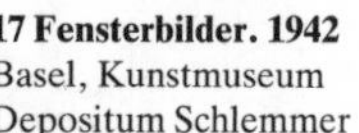

17 Fensterbilder. 1942
Basel, Kunstmuseum
Depositum Schlemmer

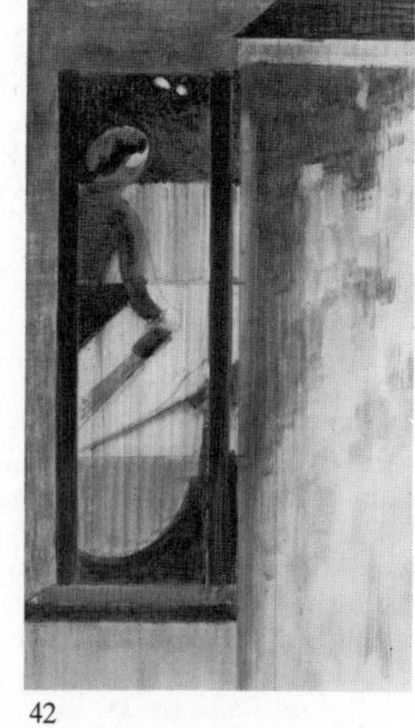

42

41 Abendessen im Nachbarhaus, Fensterbild I
Öl, Aquarell und Farbstift auf kaschiertem Karton. 31,9 × 18,1 cm
(Siehe Abb. Seite 74)

42 Bügelnde Frau, Fensterbild II
Öl über Bleistift auf kaschiertem Karton, 32,3 × 19 cm

43 Wohnraum mit stehender Frau, Fensterbild III
Öl über Bleistift und Farbstift auf kaschiertem Karton. 32,6 × 22,8 cm

44 Wohnraum mit arbeitender Frau, Fensterbild IV
Öl über Bleistift und Farbstift auf kaschiertem Karton. 32,3 × 19,8 cm

45 Am Fenster aufgehängte Wäsche, Fensterbild V
Öl über Bleistift auf kaschiertem Karton. 31,3 × 22,8 cm
(Siehe Abb. Seite 74)

46 Raumdurchsicht, Fensterbild VI
Öl über Bleistift auf Ölpapier. 29,9 × 12 cm

47 Raum mit sitzender Frau in rosa Gewand, Fensterbild VII
Öl auf Ölpapier. 25,9/25,6 × 18,8/19,7 (Ränder ungleich)
(Siehe Abb. Seite 74)

48 Frau in beleuchtetem Raum, Fensterbild VIII
Öl auf Ölpapier. 26,2 × 24,9/24 (Ränder ungleich)

49 Beleuchtete Küche mit Frau, Fensterbild X
Öl über Bleistift und Farbstift auf kaschiertem Karton. 31,9 × 22,2 cm
(Siehe Abb. Seite 74)

50 Hof mit aufgehängter Wäsche, Fensterbild XI
Verdünnte Ölfarbe über Bleistift auf kaschiertem Karton. 31,7 × 15,1 cm

51 Raum mit sitzender Frau in violettem Schatten, Fensterbild XII
Öl über Bleistift auf kaschiertem Karton, 30,6 × 20,7 cm

52 Beleuchteter Raum hinter dreiteiligem Fenster, Fensterbild XIII
Öl über Bleistift und Farbstift auf kaschiertem Karton. 13,3 × 20,8 cm

53 Frau mit Katze auf der Terrasse, Fensterbild XIV
Öl über Bleistift auf kaschiertem Karton. 34 × 24 cm

54 Blick über die Dächer, Fensterbild XV
Öl über Bleistift und Farbstift auf kaschiertem Karton. 24,1 × 30,2 cm

55 Blick auf die Stadt, Fensterbild XVI
Öl über Bleistift auf kaschierter Pappe. 34,9 × 21,2 cm

56 Dreigeteiltes Fenster, Fensterbild XVII
Öl und Gouache über Bleistift und Farbstift auf kaschiertem Karton.
29 × 22,8 cm

57 Fensterbild mit Kommendem, Fensterbild XVIII
Öl über Bleistift auf kaschiertem Karton. 32 × 23,4 cm

50

51

54

43

44

46

48

52

53

55

56

57

Paul Klee

Geb. 18. Dezember 1879 in Münchenbuchsee bei Bern, Schweiz. 1898–1901 Studium an der Münchener Akademie u. a. bei Franz von Stuck. 1903–05 Orchestermusiker (Violine) in Bern. 1906–20 in München. Heirat mit der Pianistin Lily Stumpf (1906). Begegnungen mit den Künstlern des ›Blauen Reiter‹, Freundschaft mit Kandinsky, 1914 Reise mit August Macke und Louis Moillet nach Tunis. 1921–31 Lehrtätigkeit für Malerei am Bauhaus. 1925 Publikation des ›Pädagogischen Skizzenbuches‹ in der Reihe der Bauhausbücher. 1931–33 Professur an der Kunstakademie Düsseldorf. 1933 Lehrverbot und Rückkehr nach Bern. 1935 erste Krankheitszeichen. Klees elementare Symbol- und Zeichensprache formt im Spätwerk – auch in den Eidola-Zeichnungen – Beschwörungsformeln für Vergangenes in ironischer Deutung der Gegenwart. – 29. Juni 1940 in Muralto bei Locarno gestorben.

59

60

58 Ohne Titel (Komposition mit Früchten). 1940 (unvollendet)
Kleisterfarben auf Papier. 103 × 148 cm
Bern, Sammlung fk.
(Vgl. Abb. Seite 91)

22 Blätter aus der ›**Eidola**‹-**Serie.**
Zulustift auf Konzeptpapier auf Karton
Bern, Kunstmuseum, Paul Klee-Stiftung

59 Eidola: weiland enthusiastisch. 1940, 71 (W 11)
29,6 × 20,9 cm

60 Eidola: weiland Musiker. 1940, 81 (V 1)
29,7 × 21 cm

61 Eidola: weiland Actrice. 1940, 82 (V 2)
29,7 × 21 cm

62 Eidola: weiland Sichler. 1940, 83 (V 3)
29,7 × 21 cm

63 Eidola: weiland Feldherr. 1940, 85 (V 5)
29,7 × 21 cm

64 Eidola: weiland Trinkerin. 1940, 86 (V 6)
29,7 × 21 cm

65 Eidola: weiland Esserin. 1940, 87 (V 7)
29,7 × 21 cm

66 Eidola: weiland Brutal. 1940, 88 (V 8)
29,7 × 21 cm

67 Eidola: weiland Buffosänger. 1940, 89 (V 9)
29,7 × 21 cm

68 Eidola: weiland Menschenfresser. 1940, 90 (V 10)
29,7 × 21 cm
(Vgl. Abb. Seite 91)

69 Eidola: weiland was? (nur noch Schemen). 1940, 91 (V 11)
29,7 × 21 cm

70 Eidola: weiland vom Tempeldienst. 1940, 93 (V 13)
29,7 × 21,6 cm
(Vgl. Abb. Seite 92)

71 Eidola: weiland Samariterin. 1940, 94 (V 14)
29,7 × 21 cm

72 Eidola: weiland dreieinig. 1940, 95 (V 15)
29,7 × 21 cm

73 Eidola: satt für immer? 1940, 96 (V 16)
29,7 × 21 cm

74 Eidola: weiland Volkstänzer (Paar). 1940, 97 (V 17)
29,7 × 21 cm

75 Eidola: weiland Iphigenie II. 1940, 98 (V 18)
29,7 × 21,5 cm
(Vgl. Abb. Seite 92)

76 Eidola: weiland Schwerarbeiter. 1940, 99 (V 19)
29,7 × 21 cm

77 Eidola: weiland Harfner. 1940, 100 (V 20)
29,7 × 21 cm

78 Eidola: weiland Philosoph. 1940, 101 (U 1)
29,7 × 21 cm

79 Eidola: KNAUEROS, weiland Pauker. 1940, 102 (U 2)
29,7 × 21 cm

80 Eidola: weiland Pianist. 1940, 104 (U 4)
29,7 × 21 cm

61 65 69 73 77

62 66 70 74 78

63 67 71 75 79

64 68 72 76 80

Julius Bissier

Geb. 3. Dezember 1893 in Freiburg im Breisgau. Autodidakt. Freundschaft mit dem Sinologen Ernst Grosse, der Bissier in die Geisteswelt und Kunst Ostasiens einführt. 1929–33 Leitung der Malklasse an der Universität Freiburg. Erste abstrakte Bilder. 1930 Treffen mit Constantin Brancusi in Paris. Beginn der Tuschen. 1934 Vernichtung des gesamten Werkes bei einem Brand der Universität in Freiburg. Lehrverbot. Freundschaft mit Oskar Schlemmer. 1935–38 Italienreisen. 1939 Übersiedlung nach Hagenau, Bodensee. Die an fernöstlicher Kalligraphie orientierten Tuschzeichnungen der späten dreißiger Jahre zeigen meditativen und spirituellen Charakter. 1955–56 Beginn der Miniaturen in Eiöltempera und Aquarell. 1961 Freundschaft mit Mark Tobey, Übersiedlung nach Ascona, Schweiz. 18. Juni 1965 in Ascona gestorben.

81

82

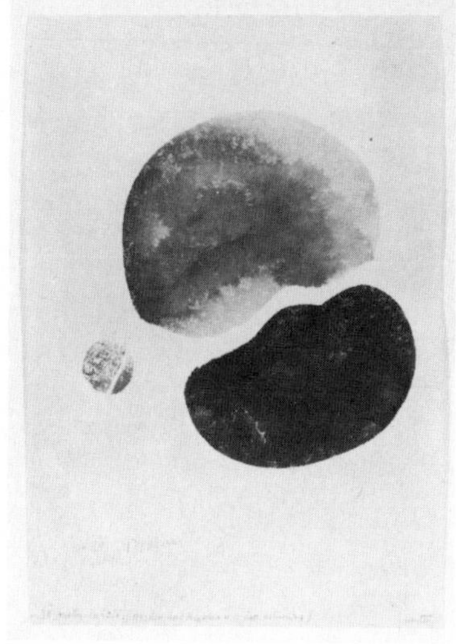

83

84

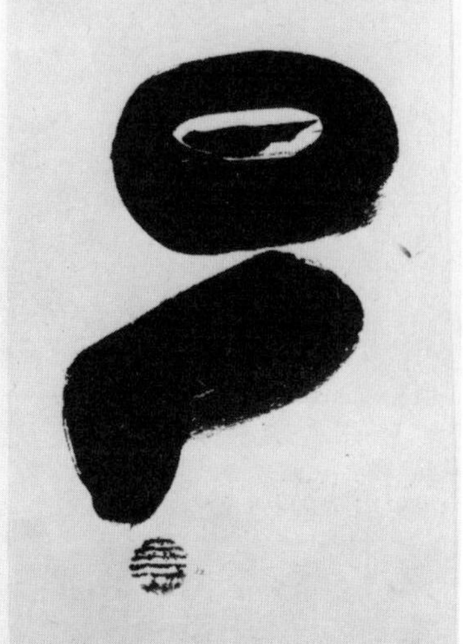

85

86

87

81 frucht II. 1937
Tusche auf weißem handgeschöpften Japan-Papier. 25 × 18,7 cm

82 Schnitt durch Mohnkolben. Um 1938
Tusche auf Japan-Papier. 27,9 × 19,5 cm

83 38 archaisch Ei (werden und vergehen = weiß schwarz). 1938
Tusche auf gelblichem Japan-Papier.
24 × 16,9 cm

84 Töpferzeichnung III. 1938
Tusche auf gelblichem Japan-Papier.
17,3 × 25 cm

85 nach der Befruchtung. 1938
Tusche auf gelblichem Japan-Papier.
25,1 × 17,2 cm

86 Zwei Formen 38. 1938
Tusche auf gelblichem Japan-Papier.
16,9 × 24,8 cm

87 Rosette 38. 1938
Tusche auf rosa Ingres-Papier. 48 × 62,5 cm

88 Auf den Tod Oskar Schlemmers 15. 4. 43. 1943
Tusche auf Packpapier, 150,2 × 37,5 cm
8 Tuschzeichnungen,
Düsseldorf, Kunstsammlung Nordrhein-Westfalen
(Siehe Abb. Seite 75)

Fritz Winter

Geb. 22. September 1905 in Altenbögge bei Dortmund. Lehre als Elektriker und Bergmann. 1927–30 Studium am Bauhaus bei Paul Klee, Wassily Kandinsky und Oskar Schlemmer. 1930–33 in Berlin, Treffen mit Naum Gabo. 1933 Übersiedlung nach Dießen, Ammersee. Häufige Besuche bei Ernst Ludwig Kirchner in Davos. 1939–49 Kriegsdienst und russische Gefangenschaft. Seine Zeit als Bergmann und die Kriegserlebnisse verarbeitet Winter 1944 während eines Fronturlaubs in der abstrakten kleinformatigen Bilderfolge ›Triebkräfte der Erde‹. 1955 Lehrtätigkeit an der Kunstakademie, Kassel. – 1976 in Herrsching (Ammersee) gestorben.

90

91

92

93

89–95 **Triebkräfte der Erde. 1944**
7 Gouachen, Öl auf Papier.
Je 29 × 21 cm
Privatbesitz

89

94

95

Kurt Schwitters

Geb. 20. Juni 1887 in Hannover. 1909–14 Studium an der Kunstakademie Dresden, 1914 an der Kunstakademie Berlin. 1918 erste Ausstellung in der Galerie ›Der Sturm‹, Berlin; Mitarbeit an der Zeitschrift ›Der Sturm‹. Erste Kontakte zur Dada-Szene in Zürich und Berlin über Hans Arp, Raoul Hausmann und Hannah Höch. 1919 erstes Merzbild als Assemblage. 1919 Herausgabe des Gedichtbandes ›Anna Blume‹. 1922 Zusammenarbeit mit Theo van Doesburg. 1923 Beginn des ›Merzbau‹ in seinem Haus in Hannover (im Krieg zerstört) und Herausgabe der Zeitschrift ›Merz‹ (bis 1927). 1927 Gründung des ›Ringes Neuer Werbegestalter‹ mit Friedrich Vordemberge-Gildewart, César Domela und László Moholy-Nagy. 1929–1937 regelmäßige Aufenthalte in Norwegen. 1932 Mitglied von ›abstraction-création‹. 1937 Emigration nach Norwegen, 1940 Flucht vor der deutschen Invasion nach England. Das Spätwerk aus Norwegen und England ist durch die Konfrontation von geometrisch-harten und malerisch-weichen Formen geprägt. 1941–45 in London, anschließend in Ambleside (Westmoreland), dort am 8. Januar 1948 gestorben. – 1956 umfassende Retrospektive in Hannover, anschließend in Bern und Amsterdam.

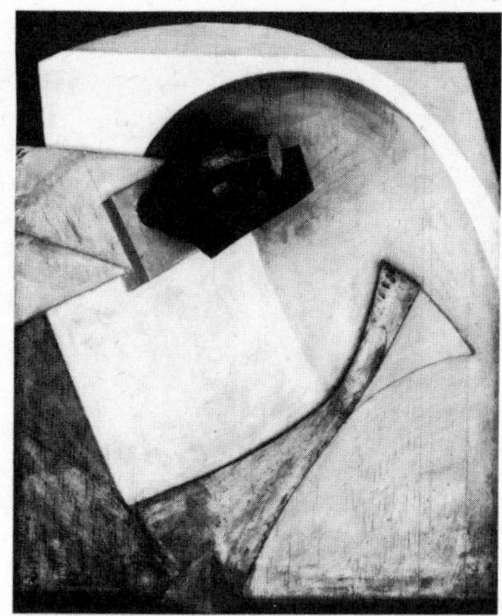

97 Glasblume. 1940
Holz und Glas auf Holz, teilweise bemalt.
77,5 × 67,5 × 25,5 cm
Köln, Galerie Gmurzynska
(Vgl. Abb. Seite 88)

99 Fredlyst with yellow artificial bone.
1941–45–47
(Fredlyst mit gelbem künstlichen Knochen)
Collage. 48,8 × 37,8 cm
London, Marlborough Fine Art Ltd.

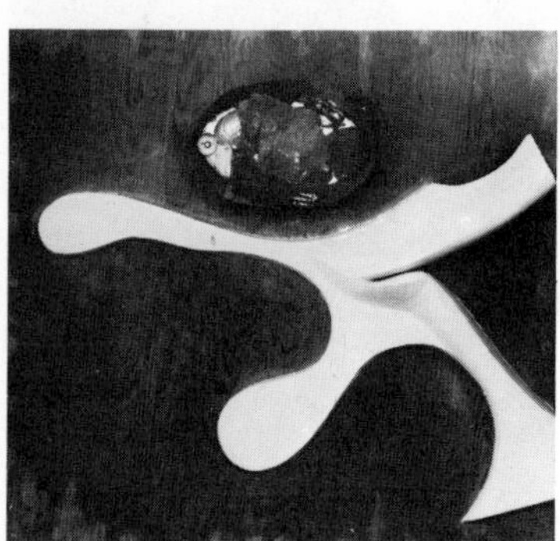

96 Das Korbbild. 1940
Assemblage. 67 × 75,5 cm
Privatbesitz
(Vgl. Abb. Seite 89)

98 Kathedrale. 1941/42
Holz und Öl. 40 × 20 × 20 cm
London, Marlborough Fine Art Ltd.

100 As you like it. 1942
(Wie es Euch gefällt)
Assemblage. 70 × 58 cm
Paris, Collection Philippe et Denyse Durand-Ruel

101 Merzbild 9. 1943
Assemblage und Öl. 50 × 40,2 cm
London, Marlborough Fine Art Ltd.

103 Bewegtes Weiß auf Blau und Gelb. 1943–45
Relief. 28,4 × 23,2 cm
Köln, Galerie Gmurzynska

105 Madonna. 1943–45
Gips, Holz, Pappe, bemalt. Höhe 57,8 cm
Hannover, Kunstmuseum mit Sammlung Sprengel, Leihgabe Marlborough Fine Art (London) Ltd.

102 Wire sculpture. 1943
(Draht-Skulptur)
Gips und Draht. Höhe 15,2 cm
London, Marlborough Fine Art Ltd.

104 Ugly girl. 1943–45
(Häßliches Mädchen)
Holz, Gips, bemalt. Höhe 26,6 cm
Hannover, Kunstmuseum mit Sammlung Sprengel, Leihgabe Marlborough Fine Art (London) Ltd.

106 Speed. 1943
(Geschwindigkeit)
Holz, bemalt. Höhe 28,5 cm
Hannover, Kunstmuseum mit Sammlung Sprengel, Leihgabe Marlborough Fine Art (London) Ltd.

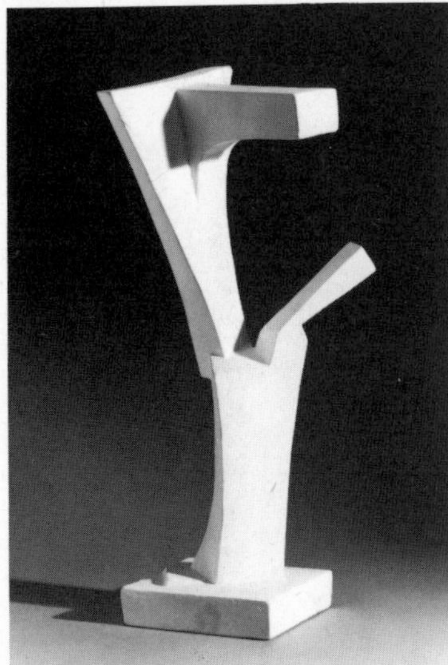

107 Little dog. 1943/44
(Kleiner Hund)
Gips. Höhe 45,5 cm
London, Marlborough Fine Art Ltd.

109 Merzbild mit Dose und Band. 1943–45
Relief. 51 × 37,5 cm
London, Marlborough Fine Art Ltd.

111 Haifisk. 1944
Relief. 22,7 × 35,5 cm
Köln, Galerie Gmurzynska

112 Heavy relief. 1945
(Schweres Relief)
Zement, Gips, Asbest, Leder, Holz auf Holz, bemalt. 52 × 45 cm
Köln, Galerie Gmurzynska

108 Ohne Titel. 1943–45
Gips, bemalt. Höhe 45,7 cm
Köln, Galerie Gmurzynska

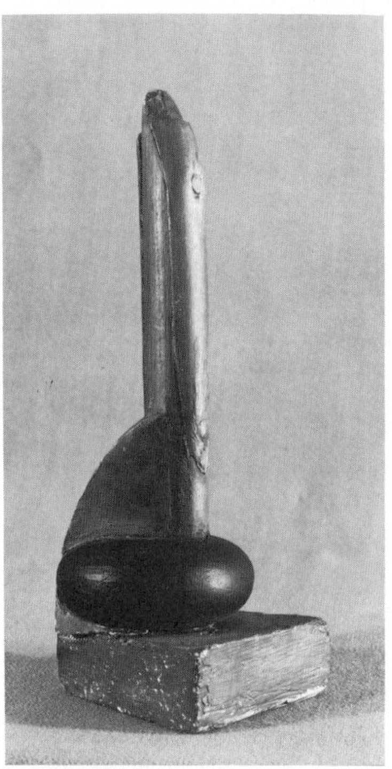

110 Fant. 1944
Montage, Mischtechnik. 29 × 11 × 11 cm
London, Marlborough Fine Art Ltd.
(Vgl. Abb. Seite 88)

Wassily Kandinsky

Geb. 4. Dezember 1866 in Moskau. Nach Jurastudium (1886–92) 1896 Übersiedlung nach München und 1896–1900 Studium an der Kunstakademie bei Franz von Stuck; trifft dort u. a. Paul Klee und Alexej von Jawlensky. 1900-03 Lehrer und Mitglied der Künstlervereinigung ›Phalanx‹. 1903–08 Reisen nach Tunesien, Italien und Frankreich. 1909 Mitbegründer der ›Neuen Künstlervereinigung‹. 1910 erste abstrakte Komposition. 1911 zusammen mit Franz Marc Gründung des ›Blauen Reiter‹. 1912 Veröffentlichung der theoretischen Schrift ›Über das Geistige in der Kunst‹. 1914 Rückkehr nach Moskau, 1918 Professur an der dortigen Akademie. 1921 Übersiedlung nach Berlin. 1922–33 Leitung eines Meisterateliers am Bauhaus. 1933 Übersiedlung nach Neuilly-sur-Seine. Ab 1933 enge Kontakte zu ›abstraction-création‹. In der Pariser Zeit entwickelt sich Kandinskys Spätwerk zu heiteren, fast spielerischen geometrischen Figurationen. – 13. Dezember 1944 in Neuilly-sur-Seine gestorben.

114 L'ensemble chaud. 1939
(Heiße Einheit)
Öl und Lack auf Leinwand. 54 × 81 cm
Schweiz, Privatbesitz

115 Actions variées. 1941
(Bunte Aktionen)
Öl und Email auf Leinwand. 89,2 × 115,8 cm
New York, The Solomon R. Guggenheim Museum
(Vgl. Abb. Seite 93)

116 Balancement. 1942
(Balance)
Öl auf Leinwand. 89 × 117 cm
Paris, Privatbesitz
(Vgl. Abb. Seite 93)

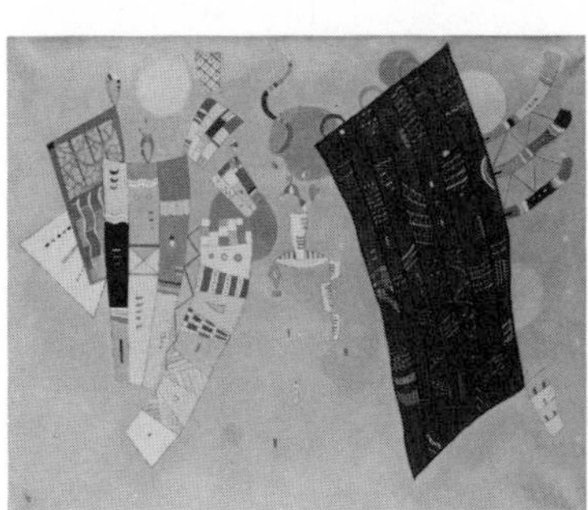

117 Tensions délicates. 1942
(Zarte Spannungen)
Öl auf Leinwand. 81 × 100 cm
Paris, Privatbesitz

118 Fragments. 1943
Öl und Gouache auf Karton. 41,9 × 57,7 cm
New York, The Solomon R. Guggenheim Museum

119 La flèche. 1943
(Der Pfeil)
Öl auf Karton. 42 × 58 cm
Basel, Kunstmuseum

120 Ascension légère. 1943
(Leichter Aufstieg)
Öl auf Karton. 58 × 42 cm
Paris, Collection M. et Mme Adrien Maeght

◁ 113 Das Schuhsohlenbild. 1945
Mischtechnik. 54,2 × 45 cm
Köln, Galerie Gmurzynska

121 Fils fins. 1943
(Dünne Fäden)
Gouache und Öl auf Karton. 58 × 42 cm
Paris, Galerie Maeght

122 Isolation. 1944
(Isolierung)
Gouache und Öl auf Karton. 42 × 58 cm
Paris, Collection M. et Mme Adrien Maeght

◁ 123 Trois bandes noires. 1944
(Drei schwarze Streifen)
Öl auf Karton. 46 × 54 cm
Schweiz, Privatbesitz

Georges Vantongerloo

Geb. 24. November 1886 in Antwerpen. Studium der Malerei, Bildhauerei und Architektur in Antwerpen und Brüssel. 1914 Militärdienst, in Den Haag interniert, wo er van Doesburg kennenlernt. 1917 Gründungsmitglied der ›Stijl‹-Bewegung als Bildhauer. 1919–27 in Südfrankreich, 1927 Übersiedlung nach Paris. 1930 Beteiligung an ›cercle et carré‹. 1931–37 Vizepräsident von ›abstraction-création‹. 1938 verzichtet er auf die geradlinigen Elemente, die er bis dahin ausschließlich verwandt hat, und geht zur Kurve über, die seit 1945 auch in seinen Plastiken auftaucht. Es entstehen Drahtplastiken und Konstruktionen aus Plexiglas. 1949 gemeinsame Ausstellung mit Antoine Pevsner und Max Bill im Kunsthaus Zürich. – 6. Oktober 1965 in Paris gestorben.

124 Un monstre. 1946
(Ein Monster)
Bemaltes Holz und Neusilberdraht.
33 × 31 × 8 cm
Zürich, Nachlaß Vantongerloo

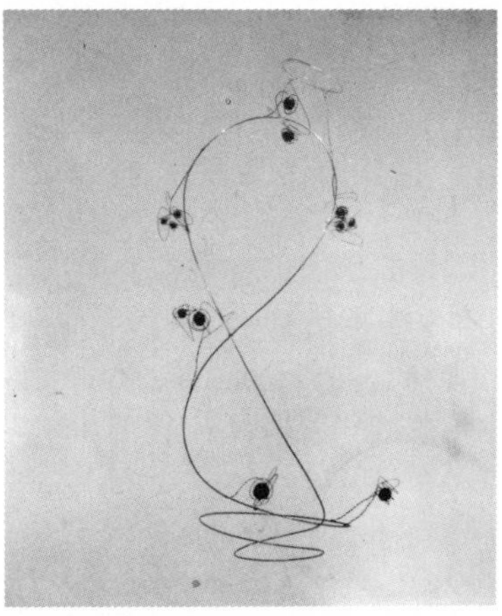

125 Des masses dans l'univers. 1946
(Massen im Universum)
Holz, bemalt, und Neusilberdraht,
165 × 110 × 85 cm
Zürich, Max Bill
(Vgl. Abb. Seite 172)

Jean Arp

Geb. 16. September 1887 in Straßburg (Elsaß). Studien von 1905–08 in Weimar und Paris. 1909 Kontakte zu Paul Klee, 1911–12 Verbindung zum ›Blauen Reiter‹. 1914 in Paris im Kreis um Guillaume Apollinaire. 1916–19 Mitbegründer von Dada-Zürich, anschließend mit Johannes Th. Baargeld und Max Ernst Dada-Arbeit in Köln. 1917 erste abstrakte Holzreliefs. 1921 Heirat mit Sophie Taeuber. 1923 Zusammenarbeit mit Kurt Schwitters in Hannover, 1925 mit El Lissitzky. 1926 Übersiedlung nach Meudon bei Paris. 1930 Teilnahme an den Aktivitäten von ›cercle et carré‹. 1931 Mitbegründer von ›abstraction-création‹. 1931–40 zahlreiche Gedichte, in deutsch und französisch. 1940 Flucht nach Grasse bei Nizza in den unbesetzten Teil Frankreichs, wo er mit seiner Frau, Magnelli und Sonja Delaunay arbeitet, 1943 nach Zürich. Während der Schweizer Jahre entstehen in der Weiterführung von ›abstraction-création‹ Ansätze zur ›art concrét‹. 1949 Reise in die USA. 1958 Retrospektive im Museum of Modern Art, New York. 1964 Preis der Biennale Venedig. – 7. Juni 1966 bei Basel gestorben.

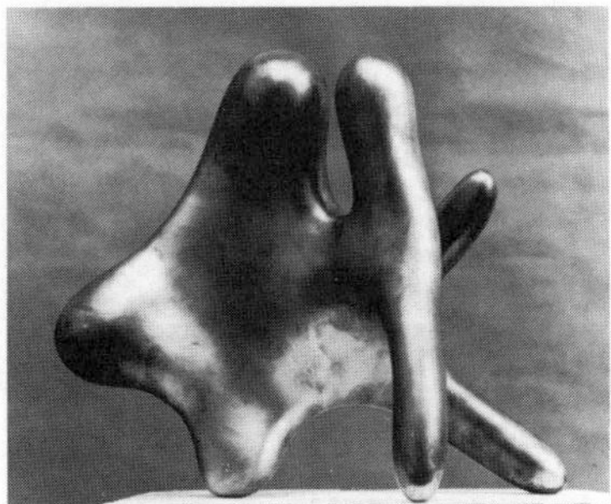

126 Groupe méditerranéen. 1941/42
(Mediterrane Gruppe)
Bronze 5/5. 21 × 30,5 × 17,5 cm
Privatbesitz

128 La sirène. 1942
(Die Sirene)
Bronze 0/5. 45 × 34 × 25,5 cm
Clamart, Fondation Arp

127 Petit sphinx. 1942
(Kleine Sphinx)
Bronze 4/5. 19 × 41 × 11 cm
Basel, Succession Arp

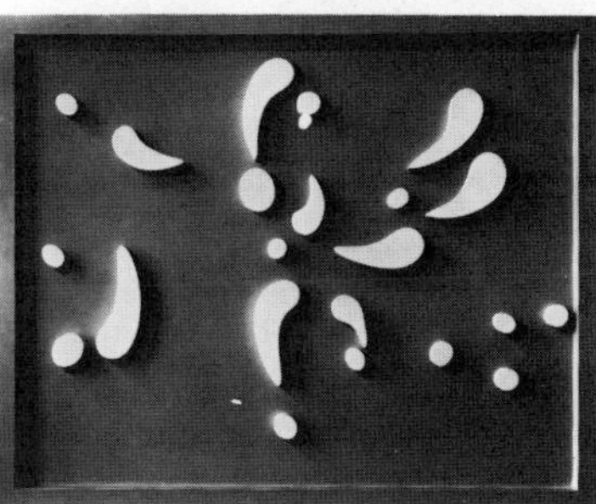

130 Nach dem Gesetz des Zufalls geordnet, auch Punkte und Kommas genannt. 1944
Holz, bemalt. 110 × 140 cm
Basel, Kunstmuseum, Depositum der Emanuel Hoffmann-Stiftung
(Vgl. Abb. Seite 95)

129 Triptychon. 1942
Holz, bemalt. 3 Teile je 92 × 72 cm
Privatbesitz
(Vgl. Abb. Seite 96)

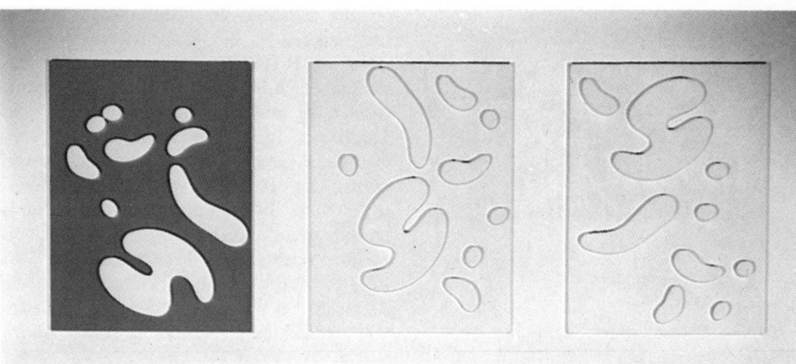

Alberto Magnelli

Geb. 1. Juli 1888 in Florenz. Studiert zunächst Technik und kommt autodidaktisch zur Malerei. Ab 1910 häufig in Paris, enge Verbindung zu Futuristen und Kubisten. 1914 Freundschaft mit Fernand Léger und Pablo Picasso. 1931 Übersiedlung nach Paris und Verbindung zu ›abstraction-création‹. 1934 Begegnung mit Wassily Kandinsky. Lebt 1940–44 wie Arp, Sophie Taeuber-Arp und Sonja Delaunay in der Künstlerkolonie in Grasse bei Nizza. 1947 Ausstellung in der Galerie René Drouin, Paris. Magnellis Malerei entwickelt sich über eine Zwischenphase stark vereinfachender figurativer Darstellung zu geometrischen Kompositionen und vermeidet dabei streng das Zufällige und Unkontrollierte. – 20. April 1971 in Paris gestorben.

131 Ardoise No 63. 1940
(Schiefertafel Nr. 63)
Gouache auf Schiefertafel. 23,5 × 18 cm
Meudon, Susi Magnelli

133 Ardoise No 77. 1943
(Schiefertafel Nr. 77)
Gouache auf Schiefertafel. 16,5 × 23,5 cm
Meudon, Susi Magnelli

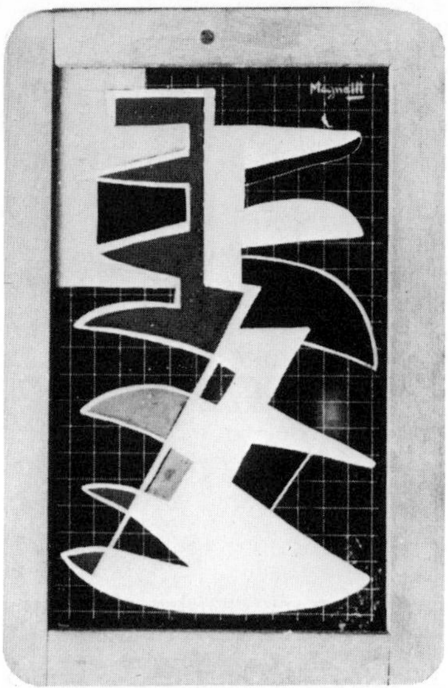

132 Ardoise No 65. 1940
(Schiefertafel Nr. 65)
Gouache auf Schiefertafel. 26 × 18 cm
Meudon, Odile Degand

Sophie Taeuber-Arp

Geb. 19. Januar 1889 in Davos. Studien in St. Gallen (1908–10) und München (1910–13). 1915 Begegnung mit Hans Arp und Teilnahme an der Zürcher Dada-Bewegung. 1916–28 Lehrtätigkeit an der Kunstgewerbeschule in Zürich. 1921 Heirat mit Hans Arp. 1928 Übersiedlung nach Meudon bei Paris. Ausstattung (Malereien und Reliefs) mehrerer Säle des Tanzlokals ›Aubette‹ in Straßburg. 1930 Mitglied von ›cercle et carré‹, anschließend von ›abstraction-création‹. 1940 Flucht nach Grasse bei Nizza. 1941–43 enge Kontakte zu Sonja Delaunay und Alberto Magnelli. 1943 Übersiedlung nach Zürich; Freundschaft mit Max Bill. Ihr Werk zeichnet sich aus durch die Einfachheit der Form und den großen Reichtum der Erfindung. – 13. Januar 1943 in Zürich tödlich verunglückt.

134 Géométrique et ondoyant, plans et lignes. 1941
(Geometrische und gewellte Flächen und Linien)
Aquarell und Farbkreide. 65,1 × 50 cm
Bern, Kunstmuseum

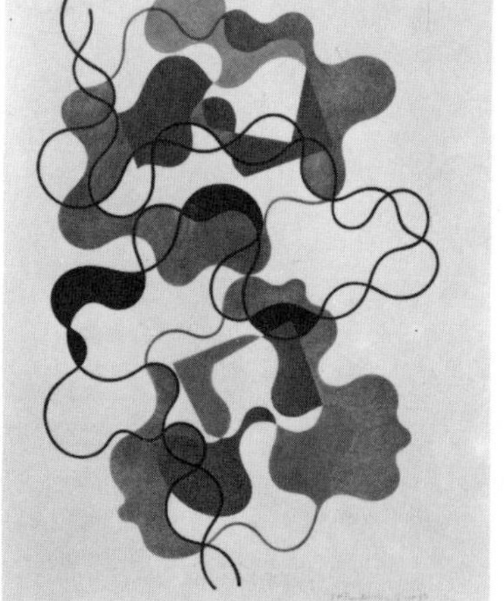

135 Lignes d'été. 1942
(Sommerlinien)
Farbstift auf Papier. 48,5 × 37,5 cm
Basel, Kunstmuseum, Depositum der Emanuel Hoffmann-Stiftung

Max Bill

Geb. 22. Dezember 1908 in Winterthur. 1924–27 Studium an der Kunstgewerbeschule Zürich mit Ausbildung als Silberschmied. 1927–29 Studium am Bauhaus. Seit 1930 als Architekt in Zürich ansässig. 1932–36 Beteiligung bei ›abstraction-création‹. 1937 Beitritt zur ›Allianz‹ (Vereinigung moderner Schweizer Künstler). Freundschaftliche Kontakte zum Kreis in Grasse (Hans Arp und Sophie Taeuber-Arp) sowie zu Georges Vantongerloo. Während und nach dem Zweiten Weltkrieg Initiator wichtiger Ausstellungen. 1951 Preis für Skulptur der Biennale São Paulo. 1951–56 Architekt und Gründungsrektor der Hochschule für Gestaltung, Ulm, einer Institution, die versucht, die Tradition des Bauhauses fortzusetzen. 1953 Teilnahme am internationalen Wettbewerb ›Denkmal für den unbekannten politischen Gefangenen‹. Bills Tätigkeit erstreckt sich auch auf praktische technische und kulturpolitische Arbeit. – Lebt in Zürich.

136 horizontal-vertikal-diagonal-rhythmus. 1942
Öl auf Leinwand. 160 × 80 cm
Besitz des Künstlers

137 progression in vier quadraten. 1942
Öl auf Leinwand. 120 × 30 cm
Winterthur, Kunstmuseum

Richard Paul Lohse

Geb. 13. September 1902 in Zürich. 1918–22 Lehrzeit als Reklamezeichner. 1922–27 Tätigkeit in einem Zürcher Designstudio. 1937 Mitbegründer der ›Allianz‹, Vereinigung moderner Schweizer Künstler. 1940 Begegnung mit Hans Arp und 1941 mit Sophie Taeuber-Arp in Zürich. Auf Anregung des emigrierten Schriftstellers Ludwig Renn Beschäftigung mit den politischen Ideen des Kommunismus. 1942 erste serielle Bilder mit horizontal-vertikalen Strukturen. Entwicklung farbsystematischer Probleme. 1947–55 Mitherausgeber der Zeitschrift ›Bauen und Wohnen‹, Zürich. 1970 Einzelausstellung in der Kunsthalle Bern. – Lebt in Zürich.

138 Progressive Reduktion. 1942/43
Öl auf Leinwand. 72 × 72 cm
Besitz des Künstlers

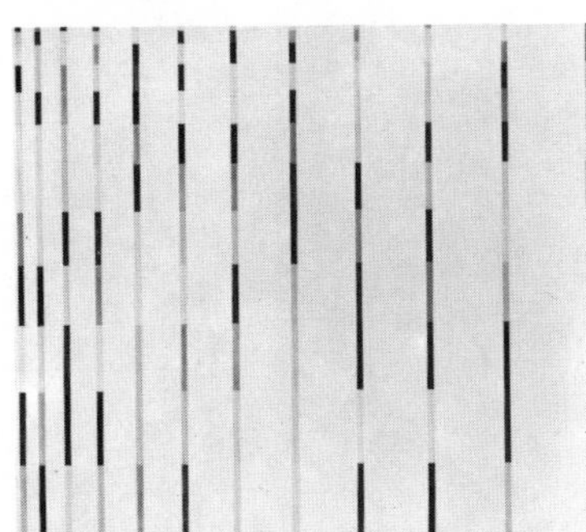

139 Zwölf vertikale und zwölf horizontale Progressionen. 1943/44
Öl auf Leinwand. 78 × 90 cm
Besitz des Künstlers

Camille Graeser

Geb. 1892 in Carouge bei Genf, Schweiz. 1913–15 Ausbildung zum Innenarchitekten und Produktgestalter an der Kunstgewerbeschule Stuttgart. 1915–16 in einem Berliner Architekturbüro und Kontakte zum ›Sturm‹. 1918–19 Privatschüler Adolf Hoelzels und Freundschaft mit Oskar Schlemmer und Willi Baumeister. 1929 Wohnungsgestaltung für die Siedlung Weißenhof, Stuttgart. 1933 vernichtet er sein gesamtes Œuvre und kehrt in die Schweiz zurück. Befaßt sich ausschließlich mit konstruktiv konkreter Kunst. Mitglied der Schweizer Künstlerbewegung, die sich nach 1937 mit der Ausbildung der sogenannten ›art concrét‹ beschäftigt und eine rationale Bildkonzeption anstrebt. 1938 Mitglied der ›Allianz‹. – 21. Februar 1980 in Zürich gestorben.

140 Horizontal-Vertikal-Rhythmus. 1944–46
Öl auf Leinwand. 56 × 32 cm
Zürich, Frau Emmy Graeser

Julio Gonzalez

Geb. 21. September 1876 in Barcelona. Goldschmiedeausbildung in der väterlichen Werkstatt. 1900 Übersiedlung nach Paris. 1902 erste Begegnung mit Pablo Picasso, 1915 mit Constantin Brancusi. Ab 1926 ausschließliche Beschäftigung mit Bildhauerei, vornehmlich Eisenplastik. Ab 1927 formale Anlehnung an Picasso. Gemeinsame Arbeit an Metallplastiken. Unter dem Einfluß Picassos Aufbrechung der traditionellen, geschlossenen Skulptur in offene, linear gegliederte Eisenkonstruktionen. 1936–37 Entstehung der ›Montserrat‹, Symbolfigur des katalonischen Widerstandes während des spanischen Bürgerkrieges, ausgestellt im Pavillon der Spanischen Republik der Weltausstellung, Paris 1937. 1939–40 Beginn der Serie ›Kaktusmensch‹. – 27. März 1942 in Arcueil bei Paris gestorben.

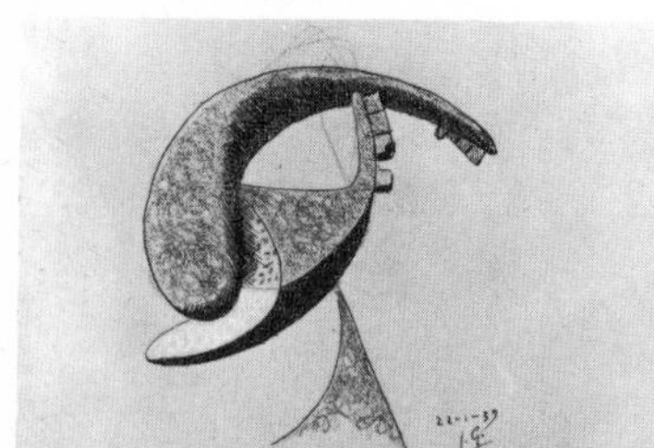

141 Tête ›les dents‹. 22. 1. 1939
(Kopf ›die Zähne‹)
Farbige Kreide, Feder und Tusche auf Papier. 19 × 29 cm
Paris, Collection Carmen Martinez et Viviane Griminger

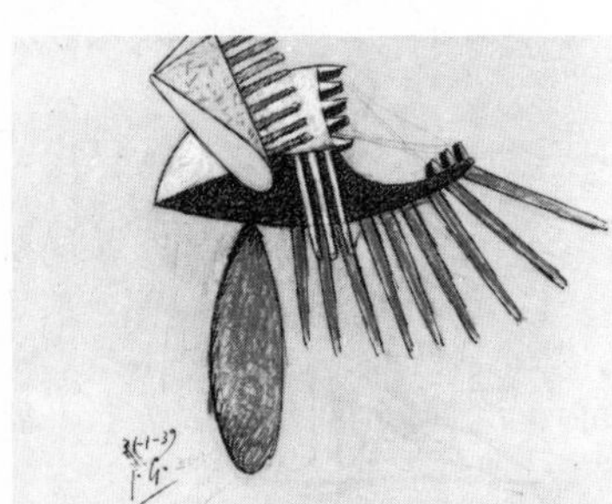

142 Tête dramatique. 31. 1. 1939
(Dramatischer Kopf)
Farbige Kreide, Feder und Tusche auf beigerosa Papier. 25 × 32 cm
Paris, Collection Carmen Martinez et Viviane Griminger

143 Etude pour l'homme cactus. 23/24. 3. 1939
(Studie zum Kaktusmann)
Feder, Bleistift, Farbstifte. 31 × 20 cm
Paris, Privatbesitz

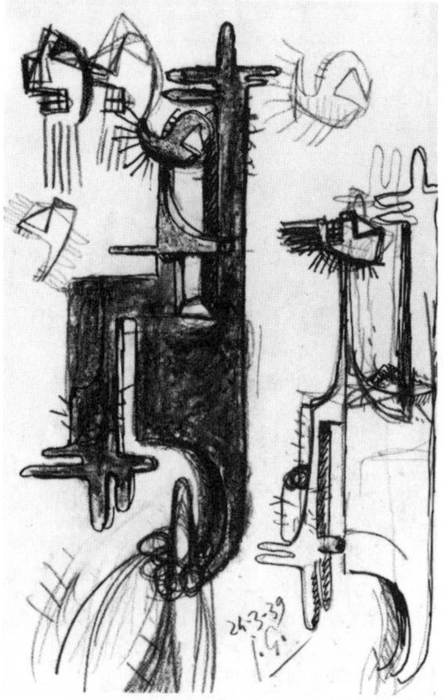

144 Etude pour l'homme cactus. 24. 3. 1939
(Studie zum Kaktusmann)
Feder, Bleistift, Farbstifte. 31 × 20 cm
Paris, Privatbesitz
(Vgl. Abb. Seite 71)

145 Tête criante dite ›le cri‹. 1939
(Schreiender Kopf, genannt ›Der Schrei‹)
Feder, Tusche, farbige Kreide auf beigem Papier, ausgeschnitten und auf weißes Papier aufgeklebt. 28 × 33,5 cm
London, The Trustees of the Tate Gallery

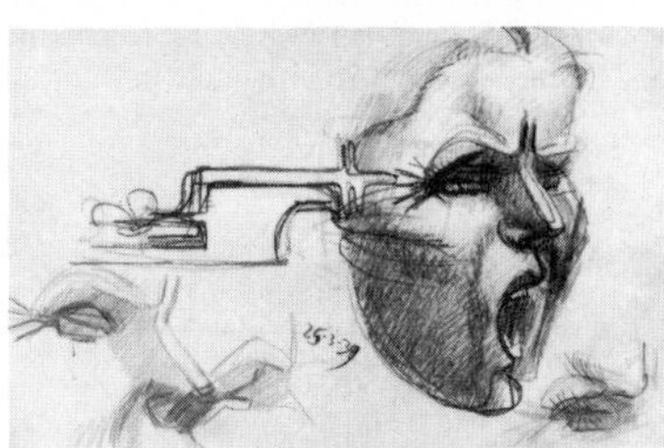

146 Le cri. 25. 3. 1939
(Der Schrei)
Schwarze Kreide auf Papier. 20,2 × 31 cm
Paris, Collection Carmen Martinez et Viviane Griminger
(Vgl. Abb. Seite 71)

147 Etude pour la tête de Montserrat no 2. 26. 3. 1939
(Studie für den Kopf der Montserrat Nr. 2)
Schwarze Kreide auf Papier. 20,3 × 16,3 cm
Paris, Collection Carmen Martinez et Viviane Griminger

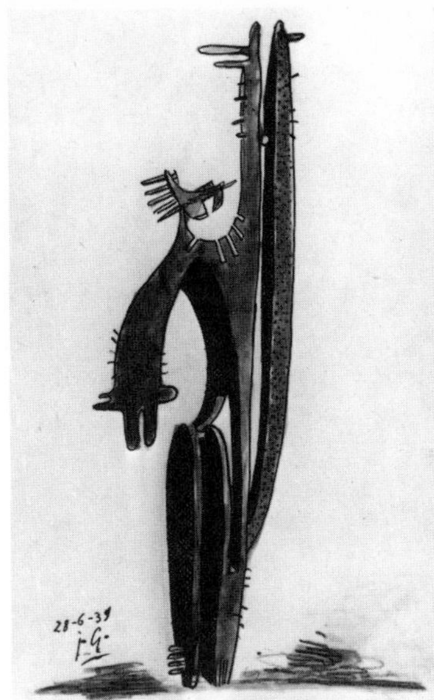

148 Homme cactus, bras levé. 28. 6. 1939
(Kaktusmann mit erhobenem Arm)
Feder und Tusche auf Papier. 31 × 20,3 cm
Paris, Collection Carmen Martinez et Viviane Griminger

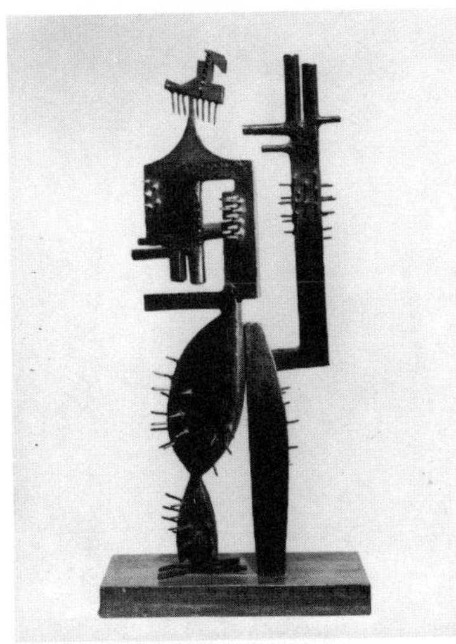

149 Homme cactus no 1. 1939/40
(Kaktusmann Nr. 1)
Eisen. Höhe 65 cm
Paris, Collection Carmen Martinez et Viviane Griminger

150 Tête au V. 7. 11. 1939
(Kopf mit V)
Feder, Tusche auf Papier. 40,5 × 30,5 cm
London, The Trustees of the Tate Gallery

151 Tête à l'auréole. Um 1939–41
(Kopf mit Heiligenschein)
Feder auf Papier. 31,4 × 24,1 cm
Paris, Collection Carmen Martinez et Viviane Griminger

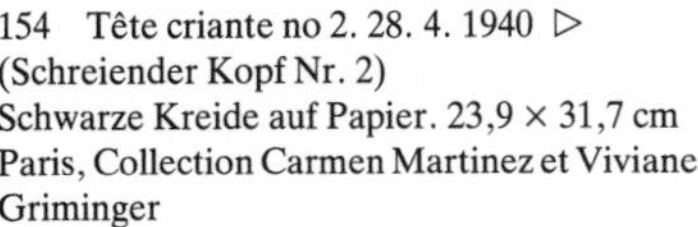

154 Tête criante no 2. 28. 4. 1940 ▷
(Schreiender Kopf Nr. 2)
Schwarze Kreide auf Papier. 23,9 × 31,7 cm
Paris, Collection Carmen Martinez et Viviane Griminger

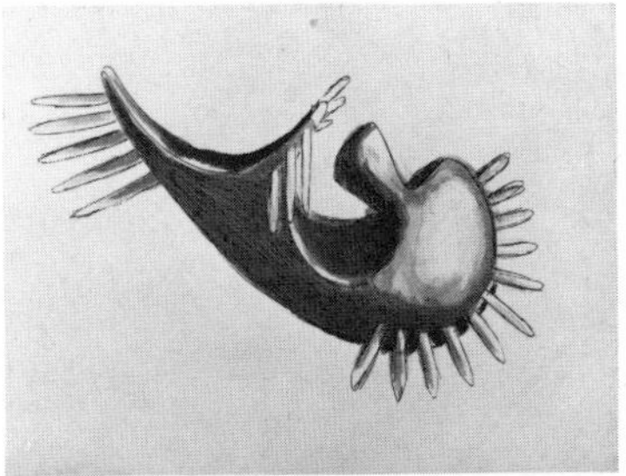

152 Masque cruel. Um 1940
(Grausame Maske)
Feder und Tusche, laviert, auf Papier.
25 × 32,7 cm
Paris, Collection Carmen Martinez et Viviane Griminger

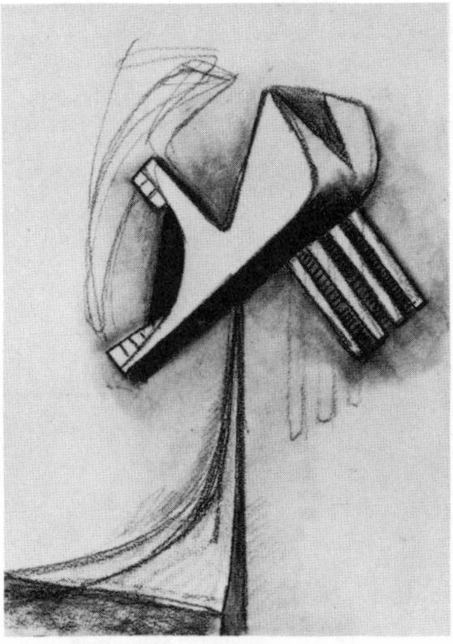

153 Tête criante no 1. 1940
(Schreiender Kopf Nr. 1)
Schwarze und farbige Kreide, Pastell und Aquarell auf Papier. 31,9 × 24 cm
Privatbesitz

155 Montserrat criante. 2. 6. 1940
(Schreiende Montserrat)
Feder und Tusche auf Papier. 24 × 31,6 cm
Paris, Collection Carmen Martinez et Viviane Griminger

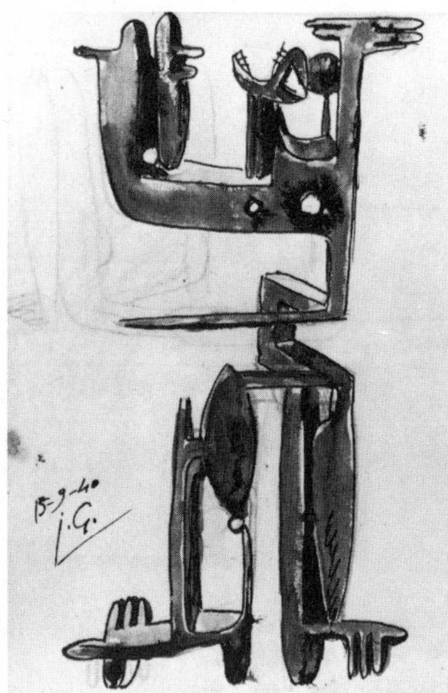

156 Abstrait. 15. 9. 1940
(Abstrakt)
Feder, Aquarell auf weißem Papier.
23,8 × 15,5 cm
Antibes, Sammlung Hans Hartung

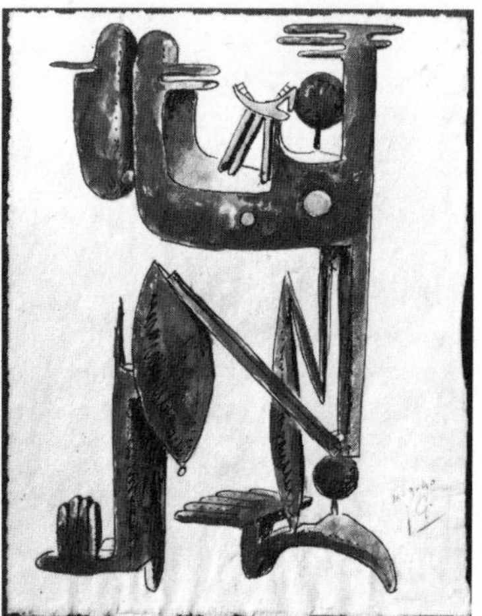

157 Abstrait. 16. 9. 1940
(Abstrakt)
Feder, Aquarell auf weißem Papier.
31,5 × 24,1 cm
Antibes, Sammlung Hans Hartung

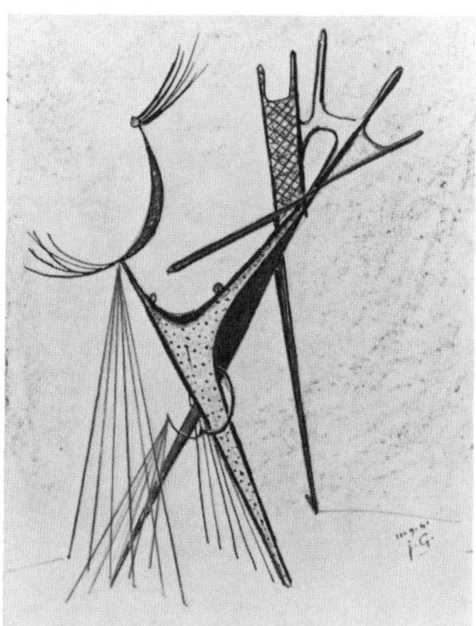

158 Figure aérienne. 1941
(Ätherische Figur)
Zeichnung und Aquarell auf Papier.
31,7 × 24,1 cm
London, The Trustees of the Tate Gallery

159 Brun et bleu nuit. 1941
(Braun und Nachtblau)
Feder, Tusche und Gouache auf Papier.
24,4 × 16 cm
London, The Trustees of the Tate Gallery

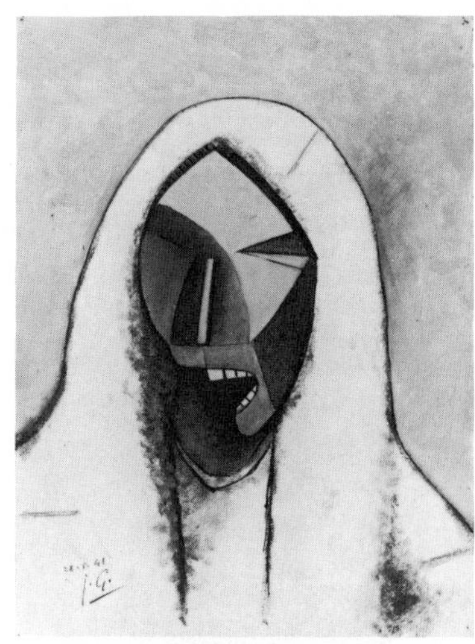

160 Tête criante au voile blanc. 1941
(Schreiender Kopf mit weißem Schleier)
Gouache und Feder auf Papier. 31,5 × 23,8 cm
London, The Trustees of the Tate Gallery

161 Personnage terrible II. 24. 4. 1941
(Eine schreckliche Person)
Feder, Tusche, laviert, auf Papier. 32 × 24,1 cm
London, The Trustees of the Tate Gallery

162 Tête et mains no 2. 15. 3. 1942
(Kopf und Hände Nr. 2)
Feder und Tusche auf Papier. 17,2 × 10 cm
Paris, Collection Carmen Martinez et Viviane Griminger

163 Tête de Montserrat criante II. 1942
(Kopf der schreienden Montserrat II)
Gips. Höhe 32 cm
Paris, Collection Carmen Martinez et Viviane Griminger

Henri Laurens

Geb. 18. Februar 1885. 1899 künstlerische Ausbildung in einem Pariser Dekorationsatelier, wo er Stilornamente modelliert und architektonische Entwürfe zeichnet. Anschließend Steinmetzlehre. 1911 Begegnung mit Braque. 1915 Freundschaft mit Pablo Picasso und Juan Gris, kubistische Plastiken und Reliefs. 1924–33 vorwiegend architekturbezogene Arbeiten. Autonome Skulpturen von monumentaler Wirkung bilden sein Spätwerk. Das Spätwerk von Laurens weist vorwiegend organische Figuren auf, die durch einen abstrakten, kurvigen Rhythmus gekennzeichnet sind. 1951 umfassende Retrospektive in Paris. 1953 Großer Preis der Biennale São Paulo. – 5. Mai 1954 in Paris gestorben.

164 L'Adieu. 1940/41
(Der Abschied)
Bronze 4/5. 70 × 85 × 82 cm
Köln, Museum Ludwig

Pablo Picasso

Geb. 25. Oktober 1881 in Malaga, Spanien. 1900–02 drei Reisen nach Paris. Beginn der ›Rosa Periode‹. Läßt sich 1904 endgültig in Paris nieder, begegnet Guillaume Apollinaire (1905), Georges Braque und Daniel-Henry Kahnweiler (1906). Beginn der ›Blauen Periode‹. 1925 Annäherung an den Surrealismus, Ausbildung individueller Symbolismen in Verbindung mit expressiven Deformationen, bezogen auf das menschliche Antlitz, auf Tiere und Stilleben in verschiedenen Materialien. 1929–31 mit Unterstützung von Julio Gonzalez konstruktivistische, halbanthropomorphe Eisenplastiken. 1936 Ernennung zum Direktor des Prado, Madrid. Malt 1937 für den Pavillon der Spanischen Republik auf der Weltausstellung in Paris das Bild ›Guernica‹ als Protest gegen den spanischen Faschismus. Trotz der Okkupation verbringt er die Kriegsjahre in Paris. Während des Krieges entsteht die überlebensgroße Skulptur ›Mann mit Schaf‹. 1944 Beitritt zur Kommunistischen Partei Frankreichs. Reisen nach England, Polen (1948) und Italien (1949). 1966 umfassende Retrospektive in Paris. 1970 Eröffnung des Picasso-Museums in Barcelona. – 16. April 1973 in Mougins gestorben.

166 Femme assise. 6. 10. 1939/ 19. 5. 1940
(Sitzende Frau)
Öl auf Leinwand. 73 × 60 cm
Chicago, The Morton G. Neumann Family Collection

168 Tête. 3. 3. 1940
(Kopf)
Öl auf Karton. 65 × 45,5 cm
Privatbesitz

165 Buste de femme. 1939
(Frauenbüste)
Öl auf Leinwand. 65 × 54 cm
New York, Privatbesitz

167 Tête de femme. 30. 11. 1939
(Frauenkopf)
Öl auf Leinwand. 65 × 54,5 cm
Paris, Musée Picasso

169 Tête de femme. Royan, 10. 6. 1940
(Frauenkopf)
Öl auf Papier, 64,2 × 45,8 cm
Paris, Musée Picasso

170 Tête de femme. Royan, 11. 6. 1940
(Frauenkopf)
Öl auf Papier. 64,2 × 45,1 cm
Paris, Musée Picasso

172 Buste de femme. 27. 5. 1943
(Frauenbüste)
Öl auf Leinwand. 100,5 × 81 cm
Eindhoven, Stedelijk van Abbemuseum

174 Vase de fleurs et compotier. 1943
(Blumenvase und Obstschale)
Öl auf Leinwand. 80,5 × 100 cm
Paris, Musée National d'Art Moderne, Centre Georges Pompidou, Don de M. Pierre Gaut

171 Femme assise dans un fauteuil. 4.10. 1941
(Frau im Sessel sitzend)
Öl auf Leinwand. 100 × 81 cm
Høvikodden/Norwegen,
Sonja Henie-Niels Onstad Art Center

173 Nature morte. 10. 5. 1941
(Stilleben)
Öl auf Leinwand. 88,9 × 64,7 cm
New York, Collection Mr. & Mrs. Victor W. Ganz
(Vgl. Abb. Seite 73)

175 Cafetière. 2. 4. 1944
(Kaffeekanne)
Öl auf Leinwand. 59 × 80 cm
Privatbesitz

176 Nature morte à la bougie. 4. 4. 1944 ▷
(Stilleben mit Kerze)
Öl auf Leinwand. 60 × 92 cm
New York, Mr. & Mrs. Harold Diamond

177 La casserole émaillée. 16. 2. 1945
(Stilleben mit Kasserolle)
Öl auf Leinwand. 82 × 106,5 cm
Paris, Musée National d'Art Moderne, Centre Georges Pompidou, Don de l'artiste 1947
(Vgl. Abb. Seite 129)

180 Nature morte. 21. 3. 1947
(Stilleben)
Öl auf Leinwand. 80,9 × 100 cm
New York, Collection Mr. and Mrs. Victor W. Ganz

181 Crâne de chèvre et bouteille. 1951/52
(Ziegenschädel und Flasche)
Bemalte Bronze (Abguß 1954).
78,8 × 95,3 × 54,5 cm
New York, The Museum of Modern Art, Mrs. Simon Guggenheim Fund

178 Nature morte à la bougie. 21. 2. 1945
(Stilleben mit Kerze)
Öl auf Leinwand. 92 × 73 cm
Paris, Musée Picasso

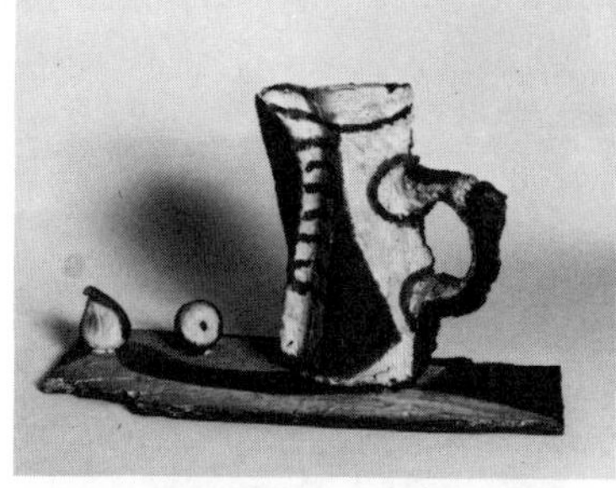

182 Pichet et figues. 1952
(Krug und Feigen)
Bemalte Bronze. 29,2 × 48,3 × 21,6 cm
Chicago, The Morton G. Neumann Family Collection

◁ 179 Poireaux, crâne, pichet. 18. 3. 1945
(Lauch, Schädel, Krug)
Öl auf Leinwand. 89 × 130 cm
Privatbesitz.

183

184

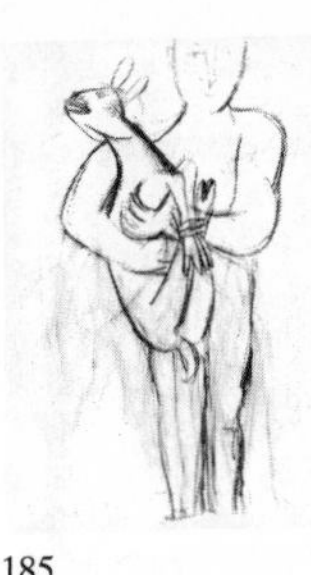
185

186

187

188

190

191

192

193

194

195

196

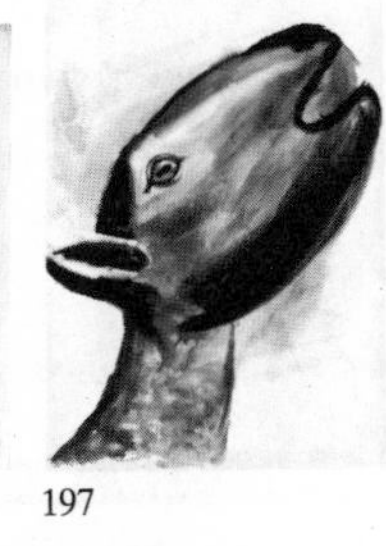
197

Etudes pour ›**L'homme au mouton**‹.
Paris 1942/43
(15 Studien zum ›Mann mit Schaf‹)
Paris, Musée Picasso

183 15. 7. 1942
Etude pour l'homme au mouton
Graphit auf gestreiftem Papier.
33,4 × 21,8 cm

184 16. 7. 1942
Etude pour l'homme au mouton
Graphit auf gestreiftem Papier. 33,4 × 21,9 cm

185 16. 7. 1942
Etude pour l'homme au mouton
Graphit auf gestreiftem Papier. 33,4 × 21,8 cm

186 16. 7. 1942
Etude pour l'homme au mouton
Tusche, laviert, auf gestreiftem Papier.
33,4 × 21,4 cm

187 18. 8. 1942
Etude pour l'homme au mouton
Tusche auf gestreiftem Papier. 33,4 × 21,4 cm

188 19. 8. 1942
Etude pour l'homme au mouton
Tusche, laviert, auf gestreiftem Papier.
33,4 × 21,5 cm

189 19. 8. 1942
Etude pour l'homme au mouton
Tusche auf gestreiftem Papier, 33,4 × 22 cm
(Nicht abgebildet)

190 19. 8. 1942
Etude pour l'homme au mouton
Tusche auf gestreiftem Papier. 33,4 × 21,5 cm

191 20. 8. 1942
Etude pour l'homme au mouton
Feder, Tusche, laviert, auf Papier.
68 × 44,5 cm

192 26. 8. 1942
Mouton (Schaf)
Tusche auf kariertem Papier. 27 × 21,2 cm

193 Paris, 26. 8. 1942
Mouton (Schaf)
Tusche auf kariertem Papier. 27 × 21,2 cm

194 19. 9. 1942
Femme nue et étude pour l'homme au mouton
(Weiblicher Akt und Studie zum Mann mit Schaf)
Tusche auf Papier. 68 × 44,6 cm

195 6. 10. 1942
Etude pour l'homme au mouton
Feder, Tusche, laviert auf Papier.
28,4 × 21,5 cm
(Vgl. Abb. Seite 131)

196 27.–29. 3. 1943
Etude pour l'homme au mouton
Tusche auf Papier. 66 × 50,3 cm

197 31. 3. 1943
Tête de mouton (Kopf des Schafs)
Gouache, Tusche, laviert, auf Papier.
65,6 × 50,5 cm

Piet Mondrian

Geb. 7. März 1872 in Amersfoort, Niederlande. 1892–94 Kunststudium an der Akademie in Amsterdam, 1908–11 in Domburg, zusammen mit Jan Toorop. 1911–14 in Paris, 1914–19 in Amsterdam, wo er Theo van Doesburg (1915) und Bart van der Leck (1916) trifft. 1917 Gründung der ›De Stijl‹-Gruppe. 1919 Rückkehr nach Paris. 1930 Mitglied von ›cercle et carré‹, 1931 von ›abstraction-création‹. 1938 Übersiedlung nach London. Unter dem Eindruck der deutschen Bombenangriffe 1940 Emigration nach New York. 1942 Beteiligung an der Ausstellung ›Artists in Exile‹ in der Pierre Matisse Gallery und erste Einzelausstellung in der Valentine Dudensing Gallery. In den New Yorker Bildern ersetzt Mondrian das schwarze Lineargerüst seiner Bildstruktur durch Farblinien und Reihungen kleiner Farbrechtecke (Meditationsbilder einer gesellschaftlichen Zukunftsvision). 1942–44 Entstehung der beiden letzten Bilder ›Broadway Boogie-Woogie‹ und ›Victory Boogie-Woogie‹, deren optimistische Vitalität stimulierend wirkt für die Ausbildung einer großstadtverbundenen abstrakten Malerei in Amerika. – 1. Februar 1944 in New York gestorben.

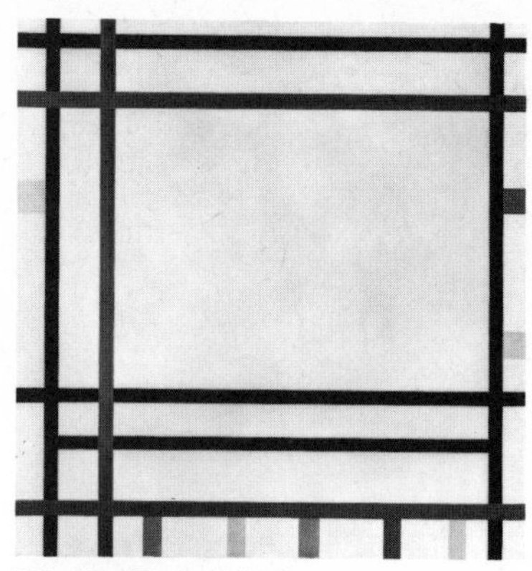

200 New York. 1941/42
Öl und farbiges Klebeband auf Leinwand.
95,2 × 92 cm
New York, Mr. & Mrs. Harold Diamond
(Vgl. Abb. Seite 17)

202 New York City I. 1942
Öl auf Leinwand 118,1 × 114,3 cm
New York, Courtesy Sidney Janis Gallery
(Vgl. Abb. Seite 99)

201 New York City, New York. Um 1942
Öl, Bleistift, Holzkohle und farbiges Klebeband auf Leinwand.
116,8 × 110,4 cm
New York, Sidney Janis Gallery

203 New York City III (unvollendet). 1942–44
Öl und farbiges Klebeband auf Leinwand.
114,9 × 98,7 cm
New York, Sidney Janis Gallery
(Vgl. Abb. Seite 98)

199 Composition with red, yellow and blue. 1936–43
(Komposition mit Rot, Gelb und Blau)
Öl auf Leinwand. 59 × 54 cm
Stockholm, Moderna Museet

Joan Miró

Geb. 20. April 1893 in Barcelona. 1907–10 Studium an der Kunstakademie Barcelona. 1917 Begegnung mit Francis Picabia. 1919 erste Reise nach Paris und Begegnung mit Pablo Picasso. Ab 1920 Atelier in Paris. 1924 Freundschaft mit den Surrealisten. 1935–36 starker Einfluß von Yves Tanguy. 1936 verläßt Miró wegen des Bürgerkriegs Spanien und kehrt 1940 zurück. 1937 Ausstellung des heute verschollenen Wandbildes ›Der Schnitter‹ im Pavillon der Spanischen Republik auf der Weltausstellung in Paris. 1940 Gouachenserie ›Konstellationen‹, mit der Miró unter dem starken Eindruck von Musik eine neue Phase seiner Kunst beginnt. Nach allmählicher Ablösung von den zeitlichen Bezügen zum Krieg findet Miró zu einer poetischen Bilderschrift aus archaischen Zeichen und phantastischen Chiffren. Seit 1947 zahlreiche Reisen in die USA. – Lebt auf der Insel Mallorca.

204 Femmes au bord du lac à la surface irisée par le passage d'un cygne. 5. 5. 1941
(Frauen am Ufer eines Sees, auf dessen schillernder Oberfläche ein Schwan vorbeizieht)
Gouache und Ölmalerei auf Papier. 46 × 38 cm
New York, William R. Acquavella
(Vgl. Abb. Seite 32)

205 L'oiseau-migrateur. 26. 5. 1941
(Der Zugvogel)
Gouache und Öl auf Papier. 46 × 38 cm
New York, William R. Acquavella

206 Makemono. 1957
Fries. Farbdruck auf Seide.
Edition 48/50
41 × 1100 cm
Paris, Collection Galerie Aimé Maeght
(Nicht abgebildet)

Alexander Calder

Geb. 22. Juli 1898 in Lawton bei Philadelphia, Pa., USA, als Sohn eines erfolgreichen Monumentalbildhauers. Nach Ingenieurstudium von 1923–26 Studium der Malerei an der Art Students' League. 1926–34 häufig in Paris. 1930 Begegnung mit Joan Miró, Fernand Léger, Piet Mondrian, Theo van Doesburg und Hans Arp. 1931 Mitglied von ›abstraction-création‹. 1932 erste Ausstellung von ›Mobiles‹ als wichtigste Erfindung einer abstrakt-surrealistischen Plastik. 1933 Niederlassung auf einer Farm in Roxbury, Ct., USA. 1937 schafft er für den Pavillon der Spanischen Republik auf der Weltausstellung in Paris seinen berühmten Quecksilberbrunnen. 1952 Preis der 36. Biennale Venedig. – 11. November 1976 in New York gestorben.

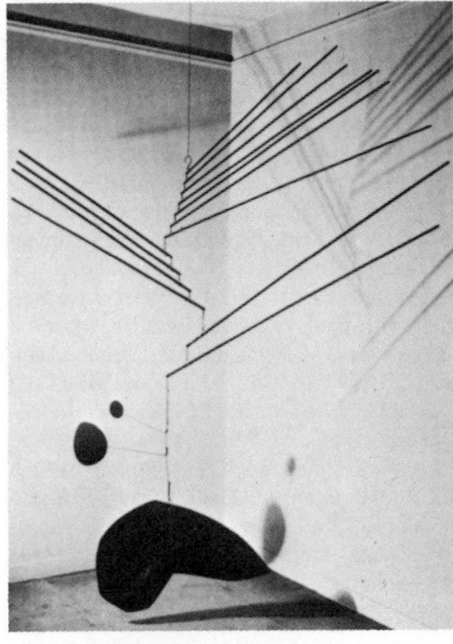

207 Thirteen spines. 1940
(13 Stacheln)
Stahl, 220 × 220 cm
Köln, Museum Ludwig
(Vgl. Abb. Seite 171)

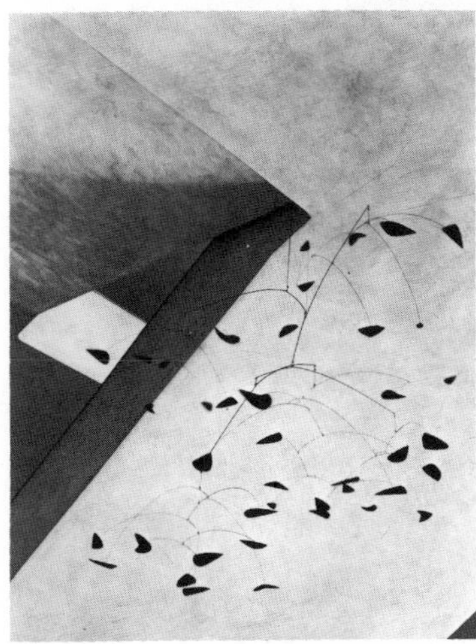

208 Five branches with 1000 leaves. o. J.
(Fünf Zweige mit 1000 Blättern)
Draht und Eisenblech. 230 × 300 × 330 cm
Basel, Kunstmuseum, Depositum der Emanuel Hoffmann-Stiftung

Fernand Léger

Geb. 4. Februar 1881 Argentan, Normandie, Frankreich. 1897–99 Architekturlehre in Caën. 1903–04 Ecole des Arts Décoratifs und Académie Julian, Paris. 1908 Atelier in der Pariser Künstlerkolonie ›Zone‹ u. a. mit Henri Laurens, Marc Chagall und Guillaume Apollinaire. 1914–17 Kriegsdienst und Verwundung. ›Période mécanique‹, inspiriert durch die Kriegsmaschinerie. 1924 Film ›Ballet mécanique‹. 1928 erste Amerika-Reise. 1932 Lehrtätigkeit an der Académie de la Grande Chaumière, Paris. Ab 1937 unter dem Einfluß der Zusammenarbeit mit Le Corbusier zahlreiche Dekorationen und Wandmalereien. 1940–45 USA, Professor an der Yale University. Die in USA 1940–45 entstandenen Bilder verbinden nachkubistische Formensprache mit gegenständlichen Motiven der Arbeitswelt. 1945 Rückkehr nach Paris. – 17. August 1955 in Gif-sur-Yvette gestorben.

209 Deux plongeurs. 1942
(Zwei Taucher)
Öl auf Leinwand. 127 × 147,3 cm
New York, Sidney Janis Gallery

210 La forêt. 1942
(Der Wald)
Öl auf Leinwand. 180 × 125 cm
Paris, Collection M. et Mme Adrien Maeght
(Vgl. Abb. Seite 102)

211 Adieu New York. 1946
Öl auf Leinwand. 130 × 162 cm
Paris, Musée National d'Art Moderne, Centre Georges Pompidou, Don de l'artiste 1950
(Vgl. Abb. Seite 191)

Stuart Davis

Geb. 7. Dezember 1894 in Philadelphia, USA. 1910–13 Privatunterricht in Malerei bei Robert Henry und enge Kontakte u. a. zu John Sloan. 1913 Cartoons für ›Harper's Weekly‹ und Teilnahme an der ›Armory Show‹ mit Aquarellen. Teilnahme am Ersten Weltkrieg. Reisen nach Kuba (1918) und Paris (1928/29). 1931–32 Lehrtätigkeit an der Art Students' League. 1933 Mitarbeit am WPA/FAP. 1934–39 führende Mitarbeit am ›Artists Congress‹ und Mitherausgeber der Zeitschrift ›Art Front‹. In den dreißiger Jahren von Léger beeinflußt. Seit 1940 Lehrer an der New School of Social Research. Malt neben Stilleben vor allem Straßenbilder im abstrakt-konstruktivistischen Stil. – 24. Juni 1964 in New York gestorben.

212 Study for ›Hot still scape‹. 1940
(Studie für 'Hot still scape')
Öl auf Leinwand. 22 × 30,5 cm
New York, The Museum of Modern Art, Anonymous Gift

213 Hot still scape for six colors, Seventh Avenue style. 1940
(Stilleben-Landschaft für sechs Farben, Seventh Avenue style)
Öl auf Leinwand. 88,9 × 114,3 cm
New York, Mr. & Mrs. Meyer Steinberg
(Vgl. Abb. Seite 193)

214 For internal use only. 1945
(Nur zum internen Gebrauch)
Öl auf Leinwand. 114,3 × 71,1 cm
Meriden/Ct., Mr. & Mrs. Burton Tremaine

215 Colonial Cubism. 1954
(Kolonialer Kubismus)
Öl auf Leinwand. 114,3 × 152,4 cm
Minneapolis/Mn., Walker Art Center, Gift of the T. B. Walker Foundation

László Moholy-Nagy

Geb. 20. Juli 1895 in Bácsborsod, Ungarn. Nach Jurastudium und Teilnahme am Ersten Weltkrieg Beschäftigung mit der Malerei im Kreis der russischen Konstruktivisten. 1921 Begegnung mit El Lissitzky in Düsseldorf, erste abstrakte Arbeiten. 1920–23 in Berlin, 1923–28 Lehrtätigkeit am Bauhaus. 1928 verläßt er mit Gropius das Bauhaus. 1928–33 Entwürfe für das Piscator-Theater Berlin. 1929 erste Film-Experimente. 1932–36 Mitglied von ›abstraction-création‹. 1935–37 in London, 1937 Übersiedlung nach Chicago, wo er das ›New Bauhaus‹ gründet. Wegbereiter des Übergangs vom Konstruktivismus zur Kinetik mit der Verwendung moderner Werkstoffe wie z. B. Plexiglas und Stahl. – 24. November 1946 in Chicago gestorben.

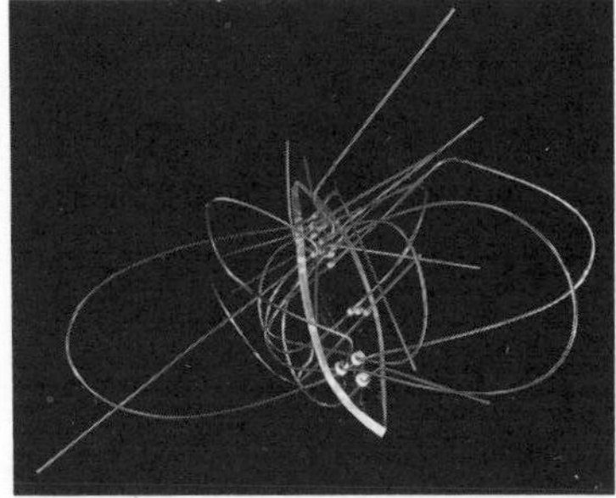

216 Dual form with chromium rods. 1946
(Zweifache Form mit Chromstäben)
Plexiglas und chrombeschichtete Stahlstäbe. 92,7 × 121,6 × 55,8 cm
New York, The Solomon R. Guggenheim Museum
(Vgl. Abb. Seite 171)

217 Double loop. 1946
(Doppelschlinge)
Plexiglas. 41,1 × 56,5 × 44,5 cm
New York, The Museum of Modern Art
(Vgl. Abb. Seite 171)

Max Ernst

Geb. 2. April 1891 in Brühl bei Köln. 1910 Beginn des Philologiestudiums in Bonn. 1912 Mitglied der ›Rheinischen Expressionisten‹. 1914–18 Militärdienst. 1919–21 Teilnahme an Dada-Köln mit Arp, Baargeld, Freundlich. Enge Kontakte zu den Pariser Dadaisten. 1922 Niederlassung in Paris. 1925 Erfindung der Frottage als ›dessin automatique‹. 1939–40 Internierung als feindlicher Ausländer im Lager ›Les Milles‹ bei Aix-en-Provence mit Hans Bellmer, Wols ist ebenfalls in diesem Lager. 1941 mit Hilfe von Peggy Guggenheim Flucht in die USA. In einem harmonisierenden Rückgriff auf Autobiografisches malt Max Ernst ein Bild des Übergangs vom Surrealismus hin zu den aktionistischen ›drippings‹ Jackson Pollocks. 1942 Teilnahme an der Ausstellung ›Artists in Exile‹ in der Pierre Matisse Gallery, New York. 1946 Gewinner des Malereiwettbewerbs über das Thema ›Die Versuchung des hl. Antonius‹. Heirat mit Dorothea Tanning. 1953 Rückkehr nach Paris. – 1. April 1976 in Paris gestorben.

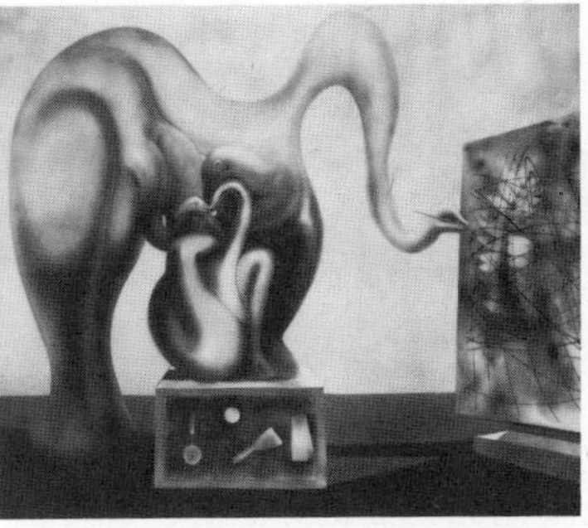

218 Le surréalisme et la peinture. 1942
(Der Surrealismus und die Malerei)
Öl auf Leinwand. 140 × 195 cm
Houston/Tx., Menil Foundation Collection
(Vgl. Abb. Seite 103)

Marcel Duchamp

Geb. 28. Juli 1887 in Blainville-Crevon, Frankreich. 1904–05 Académie Julian, Paris. 1911 Mitglied der ›Section d'Or‹. 1913 erste ›Readymades‹. 1915 Reise in die USA und Begegnung mit Alfred Stieglitz. 1915–23 Arbeit an dem großen Glasbild ›Die Neuvermählte, von ihren Junggesellen entkleidet, sogar‹. Duchamp nimmt mit seinen Arbeiten, vor allem mit den Readymades, die spätere Entwicklung – von Neo-Dada bis zur Konzeptuellen Kunst – vorweg. 1942 Niederlassung in New York, enge Verbindung zu den exilierten Surrealisten, u. a. André Breton, Max Ernst, Wifredo Lam, André Masson, Matta und Yves Tanguy. 1946 Jurymitglied (mit Alfred H. Barr und Sidney Janis) des Malereiwettbewerbs ›Die Versuchung des hl. Antonius‹ für den Film ›Bel Ami International Competition‹, New York. 1947 mit André Breton Organisation der Ausstellung ›Le Surréalisme en 1947‹, Galerie Maeght, Paris. – 2. Oktober 1968 in Neuilly-sur-Seine gestorben.

219 Boîte-en-valise. 1941/42
(Die Schachtel-im-Koffer).
Normalausgabe. 40,7 × 38,1 × 10,2 cm
Köln, Buchhandlung Walther König

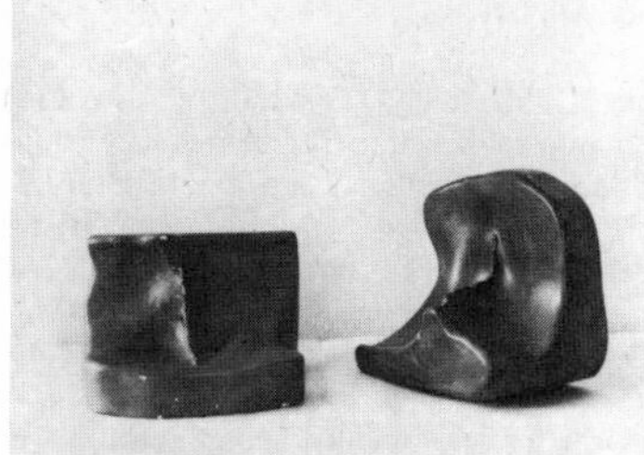

220 Feuille de vigne femelle. 1950
(Weibliches Feigenblatt)
Galvanisierter Gips.
1. Edition 6/10.
9 × 14 × 12,5 cm
New York, CPLY Art Trust

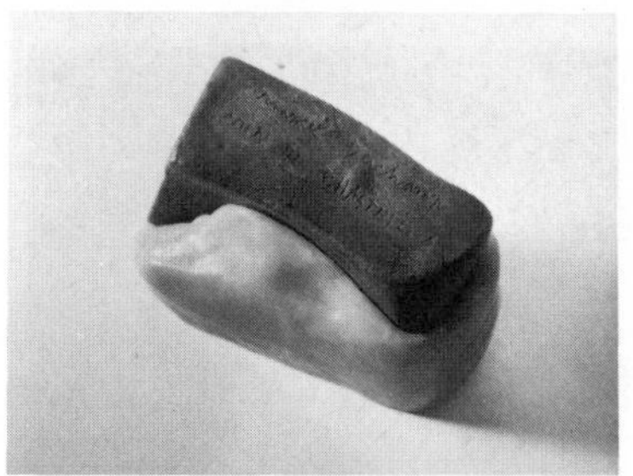

221 Coin de chasteté. 1954
(Keuschheitsecke)
Skulptur in galvanisiertem Gips und Plastik.
5,6 × 8,5 × 4,2 cm
Baden-Baden, Dieter Keller

222 Eau & gaz à tous les étages. ▷
Juni/September 1958
(Wasser und Gas in allen Stockwerken)
Readymade imité, weiße Buchstaben auf blauer Emailplatte. 20 × 15 cm.
Umschlag zum Luxusexemplar I der Monographie von Robert Lebel »Sur Marcel Duchamp«, Paris 1959
Baden-Baden, Dieter Keller

André Masson

Geb. 4. Januar 1896 in Balagny-sur-Thérain, Oise, Frankreich. 1904 Übersiedlung nach Brüssel. 1912 Beginn der Studien in Paris. 1914–18 Kriegsdienst und schwere Verwundung. Kurze Zeit in einer psychiatrischen Klinik. 1922 Rückkehr nach Paris. 1924–28 enge Kontakte zu den Surrealisten, besonders zu Antonin Artaud und Joan Miró. Seine ›écriture automatique‹ (automatische Handschrift) findet sich in fast allen Nummern der Zeitschrift ›La Révolution Surréaliste‹. 1934–36 Aufenthalt in Katalonien. Muß Spanien bei Beginn des Bürgerkrieges verlassen und kehrt nach Paris zurück. 1941 Emigration in die USA und Organisation der Konferenz über die Ursprünge des Surrealismus im Museum of Art in Baltimore sowie 1943 am Mount Holyoke College. Während des Spanien-Aufenthalts malte Masson surrealistische Bilder mit furchterregenden Insektendämonen, die wie Vorahnungen des Bürgerkrieges anmuten. Aus solchen apokalyptischen Rhythmen entstehen in der amerikanischen Zeit Bilder, die das nachfolgende Action Painting wegweisend bestimmen. 1945 Rückkehr nach Paris, lebt seit 1947 in Aix-en-Provence.

223 Viol. 1941
(Notzucht)
Kaltnadelradierung. 50 × 66 cm
New York, The Museum of Modern Art
(Siehe Abb. Seite 112)

224 Paysage iroquois. 1942
(Irokesische Landschaft)
Öl auf Leinwand. 77 × 108 cm
Paris, Privatbesitz
(Vgl. Abb. Seite 112)

225 Meditation du peintre. 1943
(Meditation des Malers)
Öl und Tempera auf Leinwand. 132 × 101,5 cm
New York, Collection Richard S. Zeisler

226 Morfologia psicologia. 1939
(Psychologische Formenlehre)
Öl auf Leinwand. 45,7 × 52,8 cm
New York, Mr. & Mrs. Harry Spiro

227 Morphologie psychologique. 1939
(Psychologische Formenlehre)
Öl auf Leinwand. 89 × 115 cm
Paris, Privatbesitz

228 Earth is a man. Um 1942
(Die Erde ist ein Mensch)
Öl auf Leinwand. 182,8 × 243,8 cm
Chicago, Mr. and Mrs. Joseph Shapiro
(Vgl. Abb. Seite 114)

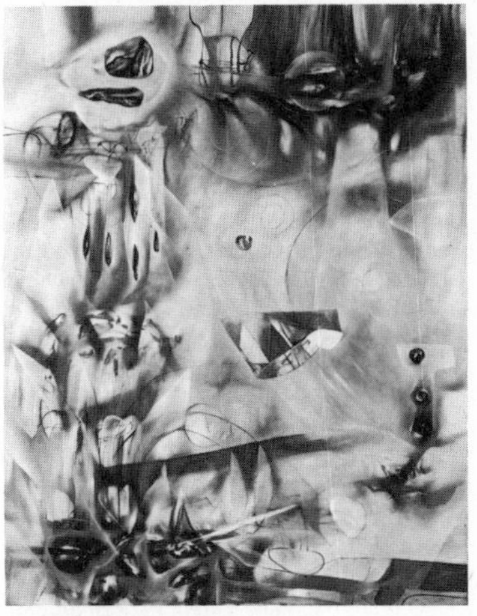

229 Here, Sir Fire, Eat! 1942
(Hier, Sir Feuer, friß!)
Öl auf Leinwand. 142,3 × 112 cm
New York, The Museum of Modern Art, James Thrall Soby Bequest

230 The Prisoner of Light. 1943
(Der Gefangene des Lichts)
Öl auf Leinwand. 195,5 × 250,8 cm
New York, Mr. & Mrs. Harold Diamond

231 Onyx of Electra. 1944
(Onyx der Electra)
Öl auf Leinwand. 127,3 × 182,9 cm
New York, The Museum of Modern Art, Anonymous Fund 1973

Roberto Echaurren Matta

Geb. 11. November 1911 in Santiago de Chile. 1929–31 Architekturstudium in Santiago, 1935–37 im Architekturbüro von Le Corbusier in Paris. 1937 Begegnung mit Garcia Lorca, André Breton und Salvador Dali in Madrid. 1938 Beginn der malerischen Tätigkeit. 1939 Emigration in die USA. 1941 Reise nach Mexiko. 1942 erste Bilder unter Einfluß des Zufalls. 1944 Begegnung mit Marcel Duchamp. 1949 Rückkehr nach Europa, wechselnde Aufenthalte in Italien, England und Frankreich. Nimmt in seinen Bildern die ideologischen Weltkonflikte zum Anlaß, seinen Werken einen politisch-revolutionären Sinngehalt zu geben. Lebt in Paris.

Wifredo Lam

Geb. 8. Dezember 1902 in Sagua la Grande, Kuba. 1920–23 Studium an der Akademie San Alejandro in Havanna. 1924–28 in Madrid. 1936 erste Begegnung mit dem Werk Pablo Picassos. 1936–37 Teilnahme an der Verteidigung Madrids gegen Francos Truppen. 1937 Niederlassung in Paris, enge Kontakte zu Picasso und den Surrealisten, besonders zu Oscar Dominguez. 1941 Emigration nach Martinique mit André Breton, André Masson und Claude Lévi-Strauss. 1942–45 in Havanna. Lam verbindet in seinen Bildern die Erfahrung des europäischen Surrealismus mit der oft wilden Kraft urwaldhafter Mythen und Kulte. 1945 Reise mit André Breton nach Haiti, wo er den Wudu-Kult kennenlernt. 1946 begegnet er auf der Rückreise nach Paris Arshile Gorky und Marcel Duchamp. 1947–58 in Italien, England, Kuba, Frankreich und USA. 1959 Niederlassung in Italien. 1963 erster Besuch Kubas nach der Revolution Castros. – Lebt in Paris.

232 Lumière dans la forêt ou La grande jungle. 1942
(Licht im Walde oder Der große Dschungel)
Gouache auf Collage auf Leinwand.
192 × 123,5 cm
Paris, Musée National d'Art Moderne, Centre Georges Pompidou

233 Anamu. 1943
Öl auf Leinwand. 158 × 125 cm
Chicago, Mr. and Mrs. Joseph Shapiro

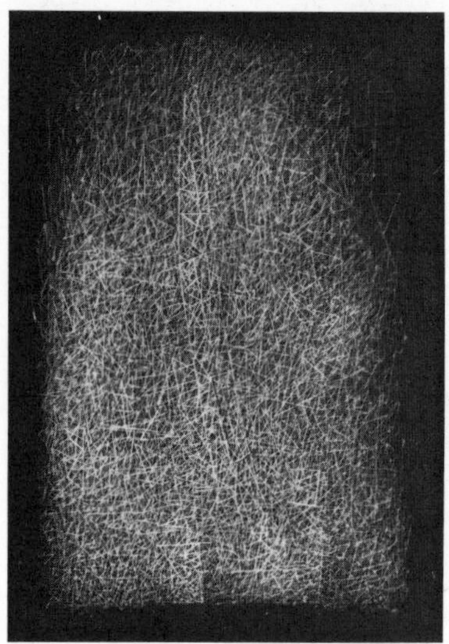

234 City radiance. 1944
(Glanz der Stadt)
Tempera auf Papier. 48,2 × 35,6 cm
Zürich, Privatbesitz

Mark Tobey

Geb. 11. Dezember 1890 in Centerville, Wi., USA. 1909 Übersiedlung nach Chicago, 1911 nach New York, wo er als Modezeichner bis 1917 tätig ist. Um 1918 Beitritt zur Bahá'i-Glaubenslehre. Ab 1931 Lehrtätigkeit an der Dartington Hall School in Devonshire, England. Dort Begegnung mit Pearl S. Buck, Aldous Huxley und Rabindranath Tagore. 1934–35 Aufenthalt im Fernen Osten zum Studium der chinesischen Kalligraphie und Aufenthalt in einem japanischen Zen-Kloster. Erschließt in seinen Bildern die Ausdrucksweise ostasiatischer Kalligraphie für eine auf rhythmische Harmonie abzielende lyrisch-abstrakte Farbmalerei. 1938 Tätigkeit für FAP in Seattle, intensive Beschäftigung mit der Musik (Kompositionen für Flöte, Klavier). 1958 Großer Preis der Biennale Venedig. – 24. April 1976 in Basel gestorben.

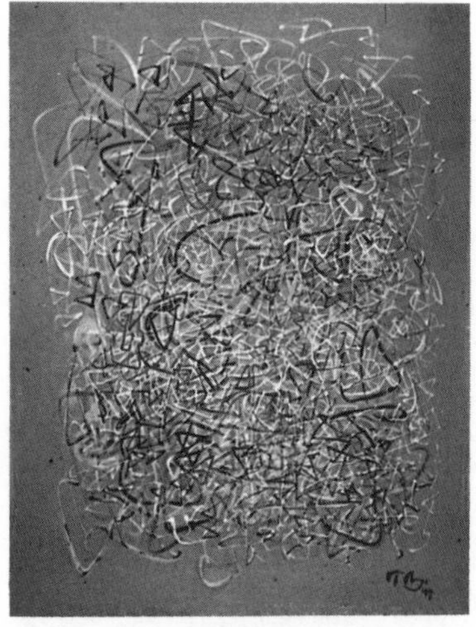

235 November grass rhythm. 1945
(November Gras Rhythmus)
Tempera auf Papier. 49 × 38,2 cm
Schweiz, Privatbesitz

Robert Motherwell

Geb. 24. Januar 1915 in Aberdeen, Wa., USA. Philosophiestudium von 1932–38, u. a. an der Harvard-Universität. 1940 Lehrtätigkeit an der Columbia-Universität, New York, gemeinsam mit Meyer-Shapiro. Seit 1938 Kontakte zu den emigrierten Surrealisten, vor allem zu Matta und Max Ernst. Beginnt 1940 mit der Malerei. 1944–51 Herausgeber der einflußreichen Buchreihe ›Documents of Modern Art‹, New York. 1948 zusammen mit William Baziotes, Barnett Newman und Mark Rothko Gründung der Kunstschule ›Subject of the Artist‹. Um 1950 erste abstrakte Bilder in Schwarz-Weiß. Während der fünfziger Jahre beeinflußt das Scheitern der spanischen Republik und der Faschismus seine Arbeit. 1950–58 Professor am Hunter College, New York, 1964–65 an der Columbia-Universität, 1968–75 Mitarbeiter der Guggenheim Foundation, New York. Motherwell ist als Kunsthistoriker und Maler einer der wichtigsten Vermittler zwischen dem surrealistischen Automatismus und der neuen amerikanischen Malerei. – Lebt in New York.

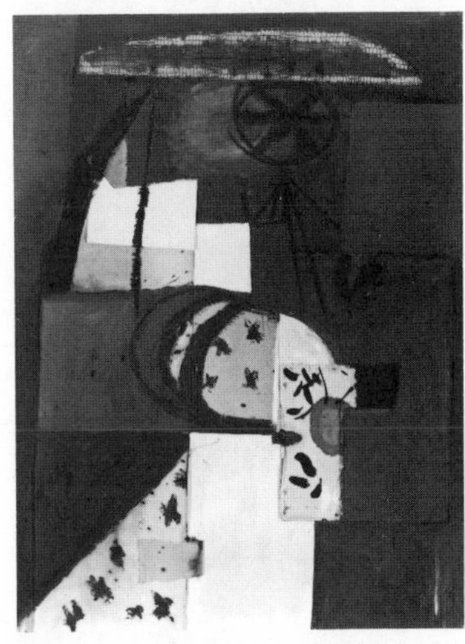

236 In grey with parasol. 1947
(In Grau mit Sonnenschirm)
Collage und Öl auf Karton. 120,7 × 90,2 cm
Toronto, Art Gallery of Ontario, Gift from the Women's Committee Fund, 1962

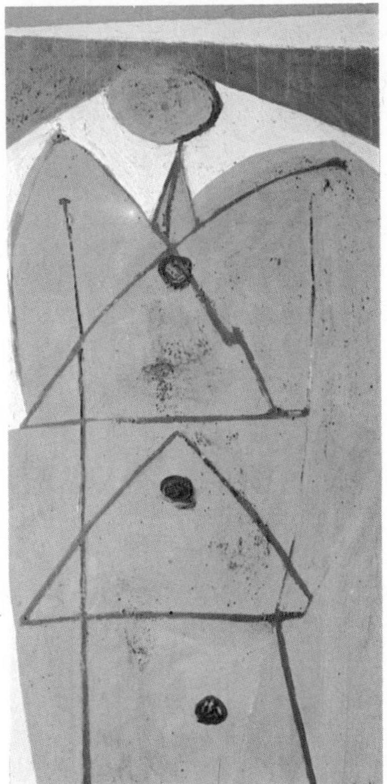

237 The homely protestant. 1948
(Der hausbackene Protestant)
Öl auf Leinwand 120,7 × 59,7 cm
Privatbesitz
(Vgl. Abb. Seite 122)

Arshile Gorky

Geb. 15. April 1904 in Khorkom Vari, Türkisch Armenien, als Vosdanig Manoog Adoian. Flucht nach Eriwan in Sowjet-Armenien. 1920 Übersiedlung in die USA. 1920–22 Studium an der Rhode Island School of Design. 1923–25 Lehrtätigkeit an der New School of Design, Boston, 1925–31 an der Grand Central School of Art, New York. 1929–34 Freundschaft mit Stuart Davis. Hat Kontakt zu ›abstraction-création‹. 1935 Wandmalerei (Newark Airport) im Rahmen des staatlichen Kunstprojekts (FAP) und der Arbeitsbeschaffungsbehörde (WPA). Um 1937 gemeinsames Atelier mit Willem de Kooning. Während des Krieges Freundschaft mit Matta, Tanguy und Breton. Unter dem Einfluß der surrealistischen Figurationen Mattas entwickelt Gorky seine biomorph-abstrakte Handschrift. – 21. Juli 1948 Selbstmord nach einem Genickbruch durch Autounfall.

238 Haikakan Gutan I./Plow of Armenia, 1944
(Armenischer Pflug I)
Holz. 19,37 × 17,46 × 11,59 cm
Chicago, Prof. Karlen Mooradian

239 Landscape table. 1945
(Landschafts-Tisch)
Öl auf Leinwand. 92 × 121 cm
Paris, Musée National d'Art Moderne, Centre Georges Pompidou

240 Summer snow. 1947
(Sommer-Schnee)
Öl auf Leinwand. 77,4 × 91,4 cm
New York, Collection Mr. & Mrs. Howard Wise

241 Haiyotz Dzor/Vale of the Armenians 1944
(Tal der Armenier)
Bleistift, rote, gelbe und blaue Pastellkreide. 55,9 × 76,2 cm
Chicago, Prof. Karlen Mooradian

244 Gegharvesd/Aesthetics. 1946
(Ästhetik)
Mehrfarbige Kreide, Bleistift, laviert.
48,3 × 62,2 cm
Chicago, Prof. Karlen Mooradian
(Vgl. Abb. Seite 115)

247 Hasnutyun/Fruition, 1946
(Genuß)
Bleistift, grüne und rote Pastellkreide.
24,1 × 31,8 cm
Chicago, Prof. Karlen Mooradian

242 Dance of the eyelids. 1945
(Tanz der Augenlider)
Bleistift, gelbe und rote Pastellkreide.
48,3 × 62,2 cm
Chicago, Prof. Karlen Mooradian

245 Daratsuyts/Calendar. 1946
(Kalender)
Bleistift, gelbe, grüne und rote Pastellkreide.
48,3 × 63,5 cm
Chicago, Prof. Karlen Mooradian
(Vgl. Abb. Seite 115)

248 Sdeghtzagordsutyun/Act of creation. 1947
(Schöpfungsakt)
Bleistift und Pastellkreide. 52,7 × 71,1 cm
Chicago, Prof. Karlen Mooradian

243 Vana Danjank/Vannic agony 1945
(Agonie der Flügel)
Bleistift, gelbe und ockerfarbene Pastellkreide auf rosafarbenem Papier. 48,3 × 63,5 cm
Chicago, Prof. Karlen Mooradian
(Vgl. Abb. Seite 115)

246 Aikesdona Makrutyun/Aikesdan purity. 1946
(Die Reinheit von Aikesdan)
Bleistift, blaue, gelbe, grüne und rote Pastellkreide auf rosafarbenem Papier.
48,3 × 63,5 cm
Chicago, Prof. Karlen Mooradian

249 Hishoghutyun/Seat of memory. 1947
(Sitz der Erinnerung)
Pastellkreide. 34,9 × 43,2 cm
Chicago, Prof. Karlen Mooradian

Joseph Cornell

Geb. 24. Dezember 1903 in Nyack, N.Y., USA. Um 1932 Beginn der Malerei als Autodidakt und erste Assemblage-Schachteln. 1932 Teilnahme an der Ausstellung ›Surrealist Group Show‹ in der Julien Levy Gallery, New York, mit Assemblagen, 1939 erste Filmarbeiten und Kontakte zu den exilierten Surrealisten. 1949–50 im ›Studio 35‹ New York, Avantgarde-Diskussionen mit Hans Arp und Richard Huelsenbeck sowie mit Mark Rothko, Barnett Newman und Ad Reinhardt. 1967 große Retrospektive im Solomon R. Guggenheim Museum, New York. Cornell hat mit seinen am Surrealismus orientierten Assemblagen für die amerikanische Kunst eine ähnliche Bedeutung wie Kurt Schwitters für die europäische. Seine poetischen Dingmontagen bereiten den Boden für die neodadaistischen Assemblagen aus alltäglichen Abfallmaterialien in den fünfziger Jahren. – 1978 bei New York gestorben.

Installation der Werke für ›Westkunst‹, in Zusammenarbeit mit Betsy Richebourg, Estate of Joseph Cornell

250 Mémoires inédits de Madame la Comtesse de G. Um 1939
(Die unveröffentlichten Memoiren der Comtesse de G.)
Höhe 4,8 cm, ∅ 10,8 cm
New York, Estate of Joseph Cornell, Courtesy Castelli Feigen Corcoran

251 Untitled (Le Caire). Um 1939–41
(Ohne Titel. Kairo)
∅ 11,4 cm
New York, Estate of Joseph Cornell, Courtesy Castelli Feigen Corcoran

252 Untitled (Souvenir-case). Um 1940
(Ohne Titel. Andenken-Schachtel)
4,8 × 11,5 × 8,9 cm
New York, Estate of Joseph Cornell, Courtesy Castelli Feigen Corcoran

254 Untitled (Red sandbox). Um 1940
(Ohne Titel. Roter Sandkasten)
27,3 × 11,4 × 7,3 cm
New York, Richard L. Feigen

255 Object. 1940
6,7 × 47,9 × 27,3 cm
New York, Richard L. Feigen

◁ 253 Untitled (Blue swan). Um 1940
(Ohne Titel. Blauer Schwan)
12,4 × 16,2 × 4,8 cm
New York, Estate of Joseph Cornell, Courtesy Castelli Feigen Corcoran
(Vgl. Abb. Seite 107)

256 Beehive. 1940–48
(Bienenstock)
Höhe 8,3 cm, ∅ 19 cm
New York, Richard L. Feigen

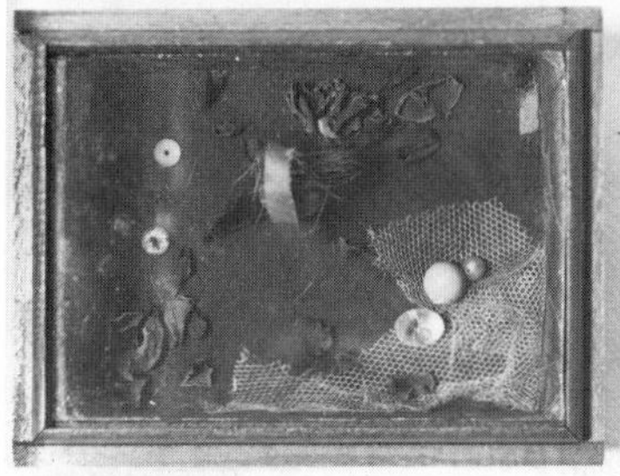

258 Homage to the romantic ballet. 1942
(Hommage an das romantische Ballett)
4,8 × 11,7 × 8,9 cm
New York, Estate of Joseph Cornell,
Courtesy Castelli Feigen Corcoran

260 Paolo and Francesca. 1943–48
37,5 × 28,8 × 9,7 cm
New York, Richard L. Feigen

257 Little mysteries of the ballet (Homage to the romantic ballet). 1941
(Kleine Mysterien des Balletts. Hommage an das romantische Ballett)
4,4 × 11,4 × 8,9 cm
New York, Estate of Joseph Cornell,
Courtesy Castelli Feigen Corcoran

259 The Museum. 1942
(Das Museum)
5,5 × 21,5 × 17,7 cm
Paris, Musée National d'Art Moderne,
Centre Georges Pompidou

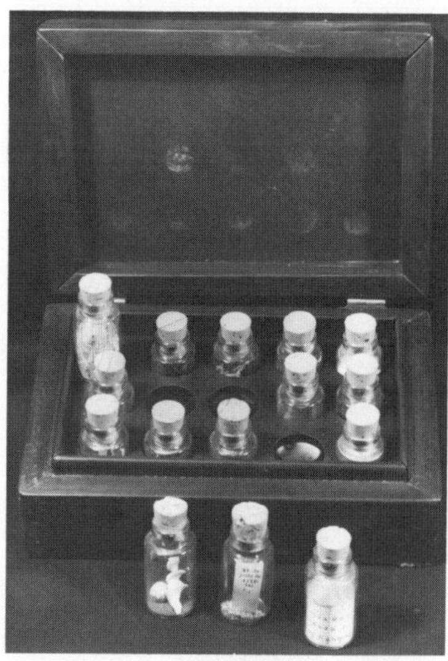

261 Untitled (Pharmacy box). Um 1944
(Ohne Titel. Apothekerkasten)
6,7 × 20 × 13,9 cm
New York, Estate of Joseph Cornell,
Courtesy Castelli Feigen Corcoran

262 Untitled. (Pas de quatre souvenir-case). Um 1945–49
(Ohne Titel. Pas de quatre Andenken-Schachtel) 3,6 × 6,3 × 6,3 cm
New York, Estate of Joseph Cornell,
Courtesy Castelli Feigen Corcoran

263 Untitled (Pink palace). Um 1946–48
(Ohne Titel. Rosa Palast)
21,7 × 36,1 × 10,9 cm
Privatbesitz

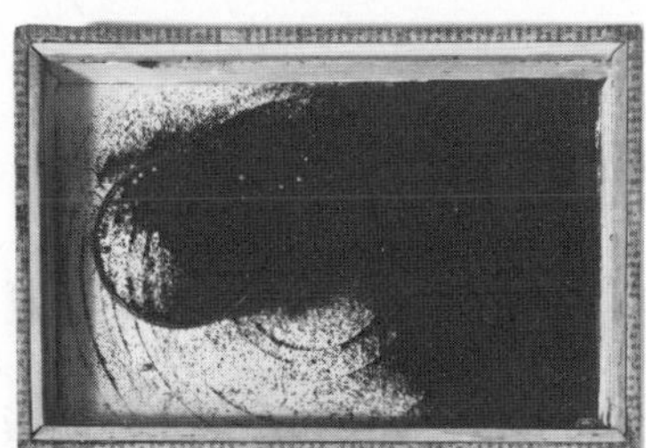

264 Untitled (Sand box). Um 1948–50
(Ohne Titel. Sandkasten)
3,1 × 16,5 × 24,6 cm
New York, Estate of Joseph Cornell,
Courtesy Castelli Feigen Corcoran
(Vgl. Abb. Seite 108)

265 Untitled (Hôtel night sky). Um 1950
(Ohne Titel. Hotel-Nachthimmel)
52,5 × 28 × 18 cm
New York, Estate of Joseph Cornell,
Courtesy Castelli Feigen Corcoran
(Vgl. Abb. Seite 108)

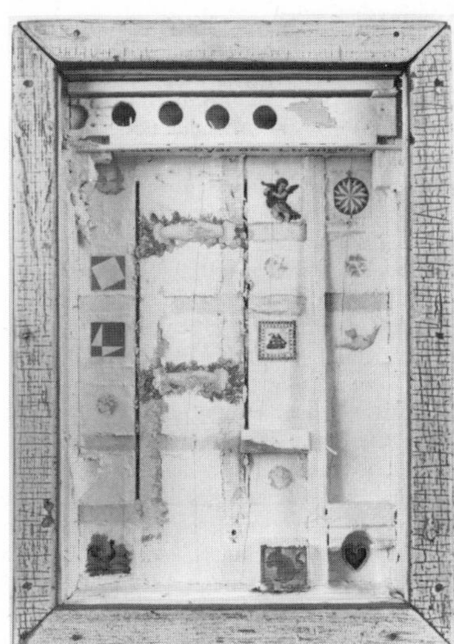

266 Untitled (Dovecote). Um 1950–52
(Ohne Titel. Taubenschlag)
40,4 × 28,5 × 7,9 cm
New York, Estate of Joseph Cornell,
Courtesy Castelli Feigen Corcoran

267 Untitled. Um 1950–52
(Ohne Titel)
46,8 × 29,2 × 9,8 cm
New York, Estate of Joseph Cornell,
Courtesy Castelli Feigen Corcoran

268 Andromeda. Um 1953
46,9 × 31,1 × 10,1 cm
New York, Estate of Joseph Cornell,
Courtesy Castelli Feigen Corcoran

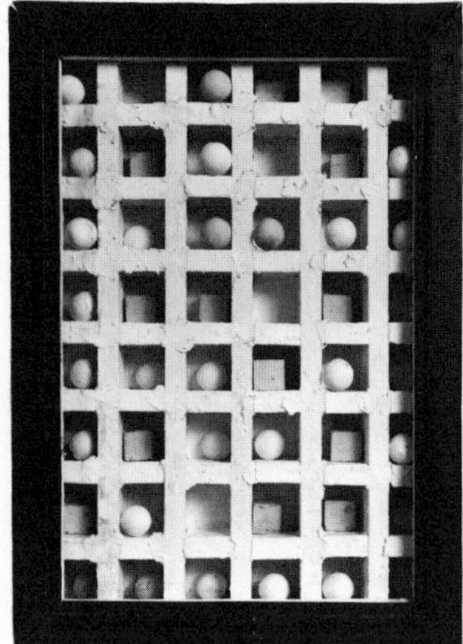

269 Untitled. Um 1954–56
(Ohne Titel)
37,6 × 26,9 × 7,1 cm
New York, Estate of Joseph Cornell,
Courtesy Castelli Feigen Corcoran

270 Untitled (Discarded Descartes).
Um 1954–56
(Ohne Titel. Abgelegter Descartes)
38 × 27,9 × 5,8 cm
New York, Estate of Joseph Cornell,
Courtesy Castelli Feigen Corcoran

271 Untitled (Parrot habitat). Um 1956/57
(Ohne Titel. Papageien-Wohnung)
43,6 × 27,3 × 10,5 cm
USA, Privatbesitz

Giorgio de Chirico

Geb. 10. Juli 1888 in Wolos, Griechenland. 1905 Übersiedlung der Familie nach München. 1906 Beginn des Kunststudiums an der Kunstakademie München bei Max Klinger. 1910 Aufenthalt in Florenz, 1911–15 in Paris und Verbindung zum Kreis um Guillaume Apollinaire. 1915 Militärdienst in der italienischen Armee. 1917 Zusammentreffen mit Carlo Carrà und gemeinsame Entwicklung der ›pittura metafisica‹. 1920 Aufgabe der ›pittura metafisica‹ zugunsten eines neoklassizistischen Stils. 1924 Übersiedlung nach Paris. Konfrontation und Zusammenarbeit mit den Surrealisten. 1929 Publikation des Romans ›Hebdomeros‹, 1945 der Autobiografie. Neomythische Figuration im akademischen Stil kennzeichnet das Alterswerk de Chiricos. Nach dem Zweiten Weltkrieg abwechselnd in Mailand, Florenz und Rom. – 21. November 1978 in Rom gestorben.

274 Busto di Minerva. 1947 ▷
(Minervabüste)
Öl auf Leinwand, 60 × 50 cm
Rom, Privatbesitz
(Vgl. Abb. Seite 137)

272 Primavera. 1940
(Frühling)
Öl auf Leinwand. 38,5 × 53,5 cm
Privatbesitz

273 Donna con perle. 1943
(Frau mit Perlenkette)
Öl auf Leinwand. 48,5 × 39 cm
Privatbesitz

Francis Picabia
(Biografie siehe Seite 392)

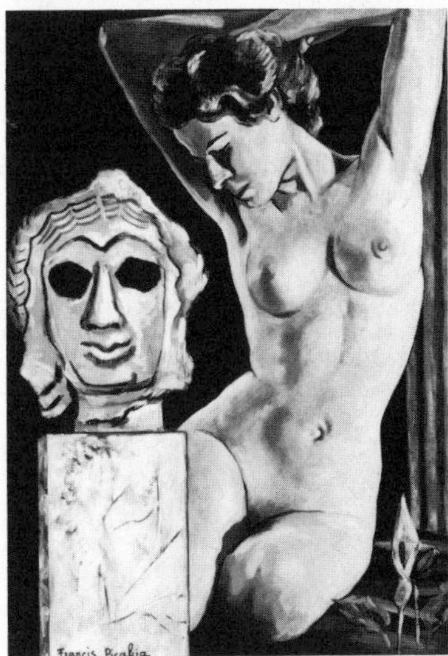

275 Femme coquette à la sculpture grecque. 1940–42
(Kokette Frau und griechische Skulptur)
Öl auf Karton. 105 × 75 cm
Hamburg, Dr. Werner Funk
(Vgl. Abb. Seite 135)

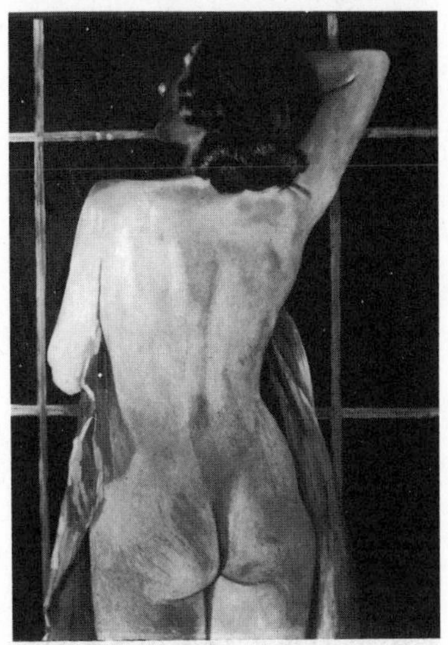

276 Femme à la fenêtre. 1942
(Frau am Fenster)
Öl auf Karton. 105 × 75 cm
Hamburg, Galerie Neuendorf

Giorgio Morandi

Geb. 20. Juli 1890 in Bologna. 1907–13 Studium in Bologna. 1912 lose Verbindung zum Futurismus. 1914 Einfluß Cézannes und der Kubisten. 1914–30 Zeichenlehrer an Schulen in Florenz. 1914 Militärdienst. 1916 erste Stillleben. 1919 Bekanntschaft mit Giorgio de Chirico. 1930–53 Lehrtätigkeit an der Akademie von Bologna. 1939–44 in Grizzana. 1956 einzige Auslandsreise in die Schweiz. In seinen Bildern hat Morandi den Menschen verdrängt. Es gibt von ihm nur Stilleben und gelegentlich menschenleere Landschaften. Wichtig allein ist das einsame Zwiegespräch zwischen dem Künstler und seinem Gegenstand. – 18. Juni 1964 in Bologna gestorben.

277 Natura morta. 1947/48
(Stilleben)
Öl auf Leinwand. 30,5 × 43 cm
Rotterdam, Museum Boymans-van Beuningen

278 Natura morta. 1949
(Stilleben)
Öl auf Leinwand. 36 × 45 cm
Turin, Musei Civici, Galleria d'Arte Moderna

279 Natura morta. 1957
(Stilleben)
Öl auf Leinwand. 25 × 38 cm
Turin, Musei Civici, Galleria d'Arte Moderna
(Vgl. Abb. Seite 216)

280 Natura morta italiana. 1957
(Italienisches Stilleben)
Öl auf Leinwand. 35 × 45 cm
Rom, Vatikanische Museen
(Vgl. Abb. Seite 216)

Beiträge zum Wettbewerb über das Thema **Die Versuchung des Heiligen Antonius** (Bel Ami International Art Competition), New York, 1947 (Siehe Abb. Seiten 109–111)

Ivan Le Lorraine Albright

Geb. 1897 in North Harvey, Il., USA. 1915–16 Studium an der North Western University, Chicago, 1916–17 an der Illinois School of Architecture, Urbana, Il. 1918–19 Militärdienst in Frankreich, fertigt medizinische Zeichnungen in einer Klinik in Nantes. 1920–23 Studium am Chicago Art Institute und an der Pennsylvania Academy of Fine Arts, Philadelphia. 1924 als Werbemaler tätig. 1935 Aufruf zum American Artist's Congress. 1942 erster Preis der Ausstellung ›Artists for Victory‹. 1943 malt er das ›Bildnis des Dorian Gray‹ für eine Metro-Goldwyn-Mayer Produktion. 1946 Teilnahme am Wettbewerb ›Die Versuchung des hl. Antonius‹. 1964 Retrospektive im Art Institute, Chicago. – Lebt in Woodstock, Vt.

281 The temptation of St. Anthony. 1944/45
Öl auf Leinwand. 127 × 152,4 cm
Chicago, The Art Institute of Chicago,
Gift of Ivan Albright
(Vgl. Abb. Seite 111)

283 La tentation de St. Antoine. 1946 ▷
Öl auf Leinwand. 89,7 × 119,5 cm
Brüssel, Musées Royaux des Beaux-Arts de Belgique
(Vgl. Abb. Seite 111)

Eugene Berman

Geb. 1849 in St. Petersburg, Rußland. Verläßt Rußland während der Revolution. Reisen durch Europa, läßt sich in Paris nieder. Kontakte zu den Surrealisten. 1932 erste Ausstellung in der Julien Levy Gallery, New York. 1935 Übersiedlung nach Hollywood. 1942 Teilnahme an der Ausstellung ›Artists in Exile‹ in der Pierre Matisse Gallery, New York. 1946 Teilnahme am Wettbewerb ›Die Versuchung des hl. Antonius‹. – 1972 gestorben.

282 The temptation of St. Anthony. 1946
Öl auf Leinwand. 132,2 × 97,8 cm
Sarasota/Fl., John and Mable Ringling Museum of Art, Gift of Dr. & Mrs. F.R. Walch
(Vgl. Abb. Seite 110)

Salvador Dali
(Biographie siehe Seite 337)

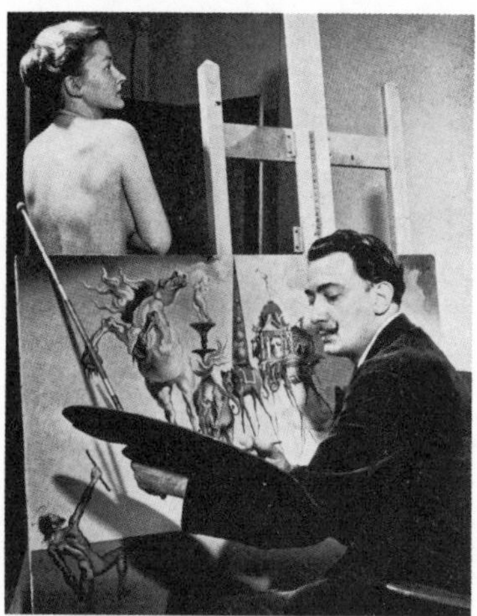

Paul Delvaux

Geb. 23. September 1897 in Antheit-les-Huys, Belgien. 1920–24 Studium an der Académie des Beaux-Arts, Brüssel. 1932 Reise nach Frankreich und Italien, dessen antike Architektur ihn begeistert. 1934 starke Beeinflussung durch Bilder von Giorgio de Chirico, Salvador Dali und René Magritte auf der Ausstellung ›Minotaure‹, Palais des Beaux-Arts, Brüssel. Vernichtet sein bisheriges Werk. 1938 Teilnahme an der Ausstellung ›Internationale du Surréalisme‹ Paris. 1946 Teilnahme am Wettbewerb ›Die Versuchung des hl. Antonius‹. 1950–62 Lehrtätigkeit an der Ecole Nationale Supérieure d'Art et d'Architecture, Brüssel. 1969 Retrospektive im Musée d'Arts Décoratifs, Paris, 1973 im Museum Boymans-van Beuningen, Rotterdam. – Lebt in Brüssel.

284 La tentation de St. Antoine. 1945
Öl auf Leinwand. 113,6 × 130 cm
New York, Privatbesitz
(Vgl. Abb. Seite 111)

Max Ernst
(Biografie siehe Seite 369)

Horace Pippin

Geb. 22. Februar 1888 in West Chester, Pa., USA. 1898 Religiöse Bilder. Gelegenheitsarbeit als Kofferträger, Metallarbeiter und Altwarenhändler. Seit 1914 Kriegsdienst in Frankreich und 1917 schwere Verwundung. 1930 erstes Ölbild. 1938 Teilnahme an der Ausstellung ›Masters of Popular Painting‹, Museum of Modern Art, New York. 1941 Ausstellung im Arts Club of Chicago, 1942 im San Francisco Museum of Art. 1946 Teilnahme am Wettbewerb ›Die Versuchung des hl. Antonius‹. – 6. Juli 1946 in West Chester gestorben.

286 The greatest temptation of St. Anthony. 1946
Öl auf Leinwand. 91,4 × 121,9 cm
West Chester/Pa., Mr. & Mrs. Robert Dale McKinney
(Vgl. Abb. S. 111)

Abraham Rattner

Geb. 1895 in Poughkeepsie, New York. Studium der Architektur in Washington und der Malerei an der Pennsylvania Academy of Fine Arts. 1914–18 Kriegsdienst als Tarnungsmaler. 1919 Stipendium der Pennsylvania Academy. Studiert an der Ecole des Beaux-Arts und an der Académie Ranson, Paris. Um 1925 Kontakte zu den Surrealisten. 1935 Ausstellung in der Julien Levy Gallery, New York. 1936 Übersiedlung nach New York. 1946 Teilnahme am Wettbewerb ›Die Versuchung des hl. Antonius‹. – 1978 in New York gestorben.

◁ 285 Die Versuchung des hl. Antonius. 1945
Öl auf Leinwand. 108 × 128 cm
Duisburg, Wilhelm Lehmbruck-Museum
(Vgl. Abb. Seite 111)

287 The temptation of St. Anthony. 1945
Öl auf Leinwand. 130 × 100 cm
Rom, Vatikanische Museen
(Vgl. Abb. Seite 110)

Stanley Spencer

Geb. 1892 in Cookham-on-the-Thames, England. 1910–12 Studium an der Slade School, London. 1914–18 Kriegsdienst, u. a. Mazedonien, wo er für das Rote Kreuz malt. Nach dem Krieg in Jugoslawien. Anschließend wieder in Cookham. Bevorzugt religiöse Themen und monumentale Formate. 1946 Teilnahme am Wettbewerb ›Die Versuchung des hl. Antonius‹. – 1959 in Cookham-on-the-Thames gestorben.

Dorothea Tanning

Geb. 25. August 1912 in Galesbury, Il., USA. Autodidakt, erhält 1936 ihre prägende Anregung durch die Ausstellung ›Fantastic Art, Dada and Surrealism‹ in New York. 1939 Aufenthalt in Paris. Steht in Verbindung mit den exilierten Surrealisten. 1942 lernt sie in New York Max Ernst kennen, den sie 1946 heiratet. 1943 Ausstellung in der Julien Levy Gallery, New York. 1946 Teilnahme am Wettbewerb ›Die Versuchung des hl. Antonius‹. 1952 Übersiedlung nach Frankreich. 1974 große Retrospektive in Paris. – Lebt in Paris und New York.

289 The temptation of St. Anthony. 1945/46
Öl auf Leinwand. 122 × 92 cm
Wyncote/Pa., Ira & Tonian Genstein
(Vgl. Abb. Seite 110)

◁ 288 The temptation of St. Anthony. 1945
Öl auf Leinwand. 121,9 × 91,4 cm
London, Rose Adeane
(Vgl. Abb. Seite 110)

Hans Bellmer

Geb. 13. März 1903 in Kattowitz, Polen. 1923–26 Ingenieurstudium an der Technischen Hochschule, Berlin. 1924 Beschäftigung als Typograph und Illustrator. 1924 Reise nach Paris, Kontakte zu den Surrealisten. 1932 Reisen nach Tunesien, Italien und Frankreich. 1933 entsteht ›La Poupée‹, sein ›Künstliches Mädchen‹. 1938 Emigration nach Paris. Freundschaft mit Man Ray, Paul Eluard, Max Ernst und Yves Tanguy. 1939–40 Internierung als feindlicher Ausländer. Teilt im Lager ›Les Milles‹ bei Aix-en-Provence mit Max Ernst ein Zimmer. Wols ist ebenfalls dort. 1942 läßt er sich in Toulouse nieder. Nach der Befreiung von Paris Rückkehr. 1947 Teilnahme an der Ausstellung ›Le Surréalisme en 1947‹. Bellmers anarchisch-pornographische Phantasie schafft in seinen Arbeiten traumatische Körperkonfigurationen, die in dieser ausschließlich erotischen Besessenheit in der Kunst des 20. Jahrhunderts einmalig sind. – 24. Februar 1975 in Paris gestorben.

Hans Bellmer und Max Ernst
290 Les créations, les créatures de l'imagination. 1939
(Die Schöpfungen, die Geschöpfe der Phantasie)
Zeichnung und Collage auf braunem Papier. 22 × 30 cm
Privatbesitz

291 Ohne Titel. 1942
Bleistiftzeichnung. 20 × 13 cm
Paris, Ivana de Gavardie

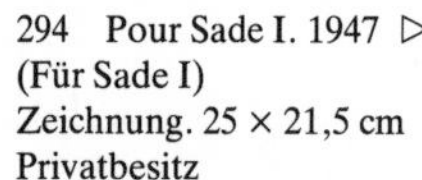

294 Pour Sade I. 1947 ▷
(Für Sade I)
Zeichnung. 25 × 21,5 cm
Privatbesitz

292 Etude pour Sade II (avec le texte). 1946
(Studie zu Sade II, mit dem Text)
Zeichnung. 26 × 22 cm
Privatbesitz

293 A Sade III. 1946
(Für Sade III)
Zeichnung. 26 × 22 cm
Privatbesitz

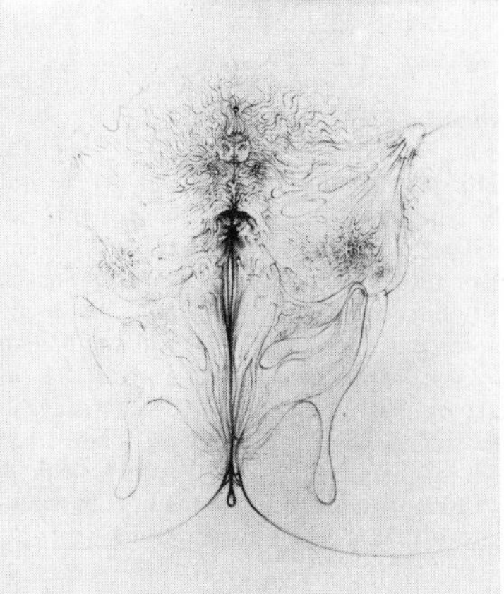

295 Femme sexe. 1947
Zeichnung. 25 × 22,5 cm
Paris, Ivana de Gavardie

Balthus (Balthasar Klossowski de Rola)

Geb. 29. Februar 1908 in Paris. 1920 Begegnung mit Rainer Maria Rilke, der ihn als ›Wunderkind‹ entdeckt. 1924 Studien in Paris. 1928 mit André Gide Studienreise durch Italien. 1935 Bühnenentwürfe und Kostüme für Antonin Artauds ›Theater der Grausamkeit‹. 1939 kurze Zeit Dienst in der französischen Armee. 1939–45 Aufenthalt in der Schweiz. Nach dem Krieg Rückkehr nach Frankreich. Vor dem Hintergrund von Renaissance und Surrealismus findet Balthus in seinen Zimmerbildern der ausgehenden vierziger Jahre zur Darstellung einer magischen Zwischenwelt, die geprägt ist von statuarischen Interieurs und von dämonisch-posierenden bewegungslosen Kindfrauen. 1961 Ernennung durch André Malraux zum Direktor der französischen Akademie der Villa Medici, Rom. – Lebt in Rom.

296 Le salon. 1941–43
(Der Salon)
Öl auf Leinwand. 113,7 × 146,7 cm
Minneapolis/Mn., Minneapolis Institute of Arts, The John R. Van Derlip and William Hood Dunwoody Funds
(Vgl. Abb. Seite 36)

Jean Hélion

Geb. 21. April 1904 in Couterne, Orne, Frankreich. Architektur- und Ingenieurstudium. 1926 Verbindung zu Mondrian, 1930 Zusammenarbeit mit van Doesburg. Seit 1931 Beteiligung an ›abstraction-création‹. 1936–40 in den USA. 1940 Rückkehr nach Frankreich; Kriegsdienst, Gefangennahme und 1942 Flucht über Marseille in die USA. 1946 Niederlassung in Paris. Malt nach dem Krieg von Léger und dem Kubismus beeinflußte plastisch modellierte, figurative Bilder, die dem Surrealismus nahestehen. 1980 Retrospektive in China. – Lebt in Paris.

297 A rebours. 1947
(Wider den Strich)
Öl auf Leinwand. 113,5 × 146 cm
Paris, Musée National d'Art Moderne, Centre Georges Pompidou
(Vgl. Abb. Seite 136)

Georges Braque

Geb. 13. Mai 1882 in Argenteuil-sur-Seine, Frankreich. Lehre als Dekorationsmaler. 1900 Übersiedlung nach Paris, Studium an der Académie Humbert und an der Ecole des Beaux-Arts. 1906 in Antwerpen bei Othon Friesz. 1907 Freundschaft mit Pablo Picasso. 1912 mit Picasso in der Provence. 1914 Kriegsdienst, 1916 schwere Verwundung. 1920 erste Plastik. 1940 Flucht vor der Okkupation in die Pyrenäen. 1944 Rückkehr nach Paris. 1948 Großer Preis der Biennale Venedig. 1948–55 Entstehung der Serie von Atelierbildern. 1952 Dekkengemälde im Louvre. 1956 Retrospektive in der Tate Gallery, London. – 31. August 1963 in Paris gestorben.

298 Atelier V (Atelier III?) 1949
Öl auf Leinwand. 145 × 175 cm
Stiftung Lichtenstein
(Vgl. Abb. Seite 132)

Jean Fautrier

Geb. 16. Mai 1898 in Paris. 1907 Umzug nach London. 1912 mit vierzehn Jahren Zulassung zur Royal Academy. 1917 Rückkehr nach Frankreich. Ab 1929 Aufenthalt in Chamonix mit einer mehrjährigen Unterbrechung der künstlerischen Tätigkeit. 1934–36 Skilehrer. 1939 Rückkehr nach Paris, Wiederaufnahme der künstlerischen Arbeit. 1943–45 Serie der ›Otages‹ (Geiseln), in der Fautrier aus plastischem Material verschwommen angedeutete Gesichter formt. 1960 Großer Preis der Biennale von Venedig. – 21. Juli 1964 in Châtenay-Malabry bei Paris gestorben.

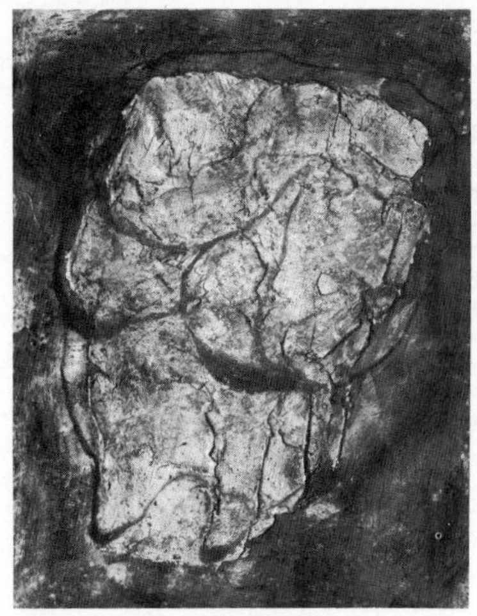

300 Le torse nu d'otage. 1943
(Nackter Torso einer Geisel)
Öl auf Leinwand. 45,5 × 37,5 cm
Rom, Collezione Bruno Sargentini

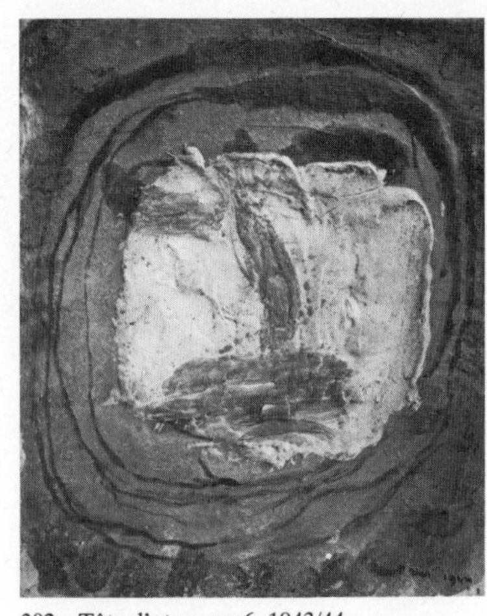

302 Tête d'otage no 6. 1943/44
(Kopf einer Geisel Nr. 6)
Öl auf Karton. 27 × 22 cm
Privatbesitz

299 Grande tête tragique. 1942
(Großer tragischer Kopf)
Bronze. Höhe 33,5 cm
Stockholm, Sammlung G. Douglas

301 Tête d'otage no 5. 1943
(Kopf einer Geisel Nr. 5)
Öl auf Karton. 27 × 22 cm
Privatbesitz

303 Tête d'otage no 13. 1944
(Kopf einer Geisel Nr. 13)
Öl auf Leinwand. 27 × 22 cm
Rom, Collezione Bruno Sargentini

306 Pièges. 1946 ▷
(Fallen)
Öl auf Karton auf Leinwand. 114 × 146 cm
Privatbesitz

304 Otage. 1944/45
(Geisel)
Öl auf Leinwand. 35 × 25,5 cm
Paris, Collection Philippe et Denyse Durand-Ruel
(Vgl. Abb. Seite 141)

305 Otage. 1944/45
(Geisel)
Öl auf Leinwand. 27 × 23 cm
Paris, Collection Philippe et Denyse Durand-Ruel

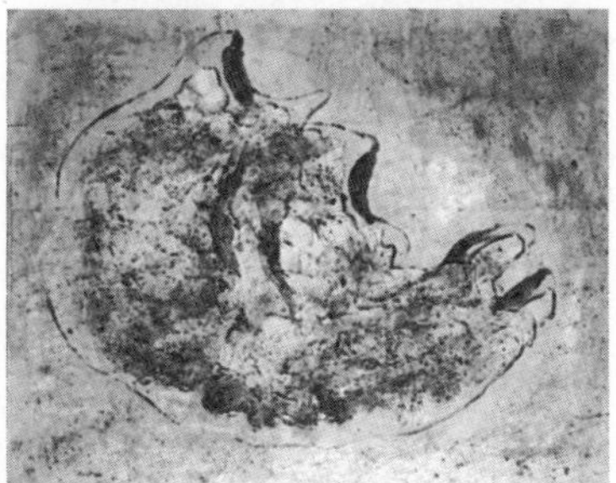

Jean Dubuffet

Geb. 31. Juli 1901 in Le Havre. Auf dem Gymnasium Mitschüler von Georges Limbour und Raymond Queneau. 1916 Studium an der Ecole des Beaux-Arts in Le Havre. 1918 an der Académie Julian, Paris. 1920–22 lebt er völlig zurückgezogen. Interesse an Dada und der Kunst der Geisteskranken. 1923 Militärdienst. Lernt Russisch. 1924–32 starke antikulturelle Haltung. Gibt künstlerische Tätigkeit auf, übernimmt den väterlichen Weinhandel. 1933 Beginn erneuter künstlerischer Arbeit. 1937 gibt er seine künstlerische Tätigkeit ein zweites Mal auf. 1939–40 Militärdienst. 1942 dritter, endgültiger Beginn der künstlerischen Arbeit. 1945 beginnt er Objekte aus den Randbereichen der Kunst zu sammeln, die er später ›art brut‹ nennt. 1947 Entstehung der Porträtserie ›Schöner als sie glauben‹. Dubuffets ironische und humorvoll-komische Bilder sind gegen die gängigen, allgemeinen Wertvorstellungen und kulturellen Erwartungen gesetzt. Gestützt auf die tiefe Aversion gegen alle offiziellen Kunstbegriffe schafft Dubuffet Bilder, die auf dem Hintergrund von Dada und art brut eigenwillige, poetische Deutungen aus dem Leben von Mensch, Tier oder Natur vorführen. Erste Sahara-Reise, 1951 Reise nach New York, Atelier in down-town-Manhattan. 1955 Niederlassung in Vence, Südfrankreich. Ab 1957 wieder häufiger in Paris. 1973 große Retrospektive in Paris. – Lebt in Paris.

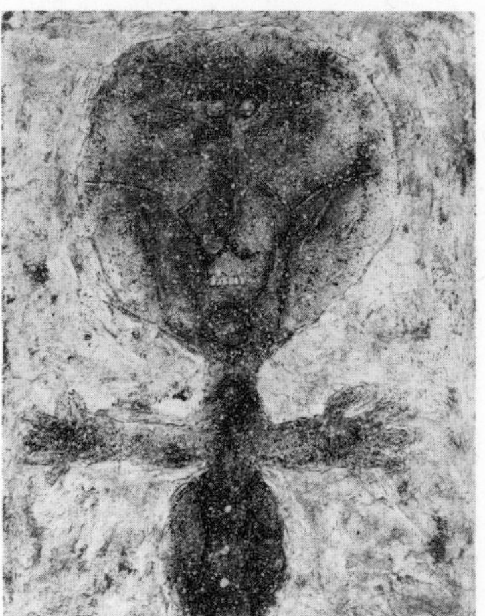

307 Michel Tapié soleil. 1946
(Michel Tapié als Sonne)
Verschiedene Materialien auf Isorel.
109 × 87,5 cm
New York, Pierre Matisse Gallery

316 Fautrier araignée au front. 1947
(Fautrier mit Spinnennetz auf der Stirn)
Öl auf Leinwand. 116 × 89 cm
New York, Private Collection Robert Elkon

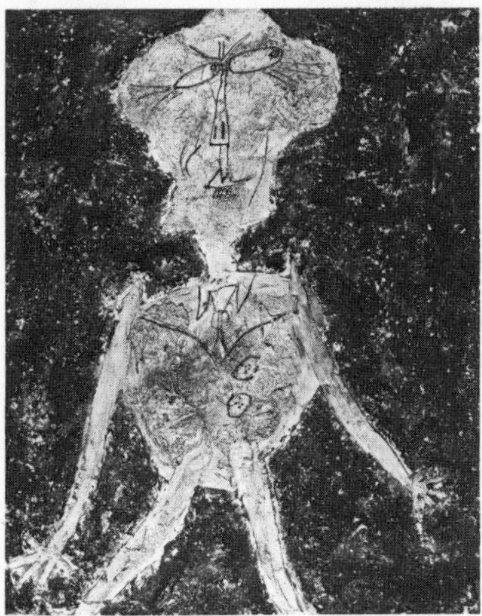

309 Monsieur Plume pièce botanique (Portrait d'Henri Michaux). 1946
(Herr Plume, botanisches Stück. Porträt Henri Michaux)
Mischtechnik auf Holz. 109,2 × 88,3 cm
Buffalo/N.Y., Albright Knox Art Gallery, Gift of The Charles E. Merrill Trust and Elisabeth H. Gates Fund, 1967

308 Limbour façon fiente de poulet. 1946
(Limbour in Form von Hühnermist)
Öl auf Isorel. 110 × 87,5 cm
Privatbesitz

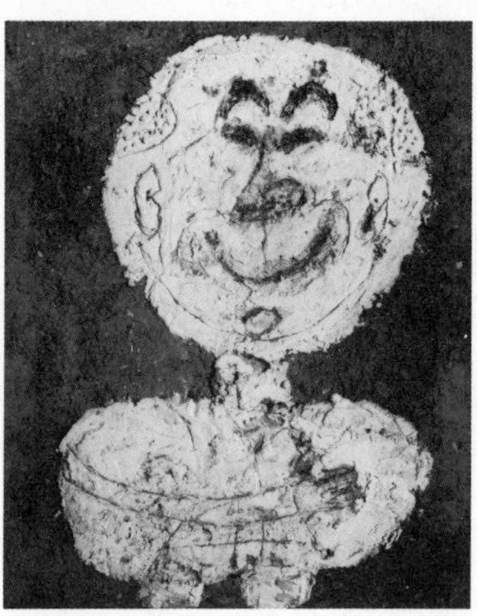

310 Francis Ponge Jubilation. 1947
(Francis Ponge, Frohlocken)
Mischtechnik auf Masonit. 108,5 × 85,7 cm
New York, Robert Elkon Gallery

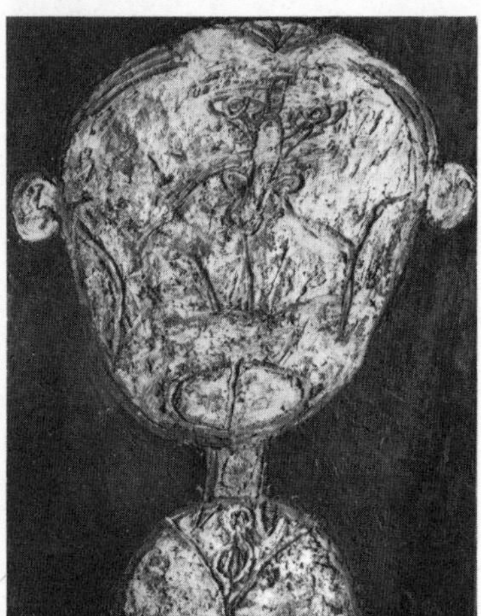

311 Bertelé écrevisse au sinus. 1946
(Bertelé mit Krebs auf der Nase)
Mischtechnik. 92 × 73 cm
Zürich, Kunsthaus

312 Dhotel velu aux dents jaunes. 1947
(Der zottige Dhotel mit gelben Zähnen)
Öl auf Leinwand. 116 × 89 cm
Chicago, The Morton G. Neumann Family Collection

313 Henri Calet costume rouge. 1947
(Henri Calet im roten Kostüm)
Öl auf Leinwand. 116 × 89 cm
Winnetka/Il., Mr. & Mrs. Paul Gotskind

314 Antonin Artaud aux houppes. 1947
(Antonin Artaud mit Haarbüscheln)
Öl auf Leinwand. 130 × 97 cm
Chicago, The Morton G. Neumann Family Collection
(Vgl. Abb. Seite 155)

315 Pierre Matisse portrait obscur. 1947
(Düsteres Porträt von Pierre Matisse)
Öl auf Leinwand. 130 × 97 cm
Privatbesitz

Antonin Artaud

Geb. 1896 in Marseille, Frankreich. Seit 1915 starke Neuralgien und psychische Störungen. Schreibt und zeichnet seit 1919. Läßt sich 1920 in Paris nieder. Spielt von 1922–35 als Filmschauspieler in 20 Filmen. 1924 Leiter der ›Centrale Surréaliste‹. 1936 Reise nach Südamerika, Aufenthalt bei den Tarahuamaras-Indianern. 1938 Reise nach Irland, verfällt zeitweise in religiösen Wahn. Sein Gesundheitszustand verschlechtert sich. 1942 Einweisung in die Anstalt von Rodez. Schreibt und zeichnet kontinuierlich. 1946 wird er auf Drängen zahlreicher französischer Künstler entlassen. Bald danach erneuter Ausbruch des Leidens. – 1948 in Ivry-sur-Seine gestorben.

317 Autoportrait. 1947
Bleistiftzeichnung. 55 × 45 cm
Brüssel, Privatbesitz

Henri Michaux

Geb. 24. Mai 1899 in Namur, Belgien. 1918–21 nach kurzem Medizinstudium bei der Handelsmarine. 1922 beginnt er seine Schriftstellertätigkeit nach der Lektüre des Werks von Lautréamont. 1924 Übersiedlung nach Paris. 1925 Beginn der Malerei unter dem Eindruck von Bildern Paul Klees, Max Ernsts und Giorgio de Chiricos. 1927–37 zahlreiche ausgedehnte Reisen u. a. nach Asien, Mittel- und Südamerika. 1940–45 Aufenthalt in Le Lavandou, Südfrankreich. Die Tuschen und Aquarelle der Jahre 1948–49 malt Michaux nach dem plötzlichen Tod seiner Frau. 1956 Malerei unter dem Einfluß von Meskalin. Publiziert seine Drogenerfahrungen in dem Buch ›Turbulenz im Unendlichen‹, 1957 (deutsch 1961). – Lebt in Paris.

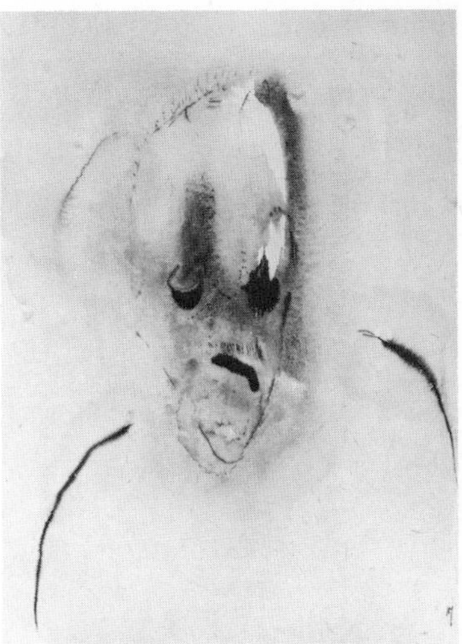

318 Visage. Um 1946
(Gesicht)
Feder und Tusche auf aquarelliertem Grund. 32 × 24 cm
Privatbesitz

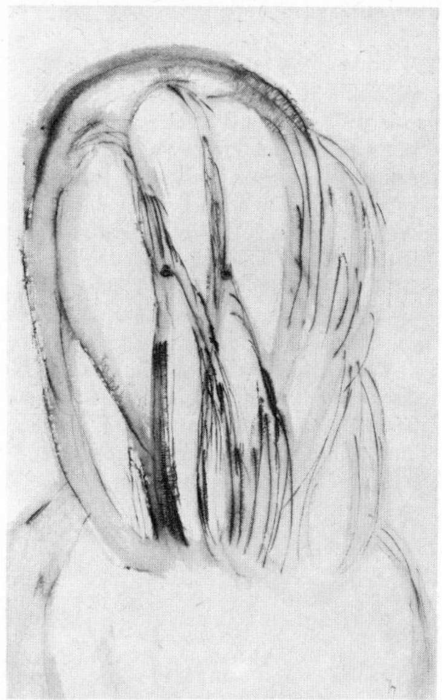

319 Sans titre. 1946–48
(Ohne Titel)
Aquarell und Tusche. 50 × 32 cm
Privatbesitz

321 Sans titre. Um 1948
(Ohne Titel)
Aquarell und Tusche. 65 × 50 cm
Privatbesitz

320 Sans titre. 1947
(Ohne Titel)
Aquarell. 56 × 36,5 cm
Paris, Privatbesitz

322 Visage. Um 1948/49
(Gesicht)
Feder und Aquarell. 31,5 × 23,5 cm
Privatbesitz

Alberto Giacometti

Geb. 10. Oktober 1901 in Borgonovo, Graubünden, Schweiz. 1906 Übersiedlung nach Stampa. 1919–20 Studium in Genf, 1920–21 in Venedig, Florenz und Rom. 1922 Übersiedlung nach Paris. Wohnt im Atelier von Alexander Archipenko. Studium an der Académie de la Grande Chaumière bei Antoine Bourdelle. 1927 lernt er Henri Laurens kennen. 1930 Ausstellung ›Miró – Arp – Giacometti‹ in der Galerie Pierre Loeb, Paris, die besonders bei den Surrealisten große Beachtung findet. Bis 1936 Mitglied der Surrealisten-Gruppe. 1940 Begegnung und Freundschaft mit Simone de Beauvoir und Jean-Paul Sartre. 1942–45 in Genf. 1946 Rückkehr nach Paris. 1951 Freundschaft mit Samuel Beckett. 1962 Großer Preis für Skulptur der Biennale Venedig. Giacomettis plastische Arbeiten sind in ihrer esoterischen Fragilität Ausdruck des Geistigen. Die stehenden Figuren erheben sich, immer schlanker werdend, in stabdünner Vertikalität. – 11. Januar 1966 in Chur gestorben.

323 Le nez. 1947
(Die Nase)
Bronze. 38 × 7,5 × 66 cm
Köln, Museum Ludwig, Sammlung Ludwig
(Vgl. Abb. Seite 143)

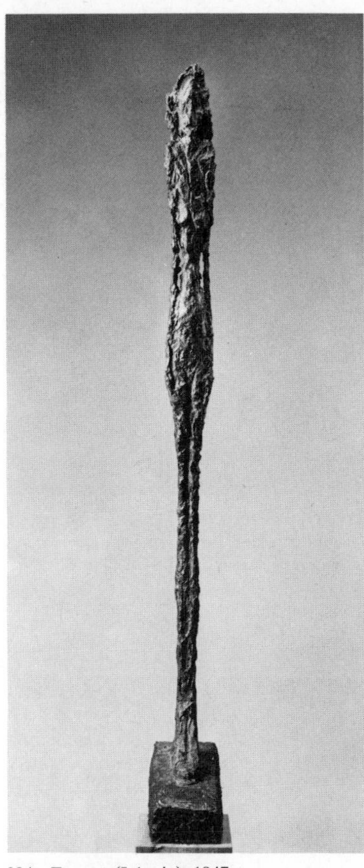

324 Femme (Léonie). 1947
Bronze. Höhe 153 cm
Basel, Franz Meyer

325 La clairière. 1950
(Die Lichtung)
Bronze. 56 × 58,5 × 48,5 cm
Saint-Paul de Vence/Frankreich, Fondation Maeght

326 Place. 1950
(Platz)
Bronze, bemalt. 56,2 × 56 × 42,5 cm
Köln, Museum Ludwig, Sammlung Ludwig

328 Peinture. 1946/47 ▷
Öl auf Leinwand. 80 × 80 cm
Berlin, Staatliche Museen Preußischer Kulturbesitz, Nationalgalerie

Wols (Wolfgang Schulze)

Geb. 27. Mai 1913 in Berlin. Ab 1919 in Dresden, reges Interesse an Musik, lernt Geige spielen. Nach verschiedenen Ausbildungsversuchen 1932 in Berlin, anschließend Reise nach Paris. 1933 Niederlassung in Paris, Reise nach Ibiza. Kontakte zum Kreis der Surrealisten. Als Fotograf tätig. Beginnt um 1938 mit der Malerei. 1939 Internierung als feindlicher Ausländer, u. a. im Lager ›Les Milles‹ bei Aix-en-Provence, 1940 Entlassung, von da an beginnt Wols zu trinken. Seit 1942 intensive malerische Tätigkeit. Die Fotografie tritt in den Hintergrund. Enge Kontakte zu Jean-Paul Sartre und dessen Kreis. Vor dem Hintergrund des Existentialismus malt Wols Aquarelle und Bilder, die der Angst und gleichzeitig dem Bedürfnis nach Poesie Ausdruck geben. Die ersten Ausstellungen dieser Arbeiten 1945 und 1947 in Paris initiieren den Tachismus und beeinflussen nachhaltig die abstrakte Malerei in Europa. – 1. September 1951 in Paris gestorben.

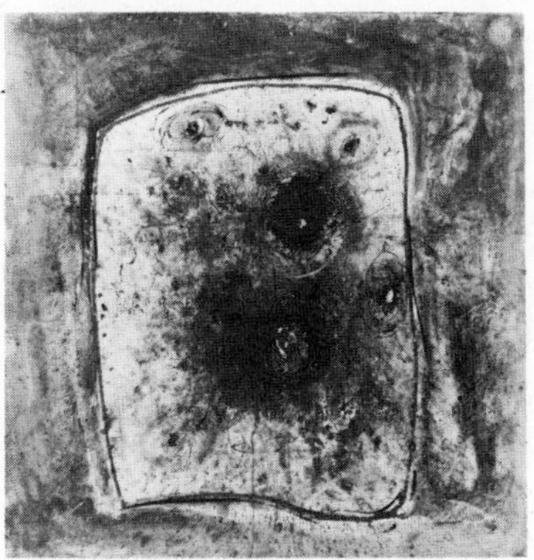

327 Peinture. 1944/45
Öl auf Leinwand. 81 × 81,1 cm
New York, The Museum of Modern Art, Gift of D. and J. de Menil

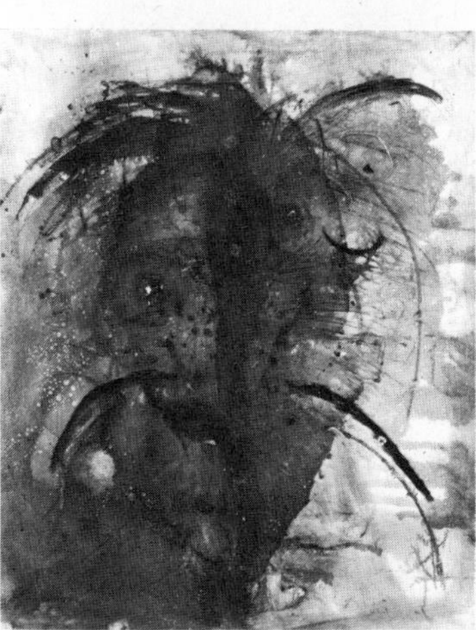

329 Le magicien bleu. 1946/47
(Der blaue Zauberer)
Öl auf Leinwand. 81 × 65 cm
Schweiz, Privatbesitz

330 Composition. 1946/47
Öl/Leinwand. 53,8 × 65 cm
München, Bayerische Staatsgemäldesammlungen, Neue Pinakothek

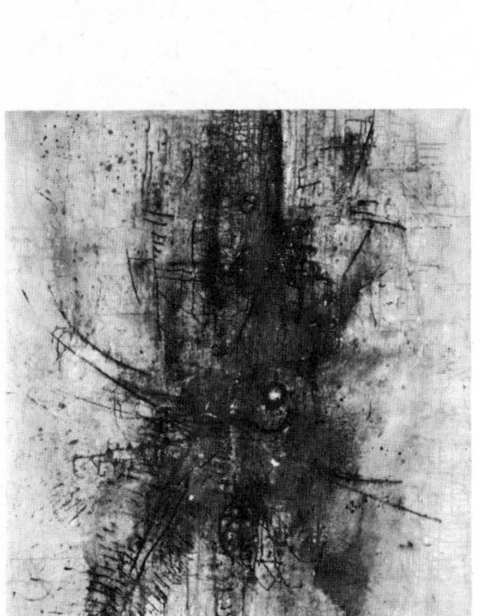

331 Composition (Rose). 1946/47
Öl auf Leinwand. 162 × 130 cm
Stuttgart, Staatsgalerie
(Vgl. Abb. Seite 149)

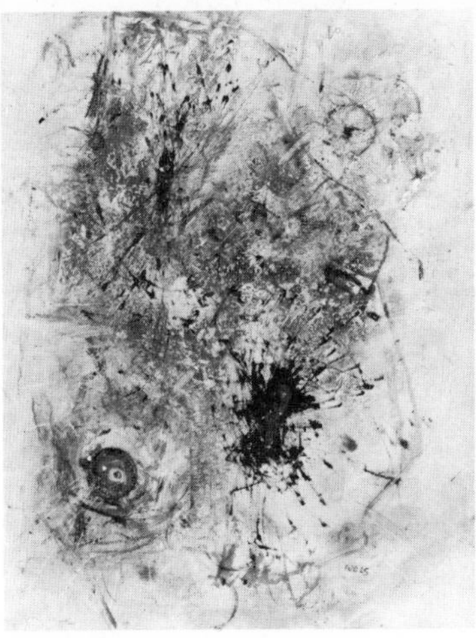

332 Eclatement. 1946/47
(Zerplatzen)
Öl auf Leinwand. 92 × 73 cm.
Paris, Collection Philippe et Denyse Durand-Ruel

334 Ohne Titel. 1946/47
Öl auf Leinwand. 145 × 113,5 cm
St. Georgen, Sammlung D. Gräßlin

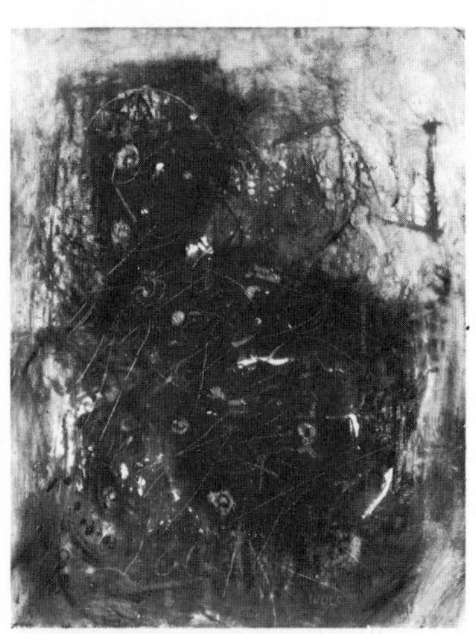

333 Oui, Oui, Oui. 1946/47
(Ja, ja, ja)
Öl auf Leinwand. 80,6 × 64,2 cm
USA, Privatbesitz
(Vgl. Abb. Seite 146)

335 Ohne Titel. 1946/47
Öl auf Leinwand. 81 × 65 cm
Privatsammlung
(Vgl. Abb. Seite 147)

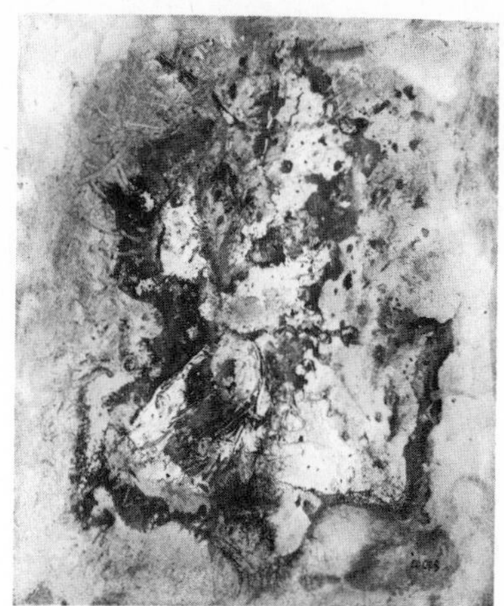

336 Ohne Titel. 1947
Öl auf Papier über Leinwand. 18,5 × 16 cm
New York, Marion Lefebre Burge
(Vgl. Abb. Seite 148)

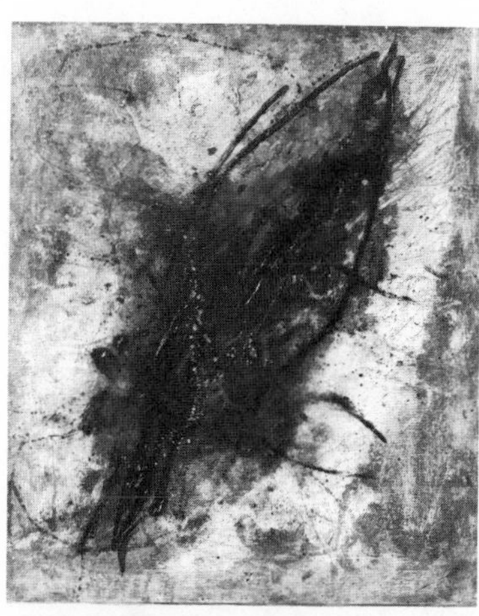

337 L'aile de papillon. 1947
(Schmetterlingsflügel)
Öl auf Leinwand. 55 × 46 cm
Paris, Musée National d'Art Moderne, Centre Georges Pompidou, Don René de Montaigu avec réserve d'usufruit 1979

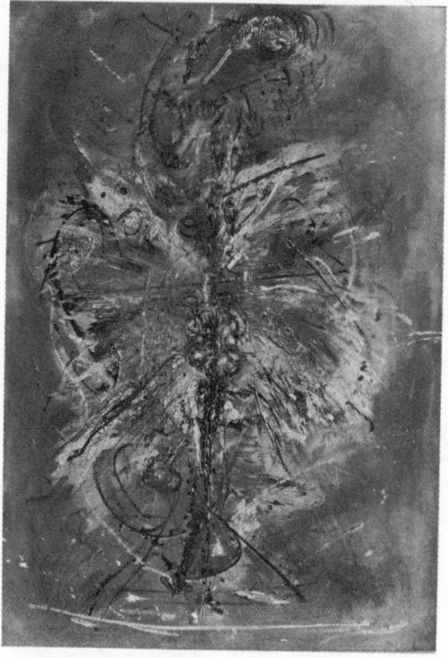

338 Oiseau. 1949
(Vogel)
Öl auf Leinwand. 92,1 × 65,1 cm
USA, Privatbesitz

339 Le bateau rose. 1949
(Das rosa Schiff)
Öl auf Leinwand. 38 × 46 cm
Privatbesitz
(Vgl. Abb. Seite 151)

◁ 340 La tapisserie. 1949
(Wandteppich)
Öl auf Leinwand. 46 × 54 cm
Köln, Museum Ludwig, Stiftung Ludwig

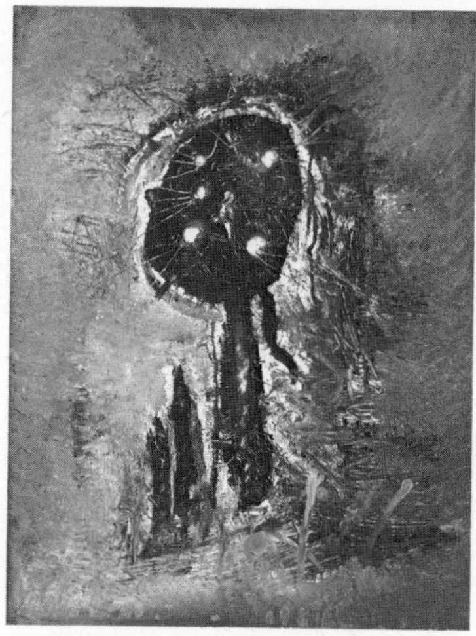

341 Das blaue Phantom. 1951
Öl auf Leinwand. 73 × 60 cm
Köln, Museum Ludwig

342 Composition Champigny. Um 1951
Öl auf Leinwand. 68 × 57 cm
Privatbesitz

Francis Picabia

Geb. 22. Januar 1879 in Paris. 1894 Studium im Atelier Cormons und an der Ecole des Arts Décoratifs. Trifft Camille Pissarro und malt 1898–1909 impressionistisch. 1911 regelmäßige Treffen mit Jacques Villon, Marcel Duchamp, Fernand Léger, Albert Gleizes u. a. 1913 Besuch der ›Armory Show‹ in New York. Lernt Alfred Stieglitz und dessen Galerie ›291‹ kennen. 1914 während des Militärdienstes in New York, wo er 1915 Marcel Duchamp wiedertrifft. Herausgeber der Zeitschrift ›391‹ (bis 1924). 1918 erster Kontakt zu Dada Zürich. Seit 1920 Dada Paris – u. a. mit André Breton, Louis Aragon, Paul Eluard, Philippe Soupault und Tristan Tzara. 1921 Trennung von den Pariser Dadaisten. 1924 entsteht in Zusammenarbeit mit René Clair der Film ›Entr'acte‹. 1925 Übersiedlung nach Mougins, Alpes Maritimes. 1931–39 lebt er auf einem Schiff bei Cannes. 1939–45 im Golfe Juan. 1945 Rückkehr nach Paris, wo er flächige, von Farbfeldern bestimmte abstrakte Bilder malt, in denen sich symbolische Formen und Anspielungen auf sein frühes Werk finden. 1947 Teilnahme an der Ausstellung ›Le Surréalisme en 1947‹. – 30. November 1953 in Paris gestorben.

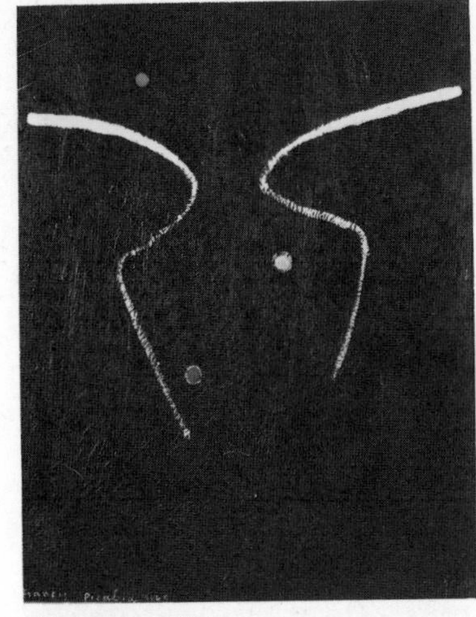

345 Le vent. 1949
(Der Wind)
Öl auf Leinwand. 92 × 73 cm
Paris, Mme Olga Picabia

349 Points. 1949
(Punkte)
Öl auf Holz. 47,5 × 36,5 cm
Privatbesitz

348 Outremer. 1949
(Jenseits des Meeres)
Öl auf Leinwand. 34,8 × 23,8 cm
Privatbesitz

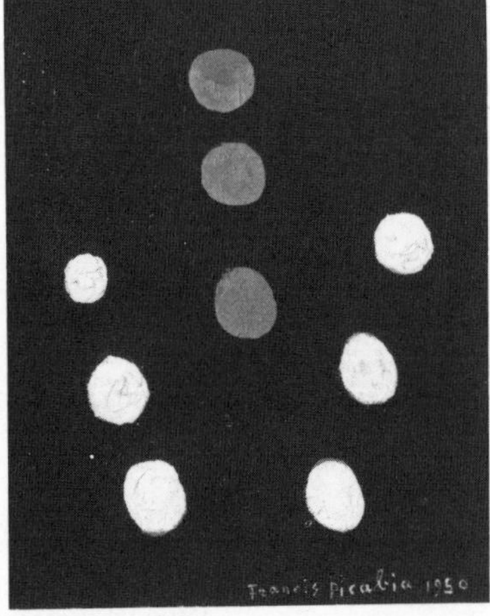

350 Points. 1950
(Punkte)
Öl auf Leinwand. 60,5 × 50 cm
Privatbesitz

343 Six points. 1949
(Sechs Punkte)
Öl auf Karton. 55 × 46 cm
Hamburg, Galerie Neuendorf
(Siehe Abb. Seite 139)

344 Le ciel. 1949
(Der Himmel)
Öl auf Leinwand. 75 × 64 cm
Turin, Collezione Ezio Gribaudo
(Siehe Abb. Seite 139)

346 Le noir des noirs. 1949
(Das schwärzeste Schwarz)
Öl auf Leinwand. 64,5 × 54 cm
Privatbesitz
(Nicht abgebildet)

347 Silence. 1949
(Schweigen)
Öl auf Leinwand. 55 × 46 cm
Privatbesitz
(Siehe Abb. Seite 140)

René Magritte

Geb. 21. November 1898 in Lessines, Belgien. 1912 Selbstmord der Mutter. 1913 Übersiedlung nach Charleroi. 1916–18 Studium an der Académie des Beaux-Arts, Brüssel. 1924 enge Verbindung zu den belgischen Surrealisten. 1927 Übersiedlung nach Peireux-sur-Marne. Anschluß an die Pariser Surrealisten. 1929 Ferien mit Luis Buñuel, Camille Gremans und Paul Eluard bei Salvador Dali in Cadàquès. 1930 Rückkehr nach Brüssel. 1937 erste Ausstellung in den USA in der Julien Levy Gallery, New York. 1940 Flucht aus Belgien beim Einmarsch der deutschen Truppen nach Carcassonne, Frankreich. 1943 wieder in Brüssel. 1945 nach der Befreiung Versuch, mit der Kommunistischen Partei zusammenzuarbeiten. Magritte führt in seinen Bildern Situationen, Zustände und Momente der realen Welt und banale Dinge des Alltags vor, in denen sich voneinander Entferntes und Isoliertes surrealistisch zusammenfügt zu einer neuen, oft befremdenen phantastischen Bildwelt. Seine fauvistische Periode, die ›époque vache‹ (1947/48), wie er sie selber nennt, ist nur ein kurzes Zwischenspiel. – 15. April 1967 in Brüssel gestorben.

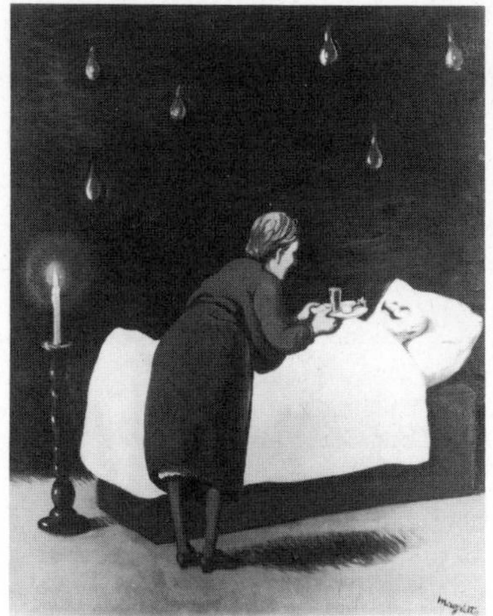

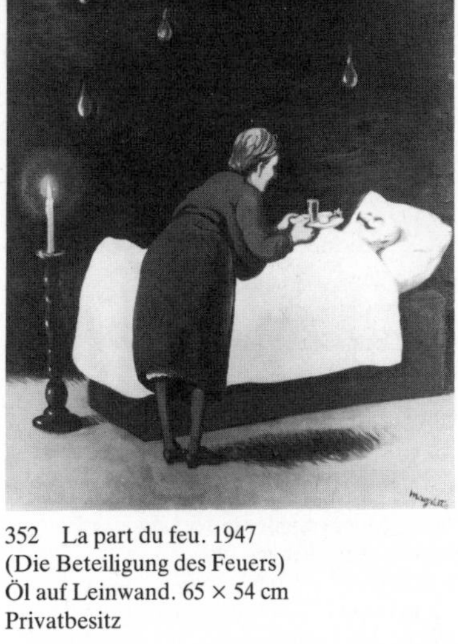

352 La part du feu. 1947
(Die Beteiligung des Feuers)
Öl auf Leinwand. 65 × 54 cm
Privatbesitz

354 Le psychologue. 1947
(Der Psychologe)
Öl auf Leinwand. 65 × 54 cm
Brüssel, Privatbesitz

355 Le mal de mer. 1947
(Seekrankheit)
Öl auf Leinwand. 54 × 66 cm
Brüssel, Privatbesitz
(Vgl. Abb. Seite 161)

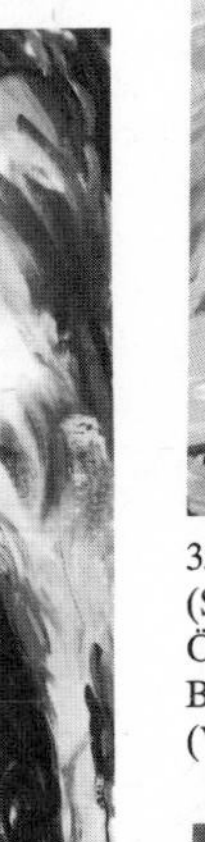

353 L'estropiat. 1947
(Der Krüppel)
Öl auf Leinwand. 60 × 50 cm
Brüssel, Galerie Isy Brachot

351 Le contenu pictural. 1947
(Der Inhalt der Bilder)
Öl auf Leinwand. 81 × 59 cm
Privatbesitz
(Vgl. Abb. Seite 162)

356 L'étape. 1948 ▷
(Die Etappe)
Öl auf Leinwand. 54 × 46 cm
Brüssel, Privatbesitz

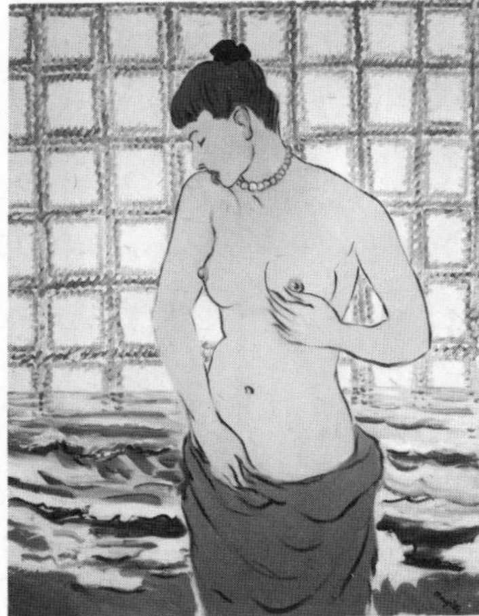

357 Le galet. 1948
(Der Kiesel)
Öl auf Leinwand. 100 × 81 cm
Privatbesitz

358 Lola de Valence. 1948
Öl auf Leinwand. 98 × 60 cm
Privatbesitz

359 L'ellipse. 1948
(Die Ellipse)
Öl auf Leinwand. 50 × 75 cm
Privatbesitz
(Vgl. Abb. Seite 163)

360 Umschlagentwürfe der Gruppe **COBRA** für die Monographien in der Serie »Artistes Libres«. Kopenhagen 1950
Format je 17 × 13 cm
Turin, Musei Civici, Galleria d'arte moderna
(Nicht abgebildet)

Pierre Alechinsky
Tusche und Aquarell auf Papier

Karel Appel
Tusche, Tempera, Bleistift auf Papier

Jean Michel Atlan
Pastell und Kohle auf Papier

Ejler Bille
Kohle und farbige Kreide auf Papier

Constant
Tusche und Aquarell auf Papier

Corneille
Tusche und Aquarell auf Papier

Jacques Doucet
Tusche und Tempera auf Papier

Stephen Gilbert
Tusche und Gouache auf Papier

Svavar Gudnason
Pastell und Kohle auf Papier

Henry Heerup
Tempera und Tusche auf Papier

Egill Jacobsen
Aquarell auf Papier

Asger Jorn
Tusche und Tempera auf Papier

Carl-Henning Pedersen
Pastellfarben, Bleistift und Wachsfarben auf Papier

Karel Appel

Geb. 25. April 1925 in Amsterdam. 1940–43 Studium an der Rijksakademie, Amsterdam. 1946 Begegnung mit Corneille. 1948 Mitbegründer der holländischen Avantgarde-Gruppe ›Reflex‹, aus der im selben Jahr die Gruppe COBRA hervorgeht. Entwicklung einer expressiven phantastischen Bildwelt aus dem surrealistischen Automatismus, wobei die Sujets vorwiegend nordisch-mythische Fabelwesen, Masken und Fetische sind. 1950 Übersiedlung nach Paris. 1951 Auflösung von COBRA, Beteiligung an der Ausstellung ›Un Art autre‹ von Michel Tapié, Paris. – Lebt in New York.

361 Vragende kinderen. 1949
(Fragende Kinder)
Öl auf Holzrelief. 87 × 60 cm
Den Haag, Galerie Nova Spectra

362 Tyr. 1949
(Stier)
Öl auf Leinwand. 40 × 50 cm
Aalborg, Nordjyllands Kunstmuseum

Constant (Constant Nieuwenhuys)

Geb. 21. Juli 1920 in Amsterdam. 1940–42 Studium an der Rijksakademie, Amsterdam. 1946 Begegnung mit Asger Jorn in Paris, Mitarbeit an der Zeitschrift ›Reflex‹. 1948 Mitbegründer der Gruppe COBRA. Unter dem Einfluß von COBRA Hinwendung zu einer psychographischen Figuration, die sich in der Serie ›La Guerre‹ vor dem Hintergrund dämonischer Gewalten mit dem Phantom elementarer Angst beschäftigt. Seit 1952 intensive Beschäftigung mit Architekturproblemen. 1953 erste plastische Konstruktionen. 1956 Modellentwurf der utopischen Stadt ›New Babylon‹. – Lebt in Amsterdam.

365 A nous la liberté. 1949
(Für uns die Freiheit)
Öl auf Leinwand. 139 × 106 cm
München, Galerie van de Loo
(Vgl. Abb. Seite 164)

363 Vragende kinderen. 1949
(Fragende Kinder)
Öl auf Leinwand. 100 × 60 cm
Amsterdam, Stedelijk Museum
(Vgl. Abb. Seite 168)

364 Satyr. 1948
Öl auf Leinwand. 97 × 65 cm
Silkeborg, Kunstmuseum,
Donation Asger Jorn

366 L'animal sorcier. 1949
(Das Zaubertier)
Öl auf Leinwand. 190 × 120 cm
Paris, Collection Fonds National d'Art Contemporain

367 8 fois la Guerre. 1950
(8 mal Der Krieg)
Mappe mit 8 Lithografien.
Je 41,5 × 29 cm
Amsterdam, Stedelijk Museum
(Nicht abgebildet)

368 Verschroeide aarde. 1951
(Verbrannte Erde)
Öl auf Leinwand. 118,5 × 73,5 cm
Schiedam, Stedelijk Museum

369 Verschroeide aarde II. 1951
(Verbrannte Erde II.)
Öl auf Leinwand. 100 × 70 cm
Amsterdam, Stedelijk Museum
(Vgl. Abb. Seite 164)

Henry Heerup

Geb. 1907 in Frederiksberg, Dänemark. 1927–32 Studium an der Kunstakademie Kopenhagen. 1934 Kontakte zur Gruppe ›Linien‹, zur Zeitschrift ›Helhesten‹ und Mitglied der Ausstellungsvereinigung ›Höst‹, die auf Anregung von Asger Jorn 1948 fast geschlossen der Gruppe ›COBRA‹ beitritt. – Lebt in Kopenhagen.

370 Vagthund. 1949
(Wachhund)
Ulmenholz. Höhe 165 cm
Otterlo, Rijksmuseum Kröller-Müller

Asger Jorn
(Biografie siehe Seite 424)

371 Personnage. 1945
(Gestalt)
Öl auf Leinwand. 69,7 × 50,5 cm
München, Otto van de Loo
(Vgl. Abb. Seite 168)

372 The face of the earth. 1948
(Das Antlitz der Erde)
Öl auf Leinwand. 74 × 59 cm
Privatbesitz

Carl-Henning Pedersen

Geb. 1913 in Kopenhagen. 1933 Beginn der Malerei. 1937 Begegnung mit Egill Jacobsen. 1939 Aufenthalt in Paris. Ab 1940 Zugehörigkeit zum Kreis um die Zeitschrift ›Helhesten‹. 1948 Gründungsmitglied der Gruppe COBRA. – Lebt bei Paris.

373 Skyguder. 1943
(Himmelsgötter)
Öl auf Leinwand. 127 × 127 cm
Herning/Dänemark, Carl-Henning Pedersen og Else Alfelts Museum

374 Manebillede. 1948
(Mondlandschaft)
Öl auf Leinwand. 101,5 × 120,5 cm
Herning/Dänemark, Carl-Henning Pedersen og Else Alfelts Museum

Willi Baumeister

Geb. 22. Januar 1889 in Stuttgart. 1905–07 Lehre als Dekorationsmaler. 1906 Freundschaft mit Meyer-Amden und Oskar Schlemmer und Studium an der Akademie Stuttgart als Schüler von Adolf Hoelzel. 1912 erste, 1914 zweite Reise nach Paris mit Oskar Schlemmer und Erlebnis Cézannes. 1914 erste konstruktivistische Mauerbilder. 1914–18 Kriegsdienst. 1924 Begegnung mit Ozenfant, Le Corbusier und Léger. 1928–33 Lehrtätigkeit für Typographie an der Städelschen Kunstschule, Frankfurt a. M. 1933 als ›entartet‹ entlassen. Zusammen mit Oskar Schlemmer bis Kriegsende Arbeit für die Lackfabrik Dr. Kurt Herberts, Wuppertal. 1941 Ausstellungsverbot. 1943 Arbeit an der Schrift ›Das Unbekannte in der Kunst‹, die 1947 publiziert wird. 1946 Berufung an die Kunstakademie Stuttgart. 1948 als erster Deutscher im ›Salon des Réalités Nouvelles‹ ausgestellt. Baumeister läßt sich in seinen Bildern inspirieren von alten mythischen Zeichen, von ethnographischen und vorgeschichtlichen Einflüssen und wendet diese Anregungen auf dem Gebiet der Abstraktion an. – 31. August 1955 in Stuttgart gestorben.

375 Siduri. 1942
Öl auf Karton. 45 × 53 cm
Stuttgart, Archiv Baumeister

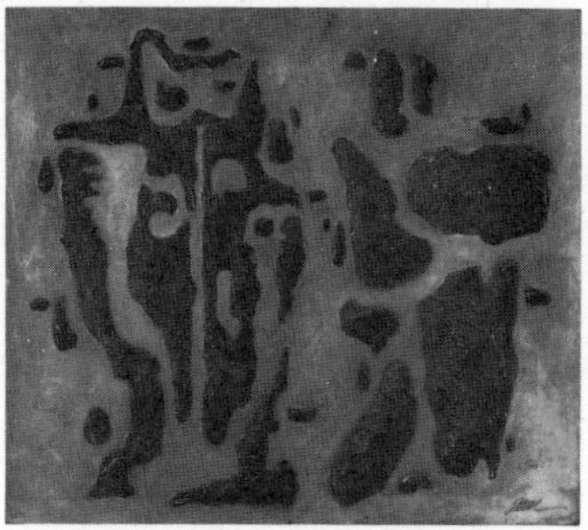

377 Gilgamesch und Enkidu II. 1943
Öl und Spachtelkitt auf Karton. 45 × 53 cm
Stuttgart, Archiv Baumeister

378 Braunes Bild. 1943
Öl auf Karton. 54 × 65 cm
Stuttgart, Archiv Baumeister

379 Aztekenpaar. 1948
Öl auf Karton. 81 × 100 cm
Stuttgart, Archiv Baumeister

◁ 376 Graues Reliefbild. 1942
Öl und Spachtelkitt auf Karton. 40 × 50 cm
Stuttgart, Archiv Baumeister
(Vgl. Abb. Seite 76)

Werner Heldt

Geb. 17. November 1904 in Berlin. 1923–24 Studium an der Kunstgewerbeschule, 1924–30 an der Akademie Berlin. 1930 in Paris. 1933–36 in Mallorca. 1936 mit Beginn des spanischen Bürgerkrieges Rückkehr nach Berlin. Freundschaft mit Werner Gilles. 1940–45 Kriegsdienst, danach britische Gefangenschaft. Ab 1946 wieder in Berlin. In seinen Berlin-Bildern und -Zeichnungen ab 1947 wird für Heldt die geometrisch vereinfachte Form und die ruhige Flächigkeit wichtiger als das gegenständliche Detail. Die alptraumhaft bedrückte Atmosphäre seiner Heimatstadt in und nach dem Krieg wandelt sich in verhaltene Melancholie. – 3. Oktober 1954 in Sant'Angelo, Ischia, gestorben.

380 Stilleben auf dem Balkon. 1951
Öl auf Leinwand. 57 × 71 cm
Köln, Museum Ludwig

381 Berlin. 1949
Mappe mit 6 einfarbigen Lithografien.
Je 30 × 41,7 cm.
Wolfsburg, Städtische Galerie
(Nicht abgebildet)

Ernst Wilhelm Nay

Geb. 11. Juni 1902 in Berlin. 1925–28 Studium an der Kunstakademie Berlin bei Carl Hofer. 1938 Aufenthalt in Paris. 1931–32 Rompreis, Aufenthalt in Rom. 1937 Ausstellungsverbot. 1936–37 Aufenthalt in Norwegen in der Nachbarschaft von Edvard Munch. 1939–45 Kriegsdienst als Kartenzeichner in Frankreich. 1945 Übersiedlung nach Hofheim (Taunus), 1951 nach Köln. 1953 Lehrtätigkeit an der Landeskunstschule Hamburg. 1955 Publikation der Schrift ›vom Gestaltwert der Farbe‹. Seit 1956 zahlreiche Aufenthalte in Frankreich, England, Italien, Griechenland und USA. Nay formt aus der Farbe das Bild, indem er in Komplementärakkorden und chromatischen Rhythmen dicht gesetzte, leuchtende Farbflekken und z. T. arabeske Farbformen ineinanderfügt. – 8. April 1968 in Köln gestorben.

382 Die Jakobsleiter. 1946
Öl auf Leinwand. 96 × 81 cm
Köln, Museum Ludwig,
Stiftung Günther und Carola Peill
(Vgl. Abb. Seite 182)

383 Verkündigung. 1946
Öl auf Leinwand. 80 × 100 cm
Privatbesitz

Hans Hartung

Geb. 21. September 1904 in Leipzig. Beginnt bereits 1922 abstrakt zu malen. 1924–28 Studium an den Kunstakademien Leipzig, Dresden und München. 1927–31 häufige Besuche in Frankreich, läßt sich 1935 in Paris nieder. Freundschaft mit Jean Hélion, Begegnung u. a. mit Kandinsky und Mondrian. 1937 Einfluß der Skulpturen von Julio Gonzalez. Erfinder und wichtigster Anreger der abstrakten psychographischen Malerei der ausgehenden dreißiger Jahre. 1939 und erneut ab 1943 in der Fremdenlegion. 1944 schwere Verletzung und Beinamputation. 1945 Rückkehr nach Paris. 1960 Großer Preis der Biennale Venedig. – Lebt in Antibes, Südfrankreich.

384 Ohne Titel. 1938
Bleistift. 49 × 43 cm
Besitz des Künstlers

387 Ohne Titel. 1939 ▷
Bleistift, Pastell. 49 × 43 cm
Besitz des Künstlers

385 Ohne Titel. 1939
Bleistift, Pastell. 49 × 43 cm
Besitz des Künstlers

388 Ohne Titel. 1946
Bleistift. 57,8 × 44,5 cm
Besitz des Künstlers

◁ 386 Ohne Titel. 1939
Bleistift, Pastell. 49 × 43 cm
Besitz des Künstlers

389 T 1946–15. 1946
Pastell auf geteertem Papier. 114 × 56 cm
Besitz des Künstlers

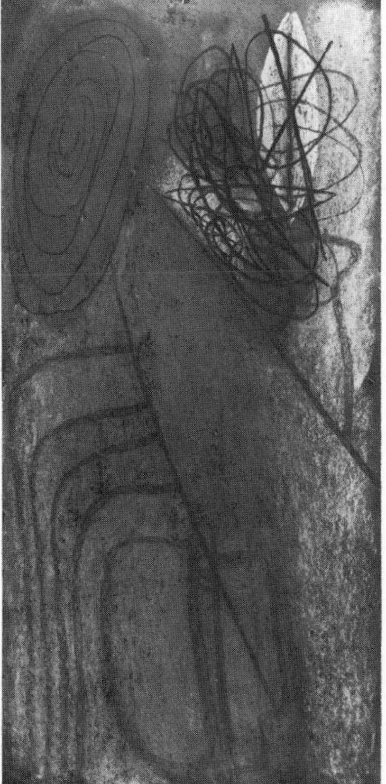

389

390 P 1947–20. 1947
Pastell. 48,5 × 64,8 cm
Besitz des Künstlers

391 PAS-59. 1948
Pastell. 48,3 × 73 cm
Besitz des Künstlers
(Vgl. Abb. Seite 159)

392 T 1948–1. 1948
Lackfarbe und Pastell auf gewelltem Papier.
58 × 88,5 cm
Besitz des Künstlers

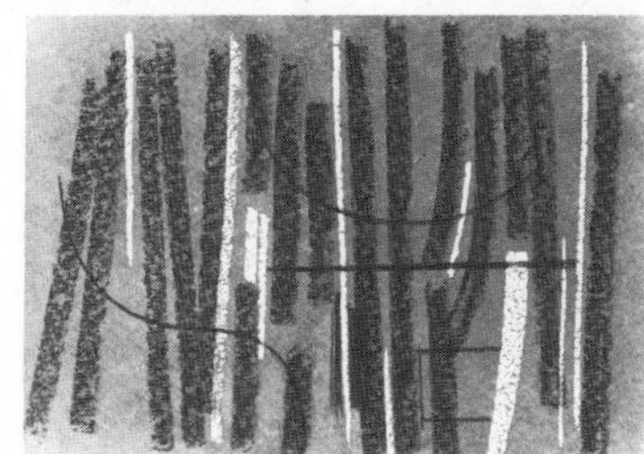

393 P 1948. 1948
Pastell. 48,5 × 73 cm
Besitz des Künstlers

Lucio Fontana

Geb. 19. Februar 1899 in Rosario di Santa Fé, Argentinien als Sohn italienischer Eltern. 1905 Übersiedlung nach Mailand. 1914–15 Studium am Istituto Tecnico Carlo Cattaneo, Mailand. 1922–28 Studium der Bildhauerei im väterlichen Atelier, Buenos Aires, 1928–30 an der Accademia di Brera, Mailand. 1934 Mitglied von ›abstraction-création‹, Paris. Keramische Arbeiten und Entwürfe für die Porzellan-Manufaktur von Sèvres. 1937 enge Kontakte u. a. zu Joan Miró und Constantin Brancusi. 1940–47 Aufenthalt in Buenos Aires, dort 1946 Publikation des ›Manifesto Blanco‹. 1947 Rückkehr nach Mailand und Beginn des ›Spazialismo‹. 1948 ›Primo Manifesto Spaziale‹ (1951 revidierte Fassung). 1949 Papier- und Stoffperforationen. 1949 Environments. Ab 1958 geschlitzte Leinwände. Ab 1959 aufgesprengte kugelförmige Keramiken und Metallplastiken. Fontana versucht in seinen monochromen, durchlöcherten und aufgeschlitzten Leinwänden und in den aufgesprengten Keramiken und Stahlkugeln die Leere als positives räumliches Element zur Darstellung zu bringen. Seine Ideen erfahren zu Beginn der sechziger Jahre bei einer jüngeren Künstlergeneration in Europa eine starke Rezeption. – 7. September 1968 in Comabbio, Varese, Italien, gestorben.

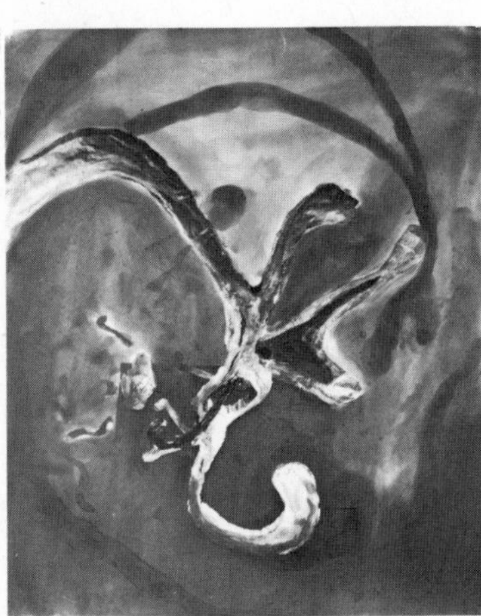

394 Ambiente nero 48–49 A 3. 1948/49
(Schwarze Umgebung)
Gouache auf Papier. 21 × 17,5 cm
Mailand, Collezione Teresita Fontana

395 49 Sc6. 1949
Mehrfarbige Keramik. 60 × 60 × 60 cm
Köln, Galerie Karsten Greve

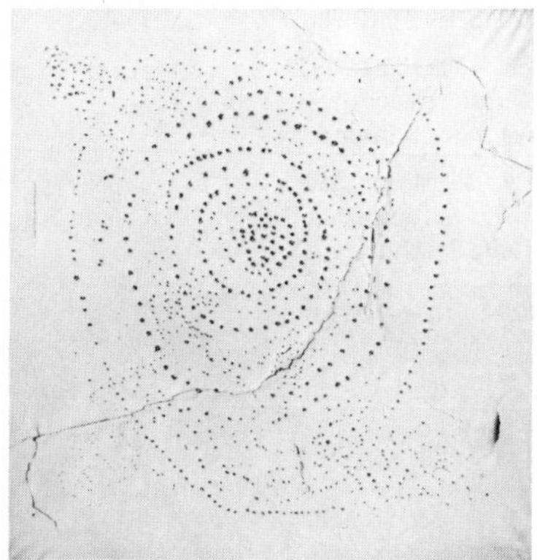

396 Concetto spaziale 49 B 1. 1949
(Raumkonzept)
Papier auf Leinwand, durchlöchert.
100 × 100 cm
Mailand, Collezione Teresita Fontana

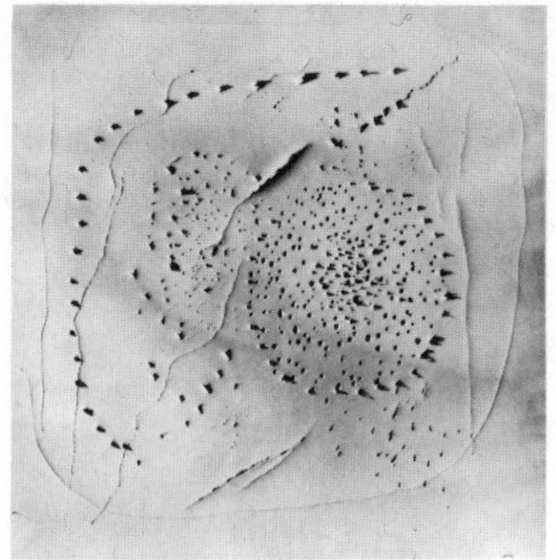

397 Concetto spaziale 49 B 2. 1949
(Raumkonzept)
Papier auf Leinwand, durchlöchert.
100 × 100 cm
Mailand, Collezione Teresita Fontana

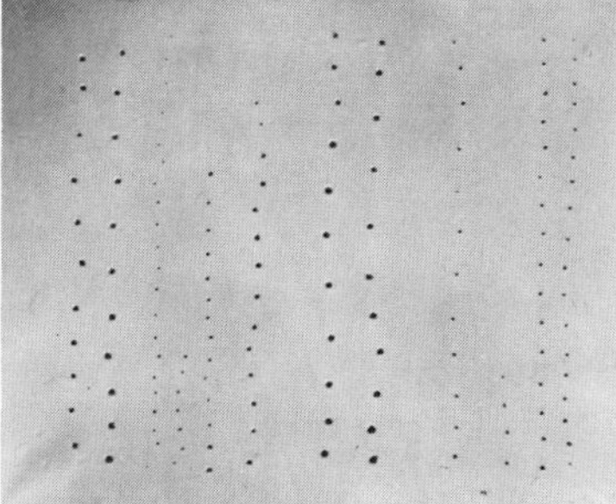

398 Concetto spaziale 49–50 B 3. 1949/50
(Raumkonzept)
Öl auf Leinwand, durchlöchert. 60 × 75 cm
Mailand, Collezione Teresita Fontana
(Vgl. Abb. Seite 194)

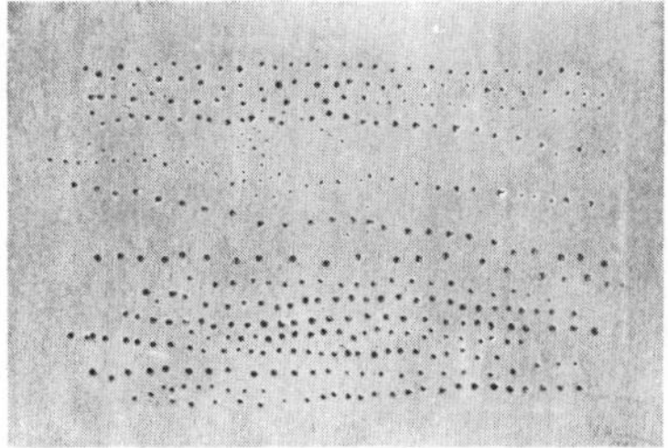

399 Concetto spaziale 49–50 B 4. 1949/50
(Raumkonzept)
Klebstoff auf durchlöcherter Naturleinwand.
55 × 84 cm
Mailand, Collezione Teresita Fontana

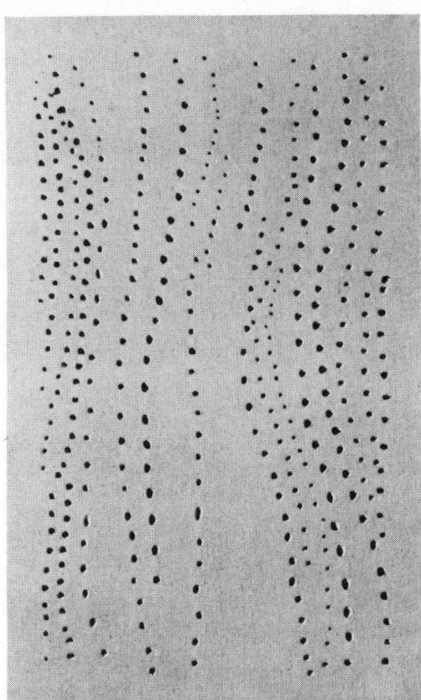

400 Conzetto spaziale 49–50 B 5. 1949/50
(Raumkonzept)
Anilinfarbe auf durchlöcherter Leinwand.
80 × 49 cm
Mailand, Collezione Teresita Fontana

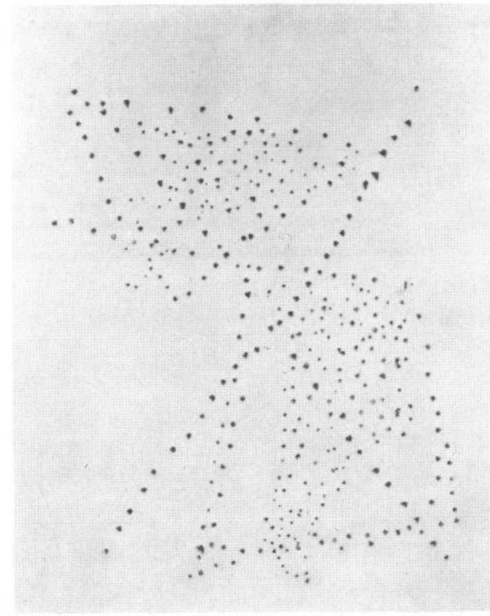

401 Concetto spaziale 49–50 B. 8. 1949/50
(Raumkonzept)
Rohe Leinwand, durchlöchert. 85 × 70 cm
Mailand, Privatsammlung

Jackson Pollock

Geb. 28. Januar 1912 in Cody, Wy., USA. 1929–33 Studium an der Art Students' League bei Thomas H. Benton. In den dreißiger Jahren zahlreiche Reisen per Anhalter durch die USA. 1935–42 Tätigkeit für WPA/FAP. Intensive Beschäftigung mit der mexikanischen Wandmalerei, vor allem mit José Clemente Orozco und David Alfaro Siqueiros, bei dem er den Umgang mit der Spritzpistole erlernt. 1937–38 Entziehungskur. 1939–40 Ausstellung mit Willem de Kooning und Lee Krasner in der McMillan Gallery, New York. Wendet sich 1941 unter dem Eindruck des engen Kontaktes zu Matta dem Automatismus zu. 1943 erste Einzelausstellung in Peggy Guggenheims Galerie ›Art of this Century‹. 1946 Übersiedlung nach East Hampton, Long Island. 1946 erste abstrakte Improvisationen, die 1947 zum ersten ›drip painting‹ führen, einem Malverfahren, bei dem der Künstler in spontaner Aktion Farbe auf großformatige Leinwände aufspritzt. Dieser aktionshaft angewendete ›all-over‹-Farbauftrag als Synthese expressiver und abstrakter Ausdrucksformen wendet sich in Pollocks letzten Bildern zum Figürlichen hin. 1950 Sonderausstellungen mit Arshile Gorky und Willem de Kooning auf der Biennale Venedig. Ab 1950 Beschäftigung mit der Avantgarde-Musik von John Cage und Morton Feldman, der 1950 die Musik für einen Film über Pollocks Malerei schreibt. – 11. August 1956 bei einem Autounfall gestorben.

402 There were seven in eight. 1944/45
(Es waren sieben in acht)
Öl auf Leinwand. 109,2 × 259,1 cm
New York, The Museum of Modern Art
(Vgl. Abb. Seite 116)

403 The water bull. Um 1946
(Der Wasserbüffel)
Öl auf Leinwand. 76,5 × 213 cm
Amsterdam, Stedelijk Museum
(Vgl. Abb. S. 180)

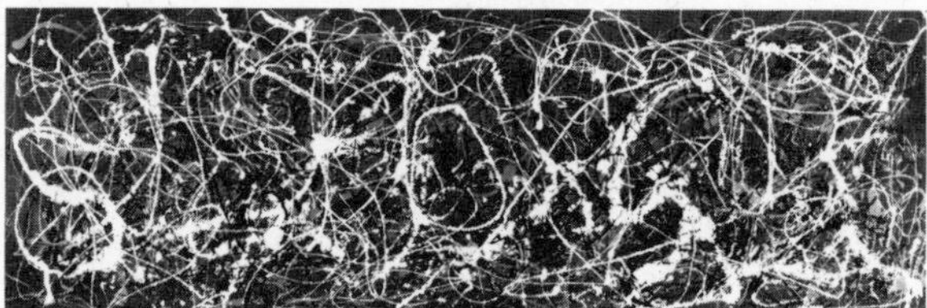

404 Arabesque: Number 13 A. 1948
Öl und Lackfarbe auf Leinwand. 94,6 × 295,9 cm
New Haven/Ct., Yale University Art Gallery,
Leihgabe Richard Brown Baker

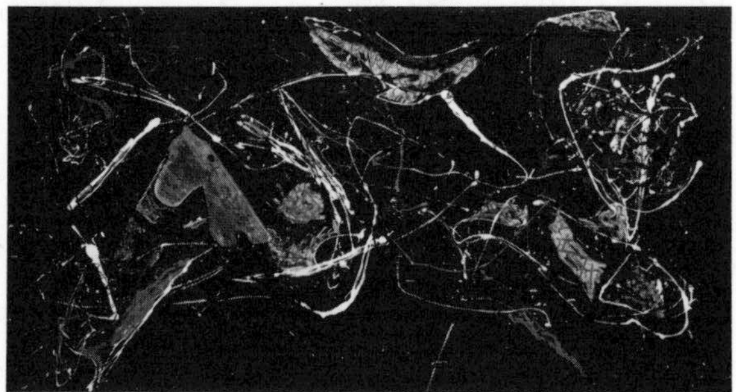

405 The wooden horse: Number 10A. 1948
(Das hölzerne Pferd)
Öl, Duco, Collage auf Leinwand und Holz.
90 × 178 cm
Stockholm, Moderna Museet

406 Out of the Web: Number 7. 1949
(Aus dem Spinnennetz)
Öl und Duco auf Masonit. 121,5 × 244 cm
Stuttgart, Staatsgalerie

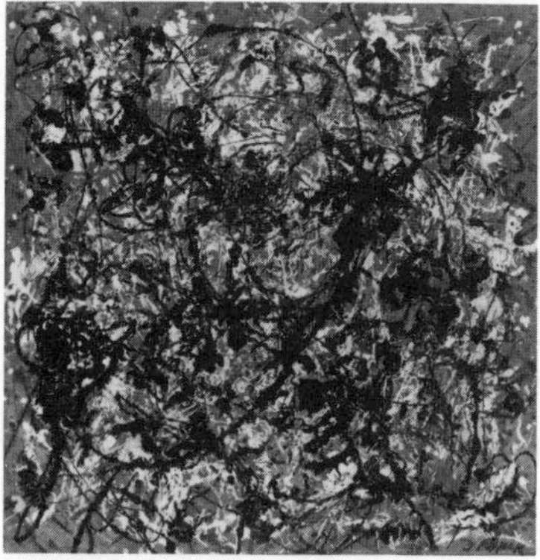

407 Number 15. 1950
Öl auf Masonit.
55,8 × 55,8 cm
Los Angeles, County Museum of Art
Purchase Award (Annual Exhibition of Artists of Los Angeles and Vicinity)
(Vgl. Abb. Seite 118)

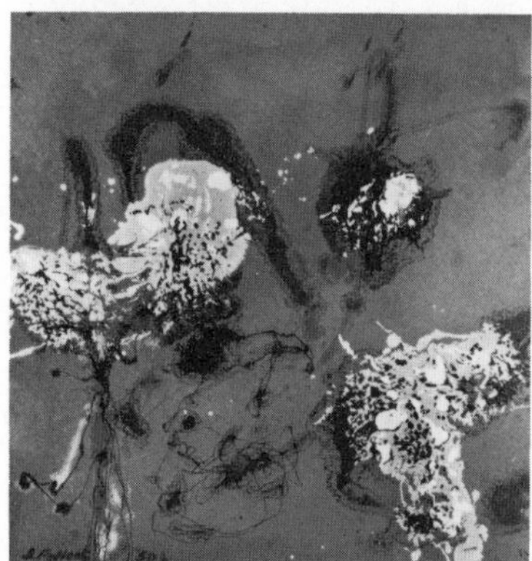

408 Number 19. 1950
Öl auf Masonit. 59,7 × 58,5 cm
Seattle/Wa., Mr. & Mrs. Frederick Ayer

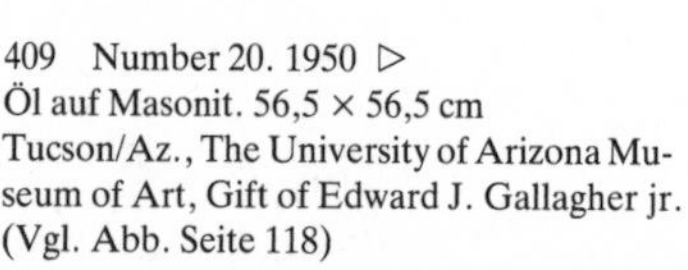

409 Number 20. 1950 ▷
Öl auf Masonit. 56,5 × 56,5 cm
Tucson/Az., The University of Arizona Museum of Art, Gift of Edward J. Gallagher jr.
(Vgl. Abb. Seite 118)

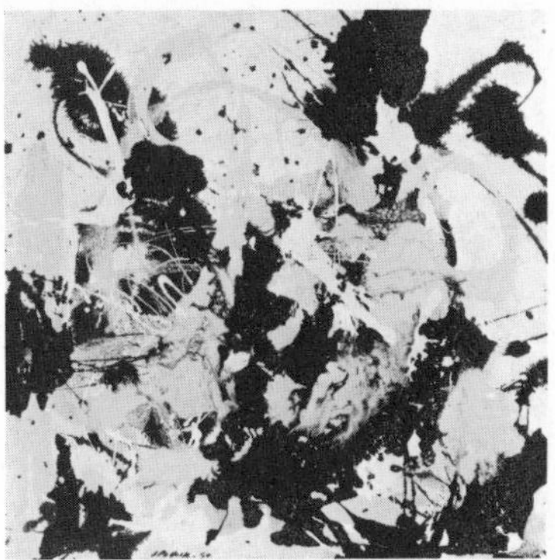

410 Number 22. 1950
Emailfarbe auf Masonit. 56,5 × 56,5 cm
Philadelphia/Pa., Philadelphia Museum of Art, The Albert M. Greenfield and Elizabeth M. Greenfield Collection

413 Number 11. 1951
Emailfarbe auf Leinwand. 146 × 352,1 cm
Houston/Tx., Sarah Campbell Blaffer Foundation

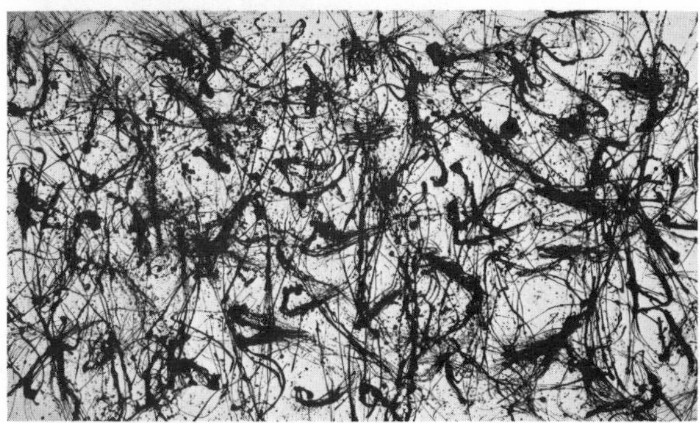

411 Number 32. 1950
Duco auf Leinwand. 169 × 457,5 cm
Düsseldorf, Kunstsammlung Nordrhein-Westfalen
(Vgl. Abb. Seite 119)

412 Silver & black square I. Um 1950
(Quadrat in Silber und Schwarz I)
Öl auf Karton. 55,8 × 55,8 cm
Zunikon/Schweiz, Sammlung Rudolf und Leonore Blum

414 Portrait and a dream. 1953
(Porträt und ein Traum)
Öl auf Leinwand. 147,6 × 341 cm
Dallas/Tx., Museum of Fine Arts, Gift of Mr. & Mrs. Algur H. Meadows and the Meadows Foundation
(Vgl. Abb. Seite 120)

David Smith

Geb. 9. März 1906 in Decatur, In., USA. 1926 Einschreibung an der Art Students' League, New York und Ausübung verschiedener Berufe (Taxichauffeur, Matrose, Schreiner, Handlungsreisender). 1931 erste plastische Arbeiten. 1933 erste Arbeiten in geschweißtem Eisen, nachdem er in den ›Cahiers d'Art‹ Eisenkonstruktionen von Picasso und Gonzalez gesehen hat. 1935 Europareise. 1937–40 Herstellung der pazifistischen Bronzeplaketten ›Unehrenmedaillen‹. Während des Zweiten Weltkrieges Tätigkeit als Schweißer in der Schwerindustrie. 1954 amerikanischer Delegierter beim Kongreß der plastischen Künste der UNESCO in Venedig. Smith überträgt als erster amerikanischer Plastiker den Abstrakten Expressionismus auf den Bereich der Metallplastik. – 27. Mai 1965 in Bennington, Vt., gestorben.

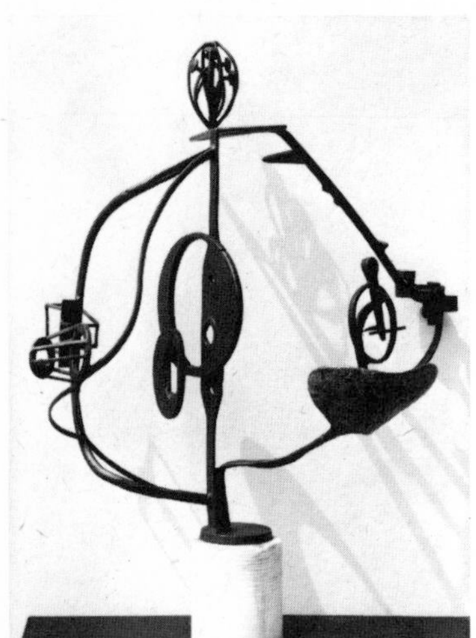

415 Blackburn, song of an irish blacksmith. 1949/50
(Blackburn, Lied eines irischen Schmieds)
Eisen, Bronze, Marmor. 117 × 103,5 × 58 cm
Duisburg, Wilhelm Lehmbruck-Museum
(Vgl. Abb. Seite 122)

415 aus einer anderen Sicht fotografiert ▷

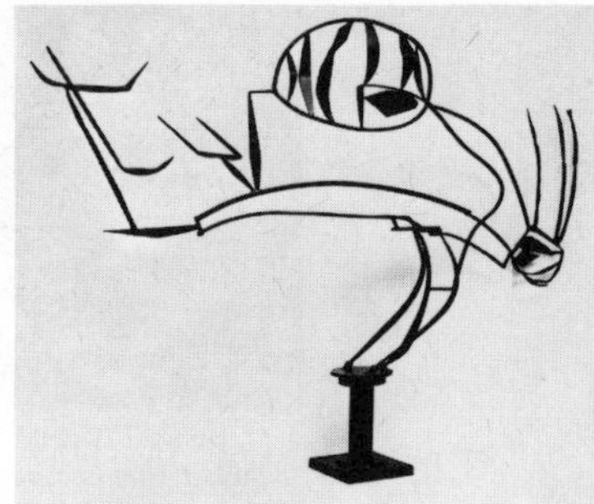

416 Australia. 1951
(Australien)
Bemalter Stahl. 202 × 274 × 41 cm, Sockel 35,6 × 35,6 cm
New York, The Museum of Modern Art, Gift of William Rubin, 1968
(Vgl. Abb. Seite 122)

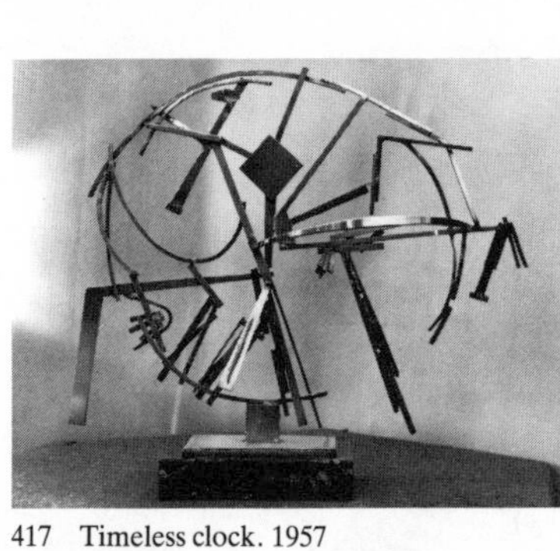

417 Timeless clock. 1957
(Zeitlose Uhr)
Sterlingsilber. 21 × 27 × 12 cm
Athertorn/Ca., Mr. & Mrs. Harry M. Anderson

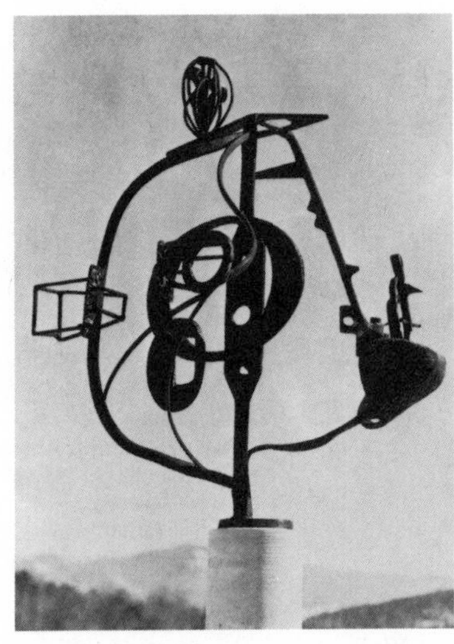

Willem de Kooning
(Biografie siehe Seite 426)

418 u. 418 a Woman (recto), Untitled (verso). 1948
(Frau, recto / Ohne Titel, verso)
Öl und Lackfarbe auf zusammengesetzter Platte. 136 × 113,2 cm
Washington D.C., Smithsonian Institution, Hirshhorn Museum and Sculpture Garden
(Vgl. Abb. Seite 121)

418 a

Clyfford Still

Geb. 30. November 1904 in Grandin, ND., USA. 1933–41 im Anschluß an das Studium Lehrtätigkeit am Washington State College. 1941 Übersiedlung nach San Francisco. 1946–50 Lehrtätigkeit an der California School of Fine Arts, San Francisco, 1952 am Brooklyn College, New York. Mit seinen großangelegten, auf wenige Farbtöne beschränkten Flächen, die sich wie riesige Schattenflecke über die Leinwand ausdehen, führt Still die vehementen Ausdrucksformen des amerikanischen Abstrakten Expressionismus hin zu ruhigeren Farbmeditationen. – 23. Juni 1980 in New York gestorben.

419 1948–D. 1948
Öl auf Leinwand. 237,5 × 201,9 cm
Cambridge/Ma., Collection of Graham Gund
(Vgl. Abb. Seite 123)

420 Ohne Titel. 1948/49
Öl auf Leinwand. 206 × 172,7 cm
Köln, Museum Ludwig, Sammlung Ludwig
(Vgl. Abb. Seite 123)

Barnett Newman

Geb. 29. Januar 1905 in New York. 1922–26 an der Cornell University, Ithaca, und an der Art Students' League, New York. Ab 1930 enge Kontakte zu Jackson Pollock, Clyfford Still und Adolph Gottlieb. 1927–37 Tätigkeit in der elterlichen Konfektionsfabrik. 1948 Gründung der Malschule ›Subjects of the Artists‹ zusammen mit William Baziotes, Robert Motherwell und Mark Rothko. 1959 Leiter des ›Artists Workshop‹ an der Universität von Saskatchewan, Kanada. 1962–64 Lehrtätigkeit an der University of Pennsylvania, Philadelphia. 1966 Ausstellung im Solomon R. Guggenheim Museum, New York. Weiterführung der amerikansischen Farbfeldmalerei zu einem unendlichen, meditativen Farbraum mit nur noch schmalen, meist senkrecht gesetzten Farbbahnen. – 4. Juli 1970 in New York gestorben.

421 Day before one. 1951
(Tag vor Eins)
Öl auf Baumwolle. 335 × 127,5 cm
Basel, Kunstmuseum
(Vgl. Abb. Seite 126)

422 Day one. 1951/52
(Tag Eins)
Öl auf Leinwand. 335 × 127,5 cm
New York, The Whitney Museum of American Art, Gift of the Friends of the Whitney Museum of American Art (and purchase), 1967

423 Ulysses. 1952
(Odysseus)
Öl auf Leinwand. 335 × 127,5 cm
New York, Christophe de Menil

424 Prometheus bound. 1952
(Der gefesselte Prometheus)
Öl auf Leinwand. 335 × 127,5 cm
Essen, Museum Folkwang

Henri Matisse

Geb. 31. Dezember 1869 in Le Cateau-Cembrésis, Picardie, Frankreich. 1889 Jurastudium, beginnt 1890 zu malen. 1891–92 Studium an der Académie Julian, Paris. 1893 Eintritt in das Atelier Moreaus. 1903 Beteiligung am ersten Salon d'Automne. 1905 erste Ausstellung der Fauves, zu deren wichtigen Künstlern Matisse zählt. 1906 Begegnung mit Pablo Picasso im Haus von Gertrude Stein. 1908–13 zahlreiche Reisen, u. a. nach Moskau. 1917 Übersiedlung nach Nizza. 1930 Reise nach New York und Tahiti. 1943–48 Aufenthalt in Vence. 1949 wieder in Nizza. Matisses Darstellungsrepertoire reduziert sich im Spätwerk auf ornamentale Strukturprinzipien, vor allem in den ›papiers decoupés‹ der vierziger Jahre, bei denen die dekorativen Elemente wie Farbfelder vor einem hellen Hintergrund schweben. – 3. November 1954 in Nizza gestorben.

425 Nu bleu, la grenouille. 1952
(Blauer Akt, der Frosch)
Zerschnittene Gouache. 141 × 134 cm
Basel, Sammlung Ernst Beyeler

427 Femme à l'amphore et grenades. 1953 ▷
(Frau mit Amphore und Granatäpfeln)
Collage (Papier auf Leinwand).
243,6 × 96,3 cm
Washington D. C., National Gallery of Art, Alisa Mellon Bruce Fund 1973
(Vgl. Abb. Seite 191)

426 Femmes et singes. 1952 (Frauen und Affen). Collage. 71,7 × 286,2 cm. Köln, Museum Ludwig, Sammlung Ludwig (Vgl. Abb. Seite 190)

Alberto Magnelli
(Biografie siehe Seite 356)

428 Assurance repétée. 1941
(Wiederholte Versicherung)
Öl auf Leinwand. 100 × 81 cm
Meudon, Susi Magnelli

430 Sans crainte. 1945
(Ohne Furcht)
Öl auf Leinwand. 116 × 89 cm
Belgien, Privatbesitz
(Vgl. Abb. Seite 96)

429 Opposition No I. 1945
Öl auf Leinwand. 100 × 81 cm
Meudon, Susi Magnelli

Bram van Velde

Geb. 19. Oktober 1892 in Zoeterwoude, Südholland. 1907 Ausbildung als Dekorationsmaler. 1922 malerische Ausbildung in Worpswede. 1925 Niederlassung in Paris. 1932–36 Aufenthalt auf Mallorca. 1936 mit Beginn des spanischen Bürgerkrieges Rückkehr nach Paris. Freundschaft mit Samuel Beckett. 1965 Wohnsitz in Genf. Weitgehend unabhängig von Zeitströmungen entwickelt van Velde einen sehr persönlichen informellen Stil. – Lebt in Paris.

431 Gouache. 1945
Gouache auf Papier. 120 × 115 cm
Paris, Collection Jacques Putman

432 Gouache. 1947
Gouache, auf Leinwand aufgezogen
99 × 72,5 cm
Paris. Privatbesitz

Jean Bazaine

Geb. 21. Dezember 1904 in Paris. Nach Philologiestudium 1924 Beginn der Malerei und Studium an der Académie Lanskoy, Paris. 1932 Freundschaft mit Pierre Bonnard. 1941 während der deutschen Besetzung Beteiligung an der Organisation einer Ausstellung ›Peintres de tradition française‹ in der Galerie Braun, Paris. Zusammenarbeit mit Alfred Manessier und Roger Bissière. 1944–46 Glasfenster für die Kirche von Assy, 1948–51 für die Kirche von Audincourt. 1948 Aufsatz ›Notizen zur Malerei der Gegenwart‹. 1958 Mosaik für die Westfassade der Kirche in Audincourt. Bazaines Arbeiten sind von pantheistischer Spiritualität geprägt. Nach dem Kriege findet er zu symbolischen Formen. Seine harmonischen, stark farbigen Bilder und Glasfenster haben einen großen Einfluß auf die jungen Maler im Paris der fünfziger Jahre. – Lebt in Paris.

433 L'hiver. 1951
(Der Winter)
Öl auf Leinwand. 130 × 97 cm
Eindhoven, Stedelijk van Abbemuseum
(Vgl. Abb. Seite 196)

Serge Poliakoff

Geb. 8. Januar 1906 in Moskau. 1919 Übersiedlung nach Konstantinopel. 1923 nach Aufenthalten in Sofia, Belgrad und Wien Wohnsitz in Paris. 1930 Studium an der Académie Frochot und an der Grande Chaumière. 1935 läßt er sich in London nieder, Studium an der Slade School. 1937 Rückkehr nach Paris, lernt Wassily Kandinsky, Otto Freundlich und Robert Delaunay kennen, bei dem er Malunterricht nimmt. Erste abstrakte Kompositionen. 1946 gemeinsame Ausstellungen mit César Domela, Hans Hartung und Auguste Herbin. Verdient als Gitarrist seinen Lebensunterhalt. 1947 erhält er den Prix Kandinsky. Ab 1952 nur noch Maler. 1962 französischer Staatsbürger. Poliakoff entwickelt eine sehr persönliche Form abstrakter Malerei, mit ineinander verzahnten flächigen Farbformen und – nach einer Periode grau-brauner Bilder in den vierziger Jahren – intensiver glühender Farbigkeit. – 12. Oktober 1969 in Paris gestorben.

434 Composition. 1951
Öl auf Leinwand. 130 × 89 cm
Brüssel, Privatbesitz
(Vgl. Abb. Seite 198)

435 Petrouchka. 1954
Öl auf Leinwand. 116 × 89 cm
Gent, Museum van Hedendaagse Kunst

Maria Helena Vieira da Silva

Geb. 18. Juni 1908 in Lissabon. 1928–29 Ausbildung als Bildhauerin bei Emile-Antoine Bourdelle und Charles Despiau in Paris, anschließend bei Fernand Léger und Roger Bissière. 1940–47 Aufenthalt in Brasilien. 1942 Bilderserie ›Disaster‹. 1947 Rückkehr nach Paris. Beeinflußt von Bissière, entwickelt Vieira da Silva lineare Kompositionen in zarten Farben voll eigenwilliger Poesie. – Lebt in Paris.

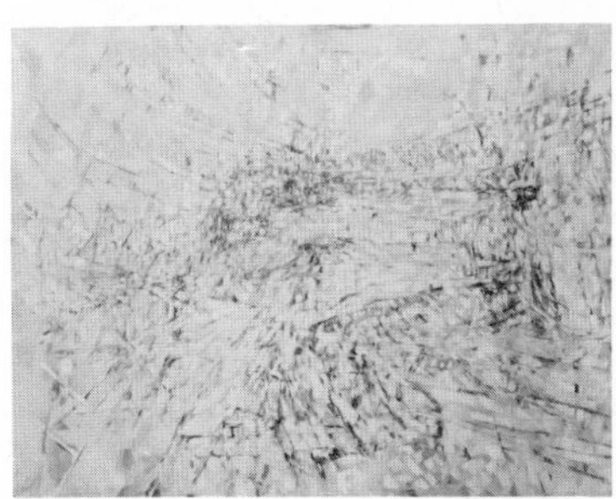

436 Composition blanche. 1953 ▷
(Weiße Komposition)
Öl auf Leinwand. 97 × 130 cm
Basel, Kunstmuseum, Depositum der Emanuel Hoffmann-Stiftung
(Vgl. Abb. Seite 197)

Nicolas de Staël

Geb. 5. Januar 1914 in St. Petersburg, Rußland. 1917 Flucht nach Polen, 1922 Niederlassung in Brüssel. 1932 Studium an der Académie Royale des Beaux-Arts, Brüssel. Ab 1933 zahlreiche Reisen, u. a. nach Peru, Spanien, Italien (1934) und Marokko (1936). 1937–39 in Paris, nach Kriegsausbruch Fremdenlegionär in Tunesien. 1940 in Nizza. 1943 Rückkehr nach Paris. 1944 Freundschaft mit Georges Braque. 1948 französischer Staatsbürger. De Staël ordnet mit dem Spachtel Farbparzellen auf einem meist einfarbigen Grund und erreicht damit einen leuchtenden Bildraum mit gestaffelter Tiefenwirkung – 16. März 1955 Freitod in Antibes, Südfrankreich.

437 Histoire naturelle. 1948
Öl auf Leinwand. 60 × 81 cm
Høvikodden/Norwegen,
Sonja Henie-Niels Onstad Art Center
(Vgl. Abb. Seite 196)

Pierre Soulages

Geb. 24. Dezember 1919 in Rodez, Südfrankreich. Autodidakt. 1940–41 Kriegsdienst in der französischen Armee. 1941–46 Bauer bei Montpellier. 1946 Übersiedlung nach Paris und Beginn abstrakter Malerei. 1947 Begegnung mit Francis Picabia, Hans Hartung, Karl Otto Götz und Willi Baumeister, 1952 mit Fernand Léger. 1958 ausgedehnte Reisen im Fernen Osten und in den USA. Mit dunklen Farben und balkenartigen Verriegelungen schafft Soulages stark emotionale Bilder, die nicht mehr an Dinglichkeit gebunden sind. – Lebt in Paris.

438 Peinture. 1948/49
Nußbaumkörnerbeize auf Leinwand.
195 × 130 cm
Besitz des Künstlers

Jean-Paul Riopelle

Geb. 7. Oktober 1923 in Montreal. 1940–42 Studium der Mathematik in Montreal. 1945 durch André Bretons Buch ›Le Surréalisme et la Peinture‹ zur abstrakten Malerei angeregt. 1947 Übersiedlung nach Paris und Kontakte zu den Surrealisten. 1949 Einzelausstellung in der Galerie Nina Dausset, Paris, für die André Breton das Katalogvorwort schreibt. Riopelle schafft in seinen mit tropfenden Farben und Spachtel gemalten Farbrhythmen eine Synthese von surrealistischem Automatismus und amerikanischem Action Painting. – Lebt in Paris.

439 Espagne. 1952
(Spanien)
Öl auf Leinwand. 150 × 231 cm
Wiesbaden, Sammlung Henkell
(Vgl. Abb. Seite 199)

Sam Francis

Geb. 25. Juni 1923 in San Mateo, Ca., USA. 1941–43 Studium der Medizin. 1943–45 Kriegsdienst in der Luftwaffe. 1945–46 Krankenhausaufenthalt wegen einer Rückgratverletzung als Folge eines Flugzeugabsturzes. 1948–50 Studium der Kunstgeschichte und der Malerei, u. a. bei Mark Rothko und Clyfford Still. 1950–52 Aufenthalt in Frankreich. Anschluß an die amerikanische Künstlergruppe um Jean-Paul Riopelle. 1956–58 Wandbilder für die Kunsthalle in Basel. 1959 Weltreise und längere Aufenthalte in Indien und Japan. Lebt seit 1962 abwechselnd in New York, Kalifornien, Paris und Tokio. 1969 Ehrendoktor der University of California, Berkeley.
Unter dem Einfluß des späten Matisse und Riopelles entwickelt Francis einen dünnflüssigen Farbauftrag, der das Weiß des Bildgrundes als tragendes Element für die Wirkung seiner Farbklänge einbezieht. – Lebt in Los Angeles und Paris.

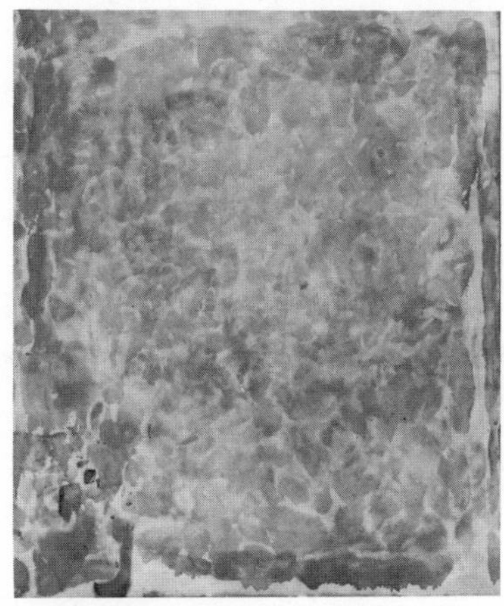

440 Untitled. 1952
(Ohne Titel)
Öl auf Leinwand. 204 × 170 cm
Köln, Privatbesitz
(Vgl. Abb. Seite 199)

Georges Mathieu

Geb. 27. Januar 1921 in Boulogne-sur-Mer, Frankreich. 1942 während des Philosophie- und Jurastudiums Beginn der Malerei. 1945–46 Aufenthalt in Biarritz. 1947 Organisation der ersten Ausstellung von ›abstraction lyrique‹. 1949 Publikation des Buches ›Analogie de la nonfiguration‹, Paris. 1948–51 Organisation mehrerer Gruppenausstellungen amerikanischer und französischer Künstler (u. a. Willem de Kooning, Arshile Gorky, Jackson Pollock, Mark Rothko, Mark Tobey, Hans Hartung und Wols). 1952 erste Reise nach Amerika. 1963 Publikation des Buches ›Au-delà du Tachisme‹. 1953 Gründung der Zeitschrift ›United States Lines Paris Review‹, Paris. Mathieus aktionistische Kalligrafie ist exemplarisch für die französische Variante einer spontan-intuitiven Malerei (Tachismus). – Lebt in Paris.

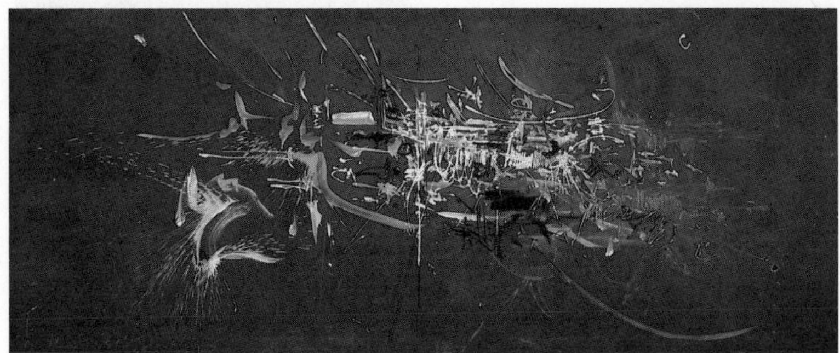

441 La bataille de Brunkeberg. 1958
(Die Schlacht von Brunkeberg)
Öl auf Leinwand. 130 × 340 cm
Besitz des Künstlers
(Vgl. Abb. Seite 205)

César Domela (Cesar Domela Nieuwenhuis)

Geb. 15. Januar 1900 in Amsterdam. 1913 Übersiedlung nach Paris. 1920–23 in Ascona. 1923 Aufenthalt in Berlin, wo er Raoul Hausmann trifft und mit der ›Novembergruppe‹ ausstellt. 1924 Übersiedlung nach Paris und Kontakte mit Piet Mondrian und Theo van Doesburg. 1925 Anschluß an ›De Stijl.‹ 1927–33 Aufenthalt in Berlin. 1930 Beteiligung an ›cercle et carré‹, ab 1931 an den Ausstellungen von ›abstraction-création‹. 1933 Rückkehr nach Paris und Weiterführung seiner Holzmontagen. 1937 Zusammenarbeit mit Sophie Taeuber-Arp und Hans Arp an der Zeitschrift ›Plastique‹. 1947–56 Teilnahme an den Ausstellungen des ›Salon des Réalités Nouvelles‹. In Weiterführung der Reliefkonzeption von Hans Arp und Sophie Taeuber-Arp sowie der konstruktivistischen De Stijl-Idee sucht Domela nach einer harmonischen Synthese von Malerei und Plastik unter Verwendung verschiedenster technischer Werkstoffe. – Lebt in Paris.

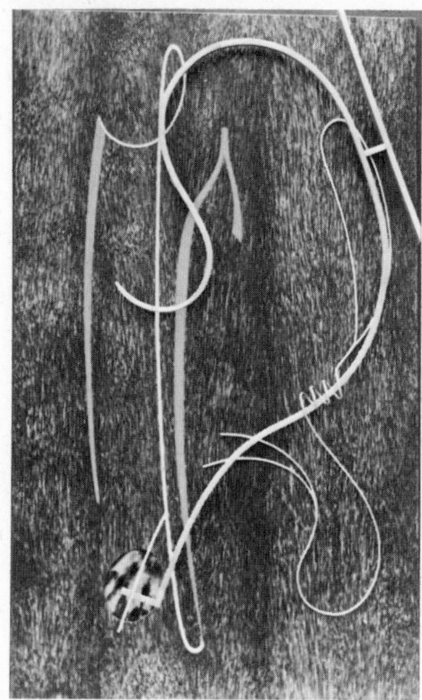

442 Ohne Titel. 1944
Palmenholz, Metall, Plexiglas. 89 × 55 cm
Besitz des Künstlers

443 Ohne Titel. 1945
Elfenbein, Messing, Plexiglas und Holz.
89 × 55 cm
Besitz des Künstlers

444 Ohne Titel. 1947
Metall und Holz. 88 × 85 cm
Besitz des Künstlers
(Vgl. Abb. Seite 172)

Fritz Glarner

Geb. 20. Juli 1899 in Zürich. 1905 Übersiedlung nach Neapel, 1909 nach Paris. 1916–21 Kunststudium in Neapel. 1923–35 Aufenthalt in Paris. 1931–36 Mitglied von ›abstraction-création‹. 1935 Wohnsitz in Zürich, Anschluß an die Gruppe ›Allianz‹ (Vereinigung moderner Schweizer Künstler). 1936 Übersiedlung in die USA. 1940 enger Anschluß an Piet Mondrian. 1958–59 Wandbilder für das Time Life Building, New York. Weiterführung der Mondrianschen Vorstellung von ›art concret‹. – 18. September 1972 in Locarno gestorben.

445 Relational Painting Tondo No. 3. 1945
(Beziehungsreiches Gemälde, Tondo Nr. 3)
Öl auf Holzfaserplatte. ∅ 96 cm
Eigentum des Kantons Tessin
(Vgl. Abb. Seite 193)

Josef Albers

Geb. 19. März 1888 in Bottrop. 1905–08 Lehrerseminar in Büren, Westfalen, anschließend Volksschullehrer. 1920–33 am Bauhaus. 1933 Emigration in die USA. Lehrt 1933–49 am Black Mountain College, North Carolina, und 1950–59 an der Yale University, New Haven, Ct. 1939 amerikanischer Staatsbürger. 1943 erscheint sein Buch ›Interaction of Color‹. In Weiterführung seiner systematischen Beschäftigung mit der Farbe entstehen ab 1949 die Serigrafien und Bilder der Folge ›Hommage to the Square‹ (Huldigung an das Quadrat). 1965 Retrospektive ›Hommage to the Square‹, im Museum of Modern Art, New York (geht bis 1967 als Wanderausstellung durch Südamerika, Mexiko, USA). – 25. März 1976 in New Haven, Ct., gestorben.

447 At night. 1958
(Nachts)
Öl auf Masonit. 60,5 × 60,5 cm
Bottrop, Quadrat – Moderne Galerie
(Vgl. Abb. Seite 216)

449 Set off. 1960
(Bewegt)
Öl auf Masonit. 60,5 × 60,5 cm
Bottrop, Quadrat – Moderne Galerie

446 Blue look. 1955
(Blaue Ansicht)
Öl auf Masonit. 60,5 × 60,5 cm
Bottrop, Quadrat – Moderne Galerie

448 Luminant. 1959
(Leuchtend)
Öl auf Masonit. 122 × 122 cm
Bottrop, Quadrat – Moderne Galerie, Dauerleihgabe Egon Soppe

450 Thaw. 1961
(Tauwetter)
Öl auf Masonit. 60,5 × 60,5 cm
Bottrop, Quadrat – Moderne Galerie

Auguste Herbin

Geb. 29. April 1882 in Quiévy bei Cambrai, Frankreich. 1900–01 Besuch der Kunstschule in Lille. 1903 Wohnsitz in Paris, zieht 1909 ins Bateau-Lavoir. Einfluß von Georges Braque, Juan Gris und Pablo Picasso. 1917–21 kubistische Malerei, Holzplastiken und Reliefs. 1931–37 mit Georges Vantongerloo Herausgeber der Zeitschrift ›abstraction-création‹. Seit 1940 entwickelt Herbin mit seinem ›malerischen Alphabet‹ eine farbtheoretische Konzeption, die kubistische Vorstellungen von der einfachen geometrischen Form in Gestalt farbiger Baukastenmuster wieder aufgreift. 1949 Veröffentlichung des Buches ›L'art non figuratif non objectif‹. – 31. Januar 1960 in Paris gestorben.

451 Noël. 1949
(Weihnachten)
Öl auf Leinwand. 127 × 87 cm
Sammlung Dr. Max H. Welti

452 Matin. 1952
(Morgen)
Öl auf Leinwand. 129 × 80 cm
Sammlung Dr. Max H. Welti

453 Yerfa. 1949–52
Öl auf Leinwand. 87 × 80 cm
Brüssel, Privatbesitz

454 Orgovan. 1950–55
Öl auf Leinwand. 120 × 100 cm
Brüssel, Privatbesitz
(Vgl. Abb. Seite 198)

Victor Vasarely

Geb. 9. April 1908 in Pécs, Ungarn. 1927 Besuch der Akademie in Budapest, 1929 des ›Budapester Bauhauses‹, Schüler von Bortnik. 1930 Übersiedlung nach Paris, bis 1940 als Grafiker tätig. Die werbegrafische Tätigkeit führt Vasarely zu einer systematischen Erforschung optischer Reize durch grafische Mittel. In seinen Bildern entwickelt er in Weiterführung der Baukastenmuster von Auguste Herbin seine ›unités plastiques‹, mit denen er auf mathematischer Basis optische Effekte berechnet und seriell gestaltet. 1955 ›Gelbes Manifest‹, erste Filme und Schriften. Ab 1960 zahlreiche großflächige architektonische Integrationen. 1970 Eröffnung eines didaktischen Vasarely-Museums in Gordes, Südfrankreich. – Lebt in Annete-sur-Marne und Gordes.

Ellsworth Kelly

Geb. 31. März 1923 in Newburgh, New York. 1941–42 Studium am Pratt Institute, Brooklyn. 1943–46 Militärdienst in Europa. 1946–48 Kunststudium an der School of the Museum of Fine Arts, Boston; 1948–54 an der Ecole des Beaux-Arts, Paris. 1955 Rückkehr nach New York. Ab 1955 Verbindung von Malerei und Skulptur in aus mehreren Rechtecken, Quadraten und Rhomben zusammengesetzten Bildern. Ab 1955 konturierende Malerei nach Naturformen. Beeinflußt von Hans Arp, Georges Braque und Henri Matisse und in Auseinandersetzung mit dem Abstrakten Expressionismus und konstruktivistischen Einflüssen entwickelt Kelly eine Form der Malerei und Skulptur mit starkfarbigen monochromen Farbflächen in organisch weichen oder geometrisch klaren Formen (Hard edge). – Lebt in Chatham, N. Y.

455 Colors for a large wall. 1951/52
(Farben für eine große Wand)
Öl auf Leinwand, 64 Paneele. 243,8 × 243,8 cm
New York, The Museum of Modern Art,
Gift of the artist 1969

457

457 Two blacks white and blue. 1955
(Zweimal schwarz, weiß und blau)
Öl auf Leinwand, 4 Paneele. 233,6 × 60,9 cm
Besitz des Künstlers

456 Painting for a white wall. 1952
(Gemälde für eine weiße Wand)
Öl auf Leinwand, 5 Paneele. 59,6 × 181,6 cm
Besitz des Künstlers

Norbert Kricke

Geb. 22. November in Düsseldorf. Während des Zweiten Weltkrieges Soldat der Luftwaffe. 1946–47 Studium an der Hochschule für Bildende Künste in Berlin. 1947 Übersiedlung nach Düsseldorf. Bereits in seinen frühen Raumplastiken um 1950 beabsichtigt Kricke die Sichtbarmachung und bewußte Erfahrung der Dimension Raum, in den sich seine linearen Stahlgebilde kurvig oder kantig ausdehnen. 1956 Exposé ›Forms of Water‹. 1959 Wassergestaltung für den Universitätsneubau in Bagdad mit Walter Gropius. 1961 Ausstellung im Museum of Modern Art, New York. 1967 Große Mannesmann-Plastik zur Weltausstellung, Montreal. Seit 1964 Professor, von 1972–81 Direktor der Staatlichen Kunstakademie Düsseldorf. – Lebt in Düsseldorf.

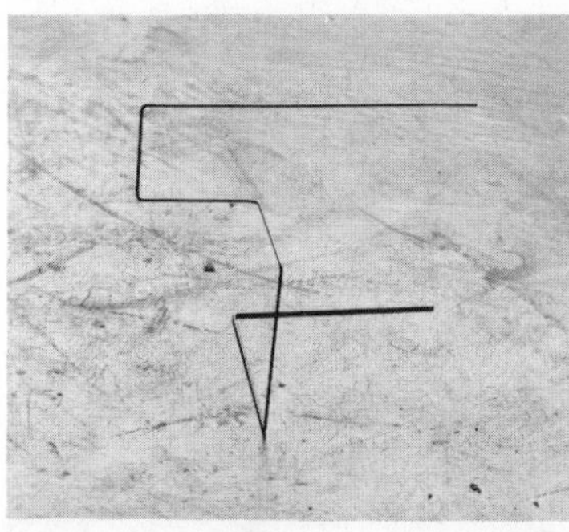

▷
458 Raumplastik 1950
Stahl, verkupfert.
14,4 × 19 × 13 cm
Besitz des Künstlers

459 Fläche und Raum. 1950 ▷
Stahl.
26 × 43,5 × 51 cm
Besitz des Künstlers

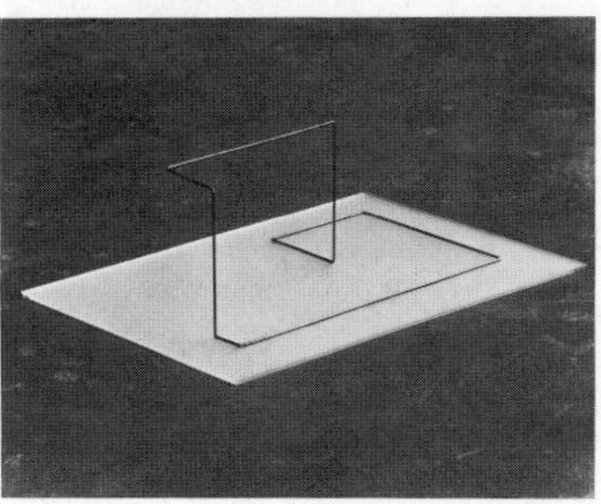

460 Raumplastik weiß 1950. 1950 ▷
Stahl, weiß gestrichen, auf Glasplatte stehend.
10 × 26 × 14,8 cm
Besitz des Künstlers

Beiträge zum Wettbewerb **Denkmal für den unbekannten politischen Gefangenen,**
Veranstalter: Institute of Contemporary Arts, London, 1953

Max Bill
461 Denkmal für den unbekannten politischen Gefangenen. 1951
Wettbewerbsentwurf
Gips, Holz, Stahl.
Besitz des Künstlers

Max Bill
(Biografie siehe Seite 357)

Reg Butler

Geb. 28. April 1913 in Buntingford, Hertford, England. 1937 Studium der Architektur und Mitglied des Royal Institute of British Architects. 1941 Kriegsdienstverweigerer, arbeitet als Schmied in einem Dorf in Sussex und beginnt 1944 mit der Bildhauerei. Von Alberto Giacometti beeinflußt. Bis 1950 als Architekt tätig. 1950–53 Lehrtätigkeit an der Universität von Leeds und an der Slade School, London. Übertragung von Anregungen aus Natur und Technik auf den Bereich der Plastik in Gestalt raumgreifender linearer Eisenkonstruktionen. 1953 gewinnt er den internationalen Wettbewerb ›Denkmal für den unbekannten politischen Gefangenen‹. – Lebt in Berkhamsted, Hertfordshire.

Reg Butler
462 Original-Maquette für ›The monument to the unknown political prisoner‹. 1952/53
Stein und Bronzedraht. Höhe 45 cm
Besitz des Künstlers

Lynn Chadwick

Geb. 24. November 1914 in London. 1933–39 Studium der Architektur, anschließend als Architekturzeichner tätig. Kriegsdienst als Pilot in der Marineluftwaffe. Seit 1947 Mobiles und abstrakte Konstruktionen unter dem Einfluß von Alexander Calder und Julio Gonzalez. 1953 Teilnahme am internationalen Wettbewerb ›Denkmal für den unbekannten politischen Gefangenen‹. – Lebt in Stroud, Gloucestershire.

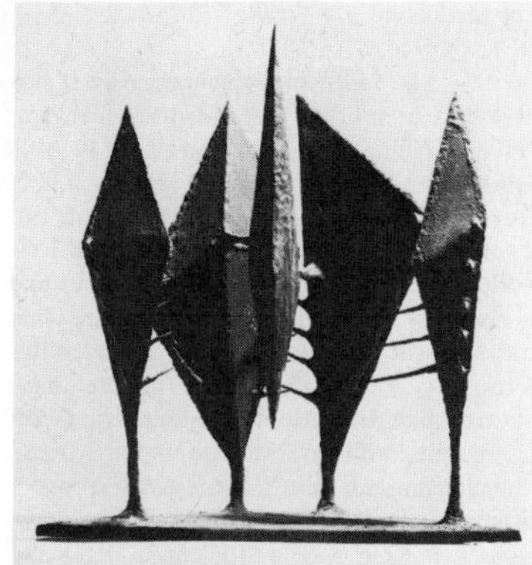

Lynn Chadwick
463 Maquette für ›Monument for the unknown political prisoner‹. 1953
Eisen, gelötet.
35 × 42,5 cm
Besitz des Künstlers

Pietro Consagra

Geb. 4. Oktober 1920 in Mazara del Vallo, Sizilien. 1938–44 Studium an der Kunstakademie, Palermo. 1944 Übersiedlung nach Rom. 1947 Mitbegründer der Gruppe ›Forma‹ und Mitherausgeber der Zeitschrift ›Forma 1‹. 1953 Teilnahme am internationalen Wettbewerb ›Denkmal für den unbekannten politischen Gefangenen‹. – Lebt in Rom.

Pietro Consagra
464 The unknown political prisoner. 1952
Bronze auf Marmor- Sockel. Höhe 50 cm
London, The Trustees of the Tate Gallery

Etienne Martin
465 Etude pour le prisonnier politique inconnu. 1952
Gips. 50 × 30 × 25 cm
Paris, Galerie D. Breteau

Herbert Ferber
466 Monument for the unknown political prisoner. 1952
Kupfer, gelötet und schwarz bemalt. ∅ 30,4 cm
Philadelphia, Dr. & Mrs. Morton Kligerman

Etienne Martin

Geb. 4. Februar 1913 in Loriol-sur-Drôme, Frankreich. 1929–33 Studium an der Kunstschule, Lyon, anschließend an der Académie Ranson, Paris. 1935 Mitglied der Gruppe ›Témoignage‹ in Lyon. 1953 Teilnahme am internationalen Wettbewerb ›Denkmal für den unbekannten politischen Gefangenen‹. – Lebt in Paris.

Herbert Ferber

Geb. 30. April 1906 in New York. Medizinstudium und Studium am Beaux-Arts Institute of Design, New York. 1953 Teilnahme am internationalen Wettbewerb ›Denkmal für den unbekannten politischen Gefangenen‹. – Lebt in New York.

Bernhard Heiliger

Geb. 11. November 1915 in Stettin. 1932–37 Studium an der Kunstgewerbeschule Stettin. 1938 erste Reise nach Paris. Stark beeindruckt von den Arbeiten Aristide Maillols und Constantin Brancusis. 1940–45 Kriegsdienst. 1949 Lehrtätigkeit an der Hochschule für Bildende Künste, Berlin. 1953 Teilnahme am internationalen Wettbewerb ›Denkmal für den unbekannten politischen Gefangenen‹. – Lebt in Berlin.

Barbara Hepworth

Geb. 10. Januar 1903 in Wakefield, Yorkshire, England. 1920–21 Studium an der Leeds School of Art, u. a. mit Henry Moore, 1921–24 am Royal College, London. 1924–25 in Italien. 1926 Niederlassung in London. 1939 Übersiedlung nach St. Ives, Cornwall. 1953 Teilnahme am internationalen Wettbewerb ›Denkmal für den unbekannten politischen Gefangenen‹. – 20. Mai 1975 in St. Ives, Cornwall, gestorben.

Bernhard Heiliger
467 Denkmal für den unbekannten politischen Gefangenen. 1952
Bronze, 61 × 90 × 90 cm
Besitz des Künstlers

Barbara Hepworth
468 The unknown political prisoner. 1952
Holz. Höhe 49,5 cm (ursprünglich aus 3 Formen komponiert)
Alle drei Privatbesitz

Berto Lardera
469 Occasion dramatique III. 1952
(Dramatischer Anlaß)
Eisen. Höhe 60 cm
New York, Mr. & Mrs. Armand Bartos

Luciano Minguzzi
470 The unknown political prisoner: figure with barbed wire. 1952
(Figur mit Stacheldraht)
Bronze. 56 × 67 × 34 cm
London, The Trustees of the Tate Gallery

Berto Lardera

Geb. 1911 in La Spezia, Italien. Studium in Florenz, 1939 Zeichenunterricht in Florenz. Als Bildhauer Autodidakt. 1947 Übersiedlung nach Paris. 1953 Teilnahme am internationalen Wettbewerb ›Denkmal für den unbekannten politischen Gefangenen‹. – Lebt in Paris.

Luciano Minguzzi

Geb. 24. Mai 1911 in Bologna. Bis 1933 Bildhauerausbildung bei seinem Vater und an der Kunstakademie Bologna. Nach dem Krieg Übersiedlung nach Mailand. Lehrt an der Accademia di Brera. 1953 Teilnahme am Wettbewerb ›Denkmal für den unbekannten politischen Gefangenen‹. – Lebt in Mailand.

Mirko (Mirko Basaldella)

Geb. 28. September 1910 in Udine, Italien. Studium in Venedig, Florenz und Monza. 1934 Übersiedlung nach Rom. 1937 Aufenthalt in Paris, erste Ausstellung in New York. Während des Krieges im Widerstand tätig. Nach dem Krieg zahlreiche öffentliche Aufträge, u. a. die Bronzetür der Gedenkstätte für die 335 Opfer einer ›Vergeltungsmaßnahme‹ der deutschen Besatzung in Fosse Ardeatine bei Rom. 1953 Teilnahme am internationalen Wettbewerb ›Denkmal für den unbekannten politischen Gefangenen‹. – 25. November 1965 in Boston gestorben.

Eduardo Paolozzi

Geb. 7. März 1924 in Edinburgh. 1943 Studium am Edinburgh College of Art, 1944–47 an der Slade School of Fine Arts, London. 1947–49 Aufenthalt in Paris, lernt Brancusi, Tzara, Giacometti und Dubuffet kennen. 1949–55 Lehrtätigkeit für Textildesign an der Central School of Art and Design, London. 1952 Gründung der ›Independent Group‹ u. a. mit Richard Hamilton, Lawrence Alloway, William Turnbull, Reyner Banham und Nigel Henderson. 1953 Teilnahme am internationalen Wettbewerb ›Denkmal für den unbekannten politischen Gefangenen‹ und 1956 an der Ausstellung ›This is Tomorrow‹ in der Whitechapel Art Gallery, London. Lehrt 1960–62 an der Hochschule für Bildende Künste, Hamburg, 1968 an der University of California, Berkeley. Seit 1968 Lehrtätigkeit am Royal College of Art, London und seit 1976 an der Fachhochschule Köln. Aus collagiertem Abfallmaterial, von dem er Abgüsse anfertigt, bildet er archetypische Assemblagen und Plastiken des technischen Zeitalters. – Lebt in London und Köln.

Mirko (Mirko Basaldella)
471 Monumento al prigioniero politico ignoto. 1952
Verschiedene Materialien. 48 × 19 × 20 cm
Florenz, Fondazione Mirko

Eduardo Paolozzi
472 Monument for the unknown political prisoner. 1952
Gips, Sockel 43,2 × 61,1 × 6,3 cm, höchstes Element 29,2 cm
London, Privatbesitz (mit freundlicher Genehmigung des Künstlers)

Theodore Roszak
473 The unknown political prisoner (defiant and triumphant). 1952
(Herausfordernd und triumphierend)
Stahl, mit Neusilber verlötet. Höhe 38,5 cm
London, The Trustees of the Tate Gallery

Nicolas Schoeffer
474 Sculpture spatiodynamique pour le concours du prisonnier politique inconnu. 1952
Messing, gelötet. Höhe 54 cm
Besitz des Künstlers

Theodore Roszak

Geb. 1. Mai 1907 in Posen, Polen. 1909 Übersiedlung nach Chicago. 1922–29 Studium am Art Institute of Chicago. 1929–31 Europastipendium. Studienaufenthalte in Italien, Deutschland und Frankreich. 1938–43 Lehrtätigkeit für Flugzeugmechanik und 1940–55 Professur an der Columbia University, New York. 1953 Teilnahme am internationalen Wettbewerb ›Denkmal für den unbekannten politischen Gefangenen‹. – Lebt in New York.

Nicolas Schoeffer

Geb. 6. September 1912 in Kalocsa, Ungarn. Studium an der Kunstakademie Budapest. 1936 Übersiedlung nach Paris und Studium an der Ecole des Beaux-Arts. 1941–51 Bauer in der Auvergne, Nachtportier in Paris und Arbeiter in einer Spielzeugfabrik. 1953 Teilnahme am internationalen Wettbewerb ›Denkmal für den unbekannten politischen Gefangenen‹. – Lebt in Paris.

Hans Uhlmann
(Biografie siehe Seite 421)

Hans Uhlmann
475 Der unbekannte politische Gefangene. 1953
Stahl, Höhe 40 cm
Hannover, Hildegard Uhlmann

Alberto Burri

Geb. 12. März 1915 in Città di Castello, Italien. 1934–39 Studium der Medizin in Perugia. 1940–44 Kriegsdienst als Feldarzt in Nordafrika. Gefangennahme und Internierung in Camp Hereford, Texas. Beginnt dort 1944 zu malen. 1945 Rückkehr nach Rom, gibt seinen Arztberuf auf. 1949 Mitglied der Gruppe ›Origine‹, u. a. mit Giuseppe Capogrossi. 1952 erste Sackbilder. Burri verarbeitet seit 1952 in seinen Materialbildern aus zerrissenen Stoff- und Sackfetzen (›Sacchi‹) das eigene Kriegserleben. 1956 Assemblagen aus Holz (›Legni‹), 1958 aus Blech (›Ferri‹) und seit 1961 aus Kunststoff. – Lebt in Città di Castello, Italien.

476 Grande bianco. 1952
(Großes Weiß)
Sackleinen, Öl, Acryl. 150 × 250 cm
Città di Castello, Fondazione Palazzo Albizzini
(Vgl. Abb. Seite 200)

476a Grande sacco. 1952
Sackleinen, Öl, Acryl. 150 × 250 cm
Rom, Galleria Nazionale d'Arte Moderna

Giuseppe Capogrossi

Geb. 7. März 1900 in Rom. 1919–23 Jurastudium in Rom. 1926 erste Bilder. 1927–33 Aufenthalt in Paris. 1946–65 Lehrtätigkeit am Liceo Artistico, Rom. 1951 Gründung der Gruppe ›Origine‹, Rom, u. a. mit Ettore Colla und Alberto Burri. 1952 Anschluß an die ›Gruppo Spaziale‹, Mailand. 1965–70 Lehrtätigkeit an der Kunstakademie Neapel. Aus einer gestaffelten Lagerung der für Capogrossi typischen bogenförmigen Kammzeichen entstehen räumliche Kraftfelder (superficie = Oberflächen), die mit dem ›Spazialismo‹ Lucio Fontanas korrespondieren. – 9. Oktober 1972 in Rom gestorben.

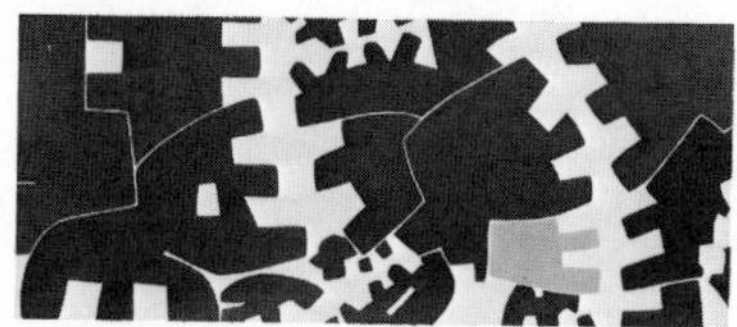

477 Superficie 393. 1959
(Oberfläche)
Öl auf Leinwand. 90 × 220 cm
Altenberge, Sammlung Otto und Barbara Dobermann

Emilio Vedova

Geb. 9. August 1919 in Venedig. 1935 Beginn der Malerei, zunächst als Autodidakt. 1937–40 Studium in Rom und Florenz. 1943–45 im Widerstand, Einfluß von Pablo Picassos ›Guernica‹. 1953 ›Ciclo della Proteste‹, Bilderzyklus, der dem antifaschistischen Kampf gewidmet ist, gefolgt von ›Ciclo della Naturalezza‹ als Anklage gegen Brutalität. 1958 Bilderserie ›Scontro di Situazioni‹ (Zusammenprall von Situationen). 1960–61 Bühnenausstattung für Luigi Nonos Oper ›Intolleranza‹. 1964 ›Plurimi di Berlino‹ für die documenta III. – Lebt in Venedig.

478 Scontro di situazioni. 1958
(Zusammenprall von Situationen)
Öl auf Leinwand. 145 × 195 cm
München, Bayerische Staatsgemäldesammlungen, Neue Pinakothek
(Vgl. Abb. Seite 208)

Ernst Wilhelm Nay
(Biografie siehe Seite 398)

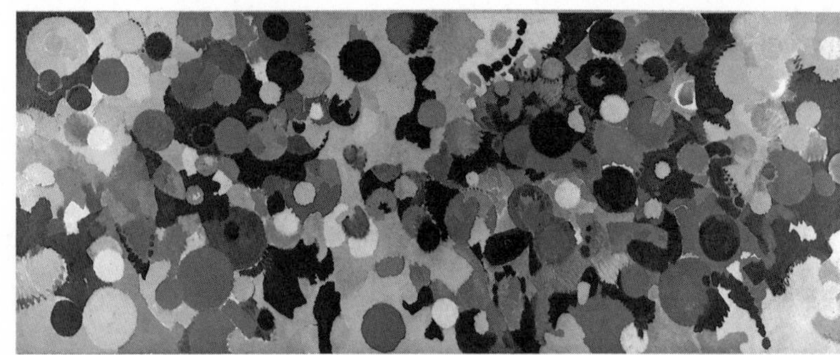

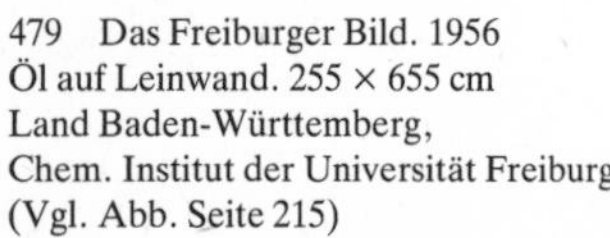

479 Das Freiburger Bild. 1956
Öl auf Leinwand. 255 × 655 cm
Land Baden-Württemberg,
Chem. Institut der Universität Freiburg
(Vgl. Abb. Seite 215)

Hans Uhlmann

Geb. 27. November 1900 in Berlin. 1919–24 Studium an der Technischen Hochschule, Berlin. Diplom-Ingenieur. 1925 erste bildhauerische Arbeiten. 1926–33 Lehrtätigkeit an der Technischen Hochschule, Berlin. 1933 wegen ›Vorbereitung zum Hochverrat‹ verurteilt, bis 1935 im Gefängnis. 1947 Berliner Kunstpreis, 1950 Berufung an die Hochschule für Bildende Künste, Berlin. 1953 Teilnahme am internationalen Wettbewerb ›Denkmal für den unbekannten politischen Gefangenen‹. – 28. Oktober 1975 in Berlin gestorben.

480 Stahlplastik. 1956
Galvanisierter Stahl. Höhe 125 cm
Köln, Museum Ludwig

K. R. H. Sonderborg (K. R. H. Hoffmann)

Geb. 5. April 1923 in Sonderborg, Dänemark. 1939–41 kaufmännische Lehre. 1941–42 als Exportkaufmann in der UdSSR. 1947–49 Studium an der Landeskunstschule Hamburg. 1951 Studienreisen in Italien. 1953 Mitglied der Gruppe ›Zen 49‹ und Studium im ›Atelier 17‹ bei Stanley W. Hayter in Paris. Seit Anfang der fünfziger Jahre entwickelt Sonderborg unter dem Einfluß von Bissière, der ostasiatischen Kalligraphie und des französischen Tachismus (Mathieu) eine dynamische, vorwiegend schwarz-weiße Malerei, in der Bewegung und Rhythmik zum Ausdruck gelangen. 1957 langer Aufenthalt in England, 1960 Reise nach New York. 1966 Übersiedlung nach Stuttgart und Lehrtätigkeit an der dortigen Kunstakademie. – Lebt in Stuttgart und Paris.

481 18-VII-55. 14.32–15.14 h. 1955
Tempera auf Karton. 52 × 67,2 cm
Hamburg, Kunsthalle

Karl Otto Götz

Geb. 22. Februar 1914 in Aachen. 1931–34 Besuch der Kunstgewerbeschule in Aachen. 1937–38 Militärdienst bei der Luftwaffe. Seit 1941 Freundschaft mit Willi Baumeister. 1941–45 Dienst auf einer Radarstation in Norwegen. Nach 1945 Mitglied des sogenannten ›Rosen-Kreises‹ in Berlin mit Willi Baumeister, Hans Hartung, Ernst Wilhelm Nay, Heinz Trökes und Hans Uhlmann. 1948–53 Herausgeber der Zeitschrift ›Meta‹. 1949 Mitglied der Gruppe COBRA und 1952 der Gruppe ›Quadriga‹ (u. a. mit Bernard Schultze), die unter dem Namen ›Neue Expressionisten‹ ausstellt. Vertreter des deutschen Tachismus, der im Rückgriff auf den Automatismus von Wols und in Anlehnung an die COBRA-Gruppe seine Bilder im spontanen Malgestus fließend improvisiert. – Lebt in Düsseldorf.

483 Tulva. 1957
Öl auf Leinwand. 175 × 145 cm
Münster, Westfälisches Landesmuseum für Kunst und Kulturgeschichte

◁ 482 Fliegender Gedanke. 12-II. –58. 16.53–23.09 h. 1958
Tempera auf Fotokarton über Leinwand. 108,7 × 69,7 cm
Düsseldorf, Kunstsammlung Nordrhein-Westfalen

Bernard Schultze

Geb. 31. Mai 1915 in Schneidemühl. 1934–39 Studium an den Kunstakademien Berlin und Düsseldorf. 1939–44 Militärdienst, in dieser Zeit Bekanntschaft mit Erich Heckel und expressionistische Malweise. Seit 1942 Hinwendung zu surrealer Gegenständlichkeit. Ab 1951 tachistische Bilder. 1952 Gründungsmitglied der Gruppe ›Quadriga‹. Ab 1956 Bilder mit plastischen Einklebungen und Collagen. Seit 1961 entwickelt Schultze mit seinen ›Migof‹-Konstruktionen eine in den Raum greifende Gestaltungsform, die an geschwulstartige Wucherungen erinnert. – Lebt in Köln.

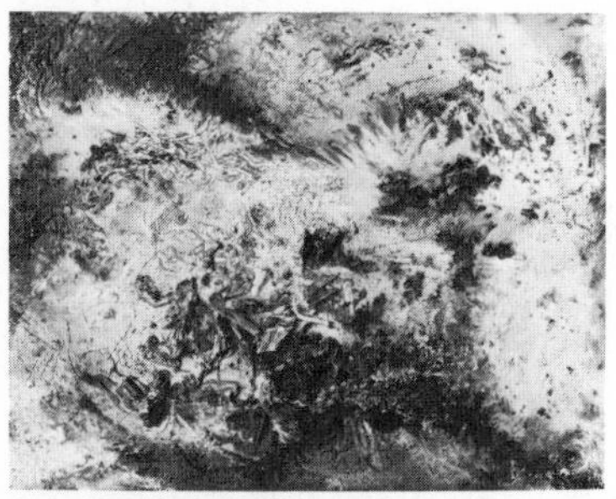

484 Hegitraf. 1957
Öl auf Hartfaser mit plastischen Einklebungen. 105 × 140 × 3 cm
Hamburg, Kunsthalle

485 Orstun. 1958
Plastikbild auf Leinwand, Draht, Holz, Textilien, Plastikmasse, Öl. 90 × 200 × 42 cm
Besitz des Künstlers

Emil Schumacher

Geb. 29. August 1912 in Hagen. 1932–35 Studium an der Kunstgewerbeschule in Dortmund. 1939–45 dienstverpflichtet in einem Rüstungsbetrieb. Seit 1945 als freier Maler tätig. 1958–60 Professur an der Hochschule für Bildende Künste , Hamburg. 1963 Großer Kunstpreis des Landes Nordrhein-Westfalen. 1966–67 Lehrtätigkeit an der Staatlichen Akademie der Bildenden Künste Karlsruhe, 1967–68 Gastprofessur an der School of Art, Minneapolis. In Schumachers Bildern verbinden sich spontane tachistische Malgesten mit einer pastosen Malmaterie. Damit vollzieht sich eine Synthese der Art Informel mit dem Materialbild. – Lebt in Hagen.

486 documenta II. 1964
Öl auf Leinwand. 205 × 370 cm
Münster, Westfälisches Landesmuseum für Kunst und Kulturgeschichte
(Vgl. Abb. Seite 207)

Francis Bacon

Geb. 28. Oktober 1909 in Dublin. 1925 Übersiedlung nach London. 1926 Aufenthalt in Berlin, 1927 in Paris, wo er Gelegenheitsarbeiten als Dekorateur ausführt und das Atelier Pablo Picassos besucht. 1928 Rückkehr nach London. 1929 Beginn der Ölmalerei. 1937 Teilnahme an der Ausstellung ›Young British Painters‹, u. a. mit Graham Sutherland und Victor Pasmore. 1942–45 in London Tätigkeit für den Zivilschutz. 1942 zerstört er bis auf wenige Bilder seine gesamte bisherige Arbeit. 1944–45 ›Drei Studien zu Figuren einer Kreuzigung‹, die Bacon als Ausgangspunkt seines Oeuvres betrachtet. Sie werden 1945 in der Lefevre Gallery, London, gemeinsam mit Arbeiten von Henry Moore und Graham Sutherland ausgestellt. Seit 1946 enge Freundschaft mit Graham Sutherland. 1946–50 im Sommer in Monte Carlo. 1952 in Nordafrika. 1955 Teilnahme an der Ausstellung ›The New Decade‹ im Museum of Modern Art, New York. Bacon ist der bedeutendste englische Vertreter einer vom Surrealismus beeinflußten Malweise. Seine Visionen drücken Angst und Schrecken aus, machen die Isolierung des Individuums in einer modernen Welt deutlich. Bacon malt in Serien. Seine van Gogh-Variationen zeigen den Maler ruhelos und unstet, als einen Gefangenen seiner selbst. – Lebt in London.

487 Study for portrait of van Gogh I. 1956
(Studie für ein Porträt von van Gogh I)
Öl auf Leinwand. 152,5 × 117 cm
Norwich, University of East Anglia, Sainsbury Centre for Visual Arts, Robert and Lisa Sainsbury Collection

488 Study for portrait of van Gogh II. 1957
(Studie für ein Porträt von van Gogh II)
Öl auf Leinwand. 198 × 142 cm
Thousand Oaks/Ca., Edwin Janss
(Vgl. Abb. Seite 212)

490 Study for portrait of van Gogh IV. 1957
(Studie für ein Porträt von van Gogh IV)
Öl auf Leinwand. 152,4 × 116,8 cm
London, The Trustees of the Tate Gallery

492 Study for portrait of van Gogh VI. 1957
(Studie für ein Porträt von van Gogh VI)
Öl auf Leinwand. 198,1 × 142,2 cm
London, The Arts Council of Great Britain
(Vgl. Abb. Seite 214)

489 Study for portrait of van Gogh III. 1957
(Studie für ein Porträt von van Gogh III)
Öl und Sand auf Leinwand. 198,4 × 142,5 cm
Washington D.C., Smithsonian Institution,
Hirshhorn Museum and Sculpture Garden

491 Study for portrait of van Gogh V. 1957
(Studie für ein Porträt von van Gogh V)
Öl und Sand auf Leinwand. 198,7 × 137,5 cm
Washington D.C., Smithsonian Institution,
Hirshhorn Museum and Sculpture Garden

493 Van Gogh in a landscape. 1957
(Van Gogh in einer Landschaft)
Öl auf Leinwand. 152,5 × 119,5 cm
Madrid, Galeria Theo
(Vgl. Abb. Seite 214)

Germaine Richier

Geb. 16. September 1904 in Grans bei Arles, Frankreich. 1922–25 Studium an der Ecole des Beaux-Arts in Montpellier. 1925 Übersiedlung nach Paris und Studien im Atelier von Antoine Bourdelle. 1939–45 Aufenthalt in der Schweiz und in Südfrankreich, danach Rückkehr nach Paris. Unter dem Einfluß Giacomettis entwikkelt Germaine Richier ihre drahtartig-bizarren Plastiken. 1951 Preis für Skulptur der Biennale São Paulo. 1955 Heirat mit dem Schriftsteller René de Solier. – 31. Juli 1959 in Montpellier gestorben.

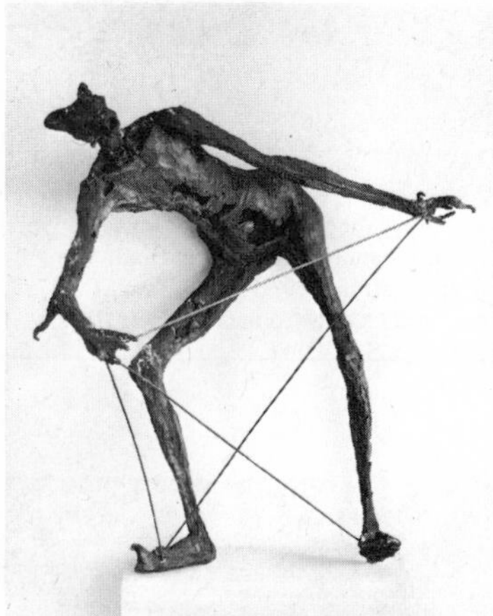

494 Le griffu. 1952
(Das Krallenwesen)
Bronze. Höhe 91 cm
Köln, Museum Ludwig

Alberto Giacometti
(Biografie siehe Seite 388)

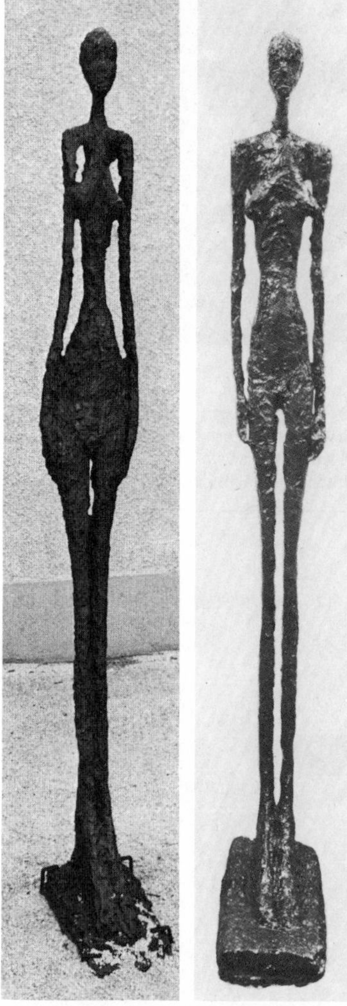

495 Grande figure IV. 1960
(Große Figur IV)
Bronze 3/6. Höhe 276 cm
Basel, Sammlung Ernst Beyeler

496 Femme debout III. 1962
(Stehende Frau III)
Bronze 6/6. Höhe 235 cm
Basel, Sammlung Ernst Beyeler

Asger Jorn
(Asger Oluf Jørgensen)

Geb. 3. März 1914 in Vejrum, Dänemark. 1936–37 Studium im Atelier Fernand Légers und bei Le Corbusier. 1938 Rückkehr nach Dänemark. 1941 Mitarbeit an der Zeitschrift ›Helhesten‹. 1947 Beitritt zur belgisch-französischen Gruppe ›Surréalisme/Revolutionnaire‹. 1948 Mitbegründer der Gruppe COBRA. 1953 Übersiedlung in die Schweiz. Seit 1955 abwechselnd in Paris und in Albisola Marma bei Genua. Intensive Beschäftigung mit Keramik. 1958 literarische Tätigkeit zur modernen Kunst und zur Volkskunst. Jorns Malerei ist eine nordische Variante des Abstrakten Expressionismus mit Erscheinungen einer grotesk dämonischen Fabelwelt. – 1. Mai 1973 in Aarhus, Dänemark gestorben.

497 Lettre à mon fils. 1956/57
(Brief an meinen Sohn)
Öl auf Leinwand. 130 × 195 cm
München, Galerie van de Loo

498 Ausverkauf einer Seele. 1958
Öl auf Leinwand. 200 × 250 cm
Köln, Galerie Rudolf Zwirner
(Vgl. Abb. Seite 206)

499 Prosit Neujahr. 1958
Öl auf Leinwand. 145 × 118 cm
München, Otto van de Loo

500 Am Anfang war das Bild. 1965
Öl auf Leinwand. 200 × 300 cm
Humlebaek/Dänemark, Louisiana Museum of Modern Art, Leihgabe Halvor N. Astrup

Hans Hofmann

Geb. 21. März 1880 in Weißenburg, Bayern. 1898 Kunststudium in München. 1904 Übersiedlung nach Paris, dort bis 1906 Studium an der Académie de la Grande Chaumière. 1915 Rückkehr nach München und Eröffnung einer Malerschule. 1930 Übersiedlung nach Los Angeles. Lehrtätigkeit u. a. an der University of California, Berkeley (1930) und der Art Students' League (1932). 1934–58 Eigene Kunstschule in New York. 1949 Reise nach Paris, Kontakte zu Georges Braque, Constantin Brancusi und Pablo Picasso. Hofmann entwikkelt in seiner späten Arbeitsphase eine persönliche Variation des Abstrakten Expressionismus mit Rechtecken als charakteristischer Grundform. Als Lehrer und Vermittler moderner europäischer Kunst ist er von großem Einfluß auf die jungen abstrakten Maler der New York School. – 18. Februar 1966 in New York gestorben.

501 The conjurer. 1959
(Der Gaukler)
Öl auf Leinwand. 150,5 × 114 cm
München, Städtische Galerie im Lenbachhaus

502 Midnight stillness. 1964
(Mitternachts-Stille)
Öl auf Leinwand. 152,4 × 132,1 cm
New York, André Emmerich Gallery Inc.
(Vgl. Abb. Seite 203)

503 Silent reverence. 1965
(Stumme Verehrung)
Öl auf Leinwand. 182,8 × 121,9 cm
New York, André Emmerich Gallery Inc.

Franz Kline

Geb. 23. Mai 1910 in Wilkes-Barre, Pa., USA., 1931–35 Kunststudium an der Boston University, 1937–38 an der Heatherley's School, London. 1938 Rückkehr nach New York. 1952 Lehrtätigkeit am Black Mountain College. 1953 am Pratt Institute, Brooklyn, 1954 an der Philadelphia Museum School of Art. Kline überträgt seine an ostasiatischer Pinselschrift orientierte Balkenkalligraphie auf großformatige weiße Leinwände. – 13. Mai 1962 in New York gestorben.

504 Lehigh. 1956
Öl auf Leinwand. 203,2 × 284,4 cm
Meriden/Ct., Collection Mr. & Mrs. Burton Tremaine

505 Black and white (spaniard). 1956
(Schwarz und Weiß, Spanier)
Öl auf Leinwand. 208,2 × 292 cm
New York, Sidney Janis Gallery

506 Mass. Harbor. 1961
Öl auf Leinwand. 172 × 234 cm
Privatbesitz
(Vgl. Abb. Seite 202)

507 Shenandoah wall. 1961
Öl auf Leinwand. 204,5 × 435 cm
Privatbesitz
(Vgl. Abb. Seite 203)

Willem de Kooning

Geb. 24. April 1904 in Rotterdam. 1916–24 Abendstudium an der Kunstakademie Rotterdam. 1924 Besuch der Akademien in Brüssel und Antwerpen. 1926 Übersiedlung nach USA und Tätigkeit als Dekorationsmaler. 1927 Freundschaft mit Arshile Gorky und einige Jahre gemeinsames Atelier in New York. 1928 Begegnung mit Fernand Léger anläßlich dessen USA-Reise. Freundschaft mit David Smith. 1935 Mitarbeit an WPA/FAP. 1942 gemeinsame Ausstellung mit Jackson Pollock in der McMillan Gallery, New York. 1948 Lehrtätigkeit am Black Mountain College, 1950 an der Yale Art School, New Haven. Ab 1951 Serie der ›Women‹ 1958–59 Italienreisen. 1963 Übersiedlung nach Long Island. 1968 erste Reise in seine Heimat Holland seit 1926. Sein Werk zeigt eine abstrakt-expressionistische Pinselschrift mit einer Neigung zu spontaner Gestik. – Lebt in East Hampton, N.J.

508 Palisade. 1957
Öl auf Leinwand. 200 × 175 cm
New York, Milton A. Gordon

511 Suburb in Havana. 1958 ▷
(Vorstadt von Havanna)
Öl auf Leinwand. 205,7 × 180,3 cm
New York, Mr. & Mrs. Lee V. Eastman
(Vgl. Abb. Seite 201)

509 Greece on 8th Avenue. 1958
Öl auf Leinwand. 120 × 186 cm
Zürich, Kunsthaus, Leihgabe de Jong

510 September Morn. 1958
(Septembermorgen)
Öl auf Leinwand. 159,5 × 125,7 cm
New York, The Museum of Modern Art, Sidney & Harriet Janis Collection

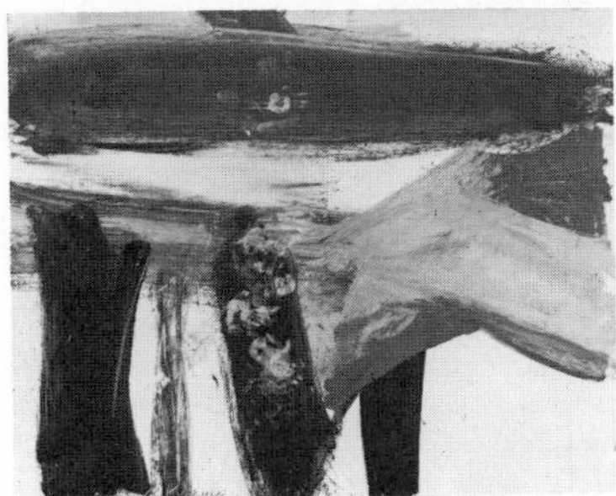

512 Lisbeth's Painting. 1958
(Lisbeths Gemälde)
Öl auf Leinwand. 126,5 × 159,5 cm
Richmond/Va., Collection Sydney & Frances Lewis

513 Door to the river. 1960
(Tür zum Fluß)
Öl auf Leinwand. 203,2 × 177,8 cm
New York, Whitney Museum of American Art, Gift of the friends of the Whitney Museum of American Art and purchase 1960

Arnulf Rainer

Geb. 8. Dezember 1929 in Baden bei Wien. 1947–49 Studium an der Staatsgewerbeschule in Villach. 1950 dreitägiges Studium mit dreimaliger Abweisung an der Akademie der Bildenden Künste, Wien. Gelegenheitsarbeit. 1952 nach frühen Arbeiten in phantastisch-realistischem Stil expressiv-gestische Übermalung. Ab 1958 Selbstübermalungen. Seit 1963 Aufbau einer ›Art brut‹-Sammlung. 1965 überzeichnet er Fotos von physiognomischen Skulpturen des Bildhauers Franz Xaver Messerschmidt aus dem Jahre 1781. 1966 zahlreiche Besuche in der Psychiatrischen Klinik Gugging zu Studienzwecken. Ausweitung der gestischen Malaktion in einen exhibitionistisch-psychologischen Dialog mit dem eigenen Körper. – Lebt in Wien.

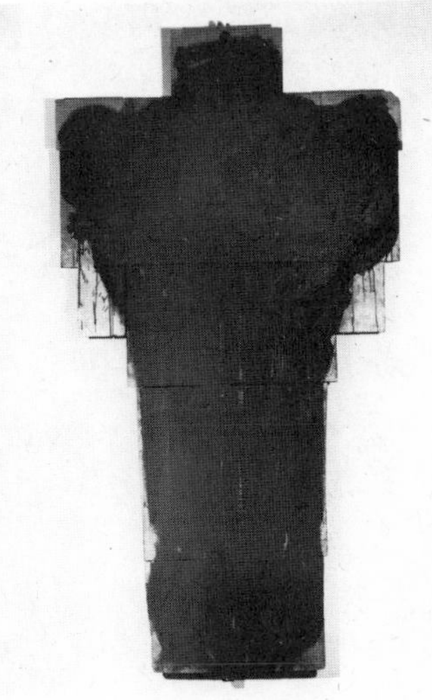

514 Kreuzübermalung. 1956
Öl auf Hartfaserplatte. 230 × 130 cm
Düsseldorf, Galerie Heike Curtze
(Vgl. Abb. Seite 209)

515 Pintorarium-Plakatmanifest. September 1959
Offset-Druck, handüberarbeitet von A. Rainer und F. Hundertwasser. 43 × 118 cm
Düsseldorf, Galerie Heike Curtze

Antonio Saura

Geb. 22. September 1930 in Huesca, Spanien. 1947 Beginn der Malerei. Autodidakt. 1953–55 Aufenthalt in Paris. 1956 Rückkehr nach Madrid. 1957 Mitbegründer der Gruppe ›El Paso‹, u. a. mit Manuel Millarès und Rafael Canogar. Rege schriftstellerische Tätigkeit, Beiträge für die Kunstzeitschrift ›El Paso‹. Kritische Einstellung zur Franco-Diktatur. Stark vom Existentialismus (Jean-Paul Sartre, Albert Camus) beeinflußt. In einer Reihe von Bildern – ausgeführt in tachistischen Malgesten und heftigen Farberuptionen – manifestiert sich verschlüsselt Sauras Kritik an der Diktatur des spanischen Faschismus. – Lebt in Madrid.

516 Cana. 1957
Öl auf Leinwand. 162 × 130 cm
München, Galerie van de Loo
(Vgl. Abb. Seite 206)

Antoni Tàpies

Geb. 23. Dezember 1923 in Barcelona. 1944–46 Jurastudium; beginnt unter dem Eindruck der Arbeiten von Paul Klee und Joan Miró zu malen. 1948 Begegnung mit Joan Miró. 1950 Paris-Stipendium der französischen Regierung. Ab 1953 schaffen gegenstandslose Materialbilder mit reliefartigem Farbauftrag eine Synthese aus lyrischem Informel und materialnaher Collage. Im selben Jahr Reise nach New York. – Lebt in Barcelona.

517 Composition ›Grau‹. 1955
Mischtechnik, Sand, Leim. 195 × 170 cm
Privatbesitz
(Vgl. Abb. Seite 208)

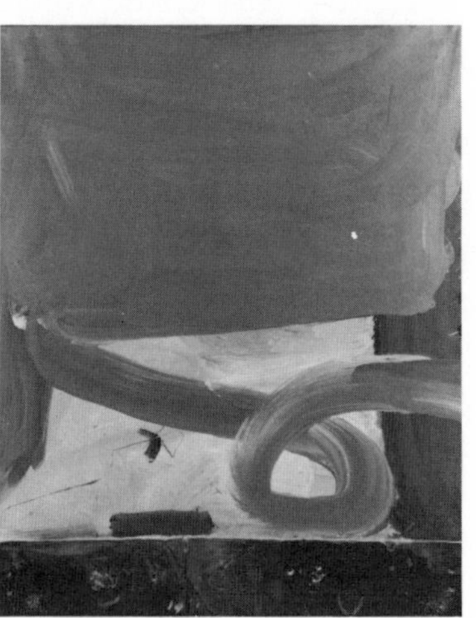

518 Ohne Titel. 1960
Öl auf Leinwand, Mischtechnik. 160 × 131 cm
Essen, Privatbesitz

Eduardo Chillida

Geb. 10. Januar 1924 in San Sebastián, Spanien. 1943–47 Architekturstudium an der Universität von Madrid. 1947 künstlerische Ausbildung als Maler an einer Madrider Privatschule. 1948–51 in Paris. 1951 Übersiedlung nach Hernani, Spanien, 1959 nach San Sebastián. 1971 Lehrauftrag am Carpenter Center, Cambridge. In der Nachfolge seines Landsmannes Julio Gonzalez schafft Chillida seine oft monumentalen abstrakten Eisenplastiken, in denen er geometrische und expressive Stilelemente verbindet. – Lebt in San Sebastián.

519 Enclume de rêve No 10. 1962
(Traum-Amboß Nr. 10)
Eisenplastik auf Holzsockel. Höhe 149,5 cm
Basel, Kunstmuseum, Depositum der
Emanuel Hoffmann-Stiftung

Mark Rothko

Geb. 25. September 1903 in Duinsk, Rußland. 1913 Übersiedlung nach Portland, Or., USA,. 1921–23 Kunststudium an der Yale University, New Haven, Ct. 1925 Übersiedlung nach New York, Studium an der Art Students' League bei Max Weber. 1929–52 Lehrtätigkeit an der Center Academy, Brooklyn. 1935 Mitbegründer der abstrakt-expressionistischen Gruppe ›The Ten‹, u. a. mit Adolph Gottlieb. 1936–37 bei WPA/FAP, New York. 1945 Ausstellung in der ›Art of this Century‹-Galerie Peggy Guggenheims. 1947 Lehrtätigkeit an der California School of Fine Arts, San Francisco. 1948 Mitbegründer der Malerschule ›Subjects of the Artists‹, Zusammenarbeit u. a. mit William Baziotes, Robert Motherwell und Barnett Newman. 1950 ausgedehnte Europareise. Vom Abstrakten Expressionismus kommend, entwickelt Rothko um 1950 auf großflächigen Leinwänden Bilder aus ineinander verschwimmenden Farbrechtecken, die bedeutend werden für die Entwicklung der Farbfeldmalerei. 1951–54 Lehrtätigkeit am Art Department, Brooklyn College. – 25. Februar 1970 Selbstmord in New York.

520 Untitled (Number 7). 1957
(Ohne Titel, Nummer 7)
Öl auf Leinwand. 176,5 × 111,7 cm
Courtesy of the Estate of Mary Alice Rothko
New York, The Solomon R. Guggenheim Museum
© Estate of Mary Alice Rothko 1981

521 Orange, wine, grey on plum. 1961
(Orange, Weinrot, Grau und Pflaumenblau)
Öl auf Leinwand. 265,4 × 235 cm
Baltimore/Md., The Estate of Mark Rothko

522 Number 28. 1962
Öl auf Leinwand. 205,7 × 194 cm
New York, The Estate of Mary Alice Rothko
© Estate of Mary Alice Rothko 1981

523 Untitled. 1963
(Ohne Titel)
Öl auf Leinwand. 229,8 × 175,2 cm
Baltimore/Md., The Estate of Mark Rothko
(Vgl. Abb. Seite 211)

Lucio Fontana
(Biografie siehe Seite 400)

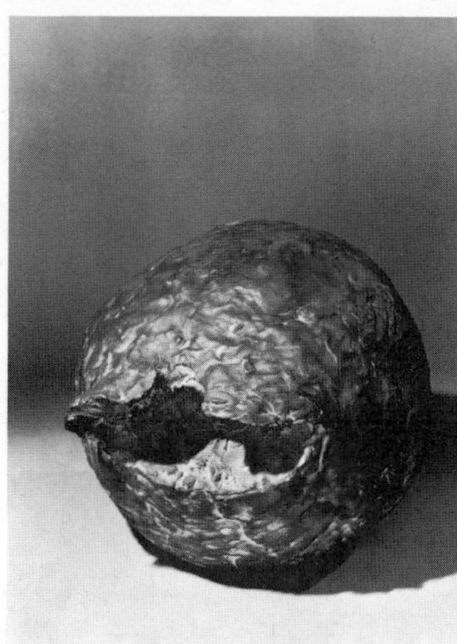

524 Natura 59/60 N 7. 1959/60
Bronze. Ø ca. 80/90 cm
Köln, Galerie Karsten Greve

525 Natura 59/60 N 11. 1959/60
Bronze. Ø ca. 80/90 cm
Köln, Galerie Karsten Greve

526 Natura 59/60 N 13. 1959/60
Bronze. Ø ca. 75/80 cm
Köln, Galerie Karsten Greve

527 Natura 59/60 N 14. 1959/60
Bronze. Ø 75 cm
Köln, Galerie Karsten Greve

528 Natura 59/60 N 15. 1959/60
Bronze. Ø ca. 75 cm
Köln, Privatbesitz

529 Natura 59/60 N 15. 1959/60
Bronze. Ø ca. 75 cm
Köln, Galerie Karsten Greve

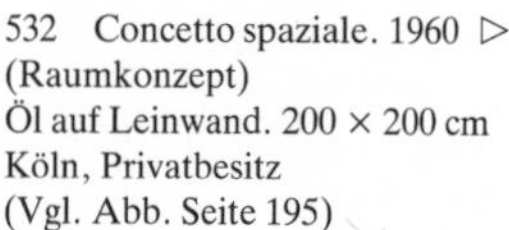

532 Concetto spaziale. 1960 ▷
(Raumkonzept)
Öl auf Leinwand. 200 × 200 cm
Köln, Privatbesitz
(Vgl. Abb. Seite 195)

530 Natura 59/60 N 19. 1959/60
Bronze. Ø 60 cm
Köln, Galerie Karsten Greve

531 Natura N 59/60 AR. 1959/60
Bronze. Ø 150 cm
Köln, Galerie Karsten Greve

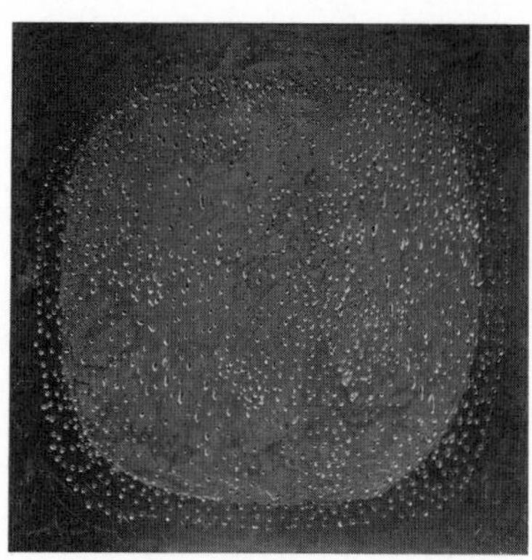

Cy Twombly

Geb. 25. April 1929 in Lexington, Va., USA. 1948–50 Studium an der Museum School of Fine Art, Boston, 1949–50 an der Lee University, Lexington, 1950–51 an der Art Students' League, New York, 1951–52 zusammen mit Robert Motherwell, Robert Rauschenberg und Franz Kline am Black Mountain College. 1951–52 Reisen mit Robert Rauschenberg in Italien, Spanien und Nordafrika. 1955–56 Lehrtätigkeit am Art Department des Southern Seminary Junior College, Buena Vista, Va. In Weiterführung des Abstrakten Expressionismus Ausbildung einer gestischen Zeichensprache in Zeichnungszyklen, deren skripturale Notationen an Sgrafitti auf Häuserwänden erinnern. – Lebt seit 1957 in Rom.

533 Ohne Titel. 1957
Gouache. 70 × 100 cm
Köln, Privatbesitz

534 Ohne Titel. 1957
Öl, Kreide auf Karton. 70 × 100 cm
Privatbesitz

535 Ohne Titel. 1957
Öl, Malkreide auf Karton. 70 × 100 cm
Privatbesitz

536 Ohne Titel. 1959
Gouache. 70 × 100 cm
Köln, Privatbesitz

537 Ohne Titel. 1961
Öl, Farbstift, Bleistift, Kreide auf Leinwand. 162 × 200 cm
Berlin, Privatbesitz
(Vgl. Abb. Seite 270)

538 Ohne Titel. 1961
Öl auf Leinwand. 125 × 146 cm
Brüssel, Privatbesitz

539 Ferragosto. 1961
(Sommerferien)
Öl auf Leinwand. 165 × 200 cm
Hinterzarten, Siegfried Adler

Edward Hopper

Geb. 22. Juli 1882 in Nyack, New York. 1899–1900 an der Correspondance School of Illustrating. 1900–06 Fortsetzung der Ausbildung als Gebrauchsgrafiker an der New Yorker School of Art, wo er anschließend bei Robert Henry und Kenneth Hayes Miller Malerei studiert. 1906 Reise nach Paris, 1907 nach London, Amsterdam, Berlin und Brüssel. Arbeitet als Designer und Plakatmaler. 1909 wiederum Reise nach Paris. 1913 Beteiligung an der ›Armory Show‹, New York. 1933 Retrospektive im Museum of Modern Art, New York. 1943 in Mexiko. 1952 auf der Biennale in Venedig. 1964 Retrospektive im Whitney Museum of American Art in New York. Hoppers Bilder zeigen eine realistische Darstellung des ›american way of life‹ anhand kleinstädtischer Villenviertel, unbelebter Straßenszenen, trostloser nächtlicher Bars und Kinos sowie beängstigend abweisender Fabrikansichten. – 15. März 1967 in New York gestorben.

Jasper Johns

Geb. 15. Mai 1930 in Augusta, Ga., USA. 1949–51 Studium an der University of South Carolina, Wehrdienst in Japan. 1952–58 in New York Gelegenheitsarbeit, u. a. als Buchhändler. Ab 1952 Freundschaft mit Merce Cunningham, Robert Rauschenberg und John Cage. Ab 1954 Bilder mit bewußt banalen Sujets: Zahlen, Schießscheiben, Flaggen. Diese Arbeiten, wie auch die ab 1957 entstehenden Assemblagen mit eingefügten realen Gegenständen und später die in Bronze gegossenen und bemalten ›sculpmetals‹ (ab 1960) haben entscheidenden Einfluß auf die Entwicklung der Pop Art. 1959–60 Reisen in Europa und Japan, Kontakt mit Marcel Duchamp. In den ausgehenden sechziger Jahren Wiederaufgreifen des Pollockschen ›overall-painting‹ mit gleichmäßigen farbigen Linienbündeln. – Lebt in New York.

543 Grey rectangles. 1957
(Graue Rechtecke)
Enkaustik auf Leinwand. 152,4 × 152,4 cm
New York, Collection Mr. & Mrs. Victor W. Ganz
(Vgl. Abb. Seite 233)

540 Four lane road. 1956
(Vierspurige Straße)
Öl auf Leinwand. 69,8 × 105,4 cm
Privatbesitz

541 Western motel. 1957
Öl auf Leinwand. 76,8 × 127,3 cm
New Haven/Ct., Yale University Art Gallery
Bequest of Stephen Carlton Clark, B. A.
(Vgl. Abb. Seite 274)

542 Target with plaster casts. 1955
(Zielscheibe mit Gipsabgüssen)
Enkaustik und Collage auf Leinwand mit Gipsformen. 130 × 112 × 9 cm
New York, Mr. & Mrs. Leo Castelli
(Vgl. Abb. Seite 233)

544 Large white numbers. 1958
(Große weiße Zahlen)
Enkaustik auf Leinwand. 170,5 × 126 cm
Köln, Museum Ludwig, Stiftung Ludwig
(Vgl. Abb. Seite 234)

Robert Rauschenberg

Geb. 22. Oktober 1925 in Port Arthur, Texas, USA. 1946–47 Studium am Kansas City Art Institute und an der School of Design, 1947 an der Académie Julian, Paris, 1948–50 am Black Mountain College mit Cy Twombly bei Josef Albers. 1951–52 Reisen mit Cy Twombly. 1952 enge Zusammenarbeit und Freundschaft mit Jasper Johns, Merce Cunningham und John Cage. Lehrtätigkeit am Black Mountain College. In seinen für die Entwicklung der Pop Art maßgeblichen Assemblagen und Combine-paintings vollzieht Rauschenberg Ende der fünfziger Jahre eine Verbindung von Malerei und realen Gegenständen aller Art. Dabei hebt er den traditionellen Bildcharakter von Malerei auf und weitet seine Arbeiten zu freistehenden Objekten aus. 1958 Ausstellung der ersten ›Combines‹ in der Leo Castelli Gallery, New York. 1961 gemeinsame Aktion ›Kollaboration für David Tudor‹ mit Niki de Saint-Phalle, Jasper Johns, Jean Tinguely und David Tudor in der Amerikanischen Botschaft, Paris. 1962 ›Dy(namisches) Laby(rinth)‹ im Stedelijk Museum, Amsterdam, mit Raysse, Niki de Saint-Phalle, Spoerri, Tinguely und Ultvedt. 1964 Preis der Biennale, Venedig. – Lebt in New York.

546 Odalisque. 1955–58
Verschiedene Materialien, 205 × 44 × 44 cm
Köln, Museum Ludwig, Stiftung Ludwig
(Vgl. Abb. Seite 233)

549 Wall Street. 1961
Verschiedene Materialien. 182 × 226 cm
Köln, Museum Ludwig, Stiftung Ludwig

545 Erased de Kooning drawing. 1953
(Ausradierte de Kooning-Zeichnung)
Aquarell und Graphit auf Papier.
43,2 × 34,6 cm
Besitz des Künstlers
(Vgl. Abb. Seite 23)

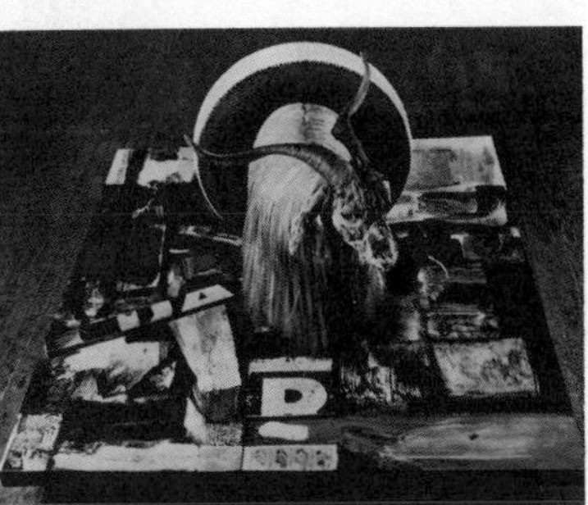

547 Monogram. 1955–59
Verschiedene Materialien. 122 × 183 × 183 cm
Stockholm, Moderna Museet
(Vgl. Abb. Seite 233)

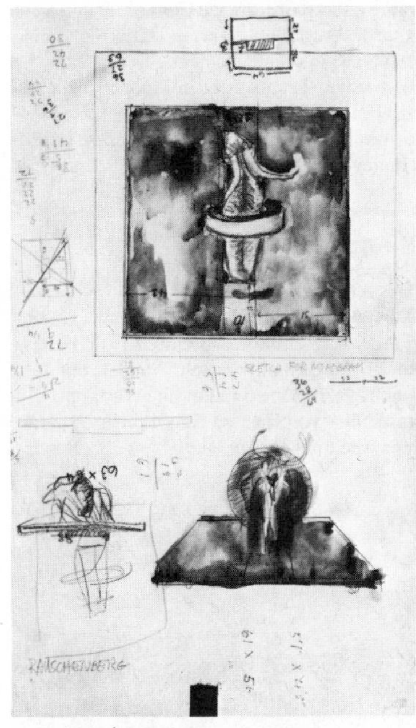

548 Study for Monogram. 1959
Aquarell und Graphit auf Papier.
48,5 × 28,8 cm
Besitz des Künstlers

Richard Hamilton

Geb. 24. Februar 1922 in London. 1936 Arbeit in der Werbeabteilung eines Unternehmens für Elektromaschinenbau, 1937 in einem Werbestudio. Abendkurse am Westminster Technical College und der St. Martins School of Art. 1938–40 Studium der Malerei an den Royal Academy Schools. 1941–54 Arbeit als technischer Zeichner. 1951–55 entwirft und organisiert er einige große Ausstellungen, u. a. ›Growth and Form‹ (1951) und ›Man, Machine and Motion‹ (1955). 1952 Gründung der ›Independent Group‹ u. a. mit Eduardo Paolozzi, Nigel Hendersen, Lawrence Alloway, William Turnbull und Reyner Banham. 1953–66 Lehrtätigkeit am King's College, Universität Durham. 1956 Beteiligung an der Ausstellung ›This is Tomorrow‹ in der Whitechapel Art Gallery, London. 1957–61 Lehrauftrag für Innenarchitektur am Royal College of Art, London. 1965–66 Rekonstruktion von Marcel Duchamps ›Großem Glas‹, Organisator der Duchamp-Retrospektive in der Tate Gallery, London. 1970 Retrospektive in der Tate Gallery, London, 1974 in der Nationalgalerie, Berlin. Hamiltons Arbeiten zeigen seine Fähigkeit, die alltägliche Konsumwelt der fünfziger Jahre aufzuspüren. Seine Collage für den Katalog der Ausstellung ›This is Tomorrow‹, allgemein als Inkunabel der englischen Pop Art angesehen, beantwortet in eindeutiger Weise die Frage: ›Just what is it that makes today's homes so different, so appealing?‹ – Lebt in Henley-on-Thames, England.

This is tomorrow
Ausstellung in der Whitechapel Gallery, London, 9. August bis 9. September 1956. Beitrag von Richard Hamilton. John McHale und John Voelcker. Rekonstruktion für ›Westkunst‹, ausgeführt von Richard Hamilton in Zusammenarbeit mit Jürgen Jakob

550 This is tomorrow. 1956
(Das ist morgen)
Collage. 30,1 × 47,2 cm
Stuttgart, Staatsgalerie, Graphische Sammlung
(Vgl. Abb. Seite 239)

551 Just what is it that makes today's homes so different, so appealing? 1956
(Was ist es nur, das die Wohnungen von heute so ganz anders, so reizvoll macht?)
Collage auf Papier. 26 × 25 cm
Tübingen, Kunsthalle,
Sammlung Prof. Dr. Georg Zundel
(Vgl. Abb. Seite 237)

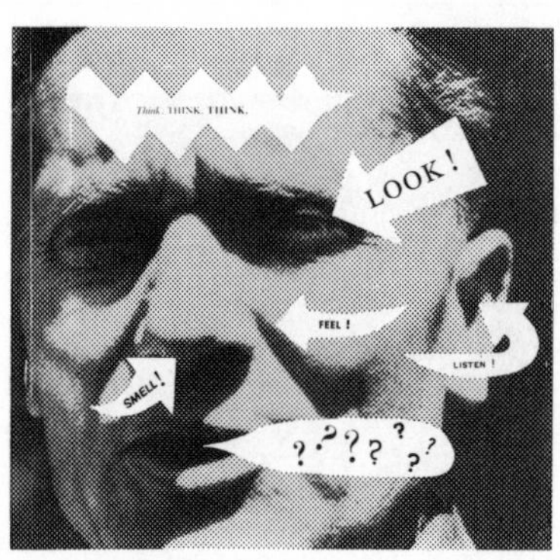

552 This is tomorrow. 1956
(Das ist morgen)
Collage. 21 × 22,1 cm
Köln, Museum Ludwig, Sammlung Ludwig

Bernard Réquichot

Geb. 1. Oktober 1929 in Asmères-sur-Vègre, Sarthe, Frankreich. 1945–48 Malerausbildung im Atelier d'Art Sacré und im Atelier Charpentier, Paris, anschließend an der Académie des Beaux-Arts. Ab 1952 kubistische Malerei. 1956 Ausbildung der ›papiers choisis‹ (Collagen mit Malerei und farbigen Illustriertenfotos). 1958 erste große Skulpturen, zur gleichen Zeit erste Gedichte. 1960 Gedichtzyklus ›La guerre des nerfs‹. Als Initiator des Nouveau Réalisme führt Réquichot in seinen ›papiers choisis‹ die informelle Malerei wieder stärker an die Gegenständlichkeit heran. – 4. Dezember 1961 Selbstmord in Paris.

553 Le reliquaire de la forêt. 1957/58
(Reliquienschrein des Waldes)
Öl auf Holz unter Glas. 67 × 45 × 28 cm
Paris, Musée National d'Art Moderne,
Centre Georges Pompidou

554 Reliquaire des rencontres de campagne. 1959
(Reliquienschrein ländlicher Begegnungen)
Kunststoff und Draht. 97 × 78 × 37 cm
Privatbesitz

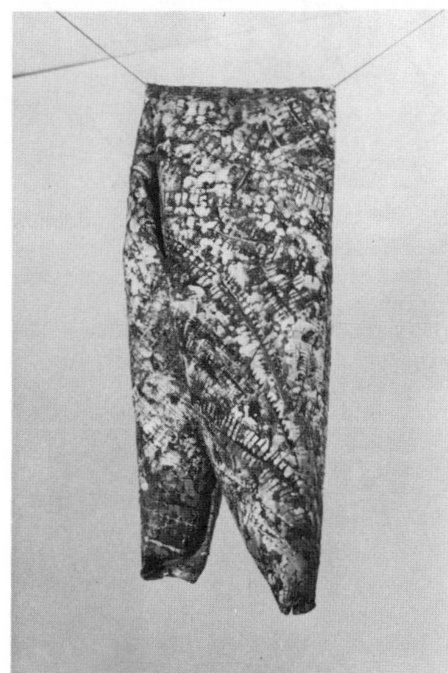

555 Portrait, toile cartonnée. 1961
Öl auf Leinwand, auf kartoniertem Papier aufgeklebt und geformt. 84 × 32 × 21 cm
Paris, Musée National d'Art Moderne, Centre Georges Pompidou

Raymond Hains

Geb. 9. November 1926 in Saint-Brieuc, Frankreich. 1945 Studium an der Académie des Beaux-Arts, Rennes. Freundschaft mit Jacques de la Villéglé. Seit 1946 tätig als Fotograf für ›France-Illustration‹. 1948 Freundschaft mit Yves Klein und François Dufrêne. Ab 1949 Filmarbeit mit Villéglé. Zusammen mit ihm entwickelt er 1950 das Prinzip der ›Affiches lacerées‹. Die Plakatmontagen, die von Hains – im Gegensatz etwa zu Villéglé – nicht ästhetisch aufgearbeitet werden, wirken wie kritische Schaubilder des modernen Medienverbrauchs. 1960 Mitbegründer der Gruppe ›Nouveaux Réalistes‹, Paris. – Lebt in Paris

558 Trois panneaux de l'époque Sidney-Jeanine. 1960
(Drei Paneele aus der Epoche Sidney-Jeanine)
Abgerissene Plakate auf Blech. 210 × 310 cm (mit Rahmen)
Saint Etienne, Musée d'art et d'industrie, Leihgabe aus Privatbesitz

556 Avec le grand concours de l'humanité et de la nation française. 1956
Abgerissene Plakate. 100 × 216 cm
Privatbesitz
(Vgl. Abb. Seite 245)

557 Sans titre. 1958
(Ohne Titel)
Abgerissene Plakate. 65 × 81 cm
Paris, Collection Martin-Malburet

559 La lessive génie. 1961
(Das Waschmittel ›génie‹)
Abgerissene Plakate. 145 × 128 cm
Paris, Collection Martin-Malburet

Jacques Mahé de la Villéglé

Geb. 22. März 1926 in Quimper, Bretagne, Frankreich. 1944–46 Studium an der Ecole des Beaux-Arts in Rennes und technischer Zeichner in einem Architekturbüro. 1947–49 Architekturstudium in Nantes. Ab 1950 Zusammenarbeit mit Raymond Hains. 1957 Organisation der Ausstellung ›Affiches lacerées‹. 1960 Gründungsmitglied der Gruppe ›Nouveaux Réalistes‹. – Lebt in Paris.

561 Boulevard St. Martin. 1959
Décollage. 81 × 162 cm
Köln, Galerie Jöllenbeck

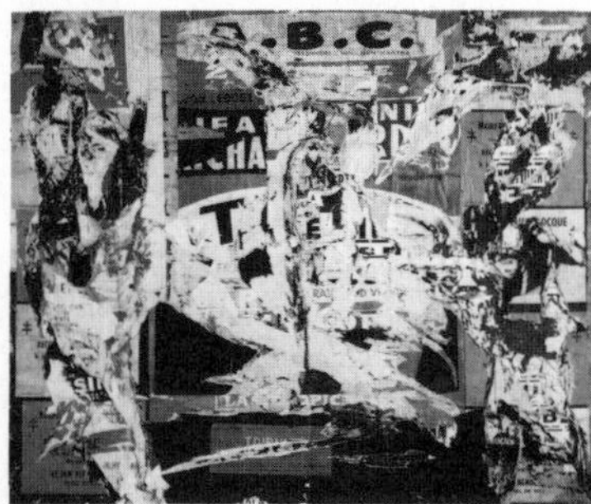

560 A.B.C. 4. 3. 1959
Décollage. 150 × 190 cm
Paris, Collection Fonds National d'Art Contemporain

562 Boulevard St. Martin. 1959
Décollage. 222 × 245 cm
Mönchengladbach, Städtisches Museum, Leihgabe Sammlung Reinhard Onnasch

563 Boulevard St. Martin. 1959
Décollage. 135 × 167 cm
Münster, Westfälisches Landesmuseum für Kunst und Kulturgeschichte, Sammlung Cremer

François Dufrêne

Geb. 1910 in Paris. 1949 Freundschaft mit Raymond Hains. 1954–59 Mitglied der Pariser Lettristen. 1960 Mitbegründer der Gruppe ›Nouveaux Réalistes‹. Dufrêne zeigt in seinen neodadaistischen Bildern (den ›dessous d'affiches‹) den ästhetischen Reiz, den eine abgerissene vielfach übereinandergeklebte Plakatwand entfalten kann. – Lebt in Paris.

564 ⅛^{e} du plafond pour la salle des informels de la 1re Biennale de Paris. 1959
(⅛ der Decke für den Saal der Informellen auf der ersten Biennale von Paris)
Décollage, Rückseite von Plakaten auf Leinwand. 146 × 114 cm
Privatbesitz

567 Triptychon. ▷
1. MP 16 (Monopink). 1960
2. MG 17 (Monogold). 1960
3. IKB 75 (International Klein Bleu). 1960
1. Leinwand auf Holzfaserplatte
2. Blattgold auf Holzfaserplatte
3. Leinwand auf Holzfaserplatte
je 198 × 152,7 cm
Humlebaek/Dänemark, Louisiana Museum of Modern Art
(Vgl. Abb. Seite 244)

Yves Klein

Geb. 28. April 1928 in Nizza. 1946 Pianist in der Jazzband Claude Luthers. Besuch der Judoschule in Paris, Freundschaft mit Claude Pascal und Arman. Beitritt zum Rosenkreuzerorden und Beginn der Malerei. 1947 erste monotone Symphonie. 1948 Monotype Abdrucke von Händen und Füßen. 1949 mit Claude Pascal einjähriger Aufenthalt in England und Arbeit in einer Bilderrahmenwerkstatt, erste monochrome Bilder. 1952 halbjähriger Aufenthalt in Irland und Reisen durch Europa sowie nach Japan, wo er im Institut Kodokan, Tokio, den schwarzen Gürtel im Judo erringt. 1954 Technischer Leiter und Lehrer an der nationalen Judoföderation Spaniens. 1955 Rückkehr nach Paris. Zurückweisung vom ›Salon des Réalités Nouvelles‹, Freundschaft mit Pierre Restany. 1957 Beginn der Blauen Periode. 1958 erste Anthropometrien. 1958–59 Schwammreliefs für das Gelsenkirchener Stadttheater. 1960 Mitbegründer der Gruppe ›Nouveaux Réalistes‹ und ›Erstes Manifest‹ in Kleins Wohnung. 1961 Feuerfontänen und 2. Manifest. Durch die Vielfalt seiner Ideen und die Integration verschiedenster Materialien und Techniken in die Kunst ist Yves Klein einer der bedeutendsten Anreger und Theoretiker der Kunstentwicklungen nach 1960. – 6. Juni 1962 in Paris gestorben.

565 Le monochrome (bleu). 1957
Collage, Wellpappe, Öl. 33 × 30 cm
Köln, Privatbesitz

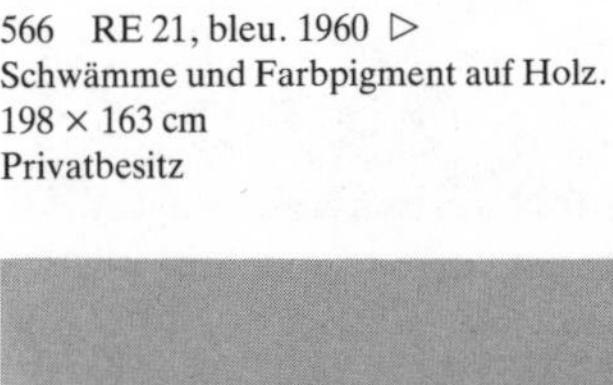

566 RE 21, bleu. 1960 ▷
Schwämme und Farbpigment auf Holz.
198 × 163 cm
Privatbesitz

568 ANT 155 Anthropométrie 155. 1961
Öl auf Leinwand. 172 × 146 cm
Genf, Cavalieri Holding Co. Inc.
(Vgl. Abb. Seite 244)

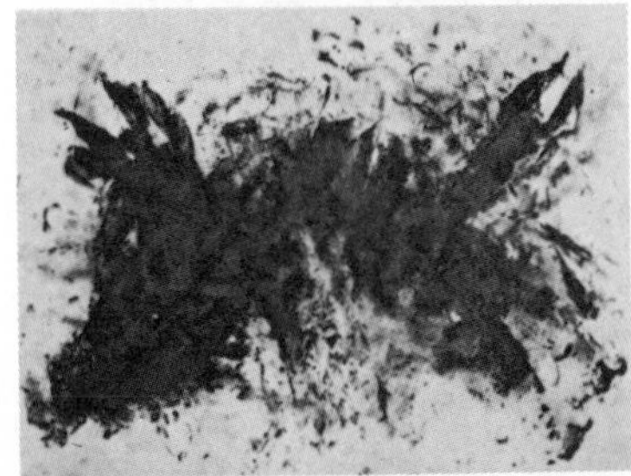

569 ANT 76 ›Grande Anthropophagie bleue‹, Hommage à Tennessee Williams. o. J.
Papier auf Leinwand. 276 × 418 cm
Privatbesitz

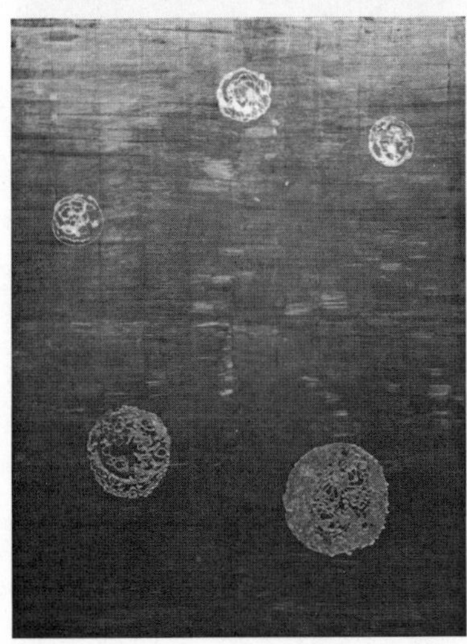

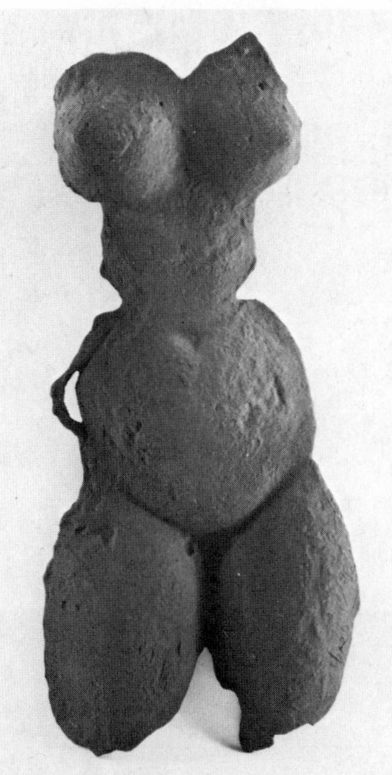

571 S 12 ›Venus bleue‹ 1962
(Blaue Venus)
Bronze, bemalt, 54 × 25 cm
Genf, Cavalieri Holding Co. Inc.

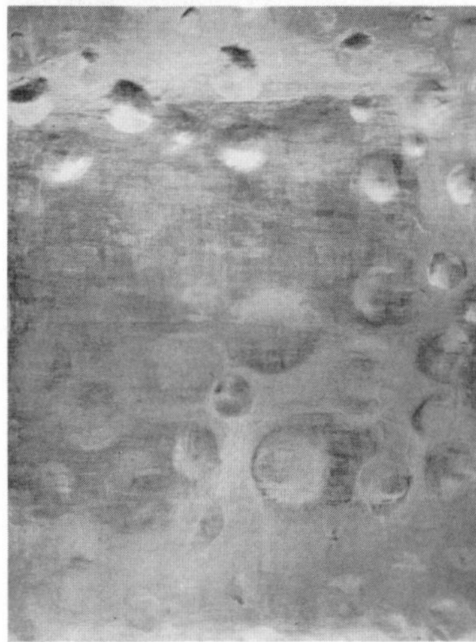

572 MG 7 Monogold. o. J.
Blattgold auf Leinwand, auf Sperrholz, runde Formen, eingedrückt. 198 × 153 cm
Privatbesitz

◁ 570 ANTSU 11 Anthropométrie suaire. 1960 (Schweißtuch-Anthropometrie)
Abdrücke von Mitgliedern der Gruppe ›Nouveaux Réalistes‹ auf Leinwand. 600 × 139 cm
Privatbesitz

Arman (Armand Fernandez)

Geb. 17. November 1928 in Nizza. 1946 Studium an der Ecole Nationale des Arts Décoratifs und der Ecole du Louvre, Paris. 1947 Freundschaft mit Yves Klein und Claude Pascal. 1947–53 intensive Beschäftigung mit Zen-Buddhismus und Astrologie. 1951 Leiter einer Judoschule in Paris. 1952 Militärdienst. 1958 ausschließlich Verwendung des Namens ›Arman‹, angeregt durch einen Druckfehler. 1960 Mitbegründer der Gruppe ›Nouveaux Réalistes‹. 1959 erste Akkumulation (Anhäufungen von Alltagsgegenständen) mit Musikinstrumenten. 1963 in New York. 1967–68 Lehrtätigkeit an der University of California, Los Angeles. 1972 amerikanischer Staatsbürger. – Lebt in Nizza und New York.

573 Poubelle. 1960
(Anhäufung von Müll).
70 × 52 × 16,5 cm
Privatbesitz

576 Accumulation de brocs. 1961 ▷
(Anhäufung von Kannen)
Emailkannen, Plexiglas. 83 × 140 × 40 cm
Köln, Museum Ludwig, Stiftung Ludwig
(Vgl. Abb. Seite 248)

574 Home sweet home. 1960
(Gasmasken in verglastem Kasten)
Anhäufung. 130 × 150 × 26 cm
Eltville, Privatbesitz

575 FLY-TOX—Tuez-les tous,
Dieu reconnaîtra les siens. 1961
(FLY-TOX – Tötet sie alle, Gott wird die Seinen wiedererkennen)
(Giftsprüher in verglastem Kasten)
Anhäufung. 80 × 60 × 12 cm
Privatbesitz

César (César Baldaccini)

Geb. 1. Januar 1921 in Marseille. 1935–39 Studium an der Ecole des Beaux-Arts in Marseille und 1943–47 in Paris. Gelegenheitsarbeiter. Die ab 1960 entstehenden ›Compressions dirigées‹, in denen César zusammengepreßte Autokarosserien zu Kunstwerken erklärt, sind ein ironisch-humorvolles Zitieren der Alltagsrealität im Geiste Marcel Duchamps. 1961 Aufenthalt in den USA. Seit 1968 Lehrtätigkeit an der Ecole Nationale Supérieure des Beaux-Arts, Paris. – Lebt in Notre-Dame de Roquefort (Südfrankreich).

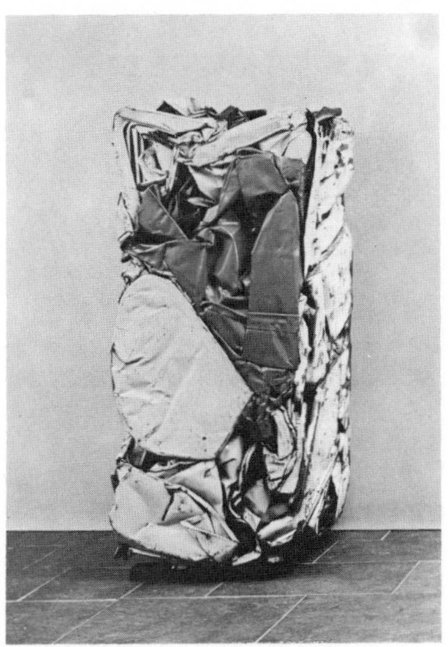

577 Compression. 1961
(Kompression)
Elemente eines Dauphine 2 CV und eines Feuerwehrwagens. 152 × 64 × 54 cm
Privatbesitz

Christo

Geb. 13. Juni 1935 in Gabrovo, Bulgarien. 1952–56 Studium an der Kunstakademie Sofia. 1956 Werkstudent am Burian-Theater, Prag. 1957 Studium an der Kunstakademie Wien. 1958–64 Aufenthalt in Paris, Freundschaft mit Yves Klein, Jean Tinguely und Arman. Erste Verpackungen und verschnürte Objekte. 1964 Übersiedlung nach New York. 1968 Gebäudeverpackungen (Kunsthalle Bern) und Großraumprojekte (›Running Fence‹). Durch die Aktion des Verpackens überführt Christo vertraute Objekte des Alltags und der Umwelt in eine vielschichtige Erscheinungsform, die deren Entstehung und Funktion relativiert. – Lebt in New York.

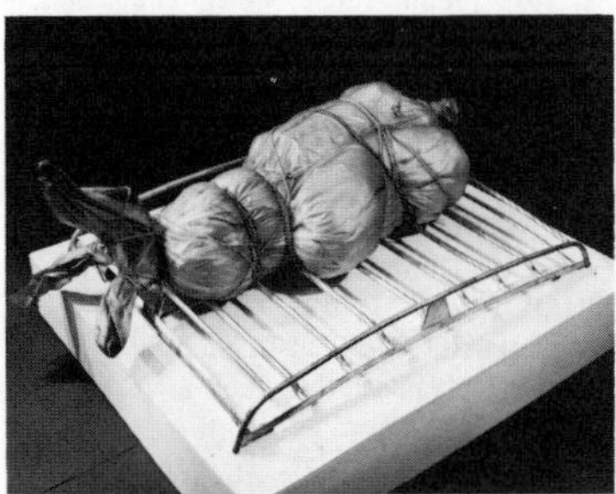

578 Package on luggage rack. 1962
(Paket auf Gepäckträger)
Metall, Plastik, Textilien, Holz, Seil und Gummiband. 150 × 99 × 38 cm
Rotterdam, Museum Boymans-van Beuningen

Jean Tinguely

Geb. 22. Mai 1925 in Fribourg, Schweiz. 1941–45 Studium an der Gewerbeschule Basel. 1952 Übersiedlung nach Paris. In Weiterführung der Mobiles von Alexander Calder baut Tinguely in den fünfziger Jahren mobile Reliefs und Plastiken, die sich in rhythmischen Bewegungen verändern und oft mit Geräuschen verbunden sind. 1955 Teilnahme an der Ausstellung ›Le Mouvement‹ in der Galerie Denise René, Paris. 1959 Abwurf des Manifestes ›für Statik‹ in 150000 Exemplaren aus einem Flugzeug über Düsseldorf. Erste Zeichnungsmaschinen. 1960 Mitbegründer des ›Nouveau Réalisme‹, Paris. Konstruiert sich selbst zerstörende Maschinen, u. a. ›Hommage à New York‹ im Garten des Museums of Modern Art, New York. 1966 Zusammenarbeit mit Niki de Saint-Phalle und Per Olof Ultvedt, Stockholm. Ab 1978 monumentale Musik-Triptychen. – Lebt in Soisy-sur-Ecole bei Paris.

Werke aus der Ausstellung **L'art fonctionnel,**
Galerie des Quatre Saisons, Paris, 14.–23. Mai 1960
Installation für ›Westkunst‹, ausgeführt von Jean Tinguely und Josef Imhof

579 Relief sonore. 1955
(Schwarzweißes mechanisches Lautrelief)
Eisen, Stangen, Gläser, eine Säge und drei Motoren. 80 × 330 × 60 cm
Privatbesitz
(Vgl. Abb. Seite 249)

580 Marilyn. 1960
Alteisen, alte Rechenmaschine, verschiedene Metalle, Teppich. 72 × 300 cm
Basel, Kunstmuseum

581 Cyclograveur. 1960
Eisen, Gummi, Holz. 180 × 260 × 105 cm
Besitz des Künstlers

582 Gismo. 1960
Schrott-Assemblage. 200 × 460 × 170 cm
Amsterdam, Stedelijk Museum
(Vgl. Abb. Seite 243)

583 Méta-Matic (Rouillée). 1960
Eisen, Gummi. 180 × 60 × 140 cm
Besitz des Künstlers

584 Autoportrait conjugal. 1960
(Ehe-Selbstbildnis)
Alteisen mit beweglichen Elementen, angetrieben von Elektromotor, toter Vogel.
187 × 139 × 36,5 cm
Basel, Kunstmuseum

Niki de Saint-Phalle

Geb. 29. Oktober 1930 in Neuilly-sur-Seine. 1933 Übersiedlung nach New York. 1951 Rückkehr nach Paris. 1952 Beginn der Malerei. 1956 erste Objekte und Assemblagen. 1960 Verbindung mit Jean Tinguely. Mitglied der ›Nouveaux Réalistes‹. In den Schießobjekten der frühen sechziger Jahre greift Niki de Saint-Phalle das dadaistische Prinzip des Zufalls auf und integriert es in den künstlerischen Arbeitsvorgang. Wird bekannt durch ihre burlesken, unförmigen Riesenweiber aus bemaltem Polyester, die ›Nanas‹. 1966 in Zusammenarbeit mit Jean Tinguely und Per Olof Ultvedt Konstruktion einer riesigen, begehbaren Frauenfigur (›Hon‹) im Moderna Museet, Stockholm. 1973 erste Filme. – Lebt in Soisy-sur-Ecole bei Paris.

Daniel Spoerri

Geb. 27. März 1930 in Galati, Rumänien. 1942 Übersiedlung in die Schweiz. 1950–54 Ausbildung als Tänzer. 1955–57 Erster Tänzer der Oper in Bern. 1959 Übersiedlung nach Paris und Herausgeber der Edition MAT. 1960 Mitbegründer der Gruppe ›Nouveaux Réalistes‹, erste ›Fallenbilder‹. Kurze Zusammenarbeit mit Fluxus in New York. 1968 Eröffnung eines ›Eat-Art-Restaurants‹ in Düsseldorf und Herausgabe der ›Eat-Art-Edition‹. Unter dem Programm des ›Nouveau Réalisme‹ Einbeziehung der alltäglichen Dingwelt in die ›Fallenbilder‹, die zufällige Situationen von Tischambientes mit allen Utensilien zum Kunstwerk erklären. Lehrtätigkeit an der Werkkunstschule, Köln. – Lebt in der Nähe von Paris und in Köln.

Mimmo Rotella

Geb. 17. Oktober 1918 in Catanzaro, Italien. Studium an der Kunstakademie Neapel. 1951–52 Stipendiat an der University of Missouri, Kansas City. 1954 ›Manifesti lacerati‹ und erste Ausstellung abgerissener Plakate. 1961 auf Einladung von Pierre Restany Beitritt zur Gruppe ›Nouveaux Réalistes‹, Paris. Trifft François Dufrêne, Jacques de la Villéglé und Raymond Hains. Rotella zeigt in seinen abgerissenen Plakaten den Reiz und die Vergänglichkeit moderner Werbeplakate. – Lebt in Mailand.

585 Tableau tir. 1961
(Schieß-Objekt)
Teil eines Stillebens, Dispersionsfarbe, verschiedene Materialien. 40 × 29 cm
Mönchengladbach, Städtisches Museum

586 Tableau piège chez Tinguely. 1960
(Tinguelys Tisch)
Verschiedene Materialien, hauptsächlich Eisen, auf Holzplatte montiert. Maße der Holzplatte 80 × 120 × 17 cm
Mönchengladbach, Städtisches Museum

589 Marilyn Monroe. 1962
Décollage. 133 × 94 cm
Naarden /Holland,
Sammlung Agnes und Frits Becht

◁ 587 La table de Ben. 1961
(Bens Tisch)
Verschiedene Materialien auf Holzplatte montiert. 80 × 237 × 42 cm
Privatbesitz

588 La table de Robert. 1961 ▷
(Roberts Tisch)
Holzplatte mit aufmontierten Gegenständen. 50 × 200 cm
Köln, Museum Ludwig, Stiftung Ludwig
(Vgl. Abb. Seite 247)

Piero Manzoni

Geb. 13. Juli 1933 in Cremona, Italien. 1956 Mitherausgeber des Manifestes ›Per la Scoperta di una Zona di Immagini‹, Mailand. 1957 Kontakte zu Yves Klein und Mitbegründer von ›Gruppo Nucleare‹, Mitherausgeber der Manifeste ›Per una Pittura Organica‹ und ›Manifesto d'Albisola Marma‹. 1958 Kontakte zur Zero-Gruppe, erste ›Achromes‹-Bilder (mit Kaolin geschlemmte, aber auch rohe, farblose Leinwände oder weißes Material wie Watte, Baumwolle, Filz oder Glaswolle). Mitherausgabe des Magazins ›Il Gesto‹. Ab 1960 ›Linien‹ (die längste 7200 m auf einer Zeitungsrolle). 1961 Kontakte zu Arman und Jean Tinguely. 6. Februar 1963 in Mailand gestorben.

590 Achrome. 1958
(Farblos)
Gips und kleine Steinchen auf Jute.
129,5 × 79,5 cm
Mönchengladbach, Städtisches Museum, Sammlung Etzold
(Vgl. Abb. Seite 251)

591 Impronte. 1961
(Fingerabdrücke)
68 × 78 cm
Herning/Dänemark, Herning Kunstmuseum
(Nicht abgebildet)

596 Impronte. 1961 ▷
(Fingerabdrücke)
78 × 68 cm
Herning/Dänemark, Herning Kunstmuseum

594 Linea. 1961
(Linie)
78 × 68 cm
Herning/Dänemark, Herning Kunstmuseum

592 Impronte. 1961
(Fingerabdrücke)
78 × 68 cm
Herning/Dänemark, Herning Kunstmuseum
(Nicht abgebildet)

593 Linea. 1961
(Linie)
78 × 68 cm
Herning/Dänemark, Herning Kunstmuseum
(Nicht abgebildet)

595 Impronte. 1961
(Fingerabdrücke)
78 × 68 cm
Herning/Dänemark, Herning Kunstmuseum
(Nicht abgebildet)

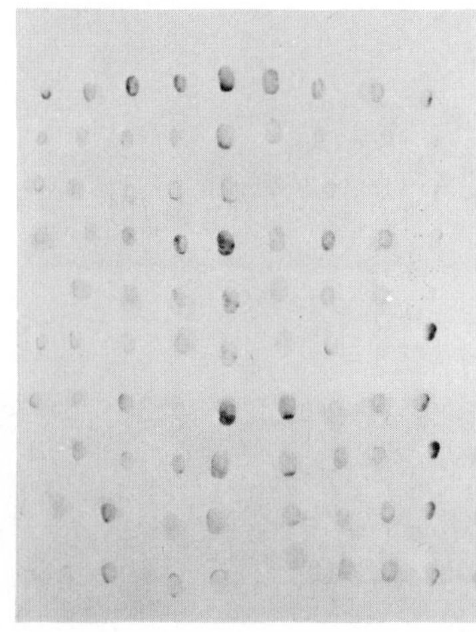

597 Linea. 1961
(Linie)
78 × 68 cm
Herning/Dänemark, Herning Kunstmuseum

598 Linea. 1961
(Linie)
78 × 68 cm
Herning/Dänemark, Herning Kunstmuseum
(Nicht abgebildet)

599 Linea. 1961
(Linie)
78 × 68 cm
Herning/Dänemark, Herning Kunstmuseum
(Nicht abgebildet)

600 Linea. 1961
(Linie)
78 × 68 cm
Herning/Dänemark, Herning Kunstmuseum
(Nicht abgebildet)

Jan J. Schoonhoven

Geb. 26. Juni 1914 in Delft, Holland. 1930–34 Studium an der Königlichen Akademie für Bildende Künste, Den Haag. Seit 1946 Angestellter der niederländischen Post. 1948–58 farbige Gouachen. 1958 Mitbegründer der ›Nederlandse informele Groep‹. 1960 Mitbegründer der Gruppe ‹NUL‹. Mit seinen weißen, seriellen Pappmaché-Reliefbildern verfolgt Schoonhoven ähnliche Tendenzen der Objektivierung wie Piero Manzoni, Yves Klein und die Gruppe Zero. – Lebt in Delft.

602 Erste serieel relief. 1960
(Erstes serielles Relief)
Papiermaché. 50 × 65 cm
Frankfurt/M., Edda und Werner Hund
(Vgl. Abb. Seite 253)

Heinz Mack

Geb. 8. März 1931 in Lollar, Hessen. 1930–53 Studium an der Staatlichen Kunstakademie, Düsseldorf. 1956 Philologisches Staatsexamen an der Universität Köln. 1957 mit Otto Piene und Günther Uecker (ab 1961) Gründung der Gruppe ›Zero‹. In seinen monochromen schwarzen oder weißen ›Dynamischen Strukturen‹ schafft Mack Objekte, in denen er die Immaterialität des Lichtes zur Erscheinung bringt. 1958–61 Herausgabe von drei Katalogzeitschriften ›Zero‹. Bis 1964 Tätigkeit als Kunsterzieher. 1965 in New York. 1966 Auflösung der Gruppe ›Zero‹. 1968 Sahara-Projekt mit Lichtstelen. 1972 Wasserwolke für die Olympischen Spiele in München. – Lebt in Mönchengladbach.

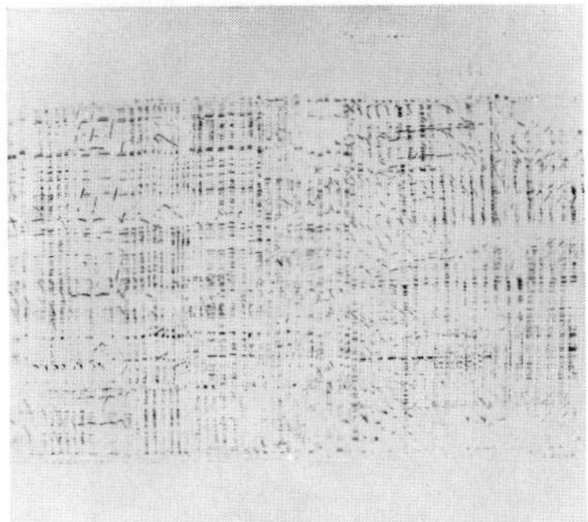

603 Dynamische Struktur – Weiß auf Schwarz. 1956/57
Kunstharz auf Nessel. 160 × 175 cm
Besitz des Künstlers

Otto Piene

Geb. 18. April 1928 in Laasphe, Westfalen. 1948–50 Studium der Malerei an der Blocherer Schule und an der Akademie der Bildenden Künste, München, 1950–53 an der Staatlichen Kunstakademie, Düsseldorf. 1953–57 Philologiestudium an der Universität Köln. Ab 1955 Beschäftigung mit dem Licht als künstlerischem Medium. 1957 Mitbegründer der Gruppe ›Zero‹ mit Heinz Mack. 1960 erste Rauch- und Feuerbilder. 1964 Lehrtätigkeit an der University of Pennsylvania, seit 1968 Massachusetts Institute of Technology, Cambridge, und dort seit 1974 Direktor des Center for Advanced Visual Studies. – Lebt in Düsseldorf und Cambridge, Ma.

604 Lichtsirene. 1959/60
Öl auf Leinwand. 110 × 110 cm
BRD., Privatbesitz

◁ 601 Linea m. 1′ 140. 24 Juli 1961
(Linie m. 1′ 140)
Chrombehälter und Zeichnung. 52 × 42 cm
Privatbesitz

Günther Uecker

Geb. 13. März 1930 in Wendorf, Mecklenburg. 1949–55 Studium der Malerei in Wismar, an der Kunsthochschule Berlin-Weißensee und an der Staatlichen Kunstakademie, Düsseldorf. 1957 erste weiße Nagelobjekte. 1958–59 erste sich drehende Scheiben. 1961 Anschluß an die Gruppe ›Zero‹. Wendet sich zunehmend einer kinetischen Lichtkunst in Gestalt von Lichtkästen und Lichtmühlen zu. – Seit 1974 Lehrtätigkeit an der Staatlichen Kunstakademie, Düsseldorf. Lebt in Düsseldorf.

605 Organische Struktur. 1960
Nägel auf Pappe, in Holzkasten montiert, monochrom weiß. 103 × 103 cm
Besitz des Künstlers
(Vgl. Abb. Seite 253)

Jesus-Raphael Soto

Geb. 5. Juni 1923 in Ciudad Bolivar, Venezuela. 1942–47 Studium an der Escuela de Artes Plásticas y Artes Aplicadas, Caracas. 1947–50 Direktor der Kunstakademie Maracaibo. 1950 Übersiedlung nach Paris und erste Reliefs mit geometrischen Reihungen. 1955–56 Schichtungen von Spiralen auf Plexiglas, 1958–62 Ausnützung der Moiréeffekte, 1962–68 Vibrationsobjekte. Mit ihnen erzeugt Soto subtile optische Täuschungseffekte, die die Synthese bilden von Alexander Calders physikalischer und Victor Vasarelys optischer Kinetik. – Lebt in Paris.

606 Vibration. 1959
Schwarze Hartfaserplatte, auf 5 cm Holzrahmen montiert, weiß strukturiert, davor Drahtkomposition. 125 × 91 × 25 cm
Krefeld, Kaiser-Wilhelm-Museum

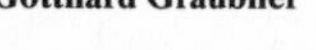

Gotthard Graubner

Geb. 13. Juni 1930 in Erlbach, Vogtland. 1947–48 Studium an der Kunstakademie Berlin, 1948–49 an der Kunstakademie Dresden, 1954–59 an der Staatlichen Kunstakademie Düsseldorf. 1965–72 Lehrtätigkeit an der Hochschule für Bildende Künste, Hamburg, seit 1973 an der Staatlichen Kunstakademie, Düsseldorf. In seinen ›Kissenbildern‹ thematisiert Graubner die Lichtqualität der Farbe, wobei die weichen Aufwölbungen der Kissen feinste Farbtonalitäten freilegen. – Lebt in Düsseldorf.

607 Farbraum gelbgold. 1961
Mischtechnik auf Leinwand. 100 × 90 cm
Bochum, Galerie m

Werke aus der **Edition Mat 1**
Krefeld, Kaiser-Wilhelm-Museum
Installation für ›Westkunst‹, ausgeführt in Zusammenarbeit mit Daniel Spoerri

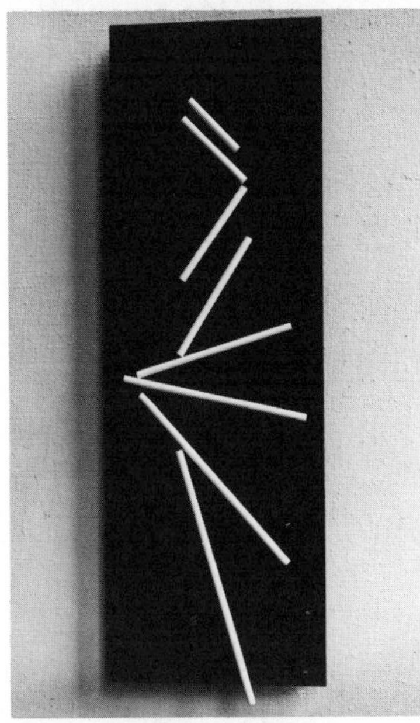

Yaacov Agam
608 8 + 1 in Bewegung. 1959
Holztafel mit 12 Stecklöchern, schwarz gespritzt, 8 verschieden lange Stäbe, weiß gestrichen, 1 Tafelelement 69 × 23 cm, 8 Stabelemente 7/9/11,5/14/17/19,5/23 und 26,5 cm

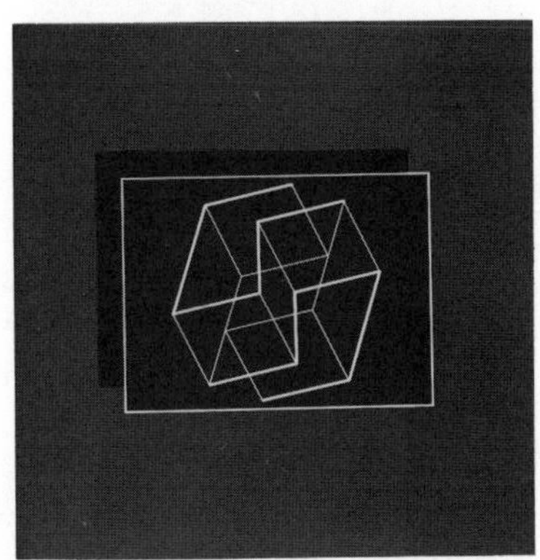

Josef Albers
609 Es bewegt uns – Strukturale Konstellation S V–3. 1957
Schwarze Kunststoffplatte mit weißer Gravierung, 16,5 × 22,5 cm, montiert auf Holzplatte 39 × 39 cm

Yaakov Agam (Jacob Gipstein)

Geb. 11. Mai 1928 in Rishon-le-Zion, Israel. 1947–48 Studium in Jerusalem, 1949 in Zürich. 1951 Übersiedlung nach Paris, Entstehung der ersten kinetischen Objekte. Seit 1961 Erweiterung der Objekte in akustische und taktile Bereiche. Architektonische Spielbereiche. 1972 Ausstellung im Musée d'Art Moderne, Paris, und 1973 im Stedelijk Museum, Amsterdam. – Lebt in Paris.

Josef Albers
(Biografie siehe Seite 413)

Pol Bury

Geb. 26. April 1922 in Haine-Saint-Pierre, Belgien. 1938 Studium an der Académie des Beaux-Arts, Mons. 1943 Anschluß an den belgischen Widerstand. 1947 Reise nach Bulgarien. 1947 Mitbegründer der Gruppe Junge Belgische Künstler. 1948 Reise nach Italien. 1949 Mitbegründer der Gruppe COBRA. 1953 erste Mobiles. 1955 Teilnahme an der Ausstellung ›Le Mouvement‹, Galerie Denise René. 1964 Reise nach New York. – Lebt in Paris.

Marcel Duchamp
(Biografie siehe Seite 370)

Pol Bury
610 Punktuation 1959.
Schwarzgestrichene Blechplatte mit kleinen, unregelmäßigen Lochkonstellationen. Dahinter rotieren, angetrieben durch einen Elektromotor, weiße, ebenfalls durchlöcherte Scheiben 50 × 40 cm.

Marcel Duchamp
611 Rotorelief. 1920, 1924, 1936/1959
Sechs runde Kartonscheiben, beidseitig mehrfarbig bedruckt, je 20 cm ∅, Holzplatte mit schwarzem Samt bezogen, 40 × 40 cm, mit Elektromotor und Drehgestell zum Auswechseln der Scheiben

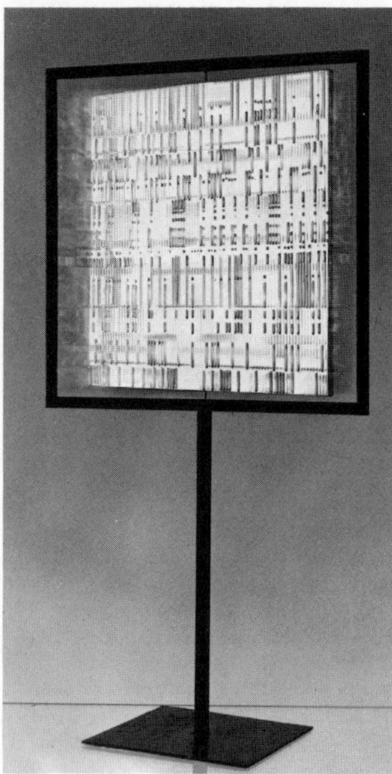

Heinz Mack
612 Bewegliches Lichtrelief. 1959
Zwei reliefierte quadratische Aluminiumplatten aufeinandermontiert, in einem eisernen Standrahmen auf Mittelachse gebracht, Gesamthöhe 57 cm, Plattenmaße 26 × 26 cm

Frank Joseph Malina
613 Hercules. 1959
In einem Holzkasten zwei Lichtquellen und Reflektionsspiegel, eine bemalte Plexiglasplatte, drehbar durch einen Elektromotor, eine feststehende bemalte Plexiglasplatte, vorderer Abschluß des Kastens eine Mattscheibe.
28 × 28 × 11 cm

Heinz Mack
(Biografie siehe Seite 443)

Frank Joseph Malina

Geb. 1912 in Brenham, Texas. Studium der Aeronautik am California Institute of Technology, 1940 Promotion. Bis 1944 Leiter wissenschaftlicher Forschungsinstitute, u. a. der UNESCO in Paris. Seit 1953 Arbeit als Künstler. Herausgeber der Zeitschrift ›Leonardo‹ und wissenschaftliche Tätigkeit im Bereich Geophysik und Aeronautik. 1954–55 Erfindung des ›Lumidyne-Systems‹ zur Entwicklung elektrodynamischer Lichtkonstruktionen. 1974 Publikation der Aufsatzsammlung ›Kinetic Art: Theory and Practice‹. – Lebt in Boulogne-sur-Seine.

Man Ray
(Biografie siehe Seite 337)

Jesus-Raphael Soto
(Biografie siehe Seite 444)

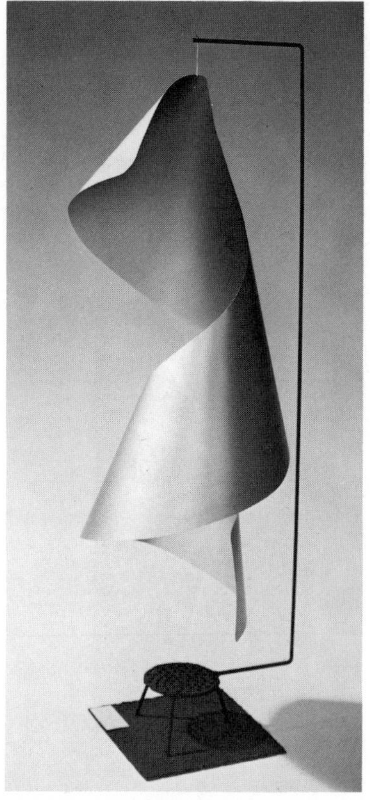

Man Ray
614 Le retour à la raison. 1919–60
(Die Rückkehr zur Vernunft)
Spirale aus Aluminiumblech (größte Breite des Aluminiumstreifens 32 cm).
Höhe 100 cm (variabel)

Jesus-Raphael Soto
615 Vibrationsstruktur. 1955
Weiß bemalte Holztafel mit elliptischer schwarzer Seriographie, in 25 cm Abstand durch Gewindeschrauben gehalten, Plexiglasplatte mit weißer Seriographie.
50 × 50 × 25 cm

Paul Talman
616 Ohne Titel. 1964
Aufeinandergepreßte schwarze und weiße Kunststoffplatten, in der Mitte 25 quadratisch eingepaßte, halb schwarz, halb weiß gefärbte bewegliche Kugeln. 40 × 40 × 4 cm

Paul Talman

Geb. 14. Januar 1932 in Zürich. 1949 erste abstrakte Bilder. Als Künstler Autodidakt. 1960 kinetische Objekte, 1961 erste Kugelbilder. 1964 Aufenthalt am Massachusetts Institut of Technology, Boston. Erster Film ›Spheric Art‹. 1966 Möbelentwürfe, 1967 dreidimensionale Ornamentbilder in Plexiglas. 1975 konkave Säulen-Plastiken. – Lebt in Ueberstorf (Kanton Freiburg), Schweiz.

Jean Tinguely
(Biografie siehe Seite 440)

Victor Vasarely
(Biografie siehe Seite 414)

Diter Rot

Geb. 21. April 1930 in Hannover. 1943 Übersiedlung in die Schweiz. 1947 Grafikerlehre in Bern. 1955 Textilzeichner in Kopenhagen. 1957–64 in Reykjavik. Reisen nach New York, Amsterdam, Paris und Basel. 1960 Zusammenarbeit mit Emmett Williams und Jean Tinguely in Basel sowie mit Robert Filliou in Paris. In seinen frühen Arbeiten kombiniert Rot ursprünglich gleichförmige Materialien (wie z. B. Gummibänder) zu dynamischen grafischen Strukturen und bildet aus Rasterfolien kinetische, raumillusionistische Überlagerungen. 1964 Lehrtätigkeit an Kunstschulen in New York, New Haven, Providence, USA, und Zusammenarbeit mit Alison Knowles, Dick Higgins, Charlotte Moorman, Nam June Paik und George Brecht. 1967 Rückkehr nach Reykjavik. Herausgabe von ›Mundunculum‹. 1968 Lehrtätigkeit an der Watford School of Art, England und an der Staatlichen Kunstakademie, Düsseldorf. 1971 Beginn der Edition ›Diter Rot gesammelte Werke in 20 Bänden‹, 1. Teil (1979 2. Teil). – Lebt in Stuttgart.

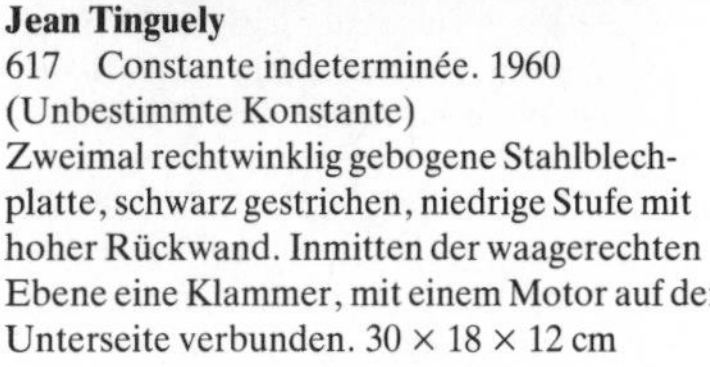

Jean Tinguely
617 Constante indeterminée. 1960
(Unbestimmte Konstante)
Zweimal rechtwinklig gebogene Stahlblechplatte, schwarz gestrichen, niedrige Stufe mit hoher Rückwand. Inmitten der waagerechten Ebene eine Klammer, mit einem Motor auf der Unterseite verbunden. 30 × 18 × 12 cm

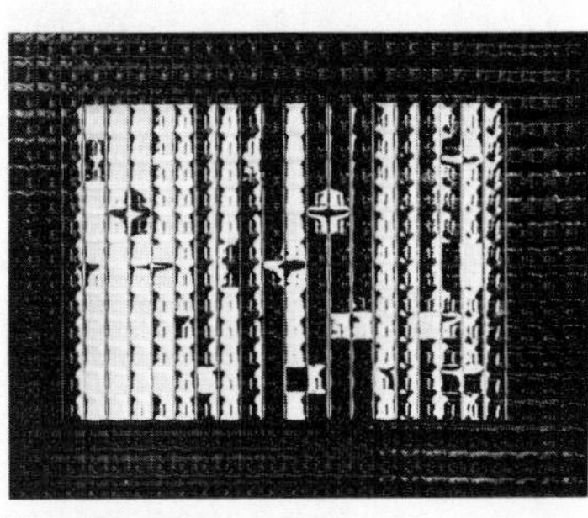

Victor Vasarely
618 Markab. 1956–59
Seriographie mit geometrisch-kinetischer Schwarzweiß-Struktur in einem Holzkasten (54 × 69 × 9,5 cm), Glasplatte mit industriell hergestellter Struktur

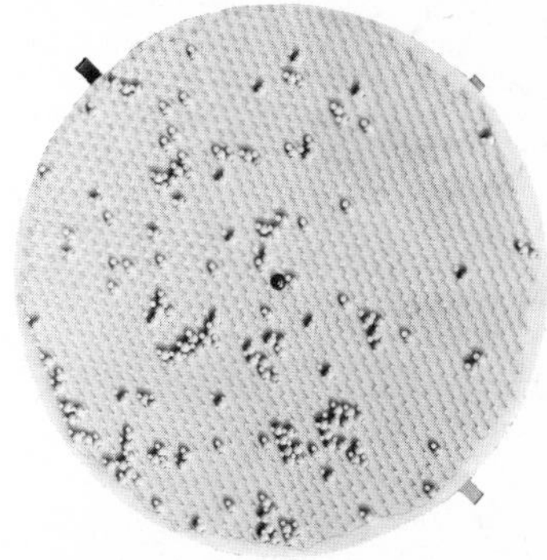

619 Holzkugelbild. 1961, Rekonstruktion 1981
Dachpappennägel in Holz, Holzkugeln.
∅ 100 cm
Besitz des Künstlers

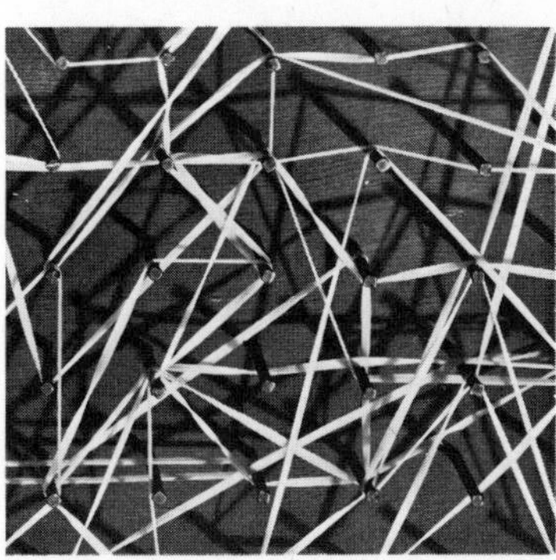

Diter Rot
620 Gummibandbild. 1961, Replik 1981 ▷
Stahlnägel in Holz, Kautschukringe.
100 × 100 cm
Besitz des Künstlers Detail

John Cage

Geb. 5. September 1912 in Los Angeles. 1930 Reise nach Frankreich, dort Architekturstudium bei Ernö Goldfinger und Klavierunterricht bei Lazare Levy. 1931 Reisetätigkeit und erste Bilder, Gedichte und Kompositionen. Rückkehr nach Kalifornien und Weiterführung des Kompositionsstudiums. 1933 Harmonie- und Kompositionslehre bei Adolph Weiß in New York und Studium orientalischer Musik und Volkskunst an der New School for Social Research, New York, bei Henry Cowell. 1934 bei Arnold Schönberg an der University of California, Los Angeles. 1937 Buchbinderlehre und Gründung eines Quartetts für Schlagzeugmusik. 1941 auf Einladung von László Moholy-Nagy Lehrtätigkeit für experimentelle Musik am Black Mountain College. 1949 Freundschaft mit Pierre Boulez. Ab 1950 arbeitet er in seiner Musik mehr und mehr mit dem Zufall, was schließlich zur Aufhebung der Komposition als eines individuellen Werkes führt. Cage stellt das traditionelle Verständnis von Musik – ähnlich wie dies sein Freund Duchamp in der bildenden Kunst tat – radikal in Frage. 1952 Entwicklung eines Prototyps für Happenings u. a. mit Robert Rauschenberg und Merce Cunningham, und Aufführung von ›4' 33"‹ in Woodstock, einer Komposition, die wegweisend wird für ›Happening und Fluxus‹. 1956–58 Lehrtätigkeit an der New School of Social Research, New York, wo George Brecht, Al Hansen, Dick Higgins und Allan Kaprow zu seinen Schülern zählen. Beteiligt sich in den folgenden Jahren an den meisten Fluxus-Festivals. – Lebt in Stony Point, New York.

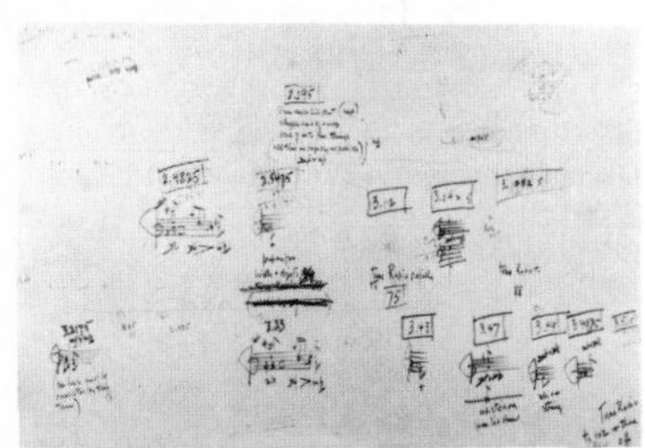

621 Watermusic. 1952
(Wassermusik)
Partitur. Vier Blätter in gleicher Größe, Bleistift auf grauem Papier. 27,5 × 43 cm
Bochum, Galerie Inge Baecker
(Vgl. Abb. Seite 258)
(Drei Blätter nicht abgebildet)

George Brecht

Geb. 7. März 1924 in Blomkest, Minnesota, USA. 1943–45 Militärdienst. 1946–50 naturwissenschaftliches Studium am Philadelphia College of Pharmacy and Science, 1950–55 Ausbildung als Chemiker. 1958–59 Studium an der New School for Social Research, New York, bei John Cage. Seit 1959 Teilnahme an den wichtigen internationalen Happening- und Fluxus-Aktionen. 1962 Aufführung neuer Musik mit La Monte Young, John Cage und Nam June Paik. Brecht strebt innerhalb der von ihm entscheidend mitgeprägten Fluxustheorie mit seinen ›Music and Events‹ eine Synthese von Avantgarde-Musik und Raumsituation an. – Lebt in Köln-Sülz.

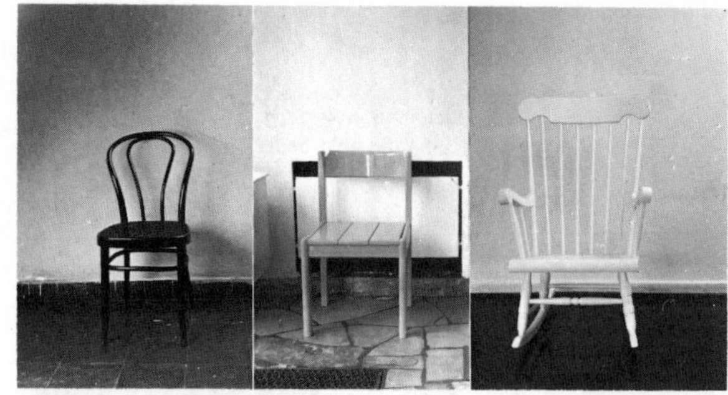

622 Three chair events. 1961
Drei Stühle
Dortmund, Museum am Ostwall, Sammlung Feelisch

623 Piano piece. 1966
(Klavierstück)
Korkbuchstaben und Bleistift auf Leinwand. 100 × 100 cm
Mailand, Gino di Maggio

Wolf Vostell

Geb. 14. Oktober 1932 in Leverkusen. 1950–53 Ausbildung als Fotolithograf. 1954 Studium an der Werkkunstschule Wuppertal, 1955–57 an der Ecole des Beaux-Arts, Paris, 1957–58 an der Staatlichen Kunstakademie, Düsseldorf. Prägt 1954 für seine Arbeit den Begriff ›Décollage‹. 1958 erste Straßenhappenings in Paris. 1959 Übersiedlung nach Köln. 1959–60 Lehrstuhl für Typografie an der Werkkunstschule Wuppertal. 1962 zusammen mit Nam June Paik und George Maciunas Organisation von Fluxus-Festivals. 1962–69 Herausgeber der Zeitschrift ›Dé-coll/age‹. 1971 Übersiedlung nach Berlin und Gründung eines Happening-Archivs sowie zahlreiche Happening-Veranstaltungen. Vostell übernimmt von Allan Kaprow die Happening-Konzeption und ergänzt sie in seinen eigenen Aktionen mit sozialpolitischen Inhalten. – Lebt in Berlin.

624 Frigidaire. 1959
Décollage/Objet trouvé, vermutlich der Deckel einer Backofenröhre / eines Gas- oder Elektroherdes / Stahl, vorderseitig weiß, rückseitig schwarz / emailliert, stark verbeult und verrostet, viele zum Teil große Stellen, an denen Email abgesprungen ist. 39 × 49 × 8 cm
Münster, Westfälisches Landesmuseum für Kunst und Kulturgeschichte, Sammlung Cremer

625 Partitur zu Cityrama I., Köln 1961
Farbige Zeichnung und Umdruck auf Karton. 50 × 65 cm.
Markgröningen, Archiv Sohm
(Siehe Abb. Seite 261)

626 Papierblock. 1961–69
Zusammengepreßte Papierabfälle
Wien, Museum moderner Kunst, ehem. Sammlung Hahn

Robert Filliou

Geb. 17. Januar 1926 in Saure, Frankreich. 1946–51 in Los Angeles, wo er für die Coca-Cola-Company arbeitet und von 1946–48 Ökonomie an der University of California studiert. 1951–54 im Fernen Osten, Beschäftigung mit dem Zen-Buddhismus. 1954–59 Aufenhalte in Ägypten, Spanien und Dänemark. 1960 Rückkehr nach Frankreich. Seit 1961 Aufführungen von Aktions-Poesie u. a. in New York, Stockholm, Tokio, London und Kopenhagen. 1962 Anschluß an die Fluxus-Bewegung und Zusammenarbeit mit seinem Dichterkollegen Emmett Williams. Teilnahme an allen wichtigen Fluxus-Veranstaltungen. Seit 1968 in Deutschland und Frankreich. Im Sinne der interdisziplinären Kunstauffassung von Neo-Dada schafft Filliou in seinen Gedichten und poetischen Objekten mit Ironie und Humor eine Synthese von bildnerischer und literarischer Kunstproduktion. – Lebt in Flayosc, Var, Südfrankreich.

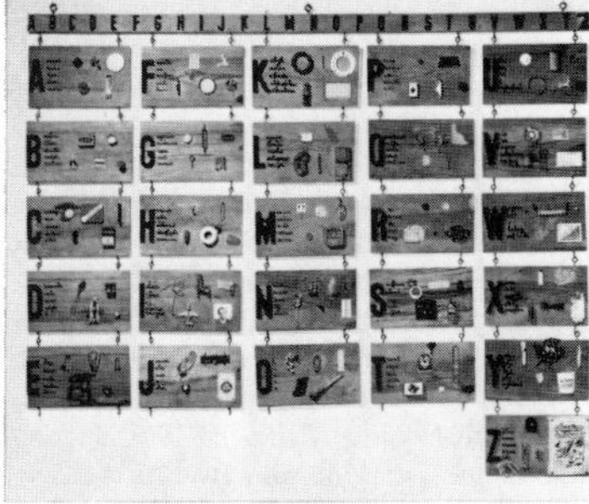

627 Sémantique générale. 1962
(Allgemeine Semantik)
Buchstaben des ABC, verschiedene Materialien auf Holzbrettern. 153 × 194 cm (mit Rahmen)
Mönchengladbach, Städtisches Museum

Nam June Paik

Geb. 20. Juli 1932 in Seoul, Korea. 1956 Abschluß eines Musikstudiums an der Universität Tokio mit einer Arbeit über Arnold Schönberg. 1956–57 Studium der Musikgeschichte an der Universität München. 1957 Teilnahme an den Internationalen Ferienkursen für Neue Musik in Darmstadt, zusammen mit Karlheinz Stockhausen und Luigi Nono. 1957–58 Kompositionsstudium an der Musikhochschule Freiburg i. Br. 1958–63 Arbeit im Studio für elektronische Musik des WDR, Köln, und Anschluß an die Fluxus-Bewegung. 1963 erste Ausstellung manipulierter Fernseher und präparierter Klaviere. (›Exposition of Music‹ in der Galerie Parnaß, Wuppertal). Teilnahme an den internationalen Fluxus-Festivals. Zusammenarbeit mit der Cellistin Charlotte Moorman, für die er multimediale Kompositionen schafft. Seit 1964 in New York. 1968–70 zusammen mit Shuya Abé Entwicklung des ersten Video-Synthesizers. 1972 erste Produktion für die WGBH-Fernsehstation, Boston. Zusammenarbeit mit der japanischen Komponistin Shigeko Kobuta. Zahlreiche Essays über Kommunikation und Video. Lehrauftrag an der Staatlichen Kunstakademie, Düsseldorf. – Lebt in Düsseldorf und New York.

628 Urmusik. 1961
Holzkiste, an einer Seite drehbare Büchse mit inliegender Kugel, Gummibänder, Draht und Saiten. 52 × 92 × 68 cm
Wien, Museum moderner Kunst, ehem. Sammlung Hahn

Allan Kaprow

Geb. 23. August 1927 in Atlantic City, USA. 1947–48 Studium an der School of Fine Arts, New York, bei Hans Hofmann. 1949–50 Studium an der New York University und 1950–52 Studium der Kunstgeschichte an der Columbia University, New York, bei Meyer-Shapiro. Abschluß mit einer Arbeit über Piet Mondrian. 1956–58 Studium bei John Cage an der New School for Social Research, New York. 1959 Mitbegründer der Reuben Gallery, New York. 1958–59 Entwicklung seiner ersten Happenings aus dem Environment. 1960–61 Lehrtätigkeit für Ästhetik am Pratt Institute, Brooklyn, 1961–69 an der State University of New York, 1967 Interaktionen mit Video. 1969 ›Hello‹, WGBH-Fernsehen, Boston. 1969–72 Lehrtätigkeit in Princeton, New Jersey. Seit 1974 Leiter des Visual Arts Department der University of California, San Diego. Zahlreiche theoretische Schriften. 1975 auf Einladung des DAAD in Berlin. Bedeutendster Theoretiker des Happening, dem es in dieser Kunstform darum geht, die Grenzen zwischen Kunst und Leben so fließend wie möglich zu halten. – Lebt in San Diego, Kalifornien.

630 Push and Pull. 1962
(Vor und Zurück)
Holzkasten, darin mit Tusche beschriftete Pappkartons. 117 × 107 × 146 cm
Bochum, Galerie Inge Baecker, Allan Kaprow

629 Kiosk. 1957–59
Verschiedene Materialien (variable Paneele). 344 × 570 × 22 cm
Privatbesitz
(Vgl. Abb. Seite 254)

Jim Dine

Geb. 16. Juni 1935 in Cincinnati, USA. 1953–57 Studium an der University of Cincinnati und an der Boston Museum School sowie an der Ohio University, Athens. 1959–60 erste Happenings. 1961 Environments und Situationen. 1960–67 Lehrtätigkeit an amerikanischen Universitäten. 1966 Reise nach London, Begegnung mit Eduardo Paolozzi. 1967 längerer Aufenthalt in London. Mit parodistischer Ironie schafft Dine in seinen Bildern der sechziger Jahre eine Verbindung des Abstrakten Expressionismus mit der trivalen Figürlichkeit der Pop Art. – Lebt in der Nähe von New York.

631 Flesh Canvas. Um 1960 ▷
(Haut-Leinwand)
Öl, Leinwand, verschiedene Materialien in Plexiglaskasten. 137 × 105 × 21 cm
Paris, Privatbesitz

George Segal

Geb. 26. November 1924 in New York City. 1941–46 Studium der Kunsterziehung an der Rutgers University, New Brunswick, 1947 am Pratt Institute, Brooklyn, 1948–49 an der New York University. 1950 Hühnerzüchter. Freundschaft mit Allan Kaprow. 1957 erste Happenings mit Oldenburg und Kaprow. 1957–63 Schuldienst. 1960–61 erste Gipsabgüsse lebensgroßer Personen und Environments, die wie ›eingefrorene‹ Happenings wirken. Segal stellt in ein Ambiente von realen Gegenständen statt Menschen deren Gipsabgüsse, die durch ihr Material und ihre Sprachlosigkeit die Vereinsamung in unserer Gesellschaft verdeutlichen. – Lebt in North Brunswick, New Jersey.

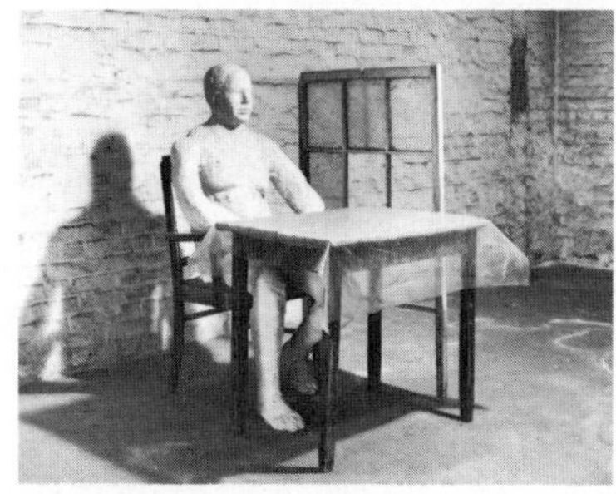

632 Man sitting at table. 1960
(Mann am Tisch sitzend)
Gipsskulptur in Lebensgröße, auf einem Holzstuhl sitzend, mit Holztisch und Fensterrahmen. ca. 140 × 95 × 140 cm
Mönchengladbach, Städtisches Museum
(Vgl. Abb. Seite 273)

633 The restaurant window. 1967
(Das Restaurant-Fenster)
Gips, Restaurantfenster, Holz, Metall, Plexiglas, Neonröhren, Stuhl, Tisch. 243 × 335 cm
Köln, Museum Ludwig, Stiftung Ludwig

Claes Oldenburg

Geb. 28. Januar 1929 in Stockholm. 1937–50 in Chicago. 1946–50 Studium der Literatur und Kunst an der Yale University, 1950–54 an der School of The Art Institute of Chicago. 1950–52 Volontariat im City News Bureau, Chicago, anschließend Arbeit in Buchhandlungen und Werbeagenturen. 1956 Übersiedlung nach New York. 1959–60 Teilnahme an der Ausstellung ›Below Zero‹ in der Reuben Gallery, New York, – u. a. mit George Brecht, Dick Higgins, Lucas Samaras und George Segal – und an den Happenings von Allan Kaprow. 1961 Ausstellung der ersten Entwürfe für ›The Store‹ in der Martha Jackson Gallery, New York. 1962 erste Ausstellung der ›soft sculptures‹ in der Green Gallery. 1963 erste Vinyl-Plastik ›Soft Telephone‹. 1965 erste Skizzen zu ›Proposed Colossal Monuments‹. 1967 ›Grant Soft Fan‹ im amerikanischen Pavillon auf der Weltausstellung, Montreal. 1969 große Retrospektive im Museum of Modern Art, New York. Mit seinen bunten Nachbildungen eßbarer Dinge, alltäglicher Gegenstände und menschlicher ›Kniestücke‹ (ausgestellt 1961–62 in der Fensterauslage seines ›Store‹ an der Lower East Side in New York) persifliert Oldenburg die Gewohnheiten und Auswüchse unserer Konsumgesellschaft und wird damit zu einem der wichtigsten Initiatoren und Vertreter der Pop Art. – Lebt in New York.

Werke aus dem **Store** (der Laden), 107 East 2nd Street, New York,
1. Dezember 1961 bis 31. Januar 1962
Installation für ›Westkunst‹, autorisiert von Claes Oldenburg. Die Nummern in Klammern beziehen sich auf die Inventarliste des Store von 1961.

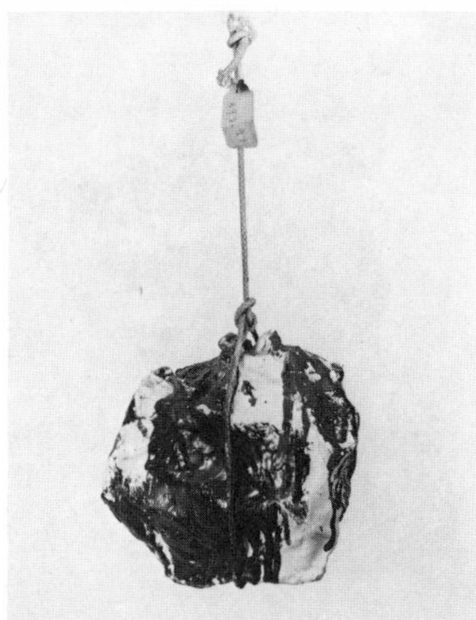

634 Decimal point of 9.99 (1)
(Dezimalstelle)
Glasierter Gips, Stoff, Draht. Ø 16 cm
Besitz des Künstlers

635 39 Cents (2)
Glasierter Gips, Stoff, Draht.
73,6 × 86,5 × 10,1 cm
Chicago, William J. Hokin

636 Store ray gun (3)
(Strahlen-Pistole)
Glasierter Gips, Stoff, Draht.
75,5 × 89,2 × 22,8 cm
New York, Letty Lou Eisenhauer

637 Success plant (4)
(Glückwunsch zur Beförderung)
Sackleinen, Draht, Ölfarbe, Konservendose, Holz. Höhe 98 cm
Köln, Museum Ludwig, Stiftung Ludwig

638 ›To my love‹ (5)
(An meine Liebe)
Glasierter Gips, Stoff, Draht. 36 × 58 × 2,5 cm
Passumpsic/Vt., Patty Mucha

639 Cash Register (6)
(Registrierkasse)
Glasierter Gips, Stoff, Draht.
68,5 × 52 × 88,9 cm
New York, The Museum of Modern Art,
Collection Mr. & Mrs. Richard L. Selle,
Promised gift and extended loan
(Vgl. Abb. Seite 265)

640 Bunting (8)
(Fahnentuch)
Glasierter Gips, Stoff, Draht. 56 × 86× 11 cm
Besitz des Künstlers

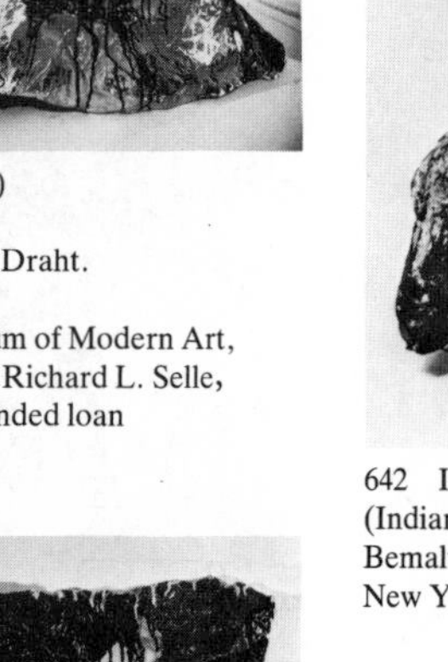

642 Injun souvenir (11)
(Indianer-Souvenir)
Bemalter Gips. Höhe 21,5 cm
New York, Arthur & Carol Goldberg

643 Sewing machine (20)
(Nähmaschine)
Gips mit Ölfarbe bemalt. 115 × 158 cm
Mönchengladbach, Städtisches Museum,
Leihgabe Sammlung Reinhard Onnasch

◁ 641 Statue of Liberty souvenir (10)
(Freiheitsstatuen-Souvenir)
Bemalter Gips. Höhe 41 cm,
Sockel 20 × 22 cm
Stockholm, Göran Ohlin

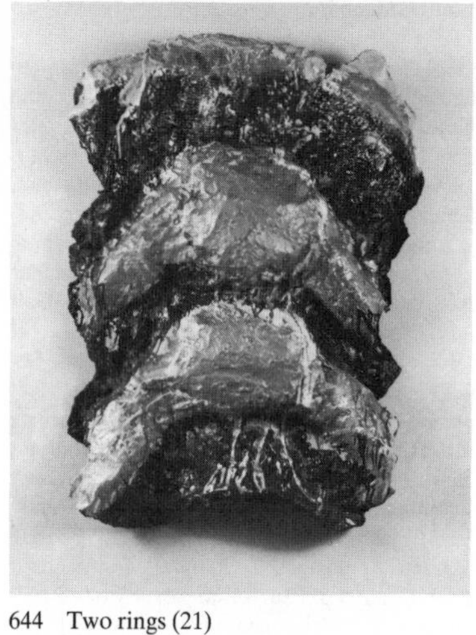

644 Two rings (21)
(Ringfragment)
Glasierter Gips, Stoff, Draht.
91,4 × 68,5 × 17,7 cm
Old Westbury/N. Y., Mr. & Mrs. David A. Wingate

645 Wrist watch on blue (22)
(Armbanduhr auf blauem Untergrund)
Glasierter Gips, Stoff, Draht.
105 × 74 × 13 cm
Besitz des Künstlers

648 Bacon & egg (30) ▷
(Spiegelei mit Speck)
Verschiedene Materialien. 108 × 89,5 cm
Sammlung Ströher

646 Orange and glass (28)
(Orange und Glas)
Acryl und Papiermaché. 41,2 × 35,5 × 35,5 cm
New York, Collection Mr. & Mrs. David
K. Anderson

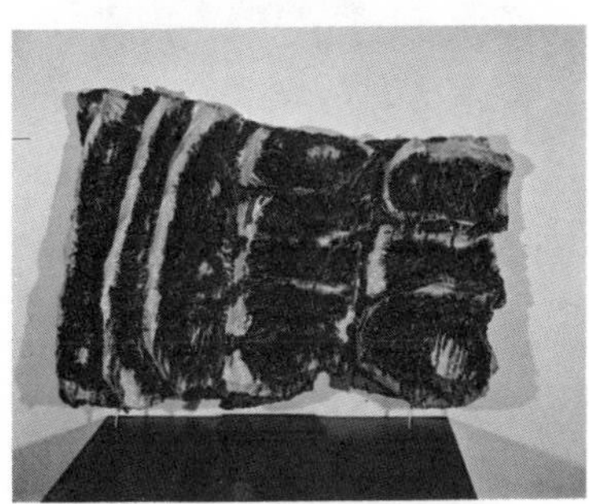

647 Plate of meat (29)
(Fleischteller)
Glasierter Gips, Stoff, Draht. 95 × 138 cm
Sammlung Ströher

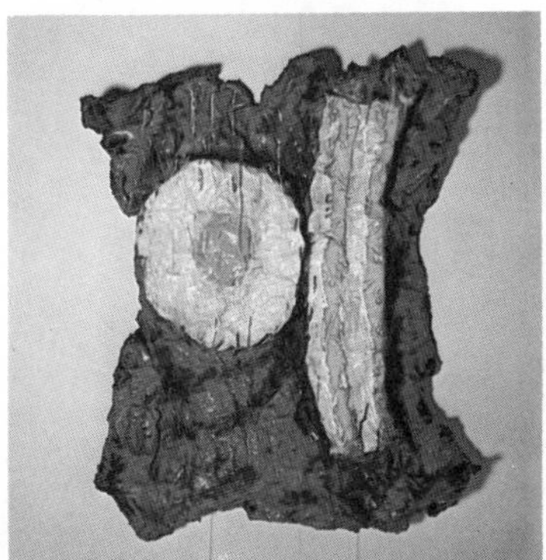

649 Small yellow pie (33)
(Kleines gelbes Kuchenstück)
Glasierter Gips, Stoff, Draht.
42 × 44 × 18 cm
Besitz des Künstlers

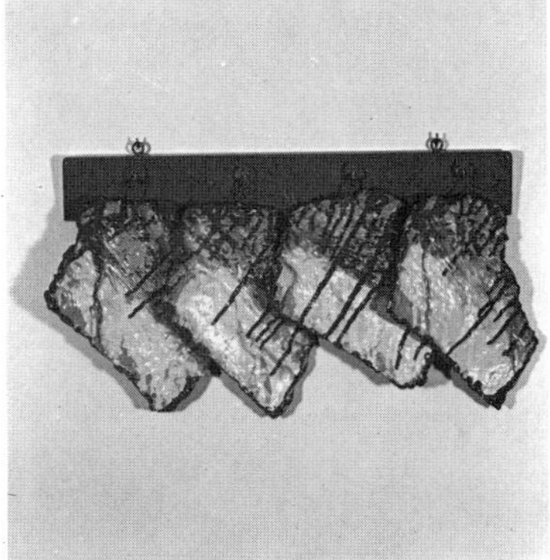

650 Four flat pies in a row (34)
(Vier flache Kuchenstücke in einer Reihe)
Glasierter Gips mit Handtuchhalter.
30 × 49 × 5 cm
Malmö, Sammlung Anders Malmberg

651 Ice cream cake (36)
(Eistorte)
Verschiedene Materialien. 56 × 56 × 18 cm
Sammlung Ströher

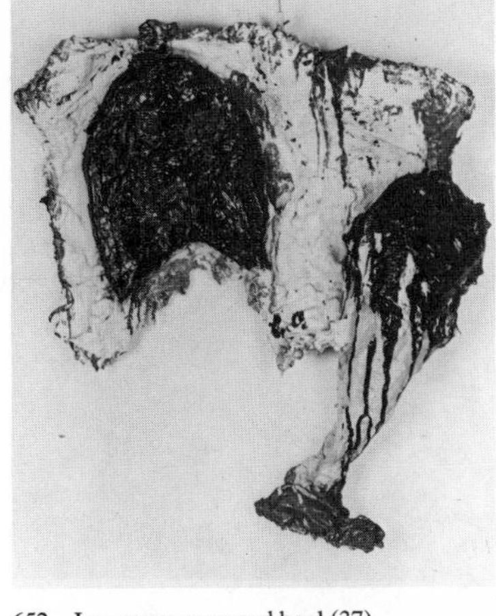

652 Ice cream cone and heel (37)
(Eishörnchen und Schuhabsatz)
Glasierter Gips, Stoff, Draht. 57,2 × 57,2 cm
Los Angeles, Margo Leavin
(Vgl. Abb. Seite 266)

653 Stockinged thighs framed by skirt (40)
(Oberschenkel mit Strümpfen und Rock)
Glasierter Gips, Draht. 87,3 × 105 cm
New York, Collection of Holly & Horace
Solomon

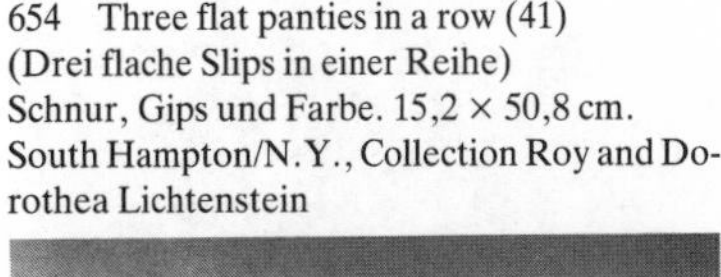

654 Three flat panties in a row (41)
(Drei flache Slips in einer Reihe)
Schnur, Gips und Farbe. 15,2 × 50,8 cm.
South Hampton/N.Y., Collection Roy and Dorothea Lichtenstein

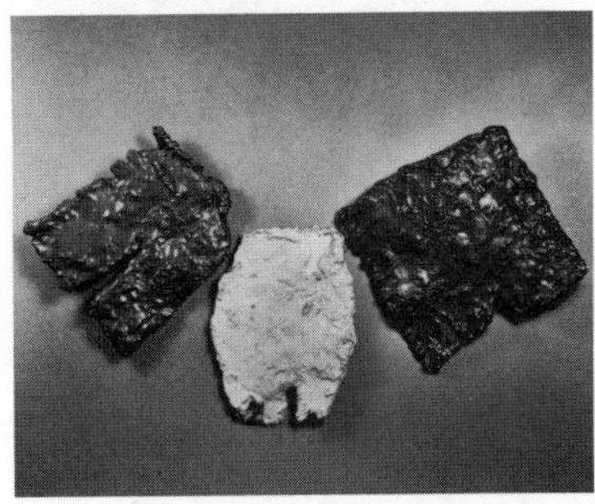

655 Green legs with shoes (45)
(Grüne Beine mit Schuhen)
Glasierter Gips, Stoff, Draht.
149 × 100 × 20 cm
Köln, Museum Ludwig, Stiftung Ludwig

656 Red tights with fragment 9 (47)
(Rote Strumpfhosen mit Fragment 9)
Glasierter Gips, Stoff, Draht.
176,7 × 87 × 22,2 cm
New York, The Museum of Modern Art
Gift of G. David Thompson, 1961
(Vgl. Abb. Seite 263)

657 Fur jacket with white gloves (49)
(Pelzjacke mit weißen Handschuhen)
Glasierter Gips, Stoff, Draht. 110,5 × 98 cm
Basel, Kunstmuseum

658 Small beauty parlor face (50)
(Kleiner Schönheitssalon-Kopf)
Bemalter Gips. 21,5 × 15,2 × 1,3 cm
New York, Collection Raymond Saroff

659 Pink cap (52)
(Rosa Mütze)
Glasierter Gips, Stoff, Draht.
94 × 98 × 30 cm
Besitz des Künstlers

660 Two hats (53)
(Zwei Hüte)
Glasierter Gips, Stoff, Draht.
98 × 65 × 20 cm
Malmö, Sammlung Anders Malmberg

661 Black ladies' shoe (59)
(Schwarzer Damenschuh)
Kunststoff. 13 × 27 × 7,5 cm
South Nyack/N.Y., Robert & Frances Breer

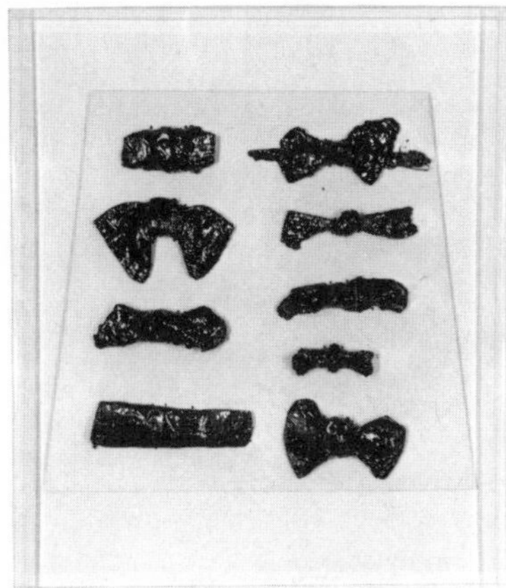

662 Bow ties (64)
(Krawatten)
Glasierter Gips, Stoff, auf Holz montiert.
45,7 × 50,8 cm
St. Louis/Mo., Mr. & Mrs. Ronald
K. Greenberg

664 Jacket and shirt fragment (67)
(Jacke und Hemdenfragment)
Glasierter Gips, Stoff, Draht.
107 × 76 × 16,5 cm
Besitz des Künstlers

666 Watch in a red box (71)
(Uhr in rotem Etui)
Glasierter Gips, Stoff, Draht.
13,5 × 15 × 17 cm
South Pasadena/Ca., Taylor A. Smith &
Edward B. Smith V.

667 Counter and plates with potatoe & ham (73)
(Tisch und Teller mit Kartoffeln und Schinken)
Glasierter Gips. 11,7 × 107 × 57,7 cm
London, The Trustees of the Tate Gallery

663 Men's jacket with shirt and tie (66)
(Herrenjacke mit Oberhemd und Krawatte)
Glasierter Gips, Stoff, Draht. 115 × 80 cm
Köln, Museum Ludwig, Stiftung Ludwig

665 Big white shirt with blue tie (68)
(Großes weißes Hemd mit blauer Krawatte)
Glasierter Gips, Stoff, Draht. 120 × 80 × 30 cm
Köln, Museum Ludwig, Stiftung Ludwig

668 Candy counter with candy (75)
(Tablett mit Süßwaren)
Glasierter Gips, Stoff, Stahl.
Tablett 29,5 × 88 × 53 cm.
167 Süßigkeiten, je 3 × 18 cm
Los Angeles, Margo Leavin Gallery

669 Four pies in a glass case (77) ▷
(Vier Kuchenstücke in Glasvitrine)
Glasierter Gips, bemalter Metall- und
Glaskasten. 13,3 × 76,2 × 22,8 cm
Dallas/Tx., Collection of Susan & Robert
Hoffman

670 Half cheese cake (83)
(Halber Käsekuchen)
Glasierter Gips, Stoff, Draht.
10 × 32 × 16 cm
Besitz des Künstlers

671 Cherry pastry (86)
(Kirschteilchen)
Glasierter Gips und Teller.
6,3 × 13,9 × 5 cm
Beverly Hills/Ca., Robert H. Halff

672 Sandwich (93)
Glasierter Gips auf bemaltem Holzsockel.
15,3 × 14 × 5,7 cm
Los Angeles, Margo Leavin Gallery

673 Pile of toast, plate and 13 pieces (94)
(Gestapelter Toast, Teller und 13 Scheiben)
Glasierter Gips, Stoff,
Ø des Tellers 23 cm, Höhe 10 cm
Besitz des Künstlers

674 Liver sausage and slices (96)
(Leberwurst und Scheiben)
Sackleinwand mit glasiertem Gips überzogen.
12,7 × 25,4 × 30,4 cm
New York, Collection of Mr. & Mrs. David K. Anderson

675 Sardine can with 2 sardines on paper bag (98)
(Sardinenbüchse mit 2 Sardinen auf Papiertüte)
Glasierter Gips, Stoff, Draht. 33 × 34 × 9 cm
Besitz des Künstlers

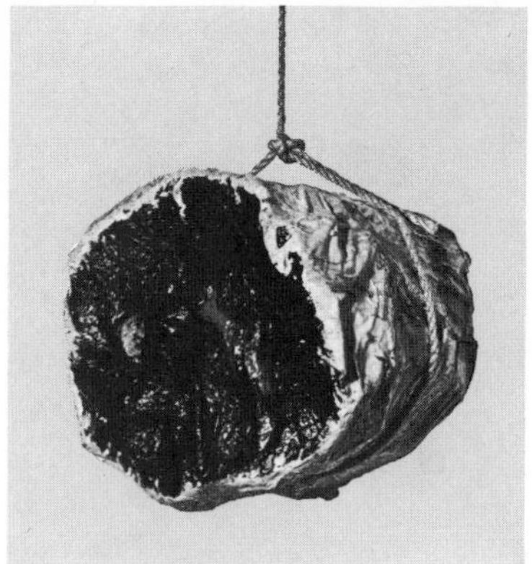

676 Roast beef (99)
Glasierter Gips, Stoff, Draht.
36 × 43 × 42 cm
New York, Privatbesitz

677 Billy's egg (100)
(Spiegelei in Pfanne)
Glasierter Gips, Bratpfanne. 3,8 × 39,3 cm
Berkeley Heights/N.Y., Dr. Billy Klüver

678 Match cover (102)
(Streichholzbriefchen)
Glasierter Gips, Stoff. 10 × 7 × 3 cm
Besitz des Künstlers

679 Cigarette pack (103)
(Zigarettenpackung)
Gips und Holz. 6,2 × 8,8 × 14 cm
South Nyack/N.Y., Robert & Frances Breer

680 Air mail letter (104)
(Luftpostbrief)
Glasierter Gips. 25 × 15 × 25 cm
New York, Marcia Marcus

681 Girl on a calendar (106)
(Mädchen auf einem Kalender)
Glasierter Gips. 53,3 × 35,6 cm
Chicago, Collection William J. Hokin

682 Oval photograph (107)
(Ovale Fotografie)
Glasierter Gips. Stoff. 10 × 7,5 cm
Besitz des Künstlers

683 Big yellow pie. 1961
(Großes gelbes Kuchenstück)
Verschiedene Materialien.
12,5 × 25,5 × 34,5 cm
Sammlung Ströher
(Nicht in der Inventarliste des Store)
(Vgl. Abb. Seite 266)

684 Blue hat. 1962
(Blauer Hut)
Glasierter Gips. 22,2 × 30,4 × 15,2 cm
Concord/Ma., Agnes Gund
(Nicht in der Inventarliste des Store)

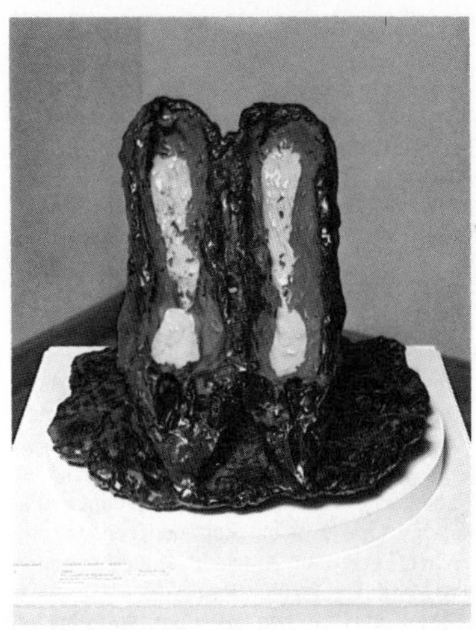

685 Green ladies' shoes. 1962
(Grüne Damenschuhe)
Glasierter Gips, Stoff, Draht.
42,4 × 40,5 × 30 cm
Sammlung Ströher
(Nicht in der Inventarliste des Store)

686 Pastry case I. 1961/62
(Kuchentheke I)
9 Gipsstücke, glasiert, in Glaskasten.
52,7 × 76,5 × 37,4 cm
New York, The Museum of Modern Art,
The Sidney & Harriet Janis Collection, 1967
(Nicht in der Inventarliste des Store)

687 Frying pan with pork chops. 1961/62
(Bratpfanne mit Schweinekoteletts)
Glasierter Gips mit Metallbratpfanne.
10,4 × 46,3 × 26,6 cm
Old Westbury/N.Y., Mr. & Mrs. David A. Wingate
(Nicht in der Inventarliste des Store)

Ad Reinhardt

Geb. 24. Dezember 1913 in Buffalo, New York. 1931–35 Studium der Kunstgeschichte bei Meyer-Shapiro, 1903–37 an der National Academy of Design, New York. Seit 1937 Mitglied der Gruppe ›American Abstract Artists‹. 1946–50 Lehrtätigkeit für Kunstgeschichte am Institute of Fine Arts, New York; 1950 an der California School of Fine Arts, San Francisco, 1951 an der University of Wyoming, 1952–53 an der Yale University. 1952–54 in Europa. 1955–57 Lehrtätigkeit am Institute of Fine Arts und am Brooklyn College, New York, 1957 an der Syracuse University, New York. 1958–61 zahlreiche Reisen durch den Nahen und Fernen Osten. 1962 Sammelpublikation ›Art as Art‹ mit Statements und theoretischen Texten. Im Anschluß an Piet Mondrian und Mark Rothko führt Reinhardt die systematische Reduktion von Farbe und Form bis hin zu seinen geometrischen, abstrakten ›Black paintings‹ weiter und beeinflußt damit die analytische Malerei nach 1965. – 30. August 1967 in New York gestorben.

688 Abstract painting. 1954–59
(Abstraktes Bild)
Öl auf Leinwand. 276 × 102 cm
Köln, Museum Ludwig

Frank Stella

Geb. 12. Mai 1936 in Malden, Mass. 1950–54 Studium an der Phillips Academy, Andover, Ma., 1954–58 an der Princeton University. 1958 Übersiedlung nach New York und Begegnung mit Carl Andre. 1958–59 erste ›Schwarze Bilder‹ mit Bandmotiven. 1960 erste ›Shaped Canvases‹. Seit 1961 Verwendung metallisierter und fluoreszierender Pigmente. 1965 Lehrtätigkeit an der Yale University, 1968 an der Brandeis-University, Waltham, 1970 Arbeit an Karton- und Metallreliefs. Seit 1975 raumgreifende Bildobjekte aus Aluminium. Aus dem Abstrakten Expressionismus entwickelt Stella die Farbfeldmalerei, die sich um eine Analyse reiner Farbqualität bemüht. In den sechziger Jahren arbeitet er gleichzeitig an Bildern mit strengen schwarzen und später leuchtenden Farbstreifen sowie an seinen ›Shaped Canvases‹, bei denen der Verlauf der Farbbahnen parallel zu den Formaten der objekthaften Leinwände ausgerichtet ist. – Lebt in New York.

689 Telluride. 1960/61
Kupfer auf Leinwand. 207 × 252,7 cm
Los Angeles/Ca., Mr. and Mrs. Max Palevsky

690 Ophir. 1960/61
Kupfer auf Leinwand. 250 × 210,5 cm
Northhampton/Ma., James Holderbaum

691 Lake City. 1960/61
Kupfer auf Leinwand. 206,6 × 275,7 cm
Düsseldorf, Kunstmuseum
(Vgl. Abb. Seite 268)

692 Creede II. 1961
Kupfer auf Leinwand. 210,5 × 210,5 cm
Besitz des Künstlers

Kenneth Noland

Geb. 10. April 1924 in Asheville, N.C., USA. 1946–48 Studium am Black Mountain College bei Josef Albers, 1948–49 bei Ossip Zadkine in Paris. 1949–53 Lehrtätigkeit am Institute of Contemporary Art, 1953–59 an der Catholic University, Washington. 1954–60 Zusammenarbeit mit Morris Louis und gemeinsame Entwicklung eines dünnflüssig-transparenten Farbauftrags. 1961 Übersiedlung nach New York. 1963 Tätigkeit am ›Artists Workshop‹ an der Universität von Saskatchewan, Regina, Kanada. Noland konzentriert sich seit 1959 bei seiner Farbfeldmalerei auf kreisförmige, ovale oder rautenförmige Farbbahnen vor kontrastierenden Fonds. – Lebt in Shaftsbury, Vt.

693 Virginia Site. 1959
Acryl auf Leinwand. 177,8 × 177,8 cm
New York, Collection Joseph Helman
(Vgl. Abb. Seite 269)

694 Bloom. 1960
(Blüte)
Acryl auf Leinwand. 170 × 171 cm
Düsseldorf, Kunstsammlung Nordrhein-Westfalen

Morris Louis
(Morris Louis Bernstein)

Geb. 28. November 1912 in Baltimore, USA. 1929–33 Studium der Malerei am Maryland Institute of Art, Baltimore. 1936 Übersiedlung nach New York. 1937–49 Tätigkeit für WPA/FAP, befreundet mit u. a. David Alfaro Siqueiros und Arshile Gorky. Mitarbeit im Workshop von Siqueiros. 1940 Atelier in Baltimore. 1947 Übersiedlung nach Washington, dort 1952 Freundschaft mit Kenneth Noland. 1952 starker Einfluß von Franz Kline, Jackson Pollock und Helen Frankenthaler. 1957 Zerstörung zahlreicher Arbeiten aus der Zeit vor 1955. 1958 Lehrtätigkeit in Baltimore. In seiner Farbfeldmalerei läßt Louis die Farbe direkt in die rohe Leinwand eindringen, wodurch die fließenden Farbströme wie transparente Schleier wirken. – 7. September 1962 in Washington gestorben.

695 Daleth. 1958/59
Acryl auf Baumwollsegeltuch. 250 × 350 cm
Köln, Museum Ludwig, Sammlung Ludwig

Roy Lichtenstein

Geb. 27. Oktober 1923 in New York. 1939 Studium an der Art Students' League, 1940–43 an der Ohio State University, Columbus. 1943–46 Militärdienst in Europa. 1946–49 Fortsetzung des Studiums an der Ohio State University. 1949–51 dort Lehrtätigkeit. 1951–57 selbständiger Designer und Maler in Cleveland. Lehraufträge am New York State College of Education und 1960–63 am Douglas College der Rutgers University. Ab 1961 Bildthemen aus dem Bereich der Massenmedien, angeregt durch die Happenings von Claes Oldenburg, Jim Dine und Allan Kaprow. 1964–66 Landschafts- und Tempelbilder, erste Skulpturen. 1965–66 Serie der ›Brushstrokes‹. 1970 Übersiedlung nach Southhampton. Ab 1971 ›Spiegel‹, ›Stilleben‹ und ›Interieurs‹. In seinen Bildern, deren Themen Reklame, Trickfilm, alltägliche Gegenstände, Zeitungsillustration und vor allem Comic Strips umfassen, stilisiert Lichtenstein Banales monumental, Großartiges (wie Tempel und berühmte Gemälde) wird im Comic-Raster trivialisiert. – Lebt in New York.

696 Aloha. 1962
Öl auf Leinwand. 172,7 × 172,7 cm
Meriden/Ct., Mr. & Mrs. Burton Tremaine

697 Pair. 1963
(Paar)
Acryl auf Leinwand. 172 × 172 cm
Privatbesitz
(Vgl. Abb. Seite 274)

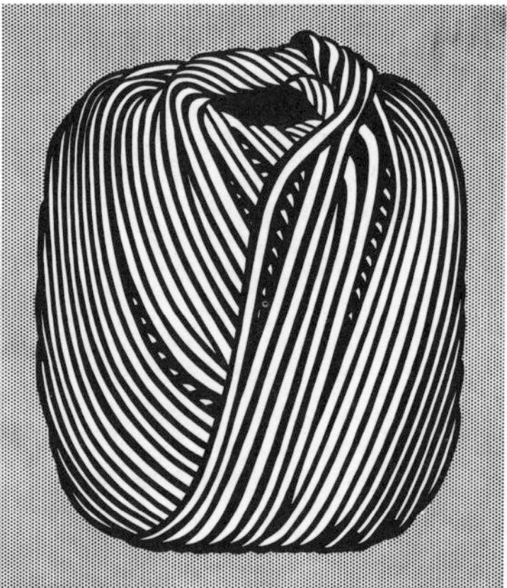

◁ 698 Ball of twine. 1963
(Garnknäuel)
Acrylfarbe auf Nessel. 102 × 92 cm
Sammlung Ströher

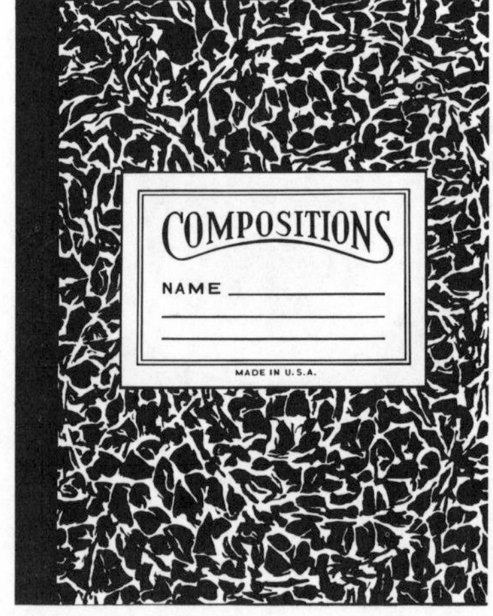

699 Compositions I. 1964 ▷
Acrylfarbe auf Nessel. 173 × 142 cm
Frankfurt/M., Museum für moderne Kunst

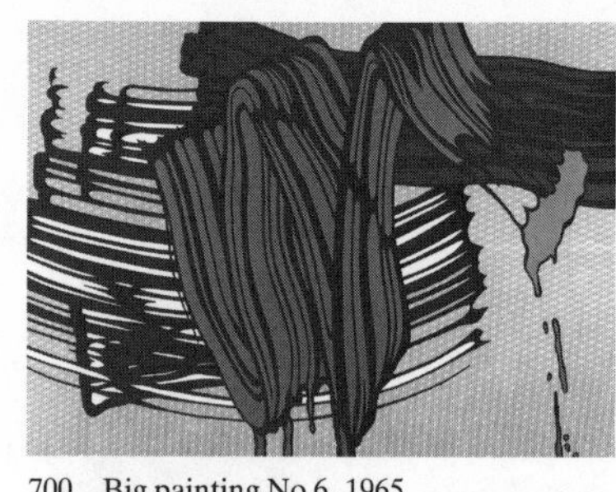

700 Big painting No 6. 1965
(Großes Gemälde Nr. 6)
Öl und Magna auf Leinwand. 233 × 328 cm
Düsseldorf, Kunstsammlung Nordrhein-Westfalen
(Vgl. Abb. Seite 275)

Ellsworth Kelly
(Biografie siehe Seite 415)

701 Black and white. 1966
(Schwarz und Weiß)
Öl auf Leinwand, 2 Paneele.
208,2 × 365,7 cm
Besitz des Künstlers

John Chamberlain

Geb. 14. April 1927 in Rochester, In., USA. 1950–52 Studium am Art Institute, Chicago, 1955–56 am Black Mountain College, North Carolina. 1957 erste Arbeiten mit zerstörten Motoren. 1959–63 Arbeit mit Automobilteilen. Ab 1966 Arbeiten mit Schaumstoff, galvanisierten Metallen und Plexiglas. Die von David Smith ausgehenden dynamisch-gewalttätigen, zerquetschten und lackierten Automobilteile stellen ein Bindeglied dar zwischen den Ausdrucksformen des Abstrakten Expressionismus und den Realitätszitaten der Pop Art. – Lebt in New York

702 Essex. 1960
Relief, Automobilteile und andere Metalle. 274 × 203 × 109 cm
New York, The Museum of Modern Art, Gift of Mr. and Mrs. Robert C. Scull and Purchase, 1961
(Vgl. Abb. Seite 269)

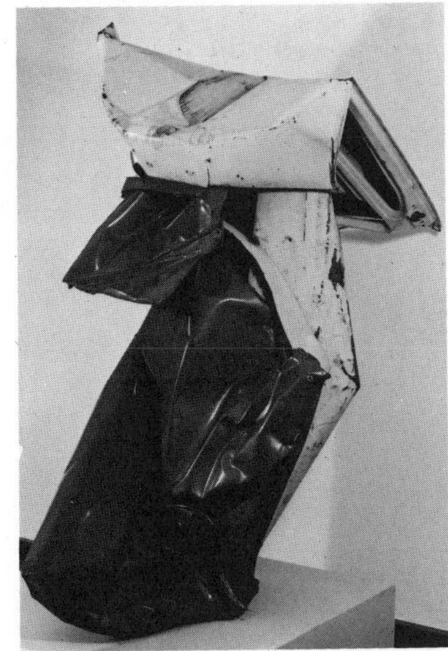

703 White shadow. 1964
(Weißer Schatten)
Automobilteile, geschweißt. Höhe 172 cm
Köln, Museum Ludwig, Stiftung Ludwig

James Rosenquist

Geb. 29. November 1933 in Grand Forks, USA. 1952–58 Studium an der University of Minnesota, Minneapolis und an der Art Students' League, New York. 1956 trifft er u. a. Robert Rauschenberg und Jasper Johns. 1957–58 Teilnahme an Malklassen von Jack Youngerman und Robert Indiana. Beginn der Reklameschilder. 1959 Schaufenster-Entwürfe. 1964 Lehrtätigkeit an der Yale University, New Haven. 1965 Studium östlicher Philosophie und Geschichte am Aspen Institute of Humanist Studies, Colorado. Beginn lithografischer Arbeiten. 1969 Beginn der Filmarbeit. Mit grellen Leuchtfarben malt Rosenquist in der Art moderner Werbung Themen des ›american way of life‹ auf großformatige Leinwände. – Lebt in New York.

704 I love you with my Ford. 1961
(Ich liebe dich mit meinem Ford)
Öl auf Leinwand (2 Leinwände). 210 × 237,5 cm
Stockholm, Moderna Museet
(Vgl. Abb. Seite 275)

◁ 705 Untitled (Joan Crawford says . . .). 1964
(Ohne Titel. Joan Crawford sagt . . .)
Öl auf Leinwand. 242 × 196 cm
Köln, Museum Ludwig, Stiftung Ludwig

Mark di Suvero

Geb. 18. September 1933 in Shanghai, China. 1941 Übersiedlung nach Kalifornien. Studium an der University of California, Berkeley. 1957 Übersiedlung nach New York. Ab 1964 Skulpturen aus schweren Stahlträgern. 1966 Bau des ›Tower of Peace‹ in Los Angeles als Protest gegen den Vietnam-Krieg. Di Suvero überträgt die abstrakt-expressive Kalligraphie Franz Klines auf den Bereich der Skulptur in Gestalt von raumgreifenden Konstruktionen aus massiven Stahlträgern und Holzbalken. – Lebt in New York.

706 Blue arch for Matisse. 1962
(Blauer Triumphbogen für Matisse)
Bemalter Stahl. 335 × 305 cm
Stockholm, Moderna Museet

Andy Warhol

Geb. 6. August 1928 in Pittsburgh, Pa., USA. Sohn tschechischer Eltern. 1945–49 Studium am Carnegie Institute of Technology, Pittsburgh. 1949 Übersiedlung nach New York, Werbegrafiker für ›Vogue‹ und ›Harper's Bazar‹. Seit 1960 freier Künstler, Filmer, Verleger und Geschäftsmann. 1962 Eröffnung der ›Factory‹ und Beginn der Siebdruck-Serie ›Superstars‹. Ab 1963 Filmtätigkeit (›Sleep‹, 1963; ›Empire‹, 1964). 1966 Bühnendekoration für das Ballett ›Rainforest‹. Nachdem in den Jahren 1960–62 in traditioneller Weise gemalte Bilder entstanden sind, denen Comics, Anzeigen und Titelseiten von Zeitungen zugrundeliegen, beginnt Warhol 1962 im Siebdruckverfahren Bilderserien zu produzieren, deren Motive der Konsumwelt (Suppendosen, Coca-Cola-Flaschen) und den Medien (Stars, Jackie Kennedy, Disaster-Bilder) entnommen sind. – Lebt in New York.

707 129 die in Jet-plane crash. 1962
(129 starben beim Flugzeugunglück)
Acryl auf Leinwand. 254,5 × 182,5 cm
Köln, Museum Ludwig,
Sammlung Ludwig
(Vgl. Abb. Seite 272)

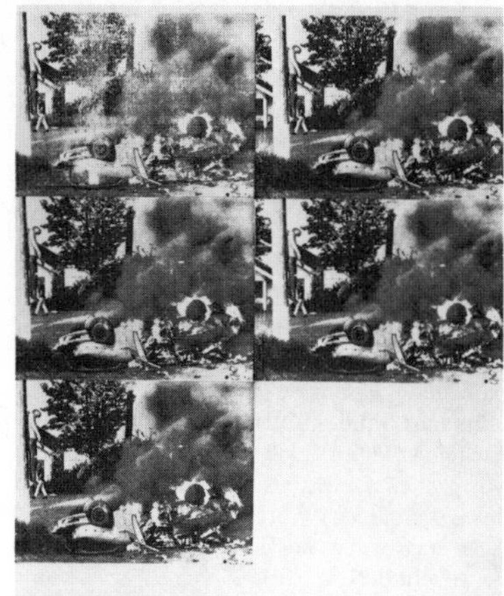

708 White disaster I. (car crash) 1963
(Weiße Katastrophe I, Autounfall)
Acryl und Liquitex auf Leinwand,
Siebdruckverfahren. 269 × 208 cm
Stuttgart, Staatsgalerie
(Vgl. Abb. Seite 271)

709 White disaster. 1963
(Weiße Katastrophe)
Acrylfarbe und Liquitex auf Leinwand.
269,3 × 208,5 cm
Frankfurt/M., Museum für moderne Kunst

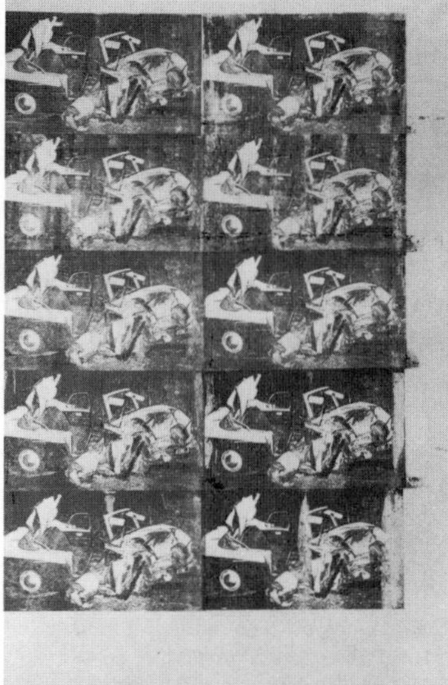

710 Orange car crash. 1963
(Autounfall, orange)
Siebdruck und Acryl auf Leinwand.
2 Teile, je 334 × 206 cm
Wien, Museum moderner Kunst – Sammlung Ludwig, Aachen
(nur ein Teil abgebildet)

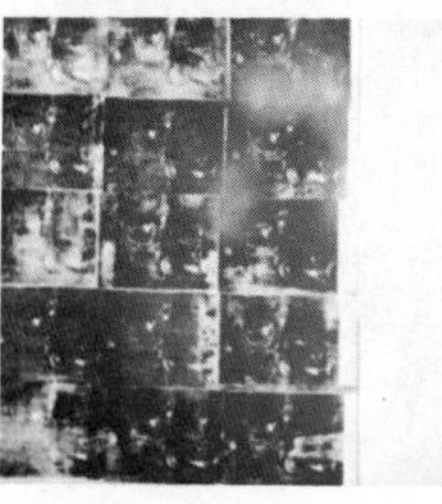

711 Silver car crash. 1963 ▷
(Autounfall, silbern)
Acryl und Siebdruck auf Leinwand, 2 Teile,
je 267 × 211 cm
Zürich, Galerie Bruno Bischofberger

Barnett Newman
(Biografie siehe Seite 405)

712 Who's afraid of red, yellow and blue III. 1967/68
(Wer fürchtet sich vor Rot, Gelb und Blau III)
Öl auf Leinwand. 245 × 543 cm
Amsterdam, Stedelijk Museum
(Vgl. Abb. Seite 287)

Robert Morris

Geb. 9. Februar 1931 in Kansas City. 1940–50 Studium an der University of Kansas City und am Kansas City Art Institute, Mo., 1951 an der California School of Fine Art, San Francisco, 1951–52 Militärdienst in Korea. 1953–55 Studium am Reed College, Portland, Or. 1962–63 Studium der Kunstgeschichte am Hunter College, New York. 1963 Zusammenarbeit und Aktionen mit Yvonne Rainer. Seit 1966 in New York, schreibt theoretische Artikel zur Plastik für die Kunstzeitschrift ›Artforum‹. Seit 1968 Lehrtätigkeit am Hunter College in New York. Morris verdeutlicht in seinen Arbeiten die eigenständige plastische Qualität seiner Materialien (Holz, Stahl, Aluminium und Draht). – Lebt in New York.

713 Box with the sound of its own making. 1961
(Kasten mit seinem eigenen Entstehungsgeräusch)
Holz. 30,4 × 30,4 × 30,4 cm
Seattle/Wa., Mr. & Mrs. Bagley Wright

714 Corner piece. 1964/67
(Eckstück)
Bemaltes Sperrholz. 192 × 180 × 180 cm
Mailand, Conte Giuseppe Panza di Biumo
Vom Künstler autorisierte Rekonstruktion für ›Westkunst‹

Donald Judd

Geb. 3. Juni 1928 in Excelsior Spring, Mo. USA. 1946–47 Kriegsdienst in Korea. 1947–53 Studium an der Art Students' League, New York und am College of William and Mary Williamsburg, Va. 1953–61 Studium der Kunstgeschichte an der Columbia-University. Begegnungen mit Meyer-Shapiro und Rudolph Wittkower. 1959–65 Kunstkritiker für ›Arts Magazine‹, ›Arts News‹ und ›Art International‹. 1967 Lehrtätigkeit an der Yale University. 1968 Leiter des ›Artists Workshop‹ an der Universität von Saskatchewan, Regina, Kanada. Mit seinen plastischen Arbeiten aus industriell hergestellten, meist in gleichen Abständen angeordneten einfachen geometrischen Einzelteilen ist Judd einer der bedeutendsten Vertreter der ›Minimal Art‹, die die Formensprache der Kunst auf objektive Grundstrukturen (›primary structures‹) reduziert. – Lebt in Marfa, Texas.

715 Untitled. 1963
(Ohne Titel)
Helle kadmiumrote Ölfarbe auf Holz mit Metallgitter. 183 × 264 × 124,5 cm
Ottawa, National Gallery of Canada/
Ottawa, Galerie Nationale du Canada

716 Untitled. 1963
(Ohne Titel)
Helle kadmiumrote Ölfarbe auf Holz, purpurfarbenes Email auf Aluminium.
122 × 210,8 × 122 cm
Ottawa, National Gallery of Canada/
Ottawa, Galerie Nationale du Canada
(Vgl. Abb. Seite 278)

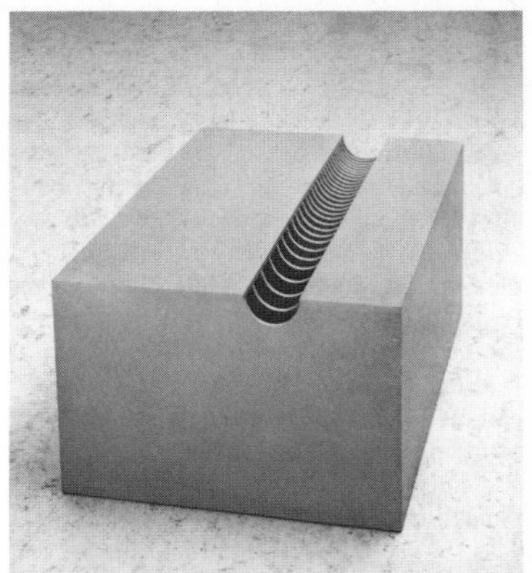

717 Untitled. 1963
(Ohne Titel)
Helle kadmiumrote Ölfarbe auf Holz.
49,5 × 115,6 × 77,5 cm
Ottawa, National Gallery of Canada/
Ottawa, Galerie Nationale du Canada

Dan Flavin

Geb. 1. April 1933 in New York. 1953 meteorologische Ausbildung für die US Air Force. 1954–55 Aufenthalt in Korea und Japan. 1956 Studium an der New School for Social Research, New York. 1957–59 Soziologiestudium an der Columbia University. Verwendet ab 1963 in seinen Arbeiten Leuchtstoff-Röhren. 1967 privates Kunststudium mit Examensabschluß an der University of North Carolina. 1968 Lichtbarrieren und -schranken mit fluoreszierendem Licht. Flavins eigentliches Medium ist das Licht. Seine zur Minimal Art zählenden, für spezielle Räume entworfenen Arbeiten lassen aufgrund der einschneidenden optischen Veränderungen des Raumes durch weißes oder farbiges Licht gleichsam ›Skulpturen‹ entstehen. – Lebt in New York.

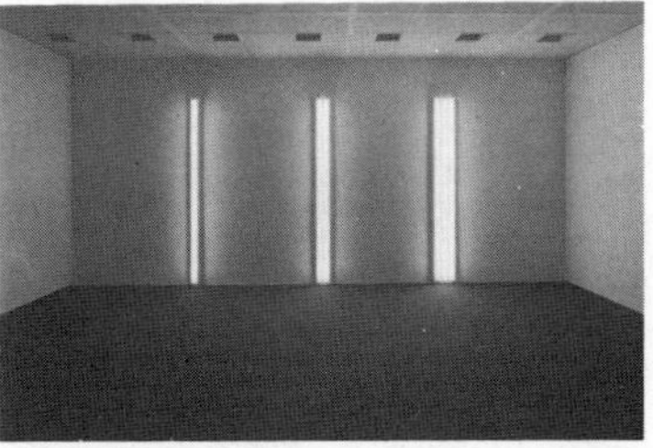

718 The nominal three (cool light). 1963
(Nominalwert drei. Kaltes Licht)
Kaltes weißes fluoreszierendes Licht.
Höhe 244 cm
Sammlung Crex
(Vgl. Abb. Seite 278)

Robert Ryman

Geb. 30. Mai 1930 in Nashville, Tennessee, USA. 1948–49 Studium am Tennessee Polytechnic Institute, Cookville, 1949–50 am George Peabody College for Teachers, Nashville. 1954 Übersiedlung nach New York. Seit 1960 beschränken sich die Themen seiner Bilder auf die Grundstrukturen der Malerei: Bildträger, Farbe, Farbauftrag. 1975 Bildserien für die Räume der Kunsthalle Basel (der Raum als Bildträger). In seinen meist weißen, monochromen Leinwänden, die den Malprozeß als Strukturprinzip zur Darstellung bringen, wird Ryman wegweisend für die Entwicklung der Analytischen Malerei. – Lebt in New York.

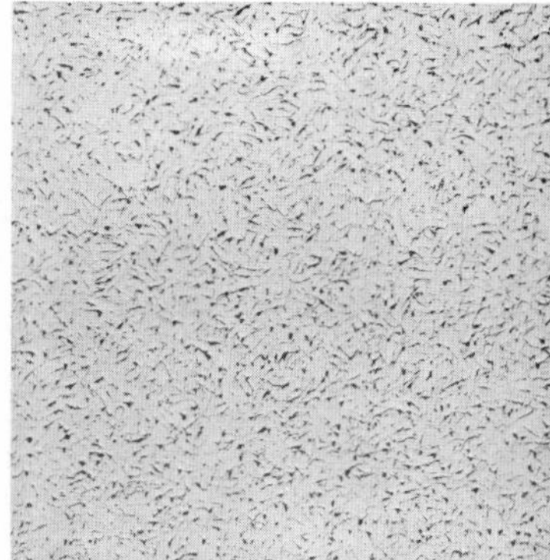

719 Untitled. 1961
(Ohne Titel)
Öl auf Leinwand. 190 × 190 cm
Humlebaek/Dänemark, Louisiana Museum of Modern Art

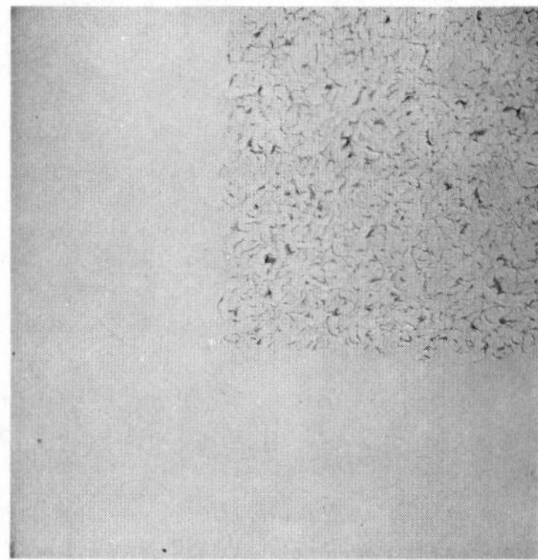

720 Untitled. 1963
(Ohne Titel)
Öl auf Leinwand. 170 × 170 cm
Zürich, Thomas Ammann Fine Art
(Vgl. Abb. Seite 279)

Agnes Martin

Geb. 22. März 1912 in Maklin, Saskatchewan, Kanada. 1932 Übersiedlung in die USA. 1941–54 Studium an der Columbia University, New York. Ab 1940 Lehrtätigkeit an der University of New Mexico, Albuquerque, und am East Oregon College, La Grande. 1941–57 wechselnder Wohnsitz in New York, New Mexico und Portland, Or. 1956 Gründung der Gruppe ›Ruins Gallery‹. 1957 Wohnsitz in New York. 1957–70 enge Kontakte zu Ellsworth Kelly, Robert Indiana, Jack Youngerman und James Rosenquist. 1967 Übersiedlung nach Cuba, New Mexico. 1967–73 schriftstellerische Tätigkeit. Bilder, Zeichnungen aus abstrakten Form-Elementen, die schließlich bis zu einem Raster aus horizontalen und vertikalen Linien reduziert werden. Mit dieser Bildkonzeption ab 1960 gehört Agnes Martin zu den wichtigen Vorläufern der Minimal Art. – Lebt in Galisteo, New Mexico.

721 Morning bird. 1964
(Vogel am Morgen)
Öl und Farbstift auf Leinwand.
182,8 × 182,8 cm
New York, Robert Elkon Gallery
Detail

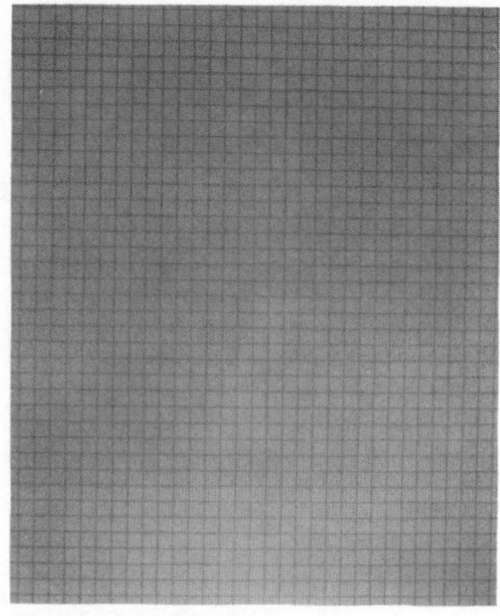

722 On a clear day. 1964
(An einem klaren Tag)
Öl auf Leinwand. 182,8 × 182,8 cm
Meriden/Ct., Mr. and Mrs. Burton Tremaine
Detail

722a Grass. 1967
(Gras)
Acryl, Bleistift auf Leinwand. 183 × 183 cm
Amsterdam, Stedelijk Museum
(Nicht abgebildet)

Larry Poons

Geb. 1. Oktober 1937 in Tokio. 1938 Übersiedlung in die USA. 1955–57 Studium am New England Conservatory of Music, 1958 an der Museum School of Fine Arts, Boston. Anschließend Studium an der New School for Social Research, New York, bei John Cage, der ihn in die Methode der Zufallskomposition einführt. Unter dem Einfluß von Piet Mondrians amerikanischen Bildern wie ›Broadway-Boogie-Woogie‹, Jackson Pollocks ›overall-paintings‹ und der musikalischen Ausbildung bei John Cage gelangt Poons zu einer Farbfeldmalerei aus synkopisch gesetzten Farbtupfern auf räumlich-atmosphärischen Bildgründen. – Lebt in New York.

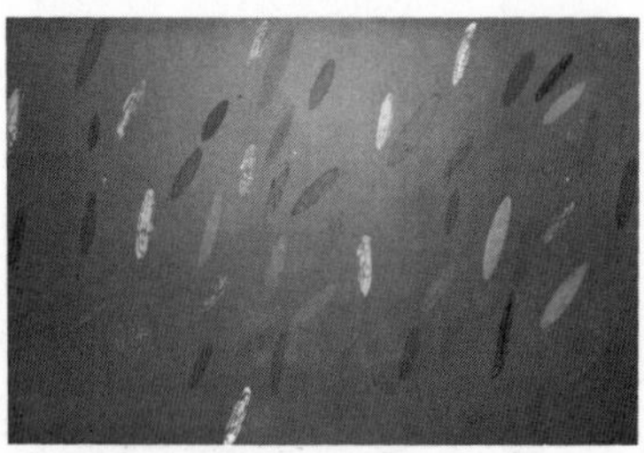

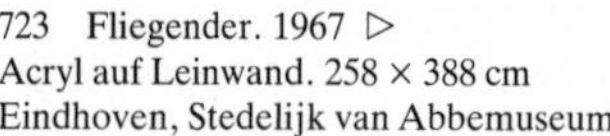

723 Fliegender. 1967 ▷
Acryl auf Leinwand. 258 × 388 cm
Eindhoven, Stedelijk van Abbemuseum

Sol LeWitt

Geb. 9. September 1928 in Hartford, Ct. 1945–49 Studium an der Syracuse University, New York. 1962 erste Skulpturen mit geometrischen Formen, 1965 offene und geschlossene modulare Kuben. 1964–67 Lehrtätigkeit an der Museum of Modern Art School, 1967–68 an der Cooper Union, 1969–70 an der School of Visual Arts, New York, und 1970 an der New York University. 1967–69 theoretische Schriften, u. a. ›Paragraphs‹ und ›Sentences on Conceptual Art‹. In der völligen Reduktion von Kreativität als Erfindung subjektiver Bildwelten konzentriert sich Sol LeWitt auf das systematische Durchspielen von verschiedenen Variationsmöglichkeiten, die in einem geschlossenen System von Angaben enthalten sind, und zerstört damit das Außergewöhnliche durch die Fülle nüchtern gesetzter gleichmäßiger Elemente. Mit der logischen Stringenz seiner Arbeitsweise wird Sol LeWitt zu einem der wichtigsten Anreger der Konzeptuellen Kunst. – Lebt in New York.

724 Modular cube. 1965
(Variabler Kubus)
Metall-Einbrennlackierung.
182,9 × 182,9 × 182,9 cm
Sammlung FER
(Vgl. Abb. Seite 281)

Carl Andre

Geb. 16. September 1935 in Quincy, Ma., USA. 1951–53 Studium an der Phillips Academy, Andover, Ma., u. a. mit Frank Stella. 1955–56 Militärdienst. 1958 erste Holzskulpturen. 1960–64 als Schaffner und Bremser bei der Pennsylvania Railroad tätig. Ab 1960 Entwicklung der ›Element Series‹. Ab 1963 Gedichte (serielle Wortanordnungen). 1967 erste ›lock pieces‹. In einer radikalen Reduzierung kompositorischer Funktionen in der Kunst und unter Ausschaltung von Assoziationsmöglichkeiten fügt Andre in seinen Arbeiten serielle Anordnungen gleicher und gleichartiger Elemente zu oft begehbaren großflächigen quadratischen Bodenobjekten zusammen. – Lebt in New York.

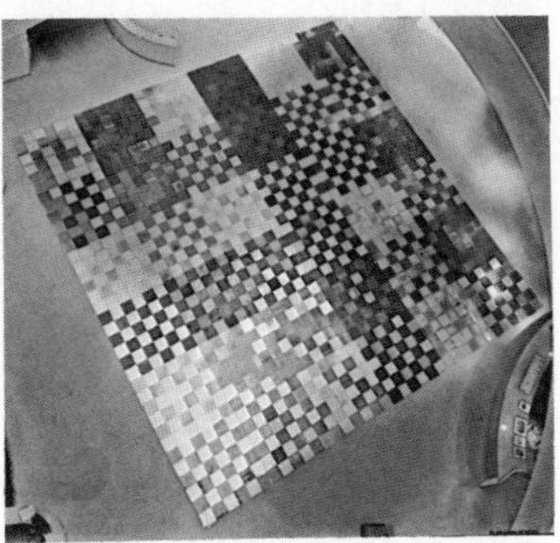

725 37 pieces of work. 1969
(37 Werkstücke)
Aluminium, Kupfer, Blei, Magnesium, Stahl, Zink. 1296 Platten je 1 × 30,4 × 30,4 cm, insgesamt 1 × 1080 × 1080 cm
Sammlung Crex
(Vgl. Abb. Seite 279)

726 Aluminium-steel alloy square. 1969
(Quadrat in Aluminium-Stahl-Legierung)
Aluminium und Stahl.
100 Platten je 0,8 × 20 × 20 cm,
insgesamt 0,8 × 200 × 200 cm
Düsseldorf, Kasper Fischer

Paul Thek

Geb. 2. November 1933 in Brooklyn, New York. 1951–54 Studium an der Cooper Union und Art Students' League, New York, sowie am Pratt Institute, Brooklyn. 1955–57 Aufenthalt in Florida. 1962–64 Aufenthalt in Italien. 1964 Rückkehr in die USA. 1967 Fulbright-Stipendiat. 1969 Bühnen- und Kostümentwürfe für das Netherlands Dance Theatre. Theks Raumgestaltungen, in denen er eine Synthese aus antiker, fernöstlicher und christlicher Mythologie vollzieht und diese in den Hippiekult integriert, kreisen um das Thema Leben und Tod. – Lebt in New York.

Außen

727 Ziggurat, the tomb – death of a hippie. 1967
(Zikkurat, das Grab – Tod eines Hippie)
Wachsfigur in Pyramide aus bemaltem Holz.
259 × 320 × 320 cm
Besitz des Künstlers
(Vgl. Abb. Seite 306)

Rekonstruktion für ›Westkunst‹, autorisiert von Paul Thek und ausgeführt von Franz Deckwitz

Innen

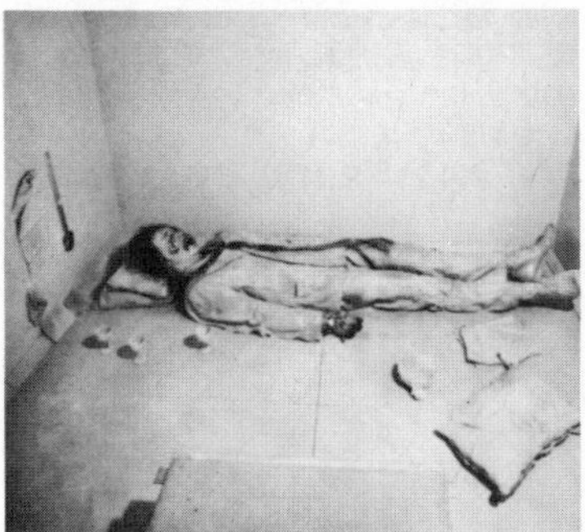

Horace Clifford Westermann

Geb. 11. Dezember 1922 in Los Angeles. 1942–45 Militärdienst. 1947–54 am Art Institute of Chicago. Gelegenheitsarbeiten, u. a. als Akrobat, Holzfäller, Tischler und Maurer. 1952 erste ›Totenschiff‹-Arbeiten, ab 1957 Serie der Miniaturhäuser und Türme mit hintergründigen Titeln wie ›Madhouse‹ und ›Suicide Tower‹. Ab 1960 Hinwendung zu einer materialnahen abstrakteren Plastik, die den Werkstoffen (vorwiegend Holz) eine eigenständige Qualitätsentfaltung ermöglicht. – Lebt in Brookfield, Ct.

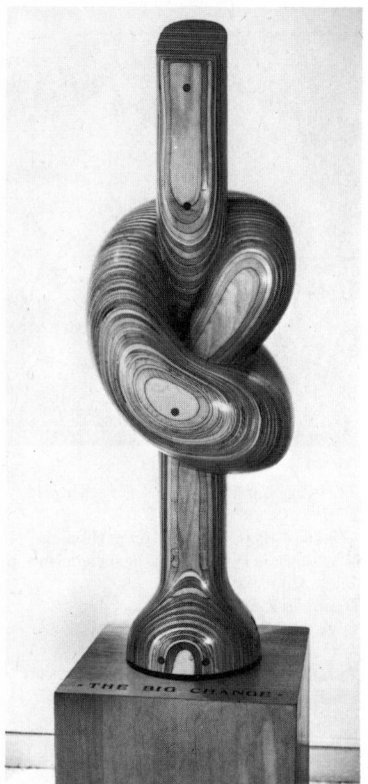

728 The big change. 1963
(Die große Veränderung)
Laminiertes Sperrholz. 165 × 165 × 30,4 cm.
New York, Collection William N. Copley

Richard Artschwager

Geb. 26. Dezember 1924 in Washington D.C. 1943–44 und 1946–48 Studium der Chemie und Mathematik an der Cornell University, Ithaca. 1944–46 Militärdienst, u. a. Stationierung in Frankfurt a. M. und Wien. 1945 Verwundung in den Ardennen. Ausgedehnte Reisen durch Europa. 1950–55 wechselnde Tätigkeiten als Kinderfotograf in New York und als Handelskaufmann. 1955–65 Tätigkeit in einer New Yorker Möbelfabrik. Unter dem Eindruck seiner Erfahrungen in dieser Fabrik konzentriert sich Artschwager in seinen Skulpturen aus Formica auf eine unmittelbare Materialpräsentation solcher Hartfaserplatten und ihrer gemaserten Oberflächenzeichnung. – Lebt in New York.

729 Triptychon III. 1967
Formica. 120 × 300 cm
Privatbesitz

William N. Copley

Geb. 24. Januar 1919 in New York. 1938 Studium an der Phillips Academy, Andover, Ma., 1942 an der Yale University. 1942–46 Militärdienst in Afrika und Italien. 1947–49 Leiter der Copley Gallery, Beverley Hills, wo er u. a. Ausstellungen von René Magritte, Joseph Cornell, Max Ernst, Matta, Yves Tanguy und Man Ray veranstaltet. 1951–64 Aufenthalt in Paris und enge Kontakte zu Max Ernst, Marcel Duchamp und Man Ray. 1964 Übersiedlung nach New York. Wird durch seine humorvollen comic-artigen Bilder bekannt. – Lebt in New York.

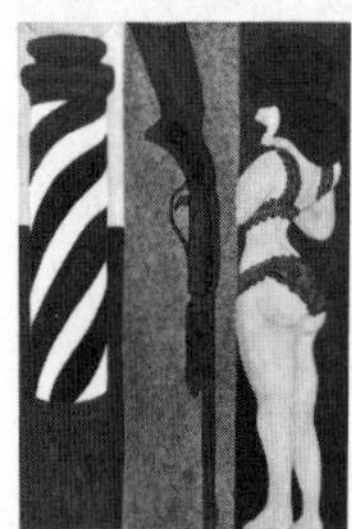

730 The bride and the groom stripped bare by each other, even. 1963
(Braut und Bräutigam, gegenseitig voneinander entkleidet, sogar)
Triptychon, Öl auf Leinwand. 55 × 231 cm
Köln, Joachim Linthe

Edward Kienholz

Geb. 23. Oktober 1927 in Fairfield, Wa. Besucht mehrere Colleges. Vertreter, Autohändler, Krankenpfleger in Nervenkliniken und Gastronom. 1953 Wohnsitz in Los Angeles. 1954 erste Holzreliefbilder. 1956 Gründung der Now Gallery und 1957 der Ferus Gallery, Los Angeles. 1958 Einführung der Assemblagetechnik in die Reliefbilder. 1959 Entstehung von ›The Medicine Show‹ mit aufklappbaren beweglichen Teilen. 1961 Environment ›Roxy's‹, 1966 ›The State Hospital‹, 1968 ›Das tragbare Kriegerdenkmal‹, 1969–72 ›Five Car Stud‹. In seinen Tableaus (reliefartigen Assemblagen), die sich zu environmentalen Raumarrangements ausweiten, trägt Kienholz ausgediente Gegenstände des Konsumalltags zusammen und macht auf bedrückende Weise die Entfremdung und Brutalität der modernen Massengesellschaft deutlich. – Lebt in Los Angeles und Berlin.

Öyvind Fahlström

Geb. 28. Dezember 1928 in São Paulo, Brasilien. 1949–52 Studium der Kunstgeschichte und Archäologie an der Universität von Stockholm. Als Künstler Autodidakt. 1950–55 Tätigkeit als Theaterkritiker in Stockholm. 1953 Manifest zur konkreten Poesie. 1952–60 Aufenthalte in Rom und Paris, Begegnungen mit Matta und Giuseppe Capogrossi. 1961–62 Übersiedlung nach New York. Variable Bilder und Multiples. 1962–66 zahlreiche Happenings und Events. 1966–69 Dokumentarfilme. Ab 1966 wechselnder Wohnsitz in New York und Stockholm. Fahlström entwickelt aus dadaistischen und surrealistischen Vorstellungen eine eigenwillige Schablonenmalweise, die mit Hilfe comic-hafter Bildklischees den Konsumalltag und die politische Tagesaktualität ironisch kommentiert. – 8. November 1976 in Stockholm gestorben.

732 Dr. Schweitzer's last mission. 1962–66
(Dr. Schweitzers letzte Mission)
Variable Malerei, Tempera auf 10 Ausschnitten in Eisen und Plastik, 8 Eisenboxen, 50 magnetische Ausschnitte in Eisen und Plastik, 450 × 1020 × 225 cm
Stockholm, Moderna Museet
(Vgl. Abb. Seite 307)
Installation für ›Westkunst‹, ausgeführt von Björn Springfeldt

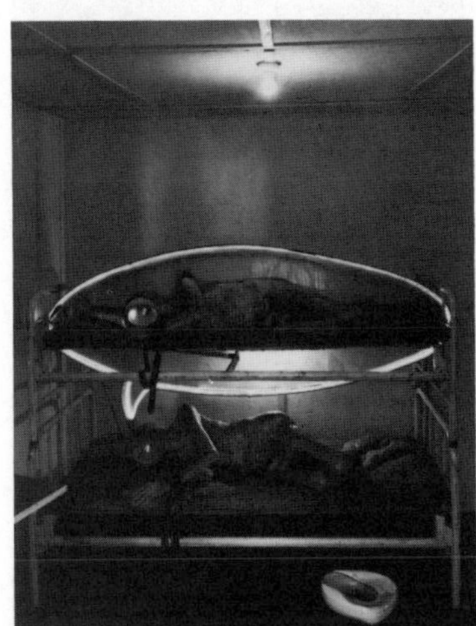

731 The State Hospital. 1966
(Die Landesbewahranstalt)
Verschiedene Materialien. Höhe 244 cm, Breite Vorderseite 366 cm, Breite Rückseite 275 cm, Tiefe 294 cm
Stockholm, Moderna Museet
© Edward Kienholz
(Vgl. Abb. Seite 309/310)

731 Außen

Diter Rot
(Biografie siehe S. 447)

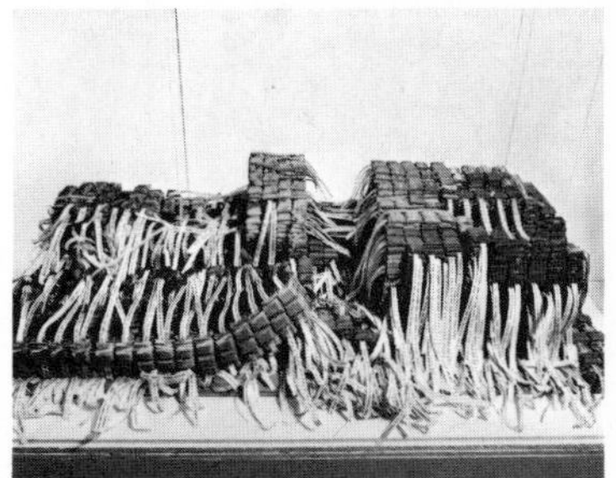

733 Schokoladenmeer. 1970
Schokolade mit Textstreifen (Papier) mit Plexihaube. 110 × 66 × 32 cm
Duisburg, Wilhelm Lehmbruck-Museum, Leihgabe Sammlung Reinhard Onnasch
(Vgl. Abb. Seite 297)

Georg Baselitz

Geb. 23. Januar 1938 in Deutschbaselitz, Sachsen. 1956–57 Studium an der Hochschule für Bildende und Angewandte Kunst, Berlin (Ost). 1957 Übersiedlung nach Berlin (West) und bis 1964 Studium an der dortigen Hochschule für Bildende Künste bei Hann Trier. 1961 Veröffentlichung der ›Pandämonium‹-Manifeste, entstanden unter dem Eindruck der Schriften von Antonin Artaud und Lautréamont. 1966 Übersiedlung nach Osthofen bei Worms. In den sechziger Jahren entstehen Arbeiten, deren verzerrte Figuren und Sujets an den Expressionismus erinnern. 1969 Beginn der Porträts und Landschaftsbilder, die auf dem Kopf stehen. – Lebt in Derneburg bei Hildesheim.

735 Die großen Freunde. 1965
Öl auf Leinwand. 250 × 300 cm
Wien, Museum moderner Kunst,
Leihgabe Sammlung Ludwig, Aachen

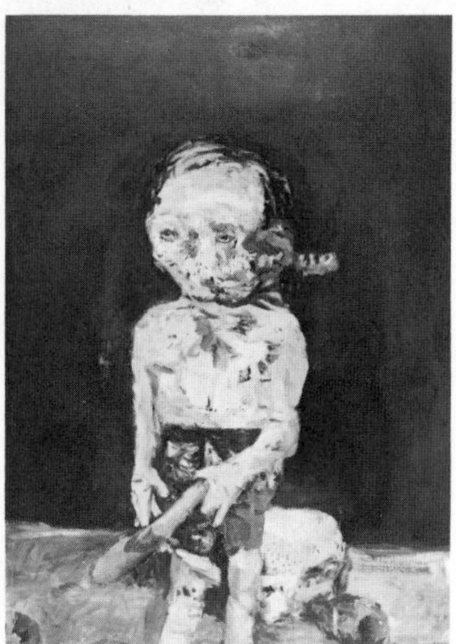

734 Die große Nacht im Eimer. 1962/63
Öl auf Leinwand. 250 × 180 cm
Köln, Museum Ludwig, Stiftung Ludwig

735a Mann am Baum. 1969
Öl auf Leinwand. 252 × 200 cm
Köln, Galerie Rudolf Zwirner

Frank Auerbach

Geb. 29. April 1931 in Berlin. 1939 Emigration nach England. 1952–55 Studium am Royal College of Art, London. 1947 englischer Staatsbürger. 1956–58 Lehrtätigkeit u. a. an der Slade School of Art, London. Seit 1958 Publikationen zur Avantgarde-Kunst. Beeinflußt vom Spätexpressionismus, sind die oft düsteren Porträts und Figurenkompositionen von Auerbach in durchgängig pastosem Farbauftrag mit gelegentlichen Aufhellungen gemalt. – Lebt in London.

736 E.O.W. on her blue eiderdown VI. 1963
(E.O.W. auf ihrer blauen Daunendecke VI)
Öl auf Leinwand. 43,8 × 50,8 cm
London, Collection Dr. S. Charles Lewsen

737 E.O.W., S.A.W. and J.J.W. in the garden II. 1964
(E.O.W., S.A.W. und J.J.W. im Garten II)
Öl auf Karton. 190,5 × 152,4 cm
Monaco, Privatbesitz

David Hockney

Geb. 5. Juli 1937 in Bradford, Yorkshire, England. 1953–57 Studium am Bradford College of Art. 1957–59 Wehrdienstverweigerung, Ersatzdienst als Krankenpfleger. 1959–62 Studium am Royal College of Art, London. 1963 Aufenthalt in Ägypten. 1963–64 Lehrtätigkeit an der University of Iowa, 1965–66 an der University of Colorado, USA. 1966 Radierungsfolge ›Cavafy‹ in Beirut, Entwürfe für ›Ubu Roi‹ von Alfred Jarry im Theater Royal Court, London. 1966–67 Lehrtätigkeit an der University of California, Berkeley. 1968–71 Reisen in Japan, Indonesien, Burma. 1973 Aufenthalt in Paris. 1974 Entwürfe zu Igor Strawinskys ›Rake's Progress‹ für Glyndebourne, England. Ab 1975 wechselnde Aufenthalte in Paris, London, Australien, Indien und New York. Mit seinen Los Angeles-Arbeiten in hellen unwirklichen Farben zeigt Hockney den Middle-class-Traum Amerikas mit Swimming-pool und Palmen. Trotz aller Atmosphäre wird die Öde und Sterilität des ›american way of life‹ deutlich. – Lebt in London.

745 American Collectors (Fred and Marcia Weisman). 1968
(Amerikanische Sammler)
Acryl auf Leinwand. 214 × 305 cm
Privatbesitz
(Vgl. Abb. Seite 282)

738 Los Angeles. 1964
Farbkreide. 35,5 × 43 cm
Privatbesitz

742 1059 Balboa Avenue. 1967
Kreidezeichnung. 35,5 × 43 cm
London, J. Kasmin

739 Hollywood pool and palm tree. 1965
(Hollywood-Swimmingpool und Palme)
Kreidezeichnung. 25 × 32 cm
London, Kasmin Ltd.

743 Sony T.V. 1968
Kreidezeichnung. 43 × 35,5 cm
London, J. Kasmin

◁ 740 Swimming pool & garden, Beverly Hills. 1965
(Swimmingpool und Garten, Beverly Hills)
Bleistift und Kreide. 48,2 × 60,9 cm
London, J. Kasmin

741 Swimming pool Los Angeles. 1966 ▷
Fettkreiden und Farbstift. 35,2 × 43 cm
Privatbesitz

744 House in Hollywood. 1968
(Haus in Hollywood)
Aquarell. 31 × 40,7 cm
Privatbesitz

Larry Bell

Geb. 6. Dezember 1939 in Chicago. 1953–57 Studium an der Birmingham High School, Eureka, Ca., 1957–59 am Chouinard Art Institute, Los Angeles; gleichzeitig Lastwagenfahrer und Bilderrahmer. 1957–59 Leitung des ›Unicorn saloon-cabaret‹ in Hollywood. 1962 Reise durch Mexiko. 1969–70 Lehrtätigkeit an der University of California, Irvine, 1970 am California State College, Hayward. 1970 Reise durch Nordafrika. 1972 Lehrstuhl an der University of California, Berkeley, 1973 an der University of South Florida, Tampa. 1973 Reise nach Australien, 1973–74 nach Südostasien. 1974 Mitbegründer des ›Don Quixote Collective, California‹. Seit 1964 ist Bell durch seine transparenten Kunststoffwürfel bekannt, die er in einem komplizierten technischen Verfahren mit hauchdünnen Farbschichten überzieht. Dabei entsteht eine subtile Interferenz der Farben auf der Oberfläche der Kuben, die Bell bis hin zu kaum noch sichtbaren Grauwerten auslotet. – Lebt in Talpa, New Mexico.

746 Untitled. 1969
(Ohne Titel)
Glas-Plexiglas. 45,7 × 45,7 × 45,7 cm
New York, The Pace Gallery
(Vgl. Abb. Seite 282)

747 Untitled. 1969
(Ohne Titel)
Glas-Plexiglas. 35,6 × 35,6 × 35,6 cm
New York, The Pace Gallery
(Nicht abgebildet)

748 Untitled. 1969
(Ohne Titel)
Glas-Plexiglas. 50,8 × 50,8 × 50,8 cm
New York, The Pace Gallery
(Nicht abgebildet)

John McCracken

Geb. 9. Dezember 1934 in Berkeley, Ca., USA. 1953–57 Militärdienst. 1957–65 Studium am California College of Arts and Crafts, Oakland. 1965–66 Lehrtätigkeit an der University of California, Irvine; 1966–68 an der School of Visual Arts, New York; 1971–72 am Hunter College, New York; 1972–73 an der University of Nevada, Reno, 1973–75 an der University of Nevada, Las Vegas und seit 1975 an der University of California, Santa Barbara. Die Skulpturen McCrackens aus hellfarbig lackierten, schmalen Holz- oder Fiberglasplanken markieren den Übergang von der Farbfeldmalerei zur Minimal Art. – Lebt in Las Vegas, Nevada.

749 Gentle touch. 1968
(Sanfte Berührung)
Lackiertes Holz. 243 × 57 × 9 cm
New York, Sonnabend Gallery
(Siehe Abb. Seite 283)

750 Untitled. 1968
(Ohne Titel)
Lackiertes Holz. 237 × 36 × 3 cm
New York, Sonnabend Gallery

Edward Ruscha

Geb. 16. Dezember 1937 in Omaha, Nebraska. 1956–60 Studium am Chouinard Art Institute, Los Angeles, gleichzeitig Dienst in der amerikanischen Marine. 1961, 1967 und von 1970–74 ausgedehnte Reisen durch Europa. 1969–70 Lehrstuhl für Malerei an der University of California, Los Angeles. Werbegrafiker und Layouter für die Zeitschrift ›Artforum‹. In seinen nach fotografischen Vorlagen gemalten Bildern ironisiert Ruscha den technischen Perfektionskult und den totalen Kommerz der Werbe-Emblematik. – Lebt in Los Angeles.

751 Radio, 1962
Acryl auf Leinwand. 181,5 × 170 cm
Berlin, Sammlung Reinhard Onnasch
(Vgl. Abb. Seite 283)

Bruce Nauman

Geb. 6. Dezember 1941 in Fort Wayne, Indiana, USA. 1960–64 Studium der Mathematik und Kunst an der University of Wisconsin, Madison, 1965–66 an der University of California, Davis. 1965 Aufgabe der Malerei und Herstellung von Fiberglas-Skulpturen. 1966 erste Filmarbeiten und Body Art. 1967 Übersiedlung nach Mill Valley, Kalifornien, 1969 nach Pasadena und Reise nach Paris. 1968 erste Video- und Tonarbeiten sowie Herstellung von Hologrammen. 1970 Lehrtätigkeit an der University of California, Irvine. 1972–73 Entstehung der Raumkonzeptionen ›Korridore‹, die sich mit Wahrnehmungsirritationen beschäftigen. – Lebt in New Mexico.

752 Henry Moore bound to fail. 1967
(Henry Moore zum Versagen verdammt).
Wachs über Gips. 66 × 60,9 × 8,8 cm
New York, Mr. & Mrs. Leo Castelli
(Vgl. Abb. Seite 313)

753 Untitled. 1967
(Ohne Titel)
Mit Rüböl und Wachs bemalter Gips und Ton. 43,1 × 66 × 11,3 cm
New York, Collection Robert C. Scull
(Vgl. Abb. Seite 313)

754 Westerman's ear. 1967/68
(Westermanns Ohr)
Gips, Farbe, Fiberglasseil. Seillänge 450 cm
Köln, Museum Ludwig, Stiftung Ludwig

756 Semi close-up. 1969 ▷
(Halbnah)
Öl auf Leinwand. 173 × 143,5 cm
Basel, Kunstmuseum, Depositum der Emanuel Hoffmann-Stiftung

John Baldessari

Geb. 17. Juni 1931 in National City, Ca., USA. 1949–57 Studium am San Diego State College. 1953–54 Leiter der Fine Arts Gallery, San Diego, Ca. 1959–68 Lehrtätigkeit an verschiedenen Schulen und Colleges in San Diego, 1962–70 an der University of California, San Diego, 1971 am Hunter College, New York. In den siebziger Jahren Hinwendung zu einer narrativen Kunst, die mit Fotos und erläuternden Texten arbeitet. – Lebt in Santa Monica, Ca.

755 The spectator is compelled. 1966–68
(Der Zuschauer ist überwältigt)
Öl auf Leinwand. 114 × 150 cm
Essen, Hans und Annelie Piotrowiak

Hermann Nitsch

Geb. 1938 in Wien. 1957 Entwicklung der Idee des ›Orgien-Mysterien-Theaters‹ als ein sechs Tage dauerndes Festspiel. 1960–66 zahlreiche Aktionen mit nackten menschlichen Körpern, die zu mehrfachen Gefängnisstrafen führen; Herausgabe von Aktionspartituren für ›Abreaktionsspiele‹. Bis 1970 Aufführung von sieben Abreaktionsspielen. 1969 und 1976 Publikation von theoretischen Schriften zum ›Orgien-Mysterien-Theater‹, 1971 Lehrtätigkeit an der Hochschule für Bildende Kunst, Frankfurt a. M. Mit der orgiastischen Enthemmung seiner kultisch-erotischen ›Abreaktionsspiele‹ setzt Nitsch ein schockierendes Zeichen gegenüber den verdeckten Grausamkeiten in den bürgerlichen Ordnungsstrukturen. – Lebt bei München.

757 Schüttbild. 1960
Blut und rote Farbe auf grober Sackleinwand.
200 × 306 cm
Köln, Dr. Speck
(Vgl. Abb. Seite 305)

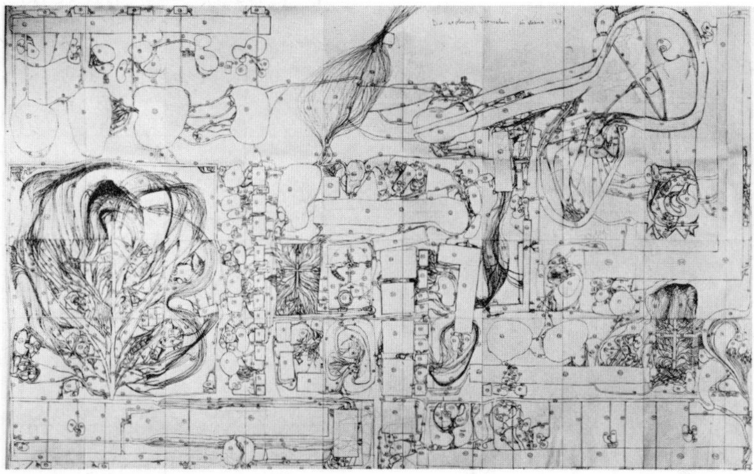

758 Die Eroberung von Jerusalem. 1971
Kugelschreiber auf Papier. Aus 84 Einzelblättern bestehende Zeichnung, restauriert und auf Japanpapier aufgezogen. 178 × 294 cm
München, Kunstagentur Wolfgang Wunderlich. (Vgl. Abb. Seite 302)

Günter Brus

Geb. 1938 in Ardning, Österreich. 1950–56 Studium an der Kunstgewerbeschule, Graz und an der Akademie für angewandte Kunst, Wien. 1963 erste Einzelausstellung ›Malerei – Selbstbemalung – Selbstverstümmelung‹ in Wien. 1964 erste Aktionen. 1965 Zusammenarbeit mit Otto Muehl, mit dem er 1966 das ›Institut für direkte Kunst‹ in Wien gründet. 1968 erste Publikationen ›Patent Urinoir‹. 1969 Mitbegründer der ›Österreichischen Exilregierung‹ (gemeinsam mit Hermann Nitsch, Gerhard Rühm und Oswald Wiener). 1969–76 Herausgabe von 17 Nummern der Zeitschrift ›Die Schastrommel‹. 1970 Aktion ›Zerreißprobe‹, ›Aktionsraum 1‹, München. 1974 Veranstaltung des Konzerts ›Selten gehörte Musik‹ in München. 1976 Fertigstellung des Bühnenstükkes ›Der Frackzwang‹. In seinen auf sexuelle und religiöse Tabus bezogenen Zeichnungen und Aktionen mit dem eigenen Körper legt Brus die verdeckten Anarchien der sozialen Strukturen offen, wobei er seine künstlerischen Handlungen als eine Abreaktion von verdrängten Aggressionsstaus versteht.

759 Ablauf einer Aktion. 1966 ▷
Kugelschreiber auf Papier.
17 Blätter, je 20 × 21 cm
Düsseldorf, Galerie Heike Curtze
(Vgl. Abb. Seite 304)

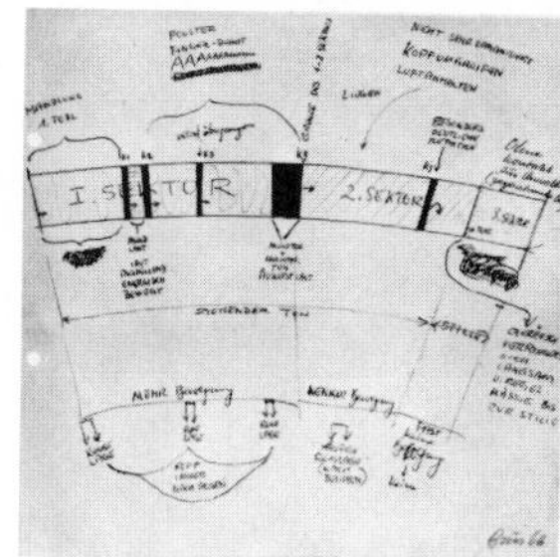

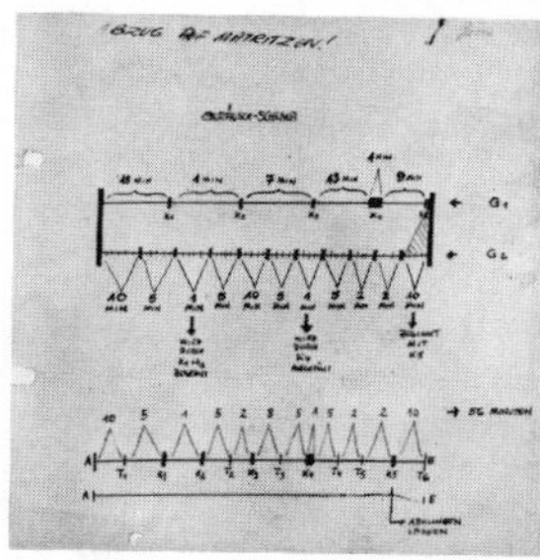

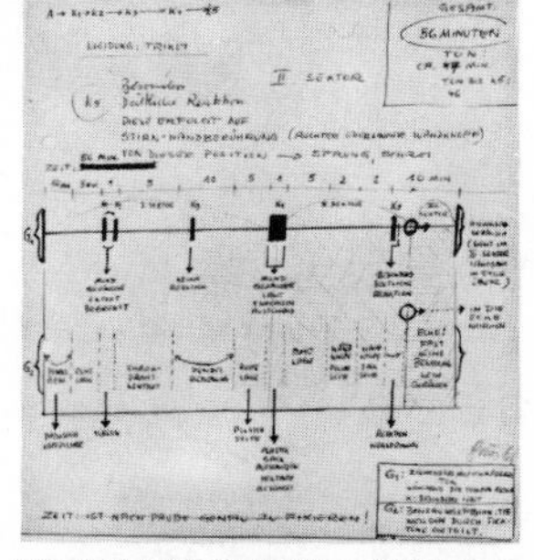

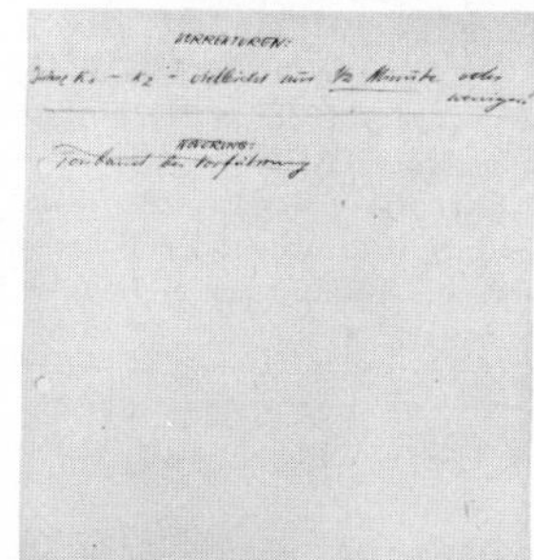

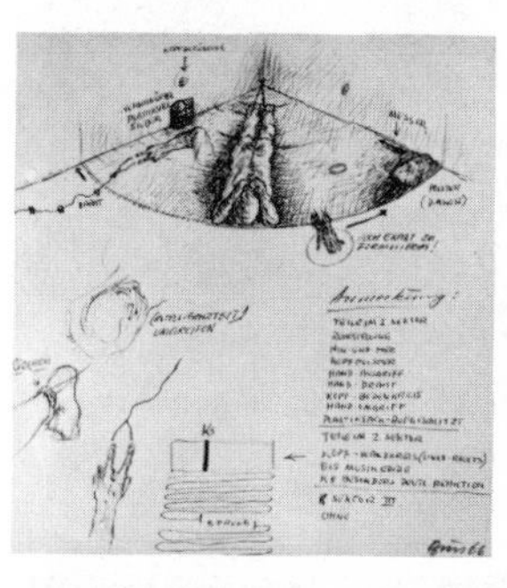

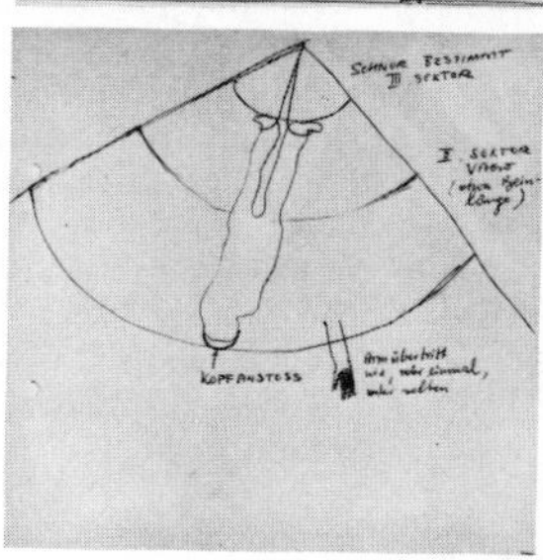

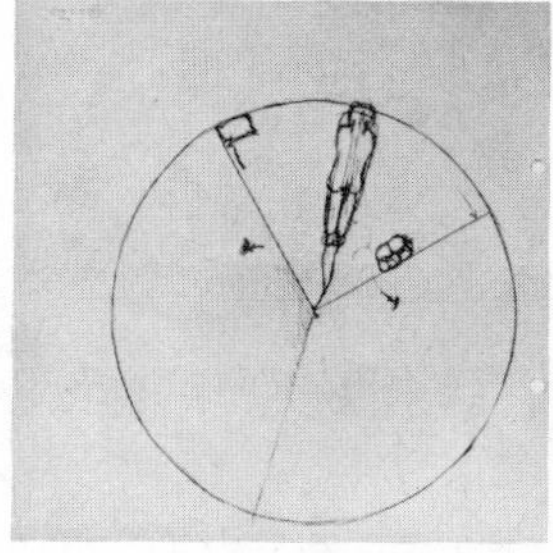

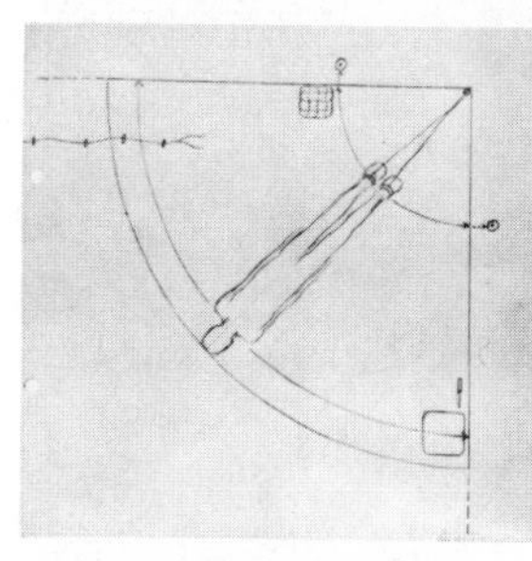

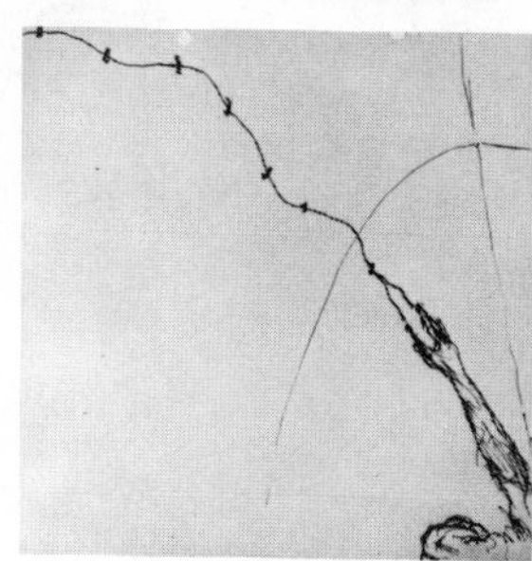

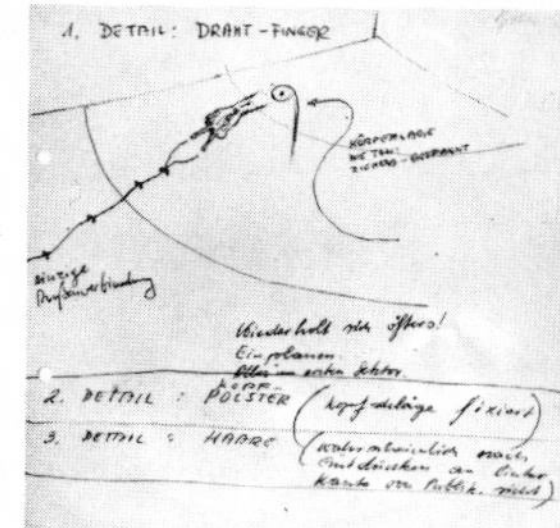

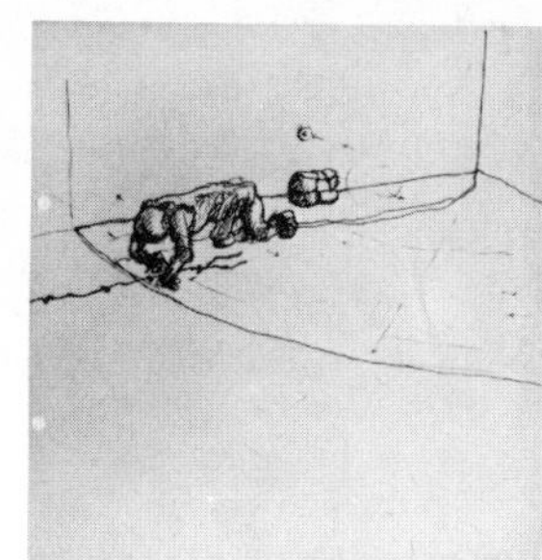

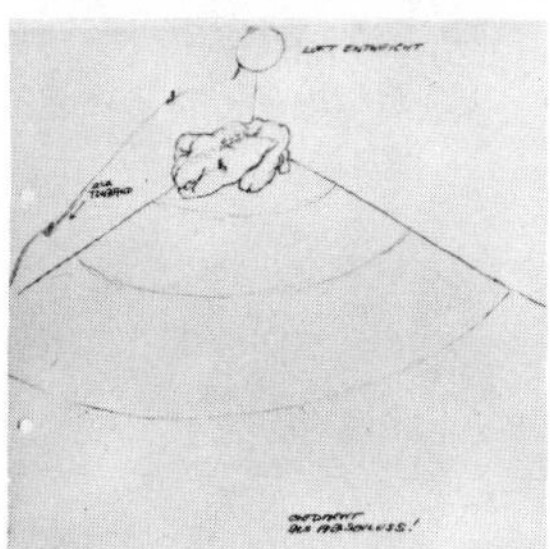

Otto Muehl

Geb. 16. Juni 1925 in Grodnau, Burgenland, Österreich. 1943–45 Kriegsdienst und 1944 Auszeichnung mit dem ›Eisernen Kreuz‹. 1947–52 Studium der Germanistik und Geschichte an der Universität Wien, 1952–57 Kunststudium an der Akademie der Bildenden Künste Wien. 1953 Sammlung von Erfahrungen mit therapeutischem Zeichnen in einem Heim für Nervenkranke. 1959 intensive Beschäftigung mit der Psychoanalyse. 1970 Gründung der AA-Kommune, 1974 Gründung der AAO (Aktions-Analytische Organisation) als Kommune für alternative, tabufreie Lebensformen. In Parallele zu Brus und Nitsch beabsichtigt Muehl, der in seinen ritualhaften Aktionen Blut, Exkremente und religiöse Kultgegenstände verwendet, die durch religiöse Zwänge und sexuelle Tabus hervorgerufenen Zwänge aufzubrechen. – Lebt in Wien und Friedrichshof.

760 Materialaktionen. 1963–67
25 Aktionsfotos, Color-Handabzüge vom Original-Dia, vom Künstler mit Titel und Jahreszahl versehen, numeriert und signiert.
Je 30 × 30 cm
Aktionen:
versumpfung eines weiblichen körpers. 1963
versumpfung nr. 2. 1963
(Vgl. Abb. Seite 305)
klarsichtpackung, versumpfung in einer truhe, panierung eines gesäßes, wälzen im schlamm. 1964
kreuzigung eines männlichen körpers. 1964
bodybuilding. 1965
penisaktion. 1965
das ohr, waschschüssel, hinrichtung. 1966
nahrungsmitteltest. 1966
st. anna. 1966
funèbre. 1966
München, P.A.P. Kunstagentur Karlheinz und Renate Hein
(Einige Aktionsfotos nicht abgebildet)

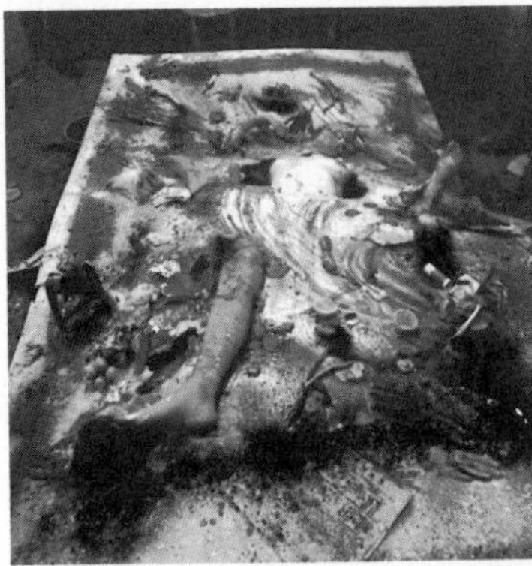

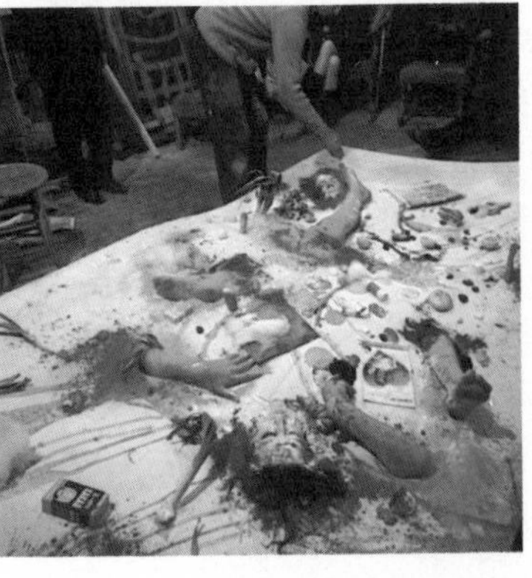

Joseph Beuys

Geb. 12. Mai 1921 in Kleve. 1941–45 Kriegsdienst als Sturzkampfflieger. 1947–51 Studium an der Staatlichen Kunstakademie Düsseldorf bei Ewald Mataré. 1961–72 Lehrtätigkeit an der Staatlichen Kunstakademie Düsseldorf. Ab 1962 intensive Zusammenarbeit mit der internationalen Fluxus-Szene, u. a. mit Nam June Paik, George Maciunas und Henning Christiansen sowie Teilnahme an zahlreichen Fluxus-Festivals. 1963 erste Aktion mit Fett als plastischem Material in der Galerie Zwirner, Köln. 1964 Freundschaft mit Robert Morris und Yvonne Rainer. 1965 erste Galerie-Ausstellung ›. . . irgend ein Strang . . .‹ bei Schmela in Düsseldorf. Beginn der eigenen großen Fluxusveranstaltungen: 1965 Aktionen ›und in uns . . . unter uns . . . landunter‹, ›wie man dem toten Hasen die Bilder erklärt‹; 1966 ›Eurasia‹, › . . . mit Braunkreuz‹, ›Manresa‹; 1967 ›Eurasienstab‹, ›Hauptstrom‹ und Parallelprozesse. 1967 Gründung der Deutschen Studentenpartei (mit Johannes Stüttgen und Bazon Brock) in Düsseldorf. 1971 Gründung der ›Organisation für direkte Demokratie durch Volksabstimmung‹. 1974 Aktion ›I like America and America likes me‹ in New York. 1976 Installation von ›Straßenbahn-Haltestelle‹ auf der 37. Biennale, Venedig. 1977 ›Freie Internationale Hochschule für Kreativität und interdisziplinäre Forschung‹ / ›Honigpumpe am Arbeitsplatz‹, documenta 6. 1979 große Retrospektive im Guggenheim Museum, New York, und Freundschaft mit Andy Warhol. In der Vereinigung aller Existenzbedingungen wird das Kunstwerk für Beuys zum ›Sprecher‹ und ›Sender‹ des plastischen Grundprinzips ›Kreativität‹, das sich in den Fluxus-Aktionen und in deren Objektrelikten, z. B. in der Benutzung von Filz und Fett, materialisiert. – Lebt in Düsseldorf.

Werke aus der Ausstellung **». . . irgend ein Strang . . .«**, Galerie Schmela, Düsseldorf (Eröffnung 26. November 1965).
Installation für ›Westkunst‹, ausgeführt von Joseph Beuys in Zusammenarbeit mit Heiner Bastian.
Die Nummern in Klammern beziehen sich auf die Einladungskarte mit Werkverzeichnis von 1965, siehe Abb. Seite 295 im Textteil

761 Gummierte Kiste. 1957 (7)
Holz, Kautschuk. 43 × 91 × 76 cm
Darmstadt, Hessisches Landesmuseum, Dauerleihgabe aus Privatbesitz

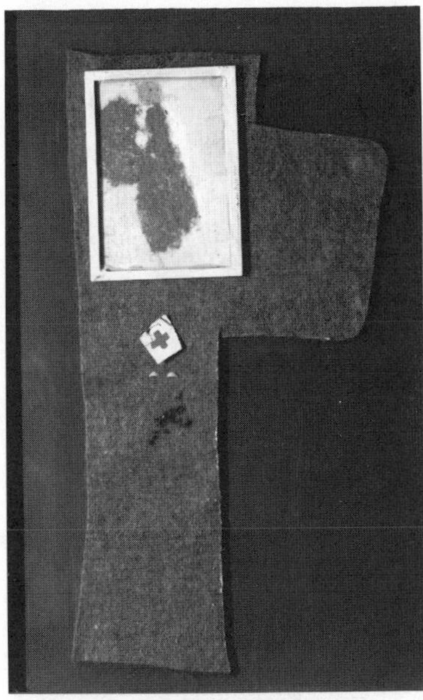

762 Halbiertes Filzkreuz mit Staubbild ›Magda‹. 1960 (11)
Gouache und verschiedene Materialien.
108 × 68 cm
Köln, Museum Ludwig, Stiftung Ludwig

763 Tuchobjekt. 1960 (13)
Faden auf (Hand)-Tuch in Zinkblechkasten.
89,5 × 48 × 3,5 cm
Mönchengladbach, Städtisches Museum, Sammlung Etzold

764 FLUXUS Staubbild. 1963 (19)
Foto mit 2 Braunkreuzen, Öl, Bleistift und Staub auf Pappe; weißer, von Beuys beschriebener Rahmen. 74 × 104 cm
Berlin, Ursula Block

Batterien (Kat. 765, 766)

765 Stapelplastik?. Batterie (Stapel) 1963 (22)
Zeitungen, Ölfarbe (Braunkreuz), Schnur. Ca. 32 × 24 × 25 cm
Darmstadt, Hessisches Landesmuseum, Dauerleihgabe aus Privatbesitz

766 Batterie (Stapel). 1963 (23)
Zeitungen, Ölfarbe (Braunkreuz), Schnur. Ca. 32 × 24 × 25 cm
Darmstadt, Hessisches Landsmuseum, Dauerleihgabe aus Privatbesitz

767 Batterietasche mit Braunkreuz. 1963 (24)
Gummierte Leinwand in Kasten aus Zinkblech und Glas, Tasche. 14 × 29 cm. Mit Rahmen 40 × 50 cm
Kassel, Staatliche und Städtische Kunstsammlungen, Neue Galerie (Leihgabe)

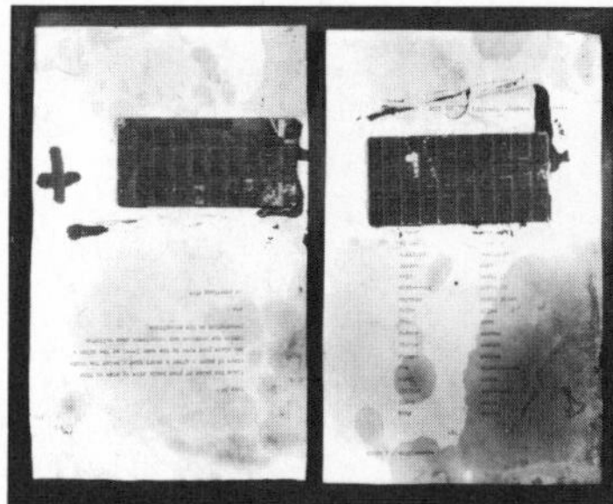

768 Schokolade mit brauner Fußbodenfarbe bemalt. 1964 (25)
Schokoladentafeln auf maschinenbeschriebenem Papier. Collage. 39,5 × 51 cm
Bochum, Kunstsammlungen der Ruhr-Universität

769 Morgunbladid (Filzzeitung). 1964 (26)
Zeitungen. Ölfarbe (Braunkreuz), Schnur. 25 × 24 × 32 cm
Darmstadt, Hessisches Landesmuseum, Dauerleihgabe aus Privatbesitz
(Nicht abgebildet)

Filzwinkel (Kat. 770, 771, 774)

770 2 90 Grad Filzwinkel. 1965 (28)
Holz, Filz. 94 × 80 × 18 cm und 94 × 46 × 18 cm
Darmstadt, Hessisches Landesmuseum, Dauerleihgabe aus Privatbesitz

771 90 Grad Filzwinkelfarbwinkel (Hirschfuß). 1965 (29)
Holz, Filz, Ölfarbe. 265 × 14 × 14 cm
Darmstadt, Hessisches Landesmuseum, Dauerleihgabe aus Privatbesitz

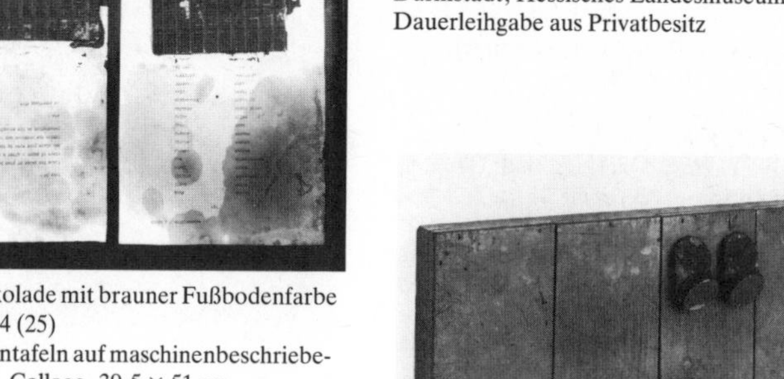

772 Objekt: 2 125 Grad Fettwinkel in Dosen. 1965 (30)
Holz, Blech, Fett. 37 × 84 × 12 cm
München, Bayerische Staatsgemäldesammlungen, Leihgabe des Galerie-Vereins München e. V.

773 90 Grad überzelteter Filzwinkel. 1965 (31)
Holz, Seide, Kupfer, Filz. 206 × 195 × 29 cm
Darmstadt. Hessisches Landesmuseum, Dauerleihgabe aus Privatbesitz

774 34 Grad Filzwinkel bemalt. 1965 (32)
Holz, Filz, Farbpigment. 106 × 67 cm
Darmstadt, Hessisches Landesmuseum, Dauerleihgabe aus Privatbesitz

775 2 90 Grad Filzwinkelfilzkerben. 1965 (33)
Holz, Filz. Je 265 × 14 × 14 cm
Darmstadt, Hessisches Landesmuseum, Dauerleihgabe aus Privatbesitz

776 Warmer Stuhl (Schemel). 1965 (34)
Holz, Filz. 50 × 54 × 47 cm
Darmstadt, Hessisches Landesmuseum, Dauerleihgabe aus Privatbesitz

777 Filzsohle und Eisensohle. 1965 (35)
Filz, Eisen, Leder. 30 × 12 × 0,5 cm
Darmstadt, Hessisches Landesmuseum, Dauerleihgabe aus Privatbesitz

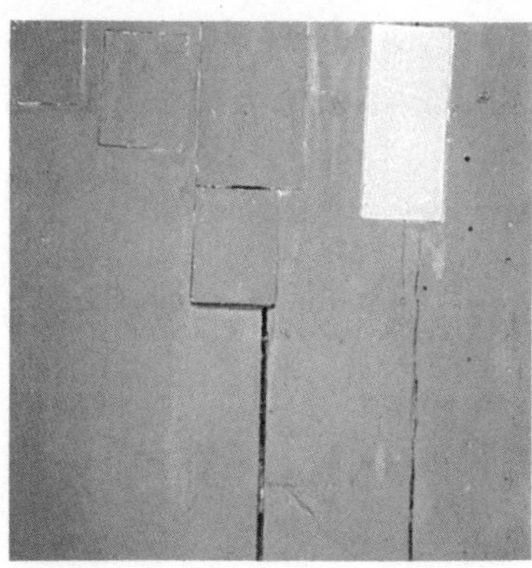

778 Bodenplatte: 4 Empfänger und 1 Sender. 1964 (36)
Holz und Mischtechnik (Montage).
50,5 × 49,5 × 6 cm
Amsterdam, J. Leering

780 Schneefall. 1965 (38)
Assemblage (Filzplatten über Tannenstämmen). 23 × 120 × 363 cm
Basel, Kunstmuseum, Depositum der Emanuel Hoffmann-Stiftung

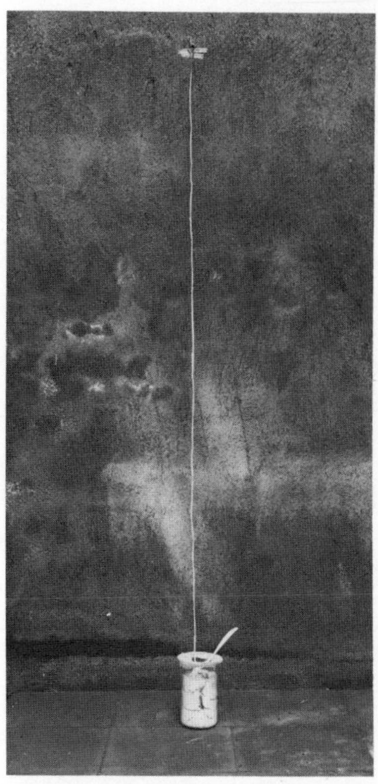

781 Die Eröffnung. 1965
Einmachglas, weiße Farbe, Gabel, Schnur, Gaze. 169 × 16 × 11 cm
Mönchengladbach, Städtisches Museum (Nicht in der Ausstellung ». . . irgend ein Strang . . .«)

◁ 779 Mein und meiner Lieben verlassener Schlaf. 1965 (37)
Holz, Filz. 150 × 152 × 62 cm
Darmstadt, Hessisches Landesmuseum, Dauerleihgabe aus Privatbesitz

Sigmar Polke

Geb. 13. Februar 1941 in Oels, Niederschlesien. Zieht 1953 in die Bundesrepublik. 1959–60 Glasmalerlehre in Düsseldorf. 1960–67 Studium der Malerei an der Staatlichen Kunstakademie Düsseldorf bei Gerhard Hoehme und K. O. Götz. 1963 Mitbegründer der Gruppe ›Kapitalistischer Realismus‹ (mit Konrad Lueg und Gerhard Richter). ›Demonstrative Ausstellung‹ in Düsseldorf, um die Mechanismen der Konsumideologie erfahrbar zu machen. 1970–71 Lehrtätigkeit an der Hochschule für Bildende Künste, Hamburg. In seiner ironischen Bildsprache treibt Polke ein humorvolles Entlarvungsspiel mit den Widersprüchen und Klischeevorstellungen des Konsumalltags und des gesellschaftlichen Lebens. – Lebt in Willich bei Düsseldorf und Zürich.

783 Moderne Kunst. 1968
Dispersion auf Leinwand. 150 × 125 cm
Berlin, Anna und Otto Block
(Vgl. Abb. Seite 20)

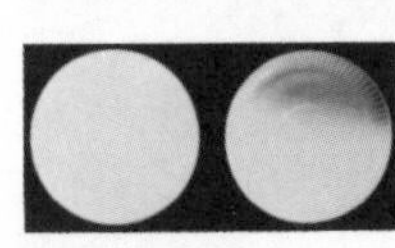

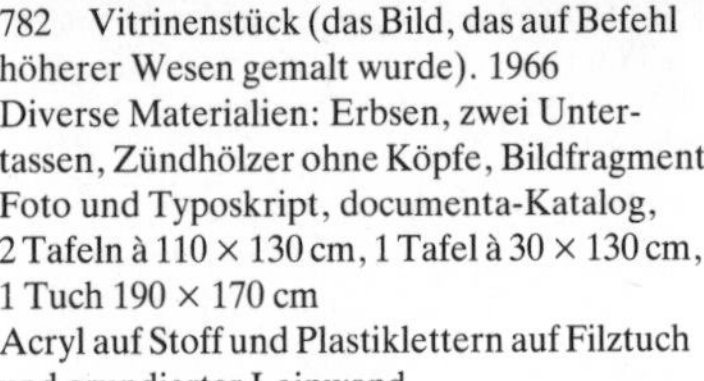

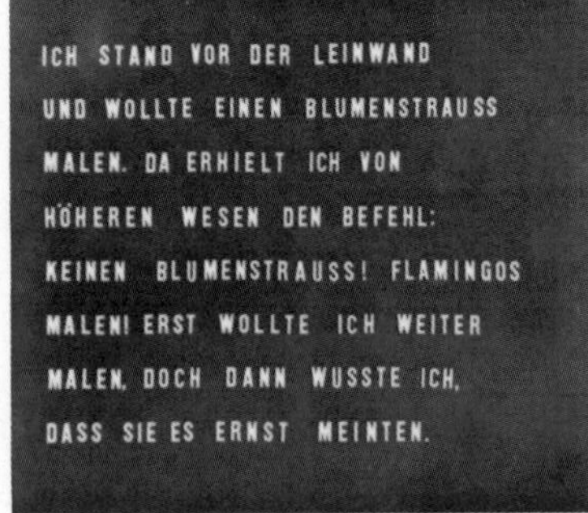

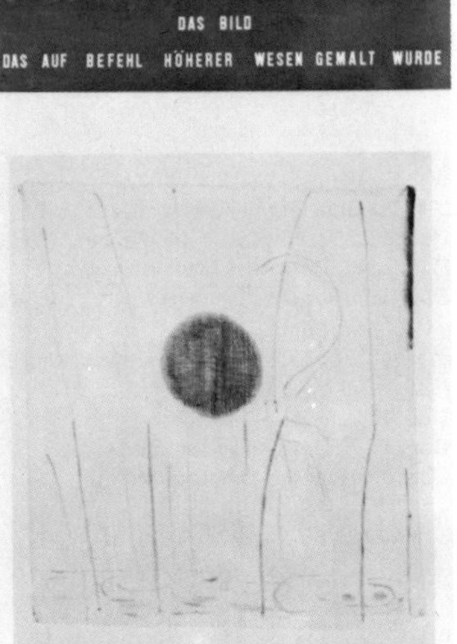

782 Vitrinenstück (das Bild, das auf Befehl höherer Wesen gemalt wurde). 1966
Diverse Materialien: Erbsen, zwei Untertassen, Zündhölzer ohne Köpfe, Bildfragment, Foto und Typoskript, documenta-Katalog, 2 Tafeln à 110 × 130 cm, 1 Tafel à 30 × 130 cm, 1 Tuch 190 × 170 cm
Acryl auf Stoff und Plastiklettern auf Filztuch und grundierter Leinwand
München, Privatbesitz

◁ 784 Das große Schimpftuch. 1968
Dispersion auf Bibertuch. 400 × 437 cm
Köln, Dr. Speck

Gerhard Richter

Geb. 19. Februar 1932 in Dresden. 1949–53 Reklame- und Bühnenmaler in Zittau. 1953–57 Studium an der Kunstakademie in Dresden. 1957–60 Lehrtätigkeit in Dresden. 1960 Übersiedlung nach Düsseldorf. 1961–64 Studium an der dortigen Staatlichen Kunstakademie. 1963 Mitbegründer der Gruppe ›Kapitalistischer Realismus‹ (mit Konrad Lueg und Sigmar Polke) und ›Demonstrative Ausstellung‹ in Düsseldorf. Ab 1964 systematische Sammlung von Fotografien als Malvorlagen (1972 unter dem Titel ›Atlas‹ ausgestellt). 1966 ›Farbtafeln‹. 1967 Lehrtätigkeit an der Hochschule für Bildende Künste, Hamburg. 1968–69 Kunsterzieher in Düsseldorf. 1968 Städte- und Gebirgsbilder sowie ›abstrakte‹ Bilder nach fotografischen Vergrößerungen von Malstrukturen. Seit 1971 Lehrtätigkeit an der Staatlichen Kunstakademie Düsseldorf. Richter malt seine Bilder nach fotografischen Vorlagen, die er verwischt in teils grauen, teils farbigen Tönen auf die Leinwand überträgt. Dabei zeigen seine Sujets keine programmatische Festlegung, ihr Repertoire reicht von Alltagsfotos und Familienbildern bis zu Stadtansichten und Wolkenbildern. – Lebt in Düsseldorf.

786 Olympia. 1967
Öl auf Leinwand. 200 × 130 cm
Privatbesitz

785 Helga Matura. 1966
Öl auf Leinwand. 200 × 100 cm
Düsseldorf, Kunstmuseum

787 Stadtbild. 1968
Öl auf Leinwand. 200 × 200 cm
Sammlung Crex

A. R. Penck (Ralf Winkler)

Geb. 5. Oktober 1939 in Dresden, wo er bis 1980 lebt. Als Künstler Autodidakt. Neben dem malerischen Werk intensive Beschäftigung mit Kunsttheorie, Dichtung und Musik. Ab 1960 pastos gemalte Bilder, ab 1965 symbolhafte ›System- und Weltbilder‹ mit einem ›standardisierten‹ zeichenhaften Repertoire von Strichmännchen-Figuren, die an naive Kinder- und Höhlenzeichnungen erinnern. Ab 1970 direkte Kontakte mit der westlichen Kunstavantgarde. 1980 Übersiedlung in die Bundesrepublik und Wohnsitz in Kerpen bei Köln.

788 Standart. 1970–72
Kunstharzfarbe auf Leinwand. 9 Teile,
je 150 × 150 cm (Block von 450 × 450 cm)
Kassel, Staatliche und Städtische Kunstsammlungen, Neue Galerie (Leihgabe)

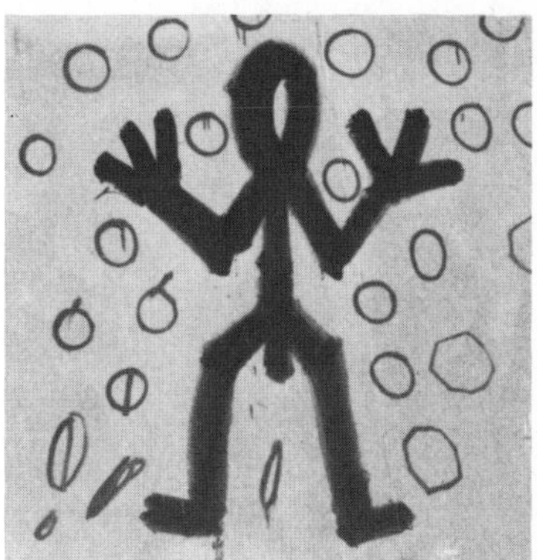

Detail aus Abb. 788

Jörg Immendorff

Geb. 14. Juni 1945 in Bleckede bei Lüneburg. 1963–64 Studium der Bühnenkunst an der Staatlichen Kunstakademie Düsseldorf. 1964 Eintritt in die Klasse von Joseph Beuys, wo er in den Jahren 1964–66 verschiedene Aktionen veranstaltet. 1968–69 Aktivitäten der Lidl-Akademie und Kunsterzieher an einer Düsseldorfer Hauptschule. 1977 Begegnung mit A. R. Penck in Berlin-Ost und in der Folge verschiedene gemeinsame künstlerische Aktivitäten und Ausstellungen. 1979 Mitarbeit bei der ›Initiative für eine Bunte Liste‹, Düsseldorf. Immendorff formuliert in seiner Malerei und in seinen Zeichnungen mit einer ironischen Scheinnaivität Fragen zu politischen Situationen ebenso wie Problemstellungen des künstlerischen Tuns. – Lebt in Düsseldorf.

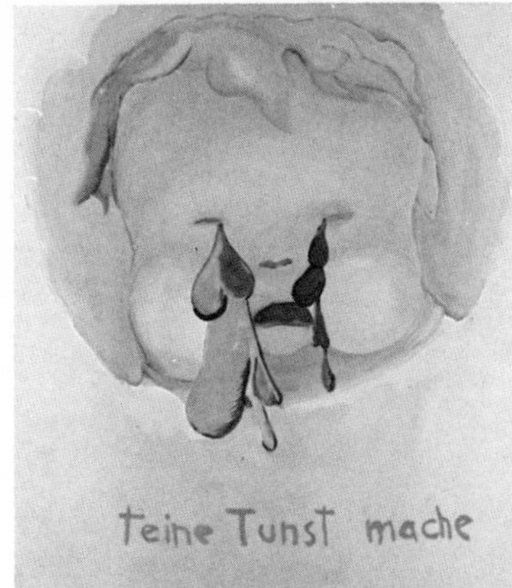

790 teine tunst mache. 1965
Kunstharz auf Leinwand. 120 × 120 cm
München, Sammlung Dürckheim

789 Hört auf zu malen. 1965
Kunstharz auf Leinwand. 130 × 130 cm
Eindhoven, Stedelijk van Abbemuseum

Blinky Palermo (Peter Heisterkamp)

Geb. 2. Juni 1943 in Leipzig. 1962–67 Studium an der Staatlichen Kunstakademie Düsseldorf bei Bruno Goller und Meisterschüler von Joseph Beuys. 1966 erste Einzelausstellung in der Galerie Friedrich und Dahlem, München. 1968 erste Ausstellungsbeteiligung in Amerika in der New Yorker Galerie René Block. 1968–75 neben Zeichnungen, Bildern und Grafiken zahlreiche Wandzeichnungen und Raumbemalungen; wechselnde Aufenthalte in New York und Düsseldorf. Palermos Arbeiten auf Leinwand oder in vorgegebenen Räumen zeigen neue Raumzusammenhänge, die aus der spezifischen Setzung einer Farbfolge oder eines Farbklanges oder eines Farbobjektes resultieren. – 1977 in Sri Lanka, Ceylon, gestorben.

791 Eisbären kommen. 1968
Dispersionsfarbe auf Leinwand.
219 × 109 cm
Dispersionsfarbe auf Holz (kleiner Bär).
34,8 × 20 cm
Basel, Franz Meyer

792 Flipper. 1965
Öl auf Leinwand. 89 × 69,5 cm
München, Privatbesitz

793 Blau-gelbes Objekt. 1965
Kasein auf Holz, zwei Dreiecke bilden ein Quadrat, auf Bilderrahmen montiert.
35 × 35 cm
München, Six Friedrich

Richard Tuttle

Geb. 1941 in Rahway, New Jersey, USA. 1963–64 Studium am Trinity College, Hartford, und an der Cooper Union, New York. 1863 erste Konstruktionen von Papierkuben. 1964–65 flache bemalte Sperrholzreliefs. 1966–67 Serie von 26 hohlen, gelöteten galvanisierten Zinnplatten, 1967–68 monochrom eingefärbte vieleckige – ab 1969 nur noch achteckige – Leinentücher, die man beliebig hängen oder legen kann ›cloth pieces‹. 1968 Japanreise. 1969 Papier-Achtecke, die auf die Wand zu kleben sind. Seit 1970 Serie von Draht-Achtekken mit dazugehörigen, schattenartig auf die Wand gezeichneten Bleistiftlinien, die einen Grenzbereich zwischen Malerei und Bildhauerei berühren. 1972 zweite Japanreise. – Lebt in New York.

796 Canvas red-violet. 1967
(Leinwand rot-violett)
Gefärbter Stoff. 150 × 105 cm
Kassel, Staatliche und Städtische Kunstsammlungen, Neue Galerie (Leihgabe)

Ulrich Rückriem

Geb. 30. September 1938 in Düsseldorf. Ab 1959 nach einer Steinmetzlehre Tätigkeit an der Kölner Dombauhütte. Ab 1962 freie Bildhauerei. Ab 1968 Entwicklung der einfachen knappen Arbeiten, die ihren Werkstoff thematisieren. In seinen am Material ablesbaren Arbeitsprozessen läßt sich Rückriem konsequent von der Form, von den Eigenschaften und von den Ausmaßen seines Werkstoffes zu spezifischen Bearbeitungen motivieren. Seit 1975 Lehrtätigkeit an der Hochschule für Bildende Künste, Hamburg. – Lebt in Köln.

794 Ohne Titel. 1972
Im Steinsägewerk auf bestimmte Maße zugeschnittene Steinplatten (Belgischgranit), mit Hammer und Meißel geteilt und zu ihren ursprünglichen Formen zusammengefügt.
4 × 100 × 200 cm
Düsseldorf, Sammlung Dr. Ulbricht

795 Canvas dark blue. 1967
(Leinwand dunkelblau)
Gefärbter Stoff. 178 × 90 cm
Kassel, Staatliche und Städtische Kunstsammlungen, Neue Galerie (Leihgabe)

Salon de la Jeune Peinture

797 Beitrag von Daniel Buren, Olivier Mosset, Michel Parmentier und Niele Toroni auf dem Salon de la Jeune Peinture, Paris, 1967.
Räumliche Dokumentation
(Vgl. Abb. Seite 318)

Walter de Maria

Geb. 1. Oktober 1935 in Albany, Ca. 1953–59 Studium an der University of California, Berkeley. 1959–60 Organisation von Happenings an der University of California und an der California School of Art, San Francisco. 1960 Übersiedlung nach New York. 1963 ›Invisible Drawings‹. 1965 Schlagzeuger in der Popgruppe ›Velvet Underground‹. 1968 ›Earth Show‹ in München. ›Mile Long Drawing‹ in der Mogave-Wüste, Kalifornien. 1970–71 Entwurf für die ›Olympic Earth Sculpture‹ (nicht ausgeführt). 1972 neben Minimal-Skulpturen aus Metall ›Earth Works‹ in Florida und Arizona. Mit seinen symbolisch-mythischen Arbeitskonzepten berührt de Maria mehrere Kunstströmungen der sechziger Jahre, vor allem die Minimal Art und deren serielle Strukturen sowie die Land Art. – Lebt in New York.

Gesamtansicht Kat. 799

798 Mile-long parallel walls in the desert. 1961–64
(1 Meile lange parallele Wände in der Wüste)
Zuerst gezeichnet 1961, erneut gezeichnet 1964
Bleistift und Farbstift auf Papier.
6 Zeichnungen eines unrealisierten Projekts, jede 22,8 × 30,4 cm

1. Desert walk. Walls in the desert (Spaziergang in der Wüste. Wände in der Wüste)
2. The entrance or the exit (Eingang oder Ausgang)
3. View of a person in the walls as seen by a helicopter (Ansicht einer Person innerhalb von Wänden wie aus einem Hubschrauber gesehen)
4. View of walls from 2 miles in distance (Ansicht der Wände aus 2 Meilen Abstand)
5. View of walls from an airplane (Ansicht der Wände aus einem Flugzeug)
6. Imaginary view of the last 40 feet (Imaginäre Ansicht der letzten 40 Fuß)

Die daraus entstandene ›Mile-long-drawing‹, 1968, Nevada/USA, war ein Test für dieses Projekt.
New York, Collection Robert C. Scull
(Nicht abgebildet)

799 The colour men choose when they attack the earth. 1965–68
(Die Farbe, die die Menschen auswählen, wenn sie die Erde angreifen) oder
(Die von den Menschen für den Angriff der Erde ausgewählte Farbe)
Öl auf Leinwand. 17,7 × 50,8 cm
New York, Collection Robert C. Scull

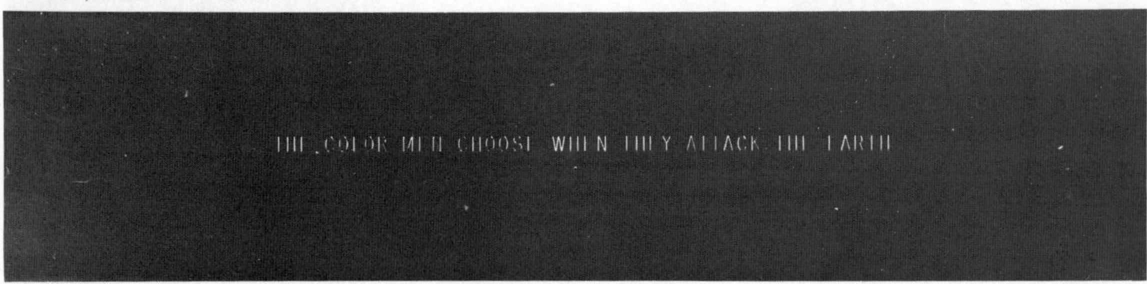

Detail aus Abb. 799

Richard Long

Geb. 2. Juni 1945 in Bristol, England. 1966–68 Studium an der St. Martin's School of Art, London, wo er Jan Dibbets begegnet. 1967 erste Arbeiten in der Landschaft als Skulptur ›A Line Made by Walking‹, eine lineare Wanderung durch die Natur, die mit Diagrammen und Fotografien dokumentiert wird. Ab 1970 Entwicklung einer Skulpturkonzeption für Innenräume aus natürlichem Material wie ›Steinkreis‹ (Installation auf der documenta 5, 1972), Lehmpfade, Spiralen aus Holz. Seit 1965 zahlreiche ausgedehnte Reisen durch Afrika, Südamerika und Indien. – Lebt in Bristol, England.

800 Pine needle sculpture. 1969
(Kiefernadel-Skulptur)
Kiefernadeln. Fläche ca. 850 × 280 cm
Düsseldorf, Dorothee und Konrad Fischer

Michael Heizer

Geb. 1944 in Berkeley, Ca., USA. 1963–64 Studium am San Francisco Art Institute. 1965–66 intensive Beschäftigung mit abstrakt-expressionistischer Malerei. 1966–68 Arbeiten zur Minimal Art. 1967 erste Konzeptionen zu Land Art und Earth Works. 1968 erste große Erdarbeiten in den Wüsten Nevadas (ausgehobene rechteckige und runde Gräben auf Strekken von 150–250 m verteilt oder verbunden). 1969–70 Entstehung der bekannten Earth Works in Nevada: ›Displaced Replaced Masses‹ (30–68 t schwere Granitblöcke, in auszementierte Erdlöcher eingelassen), ›Double Negative‹ (zwei parallele Dammdurchbrüche mit Bulldozern); ›Munich Depression‹ (kreisrunde Vertiefung vom 300 m Durchmesser in der Großüberbauung Perlach bei München). Seit 1971 Zeichnungen auf Zinkplatten, seit 1973–74 Holzskulpturen und Gemälde mit grauer Farbe, die einen treppenförmigen Effekt durch besondere Rechtecksetzungen entstehen lassen. – Lebt in New York.

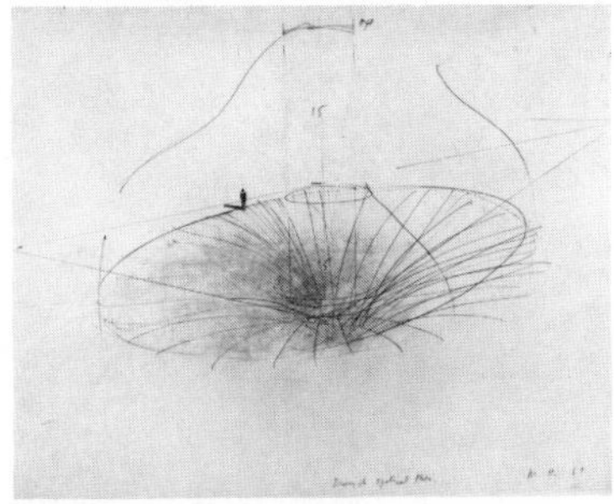

801 Munich Optical Phen. 1969
(München – optisches Phänomen)
Zeichnung, Tintenkugelschreiber/Farbstift. 43,5 × 55 cm
München, Städtische Galerie im Lenbachhaus

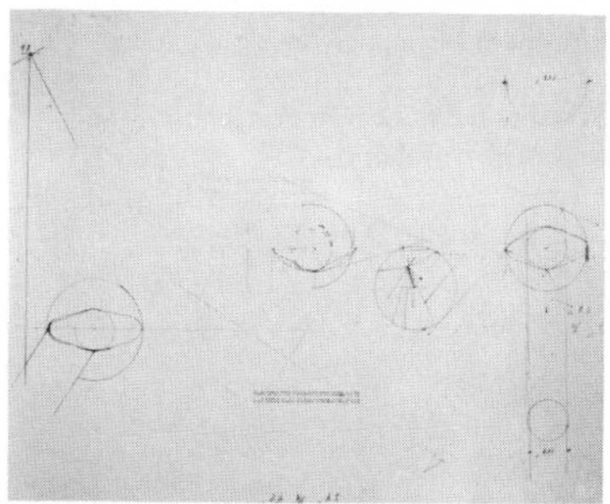

802a Munich Depression Optical Diagrams. 1969
(Münchner Depression – optisches Diagramm)
Zink-Offsetplatte. 93 × 113 cm
München, Städtische Galerie im Lenbachhaus

802 Munich Depression. 1969
(Münchner Depression)
Schwarzweiß-Foto. 12,5 × 17,6 cm
München, Städtische Galerie im Lenbachhaus
(Nicht abgebildet)

802b Munich Depression. 1969
(Münchner Depression)
Schwarzweiß-Foto. 12,5 × 17,6 cm
München, Städtische Galerie im Lenbachhaus
(Nicht abgebildet)

802c Vague Depression. 1969
(Unbestimmte Depression)
Schwarzweiß-Foto. 20,1 × 30,2 cm
München, Städtische Galerie im Lenbachhaus
(Nicht abgebildet)

802d Final Stage. 1965
(Letzte Etappe)
Schwarzweiß-Foto. 23,9 × 30,2 cm
München, Städtische Galerie im Lenbachhaus
(Nicht abgebildet)

804 Perspective correction – my studio II. ▷ 1969
(Perspektivische Korrektur – mein Studio)
Schwarzweiß-Foto auf fotografischer Leinwand. 120 × 120 cm
Turin, Gian Enzo Sperone

Jan Dibbets

Geb. 9. Mai 1941 in Weert, Niederlande. 1959–63 Studium an der Akademie in Tilburg und 1967 an der St. Martin's School of Art, London, wo er Richard Long kennenlernt. 1967 Mitbegründer des ›International Institute for Reeducation of Artists‹ (mit Ger van Elk und Reinier Lucassen). Die Land Art-Realisationen von 1968–69, die sich mit ›Perspektivkorrekturen‹ beschäftigen, versteht Dibbets als Weiterführung der traditionellen niederländischen Landschaftsmalerei. Seine künstlerische Arbeit konkretisiert sich in der zweidimensionalen Bilddarstellung von ›Perspektivkorrekturen‹ durch Fotografie, Diaprojektion, Film und Video. – Lebt in Amsterdam.

803 Perspective correction – square in grass. Vancouver 1969
(Perspektivische Korrektur – Quadrat im Gras)
Schwarzweiß-Foto auf fotografischer Leinwand. 100 × 100 cm
Wuppertal, Privatbesitz

Robert Smithson

Geb. 2. Januar 1938 in Passaic, N. J., USA. 1953–56 Studium an der Art Students' League, New York, ab 1956 an der Brooklyn Museum School. Ab 1958 abstrakt-expressive Malerei, Freundschaft mit New Yorker Literaten und dem Städteplaner Phil Israel. Reise zu den Pueblo-Dörfern in Mexiko. 1965 Begegnung mit Dan Flavin, Donald Judd, Sol LeWitt, Carl Andre und Robert Morris. Ab 1968 großräumige Land Art-Arbeiten, z. T. in Zusammenarbeit mit Michael Heizer. Bekannt wird vor allem die geometrisch exakte spiralförmige Erdanhäufung im Großen Salzsee von Utah, ›Spiral Jetty‹, 1970. – 2. Januar 1973 während der Arbeit an ›Amarillo Ramp‹ beim Tecovas Lake, Texas, bei einem Flugzeugabsturz tödlich verunglückt.

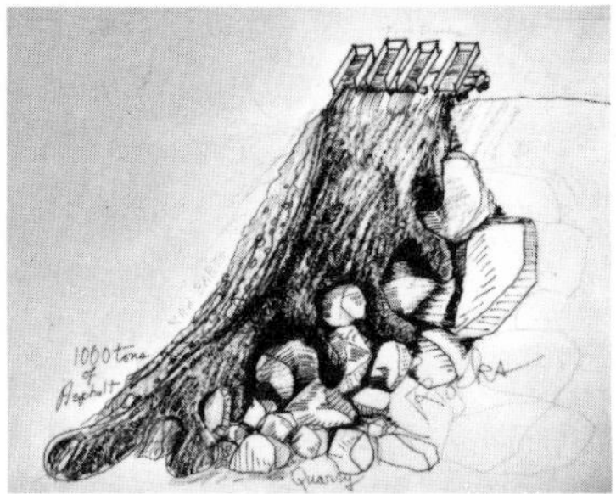

806 1000 tons of asphalt. 1969
(1000 Tonnen Asphalt)
Tinte, Bleistift und Kreide. 45,7 × 60,9 cm
New York, Estate of Robert Smithson and John Weber Gallery
(Vgl. Abb. Seite 312)

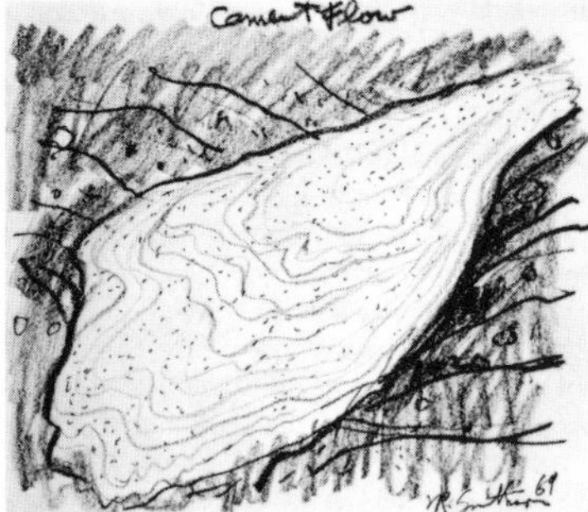

809 Cement flow. 1969
(Zementstrom)
Bleistift, Tinte, Kreide und Streifen auf Papier. 20,3 × 25,4 cm
New York, Estate of Robert Smithson and John Weber Gallery

805 Hot asphalt-earth. 1969
(Heiße Asphalt-Erde)
Tinte. 21,9 × 16,8 cm
New York, Collection Tony Shafrací Toni Strafracci

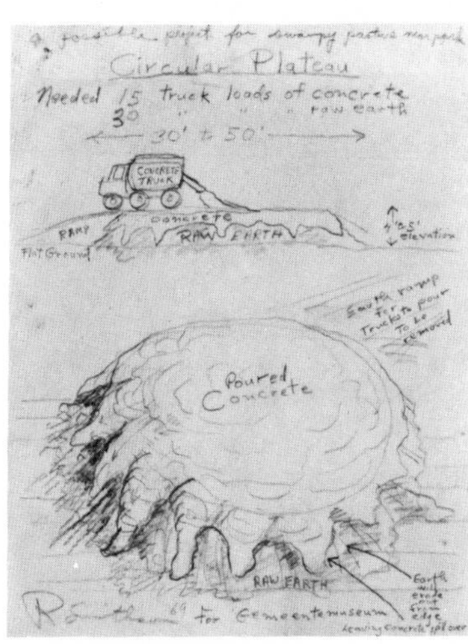

807 Circular plateau. 1969
(Kreisförmiges Plateau)
Bleistift auf Papier. 27,9 × 21,5 cm
New York, Estate of Robert Smithson and John Weber Gallery

810 Wet cement pour. Um 1969/70
(Nasser Zementguß)
Bleistift und braune Kreide auf Papier. 60,9 × 45,7 cm
New York, Estate of Robert Smithson and John Weber Gallery

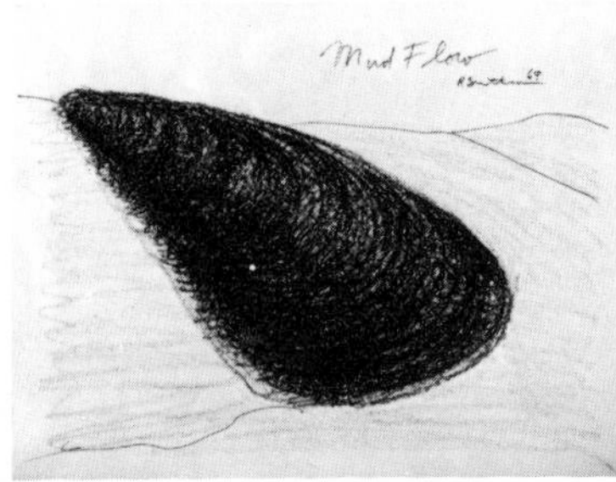

◁ 808 Mud flow. 1969
(Schlammstrom)
Kreide, Tinte und Bleistift auf Papier. 45,7 × 60,9 cm
New York, Estate of Robert Smithson and John Weber Gallery

Michelangelo Pistoletto

Geb. 23. Juni 1933 in Biella, Italien. Bis 1957 in der Werkstatt seines Vaters als Restaurator. 1956 Erste Bilder. 1962 Kombinationstechnik aus Malerei und Fotografie. 1963 entstehen unter dem Einfluß von Pop Art und Neorealismus die ersten ›Spiegelbilder‹ mit aufgedruckten Figuren in Lebensgröße. Durch die spiegelnden Metallplatten entstehen unzählige, sich immer wieder verändernde Bildsituationen, in die das Spiegelbild des Betrachters integriert wird. 1968 Übersiedlung nach Rom. Seit 1970 Aktionen und Happenings. – Lebt in Turin.

Pino Pascali

Geb. 19. Oktober 1935 in Bari. Bis 1959 Studium der Theaterwissenschaften und der Dramaturgie in Bari, Neapel und an der Accademia delle Belli Arti, Rom. In den frühen sechziger Jahren entstehen abstrakte Tier- und Landschaftsambiente, die an paradiesische Urformen erinnern. Nach 1965 'fingierte Skulpturen' wie ›Il mare‹ (1967), in denen der Künstler mit gefärbtem Wasser und stilisierten Skulpturen die Illusion von Meerlandschaften erzeugt. – 11. September 1968 bei einem Motorradunfall in Rom gestorben.

Pier Paolo Calzolari

Geb. 1943 in Bologna. 1967 Studium an der Kunstakademie in Urbino. Ab 1973 in Berlin tätig. Calzolari thematisiert in seinen Studien die Materialeigenschaften von organischen Stoffen und Metallen, wobei er auf die oft nur in Nuancen ablesbaren Unterschiede scheinbar gleicher Stoffe hinweist. – Lebt in Mailand.

811 Comizio no 2. 1965
(Parteiversammlung Nr. 2)
Polierter Stahl, Collage. 215 × 120 cm
Köln, Museum Ludwig, Stiftung Ludwig

812 Cannone. 1965
(Kanone)
Mischtechnik, wiederverwendete Materialien.
Ca. 170 × 150 cm
Rom, Collezione Franchetti

813 Senza titolo. 1967
(Ohne Titel)
Bank, Motor, verschiedene Materialien.
100 × 250 cm
Athen, Jean und Karen Bernier

Mario Merz

Geb. 1925 in Mailand. Seit 1966 Arbeiten mit Materialien wie Erde, Glas, Strauchwerk und Neon und mit elementaren Erfindungen der Zivilisation wie Schrift, Hütte, Iglu, Flasche, Tisch. Dabei geht es Merz im Anschluß an die mathematisch-biologische Zahlenreihe des Naturphilosophen Fibonacci um die symbolische Freilegung kultureller Grundstrukturen, mit deren Hilfe Ansatzpunkte für humanere Gesellschaftsformen gezeigt werden sollen: »Die Qualität des zukünftigen Raums bedenken.« 1973 Berlin-Aufenthalt im Rahmen des DAAD. Beginn der Tischler-Bilder und Tisch-Inszenierungen. 1976–77 Spiraltische. – Lebt in Turin.

814 Objet cache-toi. 1968
(Versteck-Objekt)
Aluminium, Glas, Neon.
Ø 365 cm, Höhe 185 cm
St. Georgen, Sammlung Gräßlin
(Vgl. Abb. Seite 321)

816 De Italia. 1971 ▷
Eisen und Blei. 100 × 100 cm
Turin, Collezione Mme Christian Stein

Luciano Fabro

geb. 20. November 1936 in Turin. Seit Mitte der sechziger Jahre erste künstlerische Arbeiten, die im Umkreis der Arte Povera angesiedelt sind. 1968 Teilnahme an der Ausstelllung ›Arte Povera‹ in Bologna und Gruppenausstellung zusammen mit Jannis Kounellis und Giulio Paolini in Rom. Zwischen 1968 und 1975 Serie der ›Italie‹ (Nachbildungen der geografischen Form Italiens in verschiedenen Materialien: Metall, Glas, Fell etc.). 1981 große Einzelausstellung in Essen und Rotterdam. – Lebt in Mailand.

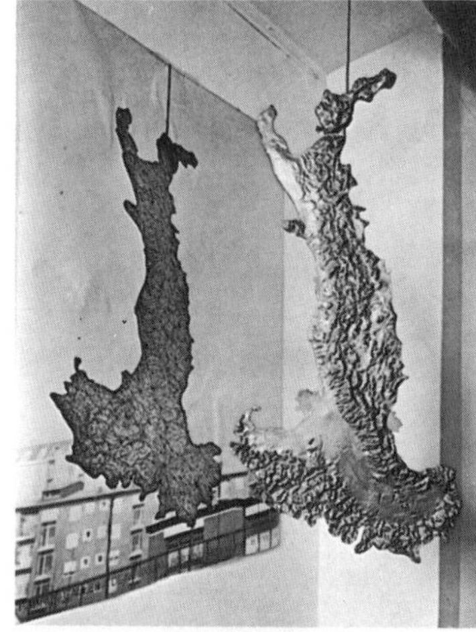

815 L'Italia d'oro. 1968
(Das goldene Italien)
Bronze und Gold. 100 × 60 cm
Privatbesitz
(Vgl. Abb. Seite 322)

Jannis Kounellis

Geb. 1936 in Piräus, Griechenland. 1956 Übersiedlung nach Rom. 1958–59 Schrift- und Ziffernbilder. Seit 1960 Performances als Inszenierung von poetisch-existentiellen Situationen unter Einbeziehung ungewöhnlicher Materialkontraste und mit Gegenüberstellung von Natur- und Kultursymbolen. – Lebt in Rom.

817 Porta murata. 1968
(Zugemauerte Tür)
Ausführung für ›Westkunst‹, vom Künstler autorisiert
(Vgl. Abb. Seite 322)

818 Ohne Titel. 1969
8 Säcke, gefüllt mit Linsen, Kaffeebohnen, Kartoffeln, Reis etc.
Besitz des Künstlers

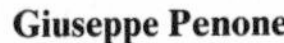

Giulio Paolini

Geb. 5. November 1940 in Genua. Bis 1960 Tätigkeit als Bühnenbildner, danach Malerei und Collagen zur Analyse der künstlerischen Mittel. Seit 1965 Thematisierung von Kunst und Kunstgeschichte in ihrer Aussagemöglichkeit. 1967–70 Teilnahme an Ausstellungen der Arte Povera und künstlerische Arbeiten, die sich als visualisierte Denkprozesse verstehen. Seit 1972 aufeinander bezogene Werkgruppen mit dem Titel ›Idem‹. 1975 Zusammenfassung der Reflexion über kunstgeschichtliche Denkschemata unter dem Werktitel ›Mimesis‹. – Lebt in Turin.

819 Et quid amabo nisi quod aenigma est? 1969
(Und was sonst werde ich lieben, wenn nicht das Geheimnis?)
Nessel, Silberbronze. 67× 425 cm
Kassel, Staatliche und Städtische Kunstsammlungen, Neue Galerie, Dauerleihgabe Frau Margot Krätz
(Vgl. Abb. Seite 323)

820 Proteo I. 1971
Gipsabguß (zertrümmert).
Ca. 35 × 35 × 12 cm
Köln, Galerie Paul Maenz

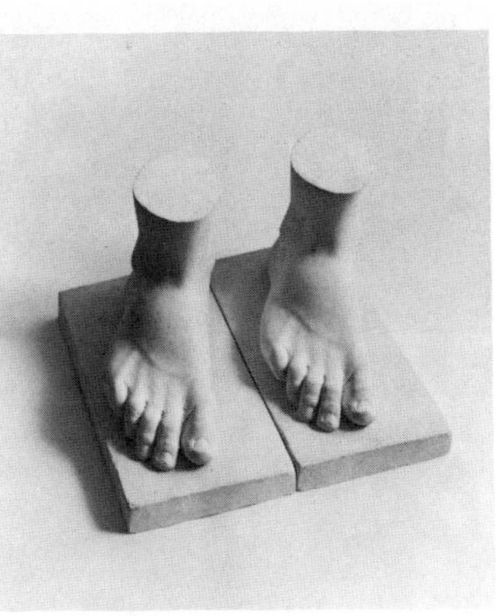

821 Proteo II. 1971
Zwei Gipsabgüsse (zwei Füße).
30 × 30 × 20 cm
Köln, Galerie Paul Maenz

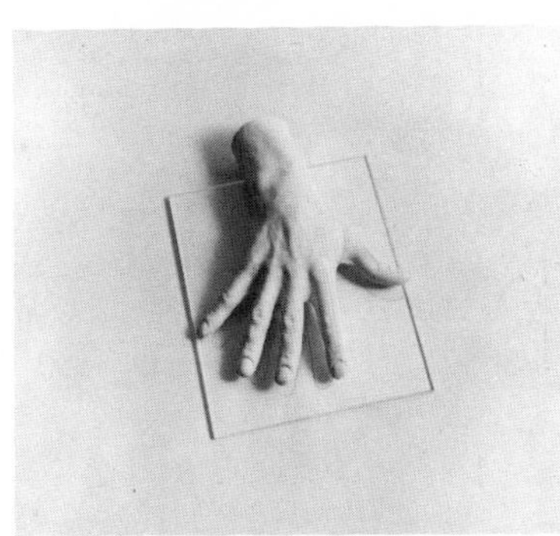

822 Proteo III. 1971 ▷
Gipsabguß, Zeichnung und Plexiglasplatte.
22 × 28 × 10 cm
Köln, Galerie Paul Maenz

Giuseppe Penone

Geb. 1947 in Garessio, Italien. Zentrales Werkthema von Penone ist die Spurenbildung von Berührungen, Kontakten und Manipulationen auf der Oberfläche von organischen Materialien. Seit 1970 Arbeit mit der Hautoberfläche des Körpers. Diese Manipulationen werden mit Farbdias auf Wände oder auf Gipsabgüsse der entsprechenden Körperpartien projiziert. – Lebt in Turin.

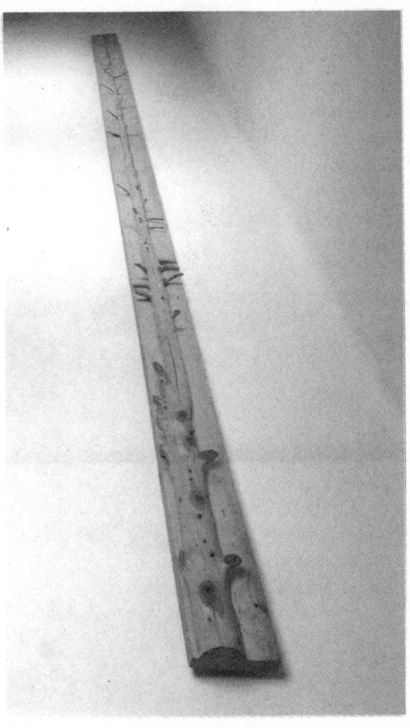

823 Albero. 1970
(Baum)
Bearbeitetes Holz. 500 × 20 × 10 cm
Turin, Collezione Mme Christian Stein

Giovanni Anselmo

Geb. 1934 in Borgofranco d'Ivrea, Italien. In den sechziger Jahren Arbeiten zur Arte Povera, die sich mit dem Spannungsverhältnis zwischen organisch-vergänglichen Stoffen und dauerhaften Materialien (wie Stein) beschäftigen. Daneben auch Arbeiten wie ›Invisible‹, 1971, die Denkprozesse und logische Strukturen veranschaulichen. – Lebt in Turin.

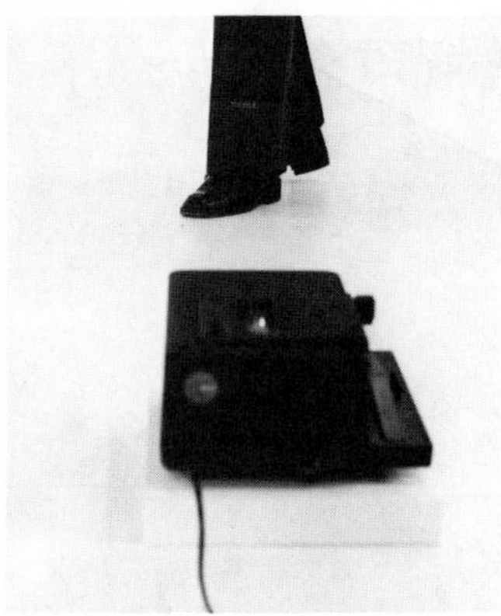

824 Invisibile. 1971
(Unsichtbar)
Diaprojektion
Sammlung FER
Diaprojektion in den Raum. Wird der Lichtstrahl an einer bestimmten Stelle unterbrochen, ist das Wort »visibile« (sichtbar) zu lesen.

Nam June Paik
(Biografie siehe Seite 449)

825 Moon is the oldest TV. 1965
(Der Mond ist der älteste Fernseher)
12 TV-Sets, 12 Sockel.
Berlin, René Block
Installation ausgeführt von Nam June Paik in Zusammenarbeit mit Peter Kolb

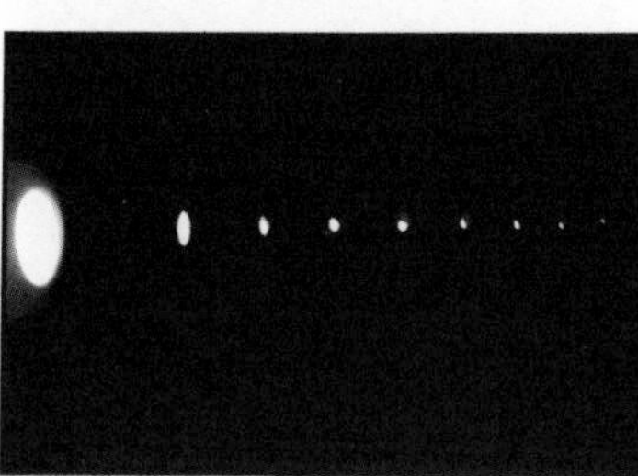

James Lee Byars

Geb. 1932 in Detroit. Nach dem Studium an der Wayne University in den frühen sechziger Jahren Tätigkeit als Englischlehrer und längere Aufenthalte in Japan, in deren Folge sich die japanische Tradition meditativer Stille und Konzentration in den Stücken (›The big Paper of Kyoto‹, 1962) und in den Performances (›The Holy Ghost‹, Markusplatz Venedig, Biennale 1975; ›The Play of Death‹, Domplatz, Köln 1976) niederschlägt. – Lebt in New York und Europa.

Gefaltet
826 The big paper of Kyoto. 1962
(Das große Papier von Kioto)
China-Papier. 30 × 475 cm
Köln, Dr. Speck

Teilweise auseinandergefaltet

Stanley Brouwn

Auf Wunsch des Künstlers keine Biografie.

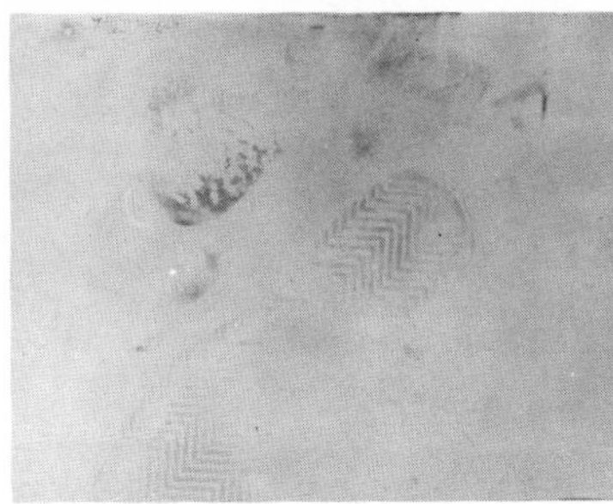

827 Steps. 1960
(Schritte)
6 Zeichnungen. Je 25 × 32 cm
Düsseldorf, Konrad Fischer

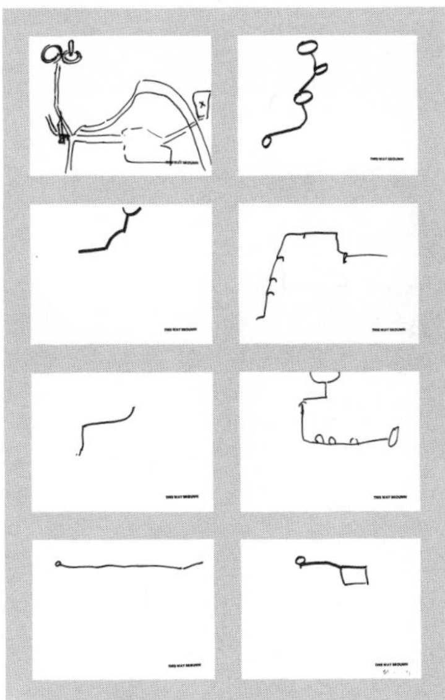

828 This way Brouwn. 1962
(Hier entlang Brouwn)
6 Zeichnungen. Je 25 × 32 cm
Privatbesitz

Franz Erhard Walther

Geb. 22. Juni 1939 in Fulda. 1957–59 Studium an der Werkkunstschule Offenbach, 1959–61 an der Staatlichen Hochschule für Bildende Künste, Frankfurt a. M., 1962–64 an der Staatlichen Kunstakademie Düsseldorf. 1962–63 Bücher aus Stoff und Collagen. 1964–67 Aufenthalt in Düsseldorf und Gelegenheitsarbeit in einer Seifenfabrik. 1963–69 Arbeit am ›1. Werksatz‹, der sich vorwiegend aus textilen Objekten für spezielle Handlungskonzepte zusammensetzt. Seit 1964 zahlreiche Demonstrationen mit den Objekten als Handlungsinstrumentarien. 1967–71 Aufenthalt in New York. 1969–72 ›2. Werksatz‹, der aus großen begehbaren Metallobjekten besteht. Diese besitzen aufgrund ihrer einfachen strengen Form offenere Handlungsfelder als der ›1. Werksatz‹. Seit 1971 Lehrtätigkeit an der Hochschule für Bildende Künste in Hamburg. – Lebt bei Fulda und Hamburg.

829 Prozeßbuch I (29 Seiten). 1963–69
Baumwollstoff, Leinen, Holz.
51 × 40 × 18,5 cm
Besitz des Künstlers

Gilbert & George

Gilbert: Geb. 1943 als Gilbert Proesch in den Südtiroler Dolomiten.
George: Geb. 1942 als George Passmore in Totness, Devon, England.
Begegnung der beiden Künstler 1967 an der St. Martin's School of Art, London. Seit 1968 Zusammenarbeit und Selbstpräsentation als sogenannte ›Human Sculptors‹ in Performances. Diese ›Living Sculptures‹ stilisieren banale Alltagshandlungen zu ritualhaften, exakt kalkulierten Vorführungen, die mit Hilfe von Zeichnungen, Fotos und Filmaufzeichnungen festgehalten werden. In den letzten Jahren entstehen pictogrammartige Großfotos. – Gilbert & George leben in London.

830 Here in the country's heart where the grass is green we stand very still and quiet. 1970
(Hier im Herzen der Landschaft, wo das Gras grün ist, verharren wir reglos und still)
Zeichnungen. 280 × 275 cm
Sammlung Barbara Nüsse

Robert Barry

Geb. 9. März 1936 in der Bronx, New York. 1957–63 Studium am Hunter College, New York, und seit 1964 dort Lehrtätigkeit. Die Arbeiten Barrys sind der Konzeptuellen Kunst zuzuordnen. Ihr vielseitiges Spektrum reicht von Bildern in der Art des Systemic Painting über rein gedanklich-assoziative Prozesse bis hin zu Dia-Projektionen mit chromatischen Farben, Wörtern und Kunstparabeln. – Lebt in New York.

831 Something I was once conscious of but have now forgotten. 1969
(Etwas, was mir einst bekannt war, und was ich jetzt vergessen habe)
Schreibmaschine auf Papier. 28 × 21 cm
Köln, Galerie Paul Maenz

832 Something which is unknown to me but which works upon me. 1969
(Etwas, was mir unbekannt ist, mich aber bewegt)
Schreibmaschine auf Papier.
28 × 21 cm
Köln, Galerie Paul Maenz
(Nicht abgebildet)

833 Something that is taking shape in my mind and will sometime come to consciousness. 1969
(Etwas, das sich in meinem Geiste formt und mir dereinst zum Bewußtsein kommen wird)
Schreibmaschine auf Papier. 28 × 21 cm
Köln, Galerie Paul Maenz
(Nicht abgebildet)

834 Something that is searching for me and needs me to reveal itself. 1969
(Etwas, das mich sucht und mich braucht, um sich selbst zu entfalten)
Schreibmaschine auf Papier. 28 × 21 cm
Köln, Galerie Paul Maenz
(Nicht abgebildet)

Douglas Huebler

Geb. 1924 in Ann Arbor, Michigan. Studium an der University of Michigan, der Cleveland School of Art, Ohio, und der Académie Julian, Paris. Seit Anfang der sechziger Jahre Skulpturen aus einfachen, geometrischen Grundmustern im Geist der Minimal Art. Seit 1966–67 konzeptuelle Arbeiten, die sich in Form von Landkarten, Zeichnungen, Fotografien und Texten mit den Systemen von Zeit und Ort auseinandersetzen und prozessualen Charakter haben. – Lebt in Bradford, Ma.

835 The point above, exactly at the instant that it is perceived, locates itself in the center of gravity of its percipient and rests fixed in that location for an instant. 1969
(Genau in dem Augenblick, in dem der obige Punkt wahrgenommen wird, setzt er sich im innersten Bewußtsein seines Betrachters fest und bleibt dort für einen Augenblick fixiert)
Turin, Galleria Sperone
(nicht abgebildet)
Ausführung für ›Westkunst‹ von Konrad Fischer im Auftrag des Künstlers

Joseph Kosuth

Geb. 31. Januar 1945 in Toledo, Ohio, USA. 1955–62 Studium an der Toledo Museum School of Design, Ohio, 1963–64 am Cleveland Art Institute, Ohio, und 1965–67 an der School of Visual Arts, New York, wo er 1968 Mitglied des Lehrkörpers wird. Seit 1969 Herausgeber der Art & Language Press, England und New York, und Publikation zahlreicher Texte zur konzeptuellen Kunst. Seine Arbeit ›One and three chairs‹ (1965), bestehend aus einem Stuhl, einer Fotografie dieses Stuhls und einer lexikalischen Definition von 'Stuhl' gilt als Schlüsselarbeit der analytischen Richtung in der Konzeptuellen Kunst. 1971–72 Studium der Anthropologie und Philosophie an der New School for Social Research, New York, gleichzeitig zahlreiche Reisen durch Südamerika, Asien und Osteuropa. Seit 1975 Mitherausgeber der Zeitschrift ›The Fox‹. – Lebt in New York.

836 One and three chairs. 1965
(Einer und drei Stühle)
Foto, Stuhl, Wörterbuchdefinition, fotografisch vergrößert.
Köln, Galerie Paul Maenz

Lawrence Weiner

Geb. 10. Februar 1940 in der Bronx, New York. Als Künstler Autodidakt. Beginn mit Arbeiten in der Art des Systemic Painting ähnlich wie Robert Barry. Ab 1964 Übergang zu sprachlichen Arbeiten im Umfeld der konzeptuellen Kunst, die z. B. dem Besitzer der Arbeit einen bestimmten Vorgang zur Ausführung auferlegen. Ab 1968 verlangen die Arbeiten Weiners den Vollzug ihrer Konzeptionen nur noch als gedankliche Assoziation. Herausgabe zahlreicher Bücher. 1974–75 Aufenthalt in Berlin im Rahmen des DAAD. – Lebt in Amsterdam und New York.

837 Eine Sprühdose von 400 Gramm Emailfarbe bis zur Entleerung direkt auf den Boden gesprüht. 1967/68
New York, Collection. Joseph Kosuth
Ausführung für ›Westkunst‹ durch Konrad Fischer, vom Künstler autorisiert
(Vgl. Abb. Seite 315)

On Kawara

Am 28. Mai 1981 hat On Kawara 17786 Tage gelebt.

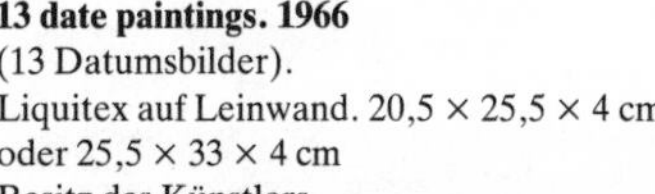

13 date paintings. 1966
(13 Datumsbilder).
Liquitex auf Leinwand. 20,5 × 25,5 × 4 cm
oder 25,5 × 33 × 4 cm
Besitz des Künstlers

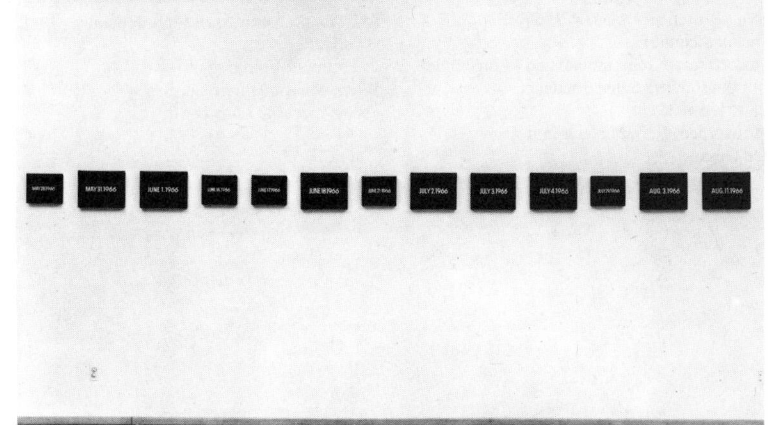

838 May 18. 1966

839 May 31. 1966

840 June 1. 1966

841 June 14.1966

842 June 17. 1966

843 June 18. 1966

844 June 21. 1966

845 July 2. 1966

846 July 3. 1966

847 July 4. 1966

848 July 29. 1966

849 August 3. 1966

850 August 11. 1966

Panamarenko

Geb. 5. Februar 1940 in Antwerpen. Bis 1966 Studium am National Hoger Institut und an der Akademie der Künste, Antwerpen. Anschließend Erforschung von »ungelösten technischen Problemen der Fortbewegung«. Objektkonstruktionen von Autos, Flugmaschinen und Luftschiffen, die sich als Präzisionsapparate ohne Zweck erweisen. – Lebt in Antwerpen.

Jean Le Gac

Geb. 1936 in Tamaris, Frankreich. Seit 1958 Kunsterzieher im Schuldienst. 1968–71 Aktionen, Reisen und Handlungen, die mit Fotos, Postkarten und Texten in den ›Cahiers‹ dokumentiert werden. In den siebziger Jahren verlagert sich das Interesse auf das Problem von Realität und Fiktion, das Le Gac ironisch kommentiert, etwa indem er die eigene Biografie mit der einer fiktiven Gestalt, Florent Max (1972), vermischt. 1970 Zusammenarbeit mit Christian Boltanski. – Lebt in Paris.

Christian Boltanski

Geb. 6. September 1944 in Paris. Als Künstler Autodidakt. Seit 1968 Arbeiten, die der Spurensicherung zugerechnet werden und die Nachforschungen zur eigenen Kindheit ebenso wie Lebensspuren anderer mit Hilfe von Fotografien rekonstruiert darstellen. Seit 1970 Zusammenarbeit mit Jean Le Gac. Seit 1971 Filme und Videotapes sowie Publikationen der verschiedenen Fotoarbeiten. – Lebt in Paris

851 Botten met Sneeuw. 1966
(Schneeschuhe)
Ledertasche, Gummistiefel und Reisigbündel mit künstlichem Schnee bedeckt.
28 × 135 × 33 cm
Antwerpen, Bernd Lohaus und Anny De Decker

852 Les cahiers. April 1968–September 1971
(Die Hefte)
26 Hefte, 31 Fotografien
Wien, Museum moderner Kunst
Österreichische Ludwig-Stiftung

853 Sans titre. 1970/71
(Ohne Titel)
5 Aluminium-Schubladen in einem Schrank, Modellierwachs. Je 39 × 59 × 14 cm
Aachen, Neue Galerie – Sammlung Ludwig

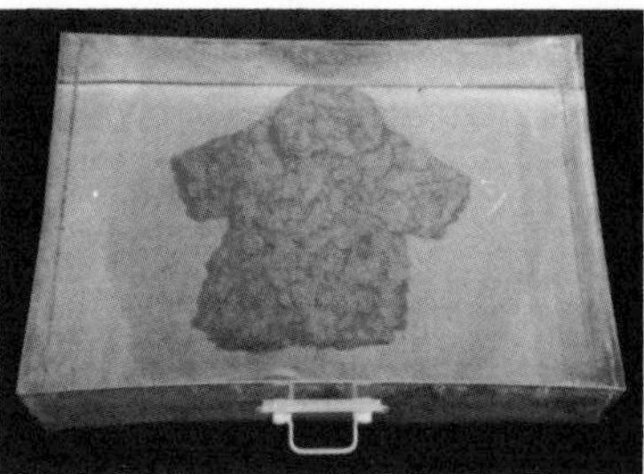

Detail Kat. 853

Daniel Buren

Geb. 1938 in Boulogne sur Seine. 1965 mit Olivier Mosset, Michel Parmentier und Niele Toroni Mitbegründer der Gruppe BMPT, die in ihrer Malerei eine Reduzierung auf Grundstrukturen anstrebt. Bei Buren konkretisiert sich diese Reduktion im Wechsel von weißen und farbigen Streifen auf Bildern, Markisenstoff, Papier, Plastikfolie oder Segeltuch. Da die Arbeiten in ihrer Neutralität keine spezifische Aussagekraft besitzen, verlagert sich die Aussage auf kontextuelle Probleme des realen Ortes und des Systems Kunst. 1969 Arbeiten im Stadtraum von Paris, 1971 im Guggenheim Museum, New York. 1976 Aufenthalt in Berlin auf Einladung des DAAD. Zahlreiche theoretische Schriften. – Lebt in Paris.

Malcolm Morley

Geb. 1931 in London. 1952–56 Studium an der Camberwoll School of Arts and Crafts und am Royal College of Art, London. 1956 Lehrtätigkeit am Royal College. 1964 Übersiedlung nach New York und Tätigkeit als Kellner. 1964–65 enge Kontakte zu Barnett Newman. 1965–72 Lehrtätigkeit an der Ohio State University, an der School of Visual Arts, New York. In seiner Malerei zitiert Morley in doppeldeutiger Weise Vorlagen wie Fotografien, Ansichtskarten und Reiseprospekte, wobei die Vorlage ab 1966 vor dem Abmalen einer zerstörerischen Handlung – wie Durchstreichen, Anreißen, Zerknittern – unterzogen wird. 1977 Berlin-Aufenthalt im Rahmen des DAAD. – Lebt in New York.

Hanne Darboven

Geb. 29. April 1941 in München. Nach dem Studium an der Hochschule für Bildende Künste, Hamburg, 1966–68 Aufenthalt in New York, wo sie enge Kontakte zu Sol LeWitt hat. 1966 entstehen konstruktionsartige Zeichnungen auf Millimeterpapier sowie geometrische und ausgeschriebene Mengendarstellungen von Zeiträumen aufgrund der Quersumme der Tage nach selbstgewählten ›Indices‹. 1969 sechs Bücher über das Jahr 1968 und 100 ›Indices‹ zu ›Ein Jahrhundert‹. Ab 1968 mathematische Zahlenaddition von Kalenderdaten. 1969 Niederlassung in Hamburg. Seit 1973 ›Wiederaufschreibung‹ von poetischen Werken nach ›Indices‹. – Lebt in Hamburg.

854 Sans titre. 1970
(Ohne Titel)
Leinen, hellgrau-weiß gestreift; die beiden äußeren Streifen vorderseitig weiß bemalt.
208 × 280 cm
Köln, Galerie Paul Maenz

855 Racetrack. 1970
(Pferderennbahn)
Acryl auf Leinwand. 175 × 220 cm
Aachen, Neue Galerie – Sammlung Ludwig

856 Homers Odyssee. 1971
Tinte auf Papier. 14 Tafeln, je 43 × 150 cm
New York, Leo Castelli
(Vgl. Abb. Seite 318)

Richard Serra

Geb. 1939 in San Francisco. 1957–61 Studium an der University of California, Berkeley, und an der Yale University, New Haven. 1964 Fulbright-Stipendium für Aufenthalt in Rom. 1966 unter dem Einfluß der Arte Povera Arbeiten im Umfeld der Prozeßkunst, ab 1968 Arbeiten mit ungewöhnlichen Werkstoffen wie Gummi und Neon. 1969 Entwicklung einer plastischen Konzeption, die auf dem ›realen‹ Gewicht des benutzten Materials aufbaut. In den siebziger Jahren monumentale Skulpturen aus Stahlplatten (›Terminal‹, 1976–77), die als Environments in der Landschaft auf der rauminterpretierenden Gruppierung geometrischer Elemente basieren. – Lebt in New York.

857 Inverted house of cards. 1968–81
(Kartenhaus)
Vier Stahlplatten, je 122 × 122 cm
Bochum, Galerie m und Besitz des Künstlers

857a Splashing. 1968
(Schleudern)
Flüssiges Blei auf einer Länge von etwa fünf Metern in die Raumecke geschleudert.
(Vgl. Abb. Seite 314)
Ausführung für ›Westkunst‹ durch Richard Serra

Reiner Ruthenbeck

Geb. 30. Juni 1937 in Velbert. Ausbildung und bis 1962 Tätigkeit als Fotograf. 1962–68 Studium an der Staatlichen Kunstakademie Düsseldorf bei Joseph Beuys. Seit 1968 freier Bildhauer. Seine ›Wohnungsobjekte‹, ›Aufhängungen‹ und ›Verspannungen‹ beziehen sich auf Raumbezüge und auf Spannungen zwischen Raum und Material, wobei Ruthenbeck neben rotbraunem und schwarzem Stoff vorwiegend stumpfe Werksmaterialien im Sinn der Arte Povera verwendet. 1975–76 Lehrtätigkeit an der Hochschule für Bildende Künste, Hamburg. Seit 1980 Professur an der Kunstakademie Düsseldorf/Münster. – Lebt in Düsseldorf.

858 Aschehaufen II (große Version)
1968
Eisenschächte in Asche. Ø ca. 220 cm
Besitz des Künstlers

Eva Hesse

Geb. 11. Januar 1936 in Hamburg. Mit dem Vater Emigration in die USA. 1952–53 Studium am Pratt Institute, Brooklyn, 1954–57 an der Cooper Union, New York, und 1957–59 an der Yale University, New Haven, bei Josef Albers. Nach frühen gestisch-linearen Zeichnungen ab 1961 und Reliefs aus Seilen und weichen plastischen Werkstoffen entwickelt Eva Hesse ab 1965 eine subjektive Materialkunst im Sinne der Anti-Form. Sie baut aus Textilien, Gummi, Kunstharz und plasmatisch wirkenden Materialien amorphe Gebilde. 1965–66 Aufenthalt in Deutschland. Durch Jasper Johns angeregt, 1966 Beschäftigung mit der surrealistischen Theorie, die sich in plastischen Arbeiten mit Obsessionscharakter niederschlägt. 1968–70 Zeichnungen und Raumplastiken aus Fiberglas und variablen Elementen. – 29. Mai 1970 in New York gestorben.

859 Untitled. 1970
(Ohne Titel)
Latexfarbe über Strick, Bindfaden und Draht, 3 Stränge. 30,4 × 26,6 × 19 cm
New York, Collection Mr. & Mrs. Victor W. Ganz
Installation für ›Westkunst‹, ausgeführt von Bill Barrett

Vito Acconci

Geb. 24. Januar 1940 in der Bronx, New York. Bis 1964 Studium der Literatur am Holy Gross College, New York und an der University of Iowa, Ames. 1968–71 Mitherausgeber der Zeitschrift ›Oto 9‹ und Lehrtätigkeit für Kunsttheorie an der School of Visual Arts, New York. 1970–72 Realzeit-Filme (›Body Art‹), seit 1971–72 Video-Bänder mit extremen Modellen geläufiger Situationen. Seit 1970 veranstaltet Acconci Aktionen, in denen er seinen Körper als Ausdrucksmedium einsetzt, und die durch Video-Aufzeichnungen und Fotos festgehalten werden. Diese Aktionen, die ihn zu einem der bedeutendsten Vertreter der Body Art werden ließen, intendieren die Darstellung psychischer, physischer und sozialer Situationskomplexe. – Lebt in New York.

Dan Graham

Geb. 31. März 1942 in Urbana/Il., USA. Studium der Philosophie an der Columbia University, New York. Als Künstler Autodidakt. Ab Mitte der sechziger Jahre künstlerische Arbeiten als Dichter und Kritiker. 1969 erste ›Performance‹. In seinen Performances beschäftigt sich Graham vor allem mit den soziopsychologischen Interaktionsprozessen, die bei einer solchen Vorführung zwischen Publikum und ausführender Person stattfinden. 1969–70 Lehrtätigkeit an der University of California, San Diego, 1970–71 am Nova Scotia College of Art, Halifax. Seit 1970 Arbeit mit Videokamera und -monitor. 1974 erste Videoinstallation in architektonischem Kontext im Royal College of Art, London und Raumenvironments. – Lebt in New York.

Marcel Broodthaers

Geb. 28. Januar 1924 in Brüssel. Beginn der künstlerischen Tätigkeit als Lyriker. 1950 Kontakte zu René Magritte. 1957 erster Film über ›La Clef de l'Horloge‹ von René Magritte. 1964 Herausgabe der Edition ›La Faute d'Orthographie‹. Um 1966 erste Objekte und bildnerische Arbeiten. Zahlreiche Buchveröffentlichungen. 1968 Gründung des ›Musée d'Art Moderne, Département des Aigles‹ mit den Sektionen ›19. Jahrhundert‹, ›17. Jahrhundert‹, ›Cinéma‹, ›des Figures‹. Auseinandersetzung mit Erscheinungen der Kunstkultur in Form poetisch-ironischer Zitierung oder in kommentierender Buchstaben- und Zahlensystematik. 1974–75 Berlin-Aufenthalt im Rahmen des DAAD. Lehrtätigkeit in London. – 28. Januar 1976 in Köln gestorben.

861 Homes for America. 1966 ▷
Fotografische Collage. 102 × 72 cm
Brüssel, Daled Collection

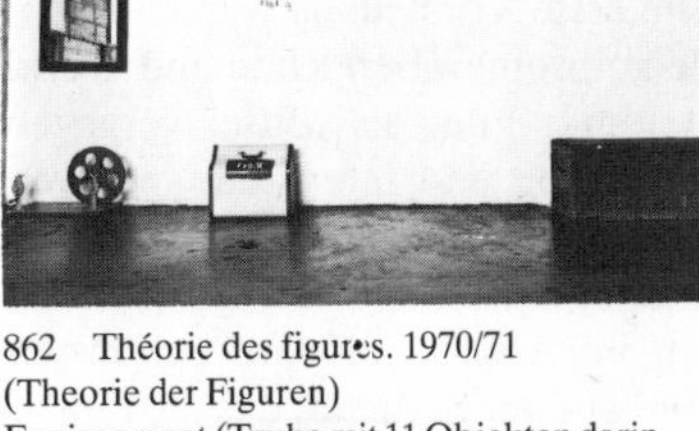

862 Théorie des figures. 1970/71
(Theorie der Figuren)
Environment (Truhe mit 11 Objekten darin, sowie 11 Einzelobjekte)
Mönchengladbach, Städtisches Museum
(Vgl. Abb. Seite 324)
Installation für ›Westkunst‹, ausgeführt von Otto Hubacek und Peter Terkatz

860 Following piece.
Activity, ›Street Works IV‹, Architectural League of New York, 1.-31. Oktober 1969
(Verfolgung, Aktivität)
New York, Max Protetch Gallery

Nachtrag

Barry Le Va
Glass piece. 1968–71
(Glasstück)
5 Glasscheiben, je 183 × 213 × 15,5 cm
Köln, Sammlung Rolf Ricke

Westkunst – Zeitgenössische Kunst seit 1939
Eine Filmserie des Westdeutschen Rundfunks WDR
nach dem Entwurf von Laszlo Glozer

Redaktion:
Wibke von Bonin
Produktion:
TV 2000 Günter Herbertz
Film- und Fernsehproduktion GmbH & Co. KG
Dokumentation:
Gisela Hossmann, Margareta Helleberg

Eine neun-teilige Sendereihe
je 43'30, Farbe, 16 mm

Das Filmprogramm zu ›Westkunst‹

Die erste Vorstellung war: filmische Dokumentation zu den einzelnen Bereichen und Werkkomplexen der Ausstellung. Film als Mittel vergegenwärtigender Dokumentation und Interpretation. Der Künstler und seine Zeit, sein Milieu und möglichst auch noch das Werk, das in der Ausstellung gezeigt wird: das alles im Bild, nicht nur im Atelier, sondern am besten das noch unfertige Bild auf der Staffelei, das jetzt im Goldrahmen nebenan hängt. Das war also eine der Idealvorstellungen. Die unmittelbare Umgebung, der zeitgenössische Hintergrund sollten ebenfalls gezeigt werden, verbunden mit einer analytischen Perspektive. Werkkomplexe, Themenkomplexe, Bewegungen, Einflüsse, Quellen – man kann sich das schon vorstellen. Intensivierte Kunstvermittlung, mit Rückgriff auf das – wo auch immer vorhandene – Archivmaterial, neue Recherchen und Aufnahmen, Interviews, Werkaufnahmen, knappe Analysen. Punktueller Einsatz dieser zu Mini-Essays abgerundeten Information, so daß die historische Verankerung, die wichtigsten Fragestellungen und interpretatorischen Absichten der Ausstellung entlang der ganzen Strecke von den späten dreißiger bis in die frühen siebziger Jahre deutlich werden. Aufgrund dieser Überlegungen entstand dann eine Themenliste von etwa dreißig Titeln. Sie pointiert die thematische Struktur der Ausstellung.

Die Erwägung einer Doppelfunktion schien die Lösung: die Filme für die Ausstellung könnten zugleich Filme für das Fernsehen sein, eine Serie zum Thema. Unter diesem Gesichtspunkt erfolgte dann die Strukturierung der Titel in zusammenhängende Gruppen, die die hier im Anschluß abgedruckte ›Vorläufige unvollständige Titelliste‹ ergaben. (I. siehe diese Seite rechts).

Dieser Entwurf war die Grundlage für die Zusammenarbeit mit dem WDR. Zu Exposés für neun Filme wurde der Entwurf unter Mitarbeit von Marcel Baumgartner und Kasper Koenig ausgearbeitet, nachdem der Plan durch das frühe Engagement Wibke von Bonins und schließlich mit der Bewilligung eines Sonderetats durch den Intendanten des WDR zum realisierbaren Projekt wurde. Die Exposés (II. siehe Seite 497ff.) verstanden sich als ›Rahmenvorstellung‹ für die zu gewinnenden Autoren und Filmemacher, deren Arbeit durch die vorbereitenden Recherchen von Margareta Helleberg im Ausstellungsbüro für eine das Gesamtprojekt betreffende Filmographie erleichtert wurde. Die Recherchen wurden von Gisela Hossmann fortgesetzt, systematisch erweitert und im Hinblick der Themenkreise ausgebaut. Hoffentlich wird die Pionierleistung dieser umfassenden Kartei eines Tages zur Publikationsreife gebracht.

Über die realisierten Filme berichten ihre Autoren ausführlich (III, siehe Seite 504). Es sind neue Filme mit jeweils eigenem Profil entstanden, die einzeln und auch unabhängig von der Ausstellung ihrem Thema entsprechen. Der Kontakt der Ausstellungsleitung mit den Filmemachern bestand indes wunschgemäß bis zuletzt, wodurch die zentrifugale Eigendynamik des Filmunternehmens mit dem Vorhaben der Ausstellung in produktiver Korrespondenz blieb. Schritte aus diesem Prozeß verdeutlicht die anschließende Dokumentation.
L. G.

I Vorläufige unvollständige Titelliste

Um 1939
Nach Surrealismus und Konstruktivismus: Spätwerke der Klassiker: Kandinsky, Klee, Mondrian
Entartete Kunst und die offizielle Kunstpolitik in Deutschland; Widerstand und Anpassung in europäischer Dimension
Kunst und Krieg: der englische Sonderfall der Official War Artists: Moore, Nash, Sutherland

Amerika und die europäische Emigration
Amerikas moderne Tradition bis 1940
Das Beispiel mexikanischer Kunst
Die Begegnung: Europäer in den USA

Entstehung der neuen Kunst
Die Quellen: Picassos Einfluß
»The formative years« des abstrakten Expressionismus
Pollocks Leistung
Ein europäischer Fall: Wols

Abstrakte Kunst als Weltsprache
Ecole de Paris und die Akademisierung der Abstraktion
Marxistische Kritik der Abstrakten (These: Abstrakte Kunst als Mittel zur Zementierung bestehender Verhältnisse). Die abstrakte Kunst und der ›Verlust der Mitte‹, Paris, St. Germain. Der Existentialismus in der Nachkriegskunst

Alternativen nach dem Krieg
Dubuffet und L'Art Brut
Gruppen und Bewegungen in Europa: zum Beispiel ›COBRA‹
Léger und der politische Optimismus
Matisses Lösung (Die ›papiers découpés)

Die fünfziger Jahre
Europäischer Wiederaufbau: Denkmäler und öffentliche Aufträge im Zeichen der Wiedergutmachung für die Moderne
Lebensstil: Abstrakte Kunst und Design der fünfziger Jahre
Am Anfang der Materialschlacht: Die Eisenskulptur

Mit Expansion für den Fortschritt
Die weiße Utopie. Fontana und Zero
Op Art und Neokonstruktivismus: Blendwerk für neue Architektur und der neue Lebensstil, Werbung
Spielzeug Kunst: Kunst und Kunststoff
Kunst und Technologie

Die Sechziger: Die Herausforderung der Medien
›This is Tomorrow‹: Von Hamiltons Medienkritik bis »Swinging London«
Pop Art in Amerika. Warhols Beitrag
Behauptung des ›Erhabenen‹: Rothko, Still, Newman, Reinhardt, Martin und die ›Minimal Art‹
Video und Künstlerfilme

Die Sechziger: Die neuen Sezessionen
1968: ›Poesie muß von allen gemacht werden‹. Anarchismus und Surrealismus als Quelle
Nouveau Réalisme, Happening, Fluxus, Special Events
Die neue Sensibilität in Europa: Arte Povera (incl. Beuys). Die neue Kunst als Bote ökologischen Bewußtseins
Die neue Sensibilität in Amerika: West Coast, Südkalifornien
Land Art

Die gewandelte Kunstszene
Die Avantgarde-Diskussion und Wege der Vermittlung (Biennale, documenta, Kunstmärkte, Kunst, Mäzen und Öffentlichkeit
Entmaterialisierung oder totale Verräumlichung der Kunst: Concept Art und Environment. – Malerei zwischen theoretischer Ambition und expressiver Praxis
Feminismus: Mythos und Aktivismus (Von Georgia O'Keeffe bis Valie Export)
Kritik der Moderne: Die Wirkung der neuen bildenden Kunst auf Architektur, Bühnenbild, Lebensstil

II Exposés (›Rahmenvorstellungen‹)

1 Um 1939. Kunst im Schatten der Weltpolitik

A = Archivmaterial
O = Neuaufnahme am Original/Interviews, Statements
R = Reproduktionsvorlagen

Stichdatum 1939: Kunst am Ende der Dreißiger Jahre. Das Ende von Konstruktivismus und Surrealismus

A: Montage aus historischem Material

Europa
Deutschland: Offizielle Kulturpolitik in Deutschland. Nazi-Kunst. Entartete Kunst, angepaßte Kunst, innere Emigration

A: historisches Material Weltpolitik und offizielle Kunst (Ausstellungen, Breker-Film 1944)

Die Luzerner Auktion ›entarteter‹ Kunst 1939

O: ev. Nürnberg, Parteitagsgelände

Italien

A: und R

Frankreich: Weltausstellung 1937

A: z. B. Le plus grand tableau du monde
O: ev. Paris, Trocadéro (Neoklassizismus als internationaler Stil)

Amerika bis zum Kriegsausbruch

Die Rolle der Moderne in Amerika: 10 Jahre Museum of Modern Art, New York

O: MoMA, mit einem noch zu bestimmenden Interview-Partner über die Situation in den USA

Kunstförderung: Mäzene, Projekte

O: Wandbildprojekte des WPA (Benton, Gorky) Benton: New School for Social Research, N. Y. Gorky: Newark Airport

Engagierte Kunst: Einfluß der mexikanischen Kunst

O: Orozco New School for Social Research, N. Y. Baker Library, Dartmouth College, Hannover, New Hampshire

Weltausstellung New York 1939

A: Norman Bel Geddes Coll., Austin, Texas

Kunst und Krieg

Propagandakunst, Widerstandskunst, Kunst im KZ, Künstler im Krieg:
Nay als Gefreiter in Südfrankreich
Hans Hartung in der Fremdenlegion
Wols als Internierter in Frankreich

A: Leo Beck Institute, Abt. Jüdische Widerstandskunst im KZ

England: Proteste gegen den Faschismus. Die Rolle der Emigranten. Official War Artists:

O: London, Imperial War Museum

Moore, Nash, Piper, Sutherland

O: Statement Henry Moore (London)

Frankreich: Das besetzte Paris (Picasso 1940–44)
Kollaboration
Arno Breker in der Orangerie ('42)

A: Filmdokumente

Die Befreiung Europas

Deutschland nach 1945. Berlin. Hofer. Heldt. Die ausgebombte Stadt

O: Berlin, Außenaufnahmen und Interview mit einem noch zu bestimmenden Partner

Archive: Deutsches Filmarchiv
RAI Archiv Rom
Österreich Filmarchiv Wien (Propagandafilme)
Israel Museum Jerusalem

2 Spätwerke der Klassiker

Dieser Film bringt die Spätwerke jener Künstler in einer zusammenhängenden Darstellung zur Sprache, die – als Einzelgänger oder als Mitglied von entscheidenden Gruppierungen – am Entstehen der Klassischen Modernen Kunst wesentlich beteiligt waren. Diese Leistungen, welche zum größten Teil in die Zeit vor dem Ersten Weltkrieg fallen, werden in einer kurzen Einleitung dargestellt.

Die Spätwerke, die in der Ausstellung präsent sein werden, lassen sich, generell gesprochen, in zwei Hauptgruppen einteilen: Leben und Werk von Kandinsky, Klee, Schwitters, Beckmann und Mondrian enden in der erzwungenen Emigration (E), Picasso, Braque, Léger, Matisse, de Chirico und Morandi schaffen, zum Teil bis in die siebziger Jahre hinein, Modelle für die Nachkriegszeit (M). Da diese Ansätze in verschiedene Richtungen weiterführen, sind sie in der Ausstellung räumlich voneinander getrennt. Damit gibt der Film eine Ergänzung der Präsentation aus einer anderen Perspektive.

Einführung: Die entscheidenden Leistungen der Modernen Klassiker in der Zeit vor dem Ersten Weltkrieg. Picasso, Braque, Léger und der Kubismus. Matisse und der Fauvismus. Kandinsky und der Blaue Reiter. Klees Münchner Zeit...

R: zum größten Teil nach Reproduktionsvorlagen

O: in Einzelfällen (Kandinsky, Klee), wo ohnehin neu gedreht wird, nach Originalen (vgl. dazu die Drehorte unten)

Die Spätwerke der Klassiker	
Beckmann in Holland und in den USA (E)	
Braque (M., ›Klassik als Zustand‹)	R./A: Film von S. S. Fumet und P. Claudon (1950)
de Chirico (M., ›Selbstverwirklichung‹)	
Duchamp	O: Etant donnés: . . . (Philadelphia)
Kandinsky in Paris und seine internationalen Kontakte (E)	O: Nina Kandinsky in Neuilly. Kandinskys letzter Arbeitsraum. Eventuell Interview. Dokumentarisches Material bei Nina Kandinsky
Klee in Bern. Emigration und Isolation (E)	R./O: Felix Klee und Paul Klee-Stiftung in Bern. Originale, dokumentarisches Material, Fotodokumentation der P. K. St.
Léger (M., ›Engagement‹)	O: ev. Aufnahmen im Musée Léger in Biot. Film Nr. 4 A: ›F. L. in America‹, 1942. Film v. Th. Bouchard
Matisse (M., ›Klassik als Zustand‹)	O: Kapelle in Vence. Musée Matisse, Nizza. Los Angeles, Brody-Haus. Papier découpé-Entwürfe für Brody, soweit sie nicht in der Ausstellung gezeigt werden können (Stockholm, Washington, Nizza, Los Angeles) A: Film von François Campaux (1946)
Mondrian in London und in New York (E)	R./A: Film- und Fotodokumente von Harry Holtzman (Film: ›Mondrians New York Studio‹, 1944)
Morandi	
Picasso (M., ›Selbstverwirklichung‹) 1969–1973	R./A: Dokumente über die beiden späten Ausstellungen in Avignon
Rodchenko als Fotograf in den späten dreißiger-Jahren	
Schwitters in Norwegen und in England (E)	O: englischer Merzbau. Interview mit R. Hamilton

Von den 13 aufgelisteten Künstlern sollen ausführlichere Studien über Kandinsky, Klee, Schwitters, Mondrian, Matisse und Picasso gemacht werden (je ca. 6 Min.)

3 Die Entstehung der neuen Kunst

Der Grundcharakter dieses Films soll geprägt sein durch die Zusammenführung von zum Teil recht bekannten, aber verstreuten Filmdokumenten zu einem neuen Ganzen.

Amerika	
Die Voraussetzungen. Kunstszene New York.	O: Aufnahmen in New York (›Milieuschilderung‹)
Duchamp/Picabia – Hans Hofmann	
Die Emigranten. Die Surrealisten	A: Film ›Léger in America‹ Hans Richter: ›Dreams that Money Can Buy‹ O: Interviews Sidney Janis. Robert Motherwell
Chicago: The New Bauhaus Moholy-Nagy 1948/49 Roberto Echaurren Matta	O: Chicago
Peggy Guggenheims ›Art of this Century‹ Frederick Kieslers Ausstellungsinstallationen	A: und R.
Die Picasso-Rezeption in den USA (MoMA-Ausstellungen) und die ›Formative Years‹ des Abstrakten Expressionismus. Gorky, de Kooning. Die Frühwerke von Rothko, Newman, Gottlieb usw.	
Jackson Pollock. Mythos und Psychoanalyse	R./A: Film von Hans Namuth

Europa Paris in der Nachkriegszeit. St. Germain, Existentialismus. Sartre und die Kunst	O: Aufnahmen in Paris (›Mileuschilderung‹)
Wols: der private Weg	
Giacometti	A: Filme mit Giacometti O: Kunsthaus Zürich, Giacometti-Stiftung
Fautrier	A: Film ›Fautrier l'enragé‹
Informel, Tachismus, ›Un Art Autre‹ usw. als Zeitstil mit ihren Zeugen: Mathieu, Karel Appel	O: Statement Mathieu A: Malaktion von Mathieu Film: ›De wirkelijkheid van Karel Appel‹ 1962
Das ›Weltbild‹ der abstrakten Kunst Ausweitung und Inflation der abstrakten Malerei. Bazaine, Manessier, Soulages . . . Die abstrakte Kunst als Weltsprache	
Die Rezeption der abstrakten Kunst: Kunst des Atomzeitalters Analogien Natur/Kunst Die deutsche Diskussion als Nachgefecht der Debatte über die ›entartete Kunst‹: ›Der Verlust der Mitte‹ (Sedlmayr/Haftmann)	O: Gespräch mit Werner Haftmann

4 Die fünfziger Jahre – Die Kunst im Kalten Krieg

Architektur:	Europäischer Wiederaufbau. Städtebau	O: Rotterdam (Zadkine, Stadt) Coventry: Kathedrale (Sutherland)
	Exkurs: Das Bauhaus und die Folgen in den USA. Mies van der Rohe und Gropius	O: Chicago, New York
Skulptur:	Denkmäler im öffentlichen Auftrag als Zeichen der Wiedergutmachung an die Moderne und als Mode	O: Hajek, Plötzensee, Berlin O. u. R: Internationaler Wettbewerb für das ›Denkmal des unbekannten politischen Gefangenen‹ 1953 O: Zoltan Kemeny: Oper Frankfurt
Ausstellungen:	Wichtige Ausstellungen als Spiegel der Kunstproduktion und als Zeitspiegel: Erste documenta Brüsseler Weltausstellung	O: Interview Domnick
Lebensstil:	Abstrakte Kunst und Design. Hochschule für Gestaltung Ulm. Handelshochschule St. Gallen	O: Ulm, St. Gallen. Interview Bill

Das Bild des Menschen Léger und der politische Optimismus	O: Musée Léger, Biot A: Fernand Léger. Film von Th. Bouchard (1946)
›The Family of Man‹ (1955) ›New Images of Man‹ (MoMA 1955) Die Neue Figuration	
Der Kalte Krieg in der Kunstdiskussion: Sozialistischer Realismus als Doktrin – Abstraktion als Ausdruck der Freiheit (am Beispiel John Berger, Glanz und Elend des Malers Picasso oder Konrad Farner »der Verlust der bürgerlichen Mitte«)	O: Statement John Berger

Alternativen Dubuffet und L'Art brut: Antikulturelle Effekte	O: Musée de L'Art brut, Lausanne Sammlung und Bibliothek Arnulf Rainer. Interview Arnulf Rainer A: Filme über Dubuffet (1964, 1972)
Von COBRA zum Mouvement International pour un Bauhaus Imaginiste. Die Kontroverse Jorn-Bill	O: Interview Hans Platschek

5 Die sechziger Jahre – Mit Expansion in den Fortschritt

Fontana (Manifesto Blanco, 1946) und Zero International	O: Interview Ad Peeters, Amsterdam. Statement Charles Wilp A: Zerofest auf den Rheinwiesen, Düsseldorf
Die Ambivalenz des utopischen Entwurfs, – Euphorisch-unkritische und rein phantastische Zukunftsmodelle in Wechselwirkung (z. B. Constant, Schoeffer)	A: Film »Le propre de l'homme« (Schoeffer/Lelouche) O: La Defense, Paris
Op Art, Kinetik und Neokonstruktivismus Funktion als Blendwerk für neue Architektur. Piene, Mack, Uecker Soziologie der neuen Architektur Lebensstil und Design	A: Filme über Soto O: Aufnahmen noch zu bestimmender Objekte in der BRD
Vasarely. Seine Karriere und seine Ideologie. Die Stiftung in Aix Spielzeug Kunst (Kunst und Gesellschaft) Kunst und Kunststoff Kunst und Technologie	A: z. B. Film von Peter Kassovitz O: Neuaufnahmen in Aix. Statement oder Interview O: Boston (Massachusetts Institute of Technology, Cambridge, Center for Advanced Visual Studies. György Kepes)
Mitbeteiligungs- und Mitbestimmungsmodelle: Philosophie des ›Multiple‹ (Spoerri, Edition Mat., Petersburg Press London) Philosophie des Siebdrucks Das Kunstwerk als Ware	O: Interview Spoerri
Straßenkunstprojekte und ihre Herleitung aus dem Happening, das institutionalisiert wird. Beispiel: Hannover	A: Archivaufnahmen Hannover O: Interviews mit Beteiligten (z. B. mit den ehemaligen Oberstadtdirektor von Hannover, Martin Neuffer, heute Intendant NDR)
Das Centre Pompidou	O: Paris, Centre Pompidou
Spielstraße. Die Münchner Olympiade Öffentliche Vermittlungsformen. Die Rolle der Kunstmanager, Kulturpolitiker, Kulturdezernenten. Kunstmärkte	O: Statements mit noch zu bestimmenden Personen

6 Die Medien und das Bild

›This is Tomorrow‹. Richard Hamiltons medienkritische Kunst. Ausweitung auf die englische Szene (Paolozzi, Kitaj)	O: Interview Hamilton
Warhol. Seine Voraussetzungen. Technik und Ikonographie bei Warhol	O: Interview Henry Geldzahler A: Factory, sechziger Jahre

Vorgeschichte: amerikanische Pop Art, Rauschenberg usw.

O: Interview mit Warhol über seine Werke der sechziger Jahre

Oldenburg: Verwandlung (The Store, 1961) und Systematisierung (The Mouse Museum, 1965–77 und Ray Gun Wing, 1969–77)

O: Interview Oldenburg
O: Museum Ludwig, Köln

Kunst als moralische Anstalt:
Fahlström. Das Bild als sozialkritisches Puzzle

O: Dr. Schweitzers last Mission
Drehzeit: Fahlström-Ausstellung Rotterdam (Mai-Juni 1980)

Kienholz. Panoptikum

O: Museum Ludwig, Köln

Kunst im Widerstand gegenüber den Medien: Das ›Erhabene‹, die Spiritualität. Die neue Aktualität der Leistungen von Rothko, Still, Newman, Martin, Reinhardt

O: Interviews: Clement Greenberg
O: Newman, Stedelijk Museum Amsterdam

Ansätze der Minimal Art

O: Interview Lucy Lippard

7 1968: ›Poesie muß von allen gemacht werden‹ – Die neuen Sezessionen in den sechziger Jahren

Anarchismus und Surrealismus als Quelle. Übersicht über Bewegungen und Gruppenbildungen in Europa, z. T. als Voraussetzungen des Pariser Mai und der Studentenrevolten. Die Internationale Situationniste

O: Interview Guv Debord, Paris

Nouveau Réalisme

O: Interview Alain Jouffroy, Paris

Happening, Fluxus, Special Events, Aktionismus

A: Originalmaterial von Veranstaltungen
O: Interviews: Henry Flynt, New York
Allan Kaprow, San Diego Kalifornien

Die neue Sensibilität in Europa: ›Arte Povera‹
Beuys

A/O: historisches Filmmaterial, kommentiert von Beuys heute, Düsseldorf
O: Interview Dr. Jost Herbig, München (Ökologie und Kunst)

Die neue Sensibilität in Amerika: West Coast, Südkalifornien

O: Interviews: Walter Hopps, Washington
Robert Irwin, Los Angeles
Larry Bell

Land Art

A: bestehendes Filmmaterial über Land Art Projekte: de Maria, Heizer, Smithson
O: eventuell neue Dreharbeiten in USA

8 Entmaterialisierung, Verräumlichung, Manifestierung Werke in den siebziger Jahren

Die Kunst in den siebziger Jahren ist weitgehend eine reflektierende Kunst. Waren die sechziger Jahre von ›Innovationen‹ bestimmt, so folgt darauf eine Zeit der analytischen Rechenschaft, der entmaterialisierten Konzepte, der nicht zwingenden Ausführung, einer Literarisierung der Kunst als Kunstkritik. – Andererseits sind die siebziger Jahre auch die Zeit der Entfaltung für eine Reihe von Künstlern, die, aus den fünfziger und sechziger Jahren kommend, erst jetzt ihre größeren Projekte realisieren können.

Wird dieses Jahrzehnt vielfach als eine Krisenzeit der Avantgarde apostrophiert, so gilt es hier dementgegengesetzt, beispielhaft ›Werke‹ aus den siebziger Jahren vorzustellen:

Daniel Burens Beitrag in der W.W.S. Galerie in Antwerpen. Wiederholung 4× über vier Jahre	
Walter de Marias ›Lightning Field‹	O: (eventuell)
Marcel Broodthaers ›Musée d'Art Moderne, Département des Aigles, Brüssel‹	O: Nachlaß B. in Brüssel. Maria Gillesen-Broodthaers
Jannis Kounellis: Cavalli. Rom	
On Kawara: Entstehungsgeschichte seines Werkes	O: während der Ausstellung in New York oder Stockholm
Palermo: Dokumentierung seiner raumbezogenen malerischen Werke	O: Galerie Friedrich, Köln
Michael Asher: Raumkunst auf konzeptueller Basis	
Penck: Werkserie mit Erläuterungen des Künstlers	O: Dresden
Acconci: Einsatz des Körpers und dessen Kontrolle (Video)	O: New York

Im Gegensatz zu den Filmen 1 bis 7 – eine Ausnahme bildet allerdings auch Film Nr. 2 – weist dieser Film eine andere Struktur auf: Es handelt sich nicht um eine kritische Analyse eines bestimmten Zeitraums, der ganze Film hat vielmehr den Charakter einer ›Anthologie‹, deren Beiträge in einer möglichst adäquaten *Werk-Übermittlung,* wenn möglich in Zusammenarbeit mit den Künstlern, bestehen sollen.

9 Die Avantgarde-Diskussion – Geschichte der Kunstvermittlung Wer ›trägt‹ die zeitgenössische Kunst?

Die Ausstellung verfolgt seit 1939 das Geschehen der Avantgarde-Kunst als einen kontinuierlichen Prozeß, ohne jedoch diesen Prozeß ausdrücklich darstellen zu wollen und zu können. Auch die Informationen, die in der Dokumentation enthalten sind, beziehen sich in erster Linie auf die herausgehobenen Werkgruppen, sind dem statischen Charakter der Ausstellung entsprechend aufgeschlüsselt.

Insofern ist ein Film über Vermittlung der Avantgarde-Kunst eine notwendige und organische Ergänzung der Ausstellung. Er gewährleistet einen in der Ausstellung nicht darstellbaren Zusammenhang. Der Film ist allerdings für sich ebenso gültig, ist auf die Ausstellung nicht angewiesen. Die einzige Abhängigkeit ist das sonst zwingende Stichdatum 1939.

1939: In diesem Jahr feiert das Museum of Modern Art sein zehnjähriges Bestehen. Von diesem Einstieg aus kann das Thema gestellt werden: wer vertritt die jeweils neue Kunst – Künstler, Freunde, intellektuelle Kreise, Sammler, Museumsleute, Kritiker, Verleger, Galeristen. Zu erarbeiten ist nicht so sehr eine soziologische Analyse; es geht vielmehr um eine *konkrete Ermittlung:* wer hat tatsächlich zwischen 1939 und 1980 der (in der Kölner Ausstellung bevorzugt vertretenen) Avantgarde-Kunst zum Durchbruch verholfen?

Es geht um die Darstellung der ›Kunst-Mafia‹, wobei Berater, Händler, Mäzene, Porträts von Persönlichkeiten wie z.B. Duchamp, Julien Levy etc. eine ebenso wichtige Rolle spielen wie die der berühmt gewordenen Museumsleute. Die Vermittlung zur Öffentlichkeit hin leisten dann die zunächst wenigen engagierten Museen, etwa das Stedelijk-Museum in Amsterdam, das Moderna Museet in Stockholm etc. Die Rolle der großen, museumsunabhängigen Ausstellungen wie der Biennalen, der documenta soll genau verfolgt werden. (Hier wird das Material weitgehend durch die Ausstellung zusammengetragen.) Im Film sollen Ausstellungsmacher zu Stellungnahmen Gelegenheit bekommen.

Komplementär soll die die Kunstvermittlung begleitende Kritik und deren Verästelung und Institutionalisierung im Film mitdargestellt werden. Untersucht werden soll schließlich, wo der Punkt ist, an dem die primäre Information und Kunst-Erfahrung aufhört und das Vorurteil (positiv oder negativ) entsteht, produziert wird und unkontrolliert weiterwirkt. Zu fragen ist, welche Interessen dabei die lenkende Rolle spielen.

O: verschiedene Interviews und Statements:
Ausstellungsmacher
Sammler
Museumsleute
Kritiker

III. Beschreibung der realisierten Filme

Die folgenden Texte wurden von den Autoren/Realisatoren erstellt.

1 1939: Kunst im Schatten der Weltpolitik

Autor/Realisator: Wieland Schulz-Keil
Kamera: Yuri Dennysenko, Charles Fraenkl, Jonathan David
Ton: Luc Yersin, Barbara Becker
Schnitt: Gary Wright

Inhalt: »Es ist eine Lust zu leben«, meinte Joseph Goebbels, »es ist eine große Zeit für Künstler... unter einem Führer, der selber Künstler ist.« Dies traf wohl zu für Künstler, die sich der Bestimmung von Kunst fügen wollten, die der, der selber Künstler war, dekretierte und mit staatlichen Zwangsmitteln durchsetzte.

In seinem Film ›1939–1945: Kunst im Schatten der Weltpolitik‹ zeigt Wieland Schulz-Keil, wieso für solche Künstler, die nicht mitmarschieren wollten, die die großen Fragen der Moderne, die ihr Bewußtsein von den Grenzen und Möglichkeiten der Kunst ernst nahmen, die Jahre des Zweiten Weltkriegs keine große Zeit waren und wieso zu leben für sie keine Lust war.

Aus Deutschland und später auch aus den von Deutschland besetzten Ländern vertrieben, begaben sich viele der als Produzenten ›entarteter Verfallskunst‹ geächteten und verfolgten Künstler ins englische, besonders aber ins amerikanische Exil.

Zwar wurden in England oder Amerika keine Kunstwerke aus Museen entfernt und kein Staatsorgan gab Künstlern Anweisung, was sie zu malen oder nicht zu malen hatten; aber auch in England, auch in Amerika war die Kunst, waren die Künstler vom Staat in den Dienst genommen. Sie wurden im Zusammenhang der gesamtgesellschaftlichen Mobilisierung eingesetzt, und die von Staat und Wirtschaft propagierten Kulturideale waren denen der Nazis nicht ganz unähnlich.

Unter Verwendung von selten oder nie gesehenen Archivaufnahmen gibt der Film einen Überblick über die charakteristischen Elemente eines konservativen, anti-modernen Weltbildes, das während des Krieges sowohl im Nazireich als auch in England und Amerika beherrschend war: während auf der einen Seite Industrialisierung, Technologie, Modernisierung in allen gesellschaftlichen Bereichen bejubelt wurden, sollten auf der anderen, der kulturellen Seite vorzüglich vormoderne, vor-industrielle Inhalte und Haltungen zur Darstellung kommen; Modernisierung: ja, insbesondere bei Waffenbau, Gleichschritt, industrieller Produktion. Modernität: nein. In kurzen Einzelporträts wird erkennbar, wie manche Künstler (Oskar Kokoschka) gegen diese Situation sturmlaufen, wie manche (Duchamp) diese Spannung in ihrem Werk austragen, wie manche resigniert weiterarbeiten (Picasso) und manche scheitern (Grosz).

Die Jahre 1939 bis 1945 erweisen sich als eine Periode, während derer lang gehegte Bedenken gegen die Moderne in ungeahntem Ausmaß bestätigt wurden, die aber gleichzeitig das Projekt der Moderne notwendiger denn je erscheinen ließ. Die Zeit des Zweiten Weltkriegs, bestimmt von »einem Führer, der selber Künstler« war, veranlaßte die Kunst zur Formulierung von Fragen nicht zuletzt an sich selbst, deren Entfaltung von 1945 an die künstlerische Produktion der westlichen Welt bestimmen sollte.

›1939–1945: Kunst im Schatten der Weltpolitik‹ enthält Interviews mit Olda Kokoschka, James Brooks, Malcolm Cowley, Hans Sahl und Arno Breker.

Fremdmaterial: Dokumentationsmaterial aus der Norman Bel Geddes Collection, Austin/Tx., National Archives Film Collection, Washington/D.C., Colonial Williamsburg Foundation, aus dem Deutschen Filmarchiv, Koblenz und aus der Sammlung Kokoschka, der Sammlung Sahl, New York und dem Royal War Museum, London

George Grosz
Hans Cürlis – Deutschland 1958
16 mm – s/w – 7 Min. – Stummfilm

Das Wort aus Stein
Ufa – Deutschland 1939
16 mm – s/w – 19 Min.

Entartete Kunst – Vierzig Jahre nach dem Bildersturm
Laszlo Glozer – BR, München 1977
16 mm – Farbe – 43 Min.

Der neue Breker
Titel, Thesen, Temperamente
Heiner Hepper, Peter Iden – HR, Frankfurt – 1974
16 mm – Farbe – ca. 12 Min.

Dadascope
Hans Richter – USA 1956/61
16 mm – Farbe – ca. 30 Min.

Dreams that money can buy
Hans Richter – USA 1944/47
16 mm – Farbe – ca. 88 Min.

Kunst im Dritten Reich – Malerei
Jürgen Kolbe, Hans Brockmann – Dieter Geissler TV München, 1957
16 mm – Farbe – ca. 44 Min.

2 Klee, Mondrian, Matisse
Spätwerke in der Moderne

Autor/Realisator: Jürgen Glaesemer und Jürg Hassler
Technik: Jürgen Glaesemer und Jürg Hassler
Sprecher: Jean Töndury

Inhalt: Der Film greift die drei Künstler: Klee, Mondrian und Matisse heraus, die schon zu Ende ihres Lebens zu den Klassikern gehören und ein spezifisches Spätwerk geschaffen haben, das sich künstlerisch vom vorangehenden Werk abhebt.

Noch vor Ausbruch des Ersten Weltkrieges gehören sie, zusammen mit den Zeitgenossen Picasso, Kandinsky oder Duchamp, zur Avantgarde. Mit ihrer radikalen Absage an konventionelle Sehgewohnheiten und bürgerlichen Kunstgeschmack revolutionieren sie die Kunst und schaffen neue Voraussetzungen für die Moderne. (Matisse: *la danse,* das *Kub* von Mondrian, der *Niesen* von Klee).

Wohin führt ihr Weg im Alter? Gibt es das avantgardistische Spätwerk? Ein entscheidendes Anliegen des Films ist es, die ›klassischen Spätwerke‹ als eine gleichberechtigte künstlerische Aussage neben den ›avantgardistischen‹ Werken zu bewerten. Der Film versucht auch, einen allgemein menschlichen Bezug zu schaffen: Alter – Erfahrung – Wissen – Erkenntnis – Reife. Die Situation des zu Ende gehenden Lebens prägt das Spätwerk, bricht das radikale Konzept etwas auf, macht es ›menschlicher‹, aber auch komplexer.

Paul Klees Spätwerk in Bern (1936–40) – ›Emigration nach innen‹ wird anhand eines unvollendeten Stillebens, der Engel, der Eidola-Serie Tod und Feuer u. a. illustriert.

Piet Mondrians Spätwerk in New York (1940–44) – ›Emigration-Öffnung nach außen‹ wird vor allem anhand der 4 Bilder: *New York, New-York-City, Broadway-Boogie-Woogie* und *Victory Boogie-Woogie* illustriert.

Henri Matisses Spätwerk in Vence (1938–54) – ›le bonheur de vivre‹ – wird anhand der Gesamtgestaltung der Rosenkranz-Kapelle in Vence illustriert: (1948–52) Vorzeichnungen und Variationen zu den drei Wandzeichnungen: *Heiliger Domenikus, Ave Maria, Passion Christi* und einige Scherenschnitte wie *La Piscine,* die Glasfenster und das farbige Licht.

Fremdmaterial: Schweizer Wochenschau zum Ausbruch des Zweiten Weltkrieges (Archiv Schweiz. Film-Wochenschau, Lausanne); – Amerikanische Wochenschau 1941, Landung europäischer Emigranten in New York (Time Life, New York).

Georges Braque – Ein Künstler im 20. Jahrhundert
Jean Lescure, Frédéric Rossif – BR München, 1974
16 mm – Farbe – 53 Min.

Georges Braque
Film du Temps, CAPAC – Frankreich 1950
16 mm und 35 mm – s/w – 22 Min.

Henri Matisse
François Campaux – Frankreich 1946
16 mm – s/w – 25 Min.

Piet Mondrian in New York
Piet Hoenderdos – Niederlande 1979
16 mm – Farbe – 43 Min

Piet Mondrian
Nico Crama – Niederlande 1973
16 mm und 35 mm – Farbe – 18 Min.

Der Schock der Moderne III
Landschaften der Lust
Robert Hughes – RM Productions München
WDR Köln – 1980
16 mm – Farbe – 45 Min.

Henri Matisse
Pierre Alibert – Frankreich, 1970
16 mm und 35 mm – Farbe – 22 Min.

3 Die Entstehung einer neuen Kunst
Malerei in New York und Paris, 1944–1951

Autor/Realisator: Piet Hoenderdos
Kamera: Mat van Hensbergen
Ton: Lucas Boeke
Schnitt: Jan Willem van der Minne
Assistentin: Diana Kaplan

Inhalt: Der Film zeigt anhand von Augenzeugenberichten die Entstehung des Abstrakten Expressionismus in New York und das Schaffen von Jean Fautrier, Wols und Jean Dubuffet in Paris.

Folgende Augenzeugen wurden dazu in New York interviewt: John Myers, Kunstkritiker und Galerist; Clement Greenberg, Kunstkritiker; Leo Castelli, Galerist; der Maler Robert Motherwell; Willem & Elaine de Kooning.

Im ersten Teil des Films, der sich auf New York bezieht, sprechen die genannten Personen über den Beginn des Abstrakten Expressionismus, dessen Wurzeln in der Europäischen Kunst liegen, und über das, was sich daraus entwickelte. Sie beschreiben das soziale Klima im New York jener Tage und die Künstlertreffs ›Club‹ und ›Cedar Bar‹, wo man sich regelmäßig sah. Greenburg erläutert die formalen Probleme, mit der sich diese Art von Abstrakter Kunst konfrontiert sah.

Der zweite Teil bezieht sich auf Paris und zeigt den Kunstkritiker Michel Tapié, den Maler Georges Mathieu und Jeanette Aepli, die in jenen Jahren mit Fautrier lebte. Sie sprechen über die bedeutende Galerie Drouin, über die ersten Ausstellungen dort unmittelbar nach dem Weltkrieg und über die (negativen) Reaktionen der Öffentlichkeit auf diese neue Kunst. Mathieu gibt eine sehr anschauliche Beschreibung von der Künstlerpersönlichkeit Wols, seiner Arbeit und deren Beziehung zum Existentialismus.

In einem anderen Interview gibt der Kunsthistoriker Werner Haftmann seine persönliche und kritische Stellungnahme zu beiden Teilen des Films und die Zeit, wie sie sich ihm darstellte.

Der Film beabsichtigt nicht, eine genaue Beschreibung über diese bedeutsame Epoche in der Geschichte der modernen Kunst zu geben, sondern versucht einen Eindruck zu vermitteln, wie die Menschen, die engen Kontakt zur Kunst hatten, sie erlebten und was sie heute darüber denken.

Fremdmaterial: Jackson Pollock (malend), ein Film von Hans Namuth, zum ersten Mal veröffentlicht. Le désordre a vingt ans. Aus diesem Film werden Aufnahmen gezeigt, die in den Jahren 1946 bis 1948 in den Cafés und Kellerlokalen von St. Germain-des-Prés, den Brennpunkten des künstlerischen Lebens von Paris, entstanden.

Jackson Pollock
Hans Namuth – USA 1950
16 mm – s/w – ca. 6 Min.

Le désordre a vingt ans
Jacques Baratier – Frankreich 1967
16 mm – s/w – 75 Min.

4 Stromlinie und rechter Winkel
Kunst und Design in den fünfziger Jahren

Autor/Realisator: Christian Borngräber und Chika Schultze-Rhonhof
Kamera: Frieder Wagner, Jochen Strelow
Ton: Wolfgang Grunwald
Schnitt: Susan Berger

Inhalt: Der dynamische Schwung des Wiederaufbaus hatte sein leicht lesbares Zeichen im Schwung von Malerei, Design und Architektur gefunden. Gerade in der Bundesrepublik hatte man einen großen Nachholbedarf auf dem Gebiet der bildenden Künste. Abstrakte, gegenstandslose und tachistische Malerei beherrschten die Kunstszene in Westeuropa und in den USA. Allzu voreilig verband man diese Strömungen mit der Freiheit des Künstlers und ganz allgemein mit der Freiheit der Menschen. Realistische Malerei war verpönt und galt nicht als die Ausdrucksform der Avantgarde. Der Film ›Stromlinie und rechter Winkel‹ versucht ein Spiegelbild dieser Zeit zu sein, mit all ihren Hoffnungen auf ein besseres Leben, mit Verrücktheiten und Alltagsleben, mit Fehlschlägen und politischem Desinteresse im Klima des Kalten Krieges. Spiegelbild, das bedeutet eine Montage, möglichst mit Originalmaterial, aus heutiger Sicht ohne erhobenen moralischen Zeigefinger und ohne belehrende Kommentare.

Neuaufnahmen: Interviews mit César Domela in seinem Atelier in Paris, mit Luciano Baldessari in seiner Wohnung in Mailand und mit Max Bill in seinem Haus in Zürich. Außerdem in New York TWA-Terminal, Guggenheim Museum, Lever- und Seagram-Building.

Fremdmaterial: Wochenschaumaterial aus ›Welt im Film‹, ›Neue Deutsche Wochenschau‹, ›Welt im Bild‹ und ›UFA-Wochenschau‹, 1950–1962, zu folgenden Themen:

Malaktionen von Salvador Dali und Georges Mathieu, Sitzmöbel von Verner Panton (›Der Stuhl an sich‹), Ausstellung ›Neues Hausgerät in USA‹ 1951, Wanderausstellung ›Form 1957‹ (u. a. Gebrauchsgegenstände von Wilhelm Wagenfeld), Interbau Berlin 1957, Berliner Kongreßhalle, Weltausstellung Brüssel 1958, dazu noch Damenmode, Sonnenbrillen, Hüte, Taschen und Frisuren und Fischer-Koesen Werbefilme für Patra-Parfüm, Tempo-Taschentücher, Lambretta Motorroller und Starmix.

Breaking it up at the Museum
B. A. Pennebaker – USA 1960
16 mm – s/w – ca. 6 Min.

Fathers of Pop
Julian Cooper – Großbritannien 1979
16 mm – Farbe – 47 Min.

Kunst unserer Zeit – Plastik (documenta II)
Alfred Erhardt – Deutschland 1959
16 mm und 35 mm – Farbe – 13 Min.

Noguchi: A Sculptor's World
Arnold Eagle – USA 1972
16 mm – Farbe – 27 Min.

Jackson Pollock
Hans Namuth/Paul Falkenberg – USA 1951
16 mm – Farbe – 10 Min.

Die Zauber-Lehrlinge von Ulm
Hornecker – Deutschland 1959
35 mm – s/w – ca. 13 Min.

Peggy Guggenheim
R.M. Productions – Deutschland 1972
16 mm – Farbe – ca. 44 Min.

Fremdmaterial:

Nouveau Realisme
Überblick über die Pariser Künstlerbewegung
R.M. Production/WDR 1976
16 mm – Farbe – 45 Min.

0 × 0 = Kunst
Maler ohne Pinsel und Farbe
Gerd Winkler, HR – Frankfurt 1962
16 mm – Farbe – 33 Min.

Von Zero zum Regenbogen
Otto Piene
Hans Emmerling – Telefilm Saar/WDR 1975
16 mm – Farbe – ca. 43 Min.

Vasarely – Le Precinetisme
Robert Hessens – Frankreich
16 mm

Tele-Mack – Tele-Mack – Tele-Mack
Heinz Mack, Hans Emmerling – SR Saarbrücken und WDR Köln 1969
16 mm – Farbe – ca. 49 Min.

Jesus Rafael Soto
Hans Emmerling – SR Saarbrücken 1970
16 mm – Farbe – ca. 32 Min.

Wasser und Luft – Hans Haacke
Gerd Winkler – HR-Frankfurt
16 mm – s/w – ca. 16 Min.

5 Die sechziger Jahre Expansion in den Fortschritt

Autor/Realisator: Bernard Safarik
Kamera: Pavel Bleyer
Ton: Johannes Iseken
Schnitt: Esther Lieberwirth

Inhalt: Die sechziger Jahre standen im Zeichen eines noch ungebrochenen Fortschrittsglaubens. Der Optimismus in Bezug auf gesellschaftliche und politische Verbesserungen war groß. Der Zeitgeist blieb nicht ohne Auswirkung auf die Kunst. Mit neuen Medien, Materialien und Technologien wurde experimentiert, man bemühte sich auch um einen besseren Zugang zur breiten Öffentlichkeit. Die kinetische Kunst erlebte ihre Blütezeit. Der Film ›Die sechziger Jahre – Expansion in den Fortschritt‹ von Bernard Safarik versucht zu ergründen, was den Aufschwung bewirkte. Es geht dabei weniger um eine streng kunsthistorische Betrachtung als vielmehr um Impressionen einer Kunstrichtung, die in ihrem Zeitzusammenhang gesehen werden sollte. Es werden Werkbeispiele aus folgenden Bereichen gezeigt: die Gruppen (ZERO und GRAV), Op Art, Naturelemente (Wasser, Feuer, Luft, Magnetismus), ›dadaistische‹ Maschinen, Kybernetik, Multimedia, Fernsehen, Utopische Projekte, Auswirkungen heute (Design, Architektur, Werbung).

6 Die Medien und das Bild Andy Warhols Kunst

Autor/Realisator: B + W Hein
Mitarbeit: Henry Geldzahler
Kamera:Charles Hipser, Erwin Hamacher, Gerd Bünte
Ton: James Turner, Oren Schmuckler
Schnitt: Brigitte Stallmeyer

Inhalt: Die Bedeutung Andy Warhols als radikaler Erneuerer der Kunst des 20. Jahrhunderts wird bis heute unterschätzt. Mit seinen Bildern ist er zwar als bedeutendster Popkünstler neben Roy Lichtenstein und Claes Oldenburg anerkannt, aber seine Arbeit in den verschiedenen Medien wird von der Kunstszene immer noch ignoriert. Der Grund für die Ablehnung liegt nicht darin, daß er mit anderen Medien arbeitete,sondern daß er die offizielle Kunst in Frage stellte, ihren Rahmen verließ und in der Subkultur mit seinen Filmen und der Rockgruppe ›Velvet Underground‹ versuchte, eine neue Art von Populärkultur zu schaffen. Genau an diesen Punkt setzt heute eine neue Generation von New Wave Künstlern wieder an und führt den Anstoß von Warhol weiter.

Der Film besteht im wesentlichen aus einem Interview mit Henry Geldzahler, der in den sechziger Jahren Warhols kongenialer, intellektueller Partner und Freund war und selber starken Einfluß ausübte. Er schildert Warhols künstlerische Entwicklung in persönlichen Erlebnissen und macht so zugleich Kunst als lebendigen Prozeß erfahrbar.

Um Warhols Medienkonzept zu verdeutlichen, wird zum Vergleich die kunstimmanente Verarbeitung der Medien bei Roy Lichtenstein und Claes Oldenburg in kurzen Beispielen in das Interview eingefügt.

Fremdmaterial:

Pop Art USA
Wolfgang von Chmielewsky, Willoughby Sharp – WDR Köln – 1966
6 mm – s/w – ca. 29 Min.

Wer ist Andy Warhol
Der Underground wird populär
Titel, Thesen, Temperamente – HR Frankfurt – 1971
16 mm – Farbe – 17 Min.

Claes Oldenburg
Ausstellung im Stedelijk Museum Amsterdam
Claes Oldenburg, Heiner Hepper – Spectrum WDR Köln – 1970
16 mm – s/w – 6 Min.

Sleep
Andy Warhol – USA 1963
16 mm – s/w – 6 Stunden

Empire
Andy Warhol – USA 1964
16 mm – s/w – 8 Stunden

Henry Geldzahler
Andy Warhol – USA 1964
16 mm – s/w 90 Min.

Kitchen
Andy Warhol – USA 1965
16 mm – s/w – 70 Min.

7 Happening
Kunst und Protest 1968

Autor/Realisator: Friedrich Heubach/Helmut Herbst
Kamera: Helmut Herbst
Ton: Lilly Grote
Schnitt: Renate Merck
weitere Mitarbeiter: Irina Hoppe, Klaus Feddermann, Bazon Brock, Werner Nekes.
Wir danken dem Archiv SOHM, Markgroeningen für die liebevolle Unterstützung.

Inhalt: Es gibt wohl kaum eine Kunstäußerung, die so zu einer öffentlichen Angelegenheit geworden ist, wie das Happening. Es gibt aber auch keine Kunstäußerung, die in einem solchen Ausmaß von den Medien mißverstanden, mit dummdreisten Kommentaren zugedeckt und z. B. in Wochenschauen und Fernsehfeatures bis zur Unkenntlichkeit als Schock- und Scherzartikel verstümmelt worden ist, wie das Happening.

Die Bilder der Ereignisse von diesem Kulturmüll zu befreien und mittels aufwendiger Kopiertechniken zu rekonstruieren, um sie selbst sprechen zu lassen, ihnen ihre eigene emotionale Atmosphäre zurückzugeben, das war eines der beiden Hauptziele der Filmarbeit. Das andere war, die Verbindung zur Zeitgeschichte freizulegen, um nicht, wie Jean-Jaques Lebel im Film gängige Ausstellungspraxis kritisiert, »die Ereignisse zu kastrieren und nur ihre ästhetischen Aspekte auszustellen«. Im Laufe der aufwendigen und langwierigen Arbeit wuchs der Film auf eine Länge von 80 Minuten. In dieser Länge läßt sich die Geschichte des Happening von den Anfängen bei Kaprow bis zu seiner Auflösung in politische Aktionen aus dem Material selbst ablesen. Der Film wird in der ›Westkunst‹ in voller Länge zu sehen sein.

Fremdmaterial: Um die Statements der Veteranen der Happening-Bewegung wie Allan Kaprow, Jean-Jaques Lebel, Wolf Vostell u. a. gruppieren sich die aus den verschiedensten Filmen rekonstruierten Ereignisse, unter denen das ›24-Stunden-Happening‹ in der Galerie Parnass in Wuppertal 1965 herausragt. Ergänzende Fotos, Zeitungsausschnitte, Plakate, etc. wurden zum überwiegenden Teil vom Archiv Sohm in Markgroeningen zur Verfügung gestellt. Aus den USA kamen Fotos aus dem Archiv Kaprow und von Peter Moore. Unter den Filmbeispielen aus den Archiven der Sendeanstalten erhalten in unserem Film zwei Fernsehdokumentationen zur Zeitgeschichte eine besondere Bedeutung: Roman Brodmanns Film ›Polizeistaatsbesuch‹ von 1967 und Peter Scholl-Latours's Bericht über ›Frankreich Mai-Revolution‹ von 1968.

Kunst und Ketchup
Elmar Hügler – SDR Stuttgart 1966
16 mm – s/w – 44 Min.

Tendenzen 1968/78
Des Zeitgeists neue Künste
Hans-Gert Hillgruber – WDR Köln 1978
16 mm – Farbe u. s/w – ca. 44 Min.

Happening und Fluxus
Dokumentation einer Ausstellung – Köln 1970
Peter Maenner – WDR Köln 1972
16 mm – Farbe – 45 Min.

Nam June Paik – Das gute Gewissen der Avantgarde
Bodo Kessler – WDR Köln 1977
16 mm – Farbe – ca. 44 Min.

Kontroverse
Polemik gegen bildende Kunst
in: Titel, Thesen, Temperamente HR Frankfurt 1972
Günter Herburger, Peter Iden, Heinz Mack
16 mm – Farbe – ca. 18 Min.

Protest in der Kunst – Folge 2 und 3
in: Studio III – RB Bremen 1969
Robert Gerhardt, Peter Hamm
16 mm – Farbe – ca. 29 Min.

Aktionen G. Brus – Selbstverstümmelung
Kurt Kren, Günter Brus – Österreich 1965
16 mm – s/w – ca. 6 Min.

8 Die Kultur als Gegenstand der Kunst 5 Beispiele aus den siebziger Jahren

Autor/Realisator: Ernst Mitzka
Mitarbeit: Zdenek Felix
Kamera: Karsten Müller, J.C. Riviére, M. Oblowitz
Ton: M. Shamberg, Henner Reichel, Gerard Barra
Schnitt: Betty Gordon, Renate Merck

Inhalt: Der Film gliedert sich in fünf Teile, die jeweils die Arbeiten eines Künstlers vorstellen. Die Künstler sind in der Reihenfolge des Filmes: die Amerikaner Vito Acconci und Dan Graham, der Franzose Daniel Buren, der Belgier Marcel Broodthaers und der Grieche Jannis Kounellis.

Der Film zeigt eine Verbindung zwischen den Arbeiten dieser Künstler aus den frühen siebziger Jahren zu ihren heutigen Produktionen auf. Die Filmteile sind bis auf den über den verstorbenen M. Broodthaers in Zusammenarbeit mit den Künstlern konzipiert worden. V. Acconci, D. Graham und D. Buren haben die Texte zu ihren Filmen selbst geschrieben, für J. Kounellis schrieb sein Dichterfreund Bruno Corá.

Zu Acconci:
Vito Acconci war Anfang 1970 als Performer schon bekannt, eine Kultfigur. In den folgenden Jahren zog er sich als Person aus seinen Stücken zurück, nur noch seine Stimme ist auf Tonbändern präsent. Für den Film sind mehrere der Rauminstallationen rekonstruiert worden. Ihr widersinnig funktionaler Charakter verbindet sich im Film mit assoziativen Bildern, die die Herkunft der Einfälle andeuten. Die neuesten Projekte von Acconci gehen direkt in die Öffentlichkeit, so ein Stück für fünf holländische Städte.

Zu Dan Graham:
1966 publizierte Dan Graham einen Artikel mit einer Reihe von Fotos, den er ›Homes for America‹ nannte. Er nimmt ein Stück vorgefundener Realität (Fertighäuser in der Umgebung von New York) und analysiert in Bild und Wort die Struktur dieser Häuserreihen. Der Anfang seines Filmes zeigt eine Videoinstallation im Citycorpbuilding in New York, in der die Konstruktion von Natur in der Stadt reflektiert wird. Der Hauptteil des Filmes führt die merkwürdig anonymen geschichtslosen Vorstädte vor, die das Thema Dan Grahams in den sechziger Jahren waren.

Zu Daniel Buren:
Sein Beitrag rekonstruiert vier Projekte von Buren

1. Die ›Sandwich-Männer‹ 1968. Gestelle mit Streifen werden auf der Straße von zwei Männern getragen.
2. Plakatwände in der U-Bahn. 1970 wurde in mehr als 100 Pariser U-Bahn-Stationen rechts oben auf einer Anzeigenplakatwand ein Feld mit blauen und weißen Streifen beklebt, 1973 wurden links unten auf den Plakatwänden weiße und orangefarbene Streifen befestigt.
3. Die Formen: Malerei. 1978 wurde unter fünf vom Musée d'Art Moderne im Centre Georges Pompidou ausgewählten Gemälden schwarz-weiß gestreifter Stoff angebracht, auf dem der erste weiße Streifen mit weißer Farbe bemalt ist.
4. Die Farben: Skulptur. 1977 ließ Buren 15 gestreifte Fahnen in fünf Farben auf Dächern und Monumenten von Paris aufhängen. Die Fahnen waren durch drei Fernrohre vom Centre Georges Pompidou aus zu sehen.

Zu Broodthaers:
Gezeigt wird ein kurzer Film, den Marcel Broodthaers 1969 selbst gedreht hat: ›Der Regen; Projekt für einen text‹. Aus einer Dia-Serie mit dem Titel *Tableau bateau* sind für den Film 17 Dias ausgesucht worden, um Broodthaers' Arbeitsweise exemplarisch vorzuführen.

Zu Kounellis:
Der Film beginnt mit Bildern vom Ausländerfriedhof in Rom, wo mit Keats und Shelley auch Antonio Gramsci begraben liegt. Begleitet werden diese Bilder mit Fragmenten eines Gedichts von Pasolini ›Die Asche von Gramsci‹. Von Kounellis sind nacheinander ein Raum mit Gasflammen, ein Kohlebecken, eine Frau in eine Decke eingewickelt und einer Gasflamme am Bein, ein Raum mit verschiedenen Materialien in Säcken, Flämmchen auf einem Blech, eine Wunderkerze in Papier, eine Dampfmaschine und die Reduktion eines Musikstückes zu sehen. Alle diese Bilder werden von einem poetischen Text begleitet, den Bruno Corá für diesen Film geschrieben hat.

Der Regen
Projekt für einen Text
Marcel Broodthaers – Belgien 1969
16 mm – s/w – ca. 3 Min.

9 Peggy und die anderen oder: Wer trägt die Avantgarde

Autor/Realisator: Bazon Brock und Werner Nekes
Kamera: Erich Krenek
Ton: Wolfgang Wirtz
Schnitt: Werner Nekes
Special Effects: Birger Bustorff
Maske: Harry Schillinger
Ausstattung: Dore O

Inhalt: Die landläufigen Antworten auf die Frage, wer trägt die Avantgarde, kommen zwar unseren Vorurteilen sehr entgegen, sind nichtsdestweniger aber falsch. Lassen sich Avantgardewerke durch Geld und gesellschaftlichen Einfluß durchsetzen? Wenn das zuträfe, dann hätte z. B. Peggy Guggenheim im New York der vierziger Jahre Jackson Pollock als Avantgardekünstler durchsetzen könne. Als Peggy indes nach dreijährigem harten Einsatz für Pollock New York verließ, war die Bilanz mager: ein Werk verkauft, zwei begeisterte Rezensionen, und keine Galerie war bereit, in den Nachfolgevertrag mit Pollock einzusteigen. Nicht einmal geschenkt wollten bedeutende Museen Werke Pollocks in ihre Bestände aufnehmen.

Macht der ›haut goût‹ des sozialen Abweichlers den Künstler so interessant, daß man sein Werk flugs als Avantgarde durchzusetzen vermöchte? Jean Dubuffet dachte nicht daran, eine neue Avantgarde zu lancieren, als er seine Aufmerksamkeit den künstlerischen Äußerungen der ›Primitiven‹, ›Narren‹ und Kinder zuwandte. Seine Verweise auf die Bedeutung der Amateure und Dilettanten für die Entwicklung unserer Kultur sind kaum ernst genommen, geschweige denn als kulturgeschichtliche Betrachtungsweise akzeptiert worden.

Hat Pierre Restany als ›Mafioso der Kritik‹ die, *›seine‹* Neuen Realisten durchgesetzt? Die einzelnen Künstler standen ihm äußerst kritisch gegenüber; sie übertrafen sich geradezu darin, Restanys Auffassungen zu bloßen Meinungen unter vielen anderen werden zu lassen. Zum letzten Abendmahl, das Spoerri für die Neuen Realisten bei Arturo Schwarz in Mailand inszenierte, wurde der angebliche Gruppenchef Restany nicht einmal eingeladen.

Weder gelangweilte Gesellschaftszicken, noch Kritikerfürsten und Geldkotzer waren an der Durchsetzung des Werkes von Beuys beteiligt: bestenfalls spielten sie ihr eigenes Gesellschaftspiel, in dem Beuyswerke als köstliche Scharlatanerien genossen wurden.

Wer also trägt die Avantgarde? Die Tradition! Aber nicht insofern, als die Avantgarde jeweils an der Spitze des Zeitpfeils Traditionen fortsetzte, sondern indem sie Traditionen aus der jeweiligen Gegenwart nach rückwärts neu schafft. Die Avantgarden setzen sich als leistungsfähige durch, indem sie uns zwingen, unter dem Druck des Neuen und nichts als Neuen, daß in den Avantgardewerken in Erscheinung tritt, die angeblich vertrauten und gesicherten historischen Bestände völlig neu zu sehen. Denn Traditionen wirken nicht ein für allemal aus der Vergangenheit in die Gegenwart, sondern müssen immer erneut nach rückwärts aufgebaut werden.

Insofern läßt sich sagen, daß Dubuffet als Avantgardist sich durchsetzte, indem er uns zwang, die Ausdrucksformen der ›Primitiven‹, ›Narren‹ und Kinder völlig neu einzuschätzen;

Spoerris Arbeiten erweisen sich als tatsächlich avantgardistische, insofern sie uns veranlaßten, die niederländische Genremalerei des 17. Jahrhunderts (vor allem die ›Augentäuschungen‹) in ganz anderer Hinsicht zur Kenntnis zu nehmen als das bis zu Spoerris Fallenbildern hin der Fall gewesen war;

Beuys' avantgardistische Kraft erschloß uns Wahrnehmungsweisen gegenüber historischen Kunstwerken, die durch säuberliche Gattungsunterscheidungen in den vergangenen zwei Jahrhunderten verlorengegangen waren.

Die Funktion der Avantgarde, die nichts als ›bloße Neuigkeiten‹ hervorbringt, liegt gerade darin, immer erneute Ausbildung von Traditionen zu ermöglichen. Erst die völlig traditionslose, vorbildlose Avantgarde garantiert gerade dadurch Traditionen, von denen sich abzusetzen neue Avantgarden hervorruft.

Der Film hat die Form eines action teachings: durchgängige Studioinszenierung ohne Dokumentargeschnippsel. Der Glaubwürdigkeit wegen spielt Bazon Brock alle Rollen (Peggy Guggenheim, Jean Dubuffet, Pierre Restany, Joseph Beuys, Jesus, den modernisierenden Professor und sich selbst).

Autoren- und Quellenverzeichnis der Textdokumente

Herausgeber und Verlag danken den Autoren, Verlagen, Galerien, Museen und allen anderen Rechtsinhabern für ihre Unterstützung und ihr freundliches Entgegenkommen bei der Gewährung der Abdruckrechte.

49 The Museum Collection in: The Bulletin of the Museum of Modern Art, New York, Okt./Nov. 1942

57 John Heartfield, Entfesselter Kitsch, gefesselte Kunst, in: Volks-Illustrierte (VI), 1937, Nr. 33

75 Oskar Schlemmer, Brief an Julius Bissier, in: Oskar Schlemmer, Briefe und Tagebücher. Verlag Gerd Hatje, Stuttgart 1979[2]

76 Oskar Schlemmer, Tagebuch, ebda.

76 Oskar Schlemmer, Brief an Julius Bissier, ebda.

83 Max Beckmann, Tagebücher 1940–1950 (Auszüge). Albert Langen/Georg Müller, München 1955

88 Kurt Schwitters, Europäische Kunst des 20. Jahrhunderts. Unpubliziert. Mit freundlicher Genehmigung von Ernst Schwitters und DuMont Buchverlag, Köln

91 Paul Klee, Saudummer Lebenslauf. Entwurf (Auszug), in: Paul Klee, Briefe an die Familie 1893–1940, hrsg. von Felix Klee. DuMont Buchverlag, Köln 1980

92 Paul Klee, Brief an Felix Klee, ebda.

93 Wassily Kandinsky, Immer zusammen, aus: Carola Giedion-Welcker, Poètes à l'Ecart/Anthologie der Abseitigen, Verlag Benteli AG, Bern-Bümpliz 1946

94 Wassily Kandinsky, Die farbigen Reliefs von Sophie Taeuber-Arp, in: W. K., Essays über Kunst und Künstler, hrsg. und kommentiert von Max Bill. Verlag Gerd Hatje, Stuttgart 1955

94 Jean Arp, Zu verschiedenen Zeiten ..., aus: Miszellen, in: Hans Arp, Unsern täglichen Traum ... Erinnerungen und Dichtungen aus den Jahren 1914–1954. Verlag Die Arche, Zürich 1955

95 Jean Arp, Mit gesenkten Lidern, ebda.

95 Jean Arp über Alberto Magnelli, Auszug aus Aisément à travers le Tunnel de la Matière, Vorwort zum Katalog Alberto Magnelli, Galerie René Drouin, Paris 1947
deutsch: DuMont Buchverlag, Köln 1981

97 Piet Mondrian, Brief an J. J. Sweeney, reproduziert und abgedruckt in: Das Kunstwerk, Heft 9/XI, März 1958

98 Sidney Janis, School of Paris comes to U.S. (Auszüge), in: Decision (Ed. Klaus Mann), Vol. II, Nos. 5–6, Nov.–Dec. 1941, New York 1941
deutsch: DuMont Buchverlag, Köln 1981

106 Marcel Duchamp, Interview von Pierre Cabanne mit M. D., aus: Pierre Cabanne, Gespräche mit Marcel Duchamp, Spiegelschrift 10. Verlag Galerie Der Spiegel, Köln 1972

108 Robert Motherwell, Joseph Cornell, unveröffentlichtes Vorwort zu einer Ausstellung Joseph Cornells, 1953
deutsch in: Katalog Robert Motherwell, Städtische Kunsthalle Düsseldorf 1976

109 Bosley Crowther, The Private Affairs of Bel Ami, in: The New York Times, 16. 6. 1947

109 Marcel Duchamp, Alfred H. Barr, Jr., Sidney Janis, Statements der Jurymitglieder zum Wettbewerb *Die Versuchung des Heiligen Antonius,* in: The Temptation of St. Anthony, Bel Ami International Competition and Exhibition, The American Federation of Arts, Barr Building, Washington D. C., 1947
deutsch: DuMont Buchverlag, Köln 1981

112 André Breton, Matta, in: A. B., Le Surréalisme et la Peinture. Editions Gallimard, Paris 1965
deutsch: Propyläen Verlag, Berlin 1967

114 Arshile Gorky, Bemerkungen zu seinen Gemäldeserien, Garten in Sochi, 1942. Manuskript in der Bibliothek des Museums of Modern Art, New York, publiziert in: Herschel B. Chipp, Theories of Modern Art, University of California Press, Berkeley, Los Angeles and London 1968
deutsch: DuMont Buchverlag, Köln 1981

116 Jackson Pollock, Statements, aus: Francis V. O'Connor/Eugene V. Thaw, Jackson Pollock, New Haven and London, Yale University Press, 1978, Vol. 4
deutsch: DuMont Buchverlag Köln 1981

120 Harold Rosenberg, The American Action Painters (Auszug), in: Art News, New York, Dezember 1952
deutsch: DuMont Buchverlag, Köln 1981

121 Georges Mathieu, Déclaration aux Peintres d'Avant-Garde Amércains, aus: G. M., De la Révolte à la Renaissance. Ed. René Juillard, Paris 1963
deutsch: DuMont Buchverlag, Köln 1981

126 Barnett Newman, The Object and the Image, in: Tiger's Eye No. 3, März 1948
deutsch: Du Mont Buchverlag Köln 1981

126 Barnett Newman, Brief an »The Nation«, 1948 (Auszug)
deutsch: in: Max Imdahl, Barnett Newman. Who's afraid of red, yellow and blue III, Reclams Werkmonographien zur bildenden Kunst. Philipp Reclam jun., Stuttgart 1971

127 Peter D. Whitney, Picasso is Safe, in: San Francisco Chronicle, 1. September 1944
deutsch: DuMont Buchverlag, Köln 1981

133 Maurice de Vlaminck über Picasso, in: M. de V., Rückblick in letzter Stunde. Erker Verlag, St. Gallen

137 Giorgio de Chirico, Morgengebet eines echten Malers, in: G. de Ch., Wir Metaphysiker. Gesammelte Schriften, hrsg. von W. Schmied. Verlag Ullstein GmbH, Frankfurt/M. Berlin, Wien 1973

137 Giorgio de Chirico, Ein Porträt von Tintoretto, ebda.

139 Jean Arp, Francis Picabia, in: Art d'aujourd'hui, Paris, Januar 1950 (anläßlich der Ausstellung Picabia Point, Galerie des Deux Iles 1949)
deutsch in: Hans Arp, Unsern täglichen Traum ... Erinnerungen und Dichtungen aus den Jahren 1914–1954. Verlag Die Arche, Zürich 1955

143 Alberto Giacometti, Brief an Pierre Matisse (Auszug), in: Katalog Alberto Giacometti, Galerie Pierre Matisse, New York 1948
deutsch in: Alberto Giacometti, Bündner Kunstmuseum, Chur 1978

144 Jean-Paul Sartre, La Recherche de l'absolu (Auszug), in: Les Temps modernes no. 28, Jan 1948. abgedruckt in: J.-P.S., Situations 3. Editions Gallimard, Paris 1949
deutsch in: J.-P.S., Situationen. Essays. Rowohlt Verlag, Reinbek bei Hamburg 1965

150 Antonin Artaud, Van Gogh, le suicidé par la société (Auszüge). Editions Gallimard, Paris 1974
deutsch: Matthes & Seitz, München 1977, 1979[2]

152 Georges Limbour zur Ausstellung Wols, Galerie René Drouin, Mai–Juni 1947 in: Action, 13. Juni 1947

152 Jean-Paul Sartre, Doigts et non-doigts (Auszüge), in: J.-P.S., Situations 4. Editions Gallimard, Paris 1964
deutsch in: J.-P-S., Porträts und Perspektiven. Rowohlt Verlag, Reinbek bei Hamburg 1968, 1971

153 Jean Dubuffet, Causette, Text zum Kata-

log der Ausstellung Portraits, Galerie Drouin, Paris 1947. Abgedruckt in: J. D., Prospectus et tous écrits suivants II. Editions Gallimard, Paris 1967
deutsch: DuMont Buchverlag, Köln 1981

158 Michel Tapié, Un art autre, ou il s'agit de nouveaux dévidages du réel (Auszüge). Gabriel-Giraud et Fils, Paris 1952

161 Louis Scutenaire, La vie et les actes de René Magritte d'antan, peintre universel et parisien, 1948
deutsch und mit Anmerkungen versehen in: Suzi Gablik, Magritte. Edition Praeger, München, Wien, Zürich 1971

163 Constant, C'est notre désir qui fait la révolution, in: Cobra, organe du front intérnational des artistes expérimentaux d'avant-garde No. 4, Amsterdam 1949, Reprint Edition Jean-Michel Place, Paris 1980
deutsch: DuMont Buchverlag, Köln 1981

166 Christian Dotremont, Le grand rendez-vous naturel, in: Cobra No. 4, Amsterdam 1949, Reprint Edition Jean-Michel Place, Paris 1980
deutsch: DuMont Buchverlag, Köln 1981

168 André Tamm (K. O. Goetz), L'art populaire Allemand dans ses Rapports avec l'art expérimental, in: Cobra No. 6, Brüssel 1950, Reprint Edition Jean-Michel Place, Paris 1980
deutsch: DuMont Buchverlag, Köln 1981

171 Alexander Calder, What abstract Art means to me (Auszug), in: Bulletin of the Museum of Modern Art, New York XVIII, 3, 1951
deutsch in: G. Poensgen/L. Zahn, Abstrakte Kunst eine Weltsprache. Woldemar Klein, Baden-Baden 1958

175 Jean Dewasne/E. Pillet, Un Atelier d'Art Abstrait, in: Art d'aujourd'hui, Oktober 1950

175 Charles Estienne, L'Art Abstrait est-il un Académisme? (Auszüge). Editions de Beaune, Paris 1950
deutsch: DuMont Buchverlag, Köln 1981

180 Willi Baumeister, Das Unbekannte in der Kunst. Curt E. Schwab, Stuttgart 1947. Verlag DuMont Schauberg, Köln 1960

183 Kurt Leonhard, Bericht über das Darmstädter Gespräch 1950, in: Das Kunstwerk IV, Heft 8/9, 1950

184 Hans Egon Holthusen, Gutachten der Akademie der Künste zum Entwurf eines Denkmals des unbekannten politischen Gefangenen. Anmerkungen zur Zeit, Akademie der Künste, Berlin 1956

187 Reg Butler, Zum Entwurf für das Denkmal des unbekannten politischen Gefangenen (Auszüge), in: Das Kunstwerk, August 1957

192 Jean-Paul Sartre, Les Mobiles de Calder (Auszüge), in: Alexander Calder: Mobiles, Stabiles, Constellations. Galerie Louis Carré, Paris 1946. Abgedruckt in: Situations 3. Editions Gallimard, Paris 1949
deutsch in: J.-P.S., Situationen. Essays. Rowohlt Verlag, Reinbek bei Hamburg 1965

194 Lucio Fontana, Manifiesto blanco, 1946 (Auszüge)
deutsch in: Lucio Fontana, Kestner Gesellschaft Hannover 1968

196 Werner Haftmann, Vorwort des Katalogs zur documenta 2, Kassel 1959 (Auszüge). Verlag M. DuMont Schauberg, Köln 1959

204 Georges Mathieu, Statements. Auszüge aus einem Interview mit Klaus-Jürgen Fischer, in: Das Kunstwerk, April 1959

206 Antonio Saura, Jackson Pollock, in: Blätter und Bilder, hrsg. von Horst Bienek und Hans Platschek, Verlag Andreas Zettner, Veitshöchheim 1963

209 Ad Reinhardt, Twelve Rules for a New Academy, in: Art News Bd. 56, No. 3, Mai 1957
deutsch in: Ad Reinhardt, Städtische Kunsthalle Düsseldorf 1972

213 Francis Bacon, Interviews von David Sylvester mit F. B. (Auszüge), aus: D. S., Interviews mit F. B. 1962–1979. Thames and Hudson, London 1975, 1980[2]
deutsch: DuMont Buchverlag, Köln 1981

215 Ernst Wilhelm Nay, Brief an Will Grohmann, aus: E. W. Nay, Bilder und Dokumente, Prestel Verlag, München 1980

216 Josef Albers, Wenn ich male und konstruiere, in: Eugen Gomringer, Josef Albers. Josef Keller Verlag, Starnberg 1968

220 Henri Nannen, Lieber Sternleser, in: Stern, Nr. 36, 3. September 1958

223 John Anthony Thwaites, L'art Abstrait et la Vie Sociale en Allemagne, in: Art d'aujourd'hui, August 1953
deutsch: DuMont Buchverlag, Köln 1981

224 Franz Roh, Freiheit und Bindung des Künstlers, in: Das Kunstwerk, Oktober 1958

224 Asger Jorn, Punkt und Linie zur Fläche. Vom Raum zurück zum Punkt. Vorwort zu: Die Ordnung der Natur/de divisione naturae, in: A. J., Gedanken eines Künstlers. Edition Galerie van de Loo, München 1966

226 Mario Merz, Interview von Mirella Bandini mit Mario Merz, in: Pinot Gallizio e il Laboratorio Sperimentale di Alba, Galleria Civica d'Arte Moderna, Turin 1974
deutsch: DuMont Buchverlag, Köln 1981

227 Michelangelo Pistoletto, Interview von Mirella Bandini mit M. P., ebda.
deutsch: DuMont Buchverlag, Köln 1981

228 Bazon Brock, Die endlose Linie – theoretisches Objekt. Text des Leporello (Auszüge), in: B. B., Ästhetik als Vermittlung. Arbeitsbiographie eines Generalisten, hrsg. von Karla Fohrbeck. DuMont Buchverlag, Köln 1977

231 Harold Rosenberg, The audience as subject. Vorwort zum Katalog Out of the Ordinary. The Contemporary Arts Association of Houston, Houston 1959
deutsch: DuMont Buchverlag, Köln 1981

239 Richard Hamilton, Photography and painting, in: Studio International, Vol. 177, No. 909, März 1969
deutsch in: Was die Schönheit sei, das weiß ich nicht. Katalog zur Zweiten Biennale Nürnberg 1971. Verlag M. DuMont Schauberg, Köln 1971

239 Reyner Banham, Marriage of two minds, in: Katalog This is Tomorrow. The Whitechapel Art Gallery, London 1956
deutsch: DuMont Buchverlag, Köln 1981

242 Pierre Restany, Erstes Manifest des Nouveau Réalisme, Mailand 1960
deutsch in: Bestandskatalog Sammlung Cremer, Westfälisches Landesmuseum für Kunst und Kulturgeschichte, Münster 1976

243 Yves Klein, Manifest im Katalog Yves Klein, Alexander Iolas Gallery, New York 1962 (geschrieben 1961) (Auszug)
deutsch in: Was die Schönheit sei, das weiß ich nicht. Katalog zur Zweiten Biennale Nürnberg 1971. Verlag M. DuMont Schauberg, Köln 1971

246 Pierre Restany, A 40° au dessus de DADA. Zweites Manifest des Nouveau Réalisme, in: Les Nouveaux Réalistes, Galerie J, Paris 1961
deutsch in: Bestandskatalog Sammlung Cremer, Westfälisches Landesmuseum für Kunst und Kulturgeschichte, Münster 1976
Nicht im Katalog abgedruckt: Drittes Manifest des Nouveau Réalisme, Mailand 1963 (deutsch in: Bestandskatalog Sammlung Cremer)

248 Daniel Spoerri, Die Automaten von Tinguely, in: Movens. Dokumente und Analysen zur Dichtung, bildenden Kunst, Musik, Architektur. In Zusammenarbeit mit Walter Höllerer und Manfred de la Motte, hrsg. von Franz Mon. Limes Verlag, Wiesbaden 1960

249 Piero Manzoni, Einige Realisationen, einige Experimente, einige Projekte, 1962
deutsch in: Katalog Piero Manzoni, Städtisches Museum Mönchengladbach 1969–70

252 Heinz Mack, Sahara-Projekt (Auszug), in: Zero 3, 1961. Verlag M. DuMont Schauberg, Köln, M. I. T. Press, Ma. 1973

252 Otto Piene, Jetzt (Auszug) in: Katalog Otto Piene, Galerie Schmela, Düsseldorf 1963

254 Allan Kaprow, Push and Pull. A. Furniture Comedy for Hans Hofmann, 1963, in: Décollage, Bulletin aktueller Ideen und Kunst nach 1960, Nr. 4, hrsg. von W. Vostell, Köln 1964

deutsch in: J. Becker und W. Vostell, Happenings. Rowohlt Verlag, Reinbek bei Hamburg 1965

257 Ben Vautier, Um die Wahrheit zu sagen, ich glaube, vielleicht traf ich ..., in: AQ 16. Fluxus, How we met or a microdemystification. Saarbrücken 1977

259 Robert Filliou, De la Galerie Légitime. hektografiertes Blatt. Slg. Archiv Sohm, Markgröningen
deutsch: DuMont Buchverlag, Köln 1981

260 Gislind Nabakowski, Spiele und Widersprüche. Interview mit George Brecht (Auszug). In: heute Kunst Nr. 6, Düsseldorf/Mailand, April/Mai 1974. wiederabgedruckt in Katalog George Brecht, Kunsthalle Bern 1978

261 Wolf Vostell, Cityrama 1, 1961, in: J. Becker und W. Vostell, Happenings. Rowohlt Verlag, Reinbek bei Hamburg 1965

263 Claes Oldenburg, I am for an art ..., in: C. O., E. Williams, Store Days, New York 1967. endgültige Fassung der im Katalog Environments, Situations, Spaces, Martha Jackson Gallery, New York 1961 publizierten Studio Notes
deutsch in: Bildnerische Ausdrucksformen 1960–1970. Sammlung Karl Ströher im Hessischen Landesmuseum Darmstadt, Darmstadt 1970

267 Donald Judd, Specific Objects, in: Contemporary Sculpture, = Arts Yearbook VIII, 1965
deutsch in: Über Kunst. Künstlertexte zum veränderten Kunstverständnis nach 1965, hrsg. von Gerd de Vries. Verlag M. DuMont Schauberg, Köln 1974

278 Brydon E. Smith, Dan Flavin. The nominal three, in: Bilder, Objekte, Film, Konzepte (Sammlung Herbig). Städtische Galerie im Lenbachhaus, München 1973

279 Carl Andre, Questions and Answers. Antwerpen A 379089, Sept. 1969
deutsch in: Über Kunst (vgl. a. a. O.)

280 Robert Morris, Notes on Sculpture, Part 4: Beyond Objects (Auszug), in: Artforum VII/8, April 1969
deutsch in: Kunst - über Kunst. Kölnischer Kunstverein 1974

281 Sol LeWitt, Sentences on conceptual art, in: Art-Language I/1, Mai 1969. Englisch/deutsch in: Konzeption/Conception, Katalog Städt. Museum Leverkusen, Schloß Morsbroich 1969

282 Helene Winer, Die Schule von Los Angeles (Auszüge), in: USA West Coast, Kunstverein in Hamburg, Kunstverein Hannover, Kölnischer Kunstverein, Württ. Kunstverein Stuttgart 1972

291 Bazon Brock, Der Satz – Zeitpunkte zum Werden von Etwas (gekürzt), in: B. B., Ästhetik als Vermittlung. Arbeitsbiographie eines Generalisten, hrsg. von Karla Fohrbeck. DuMont Buchverlag, Köln 1977

293 Joseph Beuys, Lebenslauf Werklauf, in: Katalog Joseph Beuys, Basel 1969–70

296 Joseph Beuys, Beuys empfiehlt Erhöhung der Berliner Mauer um 5 cm ..., ebda.

296 Dieter Roth, Ein Lebenslauf von 46 Jahren, in: Bestandskatalog Sammlung Cremer, Westfälisches Landesmuseum für Kunst und Kulturgeschichte, Münster 1976

299 Bericht der Polizeidirektion Wien über das Fest des psycho-physischen Naturalismus, Wien 1963, in: J. Becker, W. Vostell, Happenings. Rowohlt Verlag, Reinbek bei Hamburg 1965

301 Hermann Nitsch, Die Eroberung von Jerusalem (Auszüge aus der Einleitung, dem Hauptteil und dem Nachwort). Ed. morra napoli und verlag die drossel, Berlin 1976

305 Otto Muehl, Die Materialaktion, in: J. Becker und W. Vostell, Happenings. Rowohlt Verlag, Reinbek bei Hamburg 1965

308 Nicolas Schoeffer, Die Zukunft der Kunst – die Kunst der Zukunft (Auszüge), in: Katalog Nicolas Schoeffer, Städtische Kunsthalle Düsseldorf 1968

309 Edward Kienholz, Pontus Hultén, The State Hospital, in: Katalog Edward Kienholz, Städtische Kunsthalle Düsseldorf 1970

314 Richard Serra, Statements, aus: Richard Serra, Sight Point '71 – '75/Delineator '74 – '76, Radio Interview, Liza Bear, New York, Febr. 1976 und aus: Interview Richard Serra and Liza Bear, 30. März 1976, New York, publiziert in: Richard Serra, Interviews, Etc., 1970–1980, The Hudson River Museum 1980
deutsch: DuMont Buchverlag, Köln 1981

315 Lawrence Weiner, Statement The artist may ..., in Ausstellung Katalog Seth Siegelaub, New York 1969
deutsch in: Über Kunst (vgl. a. a. O.)

315 Joseph Kosuth, Introductory Note by the American Editor, in: Art-Language I/2, 1970
deutsch in: Kunst-über Kunst, Kölnischer Kunstverein 1974

315 Robert Barry und Douglas Huebler, Auszüge aus Interviews, in: Katalog Prospect 69, Städtische Kunsthalle Düsseldorf 1969

316 Jiro Sahara, Ein Bewohner der Erde als kosmisches Wesen
deutsch in: Berner Kunstmitteilungen 152/153, Bern 1974

321 Mario Merz, Una domencia lunghissima dura approssimativamente dal 1966 e ora siamo al 1976, in: Città di Riga I, La Nuova Foglio Editrice, Rom 1977
deutsch in: Katalog Mario Merz, Museum Folkwang Essen, Van Abbemuseum Eindhoven, Whitechapel Art Gallery London 1979/80

Übersetzungen:

Marcel Baumgartner (engl. und franz.)
Astrid Höfer (engl. und franz.)
Sibylle Mulot-Deri (eng. und franz.)
Maja Oeri (engl. und franz.)
Werner Reinke (engl.)
Susanne Schürmann (franz.)
Elizabeth Volk (engl.)
Angela Wicharz-Lindner (ital.)

Abbildungsnachweis

Fotos

Die angegebenen Zahlen beziehen sich auf die Katalognummern. Fotos im Textteil sind mit Seitenhinweis angegeben.

Van Abbemuseum, Eindhoven S. 196 rechts
Berenice Abbott S. 100
Acquavella Galleries, Inc., New York 204, 205; S. 32 rechts
Reg Ainsworth 638
Galerie Thomas Ammann, Zürich 720; S. 279 links
Jörg P. Anders, Berlin 328
David Anderson Gallery, New York 646
de Antonis, Rom 812
Arbeitsgemeinschaft 13. August e.V., Berlin S. 185 links
Archiv Arman, New York S. 242 unten rechts
Archives of American Art S. 50
Galerie Ariel, Paris 372
Art Gallery of Ontario, Toronto 236
The Art Institute of Chicago 2; S. 69, S. 111 Mitte links
The Arts Council of Great Britain, London 492; S. 214 oben

Attilio Bacci, Mailand 221, 222, 396, 398; S. 194
Galerie Inge Baecker, Bochum 621, 630; S. 258
Oliver Baker Associates 240
Peter Balestrero 409
Grant Barker 502, 503
Archiv Baumeister, Stuttgart S. 76
Lars Bay 364
Bayerische Staatsgemäldesammlungen, München 330, 478, 772; S. 208 unten
Bernhard Becher, Düsseldorf S. 294
Serge Béguier 224; S. 112 links unten
AZW Bentley 837; S. 315 links
Per Bergström, Stockholm 641
Lore Bermbach, Düsseldorf 514, 515
Galerie Beyeler, Basel 425
van den Bichelaer, Geldrop, Holland 723, 789
Paul Bijtebier, Uccle-Brüssel 434
Bildarchiv Preußischer Kulturbesitz, Berlin 7; S. 51
Galerie Bischofberger, Zürich 660, 711
Sarah Campbell Blaffer Foundation, Houston, Texas 413
M. Bonny, Libourne 301, 302; S. 141 unten, 2. u. 3. von links
Yvan Boulerice/VAG S. 278 oben
Galerie Isy Brachot, Brüssel 351–353, 359; S. 162, S. 163 links
Archiv Bazon Brock S. 228
Dr. Dorothea Broessler, Wien 164
The Brooklyn Museum, New York 213; S. 193 oben
Rudolph Burckhardt 416, 542, 543, 656, 690, 692, 714, 752, 753; S. 119 unten, S. 269 unten links, S. 314
Archiv Daniel Buren S. 318
Archiv Reg Butler S. 189

Giancarlo Campeggi, Mailand 401
Canzio foto, Mailand 329
Rober Capa S. 127, S. 131 links
Galerie Louis Carré, Paris S. 190 oben
Galerie Leo Castelli, New York S. 233 oben rechts und oben links
Regina Cherry, New York 680, S. 264 rechts unten
Geoffrey Clements, Staten Island, N.Y. 254, 422, 513, 701
John Cliett 799
Denise Colomb S. 112 oben links
Colten Photos, New York 315
A. C. Cooper (Colour) Ltd., London S. 110 oben Mitte (Nr. 288)
Martien Coppens, Eindhoven 172, 433
Estate of Joseph Cornell, Castelli Feigen Corcoran, New York 250–258, 260–264, 266–271; S. 107
Prudence Cuming Associates Ltd., London 98, 736, 739, 742
Galerie Heike Curtze, Düsseldorf 759, S. 304 oben
E. M. Czakó, München 378
Fred McDarrah, New York S. 210
Bevan Davies, New York 251, 262, 264, 266-270, 310, 548; S. 108 links, S. 317
D. James Dee 653
Robert Descharnes, Paris 5; S. 46
Dia Art Foundation Köln-New York S. 310 rechts, S. 311
Peter Dibke, Düsseldorf 794
Robert Doisneau S. 144
Juan Dolcet, Madrid 493; S. 214 unten
Mary Donlon 520, 521
Walter Dräyer, Zürich 136, 311
Archiv René Drouin, Paris S. 142
Jean Dubout, Paris 320
DuMont Buchverlag, Köln 479; S. 44 oben, S. 215 oben, S. 111 unten links (Nr. 283)

eeva-inkeri, New York 179, 313; S. 111 oben links (Nr. 286)
Robert Elkon Gallery, New York 316, 721; S. 283 rechts unten
Hein Engelskirchen, Krefeld 606, 609–612, 614–618

Augusto Fiorelli, Rom 300; S. 141 unten, 1. v. links
Dorothee Fischer, Düsseldorf 726, 800
Erika Fischer 782 (oben links); S. 312 links oben, S. 326
Galerie Konrad Fischer, Düsseldorf 827
Fogg Art Museum, Harvard University, Cambridge, Ma. 36
Collection Fonds National d'Art Contemporain, Paris 366
Archivio Lucio Fontana, Mailand 394, 397, 399, 400; S. 195 oben, S. 195 unten links
Roman Franke, München 828
Donation Freundlich au Musée de Pontoise 8; S. 54 links und rechts
Galerie Heiner Friedrich, Köln (München) 830
Reinhard Friedrich, Berlin 472

Galerie Gmurzynska, Köln 15, 97, 103, 108, 111, 112; S. 88 oben
Galerie de France, Paris 149, 154
Musei Civica Galleria d'Arte Moderna, Turin 278, 279; S. 216 links oben
Claude Gaspari, Paris 319, 325
X. de Gery, Menlo Park, Ca. 417
Mario Giacomelli (Fototeca a.s.a.c.) 732; S. 307
Archiv Laszlo Glozer S. 148 rechts, S. 153
Foto Gnilka, Berlin 475
Philippe de Gobert, Brüssel 354–356, 538; S. 161
Archiv Barbara Göpel, München S. 86
Anne Gold, Aachen 855
The Greenberg Gallery, St. Louis 662
Greenberg-May Prod. Inc., Buffalo, New York 309; S. 154 oben Mitte
Galerie Karsten Greve, Köln 395, 524–527, 529–531
G. Grossenbacher, Basel 235
The Solomon R. Guggenheim Museum, New York 629
F. Guibaud 155

Foto Cal Hahn 459
Archiv Richard Hamilton S. 239 oben rechts, S. 241 rechts oben und Mitte
Richard Hamilton S. 89 rechts
K. Harris, New York S. 232 unten
Studio Hartland, Amsterdam 589
Jürgen Heinemann, Osnabrück S. 188
Gerhard Heisler, Saarbrücken 38
Herzer und Kinnius, Galerie am Promenadeplatz, München 801, 802
Hickey-Robertson, Houston, Tex. 218
Colorphoto Hinz, Basel S. 126, S. 197 rechts oben
Hirshhorn Museum and Sculpture Garden, Smithsonian Institution 418, 418a, 489, 491; S. 121 oben und unten, S. 213 oben links und oben rechts
Bertil Höders 175

Martha Hoepffner, Kressbronn S. 77
Hoffenreich, Wien S. 299, S. 301, S. 304 unten
Huston Pix 285, 289
Jacqueline Hyde, Paris 143, 144, 227; S. 71 rechts, S. 129 oben

Hiao Ihara 838
Imperial War Museum, London 16
InK, Zürich S. 278 unten
Galerie Iolas, Paris 570
Mauritz Iversen 171, S. 70 unten Mitte
Sidney Janis Gallery, New York 209; S. 98, S. 99 rechts
Bruce C. Jones 511; S. 201
Luc Joubert, Paris S. 197 rechts unten
Archiv Donald Judd S. 277

Ruth Kaiser, Viersen 585, 590, 627, 532, 763, 781, 862 unten; S. 251, S. 273 oben rechts
Paul Katz, New York 200, 725; S. 279 rechts
Edward Kienholz S. 309, S. 310 oben
Bernd Kirtz, Duisburg 415 links; S. 111 Mitte rechts
Archiv Felix Klee, Bern 58; S. 91 rechts, S. 91 unten links
Archiv Rotraut Klein, Paris S. 243 rechts
Walter Klein, Düsseldorf 81–87, 411, 482, 694, 700; S. 75 (Nr. 88)
Ralph Kleinhempel, Hamburg 481
Ute Klophaus, Wuppertal 761, 765, 770, 773, 774, 779; S. 290– S. 293, S. 295 oben
Knoedler & Co., Inc., New York 14; S. 47 oben rechts
Archiv Kasper Koenig, Köln S. 316
S. Korn, Krefeld 613
Werner Krüger, Köln 474
S. Kühl S. 207 rechts
J. P. Kuhn, Zürich 139
Kunsthalle Tübingen 551; S. 237
Kunsthaus Zürich 445, 509; S. 193 unten links
Öffentliche Kuntsammlung Basel 42–44, 46, 48, 50–57, 114, 119, 123, 130, 135, 208, 421, 436, 519, 580, 584, 657, 756, 780, 791; S. 74 (Nr. 41, 45, 47, 49), S. 95
Kunstmuseum Bern 134
Kunstmuseum Bern, Paul Klee Stiftung 10, 59–80; S. 29, S. 91 oben, S. 92
Kunstmuseum Düsseldorf S. 268 oben
Herning Kunstmuseum, Herning, Dänemark 373, 374, 594, 596, 597; S. 250
Kunstsammlung Nordrhein-Westfalen, Düsseldorf S. 119 oben, S. 275 oben

Landesbildstelle Rheinland, Düsseldorf 691, 786
Westfälisches Landesmuseum für Kunst- und Kulturgeschichte, Münster 483, 486, 563, 624; S. 207 unten
Adolf Lazi, Stuttgart 375
Margo Leavin Gallery, Los Angeles 652, 668, 672, 681; S. 266 oben
Nina Leen, Life Magazine, 15. Jan. 1951 S. 120 unten
Jean Leering, Amsterdam 778
Leftwich 283, 287; S. 109
Endrik Lerch, Ascona 168
Frank Lerner, New York 635, 676
Manfred Leve, Nürnberg S. 223 oben, S. 257 unten
Alexander Libermann S. 287
J. Littkemann, Berlin 534, 535, 785
Nino Lo Duca, Mailand 816
Galerie van de Loo, München 497, 499
Lord's Gallery, London 106
Los Angeles County Museum of Art, Los Angeles, Ca. 407; S. 118 unten rechts
Louisiana Museum of Modern Art, Humlebaek, Dänemark 567; S. 244 unten
Studio Lourmel 77, Photo Routhier S. 141 oben
Museum Ludwig, Köln 323, 326, 341, 380, 382, 426, 546, 576, 703, 705, 707; S. 123 rechts, S. 182, S. 190 unten, S. 272 unten, S. 233 unten rechts, S. 248

Paul Macapia, Seattle 713
George Maciunas S. 257 oben, S. 259
Archiv Mack S. 252
Galerie Paul Maenz, Köln 820, 821, 822, 831, 836, 854
Martin Malburet, Paris 556, 557, 559
Marlborough Fine Art, London 1, 99, 101, 102, 104, 105, 107, 109, 110, 113, 737; S. 39, S. 88 unten links und unten rechts, S. 213 unten
Michel Martin 583
Galerie-Editions Carmen Martinez, Paris 146; S. 71 links
Robert E. Mates, New York 115, 118, 200, 216, 520, 521, 725; S. 17, S. 25, S. 93 oben, S. 171 links unten, S. 279 rechts
Archiv Georges Mathieu, Paris S. 204, S. 205 unten
Pierre Matisse Gallery, New York 6, 307; S. 32 links, S. 154 oben rechts
Maywald, Paris S. 197 links
de Menil Foundation Houston, Tex. 333, 338; S. 103 oben
Claude Mercier, Genf 568, 571; S. 244 oben
m-Galerie für Film, Foto, Neue Konkrete Kunst und Video, Bochum 607
The Miller Company, Meriden, Conn. 214
The Minneapolis Institute of Arts 296; S. 36
Fondazione Mirko, Florenz 471
Moderna Museet Stockholm 199, 405, 704, 706, 731; S. 275 unten
Karlen Mooradian, Chicago, Gilgamesh Press Ltd., The Many Worlds of Arshile Gorky 241, 244, 246–249; S. 115 oben rechts
Karlen Mooradian, Chicago, Gilgamesh Press Ltd., Arshile Gorky Adoian 238, 242, 243, 245; S. 115 oben links, S. 115 unten
The Henry Moore Foundation, Much Hadham 18, 27–35
Peter Moore, New York 825, 857a; S. 256 oben rechts, S. 313 oben
André Morain, Paris 276, 345, 560, 575, 581, 750
Archiv Robert Morris S. 280
Ann Münchow, Aachen 544, 637, 852, 853 oben; S. 234
Ugo Mulas, Mailand 819; S. 273 rechts unten, S. 323
Musée d'art et d'industrie, St. Etienne 558
Musée National d'Art Moderne, Centre National d'Art et de Culture Georges Pompidou, Paris 174, 177, 211, 232, 239, 259, 297, 337, 553, 555; S. 136, S. 191 oben rechts
Museum Moderner Kunst, Wien 626, 710, 735; S. 247 oben
The Museum of Modern Art, New York 9, 181, 212, 217, 229, 231, 327, 402, 510, 686; S. 112 unten rechts (Nr. 223), S. 116 oben, S. 171 rechts unten, S. 265 unten, S. 269 oben
Museum van Hedendaagse Kunst, Gent 435
Paolo Mussat Sator, Turin 804, 823
Národní Galerie, Prag 3; S. 65 unten
The National Gallery of Canada, Ottawa 715–718
National Gallery of Art, Washington 427; S. 191 links
Otto E. Nelson, New York 201, 336, 505; S. 148 links
Walter Nikkels, Dordrecht 755
Nordjyllands Kunstmuseum, Aalborg, Dänemark 362
Galerie Nova Spectra, den Haag 361

Archiv Claes Oldenburg S. 264 rechts oben, S. 265 oben

The Pace Gallery, New York 522, 523, 746; S. 282 oben links
Kunstagentur P.A.P., München 760; S. 305 unten
Parker Condax 286
Hans Pattist, Rotterdam 368
Perls Galleries, New York 11
Bénédicte Petit, Paris 294
Philadelphia Museum of Art, Philadelphia, Penna. 410
Eric Pollitzer, New York 173, 180, 202, 203, 250, 252, 255, 257, 260, 261, 263, 271, 455, 507, 508, 644, 687, 730; S. 73, S. 107
Portland Art Museum, Helen Thurston Ayer Fund, Portland, Oregon 40; S. 85
Quadrat – Moderne Galerie, Bottrop 446–450; S. 216 rechts
Quiriconi-Tropea, Chicago 12, 166, 182, 312, 314; S. 35, S. 154 oben links, S. 155
The Mac Quitty International Collection S. 62, S. 64 unten

Nathan Rabin, New York 639, 664
Robert Rauschenberg S. 232 oben
Galerie Denise René, Paris S. 308
Jürgen Retzlaff S. 215 unten
Rheinisches Bildarchiv, Köln 420, 454, 494, 549, 588, 633, 655, 663, 665, 688, 695, 734, 754, 762; S. 198 rechts, S. 247 unten
Galerie Ricke, Köln S. 313 unten
Rijksmuseum Kröller-Müller, Otterlo 370
Ringling Museum of Art, Sarasota, Florida S. 110 oben rechts (Nr. 282)
W. Roelli, Zürich 138

J. Romero, Düsseldorf 862 oben; S. 324
Friedrich Rosenstiel, Köln 484, 485, 561, 562, 643, 733, 751, 757, 826; S. 305 oben, S. 283 links, S. 297
Ruhr-Universität, Bochum 768
Walter Russell, New York 545; S. 23 links
Reiner Ruthenbeck, Düsseldorf 858

Studio van Santvoort, Wuppertal 803
Ernst Scheidegger, Zürich S. 143 rechts
John D. Schiff, New York 225, S. 103 unten
Schmitz-Fabri, Rodenkirchen 376, 377, 379
School of Fine Arts, University of East Anglia, Norwich, The Robert and Lisa Sainsbury Collection 24
Schulze-Battmann, Mailand 339, 342; S. 151
Foto Seifert, Laupheim 824
Service photographique de la réunion des musées nationaux, Paris 167, 169, 170, 178, 183–188, 190–197, S. 70 unten rechts und unten links, S. 131 rechts
Archiv Shozo Shimamoto, Hyogo S. 229, 230 unten
Shunk–Kender, NY-Paris 569, 572
Archiv Sohm, Markgröningen 619, 620; S. 260, S. 261 (Nr. 625)
Michael Speich, Winterthur 137
Staatliche Kunstsammlungen Kassel 767, 788, 795, 796
Staatsgalerie Stuttgart 331, 406, 550, 708; S. 149, S. 239 oben links, S. 271
Städtische Galerie im Lenbachhaus, München 501
Städtisches Suermondt-Ludwig-Museum, Aachen S. 44 rechts
Peter Stähli, Gsteigwiler 582; S. 243 oben links
Stedelijk Museum, Amsterdam 363, 369, 403, 712, 856; S. 163 rechts oben, S. 164 rechts, S. 168 links, S. 180
Archiv Willemijn Stokvis S. 163 rechts unten, S. 165
Bill J. Strehorn, Dallas, Tex. 414; S. 120 oben
Strüwing reklamefoto, Birkerød 719, 500
Studio St. Ives Ltd., St. Ives, Cornwall 468
Soichi Sunami 284
Joseph Szaszfai 541; S. 274 unten
Tate Gallery, London 17, 20–23, 25, 26, 145, 150, 158–161, 464, 470, 473, 490, 667; S. 64 oben, S. 213 oben Mitte, S. 282 oben rechts
Galerie Teufel, Köln 140
Werner Tressat, Mönchengladbach 586

University of Arizona, Tucson S. 118 unten links
University of East Anglia, Norwich 487
The University of Michigan Museum of Art, Alumni Memorial Hall, Ann Arbor 39; S. 87

O. Vaering 437; S. 196 links
Malcolm Varon, New York C. 423
Vatikanische Museen, Rom, Archivio Fotografico 280; S. 110 unten rechts (Nr. 287), S. 216 links unten
Marc Vaux, Paris 163, 465; S. 133
V. Vicari, Lugano 539
Victors Photography, Piscataway, N.J. S. 110 unten links
Günther von Voithenberg, München 758; S. 302

John Waggaman 540
Francois Walch, Paris 148
Walker Art Center, Minneapolis 215
Washington University Gallery of Art, St. Louis, Missouri 37; S. 72
John Weber Gallery, New York 806–810; S. 312 unten links
Etienne Bertrand Weill, Courbevoie 126–128
Galerie Michael Werner, Köln 275, 348–350; S. 135, S. 139 links (Nr. 343), S. 140 (Nr. 347)
Dietrich Freiherr von Werthern, München 365, 371, 516; S. 164 links, S. 206 oben. S. 168 rechts
Wide White Space Gallery, Antwerpen 851
D. Widmer, Basel 324
Peter Willi, Paris 428
Liselotte Witzel, Essen 424, 477
Dick Wolters, Ovezande 277, 578
Janet Woodard, Houston, Tex. S. 146 links
Kurt Wyss, Basel 495
Yale University Art Gallery, New Haven, Conn. 404

Galerie Rudolf Zwirner, Köln 498, 735a; S. 206 unten

Veröffentlichungen

Katalog- und Seitenzahlen, die sich auf den **Westkunst-Katalog** beziehen, sind in einer halbfetten Schrift gesetzt.

Vito Acconci, A Retrospective: 1969 to 1980 An exhibition organized by the Museum of Contemporary Art, Chicago, March 21 – May 18, 1980, © 1980 by the Museum of Contemporary Art, Chicago, S. 13 **860**
American Art at Mid-Century. The Subjects of the Artists, National Gallery of Art, Washington 1978, Fig. 9 (Foto: Rudolph Burckhardt) **S. 119 unten**
Artists in Exile, Pierre Matisse Gallery, New York, 1942 (Foto George Platt Lynes) **S. 102 rechts**
Mirella Bandini, l'estetico il politico. Da Cobra all' Internazionale Situazionista 1948–1957. Roma (Offizina Edizioni) 1977, Abb. 17, 22 **S. 226, S. 227**
Alfred J. Barr, Jr. Painting and Sculpture in the Museum of Modern Art 1929– 1967, © 1977 The Museum of Modern Art, New York, S. 388 links **702**
Wolfgang Becker, Der ausgestellte Künstler/Museumskunst seit 45, Aachen 1977, © Neue Galerie – Sammlung Ludwig Aachen **853**
Bildnerische Ausdrucksformen 1960–1970, Sammlung Karl Ströher im Hessischen Landesmuseum Darmstadt (Katalog des Hessischen Landesmuseums Nr. 4) Darmstadt 1970, hrsg. von Gerhard Bott, © by Eduard Roether Verlag, S. 66, 84 **777, 776** (Detail)
Carel Blotkamp u. a. (Hrsg.), Museum in motion? Museum in beweging? 'Gravenhage 1979 (Government Publishing Office/Staatsuitgeverij, S. 126 (Foto: Balthasar Burkhard) **S. 327**
Arno Breker, Im Strahlungsfeld der Ereignisse. Preußisch Oldendorf (K. W. Schütz KG) 1972, Abb. gegenüber S. 320 (Foto: Charlotte Rohrbach, Berlin) **S. 57**
Cynthia Jaffee McCabe, The Golden Door. Artist-Immigrants of America, 1879–1976. Smithsonian Institution Press, Washington D.C. 1976, S. 85, Abb, 38 (Foto: Archives of American Art, Photographs of Artists, Collection one, Smithsonian Institution) **S. 61 oben rechts**
Alexander Calder, Mobiles, Stabiles, Constellations. Galerie Louis Carré, Paris, 25. Okt. – 16. Nov. 1946 **S. 192 oben**
Germano Celant, Piero Manzoni, Catalogo Generale, Prearo Editore Mailand 1975, S. 187 links unten **598**
John Mc Cracken, Galerie Ileana Sonnabend, Paris 1969 **749; S. 283 rechts oben**
Darmstädter Gespräch, Das Menschenbild in unserer Zeit, hrsg. von Hans Gerhard Evers, Darmstadt 1959, S. 26 **S. 183**
Dokumente zur aktuellen Kunst 1967–1970, Material aus dem Archiv Szeemann, Luzern 1972, Katalogrückseite **818**
Edward F. Fry, David Smith. Published by the Solomon R. Guggenheim Foundation, New York 1969, S. 57 (Foto: David Smith) **415 rechts, S. 122 rechts unten**
Carola Giedion-Welcker, Plastik des XX. Jahrhunderts, Stuttgart (Hatje) 1955, S. 248 (Foto: C. Brancusi) **S. 31 links**
Eugen Gomringer, Josef Albers, Das Werk des Malers und Bauhausmeisters als Beitrag zur visuellen Gestaltung im 20. Jahrhundert. Starnberg (Joseph Keller Verlag) 1968, S. 159 **S. 192 unten**
Dan Graham, Articles, with notes by R. H. Fuchs and an afterword by B. H. D. Buchloh. Van Abbemusum Eindhoven 1978, S. 9 **861**
Will Grohmann, Wassily Kandinsky, Leben und Werk. Köln 1958 (M. DuMont Schauberg), S. 393 (Abb. 524) **121**
Handbuch Museum Ludwig, Kunst des 20. Jahrhunderts, herausgegeben vom Museum Ludwig 1979. Redaktion Karl Ruhrberg, Köln 1979, S. 836, S. 796 **340, 480**
K. G. Pontus Hultén, Jean Tinguely, »Méta«. Berlin (Propyläen) 1972, S. 92/93, S. 161, S. 30 (Foto: Adelaide de Menil) **S. 23 rechts, S. 242 oben, S. 249 oben**
Harriet and Sidney Janis, Picasso. The recent years 1939–1946 New York (Doubleday) 1946, Plate 4 **S. 134**
Gunnar Jespersen, Cobra. Dänemark (Gyldendal) 1974, S. 79 **S. 167 rechts**
Nikolaus Jungwirth/Gerhard Kromschröder, Die Pubertät der Republik. Die 50er Jahre der

Deutschen, Frankfurt 1978, (Verlag Dieter Fricke), S. 195 unten **S. 220 rechts**

Allan Kaprow, Assemblage, Environments and Happenings, New York o.J. (Harry N. Abrams Inc.) S. 137 (Foto: Portable Gallery Press), S. 219 (Foto: Jiro Yoshihara), S. 55 (Foto: Robert R. McElroy), S. 44 (Foto: Scott Hyde), S. 317, S. 318 (Fotos: Paul Berg/St. Louis Post Dispatch), S. 113 oben (Foto: Peter Moore) S. 336/337 547, 629, S. 230 oben, S. 233 unten links, S. 254, S. 255, S. 262, S. 288/289

Paul Klee, The Late Years 1930–1940. An Exhibition at the Serge Sabarsky Gallery, New York, 1977, Abb. 27 **S. 80 oben**

Konkrete Kunst. Ausstellung in der Kunsthalle Basel 18. März – 16. April 1944 **S. 94**

Eberhard W. Kornfeld, Verzeichnis des Graphischen Werkes von Paul Klee, Bern 1963, Verlag Kornfeld und Klipstein, Abb. 7 **S. 80 unten**

Jannis Kounellis, Museum Folkwang Essen, 21. September–21. Oktober 1979. Essen 1979, S. 14 (Foto: Claudio Abate) **817; S. 322 oben**

Robert Lebel, Sur Marcel Duchamp, Edition Trianon, 1959, Pl. 109 **219**

Sol Lewitt, The Museum of Modern Art, edited and introduced by Alicia Legg, Frontispizabb. © Museum of Modern Art, NY, 1980 **724, S. 281**

Jean Lipman, Calders Universe. The Viking Press, New York, in Cooperation with the Whitney Museum of American Art. 1976, S. 290 rechts (Foto: Herbert Matter) **207, 171 rechts oben**

Lucy R. Lippard, Eva Hesse, New York University Press 1976, Abb. 218 **859**

Herbert List, Photographien 1930–1970. Mit einem Text von Günter Metken. München 1976, Abb. 20 **S. 41 unten**

Marcel Marien, L'activité surréaliste en Belgique (1924–1950), Editions Lebeer Hossmann, Brüssel o.J., S. 300, S. 340 **S. 18, S. 24**

Henry Martin, An Introduction to George Brecht's Book of the Tumbler on Fire, © Multhipla edizioni, Mailand, Abb. 64, S. 78 **623**

Franz Meyer, Marc Chagall. Harry N. Abrams, Inc. Publishers New York (o.J.), Abb. 689 (Foto: Archives Photographiques des Musées Nationaux, Paris) **S. 68**

Museum moderner Kunst, Sammlung Hahn. (Hrsg.:) Gesellschaft der Freunde des Museum moderner Kunst. Wien 1979, Abb. 214 (Foto: Mayr, Wien) **628**

L'opera pittorica completa di Goya. Introdotta e coordinata da Rita de Angelis, Mailand 1974 (Rizzoli Editore), Tav. XXXV **S. 27 unten**

Sigmar Polke, Bilder Tücher Objekte. Werkauswahl 1962–1971 Katalogredation: B. H. D. Buchloh, Köln 1976, S. 80–82, vordere und hintere Innenseite des Umschlags **782 (Detailaufnahmen), 784**

Jackson Pollock, A Catalogue Raisonné of Paintings, Drawings and Other Works. Edited by Francis Valentine O'Connor and Eugene Victor Thaw. New Haven and London (Yale University Press) 1978, Abb. 60, S. 256 (Foto: Hans Namuth) **S. 118 oben**

Franz Roh, »Entartete« Kunst. Kunstbarbarei im Dritten Reich. Hannover (Fackelträger) 1962 **S. 53 links**

Barbara Rose, Claes Oldenburg, edition hansjörg mayer stuttgart london reykjavik 1976, S. 11 **684**

Arturo Schwarz, Man Ray. London (Thames and Hudson), 1977 **S. 37**

Richard Serra: Interviews, Etc. 1970–1980. Written and compiled in collaboration with Clara Weyergraf. New York (The Hudson River Museum) 1980, S. 46 **857**

Michel Seuphor, Die Plastik unseres Jahrhunderts. Wörterbuch der modernen Plastik. Köln (DuMont Schauberg) 1959, S. 333, S. 340 (Foto: Gnilka) **S. 122 oben rechts, S. 223 links**

Sittengeschichte des Zweiten Weltkriegs. Hanau (Müller und Kiepenheuer) (o.J.), S. 154/155 **S. 55 unten**

Skulptur im 20. Jahrhundert, Basel 1980, S. 103 **496**

Robert Smithson: Drawings. April 19 – June 16, 1974, The New York Cultural Center, 1974, S. 45 **805**

Athena T. Spear, Brancusi's Birds. Published by New York University Press for The College Art Association of America, New York 1969, plate 25 (Foto: C. Brancusi) **S. 30**

Der Surrealismus 1922–1942, Haus der Kunst München 11. März–7. Mai 1972, München 1972, S. 29 **S. 33**

Sutherland, Disegni di Guerra. Comune di Milano, Palazzo Reale, Giugno//Luglio 1979. Mailand 1979, Electa Editrice, Abb. 21 **S. 63**

Paul Thek/Processions. Institute of Contemporary Art, University of Pennsylvania, Philadelphia, 1977, S. 8 und 9 (Fotos: John D. Schiff, New York) **727 oben und unten, S. 306**

Tommaso Trini, Rotella, Mailand 1974 (Giampaolo Prearo Editore), S. XXV **S. 242 unten links**

Cy Twombly, Paintings and Drawings 1954–1977. Whitney Museum of American Art. April 10 – June 10, 1979, New York 1979, S. 8 (Foto: Louis A. Stevenson) **S. 232 rechts oben**

Dora Vallier, Henri Rousseau, Köln 1961 (DuMont Schauberg), S. 55 **S. 27 oben**

Paul Wember, Bewegte Bereiche der Kunst. Kinetik, Objekte, Plastik. (= Kaiser Wilhelm Museum Krefeld, Bestandskataloge Nr. 4) Krefeld (Scherpe) 1963; S. 89 (Foto: Hein Engelskirchen, Krefeld) **620**

Andy Warhols, Kunstverein Berlin, Berlin 1969 **S. 272 oben**

Zero. Köln (DuMont) o.J. (1973), S. 140 (Foto: Gahr) **S. 249 unten**

Art d'aujourdhui, Série 4, No. 5, Juli 1953 **469; S. 185 rechts, S. 186, S. 187**

Artistes. Revue bimestrielle d'art contemporain. (Paris), Oct.–Nov. 80, No. 6, S. 16 (Foto: André Morain) **S. 246 unten**

Cobra 1948–1951, Paris (Editions Jean-Michel Place) 1980 **S. 167 links**

Decision (hrsg. v. Klaus Mann), November/Dezember 1941, New York **S. 99 links, S. 113**

Interfunktionen, Köln **S. 325**

Das Kunstwerk. Eine Zeitschrift über alle Gebiete der bildenden Kunst. Begründet von Woldemar Klein, Heft 9/XI, März 1958, S. 11 **S. 97**

Magnum **S. 191 rechts unten, S. 207 oben links, S. 218 rechts**

Quadrum **S. 173 unten links**

Studio International, Lugano 1959 **S. 245 unten**

Nicht aufgeführte Abbildungen wurden von Leihgebern und Künstlern zur Verfügung gestellt.

Copyright-Nachweis

© 1981, Copyright by ADAGP, Paris & COSMOPRESS, Genf:
Pierre Alechinsky
Jean Arp
Jean Atlan
Jean Bazaine
Hans Bellmer
Constantin Brancusi
Georges Braque
Pol Bury
Alexander Calder
Guillaume Corneille
Marcel Duchamp
Jean Dubuffet
Julio Gonzalez
Hans Hartung
Auguste Herbin
Wassily Kandinsky
Yves Klein
Henri Laurens
Alberto Magnelli
René Magritte
André Masson
Matta
Joan Miró
Francis Picabia
Germaine Richier
Jean Riopelle
Nicolas Schoeffer
Nicolas de Stael
Antoni Tápies
Maria Helena Viera da Silva

© 1981, Copyright by COSMOPRESS, Genf
Alberto Giacometti
Paul Klee
Oskar Kokoschka
Kurt Schwitters
Mark Tobey

Register

Halbfett gesetzte Seitenzahlen beziehen sich auf die im Ausstellungskatalog mit Werken aufgeführten Künstler.